| | | | |
|---|---|---|---|
| 16 | 3 | 2 | 13 |
| 5 | 10 | 11 | 8 |
| 9 | 6 | 7 | 12 |
| 4 | 15 | 14 | 1 |

Coleção LESTE

# Fiódor Dostoiévski

# CRIME E CASTIGO

Romance em seis partes com epílogo

*Tradução, posfácio e notas*
*Paulo Bezerra*

*Gravuras*
*Evandro Carlos Jardim*

*Nova edição revista pelo tradutor*
*em comemoração aos 150 anos da obra*

editora 34

EDITORA 34

Editora 34 Ltda.
Rua Hungria, 592 Jardim Europa CEP 01455-000
São Paulo - SP Brasil Tel/Fax (11) 3811-6777 www.editora34.com.br



Edição conforme o Acordo Ortográfico da Língua Portuguesa.

Título original:
*Prestuplênie i nakazánie*

Imagem da capa:
*Detalhe de xilogravura de Evandro Carlos Jardim, 2001*

Capa, projeto gráfico e editoração eletrônica:
*Bracher & Malta Produção Gráfica*

Revisão:
*Alexandre Barbosa de Souza,*
*Cide Piquet, Danilo Hora*

1ª Edição - 2001, 2ª Edição - 2001, 3ª Edição - 2001 (1 Reimpressão),
4ª Edição - 2002 (6 Reimpressões), 5ª Edição - 2007 (1 Reimpressão),
6ª Edição - 2009 (4 Reimpressões), 7ª Edição - 2016 (1 Reimpressão),
8ª Edição - 2019 (6ª Reimpressão - 2025)

Catalogação na Fonte do Departamento Nacional do Livro
(Fundação Biblioteca Nacional, RJ, Brasil)

Dostoiévski, Fiódor, 1821-1881
D724c Crime e castigo / Fiódor Dostoiévski;
tradução, posfácio e notas de Paulo Bezerra;
gravuras de Evandro Carlos Jardim. — São Paulo:
Editora 34, 2019 (8ª Edição).
592 p. (Coleção LESTE)

Tradução de: Prestuplênie i nakazánie

ISBN 978-85-7326-646-7

1. Ficção russa. I. Bezerra, Paulo. II. Jardim,
Evandro Carlos. III. Título. IV. Série.

CDD - 891.73

CRIME E CASTIGO
Romance em seis partes com epílogo

Para Boris Schnaiderman (1917-2016),
saudoso mestre de todos nós, intérpretes do mundo russo.

*Paulo Bezerra*

As notas do tradutor fecham com (N. do T.). As outras são de L. D. Opulskaia, G. F. Kogan, A. L. Grigóriev e G. M. Fridlénder, que prepararam os textos para a edição russa e escreveram as notas, e estão assinaladas como (N. da E.).

Traduzido do original russo *Pólnoie sobránie sotchnienii v tridtzatí tomákh — Khudójestviennie proizviedeniya* (Obras completas em 30 tomos — Obras de ficção) de Dostoiévski, tomo VI, Moscou/Leningrado, Naúka, 1978.

Um agradecimento especial a Boris Schnaiderman pela leitura de parte do texto e as sugestões importantes que fez para a tradução.

# PRIMEIRA PARTE

# I

Ao cair da tarde de um início de julho, calor extremo, um jovem deixou o cubículo que subalugava de inquilinos na travessa S., ganhou a rua e, ar meio indeciso, caminhou a passos lentos em direção à ponte K.

Saiu-se bem, evitando encontrar a senhoria na escada. Seu cubículo ficava bem debaixo do telhado de um alto prédio de cinco andares, e mais parecia um armário que um apartamento. Já a senhoria, de quem ele subalugava o cubículo com cama e mesa, ocupava um apartamento individual um lanço de escada abaixo, e toda vez que ele saía para a rua tinha de lhe passar forçosamente ao lado da cozinha, quase sempre de porta escancarada para a escada. E cada vez que passava ao lado o jovem experimentava uma sensação mórbida e covarde, que o envergonhava e levava a franzir o cenho. Estava encalacrado com a senhoria e temia encontrá-la.

Não é que fosse tão medroso e apagado, antes bem o contrário; mas fazia algum tempo que vivia num estado irritadiço e tenso, parecido com hipocondria. Andava tão absorto e isolado de todos que temia qualquer tipo de encontro, não só com a senhoria. Estava esmagado pela pobreza, e até mesmo o aperto em que vivia deixara de oprimi-lo ultimamente. Abandonara de vez as atividades essenciais e se negava a estudar. No fundo não temia senhoria nenhuma, tramasse lá o que quisesse contra ele. Quanto a parar na escada, ficar ouvindo toda sorte de absurdos sobre todas aquelas bobagens diárias com as quais ele nada tinha a ver, todas aquelas implicâncias sobre pagamento, aquelas ameaças, aquelas queixas, e ainda ter de esquivar-se, de desculpar-se, de mentir — aí já era demais, melhor seria dar um jeito de esgueirar-se escada abaixo feito gato e sair furtivamente sem ser notado.

Aliás, ao sair à rua ele mesmo se impressionou com o medo que então sentira de encontrar sua credora.

"Eu aqui querendo me meter numa coisa dessas e com medo de bobagens! — pensou ele, com um sorriso estranho. — Hum... é... tudo está ao alcance do homem e ele deixa isso tudo escapar só por medo... é mesmo um axioma. Curioso: o que será que as pessoas mais temem... Pensando bem, eu ando falando pelos cotovelos. É por não fazer nada que falo pelos cotovelos. Ou pode ser assim também: eu falo pelos cotovelos porque não faço nada.

Foi nesse último mês que aprendi a matraquear, varando dias e noites deitado num canto, pensando... na morte da bezerra. O que é mesmo que estou indo fazer? Será que tenho capacidade para *aquilo*? Será que *aquilo* é sério? Sério coisa nenhuma. Então é para alimentar a fantasia que me distraio: brincadeira! É, vai ver que é brincadeira mesmo!"

Na rua fazia um calor terrível e, para completar, o abafamento, o aperto, cal por toda parte, madeira, tijolo, poeira, e aquele peculiar mau cheiro de verão tão conhecido de cada petersburguense sem condição de alugar uma casa de campo — tudo aquilo afetou de modo súbito e desagradável os já abalados nervos do jovem. O cheiro insuportável das tabernas, especialmente numerosas nesta parte da cidade, e os bêbados, que apareciam a cada instante, apesar de ser dia útil, completavam o colorido repugnante e triste do quadro. Um sentimento do mais profundo asco esboçou-se por um instante nos traços delicados do jovem. Aliás, ele era de uma beleza admirável, belos olhos escuros, cabelos castanho-escuros, estatura acima da mediana, esbelto, bem constituído. Mas logo caiu numa espécie de meditação profunda, melhor dizendo, numa espécie de esquecimento mesmo, e seguiu adiante já sem notar o ambiente, aliás até sem querer notá-lo. Vez por outra apenas resmungava alguma coisa com seus botões, pelo hábito de monologar que ele mesmo acabara de reconhecer de si para si. No mesmo instante reconheceu que suas ideias às vezes se embaralhavam e que estava muito fraco: já entrara no segundo dia sem comer quase nada.

Estava tão malvestido que outra pessoa, ainda que habituada a tal situação, teria vergonha de sair à rua de dia em semelhantes andrajos. É bem verdade que o quarteirão era um daqueles em que seria difícil ver alguém de terno. A proximidade da Siennáia,[1] o grande número de certas casas e a população predominante de artesãos e operários de oficinas, amontoada naquelas ruas e travessas centrais de Petersburgo, às vezes matizavam a paisagem geral com tais tipos que seria até estranho alguém admirar-se de encontrar uma figura esquisita. Mas a alma do jovem já acumulara tanto desdém raivoso que, apesar de todo o seu melindre, às vezes juvenil, o que menos o acanhava na rua eram os seus andrajos. Coisa diferente era encontrar outros conhecidos ou seus ex-colegas, que ele nunca gostava de encontrar... Entretanto, quando um bêbado que, não se sabe por que e para onde, estava sendo levado pela rua numa enorme telega, atrelada a um imenso

[1] Praça situada no centro de Petersburgo, em cujas redondezas desenvolve-se a ação de *Crime e castigo*. (N. do T.)

cavalo de carroça, gritou-lhe de repente: "Ei, você aí, chapeleiro alemão!" — e pôs a boca no mundo apontando para ele —, o jovem parou de súbito e agarrou-se convulsivamente ao chapéu. Era um chapéu Zimmerman,[2] alto, redondo, mas já todo surrado, inteiramente pardo de tão desbotado, cheio de buracos e manchas, sem abas e com a beira mais feia quebrada para um lado. Contudo, não foi a vergonha que se apoderou dele mas um sentimento bem diferente, como um susto.

"Eu bem que sabia! — resmungava perturbado —, eu bem que sabia! E isso é o mais detestável! Vem uma bobagem qualquer, a coisa mais vulgar do mundo, e pode estragar uma ideia! É, um chapéu que chama atenção demais... Ridículo, e é por isso que chama atenção... Os meus andrajos precisam sem falta de um boné, ainda que seja alguma panqueca velha, mas não esta deformidade. Ninguém usa isto, de longe se nota, se grava... o principal é que depois vão se lembrar, e aí aparecerá a prova. No caso aqui é preciso passar o quanto possível despercebido... Detalhes, os detalhes são o principal! Pois são justamente esses detalhes que botam a perder sempre e tudo..."

Não precisava caminhar muito; sabia até quantos passos dava de lá ao portão do seu prédio: exatos setecentos e trinta. Certa vez os havia contado num momento de grande devaneio. Naquele tempo ele mesmo ainda não acreditava nesses seus devaneios, e apenas se irritava com seu atrevimento vil mas tentador. Agora, porém, passado um mês, já começava a ver a coisa de modo diferente, e apesar de todos os monólogos irritantes sobre sua própria impotência e sua vacilação, mesmo a contragosto acostumara-se de certa forma a considerar o seu "vil" devaneio já como um empreendimento, embora ainda continuasse a não acreditar em si mesmo. Estava inclusive indo *testar* o seu empreendimento, e a cada passo a sua inquietação aumentava mais e mais.

Tomado de ansiedade e um tremor nervoso, chegou ao edifício enorme, que de um lado dava para uma vala e do outro para uma rua. Era um prédio todo formado por pequenos apartamentos e habitado por profissionais de toda espécie: alfaiates, serralheiros, cozinheiras, alemães diversos, moças que viviam por conta própria, pequenos funcionários públicos etc. No entra e sai as pessoas se escafediam pelos dois portões e pelos dois pátios do prédio. Ali trabalhavam uns três ou quatro serventes. O jovem ficou muito contente por não encontrar nenhum deles, e no mesmo instante esgueirou-se portão adentro para a direita em direção à escada, sem ser notado. A escada era

---

[2] Zimmerman, famoso fabricante e comerciante de chapéus em Petersburgo, de cuja loja o próprio Dostoiévski era cliente. (N. da E.)

escura e estreita, "de serviço", mas ele já conhecia e havia estudado tudo aquilo, e gostava de todo aquele ambiente: num escuro daquele, nem o olhar curioso oferecia perigo. "Se estou com tanto medo agora, o que aconteceria se de alguma forma eu chegasse mesmo à própria *coisa*?..." — pensou involuntariamente ao passar para o quarto andar. Aí teve a passagem bloqueada por soldados carregadores reformados, que retiravam móveis de um apartamento. Antes ele já sabia que no tal apartamento morava um alemão com a família, funcionário público. "Quer dizer então que aquele alemão está se mudando, e quer dizer ainda que no quarto andar, por esta escada e neste patamar, o apartamento da velha vai ser o único ocupado durante certo tempo. Isso é bom... por via das dúvidas..." — tornou a pensar e puxou a sineta da velha. A sineta soou fraca, como se fosse de lata e não de cobre. Nos apartamentos pequenos desse tipo de prédio as sinetas são quase todas assim. Ele já esquecera o som daquela sineta, e desta feita era como se aquele som peculiar lhe lembrasse de repente alguma coisa e desse alguma ideia... Ele estremeceu, agora os seus nervos estavam mesmo fracos demais. Pouco tempo depois entreabriu-se uma minúscula fresta da porta: por ela a moradora examinava o intruso com visível desconfiança, e só se notavam os seus olhinhos brilhando na escuridão. Mas, ao ver muita gente no patamar, animou-se e abriu a porta toda. O jovem atravessou o umbral de uma antessala escura, dividida por um tabique, atrás do qual havia uma cozinha ínfima. A velha postara-se diante dele e o olhava calada e interrogativa. Era uma velhota pequerrucha, descarnada, de uns sessenta anos, olhos penetrantes e maus, nariz pontiagudo e cabeça descoberta. Os cabelos, de um louro desbotado e pouco grisalhos, estavam gordurentos de tão oleosos. O pescoço fino e longo como um pé de galinha trazia enrolado um trapo qualquer de flanela e, apesar do calor, uma *katsaveika*[3] de pele toda surrada e amarelada caía folgada sobre os ombros. A velhota tossia e gemia a cada instante. É provável que o jovem a tivesse fitado com um olhar especial, porque de repente os olhos dela tornaram a esboçar a desconfiança de antes.

— Raskólnikov,[4] o estudante, que esteve aqui há um mês — adiantou-se em murmurar o jovem numa leve saudação, lembrando-se de que precisava ser amável.

---

[3] Espécie de blusinha popular de algodão, pele etc., usada aberta sobre as vestes, muito comum entre as camponesas russas. (N. do T.)

[4] Sobrenome derivado de *raskól*, que significa cisão, dissidência e cisma religioso. De *raskól* deriva *raskólnik*, isto é, cismático, ao que se acrescenta o sufixo formador de sobrenome "ov" e chega-se a Raskólnikov. (N. do T.)

— Estou lembrada, meu caro, muito bem lembrada de que o senhor esteve aqui — pronunciou com nitidez a velha, sem lhe retirar do rosto o olhar interrogativo.

— Pois é... e mais uma vez para tratar do mesmo negocinho... — continuou Raskólnikov, um pouco acanhado e surpreso com a desconfiança da velha.

"Pensando bem, é possível que ela seja sempre assim, eu é que não notei daquela vez" — pensou ele, com uma sensação agradável.

A velha estava calada, como se refletisse, depois recuou para um lado e disse, apontando a porta do quarto e passando a visita na frente:

— Entre, meu caro.

O pequeno quarto em que o jovem entrou, com papel amarelo forrando as paredes, vasos de gerânio e cortinas de musselina nas janelas, estava naquele instante intensamente iluminado pelo poente. "Quer dizer que *no dia* o sol também vai estar clareando desse jeito!..." — esboçou Raskólnikov em pensamento como que por acaso, e percorreu tudo no quarto com um olhar rápido, querendo, dentro do possível, estudar e fixar na memória a disposição. Mas nada havia de especial no quarto. O mobiliário, todo de madeira amarela e muito velho, era constituído de um sofá com um imenso encosto arqueado de madeira, uma mesa oval em frente do sofá, um toucador com espelho disposto entre as janelas, cadeiras junto às paredes e ainda uns dois ou três quadros baratos em molduras amarelas, representando senhoras alemãs com pássaros nas mãos — eis todo o mobiliário. Em um canto, uma lâmpada votiva ardia diante de um ícone. Tudo muito limpo: os móveis e o assoalho polidos; tudo brilhando. "Trabalho de Lisavieta"[5] — pensou o jovem. Impossível encontrar um único grão de poeira em todo o apartamento. "Limpeza como essa é coisa de viúvas velhas e más" — pensou Raskólnikov consigo mesmo e, por curiosidade, olhou de esguelha para uma cortina de chita na porta que dava para o segundo quarto, minúsculo, onde ficava a cama da velha e uma cômoda, para onde ele ainda não havia olhado uma única vez. Todo o apartamento era formado por esses dois cômodos.

— O que o senhor deseja? — perguntou a velha em tom severo, entrando no quarto e como antes postando-se bem diante dele para fitá-lo de frente no rosto.

— Trouxe isto para penhorar, veja! — E tirou do bolso um velho relógio de algibeira, chato e de prata. Tinha um globo gravado no fundo. E a corrente de aço.

---

[5] Lisavieta: diminutivo de Ielisavieta ou Elisabete. (N. do T.)

— Mas acontece que o empréstimo anterior já venceu. Faz três dias que venceu.

— Eu vou lhe pagar os juros por mais um mês: espere um pouco.

— Ora, meu caro, depende da minha boa vontade esperar ou ir logo vendendo o seu objeto.

— A senhora me dá um bom dinheiro pelo relógio, Aliena Ivánovna?

— O senhor me traz uma coisa imprestável, meu caro, não vou dar nada, convenha que não vale a pena. Da última vez eu lhe dei duas notinhas pelo seu anel, e dava para comprá-lo novinho no joalheiro por um rublo e meio.

— Dê-me uns quatro rublos, eu vou resgatá-lo, foi do meu pai. Brevemente vou receber dinheiro.

— Um rublo e meio, e descontando os juros, se quiser.

— Um rublo e meio! — exclamou o jovem.

— Se quiser. — E a velha lhe devolveu o relógio. O jovem o recebeu e ficou tão zangado que fez menção de sair; mas pensou melhor, lembrando-se de que não tinha mais aonde ir e que estava ali por outro motivo.

A velha meteu a mão no bolso a fim de tirar as chaves e foi para o outro quarto atrás da cortina. Sozinho no centro do quarto, o jovem ficou de ouvido atento, tomado de curiosidade e refletindo. Dava para ouvi-la abrindo a cômoda. "Pelo visto é a gaveta de cima — refletiu ele. — Quer dizer que é no bolso direito que ela guarda as chaves... Todas num molho só, com argola de aço... E tem uma maior que as outras, três vezes maior, com palhetão dentado; claro que essa não é a da cômoda... Logo, existe mais algum porta-joias, ou um bauzinho. Isso é que é curioso. Os bauzinhos sempre têm esse tipo de chave... Pensando bem, como tudo isso é vil..."

A velha voltou.

— Aí está, meu caro: já que os juros são de dez copeques por rublo ao mês, por um rublo e meio cabe-lhe o desconto de quinze copeques por um mês adiantado. E por aqueles dois rublos atrasados ainda tenho de lhe descontar vinte copeques de acordo com o mesmo cálculo. Isso significa que ao todo são trinta e cinco copeques. Agora lhe cabe receber o total de um rublo e quinze copeques pelo relógio. Aqui está, receba.

— Como? Então agora é um rublo e quinze copeques?

— Exatamente.

O jovem não discutiu e recebeu o dinheiro. Ficou olhando para a velha, sem pressa de sair, como se ainda quisesse dizer ou fazer alguma coisa, mas era como se ele mesmo não soubesse precisamente o quê...

— Aliena Ivánovna, é possível que por esses dias eu ainda lhe traga um objeto... de prata, coisa boa... uma cigarreira... que um amigo vai me devolver... — Perturbou-se e calou.

— Na ocasião falaremos disso, meu caro.

— A senhora... sempre sozinha em casa, sua irmã não está? — perguntou com a maior sem-cerimônia possível, passando para a antessala.

— E o que é que o senhor tem a ver com ela, meu caro?

— Nada de especial. Perguntei por perguntar. A senhora está... Adeus, Aliena Ivánovna!

Raskólnikov saiu totalmente perturbado. A perturbação aumentava cada vez mais. Chegou a parar várias vezes ao descer a escada, como se súbito algo o tivesse afetado. Já na rua, exclamou enfim:

"Oh, Deus! Como tudo isso é repugnante! Será possível, será possível que eu... Não, isso é um absurdo, um contrassenso! — acrescentou decidido. — Será possível que tamanho horror me tenha ocorrido? Contudo, de que baixeza meu coração é capaz! O principal: isso é sórdido, nojento, abjeto, abjeto... E eu, um mês inteiro..."

Mas não conseguia traduzir a sua perturbação nem em palavras, nem em exclamações. O sentimento de um asco sem fim, que começara a oprimir-lhe e angustiar-lhe o coração já no momento em que ele apenas caminhava para a casa da velha, chegava agora a tais proporções e assumia tamanha nitidez que ele não sabia o que fazer de sua melancolia. Caminhava pela calçada como um bêbado, sem notar os transeuntes e esbarrando neles, e só deu por si quando já estava na rua seguinte. Olhando em torno, notou que estava diante de uma taberna, na qual se entrava pela calçada, descendo uma escada que levava ao subsolo. No mesmo instante dois bêbados saíam pela porta, apoiando-se um no outro e insultando-se, e subiam a escada para ganhar a rua. Sem pensar muito, Raskólnikov desceu. Até então nunca havia entrado numa taberna, mas agora estava tonto e ainda por cima uma sede abrasadora o atormentava. Queria tomar cerveja gelada, ainda mais porque ligava a sua repentina fraqueza ao fato de estar faminto. Sentou-se em um canto escuro e sujo, a uma mesinha pegajosa, pediu cerveja e bebeu com sofreguidão o primeiro copo. Num instante tudo ficou leve, aclararam as ideias. "Tudo isso é um absurdo — disse com esperança — e não havia nenhum motivo para eu ficar perturbado! Era apenas uma indisposição física! Um copinho de cerveja, uma fatia de torrada — e numa fração de segundo eis a razão reforçada, as ideias claras, as intenções firmes! Arre, como tudo isso é reles!..." Mas, apesar do gole desprezível, já estava com um ar alegre, como quem vai se livrando subitamente de algum fardo terrível, e lançou um olhar amistoso aos presentes. Mas até mesmo nesse instante ele pressentiu levemente que toda aquela suscetibilidade para o melhor também era doentia.

Àquela altura já restava pouca gente na taberna. Além dos dois bêbados que ele encontrara na escada, tinha saído em seguida e de uma só vez um bando inteiro, umas cinco pessoas, levando uma moça e um acordeão. Com a saída deles o ambiente ficou tranquilo e amplo. Permaneceram um homem levemente embriagado, de aspecto pequeno-burguês, sentado diante de uma garrafa de cerveja; seu colega, grandalhão e gordo, barba grisalha, de *sibirka*,[6] bastante embriagado, cochilava em um banco e de quando em quando começava a estalar de repente os dedos, como se estivesse entre meio adormecido e meio acordado, de braços abertos, sacudindo a parte superior do tronco sem se levantar do banco e ainda cantando um disparate qualquer e tentando rememorar seus versos, que eram mais ou menos assim:

*Afaguei minha mulher um ano inteiro*
*A-fa-guei mi-nha mu-lher um ano inteiro...*

Ou acordava de repente, e tornava:

*Pela Padiátcheskaia andei,*
*A minha antiga encontrei...*[7]

Mas ninguém partilhava sua felicidade: o parceiro taciturno olhava para aquelas efusões até com hostilidade e desconfiança. Ali havia mais um homem cujo aspecto parecia lembrar um funcionário público aposentado. Estava à parte, sentado diante de um copo, bebericando de raro em raro e olhando ao redor. Também parecia agitado.

---

[6] Casaco russo, de tecido, em forma de cafetã e franzida na cintura. (N. do T.)

[7] Versos oriundos do folclore popular urbano. (N. do T.)

## II

Raskólnikov não estava habituado a multidões e, como já foi dito, vinha evitando qualquer tipo de companhia nos últimos tempos. Agora, porém, alguma coisa o impelira de repente para o convívio humano. Alguma coisa de aparentemente novo se passava dentro dele, e ao mesmo tempo ele experimentava certa sede de gente. Estava tão cansado de todo aquele mês de melancolia consumidora e excitação obscura que queria passar ao menos um minuto respirando em outro mundo, fosse lá qual fosse, e era com satisfação que ia ficando na taberna, apesar de toda a sujeira.

O dono do estabelecimento estava em outra sala, mas aparecia frequentemente na principal, para onde descia sabe lá de onde por uns degraus, de onde apontavam antes de qualquer coisa as botas elegantes e engraxadas, de canos vermelhos arregaçados. Vestia um casaco pregueado na cintura sobre um colete de cetim preto horrivelmente engordurado, estava sem gravata, e todo o rosto era como se estivesse lubrificado, tal como um cadeado de ferro. Atrás do balcão ficavam um garotinho de uns quatorze anos e outro mais jovem, que servia quando pediam alguma coisa. Havia expostos pepino picado, torradas de centeio e um peixe fatiado; tudo cheirando muito mal. Estava abafado, de sorte que era até insuportável permanecer ali, e tudo de tal forma impregnado de cheiro de vinho que, pelo visto, bastariam cinco minutos de contato com aquele ar para deixar um homem embriagado.

Há certos encontros com pessoas de quem nada sabemos, por quem começamos a nos interessar à primeira vista, como que de repente, súbito, antes que articulemos uma palavra. Foi exatamente essa a impressão que produziu em Raskólnikov o visitante que estava sentado a distância e parecia um funcionário público aposentado. Mais tarde, o jovem recordaria várias vezes essa primeira impressão e chegaria a atribuí-la a um pressentimento. Lançava a todo instante olhares para o funcionário, é claro, ainda mais porque o outro olhava obstinadamente para ele, e via-se que estava com muita vontade de iniciar uma conversa. Já para os outros ali presentes, sem excluir nem o dono, o funcionário olhava com certa familiaridade, até mesmo com tédio, e ainda com um quê de menosprezo arrogante, como se olhasse para gente de condição e desenvolvimento inferiores, com quem nada tivesse a falar. Era um homem já acima dos cinquenta anos, estatura mediana e corpulento, cabelos grisalhos e calvície avançada, rosto amarelo e até esverdeado, e inchado por causa da bebedeira permanente; pálpebras inchadas sob as quais brilhavam uns olhinhos avermelhados, minúsculos como pequenas frestas, porém animados. Mas havia nele algo muito estranho; seu olhar chegava a irradiar uma espécie de entusiasmo — é possível que ali houvesse até sentido e inteligência — e ao mesmo tempo deixava transparecer também um esboço de loucura. Vestia um velho fraque preto todo esfarrapado, com botões caídos. Só um ainda conseguia se manter, e era nesse que ele abotoava o fraque, pelo visto por não querer abrir mão da compostura. Por baixo do colete de algodãozinho aparecia o peitilho, todo amarfanhado, coberto de manchas e marcas de sujeira. Tinha o rosto escanhoado à maneira dos funcionários, coisa que já não fazia há muito tempo, porque uma barba cerrada e cor de chumbo começava a apontar. Aliás, até em suas maneiras havia mesmo alguma coisa solidamente burocrática. Mas estava intranquilo, eriçava os cabelos e, tomado de melancolia, apoiava vez por outra a cabeça nas mãos, com os cotovelos puídos sobre a mesa suja e pegajosa. Enfim encarou Raskólnikov e pronunciou em tom alto e firme:

— Será que me permite, caro senhor meu, dirigir-lhe a palavra para iniciarmos uma conversa das boas? Porque, embora a sua aparência não seja das melhores, mesmo assim minha experiência distingue no senhor um homem culto e sem hábito de beber. Eu mesmo sempre respeitei a cultura, aliada a sentimentos afetivos, e além disso sou conselheiro titular.[8] Marmieládov, é esse o meu sobrenome; conselheiro titular. Permite-me perguntar se já foi funcionário público?

— Não, sou estudante... — respondeu o jovem, um pouco surpreso com o insólito do tom empolado da fala e por ter o estranho se dirigido a ele de forma tão direta, à queima-roupa. Apesar da vontade momentânea que há pouco sentira de ter ao menos algum tipo de convívio humano, à primeira palavra que lhe foi efetivamente dirigida experimentou a mesma sensação desagradável e irritante de repulsa que sentia por qualquer estranho que o abordasse ou que apenas encostasse nele.

— Então é estudante, ou ex-estudante! — exclamou o funcionário —, foi o que pensei. Experiência, meu caro senhor, experiência em cima de experiência! — e pôs o dedo na testa em sinal de fanfarrice. — Foi estudante

[8] Funcionário público de baixa condição social, pertencente à nona classe da Tabela de Classificação (*Tabel o rangakh*) dos funcionários civis e militares, estabelecida em 1722 por Pedro, o Grande. (N. do T.)

ou cursou as disciplinas científicas! Com licença... — Soergueu-se, cambaleou, apanhou um copinho, sua taça, e foi sentar-se junto, um pouco ao lado do jovem. Estava um tanto embriagado, mas falava com eloquência e desenvoltura, só vez por outra tropeçando levemente nas palavras em algumas passagens e alongando o discurso. Lançava-se para Raskólnikov até com certa sofreguidão, como se também houvesse passado um mês inteirinho sem trocar palavra com ninguém.

— Meu caro senhor — retomou ele em tom quase solene —, pobreza não é defeito, e isto é uma verdade. Sei ainda mais que bebedeira não é virtude. Mas a miséria, meu caro senhor, a miséria é defeito. Na pobreza o senhor ainda preserva a nobreza dos sentimentos inatos, já na miséria ninguém o consegue, e nunca. Por estar na miséria um indivíduo não é nem expulso a pauladas, mas varrido do convívio humano a vassouradas para que a coisa seja mais ofensiva; o que é justo, porque na miséria eu sou o primeiro a estar pronto para ofender a mim mesmo. Daí o botequim! Meu caro senhor, um mês atrás o senhor Liebezyátnikov espancou minha esposa, e minha esposa não é igual a mim! Compreende? Permita-me ainda lhe perguntar, por perguntar, ainda que seja por simples curiosidade: já teve oportunidade de pernoitar no Nievá, nas lanchas de feno?[9]

— Não, não tive oportunidade — respondeu Raskólnikov. — O que é isso?

— Pois é de lá que estou vindo, e já pela quinta noite...

Encheu o copo, bebeu e ficou pensativo. De fato, na sua roupa e até nos cabelos viam-se aqui e ali fiapos de feno grudados. Era bem provável que ele estivesse há cinco dias sem trocar de roupa nem tomar banho. As mãos, particularmente, estavam sujas, engorduradas, vermelhas; as unhas, negras.

A conversa de Marmieládov pareceu despertar a atenção geral, embora indolente. Os meninos atrás do balcão começaram a dar risadinhas. O proprietário, parece que de propósito, desceu do cômodo superior para ouvir o "galhofeiro" e sentou-se à distância, bocejando com ar indolente porém importante. Pelo visto Marmieládov era velho conhecido do recinto. E é provável que sua inclinação para o falar empolado viesse do hábito das frequentes conversas de botequim com desconhecidos vários. Esse hábito se torna necessidade em alguns beberrões, predominando entre os que são alvo de tratamento severo e tirania em casa. E é por isso mesmo que, na compa-

---

[9] Local de pernoite de mendigos e vagabundos, famoso na Petersburgo da década de 1860. O Nievá é o rio que banha a cidade de Petersburgo. (N. do T.)

nhia dos colegas beberrões, eles parecem tentar sempre uma justificativa para si mesmos e, na medida do possível, até angariar respeito.

— Galhofeiro! — pronunciou alto o proprietário. — Então por que não trabalhas, por que não vais ao serviço se és funcionário?

— Por que não vou ao serviço, meu caro senhor? — pegou a deixa Marmieládov, dirigindo-se exclusivamente a Raskólnikov, como se este lhe tivesse feito a pergunta —, por que não vou ao serviço? Por acaso não me dói o coração por eu andar rastejando em vão? Quando, um mês atrás, o senhor Liebezyátnikov espancou minha esposa com as próprias mãos, enquanto eu estava bêbado, estirado no chão, por acaso não sofri? Permita-me perguntar, meu jovem, já lhe aconteceu... hum... bem, pelo menos pedir dinheiro emprestado sem esperança?

— Aconteceu... mas como sem esperança?

— Isso mesmo, sem qualquer esperança, sabendo de antemão que nada vai conseguir. Você sabe, por exemplo, de antemão e em detalhes que essa pessoa, o mais bem-intencionado e mais útil dos cidadãos, não lhe vai emprestar de jeito nenhum, pois, pergunto eu, por que iria emprestar? Ora, já sabe que eu não vou pagar. Por compaixão? Mas o senhor Liebezyátnikov, em dia com as novas ideias, explicou há pouco que a compaixão em nossa época está proibida até pela ciência e que já é assim que se procede na Inglaterra, onde existe a economia política. Por que, pergunto eu, emprestaria? Pois bem, mesmo sabendo de antemão que não vai emprestar, ainda assim você se põe a caminho e...

— Então para que procurar a pessoa? — acrescentou Raskólnikov.

— Já que não se tem a quem procurar, então não se tem mais aonde ir! E olhe que é preciso que qualquer um possa ir pelo menos a algum lugar. Porque há momentos em que é indispensável ir pelo menos a algum lugar! Quando minha única filha saiu pela primeira vez para tirar a carteira de identidade amarela,[10] eu fui também... (porque minha filha vive da identidade amarela...) — acrescentou, olhando com certa intranquilidade para o jovem. — Não é nada, caro senhor, não é nada! — precipitou-se em declarar imediatamente, e pelo visto com tranquilidade, quando os dois rapazinhos começaram com suas risotas atrás do balcão e o próprio taberneiro sorriu. — Não é nada! Esses sinais com a cabeça não me perturbam, porque tudo já é do conhecimento de todos e tudo o que estiver encoberto será revelado; e não é com desprezo mas com humildade que considero tudo isso. Assim

[10] Documento de identidade, escrito em papel amarelo, destinado às prostitutas na Rússia antes de 1917, espécie de salvo-conduto para o exercício da prostituição. (N. do T.)

seja! Assim seja! "Eis o homem!" Permita-me, jovem: pode o senhor... Assim não, preciso ser mais convincente, mais expressivo: *poderia* o senhor, *ousaria* o senhor, olhando neste momento para mim, afirmar que não sou um porco?

O jovem nada respondeu.

— Bem! — prosseguiu o orador com ar grave e dignidade agora até redobrada, aguardando o cessar das risotas que outra vez se ouviam no salão. — Bem, eu posso ser um porco, mas ela é uma dama! Eu tenho um aspecto animal, mas Catierina Ivánovna, minha esposa, é uma pessoa culta e pelo patronímico é filha de um oficial superior. Eu posso, eu posso ser um canalha, mas ela tem um coração sublime e está imbuída de sentimentos enobrecidos pela educação. E no entanto... ah, se ela tivesse pena de mim! Meu senhor, meu senhor, é preciso haver para todo homem um lugar onde tenham pena dele! E Catierina Ivánovna, mesmo sendo uma dama magnânima, é injusta... E mesmo que eu entenda que quando ela me puxa os cabelos não o faz senão por pena (porque, repito sem embaraço, ela me puxa os cabelos, meu jovem) — e confirmou com uma dignidade excepcional, após ouvir novas risotas —, no entanto, meu Deus, se ela ao menos uma vez... Mas não! não! tudo isso é inútil, e não há nada a dizer, nada a dizer!... porque mais de uma vez o meu desejo se realizou, mais de uma vez tiveram pena de mim, contudo... isso já é uma particularidade minha, e eu sou um canalha nato!

— Pudera! — observou o taberneiro, bocejando.

Marmieládov deu um murro na mesa, decidido.

— Essa já é uma particularidade minha! Sabia, sabia, meu caro senhor, que até as meias dela eu bebi? Não foram os sapatos, não, que isto ao menos já teria algo a ver com a ordem das coisas, mas as meias, as meias dela eu bebi! Também bebi um xale de pele de cabra, um presente antigo, dela, não meu; mas moramos num canto frio, e neste inverno ela apanhou uma gripe e começou a tossir, já está escarrando sangue. Temos três filhos, e Catierina Ivánovna trabalha do amanhecer ao anoitecer, esfregando, lavando, dando banho nas crianças, pois desde pequena foi acostumada à limpeza, mas está com o peito fraco e a caminho da tísica, e isso eu estou notando. É por isso que eu bebo, porque é na bebida que procuro a compaixão e o sentimento. Não é a alegria mas somente a dor que procuro... Bebo, porque quero exclusivamente sofrer! — e baixou a cabeça sobre a mesa, como quem cai em desespero. Meu jovem — continuou, reerguendo-se —, leio em seu rosto uma espécie qualquer de dor. Logo que o senhor entrou eu a li, e foi por isso que lhe dirigi imediatamente a palavra. Porque, ao informá-lo da história da minha vida, não estava querendo me expor à desonra por parte desses parasitas, que aliás já sabem de tudo, mas procurava uma pessoa sensível e culta. Saiba que minha esposa foi educada em um internato aristocrático, destinado às moças nobres da província, e na festa de formatura dançou de xale para o governador e outras personalidades, e foi recompensada com uma medalha de ouro e um diploma de honra ao mérito. A medalha... bem, a medalha nós vendemos... há muito tempo... hum... o diploma de honra ao mérito ela guarda até hoje no fundo do baú, e ainda recentemente o mostrou à senhoria. Embora ela viva nas descrenças mais constantes com a senhoria, teve vontade de vangloriar-se fosse diante de quem fosse, e lembrar os felizes dias do passado. Eu não a censuro, não censuro porque foi isso que lhe restou como lembrança, porque tudo o mais virou cinzas! É, é, é uma dama ardente, altiva e inabalável. Ela mesma lava o assoalho e passa a pão preto, mas não admite ser desrespeitada. E foi por isso que não quis permitir a grosseria do senhor Liebezyátnikov, e quando ele a espancou por isso ela caiu de cama, não tanto pelas pancadas quanto por sentimento. Já me casei com ela viúva, com três filhos pequenos, cada um menor que o outro. Casou-se por amor com o primeiro marido, um oficial de infantaria, e com ele fugiu da casa dos pais. Amava demais o marido, mas ele se meteu no carteado, foi processado e daí acabou morrendo. Nos últimos tempos batia nela; e embora ela não o perdoasse, o que eu sei com toda certeza de fonte limpa, até hoje se lembra dele com lágrimas nos olhos e me culpa por isso, mas eu fico contente, contente porque pelo menos na imaginação ela se vê feliz em tempos idos... Ficou sem ele e com três criancinhas em um distrito longínquo e cruel, onde eu também me encontrava na ocasião, e ficou em um estado de miséria tão desesperado que eu não estou em condição sequer de descrevê-lo, e isso apesar de tantos incidentes diversos que presenciei. Os familiares lhe recusaram tudo. É, ela é orgulhosa, e orgulhosa demais... E então, meu caro senhor, então eu, também viúvo, com uma filha de quatorze anos da primeira mulher, eu lhe propus minha mão, pois não podia olhar para tamanho sofrimento. O senhor pode julgar a que ponto haviam chegado os seus sofrimentos pelo fato de que ela aceitou se casar comigo sendo culta, educada e de família famosa. Mas aceitou! Aos prantos e contorcendo-se, mas aceitou. Porque não tinha para onde ir. Compreende, será que compreende, meu caro senhor, o que significa não se ter mais para onde ir? Não! Isso o senhor ainda não compreende... Durante um ano inteiro cumpri sagrada e religiosamente a minha obrigação e não toquei nisso (tocou com o dedo uma garrafa), pois tenho sentimento. E nem assim consegui satisfazê-la; mas aí eu perdi o emprego, o que também não foi culpa minha mas de mudanças na administração de pessoal, e aí sim apelei para a garrafa!... Já se vão um ano e meio desde que nós, depois de peregrinações e inúmeras desgraças, finalmente nos vimos nesta capital magnífica e enfeitada de inúmeros monumentos. Aqui arranjei emprego... Arranjei e tornei a perder. Está entendendo? E dessa vez o perdi por minha própria culpa, porque aí se manifestou a minha índole. Agora ocupamos um canto no prédio da senhoria Amália Fiódorovna Lippeveschel, mas não faço ideia de como vivemos e com que pagamos. Lá ainda mora muita gente além de nós... Uma berraria só, um horror... hum... é... Enquanto isso, cresceu minha filha, a do primeiro casamento, e o que essa filha não teve de suportar da madrasta! Prefiro não falar. Porque, embora Catierina Ivánovna seja uma dama imbuída de sentimentos magnânimos, é irascível e exasperada, e acaba explodindo... É isso mesmo! Mas não vale a pena recordar essas coisas. Educação, como o senhor pode imaginar, Sônia não recebeu. Passei uns quatro anos tentando lhe ensinar geografia e história universal, mas como eu mesmo não era forte nesse campo e ainda por cima não havia manuais adequados, porque os livros que existiam... hum!... bem, hoje aqueles livros nem existem mais, toda a instrução terminou aí. Paramos em Ciro, rei dos Persas. Depois, já em idade madura, leu ela vários livros de teor romântico, e recentemente, por intermédio do senhor Liebezyátnikov, leu mais um livrinho, a *Fisiologia* de Lewis — o senhor conhece esse livro? —, e o leu com grande interesse, chegando até a nos contar trechos da leitura: eis toda a ilustração dela. Agora, caro senhor meu, eu lhe faço, em meu próprio nome, uma pergunta particular: a seu ver, pode uma moça pobre porém honrada ganhar muito com trabalho honesto?... Não ganha quinze copeques por dia, senhor, se for honesta e não tiver talento especial, e ainda por cima trabalhando sem parar! Além do mais, o conselheiro de Estado Ivan Ivánovitch Klopchtok — já ouviu falar? — até hoje não só não pagou pelo feitio de meia dúzia de camisas de corte holandês como ainda a escorraçou até ofendido, batendo com os pés e xingando-a com nomes feios, sob o pretexto de que os colarinhos teriam saído tortos e fora da medida. Enquanto isso a menina passa fome... E Catierina Ivánovna anda pelo quarto se contorcendo, e manchas vermelhas lhe aparecem nas faces, o que sempre acontece com esse tipo de doença: "Vives aqui em casa parasitando, diz ela, comendo e bebendo, no quente", só que comendo e bebendo o quê, quando as crianças ficam três dias sem ver uma casca de pão!? Na ocasião eu estava deitado... bem, nada de mais nisso! deitado bêbado, e ouvi minha Sônia (ela é submissa, tem uma vozinha tão dócil... é lourinha, o rostinho sempre pálido, magrinho) dizer: "Catierina Ivánovna, será possível que eu tenha de fazer isso?". Dária Frantsievna, mulher mal-intencionada e assídua frequentadora da polícia, já estivera umas três vezes bisbilhotando com a senhoria. "Por que não? — responde

Catierina Ivánovna, zombando — guardar o quê? Grande tesouro!" Mas não acuse, não acuse, meu caro senhor, não acuse! Ela não disse isso em sã consciência mas num momento de perturbação dos sentidos, levada pela doença e pelo choro das crianças famintas, e visou mais a ofender do que ao sentido preciso das palavras... Porque essa é a sua índole, e mal as crianças começam a chorar, ainda que seja de fome, vai logo batendo. Por volta das seis, vi Sônia levantar-se, pôr o xalezinho, a tunicazinha e sair, mas voltou depois das oito. Voltou e dirigiu-se diretamente a Catierina Ivánovna e, calada, depositou trinta rublos na mesa diante dela. Não articulou uma só palavra, tivesse pelo menos lançado um olhar, mas se limitou a apanhar a nossa grande manta vermelha (em casa nós temos essa manta comum, de *drap de dames*),[11] cobriu inteiramente a cabeça e o rosto, deitou-se na cama de frente para a parede, com os ombrinhos e o corpo tremendo sem parar... Já eu, continuei deitado, do mesmo jeito... E vi, meu jovem, vi em seguida Catierina Ivánovna, também sem dizer palavra, chegar-se à cama de Sônia e passar a noite toda ajoelhada aos pés dela, beijando-lhe os pés, sem querer levantar-se, e depois as duas acabaram adormecendo juntas, abraçadas... as duas... isso mesmo... enquanto eu... permanecia deitado, num pileque só.

Marmieládov calou, como se estivesse com a voz embargada. Depois tornou a servir-se súbito e apressado, bebeu e grasnou.

— Desde então, caro senhor meu — continuou depois de uma pausa —, desde então, graças a um incidente adverso e a uma denúncia de pessoas mal-intencionadas, para o que Dária Frantsievna deu especial contribuição, alegando que lhe teriam faltado com o respeito, desde então impuseram à minha filha Sófia[12] Semiónovna a carteira amarela e por isso ela já não pôde mais continuar morando conosco. Porque nem a senhoria Amália Fiódorovna quis permiti-lo (embora antes estivesse mancomunada com Dária Frantsievna) nem o senhor Liebezyátnikov... hum... Pois foi por causa de Sônia que se deu aquela história dele com Catierina Ivánovna. Primeiro tentou aproveitar-se de Sônia, e como saísse ferido em seu amor próprio, começou de repente: "Como eu — disse —, um homem tão ilustrado, vou morar no mesmo apartamento com um tipo como esse?". Mas Catierina Ivánovna não deixou passar, interferiu... e aconteceu... Agora Sônia nos visita mais ao anoitecer, alivia o lado de Catierina Ivánovna e traz o dinheiro

---

[11] *Dradedámovi platók*, adaptação russa do francês *drap de dames*, pano fino próprio para vestes femininas. (N. da E.)

[12] Antiga forma familiar do nome Sônia entre os russos, hoje nome independente. (N. do T.)

que pode... Está morando em um quarto que aluga no apartamento do alfaiate Kapiernaúmov, que é capenga e gago, e tem uma família numerosíssima, onde todos também são gagos. Até a mulher dele... Toda a família se acomoda em um quarto, mas Sônia tem o seu separado, dividido por um tabique... Hum... é... É uma gente paupérrima e gaga... é... Naquela manhã eu mal me levantei, vesti meus andrajos, levantei as mãos para o céu e fui procurar sua excelência Ivan Afanássievitch. Conhece sua excelência Ivan Afanássievitch?... Não? Então não conhece um santo homem! É uma cera, uma cera diante do Senhor: diz-se, a cera derrete!... Chegou a derramar lágrimas ao ouvir tudo. "Bem, Marmieládov, diz ele, uma vez tu já frustraste as minhas expectativas... Mais uma vez vou te dar emprego sob minha responsabilidade pessoal" — foi assim mesmo que ele disse. "Fica lembrado, diz ele, e podes ir!" Beijei-lhe a poeira dos pés, mentalmente, porque ele não o permitiria de fato, sendo um dignitário e homem imbuído de novas ideias públicas e eruditas; voltei para casa, e anunciei que fora readmitido como funcionário e estava recebendo vencimentos; meu Deus, que aconteceu!...

Marmieládov tornou a ficar agitado. Nesse ínterim entrou da rua uma leva de beberrões, já bem embriagados, e ouviram-se na entrada sons de um realejo alugado e uma vozinha de cana rachada de uma criança de uns sete anos, que cantava "Khutorok".[13] O vozerio tomou conta do ambiente. O taberneiro e os empregados se ocuparam dos recém-chegados. Sem lhes prestar atenção, Marmieládov continuou sua história. Parecia já muito debilitado, porém quanto mais embriagado ia ficando mais loquaz se tornava. As lembranças do recente sucesso com a obtenção do emprego pareciam reanimá-lo e chegaram a refletir-se numa espécie de brilho que se esboçou em seu rosto. Raskólnikov ouvia com atenção.

— Isso aconteceu, caro senhor meu, faz umas cinco semanas. É... Mal as duas, Catierina Ivánovna e Sónietchka, souberam, meu Deus! Era como se eu tivesse me mudado para o reino do céu. Outrora, ficasse lá eu deitado feito animal, era só desaforo! Agora, andam na pontinha dos pés, controlam as crianças: "Psiu! Semion Zakháritch[14] está cansado de trabalhar, está repousando!". Antes de eu sair para o trabalho me dão café, fervem o creme! Passaram a comprar creme de verdade, está ouvindo? E não consigo entender de que jeito arranjaram dinheiro para me comprar um uniforme decente por onze rublos e cinquenta copeques. As botas, os peitilhos de saraça, mais que

[13] "Sitiozinho", canção popular russa de meados do século XIX. (N. da E.)

[14] Forma popular e abreviada do sobrenome Zakhárovitch. (N. do T.)

excelentes, o uniforme, tudo isso elas arranjaram por onze rublos e cinquenta copeques em estado magnificentíssimo. Volto do trabalho no primeiro dia pela manhã e vejo: Catierina Ivánovna havia feito dois pratos; uma sopa e carne de gado conservada no sal, coisa de que até então não fazíamos ideia. Ela não tem um vestido... um mesmo, e de repente era como se tivesse se preparado para fazer visitas, ataviada, e não que tivesse alguma intenção mas porque sabia fazer do nada tudo: penteada, um colarinho bem limpinho, manguitos, era mesmo outra pessoa, remoçada, mais bonita. Sónietchka, a minha pombinha, ajudou apenas com dinheiro. "Agora, diz ela, por algum tempo não fica bem eu visitá-los com frequência, a não ser ao anoitecer, para ninguém notar." Está ouvindo, está ouvindo? Fui dormir depois do jantar, e diga o que acha disso, pois Catierina Ivánovna não se conteve: ainda uma semana antes quase tinha chegado às vias de fato com a senhoria Amália Fiódorovna, e agora a convidava para um café. Passaram as duas ali cochichando duas horas sem parar: "Agora, diz ela, Semion Zakháritch está trabalhando e recebendo vencimentos, foi pessoalmente à sua excelência, e sua excelência saiu em pessoa para recebê-lo, mandou que todos os que o aguardavam esperassem, e conduziu Semion Zakháritch pelo braço ao seu gabinete na frente de todos". Está ouvindo, está ouvindo? "Eu, Semion Zakháritch, diz ele, estava, é claro, lembrado dos seus méritos, mesmo o senhor estando preso àquela fraqueza leviana, mas como agora o senhor promete e ainda por cima a coisa aqui entre nós desandou sem o senhor (está ouvindo, está ouvindo?), então, desta vez conto com a sua palavra de honra", ou seja, eu lhe digo que tudo isso ela inventou, e não foi por leviandade, por simples fanfarrice! Não, ela mesma acredita em tudo, deleita-se com os frutos da sua própria imaginação, pode crer! E eu não a censuro; não, isto eu não censuro!... Quando, há seis dias, cheguei em casa com os meus primeiros vencimentos intactos — vinte e três rublos e quarenta copeques — ela me disse: "Você é um pequerrucho formidável!". E a sós comigo, está entendendo? Ora essa! Eu lá aparento algum encanto, eu lá sirvo para esposo? Mas ela me dá beliscõezinhos nas bochechas, dizendo: "Você é um pequerrucho formidável!".

Marmieládov parou, quis sorrir, mas de repente lhe tremeu o queixo. Conteve-se, porém. A taberna, a aparência de viciado, as cinco noites passadas nas lanchas de feno, aquela garrafa, e mais o amor mórbido pela mulher e pela família desorientavam o ouvinte. Raskólnikov ouvia atentamente, mas com uma sensação de morbidez. Lamentava ter entrado naquele lugar.

— Caro senhor, caro senhor! — exclamou Marmieládov, recompondo-se. — Senhor meu, tudo isso pode servir de riso para o senhor e os demais, eu só faço incomodá-lo com a bobagem de todos esses detalhes miseráveis da minha vida familiar, só que para mim não é motivo de riso! Porque posso sentir tudo isso... E eu mesmo acalentei em meus sonhos fugazes a continuidade de todo aquele dia paradisíaco da minha vida e de toda aquela noitinha: ou seja, acalentei como iria dar jeito em tudo, vestir as crianças, dar a ela uma vida de conforto, tirar minha filha única da desonra e devolvê-la ao seio da família... E muito, muito mais... Isto é lícito, senhor. Pois bem, senhor meu (Marmieládov pareceu estremecer subitamente, levantou a cabeça e fitou à queima-roupa o seu ouvinte), pois bem, já no dia seguinte, depois de todos aqueles devaneios (ou seja, há exatos cinco dias), ao anoitecer, usando de um artifício como um ladrão no meio da noite, roubei de Catierina Ivánovna a chave do seu baú, retirei o que tinha sobrado dos vencimentos que lhe entregara, do total já não me lembro, e eis-me aqui, olhem para mim, todos! Faz cinco dias que saí de casa, lá estão à minha procura, o emprego já perdi, o uniforme deixei numa taberna na Ponte do Egito, em troca destas roupas... e tudo chegou ao fim!

Marmieládov bateu com o punho na testa, rangeu os dentes, fechou os olhos e apoiou-se com firmeza nos cotovelos sobre a mesa. Mas ao cabo de um minuto seu rosto mudou subitamente, ele olhou para Raskólnikov com um quê de malícia simulada e uma desfaçatez forjada, riu e disse:

— Hoje eu estive em casa de Sónietchka, fui pedir dinheiro para beber! Ah-ah-ah!

— Não me diga que ela deu? — gritou algum dos recém-chegados, e disparou uma gargalhada.

— Essa meia garrafa mesma foi comprada com dinheiro dela — pronunciou Marmieládov, dirigindo-se exclusivamente a Raskólnikov. — Deu-me trinta copeques, com as próprias mãos, os últimos, tudo o que tinha, eu mesmo vi... Não disse nada, apenas olhou em silêncio para mim... Não é na terra, e sim lá... que se fica triste assim pelas pessoas, que se chora por elas, mas sem censurar, sem censurar! Trinta copeques, é isso. E agora ela mesma está precisando deles, hein? O que acha, caro senhor meu? Porque doravante ela vai ter de cuidar do asseio.[15] E esse, asseio, que é especial, custa dinheiro, compreende? Compreende? Ora, ela precisa de cremes também, pois

---

[15] Do original *tchistotá*, que tem, especificamente nesse contexto, três significados: pureza, limpeza e asseio. Nas edições anteriores eu usara "pureza", tendo em vista que Marmieládov exalta a grandeza e a pureza de alma de Sônia, mas nesta revisão reconsiderei o sentido de suas palavras, porque nessa passagem ele também se refere concretamente às necessidades de Sônia no exercício da prostituição. Ver nota 29, p. 52. (N. do T.)

sem eles não dá; de saias engomadas, daqueles sapatos, com mais encanto, para mostrar o pezinho quando tiver de passar por uma poça d'água. Será que entende, senhor, será que entende o que significa esse asseio? E veja só, eu, o próprio pai, embolsei esses mesmos trinta copeques para encher a cara! E estou bêbado! Aliás já os bebi!... Agora me diga: quem é que vai ter piedade de um tipo como eu, hein? Então, senhor, tem piedade de mim ou não? Diga, senhor, tem ou não tem? Ah-ah-ah!

Quis servir-se, porém não havia mais nada. A meia garrafa estava vazia.

— Ter piedade de ti, por que cargas-d'água? — gritou o taberneiro, outra vez ao lado deles.

Ouviram-se risos e até insultos. Riam e insultavam os que tinham ouvido e os que não tinham, maquinalmente, apenas ao olharem para a figura do funcionário demissionário.

— Piedade! Por que ter piedade de mim? — berrou de súbito Marmieládov, levantando-se de braço estirado para a frente, com uma inspiração firme, como se estivesse apenas esperando tais palavras. — Por que piedade? perguntas tu. Sim! Não há por que ter piedade de mim! O que é preciso é me crucificar, me pendurar numa cruz, e não ter piedade! Mas crucifica, juiz, crucifica, e depois de crucificar tem piedade dele! E então eu mesmo te procurarei para ser crucificado, pois não é de alegria que tenho sede mas de tristeza e lágrimas!... Pensas tu, vendeiro, que essa tua meia garrafa me trouxe prazer? Tristeza, foi tristeza que procurei no seu fundo, tristeza e lágrimas, e as provei, e encontrei; terá piedade de nós aquele que teve piedade de todos e que a todos e tudo compreendeu, Ele é o único e também o juiz. Ele voltará no dia do juízo e perguntará: "Onde está a filha que se sacrificou por uma madrasta má e tísica, por crianças estranhas e pequenas? Onde está a filha que teve piedade de seu pai terrestre, um bêbado indecente, sem lhe temer a crueldade?". E dirá: "Vem! Eu já te perdoei uma vez... Te perdoei uma vez... Perdoados serão também desta vez os teus muitos pecados, porque ela muito amou...".[16] E perdoará a minha Sônia, perdoará, eu já sei que perdoará... Isto eu senti há pouco em meu coração, quando estive na casa dela!... Ele julgará e perdoará a todos, os bons e os maus, os sábios e os cordatos... E quando terminar o julgamento de todos, chegará a nossa vez de lhe ouvir o verbo: "Aparecei, dirá Ele, também vós! Aparecei, bêbados, aparecei, fracotes, aparecei, desavergonhados!". E nós apareceremos, sem acanhamento, e

---

[16] Adaptação de Lucas, 7, 47: "Perdoados lhe são os seus muitos pecados, porque ela muito amou; mas aquele a quem pouco se perdoa, pouco ama". (N. da E.)

nós nos apresentaremos. E Ele dirá: "Sois uns porcos! a imagem e a marca do bruto; mas vinde também vós!". E falarão os sábios, falarão os sensatos: "Senhor! Por que recebeis estes?". E Ele dirá: "Eu os recebo, sábios, eu os recebo, sensatos, porque nem um só entre eles se considerou digno disto...". E nos estenderá seus braços, e nós lhe cairemos aos pés... e começaremos a chorar... e compreenderemos tudo! Então compreenderemos tudo!... e todos compreenderão... e Catierina Ivánovna... e ela compreenderá... Senhor, que venha o teu reino!

Marmieládov arriou sobre o banco, exausto e sem forças, sem olhar para ninguém, como se tivesse esquecido o ambiente e mergulhado em profunda meditação. Suas palavras produziram certa impressão; por um instante reinou o silêncio, mas logo voltaram os risos e os insultos:

— Concluiu seu julgamento!

— Exagerou na mentira!

— Burocrata!

Etc. etc.

— Vamos, senhor — disse Marmieládov subitamente, levantando a cabeça e dirigindo-se a Raskólnikov —, leve-me para casa... edifício Kozel, no pátio. Já é hora de ir... a Catierina Ivánovna...

Raskólnikov já estava com vontade de ir-se há muito tempo: e pensando em ajudá-lo. Marmieládov revelou-se bem mais fraco das pernas que da voz, e apoiou-se com firmeza no jovem. Teriam de caminhar uns duzentos ou trezentos passos. A aflição e o medo se apossavam cada vez mais do bêbado à medida que se aproximavam do prédio.

— Neste momento não é Catierina Ivánovna que eu temo — resmungava ele agitado — e nem que ela comece a me puxar os cabelos. Grande coisa os cabelos!... uma bobagem! Sou eu que estou dizendo! Será até melhor se ela começar a puxá-los, pois não é isso o que temo... eu... o que eu temo são os olhos dela... é... os olhos... Também temo as manchas vermelhas nas faces... e temo ainda... a respiração... Já reparou como respiram esses doentes... quando estão perturbados por algum sentimento? Temo também o choro das crianças... Porque se Sônia não as tiver alimentado, aí... já nem sei, nem sei! Já de apanhar eu não tenho medo... Saiba, senhor, que essas surras não só não me causam dor como ainda chegam a me dar prazer... Porque sem elas eu mesmo não consigo passar. É até melhor. Que bata, estará experimentando a alma... isso é melhor... E aí está o prédio. O prédio do Kozel. Do serralheiro, alemão, rico... leve-me!

Entraram pelo pátio e subiram ao quarto andar. Quanto mais avançavam, mais escura a escada ia ficando. Já eram quase onze horas, e embora naquela época do ano não houvesse noite de verdade em Petersburgo, ainda assim estava muito escuro no alto da escada.

No final da escadaria, último lanço, uma portinha enferrujada estava aberta. Um toco de vela iluminava um quarto paupérrimo de uns dez passos de comprimento; da entrada via-se todo o interior. Tudo espalhado em desordem, especialmente a diversidade de andrajos de crianças. Um lençol esburacado acortinava o canto posterior. Pelo visto escondia uma cama atrás. No próprio quarto havia apenas duas cadeiras e um sofá em farrapos coberto por um encerado, e diante deste uma velha mesa de cozinha de pinho, de cor natural e sem nada em cima. Um toco de vela de sebo se extinguia num castiçal de ferro no canto da mesa. Acontece que Marmieládov ocupava um quarto especial e não um canto, mas seu quarto dava passagem para outros. A porta que dava para os outros cômodos ou gaiolas, em que se dividia o apartamento de Amália Lippevechsel, estava entreaberta. Dali se ouviam barulho e gritaria. Gargalhavam. Parece que jogavam baralho ou tomavam chá. De quando em quando chegavam de lá palavras as mais sem-cerimônia.

Raskólnikov chamou imediatamente Catierina Ivánovna. Era uma mulher de uma magreza terrível, fina, bastante alta e esbelta, de uns olhos castanho-escuros ainda belos e face de um avermelhado que transbordava efetivamente em manchas. Andava de um canto para outro do seu pequeno quarto, as mãos apertando o peito, os lábios crestados e a respiração irregular, ofegante. Os olhos tiravam a febris, mas o olhar era penetrante e imóvel, e aquele rosto tísico e perturbado produzia uma impressão dorida sob a luz bruxuleante e o tremeluzir do toco de vela que se extinguia. A Raskólnikov ela pareceu ter uns trinta anos, e realmente não era para Marmieládov... Não ouvia nem notava os que entravam; parecia caída em algum esquecimento, não via nem ouvia. O quarto estava abafado, mas ela não abria as janelas; vinha mau cheiro da escadaria, mas a porta ficava aberta; por aí ondas de fumaça de tabaco penetravam dos cômodos internos, ela tossia, mas não fechava a porta. A caçula, uma menininha de uns seis anos, dormia no chão, meio sentada, encolhida, a cabeça apoiada no sofá. O menino, um ano mais velho, tremia todo num canto e chorava. Pelo visto acabara de apanhar. A menina mais velha, de uns nove anos, comprida e fininha como um palito, metida apenas numa camisola bem ruinzinha e toda rasgada e num vetusto sobretudo de *drap de dames* sobre os ombros nus — que haviam feito para ela provavelmente dois anos antes, porque agora não lhe chegava aos joelhos —, estava em pé no canto ao lado do irmãozinho, envolvendo-lhe o pescoço com o braço longo e seco como um palito. Parecia acalmá-lo, cochichava-lhe alguma coisa, fazia de tudo para contê-lo, para que não tornasse a choramingar, enquanto, tomada de pavor, observava a mãe com seus olhos escuros e bem grandes, que pareciam ainda maiores no rostinho ossudo e assustado. Sem entrar no quarto, Marmieládov ajoelhou-se em plena entrada e empurrou Raskólnikov para dentro. Ao ver o desconhecido, a mulher parou distraída diante dele, recobrando-se num instante, como quem se pergunta: por que terá entrado? Mas no mesmo instante imaginou corretamente que ele se dirigisse a outros cômodos, pois o quarto deles dava para os outros. Compreendendo isto, e já sem prestar mais atenção a ele, caminhou para a porta de entrada a fim de fechá-la e de repente deu um grito, vendo o marido de joelhos em plena soleira.

— Ah — gritou tomada de furor — voltou! Bandido incorrigível! Monstro!... Onde está o dinheiro? O que você tem no bolso, mostre! Esse uniforme é outro! Cadê o seu uniforme? Cadê o dinheiro? Fale!...

E investiu para ele com a finalidade de revistá-lo. No mesmo instante Marmieládov abriu os braços obediente e dócil, para facilitar a revista em seus bolsos. Não havia um único copeque.

— Onde está o dinheiro? — gritava ela. — Meu Deus, será possível que ele tenha bebido tudo? É que tinham sobrado doze rublos no baú!... — e de repente, num acesso de fúria, ela o agarrou pelos cabelos e o arrastou para dentro do quarto. O próprio Marmieládov lhe facilitava os esforços, arrastando-se de joelhos e cordato atrás dela.

— Isso também me dá prazer! E não me causa dor mas pra-zer, meu caro senhor — gritava ele, sacudido pelos cabelos e chegando até a bater uma vez com a testa no chão. A criança, que dormia no chão, acordou e começou a chorar. O menino do canto não se conteve, começou a tremer, a gritar, e lançou-se para a irmã aterrorizado, à beira de um acesso. Mal desperta, a menina mais velha tremia como uma folha.

— Bebeu! Tudo, bebeu tudo! — gritava em desespero a pobre mulher — e está com outro uniforme! Estão com fome, com fome! (e contorcia-se, apontando para as crianças). Ô vida mais desgraçada! E você aí, você não tem vergonha — investiu de repente contra Raskólnikov — vindo da taberna!? Você bebeu com ele? Também bebeu com ele? Fora!

O jovem foi tratando de sair, sem dizer palavra. Ainda por cima uma porta interna escancarou-se e de lá espiaram vários curiosos. Espichavam as caras desavergonhadas e sorridentes, fumando cigarros e cachimbos e de solidéu na cabeça. Apareciam uns tipos de roupão totalmente desabotoado, em trajes de verão chegando à indecência, outros com cartas nas mãos. Riram com um gosto todo especial quando Marmieládov, arrastado pelos cabelos, gritava que aquilo lhe dava prazer. Já estavam até entrando no quarto; finalmente fez-se ouvir um ganido sinistro: era a própria Amália Lippevechsel abrindo caminho para fazer valer o regulamento a seu modo e pela centésima vez amedrontar a pobre mulher, ordenando-a, entre desaforos, a evacuar o apartamento logo no dia seguinte. Ao sair, Raskólnikov teve tempo de enfiar a mão no bolso, juntar as moedas de cobre que haviam sobrado do rublo trocado na taberna e colocá-las na janelinha sem ser notado. Depois, já na escada, caiu em si e quis voltar.

"Que asneira foi essa que acabei de fazer? — pensou. — Ora, eles têm a Sônia, ao passo que eu mesmo estou precisando." Mas depois de refletir que já não era possível reaver o dinheiro e que, apesar de tudo, ele não o faria mesmo, deixou o assunto de lado e foi para casa. "Ora, Sônia precisa de cremes também — continuou, rua afora, com um riso sarcástico. — Esse asseio custa dinheiro... Hum! Sim, mas pode ser que Sónietchka fique hoje a nenhum, porque o risco é um só, a caçada ao bicho vermelho... a extração do ouro...[17] e então eles todos vão ficar na pindaíba amanhã, mesmo sem o meu dinheiro... Que coisa, hein, Sônia! Entretanto, que tesouro eles conseguiram achar! E estão aproveitando! E olhem que aproveitam mesmo! E se habituaram. Choraram, mas se habituaram. O canalha do homem se habitua a tudo!"

Caiu em meditação.

— Bem, e se eu estiver equivocado — exclamou de forma súbita e involuntária —, se de fato o homem, o homem em geral, todo o gênero, isto é, o gênero humano, não for canalha? Quer dizer que tudo o mais são superstições, simples temores estimulados, e que não existem obstáculos de nenhuma espécie, e que é assim mesmo que deve ser!...

---

[17] Bicho vermelho aqui são o urso, a raposa, o lince etc. Raskólnikov compara ironicamente o "ofício" de Sônia a uma atividade de risco como a caça a animais, que dão peles de alto valor, ou a mineração do ouro etc. (N. da E.)

## III

Acordou no dia seguinte já tarde, depois de um sono intranquilo, mas o sono não o revigorou. Acordou amargo, irascível, com raiva, e olhou com ódio para o cubículo. Era uma gaiola minúscula, de uns seis passos de comprimento, do aspecto mais deplorável, com um papel de parede já amarelado, empoeirado e todo descolado, e tão baixa que um homem um pouquinho alto que fosse ficaria horrorizado, com a impressão permanente de que a qualquer momento bateria com a cabeça no teto. O mobiliário correspondia ao cômodo: eram três cadeiras velhas, não exatamente inteiras, uma mesa pintada num canto, com vários cadernos e livros em cima; pelo estado empoeirado em que estavam, já se via que mão nenhuma os tocava havia tempo; por último, um sofá grande e desajeitado, que outrora fora coberto de chita mas agora estava esfarrapado, ocupava quase toda a parede e metade de toda a extensão do quarto e servia de cama a Raskólnikov. Era frequente dormir nele como estava, sem trocar de roupa, sem lençol, coberto por seu velho e surrado casaco de estudante e com a cabeça apoiada em um pequeno travesseiro, sob o qual colocava tudo o que tinha de roupa branca, limpa e suja, para tornar mais alta a cabeceira. Diante do sofá havia uma mesinha.

Era difícil chegar a maior degradação e maior desleixo: mas, no estado de espírito em que ora se encontrava, Raskólnikov achava isso até agradável. Isolara-se decididamente de todos, como uma tartaruga em sua carapaça, e até o rosto da criada, que tinha a obrigação de servi-lo e vez por outra aparecia em seu quarto, deixava-o em cólera e convulsão. Assim acontece com certos monomaníacos excessivamente compenetrados em alguma coisa. Já fazia duas semanas que a senhoria deixara de lhe fornecer comida, e até então ele ainda não tinha pensado em descer e explicar-se com ela, mesmo ficando sem comer. Nastácia, cozinheira e única criada da senhoria, estava até certo ponto contente com esse estado de espírito do inquilino: abandonara inteiramente a faxina e a arrumação no quarto dele, e assim pegava na vassoura apenas uma vez por semana e como que por acaso. E era ela mesma quem agora o acordava.

— Levanta, que sono é esse!? — gritou inclinada sobre ele. — Já passa das nove. Eu te trouxe chá; quer um chazinho? Vai ver até que definhou!

O inquilino abriu os olhos, estremeceu e reconheceu Nastácia.

— Este chá não estará vindo da parte da senhoria? — perguntou ele, soerguendo-se lento e com ar doentio no sofá.

— Que senhoria que nada!

Ela pôs diante dele seu próprio bule rachado, com chá fraco, e depositou dois pedaços de açúcar amarelado.

— Nastácia, me faz um favor — disse, remexendo nos bolsos (acabara dormindo como estava, vestido) e tirando um punhadinho de moedas de cobre —, vai me comprar um pãozinho. Passa na salsicharia e me compra um pouco de salame, do mais barato.

— O pão eu te trago num minuto; mas será que não queres sopa de repolho em vez de salame? A sopa tá boa, é de ontem. Ainda ontem eu guardei pra ti, mas tu chegaste tarde. A sopa tá boa.

Quando a sopa foi trazida e ele começou a tomá-la, Nastácia sentou-se ao seu lado no sofá e começou a tagarelar. Era mulher do campo e do tipo muito falastrão.

— Praskóvia Pávlovna tá querendo dar queixa de ti na polícia — disse ela.

Ele franziu bem o cenho.

— Na polícia? O que ela está querendo?

— Tu não pagas a ela nem arredas pé de casa. É sabido o que tá querendo.

— Ora, só me faltava esse diabo — resmungou, rangendo os dentes. — Não, neste momento isso me... fora de propósito... Ela é uma imbecil — acrescentou em voz alta. — Vou lá hoje, conversar.

— Que ela é imbecil, é, assim como eu; agora tu, o que és, um sabichão, que fica aí deitado feito um saco e ninguém te vê fazendo nada? Antes tu dizias que saías pra dar aulas a crianças; e agora, por que não fazes nada?

— Eu faço... — pronunciou Raskólnikov sem querer e em tom severo.

— O quê?

— Um trabalho...

— Que trabalho?

— Penso — respondeu sério, depois de uma pausa.

Nastácia rolou de rir. Era do tipo risonho, e quando a faziam rir, ria sem ser ouvida, arfando e sacudindo o corpo todo, até ficar enjoada.

— E dinheiro, inventou muito, hein? — conseguiu finalmente pronunciar.

— Sem botas não se pode dar aulas. Aliás, estou cuspindo para isso.

— Mas não cuspas no prato.

— Pagam mixaria por aulas para crianças. O que se pode fazer com copeques? — continuou ele a contragosto, como se respondesse aos próprios pensamentos.

— E tu querias logo todo um capital?

Ele a olhou de forma estranha.

— Sim, todo um capital — respondeu firme, depois de uma pausa.

— Bem, vai devagar, senão tu acabas assustando; teu aspecto já assusta. Afinal, vou comprar o pãozinho ou não?

— Como quiseres.

— Ah, eu ia esquecendo! É que ontem quando estavas fora chegou uma carta pra ti.

— Uma carta! Pra mim! De quem?

— De quem não sei. Dei três copeques dos meus ao carteiro. Vais me devolver ou não?

— Então me traze, pelo amor de Deus, me traze — gritou Raskólnikov tomado de inquietação. — Meu Deus!

Um minuto depois aparecia a carta. Era o que ele esperava: da mãe, da província R. Ele chegou a empalidecer ao recebê-la. Há muito tempo não recebia cartas; mas desta vez havia algo mais a lhe apertar o coração.

— Nastácia, vai embora, pelo amor de Deus; toma os teus três copeques, mas vai logo, pelo amor de Deus!

A carta lhe tremia nas mãos; ele não queria abri-la na presença dela: queria ficar *a sós* com aquela carta. Quando Nastácia saiu, ele a levou rapidamente aos lábios e a beijou; depois ficou muito tempo olhando para a letra do endereço, familiar e querida, a letra inclinada da mãe que outrora o ensinara a ler e escrever. Demorava a abri-la; parecia até temeroso de alguma coisa. Finalmente a abriu: a carta era longa, densa, e pesava dois *lots*;[18] a letra, miudinha-miudinha, enchia duas grandes folhas de papel de carta.

> "Meu querido Ródia",[19] escrevia a mãe, "já faz dois meses e uns quebrados que não converso contigo por escrito, o que me faz sofrer e até perder noites de sono, pensando. Mas tu certamente não vais me culpar por esse meu silêncio involuntário. Sabes como te amo; nós, eu e Dúnia,[20] só temos a ti, és tudo para nós,

---

[18] Antiga medida de peso russa, equivalente a 12,8 g. (N. da E.)

[19] Diminutivo de Rodion, nome de Raskólnikov. (N. do T.)

[20] Diminutivo de Avdótia. (N. do T.)

tudo em que confiamos, a esperança nossa. Como fiquei, ao saber que há vários meses tu havias abandonado a universidade por não teres como te manter, e que havias ficado sem as aulas e outros meios de subsistência! Como eu podia ajudar-te com meus cento e vinte rublos anuais de pensão? Aqueles quinze rublos que te enviei há um mês, como tu sabes, foram um adiantamento que fiz por conta dessa mesma pensão junto ao comerciante Afanassi Ivánovitch Vakhrúchin, nosso conhecido daqui. É um homem bom e ademais foi amigo de teu pai. Mas ao lhe passar procuração para receber a pensão por mim, eu tive de esperar o resgate da dívida, e isto só agora aconteceu, de sorte que durante todo esse tempo eu nada pude te enviar. Mas, graças a Deus, parece que agora eu vou poder te fazer nova remessa, e aliás podemos até nos gabar da boa sorte neste momento, o que me apresso em te informar. Em primeiro lugar, será que adivinhas, querido Ródia, que a tua irmã já está há um mês e meio morando comigo, e que doravante não voltaremos a nos separar? Graças ao meu Deus terminaram os tormentos dela, mas vou te contar tudo pela ordem, para que saibas como tudo aconteceu e o que até hoje escondemos de ti. Quando me escreveste há dois meses dizendo que ouviras de alguém que Dúnia estaria sendo alvo de muita grosseria do casal Svidrigáilov e me pedias explicações precisas, o que eu podia te escrever em resposta naquele momento? Se eu tivesse te contado toda a verdade, possivelmente terias largado tudo e vindo para cá nem que fosse a pé, porque conheço o teu caráter e os teus sentimentos, e tu não permitirias que ofendessem tua irmã. Eu mesma estava desesperada, mas o que poderia fazer? Nem eu mesma sabia toda a verdade naquele momento. A principal dificuldade era que Dúnietchka,[21] ao empregar-se no ano passado como governanta na casa deles, recebeu um adiantamento de exatos cem rublos para serem descontados do salário a cada mês, logo, não podia deixar o emprego sem saldar a dívida. Essa mesma quantia (agora posso te explicar tudo, inestimável Ródia) ela pegou mais para te mandar os sessenta rublos de que tanto precisavas naquele momento e que recebeste de nós no ano passado. Nós te enganamos na ocasião, dizendo que o dinheiro vinha de antigas economias de Dúnietchka, mas não era isso, e neste momento eu te ponho a par de toda a

[21] Diminutivo de Dúnia. (N. do T.)

verdade porque agora tudo mudou de repente para melhor, graças a Deus, e para que saibas o quanto Dúnia te ama e que coração precioso é o dela. De fato, no início o senhor Svidrigáilov a tratava com muita grosseria e lhe fazia várias descortesias e brincadeiras de mau gosto à mesa... Mas não quero descer a todos esses detalhes penosos para não te inquietar em vão, já que tudo está terminado. Em suma, apesar do tratamento bom e nobre recebido de Marfa Pietróvna, esposa do senhor Svidrigáilov, e de todos de casa, ficava muito difícil para Dúnietchka, sobretudo quando o senhor Svidrigáilov, por um velho hábito dos seus tempos de regimento, estava sob influência de Baco. E o que aconteceu posteriormente? Imagine que esse insensato nutria há muito tempo uma paixão por Dúnia, mas disfarçava tudo isso com grosseria e desprezo por ela. É possível que ele mesmo sentisse vergonha e ficasse horrorizado ao ver-se, já em idade avançada e pai de família, alimentando esperanças tão levianas, e por essa razão se tomasse de fúria involuntária contra Dúnia. Mas pode ser também que com a grosseria do seu tratamento e as brincadeiras de mau gosto quisesse apenas esconder dos outros a sua verdade. Mas acabou não se contendo e fez a Dúnia uma proposta clara e torpe, prometendo-lhe várias recompensas e ainda por cima largar tudo e ir embora com ela para outra aldeia ou talvez para o exterior. Podes imaginar todos os sofrimentos dela! Deixar o emprego na ocasião ela não podia não só por causa da dívida anterior mas também porque, mesmo poupando Marfa Pietróvna, que súbito poderia alimentar suspeitas, acabaria, por conseguinte, semeando a discórdia na família. Além do mais, seria para Dúnietchka um grande escândalo; e não se conseguiria evitá-lo. Houve para isso muitos e diferentes motivos, de sorte que, antes de seis semanas, Dúnia não podia esperar de maneira nenhuma livrar-se daquela casa terrível. É claro que tu conheces Dúnia, sabes o quanto ela é inteligente e firme de caráter. Dúnietchka é capaz de suportar muita coisa e até nas situações mais extremas encontrar em si mesma magnanimidade para não perder a firmeza. Nem a mim ela contou tudo para não me deixar transtornada, e olhe que mandávamos frequentemente notícias uma para a outra. Sem querer Marfa Pietróvna surpreendeu o marido fazendo súplicas a Dúnietchka no jardim, e, interpretando tudo às avessas, acusou-a de tudo, pensando que fosse ela a causa de tudo. Ali mesmo deu-se entre elas uma cena horrível:

Marfa Pietróvna chegou inclusive a bater em Dúnia, não quis ouvir nada, passou uma hora inteira gritando, e por último ordenou que Dúnia fosse imediatamente trazida de volta para a nossa casa da cidade numa simples telega de camponês, na qual foram lançadas todas as coisas dela, a roupa branca, os vestidos, tudo desarrumado e jogado conforme iam apanhando. Nisso desabou um aguaceiro e Dúnia, ofendida e difamada, teve de percorrer exatas dezesseis verstas numa telega descoberta ao lado de um mujique. Pensa agora o que eu podia escrever em resposta à tua carta que recebi dois meses antes, e sobre o que escrever. Eu mesma estava desesperada; não me atrevi a te escrever a verdade porque ficarias muito infeliz, amargurado e indignado, e, além do mais, que poderias tu fazer? Talvez desgraçar-se, e além disso Dúnietchka proibia; e eu não podia encher uma carta com futilidades e ninharias, quando tamanha dor me invadia a alma. Durante um mês inteiro essa história foi alvo de bisbilhotices em toda a nossa cidade, e a coisa chegou a tal ponto que eu e Dúnia não podíamos ir nem à igreja por causa dos olhares de desdém e dos cochichos, chegando até a haver comentários em voz alta na nossa presença. Todos os conhecidos se afastaram, todos deixaram até de nos cumprimentar, e fiquei sabendo de fonte segura que caixeiros de casas comerciais e empregados de escritórios pretendiam nos causar uma ofensa vil, lambuzando com breu os portões do nosso prédio, de forma que os proprietários passassem a exigir a nossa saída do apartamento. A causa de tudo isso foi Marfa Pietróvna, que já conseguira acusar e difamar Dúnia em todas as casas. Ela conhece todo mundo aqui e durante este mês tem vindo a cada instante à cidade, e como é um pouco tagarela e gosta de falar dos seus problemas familiares, e especialmente queixar-se do marido a todos e a cada um, o que não fica muito bem, espalhou toda a história num curto espaço de tempo, e não só na cidade mas em todo o distrito. Adoeci, mas Dúnietchka foi mais forte que eu; ah, se tivesses visto como suportou tudo e me consolou e deu força! É um anjo! Mas, graças à misericórdia divina, diminuíram os nossos tormentos: o senhor Svidrigáilov caiu em si e confessou e, pelo visto com pena de Dúnia, apresentou a Marfa Pietróvna provas completas e evidentes da inocência de Dúnietchka, ou seja: uma carta que, ainda antes de serem os dois surpreendidos por Marfa Pietróvna no jardim, Dúnia foi forçada a escrever e entregar a ele para rejeitar as declarações pessoais e os encontros secretos em que ele insistia e que, após a partida de Dúnia, ficou em mãos do senhor Svidrigáilov. Nessa carta ela o censura com o maior ímpeto e total indignação precisamente pela vileza do seu comportamento em relação a Marfa Pietróvna, fazendo-lhe ver que ele é um pai de família e um bom marido e, por último, como é torpe da parte dele atormentar e infelicitar uma moça já infeliz e indefesa. Em suma, querido Ródia, essa carta foi escrita de forma tão nobre e tocante que chorei lendo-a, e até hoje não a consigo ler sem derramar lágrimas. Além disso, para absolver Dúnia finalmente apareceram os testemunhos dos criados, que tinham visto e sabiam bem mais do que imaginava o próprio senhor Svidrigáilov, como é de praxe. Marfa Pietróvna ficou estupefata e 'morta de novo', como nos confessou, mas em compensação ficou plenamente convencida da inocência de Dúnietchka e, já no dia seguinte, um domingo, na catedral, para onde fora diretamente, implorou de joelhos e em lágrimas a Nossa Senhora que lhe desse forças para suportar essa nova provação e cumprir o seu dever. Em seguida, sem passar pela casa de ninguém, veio diretamente da catedral à nossa casa, contou-nos tudo, chorou amargamente e em completo arrependimento abraçou e implorou a Dúnia que a perdoasse. Na mesma manhã, sem qualquer perda de tempo, foi da nossa casa a todas as outras na cidade e em toda parte referiu-se a Dúnia com as expressões mais lisonjeiras e, em lágrimas, restaurou a inocência e a nobreza dos sentimentos e do comportamento dela. Além do mais, mostrou a todos e leu em voz alta a carta escrita por Dúnia ao senhor Svidrigáilov e deixou inclusive que a copiassem (o que já me parece desnecessário). Assim, durante dias consecutivos teve de visitar a todos na cidade, já que uns começaram a ofender-se com a preferência dada a outros, e assim se formaram filas, de sorte que em cada casa se esperava de antemão e todos sabiam o tal dia em que Marfa Pietróvna estaria ali para ler a carta, e a cada leitura tornava a comparecer até mesmo quem já a ouvira várias vezes tanto em suas casas quanto nas casas de outros conhecidos, seguindo a ordem da fila. Acho que aí houve muito excesso, muito mesmo; mas essa é a natureza de Marfa Pietróvna. Pelo menos ela restabeleceu inteiramente a honra de Dúnietchka, e toda a torpeza desse assunto recaiu de forma indelével sobre o marido dela como principal culpado, de modo que fiquei até com pena dele; acabaram sendo ri-

gorosos demais com esse extravagante. Imediatamente começaram a convidar Dúnia para dar aulas em várias casas, mas ela recusou. De um modo geral, num instante todo mundo passou a tratá-la com uma deferência especial. Tudo isso ainda foi fundamental em um acontecimento inesperado, graças ao qual, pode-se dizer, todo o nosso destino está mudando. Fica sabendo, querido Ródia, que um pretendente pediu a mão de Dúnia e que ela até já aceitou, o que levo ao teu conhecimento com a maior pressa. Embora a coisa tenha sido feita sem te consultar, provavelmente nada terás de reclamar nem de mim, nem de tua irmã, pois a exposição do próprio assunto te mostrará que nos seria impossível ficar esperando e adiando até recebermos resposta tua. Além do mais, tu mesmo não conseguirias discutir tudo com precisão por correspondência. Vê como aconteceu. Ele, Piotr Pietróvitch Lújin, já é conselheiro forense,[22] e parente distante de Marfa Pietróvna, que muito contribuiu para o assunto. Por intermédio dela, ele começou anunciando que queria nos conhecer, foi recebido à altura, tomou café, e logo no dia seguinte enviou uma carta, onde expunha de forma bastante polida a sua proposta e pedia resposta rápida e definitiva. É um homem de ação e ocupado, e está planejando uma viagem urgente a Petersburgo, de sorte que valoriza cada minuto. É certo que inicialmente ficamos muito surpresas, pois tudo aconteceu de modo muito rápido e inesperado. Nós duas passamos todo aquele fim de tarde pensando e refletindo. Ele é um homem confiável e abastado, tem dois empregos e já possui seu capital. É verdade que já está com quarenta e cinco anos, mas é de aparência bem simpática e ainda pode agradar as mulheres, além de ser bastante grave e decente, só que um pouco sorumbático e com um toque de arrogância. Mas isto pode ser mera impressão produzida à primeira vista. E quero te prevenir, querido Ródia, para que não o julgues precipitadamente e com ímpeto, pois é do teu feitio, se alguma coisa te desgostar nele à primeira vista quando vocês dois se encontrarem em Petersburgo, o que vai acontecer muito em breve. Falo para prevenir, embora esteja certa de que ele vai te causar uma impressão agradável. Além do mais, para se conhecer qualquer pessoa, é preciso ir-se chegando a ela devagar e com cautela, para

[22] Funcionário civil de sétima classe, de *status* igual à patente de tenente-coronel. (N. do T.)

evitar equívoco e preconceito, coisas bem difíceis de corrigir e reparar depois. Quanto a Piotr Pietróvitch, pelo menos por muitos indícios é um homem bastante decente. Já na primeira visita que nos fez declarou que é um homem positivo, mas que partilha, segundo expressão sua, de muitas das 'convicções de nossas gerações mais novas' e é inimigo de todos os preconceitos. Disse ainda muita coisa, porque tem um certo quê de vaidade e gosta muito de ser ouvido, mas isto quase não é defeito. Naturalmente compreendi pouco, mas Dúnia me explicou que ele, ainda que de pouca instrução, é inteligente e parece bom. Conheces o caráter de tua irmã. É uma moça firme, sensata, paciente e magnânima, embora de coração ardente, o que pude observar bem nela. É claro que não existem grandes amores das partes dela e dele, mas Dúnia, além de ser uma moça inteligente, é ao mesmo tempo um ser nobre como um anjo e se proporá o dever de fazer a felicidade do marido que por sua vez venha a preocupar-se com a felicidade dela, e desta não temos, por enquanto, maiores motivos para duvidar, embora devamos reconhecer que a coisa caminhou bem rapidinho. Além do mais, ele é um homem muito prudente e irá perceber, é claro, que sua própria felicidade conjugal será tão mais segura quanto mais feliz Dúnia se sentir com ele. E quanto a eventuais diferenças de gênio, eventuais hábitos antigos e até mesmo divergências de pensamento (inevitáveis nas famílias mais felizes), a própria Dúnia me disse que confia em si mesma; que não há por que preocupar-se com isso, e que pode suportar muita coisa com a condição de que as relações posteriores venham a ser honestas e justas. Ele, por exemplo, a princípio também me pareceu de um jeito ríspido; mas isso pode decorrer precisamente do fato de que ele é um homem franco, e sem dúvida o é. Na segunda visita, por exemplo, já tendo recebido o de acordo, afirmou na conversa que mesmo antes de conhecer Dúnia já decidira desposar uma moça honrada e sem dote, e forçosamente daquelas que já tivessem experimentado uma situação crítica; porque, segundo explicou, o marido não deve ter nenhuma obrigação diante da mulher, sendo, ao contrário, bem melhor se a mulher considerar o marido seu benfeitor. Acrescento que ele se expressou de modo um pouco mais brando e afável do que este com que descrevi, porque esqueci a verdadeira expressão usada e me lembro apenas das ideias, e ademais ele disse isso sem nenhuma premeditação, pelo visto apenas deixando escapar, no calor da conversa, de sorte que depois até procurou corrigir-se e abrandar o tom; mas ainda assim pareceu-me haver nisso uma pontinha de grosseria, e eu o disse depois a Dúnia. Mas esta me respondeu, até com certo enfado, que 'palavras ainda não são atos', e isso, evidentemente, é justo. Antes de tomar a decisão Dúnietchka não pregou olho a noite inteira e, supondo que eu já dormisse, levantou-se e passou a noite toda andando de um canto a outro do quarto; por último ajoelhou-se e ficou muito tempo rezando com ardor diante do ícone, e de manhã me anunciou que havia tomado a decisão.

Já mencionei que Piotr Pietróvitch está de viagem para Petersburgo. Aí ele tem grandes negócios e pretende abrir banca de advocacia. Faz tempo que vem tratando de demandas e questões judiciais diversas e acabou de ganhar uma questão importante. E precisa ir a Petersburgo justamente porque está tratando de uma questão importante no Senado. Assim, querido Ródia, também a ti ele pode ser bastante útil, em tudo mesmo, e eu e Dúnia já resolvemos que poderias começar tua futura carreira agora mesmo e considerar teu destino já claramente definido. Ah, se isto se realizasse! Seria um ganho tão grande que não poderíamos considerá-lo senão como uma graça direta da Providência concedida a nós. Dúnia só sonha com isto. Já arriscamos algumas palavras a esse respeito em conversa com Piotr Pietróvitch. Ele se mostrou cauteloso e disse que, claro, já que não pode passar sem um secretário, naturalmente será melhor pagar vencimentos a um parente que a um estranho, contanto que o parente se mostre apto para o cargo (pudera que tu não fosses apto!), mas no mesmo instante exprimiu também a dúvida de que as tuas ocupações na universidade te deixem tempo para os afazeres do escritório dele. Desta vez o assunto morreu aí, mas Dúnia não pensa em outra coisa. Já faz vários dias que anda tomada de um certo fervor e até já compôs um projeto inteirinho de como posteriormente poderás ser colega e inclusive sócio de Piotr Pietróvitch nas causas jurídicas, ainda mais porque tu mesmo estás cursando a faculdade de Direito. Eu, Ródia, estou de pleno acordo com ela, partilho de todos os seus planos e esperanças, e vejo que são perfeitamente prováveis; apesar de Piotr Pietróvitch responder com evasivas, o que é bastante explicável (porque ele ainda não te conhece), Dúnia está firmemente convencida de que tudo conseguirá com sua influência benéfica sobre o futuro marido, e está segura disto. Bem, é claro que tivemos o cuidado de não deixar escapar a Piotr Pietróvitch nem sombra desses novos devaneios nossos, principalmente que possas vir a ser sócio dele. Ele é um homem positivo, e provavelmente receberia tal coisa com muita frieza, uma vez que tudo isso só lhe pareceria devaneio e nada mais. Do mesmo modo, nem eu nem Dúnia dissemos qualquer coisa sobre a nossa forte esperança de que ele nos ajude a te suprir de dinheiro enquanto estiveres na universidade; e não dissemos, em primeiro lugar, porque mais tarde isso vai acontecer por si só, e com certeza ele mesmo oferecerá sem mais palavras (pudera ele dizer não a Dúnia logo nessa questão!), e com tal brevidade que tu mesmo poderás vir a ser o braço direito dele no escritório e receber essa ajuda não como favor mas como ordenado a que farás jus. É assim que Dúnietchka quer arranjar as coisas, e estou de pleno acordo com ela. Em segundo lugar, não dissemos porque eu queria especialmente colocar vocês dois em pé de igualdade durante o encontro que dentro em breve teremos com ele. Quando Dúnia lhe falou entusiasmada a teu respeito, respondeu que primeiro o próprio indivíduo precisa examinar cada pessoa e mais de perto para fazer juízo dela, e que ele mesmo se dará oportunidade de formar sua própria opinião sobre ti quando te conhecer. Sabes, meu inestimável Ródia, que por algumas razões (que aliás nada têm a ver com Piotr Pietróvitch, são alguns caprichos à toa, meus, pessoais, talvez de velha mesmo, de mulher) acho que depois do casamento o melhor que terei a fazer talvez seja morar à parte, como agora, e não com eles. Estou plenamente segura de que ele será tão nobre e delicado que me convidará pessoalmente e proporá que eu não mais me separe de minha filha, e se até hoje ainda não falou foi, sem dúvida, porque a questão já está naturalmente subentendida; mas não vou aceitar. Nesta vida já tive mais de uma oportunidade de observar que as sogras não são lá muito do agrado dos genros, e eu, além de não me querer representando o mais ínfimo peso para quem quer que seja, ainda desejo ser plenamente livre enquanto tiver o meu pedaço de pão, seja ele qual for, e filhos como tu e Dúnietchka. Se for possível vou morar perto de vocês dois, porque, Ródia, deixei o mais agradável para o fim da carta: fica sabendo, meu querido amigo, que talvez muito em breve nós nos reunamos e nos abracemos todos os três, após uma separação de quase três anos! Já está decidido *com certeza* que eu e Dúnia iremos para Petersburgo, não sei precisamente quando, mas em todo caso será muito, muito em breve, talvez até daqui a uma semana. Tudo depende das determinações de Piotr Pietróvitch, que nos fará cientes tão logo tome pulso da situação em Petersburgo. Por algumas considerações, ele deseja apressar o máximo possível a cerimônia do casamento e, se possível, realizá-lo nesses dias de *miassoiêd*[23] ou, caso seja impossível por escassez de tempo, logo depois da Assunção. Oh, com que felicidade vou te apertar contra meu peito! Dúnia está tomada de emoção pela alegria de te rever, e uma vez disse por brincadeira que era só por isso que se casaria com Piotr Pietróvitch. É um anjo! Agora ela não vai te enviar nenhum pós-escrito, e me mandou escrever apenas que precisa conversar tanto, mas tanto contigo, que neste momento nem conseguiria levantar a mão para pegar da pena porque em algumas linhas a gente não consegue escrever nada, só arranja transtorno; manda-te um forte abraço e uma infinidade de beijos. Entretanto, apesar de ser possível que muito em breve estejamos juntos, ainda assim vou te enviar dinheiro nos próximos dias, e o máximo que puder. Como todos já sabem que Dúnietchka vai se casar com Piotr Pietróvitch, até meu crédito aumentou de repente, e estou certa de que agora Afanassi Ivánovitch vai me confiar até setenta e cinco rublos por conta da pensão, de sorte que eu talvez te mande uns vinte e cinco ou até trinta rublos. Mandaria até mais, porém temo pelas nossas despesas na viagem; embora Piotr Pietróvitch tenha sido tão bom que assumiu uma parte dos gastos com nossa ida à capital, ou seja, assumiu por conta própria o transporte da nossa bagagem e do baú grande (arranjou-se lá com uns conhecidos), mesmo assim teremos de contar com despesas de chegada a Petersburgo, quando não podemos aparecer sem nenhum tostão, pelo menos nos primeiros dias. Aliás eu e Dúnietchka já calculamos tudo com precisão, e concluímos que a viagem vai ser pouco dispendiosa. Daqui à estrada de ferro são apenas noventa verstas, e para qualquer eventualidade já combinamos com um mujique nosso conhecido,

---

[23] Na Rússia, os casamentos eram celebrados entre períodos de abstinência de carne: no *miassoiêd*, isto é, no período em que a Igreja Ortodoxa permitia comer carne. A Assunção era o período de abstinência entre 1º e 15 de agosto, seguido do chamado *miassoiêd* do outono, que se estendia de 15 de agosto a 14 de novembro. (N. da E.)

que é cocheiro; uma vez lá, eu e Dúnietchka viajaremos na maior felicidade num vagão de terceira classe. De sorte que eu talvez dê um jeito de te mandar não vinte e cinco mas trinta rublos. Mas chega; já enchi inteiramente duas folhas e não há mais espaço; eis toda a nossa história; veja só, quantos acontecimentos se acumularam! Agora, meu inestimável Ródia, mando-te meu abraço até nosso breve encontro e te abençoo com minha bênção de mãe. Ama tua irmã Dúnia, Ródia; ama do jeito que ela te ama, e fica sabendo que ela te ama infinitamente, mais do que a si mesma. Ela é um anjo, e tu, Ródia, tu és tudo para nós — toda a nossa esperança e toda a certeza. Que tu sejas feliz, e nós também o seremos. Continuas rezando a Deus, Ródia, e acreditando na misericórdia do nosso Criador e Salvador? Há um temor em meu coração: não terias sido tu também atingido pela mais nova moda do ateísmo? Se aconteceu, então rezo por ti. Estás lembrado, querido, de como ainda criança, com teu pai vivo, tu balbuciavas as tuas orações no meu colo, e como todos nós éramos felizes naqueles tempos? Adeus, ou melhor, *até logo*! Abraços fortes, fortes e beijos e mais beijos para ti.

Tua até à morte,

Pulkhéria Raskólnikova"

Desde as primeiras linhas, Raskólnikov leu a carta o tempo todo com o rosto molhado de lágrimas; mas quando terminou o rosto estava pálido, contraído de convulsão, e um sorriso pesado, amargo e raivoso lhe franzia os lábios. Deitou a cabeça no travesseiro fino e gasto e ficou pensando, muito tempo pensando. O coração batia com intensidade, e com intensidade agitavam-se os pensamentos. Enfim sentiu-se sufocado e apertado naquele cubículo amarelo, parecido com um armário ou baú. A visão e o pensamento pediam amplidão. Apanhou o chapéu e saiu, desta feita já sem o temor de encontrar quem quer que fosse na escada; esquecera esse pormenor. Tomou a direção da ilha de São Basílio, passando pela avenida V.,[24] como se tivesse negócio urgente a tratar ali, mas o hábito o levou a caminhar sem notar por onde passava, murmurando de si para si e até falando sozinho em voz alta, o que deixou os transeuntes muito admirados. Muitos o tomaram por bêbado.

---

[24] Isto é, Voznessiênski, hoje avenida Maiórov. (N. da E.)

## IV

A carta da mãe deixou-o atormentado. Mas em relação ao ponto essencial, capital, não teve dúvidas em nenhum momento, nem enquanto lia a carta. A essência da questão estava resolvida em sua cabeça, e resolvida de forma definitiva: "Esse casamento não vai se realizar enquanto eu estiver vivo, e o senhor Lújin que vá para o inferno!".

"Porque essa é uma questão evidente — resmungava com seus botões, com um risinho nos lábios e celebrando com maldade o sucesso antecipado de sua decisão. — Não, mamãezinha, não, Dúnia, vocês não me enganam!... E ainda se desculpam por não terem pedido minha opinião e resolvido o assunto sem mim! Pudera! Pensam que agora já não dá mais para desmanchar; vamos ver se dá ou não dá! Que pretexto mais importante: 'Piotr Pietróvitch, sabe como é, é aquele tipo de homem de negócios que não pode casar-se de outro modo senão montado em um cavalo de posta ou quando nada numa estrada de ferro'. Não, Dúnietchka, eu vejo tudo e sei sobre o que pretendes conversar *muito* comigo; sei ainda sobre o que passaste a noite refletindo andando de um canto a outro do quarto, e por que rezaste aos pés de Nossa Senhora de Kazan, que fica no quarto da mamãe. É duro subir o Gólgota. Hum... Então, quer dizer que já está definitivamente resolvido: você, Avdótia Románovna, está querendo casar com um homem de negócios e racional, que possui seu capital (já possuindo o seu capital é mais sólido, mais imponente), tem dois empregos e partilha das convicções das nossas gerações mais novas (como escreve a mamãe) e '*parece* bom', como observa a própria Dúnietchka. Esse *parece* é o mais esplêndido de tudo! E é essa mesma Dúnietchka que vai casar por esse mesmo *parece*!... Esplêndido. Esplêndido!...

"... No entanto é curioso: por que a mamãe escreveu aquele 'das gerações mais novas'? Apenas para caracterizar a pessoa ou com a finalidade posterior de me comprar para favorecer o senhor Lújin? Que astutas! Seria curioso esclarecer mais uma circunstância: até que ponto elas duas foram francas consigo mesmas naquele dia e naquela noite e durante todo o tempo posterior? Será que entre elas todas as *palavras* foram pronunciadas francamente ou ambas compreenderam que uma e outra tinham uma só coisa no coração e nos pensamentos, de sorte que não tinham nada que dizer tudo em voz alta e dar inutilmente com a língua nos dentes. É provável que em parte tenha sido assim; pela carta dá para ver: à mamãe ele pareceu ríspido, *um pouquinho*, e a ingênua mamãe foi importunar Dúnia com suas observações. E esta naturalmente se zangou e 'respondeu com enfado'. Pudera! Quem não fica furioso quando a coisa é compreensível até sem perguntas ingênuas e quando está decidido que já não há mais o que dizer? E que coisa é essa que ela me escreve: 'Ama Dúnia, Ródia, que ela te ama mais do que a si mesma'; não será o remorso que está atormentando a ela própria no fundo do coração, porque ela aceitou sacrificar a filha ao filho? 'Tu és a nossa esperança, tu és o nosso tudo!' Oh, mamãe!..." A raiva fervia nele cada vez mais e mais forte, e se agora o senhor Lújin se encontrasse com ele, parece, ele o mataria!

"Hum, é verdade — continuou ele, seguindo o turbilhão de pensamentos que lhe volteava na cabeça —, é verdade que a uma pessoa é preciso 'ir-se chegando devagar e com cautela para conhecê-la'; mas o senhor Lújin é claro. O principal é que 'é um homem de negócios e, *parece*, bom': é brincadeira, assumir por conta própria o transporte da bagagem e do baú grande! Ora, como não ser bom? Enquanto isso as duas, a *noiva* e a mãe, contratam um mujique, metem-se numa telega coberta por uma esteira (ora, eu viajava assim!). Nada mal! São apenas noventa verstas. 'Uma vez lá, viajaremos na maior felicidade num vagão de terceira classe', umas mil verstas. E é prudente: vive conforme tuas posses; já o senhor, senhor Lújin, como é que fica? Ela é a sua noiva... E o senhor não podia deixar de ficar sabendo que a mãe dela fez um empréstimo para a viagem por conta da pensão, podia? É claro que aí o senhor está dando o rumo comum ao comércio, com um empreendimento à base de vantagens mútuas e cotas iguais, logo, as despesas também são meio a meio; amigos, amigos, negócios à parte. Mas aí o homem de negócios as engrupiu um pouco: a bagagem é mais barata que a passagem de trem e pode ser até que saia de graça. Por que elas duas não enxergam isso, será que não o notam de propósito? E olhe que estão contentes, contentes! E pensar que isso são apenas flores, porque os verdadeiros frutos estão por vir! Veja-se o que importa neste caso: aqui não é a avareza, a avidez o que importa, mas o *tom* de tudo isso. Porque esse é o futuro tom depois do casamento, é uma profecia... E por que a mamãe se mete nessa gastança? Com que vai aparecer em Petersburgo? Com três rublos e duas 'notinhas', como diz aquela... velha... hum! De que ela espera viver depois em Petersburgo? Porque por algum motivo ela já conseguiu perceber que ela e Dúnia não poderão morar *juntas* depois do casamento, nem mesmo nos primeiros tempos. O gentil homem certamente já deu um jeito de *deixar escapar*, revelou-se, embora a mamãe venha tentando livrar-se disso com unhas e dentes: 'eu, diz ela, não vou aceitar'. Então, em quem ela deposita sua esperança: nos cento e vinte rublos da pensão, descontada a dívida com Afanassi Ivánovitch? Ela faz mantilhas de crochê para o inverno e também borda punhos, gastando seus olhos velhos. Ora, as mantilhas só acrescentam vinte rublos anuais aos cento e vinte rublos, ao que me consta. Logo, seja lá como for, elas estão contando com a nobreza de sentimentos do senhor Lújin: 'Ele mesmo, diz ela, proporá, vai insistir'. Espere sentada! E de certa forma é assim mesmo que sempre acontece com essas belas almas schillerianas:[25] até o último instante enfeitam uma pessoa com penas de pavão, até o último momento esperam o bem, não o mal; e mesmo que pressintam o reverso da medalha, por nada nesse mundo antecipam de si para si o seu verdadeiro nome; ficam chocadas só de pensar; de todas as maneiras esquivam-se da verdade, até que a pessoa que enfeitaram lhes quebra o nariz com a própria mão. Uma curiosidade: se o senhor Lújin tem condecorações; aposto que tem uma cruz de Sant'Ana na lapela e que a usa nos jantares oferecidos por empreiteiros e comerciantes. E provavelmente vai usar no seu casamento! Aliás, que vá pro diabo!...

"... Bem, quanto à mamãe vá lá, deixa pra lá, ela é assim mesmo; mas Dúnia? Dúnietchka, querida, eu conheço a senhora! A senhora já havia entrado na casa dos vinte anos quando nos vimos pela última vez: eu já entendi o caráter da senhora. A mamãe escreve que 'Dúnietchka pode suportar muita coisa'. Isso eu já sabia. Isso eu já sabia há dois anos e meio e desde então fiquei dois anos e meio pensando nisso, pensando justamente que 'Dúnietchka pode suportar muita coisa'. Quando ela pôde suportar o senhor Svidrigáilov, arcando com todas as consequências, é porque ela realmente pode suportar muita coisa. E agora, junto com mamãe, ela imagina que pode suportar até o senhor Lújin, que expõe a teoria da preferência pelas mulheres retiradas da miséria e cumuladas de favores pelos homens, e por pouco não a expõe logo no primeiro encontro. Bem, suponhamos que ele tenha 'deixado escapar', mesmo sendo um homem racional (de sorte que talvez nem tenha deixado escapar mas antes visado justamente a explicar-se), mas Dúnia, Dúnia? Porque para ela esse homem está claro, porque é com esse homem que ela vai viver. Porque ela passaria a pão preto e água mas

---

[25] O nome de Schiller para o jovem Dostoiévski era uma espécie de "som mágico, que suscitava sonhos mil". No fim da vida Dostoiévski recomenda educar nas crianças os sonhos sublimes e os sentimentos do belo, relacionados à leitura de Schiller. O nome de Schiller e a imagem das "belas almas" (*Schöne Seelen*) aparecem não raro como símbolo de um idealismo ético em outros romances dostoievskianos. (N. da E.)

não venderia sua alma, não trocaria sua liberdade moral por conforto; não a trocaria nem por todo Schleswig-Holstein,[26] quanto menos pelo senhor Lújin. Não, aquela Dúnia não era assim, até onde eu sei, e... ora essa, é claro, não terá mudado agora!... Falar o quê! É duro aturar os Svidrigáilov! É duro passar a vida inteira vagando de província em província para ganhar duzentos rublos como governanta, mas ainda assim eu sei que minha irmã preferiria antes trabalhar de negra para um plantador[27] ou de letã para um alemão do Báltico[28] a aviltar seu espírito e seu sentimento moral ligando-se a um homem a quem não estima e ao lado do qual nada tem a fazer — e isso para sempre e com o único fim de tirar proveito pessoal! E mesmo que o senhor Lújin fosse todo feito do mais puro ouro ou de um brilhante inteiro, nem assim ela aceitaria tornar-se concubina legítima do senhor Lújin! Por que está aceitando agora? Em que consiste essa coisa? Em que consiste a adivinhação? A coisa é clara: não se vende em proveito próprio, por conforto, nem para escapar da morte, mas se vende em proveito do outro! Se vende por uma pessoa querida, por uma pessoa adorada! É nisso que consiste toda essa nossa coisa: pelo irmão, pela mãe ela se vende! Vende tudo! Oh, aqui, havendo oportunidade, nós esmagamos até o nosso sentimento ético; levamos à loja de usados a liberdade, a tranquilidade, até a consciência, tudo, tudo. Dane-se a vida! Contanto que esses nossos seres apaixonados sejam felizes. Como se não nos bastasse inventar a nossa própria casuística, apren-

---

[26] Separar os condados de Schleswig e Holstein da Dinamarca e anexá-los à Prússia foi um dos objetivos da guerra movida pela Prússia contra a Dinamarca (1864) e contra a Áustria (1866). Em 1867 Schleswig e Holstein se tornaram províncias da Prússia. Todos esses acontecimentos foram focalizados pelos jornais e revistas russos no decênio de 1860, particularmente pela revista *Vriêmia* (*O Tempo*), de Dostoiévski. (N. da E.)

[27] A guerra civil entre o Norte e o Sul (1861-1865) e a luta pela libertação dos negros nos Estados Unidos tinham viva repercussão na sociedade russa, nos jornais e revistas progressistas, que frequentemente faziam analogia entre a situação dos camponeses servos na Rússia e dos negros na América. Em 1857 saiu a tradução russa de *A cabana do pai Tomás*, de Beecher-Stowe, e em 1862 o suplemento do *Vriêmia* de Dostoiévski publicou a tradução do romance *O escravo branco*, de R. Hilldret. Em 1861 a revista *Vriêmia* assim qualificava o negro americano: "Ele é um objeto que o dono pode trocar, vender, alugar, hipotecar, perder no jogo de baralho, presentear e deixar por herança...". (N. da E.)

[28] Os jornais de 1860 noticiavam com frequência a dura situação dos letões que trabalhavam para os alemães. Noticiava o *Moskóvskie Viédomosti* (*Boletim de Moscou*) de 29 de maio de 1865: "Um simples aprendiz de sapateiro alemão considera o camponês... seu escravo... O latifundiário deve ser chamado de grande senhor... o povo está tão oprimido e ultrajado que um letão instruído frequentemente não ousa sequer se reconhecer letão". (N. da E.)

demos com os jesuítas e, pode ser, por um momento tranquilizamos a nós mesmos, persuadimos a nós mesmos de que se deve agir assim, de que realmente se deve, para atingir um bom objetivo. Nós somos assim mesmo, e tudo é claro como o dia. É claro que aqui não é de outro senão de Rodion Románovitch Raskólnikov que se trata e em primeiro plano. Ora, como não? Pode-se construir a felicidade dele, custear-lhe a universidade, fazê-lo sócio do escritório, garantir todo o seu destino; pode ser que depois até se torne rico, honrado, respeitado, e talvez até termine a vida como um homem célebre! E a mamãe? Sim, mas aqui se trata de Ródia, do inestimável Ródia, do primogênito! Pois bem, para um primogênito como esse como não sacrificar até mesmo uma filha como essa? Oh, corações amáveis e injustos! Qual: aqui pode ser que não rejeitemos nem a sorte de Sônietchka! Sônietchka, Sônietchka Marmieládova, a Sônietchka eterna enquanto o mundo for mundo! O sacrifício, vocês duas mediram plenamente o sacrifício? Será? Estão à altura? É proveitoso? É racional? Sabe a senhora, Dúnietchka, que a sorte de Sônietchka em nada é menos detestável que a sorte ao lado do senhor Lújin? 'Aqui não pode haver amor' — escreve a mamãe. E se além de amor não puder haver nem respeito mas, ao contrário, já existir até aversão, desprezo, repulsa, o que irá acontecer? Resulta daí, portanto, que mais uma vez caberá *cuidar do asseio*.[29] É assim ou não é? Entende, será que a senhora entende o que significa esse asseio? Será que a senhora entende que o asseio com Lújin é o mesmo que o asseio de Sônietchka, e talvez até pior, mais abjeto, mais infame, porque, apesar de tudo, Dúnietchka, a senhora está contando com excesso de conforto, enquanto para a outra se trata pura e simplesmente de morrer de fome! 'Sai caro, Dúnietchka, sai caro esse asseio!' E depois, se não aguentar, vai se arrepender? Tanta dor, tanta tristeza, tantas maldições, tantas lágrimas ocultadas de todos, e tanto porque a senhora não é Marfa Pietróvna, não é? E da mamãe, o que vai ser então? Porque já agora ela não anda tranquila, está atormentada; e quando chegar a ver tudo com clareza? E de mim?... Sim, o que a senhora pensou mesmo a meu respeito? Não quero o seu sacrifício, Dúnietchka, não quero, mamãe! Isso não vai acontecer enquanto eu estiver vivo, não vai acontecer, não vai! Não aceito!"

---

[29] Na relação dialógica que caracteriza o romance de Dostoiévski, a palavra de um falante abre uma fissura na consciência do outro, que a repete ou retoma em forma sinonímica. É o que acontece com Raskólnikov, que aqui retoma literalmente as palavras de Marmieládov para equiparar o casamento de Dúnia com Lújin à prostituição de Sônia. Daí a necessidade de repetir aquelas palavras, seguindo a mesma ordem de mudança que nelas efetuei nesta revisão. Ver nota 15, p. 28. (N. do T.)

De repente ele se recobrou e parou.

"Não vai acontecer? E que tu vais fazer para que isso não aconteça? Vais proibir? Com que direito? Por sua vez, o que podes prometer a elas para ter semelhante direito? Vais dedicar todo o teu destino, todo o teu futuro a elas *quando terminares o curso e arranjares um emprego*? Nós já ouvimos falar disso, são *histórias de bicho-papão*, mas e agora? Porque é preciso fazer alguma coisa agora mesmo, estás entendendo? Mas tu, o que fazes? Vives a depená-las. Porque elas conseguem esse dinheiro dando como garantia uma pensão de cem rublos e empenhando o salário aos senhores Svidrigáilov! Como vais protegê-las dos Svidrigáilov, dos Afanassi Ivánovitch Vakhrúchin, tu, futuro milionário, Zeus, que dispões do destino delas? Daqui a dez anos? Em dez anos tua mãe estará cega de tanto fazer mantilhas, ou talvez de chorar; vai definhar de tanto jejuar; e a irmã? Bem, pensa no que vai ser da tua irmã daqui a dez anos ou nesses dez anos? Adivinhou?"

Assim ele se atormentava e se provocava com essas perguntas, até com algum prazer. Aliás essas questões todas não eram novas, nem repentinas, mas antigas, remotas, nevrálgicas. Fazia muito que elas haviam começado a atormentá-lo e lhe tinham atormentado o coração. Há muito tempo essa melancolia de hoje surgira nele, crescera, acumulara-se e ultimamente amadurecera e se concentrara, assumindo a forma de uma pergunta terrível, absurda e fantástica, que lhe atormentara o coração e a mente, exigindo irresistivelmente uma solução. Agora a carta da mãe o aturdia de repente como um trovão. Estava claro que não era hora de tomar-se de melancolia, de ficar sofrendo passivamente só de pensar que as questões não tinham solução, mas de fazer alguma coisa sem falta e já, o mais rápido possível. Precisava decidir-se a qualquer custo, fosse lá pelo que fosse, ou...

"Ou renunciar totalmente à vida! — gritou de repente com furor —, aceitar docilmente o destino como ele é, de uma vez por todas, e sufocar tudo em mim, abrindo mão de qualquer direito de agir, viver e amar!

"'Compreende, será que compreende, meu caro senhor, o que significa não se ter mais para onde ir? — lembrou-se num átimo da pergunta feita ontem por Marmieládov —, porque é preciso que toda pessoa possa ir ao menos a algum lugar...'"

Súbito ele estremeceu: uma ideia, também da véspera, novamente passou-lhe como um raio pela cabeça. Mas ele não estremeceu porque essa ideia lhe passou. Ora ele sabia, ele *pressentia* que ela lhe "passaria como um raio" e já a esperava; aliás essa ideia não era inteiramente da véspera. Mas a diferença estava em que um mês atrás e ainda ontem mesmo ela era apenas uma fantasia, mas agora... agora ela se apresentava de uma hora para outra não como uma fantasia, mas numa forma ameaçadora e nova, inteiramente desconhecida, e de repente ele mesmo tomou consciência disso... Teve um estalo, e um escurecimento de vista.

Olhou apressadamente ao redor, procurava algo. Estava com vontade de sentar-se e procurava um banco; naquela ocasião passava pelo bulevar K. Havia um banco à vista adiante, a uns cem passos. Ele caminhou o mais rápido que pôde; mas a caminho meteu-se numa pequena aventura, que durante alguns minutos lhe atraiu toda a atenção.

Ao olhar o banco ele notou à sua frente, a uns vinte passos, uma mulher a caminhar, mas de início não fixou nenhuma atenção nela nem nos objetos que até então passavam todos fugazes à sua frente. Já lhe acontecera, muitas vezes, por exemplo, voltar para casa e depois esquecer o caminho que estava acostumado a percorrer. Mas na mulher que caminhava havia qualquer coisa de estranho que, à primeira vista, saltava aos olhos, e sua atenção foi pouco a pouco se fixando nela — de início sem querer e assim meio por enfado, mas depois se tornou cada vez mais forte. Súbito teve vontade de entender o que precisamente havia de estranho naquela mulher. Em primeiro lugar, ela, provavelmente uma mocinha muito jovem, caminhava por aquele calorão de cabeça descoberta, sem sombrinha nem luvas, agitando as mãos de forma meio engraçada. Trajava um vestidinho sedoso, de tecido leve, e também colocado de um jeito muito esquisito, quase desabotoado e rasgado atrás, à altura da cintura, bem no começo da saia; uma tira inteira desprendida balançava pendurada. Um lencinho tinha sido lançado sobre o colo nu, mas aparecia meio oblíquo, de lado. Para completar, a mocinha caminhava insegura, tropeçando e até cambaleando para todos os lados. Esse encontro finalmente despertou toda a atenção de Raskólnikov. Ele cruzou com a mocinha bem junto ao banco, porém, ao chegar ao banco ela acabou desabando sobre ele, numa ponta, atirou sobre o encosto a cabeça e fechou os olhos, pelo visto levada por uma excessiva exaustão. Lançando-lhe um olhar, ele logo adivinhou que ela estava totalmente bêbada. Era estranho e aterrador olhar para semelhante fenômeno. Chegou a pensar se não estava enganado. Tinha diante de si um rostinho jovem demais, de uns dezesseis anos, talvez até de apenas quinze — pequeno, lourinho, bonitinho, mas todo afogueado, como se estivesse inchado. A mocinha parecia atinar muito pouco; cruzou uma perna sobre a outra, e a cruzou bem mais do que devia, e, por todos os indícios, tinha muito pouca consciência de que estava na rua.

Raskólnikov não se sentou e, sem vontade de ir-se, ficou postado diante dela, atônito. Aquele bulevar sempre estava deserto, e àquela altura, na casa das duas da tarde e naquele calorão, quase nunca havia ninguém. Entretanto, à parte, a uns quinze passos, no meio-fio do bulevar, parara um senhor; e, ao que tudo indicava, também estava com muita vontade de chegar-se à menina com certos objetivos. Provavelmente ele também a avistara de longe e a alcançara, mas Raskólnikov o atrapalhou. Ele lhe lançava olhares furiosos, mas tentando evitar que o outro o notasse, e aguardava com paciência a sua vez quando o deplorável maltrapilho se fosse. A coisa estava clara. O tal senhor era homem de uns trinta anos, corpulento, gordo, rosto de bela cor, lábios rosados e bigode, e vestido com muito janotismo. Raskólnikov ficou tomado de uma fúria terrível; de repente esboçou ofender aquele almofadinha gordo. Deixou a menina por um instante e aproximou-se do senhor.

— Ei, você aí, Svidrigáilov! O que é que está querendo? — gritou ele cerrando os punhos, sorrindo e espumando de fúria.

— O que significa isso — perguntou o senhor com ar severo, franzindo o cenho com uma surpresa arrogante.

— Fora daqui, é isso!

— Como tu ousas, canalha?

E ele agitou a chibata. Raskólnikov investiu contra ele de punhos cerrados, sem ao menos considerar que o corpulento senhor podia dar conta de dois como ele. Mas nesse instante alguém o agarrou fortemente por trás, um policial se colocou entre eles.

— Chega, senhores, não ousem brigar em lugares públicos. O que os senhores desejam? Quem é o senhor? — dirigiu-se a Raskólnikov com ar severo, observando-lhe os andrajos.

Raskólnikov olhou para ele atentamente. Tinha um galhardo rosto de soldado com bigodes grisalhos e suíças e olhar inteligente.

— É do senhor mesmo que estou precisando — gritou, agarrando-o pelo braço. — Sou o ex-estudante Raskólnikov... Isso o senhor também pode ficar sabendo — dirigiu-se ao outro. — Quanto ao senhor, vamos ali, vou lhe mostrar algo...

Agarrando o policial pelo braço, arrastou-o até o banco.

— Veja isso, está completamente bêbada, agora mesmo caminhava pelo bulevar: sabe-se lá quem é, de que meio, mas não parece que estava exercendo o ofício. O mais provável é que a tenham embebedado e enganado em algum lugar... pela primeira vez, está entendendo? E nesse estado a botaram na rua. Veja a roupa rasgada, veja como foi vestida: porque ela não se vestiu com as próprias mãos mas a vestiram mãos inábeis, mãos de homem. Isso é visível. Agora olhe para cá: esse almofadinha, com quem há pouco eu queria brigar, eu não o conheço, é a pela primeira vez que o vejo; mas ele também a notou ao passar por aqui agora, bêbada, esquecida de si, e ele está com uma terrível vontade de chegar-se a ela, agarrá-la — já que ela está nesse estado — e levá-la para algum lugar... E com certeza é isso mesmo: pode acreditar que não estou enganado. Eu mesmo vi como ele a observava e a seguia, só que eu o atrapalhei e agora ele só está esperando que eu me vá. Agora ele está um pouquinho afastado, plantado como se estivesse enrolando um cigarro... E se a gente não lhe permitisse? E se a gente a mandasse para casa — pense nisso!

O policial compreendeu e considerou tudo num instante. O que o senhor gordo queria estava claro, restava a menina. Curvou-se sobre ela para observá-la mais de perto, e seus traços esboçaram uma sincera compaixão:

— Ai, que pena! — disse ele, balançando a cabeça — parece ainda bem criança. Pregaram-lhe uma peça, está visto. Escute, minha senhora — começou a chamá-la —, onde a senhora mora? — A moça abriu os cansados olhos de peixe morto, olhou atoleimada para os interrogadores e esquivou-se.

— Ouça — disse Raskólnikov —, veja (remexeu num bolso e tirou vinte copeques), tome, chame um cocheiro e mande deixá-la no endereço. Só falta a gente descobrir o endereço!

— Senhorita, ô senhorita? — recomeçou o policial depois de receber o dinheiro. — Vou chamar um cocheiro agora mesmo e levá-la pessoalmente. Para onde ordena? Hein? Onde a senhorita mora?

— Xô!... que amolação!... — balbuciou a menina e tornou a esquivar-se.

— Puxa, como isso está mal! Ah, que vergonha, senhorita, que vergonha! — ele tornou a balançar a cabeça, com vergonha, lamentando e indignado. — Veja que trabalhão! — dirigiu-se a Raskólnikov e ato contínuo lançou-lhe de passagem um olhar da cabeça aos pés. Na certa Raskólnikov também lhe pareceu estranho: em semelhantes andrajos e dando dinheiro!

— O senhor os encontrou longe daqui? — perguntou-lhe.

— Estou lhe dizendo: ela ia à minha frente, nesse mesmo bulevar. Foi chegando ao banco e desabando.

— Ah, que vergonha está se espalhando pelo mundo, meu Deus! Tão inocente e já bêbada! Pregaram uma peça nela, vê-se! Veja o vestidinho rasgado... Ah, quanta depravação anda por aí!... Vai ver que é de família nobre, mas do lado pobre... Hoje tem muitas assim. Tem uma aparência delicada, porque parece uma senhorita — e tornou a curvar-se sobre ela.

Talvez ele tivesse filhas assim — "como senhoritas e delicadas", com modos bem-educados e toda sorte de modismos já assimilados...

— O principal — insistia Raskólnikov — é arranjar um jeito de não deixar para esse patife! Porque ele ainda vai conseguir desonrá-la! Está na cara o que ele está querendo; que patife, não arreda pé!

Raskólnikov falava alto e apontava direto para ele. O outro ouviu e quis zangar-se mais uma vez, porém mudou de ideia e limitou-se a um simples olhar de desdém. Depois se afastou lentamente uns dez passos e tornou a parar.

— A gente pode não deixar com ele — respondeu o sargento meditabundo. — Se pelo menos ela dissesse pra onde levá-la, mas assim... Senhorita, senhorita! — tornou a curvar-se.

Súbito ela abriu inteiramente os olhos, olhou atentamente como se entendesse o que acontecia, levantou-se do banco e caminhou de volta na direção de onde viera.

— Fu, que descarados, me amolando! — pronunciou ela, mais uma vez se esquivando. Caminhou rápido, mas como antes cambaleando fortemente. O almofadinha a seguiu mas por outra aleia, sem desviar os olhos dela.

— Não se preocupe, não vou deixar — disse decididamente o policial bigodudo e saiu atrás dos dois.

— Sim, senhor, quanta depravação por aí! — repetiu em voz alta, suspirando.

Num instante alguma coisa pareceu picar Raskólnikov; num abrir e fechar de olhos ficou meio transtornado.

— Ei, escute! — gritou atrás do bigodudo.

O outro olhou para trás.

— Deixe pra lá! O que o senhor tem com isso? Deixe que ele se divirta (apontou para o almofadinha). O que é que o senhor tem com isso?

O policial não entendeu e ficou olhando para Raskólnikov de olhos arregalados. Raskólnikov começou a rir.

— Ora veja! — pronunciou o policial, dando de ombros e saindo atrás do almofadinha e da menina, provavelmente tomando Raskólnikov por louco ou por coisa ainda pior.

"Levou meus vinte copeques — disse com raiva Raskólnikov, depois de ficar só. — Deixa pra lá, vai pegar dinheiro do outro também e ainda deixar a menina, é assim que vai terminar... Por que me meti a ajudar? Eu mesmo não estou precisando de ajuda? Tenho direito de ajudar? Que eles se engulam vivos — o que é que eu tenho com isso? E como me atrevi a dar aqueles vinte copeques? Por acaso eram meus?"

Apesar dessas palavras estranhas, sentiu-se muito mal. Sentou-se no banco abandonado. Estava com os pensamentos difusos... Além do mais, nesse momento sentia dificuldade de pensar no que quer que fosse. Queria cair no sono, esquecer tudo, depois acordar e começar tudo de novo...

"Pobre menina!... — disse ele, olhando para o canto vazio do banco. — Vai voltar a si, chorar, depois a mãe ficará sabendo de tudo... Primeiro irá espancá-la, depois açoitá-la, para doer e envergonhar, pode ser até que a expulse de casa... Mas se não expulsar, as Dárias Frantsievnas acabarão farejando e a minha menina entrará no corre-corre... Depois logo irá bater com os costados num hospital (e isto sempre acontece com aquelas que vivem com suas mães muito honestas e fazem travessuras às escondidas delas), e depois... depois novamente hospital... vinho... botecos... e de novo hospital... dois, três anos depois estará mutilada, aos dezoito ou dezenove anos de vida apenas... Por acaso não conheço moças assim? E como chegaram aí? Foi assim mesmo que chegaram... Fu! Vá lá! É assim, dizem, que tem de ser. Certa porcentagem, dizem, deve ir todo ano... para algum lugar... para o diabo, deve ser, para fazer as outras recobrarem as forças e não as perturbar. Porcentagem! Excelentes, verdade, essas palavrinhas delas: são tão tranquilizantes, científicas! Pronunciou-se a palavra porcentagem — então não há motivo para inquietação. Mas se empregassem outra palavra, aí... talvez fosse mais inquietante... E se de alguma maneira Dúnietchka entrar nessa porcentagem!... Se não nessa, mas em outra?...[30]

"Mas para onde eu estou indo? — pensou de repente. — Estranho. Ora, saí com alguma finalidade. Fui acabando de ler a carta e saindo... Era para a ilha de São Basílio, para a casa de Razumíkhin[31] que eu estava indo, eis para onde, agora... eu me lembro. Mas para que mesmo? E de que maneira a ideia de ir à casa de Razumíkhin me veio à cabeça justamente agora? Magnífico."

Estava admirado consigo mesmo. Razumíkhin era um de seus antigos colegas de universidade. Era digno de nota que Raskólnikov, estando na universidade, quase não tinha colegas, esquivava-se de todos, não visitava ninguém e recebia raramente em seu cômodo. Aliás, todos logo lhe deram

---

[30] Raciocínios sobre o permanente "percentual" de vítimas condenadas inevitavelmente pela natureza ao crime e à prostituição apareciam nos jornais e revistas russos entre 1865 e 1866 em face da publicação, em língua russa, do livro *Sobre o homem e o desenvolvimento de suas faculdades*, do famoso matemático belga, economista e "pai da estatística" Lambert Adolphe Quételet. O economista alemão Adolph Wagner, um dos divulgadores de Quételet, é mencionado por Dostoiévski no romance. Naquele momento, a imprensa russa proclamava Quételet e Wagner os pilares da "ciência da estatística ética". (N. da E.)

[31] Sobrenome derivado de *rázum*, isto é, razão, juízo, inteligência. (N. do T.)

as costas. Ele não participava das assembleias comuns, nem das conversas, nem das brincadeiras, de certa forma não participava de nada. Estudava com intensidade, sem se poupar, e por isso o respeitavam, mas ninguém gostava dele. Era muito pobre e de certo modo soberbamente orgulhoso e não comunicativo; como se ocultasse algo a respeito de si mesmo. Aos outros colegas parecia que ele os via, a todos, como crianças, de cima, como se julgasse todos pelo desenvolvimento, pelo conhecimento e pelas convicções, as quais considerava inferiores às suas.

Por algum motivo fizera amizade com Razumíkhin, quer dizer, não é que tivesse feito amizade, apenas era mais comunicativo com ele, mais franco. Pensando bem, com Razumíkhin seria impossível outro tipo de relações. Era um rapaz extraordinariamente comunicativo e alegre, de uma bondade que chegava à simploriedade. Pensando bem, por trás dessa simplicidade escondiam-se profundidade e dignidade. Seus melhores colegas entendiam isso e gostavam dele. Não era nada tolo, embora às vezes fosse realmente simplório. Tinha uma aparência expressiva: alto, magro, sempre mal barbeado, cabelos negros. Às vezes bancava o desordeiro e ganhava fama de forçudo. Certa vez, à noite, em grupo, derrubou com um murro um guarda de quase dois metros de altura. Podia beber até o infinito, mas também podia não beber nada; vez por outra fazia diabruras de forma até suspeita, mas podia não fazer diabrura nenhuma. Razumíkhin era admirável ainda porque nenhum fracasso jamais o desconcertava e parecia que nenhuma circunstância ruim o deixava acabrunhado. Podia acomodar-se até no telhado, suportar uma fome infernal e um frio incomum. Era muito pobre e se mantinha absolutamente com seus próprios meios, ganhando algum dinheiro sabe-se lá como. Conhecia uma infinidade de fontes de onde podia colher, claro que por meio do trabalho. Uma vez passou o inverno todinho sem aquecer o quarto e afirmava que isso era até mais agradável porque no frio se dorme melhor. No presente momento também fora forçado a deixar a universidade, mas por pouco tempo, e com todas as forças conseguira remediar as circunstâncias para poder continuar. Raskólnikov não o visitava já fazia uns quatro meses, e Razumíkhin não sabia sequer onde ele morava. Certa feita, há coisa de dois meses, eles quase se encontraram na rua, mas Raskólnikov deu meia-volta e chegou inclusive a tomar outra direção para que o outro não o notasse. Mas Razumíkhn, mesmo tendo notado, passou ao lado, por não querer inquietar o *amigo*.

## V

"De fato, não faz tempo que eu quis ir pedir a Razumíkhin que me arranjasse trabalho, aulas ou alguma coisa... — pensava Raskólnikov — mas em que ele pode me ajudar agora? Suponhamos que arranje aulas, suponhamos até que divida o último copeque, se é que ele tem um copeque, de sorte que até dê para comprar botas e experimentar um uniforme para ir às aulas... Bem... mas, e depois? Vou fazer isso com uns copeques? Por acaso é disso que estou precisando agora? Verdade, é ridículo eu estar indo procurar Razumíkhin..."

A questão que agora o levava a Razumíkhin o inquietava até mais do que ele mesmo imaginava; aflito, procurava para si mesmo algum sentido sinistro nesse ato que, pareceria, era o mais corriqueiro.

"Então, será que eu quis consertar tudo apenas com Razumíkhin e encontrei a saída para tudo em Razumíkhin?" — perguntava-se admirado.

Pensava e enxugava a testa e, coisa estranha, como por acaso, após uma longa reflexão, súbito e quase que por si mesmo um pensamento estranhíssimo lhe veio à mente.

"Hum... à casa de Razumíkhin — pronunciou de repente com absoluta calma, como se desse o sentido de uma decisão definitiva —, eu vou à casa de Razumíkhin, isso está claro... só que não agora... À casa dele... vou outro dia, depois *daquilo*, quando *aquilo* já estiver terminado e tudo tomar um novo rumo..."

E de repente voltou a si.

"Depois *daquilo* — exclamou ele, arrancando-se do banco —, ora, por acaso *aquilo* vai acontecer? Será possível que vá mesmo acontecer?"

Abandonou o banco e saiu, quase correndo; quis dar meia-volta, na direção do seu prédio, mas sentiu de chofre um súbito e terrível asco de voltar para casa: tinha sido lá, no canto, naquele horrível armário, que há mais de um mês amadurecera tudo *aquilo*, e ele saiu sem rumo.

Seu tremor nervoso transbordou em um tremor algo febril; chegou até a sentir calafrio; ficou com frio em meio a todo aquele calorão. Como quem faz esforço, começou de modo quase inconsciente, movido por alguma necessidade interior, a fixar o olhar em todos os objetos que ia encontrando, como se estivesse em redobrada procura de distração, porém se saía mal nisso e a todo instante caía em meditação. Quando, sobressaltado, tornava a levantar a cabeça e olhava ao redor, esquecia-se no mesmo instante do que estava pensando e até onde se encontrava. Assim percorreu toda a ilha de São Basílio, saiu no Pequeno Nievá, atravessou a ponte e guinou em direção às Ilhas.[32] A princípio o verde e o frescor agradaram os seus olhos cansados, habituados à poeira da cidade, à cal e aos prédios enormes, que causavam incômodo e oprimiam. Ali não havia nem abafamento, nem mau cheiro, nem botequins. Mas até essas sensações novas e agradáveis logo se tornaram doentias e irritantes. Vez por outra ele parava diante de alguma casa de campo enfeitada de verde e olhava pela grade, vendo de longe mulheres ataviadas nas varandas e terraços e crianças correndo no jardim. As flores lhe ocupavam especialmente a atenção; era nelas que ele mais demorava o olhar. Também cruzava com carruagens luxuosas, cavaleiros e amazonas; ele os acompanhava com olhos curiosos e os esquecia antes que desaparecessem de sua vista. Parou uma vez e conferiu o dinheiro: tinha cerca de trinta copeques. "Vinte para o guarda, três para Nastácia pela carta — logo, ontem eu dei uns quarenta e sete ou cinquenta copeques aos Marmieládov" — pensou, calculando sabe-se lá com que fim, mas logo esqueceu até para que havia tirado o dinheiro do bolso. Lembrou-se disso ao passar ao lado de uma casa de comestíveis com jeito de taberna e sentiu que estava com vontade de comer. Entrou na taberna, tomou um cálice de vodca e comeu pastelão recheado de alguma coisa. Acabou de comê-lo já novamente a caminho. Fazia muito tempo que não tomava vodca e seu efeito sobre ele foi imediato, embora só tivesse tomado um cálice. As pernas de repente ficaram pesadas e ele começou a sentir um forte apelo ao sono. Foi para casa; mas, ao chegar à ilha de Pedro, parou completamente exausto, desviou-se do caminho, entrou em uma moita, caiu na grama e no mesmo instante adormeceu.

Os sonhos de um homem doente se distinguem frequentemente por um relevo inusual, pela expressividade e uma excepcional semelhança com a realidade. Às vezes forma-se um quadro monstruoso, mas o clima e todo o processo de toda a representação chegam a ser aí tão verossímeis e cheios de detalhes sutis, que surpreendem, mas correspondem artisticamente a toda a plenitude do quadro, que não podem ser inventados na realidade por esse mesmo sonhador, ainda que ele seja um artista como Púchkin ou Turguêniev. Tais sonhos, doentios sonhos, sempre ficam por muito tempo na memória e

[32] Trata-se da ponte Turtchkov sobre o Pequeno Nievá, nos arredores de Petersburgo, local onde Dostoiévski passeava frequentemente para tomar ar fresco na primavera e início do verão. (N. da E.)

produzem forte impressão sobre o organismo perturbado e já excitado do homem.

Raskólnikov teve um sonho medonho. Sonhou com sua infância, ainda na cidadezinha[33] natal. Está com uns sete anos e passeia nos arredores da cidade com o pai no entardecer de um dia de festa. O tempo está acinzentado, o dia sufocante, o lugar é exatamente o mesmo que permaneceu intacto na sua memória: inclusive estava bem mais apagado em sua memória do que se lhe apresentava agora em sonho. A cidadezinha aparece descoberta, como na palma da mão, nenhum salgueiro ao redor; em um ponto, lá muito longe, bem no extremo do céu, negreja um bosque. A alguns passos da última horta da cidade há uma taberna, taberna grande, que sempre produzira nele a mais desagradável das impressões e até medo quando ele passava ao lado passeando com o pai. Ali havia sempre um bando, e como berravam sempre, gargalhavam, xingavam, que indecência e que vozes roufenhas quando cantavam, e com que frequência brigavam; em volta da taberna sempre circulavam umas carrancas bêbadas e sinistras... Ao deparar com elas, ele se apertava fortemente ao pai e tremia. Ao lado da taberna passa uma estrada vicinal, sempre coberta de poeira, e uma poeira sempre negra. Ela continua, serpenteando, e adiante, a uns trezentos passos, contorna pela direita o cemitério da cidade. Dentro do cemitério há uma igreja de pedra com uma cúpula verde, onde uma ou duas vezes por ano ele assistia com o pai e a mãe à missa pela alma da sua avó, morta há muito tempo e que ele nunca chegara a ver. Nessas ocasiões eles sempre levavam consigo a *kutyá*[34] em um prato branco enrolado em um guardanapo, e a *kutyá* era de açúcar, arroz e

---

[33] A descrição desse sonho foi inspirada por lembranças autobiográficas. Na fazenda dos pais, Dostoiévski pode ter visto pangarezinhas camponesas trêmulas de fraqueza, estafadas, em pele e osso. Nos materiais preparatórios de *Crime e castigo* ele escreveu: "A primeira ofensa pessoal que eu sofri foi com o cavalo de um estafeta". E narra um episódio que presenciou com seu irmão, quando os dois viajavam da sua província para ingressarem na escola de engenharia de Moscou, e envolveu um estafeta de correio: "O cocheiro deu a partida, e mal teve tempo de fazê-lo quando o estafeta soergueu-se e, calado, sem pronunciar qualquer palavra, ergueu o seu imenso punho direito e, de cima para baixo, desceu sobre a nuca do cocheiro de forma dolorosa. O cocheiro deu um solavanco com todo o corpo para a frente, levantou o chicote e açoitou com toda força os cavalos. Estes arrancaram, mas isso não amansou de maneira nenhuma o estafeta... que continuou batendo e batendo, e assim teria continuado se a troica não tivesse saído das nossas vistas. Naturalmente o cocheiro, que a muito custo se segurava ao impacto dos socos, açoitava sem cessar e a cada segundo os cavalos, como um louco, e os açoitou tanto que eles acabaram desembestando". (N. da E.)

[34] Comida de arroz ou outro grão, com mel e passas, consumida durante as cerimônias fúnebres, exéquias etc. Dostoiévski a menciona na sua forma original. (N. do T.)

passas, amassadas no arroz em forma de cruz. Ele gostava daquela igreja e dos ícones antigos que ali havia, a maioria sem guarnição, e do velho padre com a cabeça trêmula. Ao lado do túmulo da avó, coberto por uma lápide, ficava o pequeno túmulo do irmão menor dele, que morrera aos seis meses, que ele também desconhecia completamente e de quem nem podia se lembrar; mas lhe diziam que ele havia tido um irmão pequeno, e sempre que ele visitava o cemitério benzia-se de forma religiosa e respeitosa sobre o túmulo, fazia-lhe reverência e o beijava. E eis o seu sonho: anda com o pai pela estrada que leva ao cemitério e passam ao lado da taberna; ele segura a mão do pai e olha apavorado para a taberna. Uma circunstância especial lhe chama a atenção: desta feita é como se ali houvesse uma festa, com um bando de pequeno-burguesas empetecadas, camponesas com seus maridos, e toda uma gentalha misturada. Todos estão bêbados, cantando, e ao lado do terraço da taberna há uma telega, mas uma telega estranha. É uma daquelas telegas grandes às quais se atrelam grandes cavalos de carroça e em que se transportam mercadorias e barris de vinho. Ele sempre gostou de ficar olhando para esses enormes cavalos de carroça, de crinas longas, patas grossas, que caminham com tranquilidade, a passos cadenciados, e arrastam uma verdadeira montanha sem um mínimo de esforço, como se lhes fosse mais fácil andar puxando cargas do que sem elas. Mas agora, coisa estranha, na telega grande há uma pangaré de camponeses, baia, pequena, em pele e osso, daquelas que ele via frequentemente e vez por outra se arrebentavam com alguma carga alta de lenha ou feno, sobretudo se a carga encalhava na lama ou numa trilha deixada por rodas de carroça, e aí os mujiques sempre as chicoteavam de modo tão dolorido, tão dolorido, às vezes em pleno focinho e nos olhos, que ele ficava com tanta pena, tanta pena de assistir àquilo que por pouco não chorava, e a mãe sempre o retirava da janela. Mas súbito se ouve uma barulheira muito grande: camponeses grandalhões saem da taberna gritando, cantando, de balalaicas em punho e bêbados de cara cheia, em camisas azuis e vermelhas sob *armiaks*.[35] "Senta, senta todos! — grita um deles, ainda jovem, pescoço grosso e rosto carnudo, vermelho feito cenoura — levo todo mundo, senta!" Mas no mesmo instante ouvem-se risadas e exclamações:

— Essa pangaré aguenta!

— Ora, Mikolka, tu tá bem da cuca? Atrelar essa eguinha a uma telega como essa!

---

[35] Antiga veste camponesa de tecido grosso em forma de cafetã, usada sobre a roupa. (N. do T.)

— E essa baia já tem na certa uns vinte anos, maninhos!

— Senta, levo todo mundo! — torna a gritar Mikolka, pulando antes dos outros em cima da telega, pegando as rédeas e pondo-se de corpo inteiro na parte dianteira. — O baio foi embora há muito tempo com Matviêi — grita ele da telega —, mas essa eguinha, meus irmãozinhos, é o meu tormento: é mais fácil eu matá-la que deixar comer de graça. Tô mandando: senta! Vai sair galopando!! Vai sair galopando! — E ele pega o chicote, preparando-se deliciado para açoitar a baia.

— Vamos, senta, que estão esperando? — gargalham na turba. — Ouviram, vai sair galopando!

— Faz pelo menos uns dez anos que ela não galopa.

— Vai galopar!

— Não tenham pena, irmãos, pegue cada um o seu chicote, se preparem!

— E mãos à obra! Açoitem!

Todos sobem na telega de Mikolka às gargalhadas e aos gracejos. Sobem uns seis homens, e ainda cabe mais. Levam uma camponesa, gorda e rosada. Ela veste roupa de tecido de algodão de um vermelho vivo, usa *kitchka*[36] com miçangas, tem nos pés calçados de inverno, quebra umas nozes e ri. Na turba ao redor também riem; aliás, como não rir: essa eguinha em pele e osso vai puxar a galope esse peso todo! Dois rapazes da telega pegam imediatamente os chicotes a fim de ajudar Mikolka. Ouve-se um "toma!", a pangaré arranca com todas as forças, mas além de não galopar, mal chega a dar um passo, apenas dá um trote miúdo, geme e coxeia à força dos golpes de três chicotes que choviam sobre ela. As risadas duplicam na telega e na turba, mas Mikolka está zangado e, tomado de fúria, fustiga a eguinha com golpes acelerados, supondo realmente e de fato que ela começará a galopar.

— Deixem eu subir também, irmãos! — grita da turba um rapaz empanturrado de petiscos.

— Suba! Suba todos! — grita Mikolka — Ela leva todos. Vou matar de chicotada. — E açoita, açoita, e já não sabe mais com que bater de tanta fúria.

— Paizinho, paizinho — grita ele ao pai —, paizinho, o que é que eles estão fazendo? Paizinho, estão espancando a pobre da égua!

— Vamos embora, vamos embora! — diz o pai. — Estão bêbados, fazendo travessuras, imbecis: vamos, não olhe! — e tenta levá-lo dali mas ele

---

[36] Espécie de touca antiga russa para mulheres casadas, usada especialmente em festas. (N. do T.)

se livra das mãos dele e, fora de si, corre para a eguinha. Mas a pobre da eguinha está em maus lençóis. Arqueja, para, torna a arrancar, por pouco não cai.

— Açoitem até matar! — grita Mikolka. — Já que se começou. Vou açoitar até matar!

— Você parece que não tem coração, seu capeta! — grita um velho do meio da turba.

— Onde já se viu uma eguinha como essa puxar uma carga desse tamanho! — acrescenta outro.

— Vai matar o bicho! — grita um terceiro.

— Não se metam! É um bem meu! Faço o que quiser. Senta mais gente! Senta todos! Quero que ela saia de todo jeito galopando!...

De repente uma explosão de gargalhadas abafa tudo: a eguinha não suporta os golpes acelerados e sem forças começa a dar coices. Nem o velho se conteve e sorriu. Realmente: uma eguinha em pele e osso e ainda dando coices!

Dois rapazes da turba pegam um chicote cada um e correm para a eguinha a fim de chicoteá-la pelos lados. Cada um corre do seu lado.

— Açoite no focinho, nos olhos, nos olhos! — grita Mikolka.

— Música, irmãos! — grita alguém da telega, e todos na telega o secundam. Ouve-se uma cantiga de festança, tocam um pandeiro, assobiam nos refrãos. A camponesa quebra nozes e ri.

... Ele corre ao lado da égua, corre para a frente, vê como a chicoteiam, nos olhos, em plenos olhos! Ele chora. Sente um aperto no coração, as lágrimas escorrem. Um dos açoitadores o atinge no rosto: ele não sente, ele torce as mãos, grita, lança-se para o velho de cabelo e barba encanecidos, que balança a cabeça e censura tudo isso. Uma mulher o pega pela mão e quer tirá-lo dali; mas ele se livra e torna a correr para a eguinha. Esta já está em suas últimas forças, mas ainda volta a dar coices.

— Que vá pro diabo que te carregue! — exclama Mikolka em fúria. Ele larga o chicote, abaixa-se e tira do fundo da telega o varal, segura-o pela ponta com as duas mãos e num esforço o levanta sobre a baia.

— Vai arrebentá-la! — gritam ao redor.

— Vai matá-la!

— É um bem meu! — grita Mikolka e o desce com toda a força. Ouve-se um golpe pesado.

— Açoita, açoita! Por que pararam? — gritam vozes da turba.

Enquanto isso Mikolka torna a levantar num ímpeto o varal e um golpe cai com toda a força nas costas da infeliz pangaré. Ela arreia toda de traseiro no chão, mas salta e arranca, arranca com todas as últimas forças para lados diferentes querendo sair; mas é recebida de todos os lados por seis chicotes, e o varal torna a subir e cair pela terceira vez, depois pela quarta, cadenciado, com toda a força. Mikolka está tomado de fúria porque não consegue matá-la de um só golpe.

— É resistente! — gritam ao redor.

— Agora mesmo vai cair sem falta, irmãos, agora vai ser o fim dela! — grita do meio da turba um aficionado.

— Machado nela, o que é que estão esperando! Acabem com ela de uma vez — grita um terceiro.

— Ei, parecem mosquitos! Vamos abrindo passagem! — Mikolka grita tomado de fúria, larga o varal, torna a inclinar-se para a telega e tira de lá uma alavanca de ferro. — Cuidado! — grita ele e com toda a força que tem atinge num ímpeto a sua pobre eguinha. Desaba um golpe; a eguinha cambaleia, arreia, quer arrancar, mas a alavanca torna a cair com toda a força no seu lombo, e ela cai no chão, como se lhe tivessem cortado todas as quatro patas.

— Acaba de matar! — grita Mikolka e salta da telega como se estivesse fora de si. Alguns rapazes, também vermelhos e bêbados, pegam o que aparece, chicotes, paus, o varal, e correm para a eguinha, que está morrendo. Mikolka se põe de um lado e começa a bater inutilmente com a alavanca no lombo. A pangaré espicha o focinho, suspira pesado e morre.

— Deu cabo dela! — gritam na turba.

— Quem mandou não sair galopando?

— É minha! — grita Mikolka com a alavanca nas mãos e os olhos vermelhos. Está postado, como se lamentasse não ter mais em quem bater.

— Realmente, tu és mesmo um desalmado! — já muitas vozes gritam da turba.

Mas o pobre menino já está fora de si. Com um grito abre caminho entre a turba na direção da baiazinha, abraça-lhe o focinho morto, ensanguentado, e a beija, beija-a nos olhos, nos beiços... Depois dá um salto de repente e tomado de fúria investe de punhozinhos cerrados contra Mikolka. Nesse instante o pai, que há muito já corria atrás dele, agarra-o finalmente e o retira do meio da turba.

— Vamos embora! Vamos! — diz ele — Vamos pra casa!

— Papaizinho! Por que eles... mataram... a pobrezinha da égua... — soluça ele, mas está com a respiração presa e as palavras saem aos gritos do peito confrangido.

— Estão bêbados, estão fazendo travessuras, não é da nossa conta, vamos! — diz o pai. Ele agarra o pai com as mãos, mas o peito está apertando, apertando. Ele quer tomar fôlego, gritar, e acorda.

Acordou banhado de suor, com os cabelos molhados de suor, arfando, e levanta-se aterrorizado.

"Graças a Deus que foi apenas um sonho! — disse, sentando-se debaixo de uma árvore e tomando fôlego profundamente. — Mas o que é isso? Vai ver que é a minha febre que está voltando. Que sonho repugnante!"

Todo o seu corpo era como se estivesse moído; a rua estava confusa e escura. Pôs os cotovelos nos joelhos e apoiou a cabeça em ambas as mãos.

"Meu Deus! — exclamou ele — Será, será que eu vou pegar mesmo o machado, que vou bater na cabeça, vou esmigalhar o crânio dela... vou deslizar no sangue viscoso, quente, arrebentar o cadeado, roubar e tremer; esconder-me, todo banhado em sangue... com o machado... Meu Deus, será possível?"

Tremia feito vara verde ao dizer isso.

"Sim, mas então por que é que eu... — continuava ele, soerguendo-se mais uma vez e com jeito profundamente surpreso — Porque sabia que não suportaria aquilo, então por que é que até hoje me atormentei? Porque ainda ontem, ontem, quando fui fazer aquele... *ensaio*, ora, ontem mesmo compreendi plenamente que não vou aguentar... Por que é então que agora?... De que é que ainda tenho dúvida até hoje? Ora, ontem mesmo, quando descia a escada, eu mesmo disse que aquilo é sórdido, nojento, abjeto, abjeto... Porque a simples ideia pensada *de fato* me deu ânsia de vômito e me deixou apavorado...

"Não, não vou aguentar, não vou aguentar! Vamos que, e nem há nenhuma dúvida em todas essas conjecturas, vamos que tudo isso que foi resolvido nesse mês esteja claro como o dia, seja justo como a aritmética. Meu Deus! Ora, seja como for, não me atreverei. Porque não vou aguentar, não vou aguentar!... Então, então por que até agora..."

Pôs-se de pé, olhou surpreso ao redor, como se estivesse admirado de ter entrado ali, e tomou a direção da ponte T. Estava pálido, com os olhos ardendo, uma prostração estampada em todos os membros, mas eis que a respiração se fez como que mais leve. Ele sentiu que já se havia livrado daquele terrível fardo que o vinha sufocando há tanto tempo, e súbito a leveza e a paz lhe invadiram a alma. "Deus! — rezou — me mostra o meu caminho, e eu renego esse meu maldito... sonho!"

Ao atravessar a ponte ele olhou suave e calmamente para o Nievá, para o crepúsculo vivo de um sol vivo, vermelho. Apesar da fraqueza, nem chegava a sentir cansaço. Como se o abcesso, que o mês inteiro se formara em seu coração, tivesse estourado subitamente. Liberdade, liberdade! Agora ele está livre de feitiços, bruxaria, encantamento, alucinação.

Mais tarde, quando rememorava esse período e tudo o que lhe aconteceu nesses dias, minuto a minuto, ponto por ponto, traço por traço, sempre o invadia uma perplexidade que chegava à superstição, devido a uma circunstância que, no fundo, embora não fosse muito incomum, acabou lhe parecendo algo como uma constante predeterminação do seu destino.

Eis a circunstância: de modo nenhum ele conseguia entender e explicar para si mesmo por que ele, cansado, atribulado, voltou para casa pela praça Siennáia, por onde lhe seria dispensável passar, já que era muito mais vantajoso retornar pelo caminho mais curto e direto. A volta era pequena, mas indiscutível e totalmente desnecessária. É claro que dezenas de vezes lhe acontecera voltar para casa sem se lembrar das ruas por onde passara. Mas por que, sempre se perguntava, por que aquele encontro na Siennáia (por onde ele não tinha nenhuma necessidade de passar), tão importante, tão decisivo para ele e ao mesmo tempo tão sumamente casual, coincidia agora com essa hora, com esse minuto de sua vida, justo com esse seu estado de ânimo e logo com essas circunstâncias em que só ele, o tal encontro, poderia produzir o efeito mais decisivo e mais definitivo em todo o seu destino? Como se estivesse ali de propósito, à sua espera!

Aproximava-se das nove horas quando ele passou pela Siennáia. Todos os barraqueiros, ambulantes, donos de vendas e vendinhas estavam fechando os seus estabelecimentos ou retirando e arrumando as suas mercadorias, e dispersavam-se para suas casas, assim como os compradores. Nos andares inferiores, ao lado das tabernas, nos pátios sujos e fedorentos dos prédios da praça Siennáia, mais ainda nas vendas de vinho a varejo, acotovelavam-se muitos operários da indústria e esfarrapados de toda espécie. Raskólnikov gostava predominantemente desses lugares, assim como de todas as travessas próximas. Ali os seus andrajos não chamavam a atenção arrogante, e se podia andar com a aparência que quisesse, sem escandalizar ninguém. Em pleno beco K., na esquina, um ambulante e uma mulher, sua esposa, vendiam mercadorias em duas mesas; linhas, cadarços, lenços de chita etc. Eles também estavam indo embora mas se detinham conversando com uma conhecida que se achegara. Essa conhecida era Lisavieta Ivánovna, ou simplesmente Lisavieta, irmã caçula da mesma velha Aliena Ivánovna, viúva do registrador de colégio e usurária, com quem Raskólnikov estivera na véspera penhorando um relógio e fazendo o seu *ensaio*... Há muito tempo ele sabia tudo sobre essa Lisavieta, e ela inclusive o conhecia um pouco. Era uma moça alta, desajeitada, assustadiça e cordata, quase idiota, de trinta e cinco anos, totalmente escravizada pela irmã, para quem trabalhava dia e noite, diante de quem tremia e suportava até as surras que ela lhe dava. Estava em pé e pensativa, com uma trouxa na mão diante do ambulante e da mulher, e os ouvia atentamente. Os dois lhe explicavam alguma coisa com um fervor especial. Quando Raskólnikov súbito a avistou foi tomado de uma sensação estranha, parecida com uma surpresa profunda, embora no encontro não houvesse nada de surpreendente.

— A senhora, Lisavieta Ivánovna, podia resolver pessoalmente — dizia o ambulante em voz alta. — Venha então amanhã, aí pelas oito horas. Eles também vão estar aqui.

— Amanhã? — perguntou Lisavieta pensativa e com voz arrastada, como se vacilasse.

— Puxa, como Aliena Ivánovna lhe mete medo! — começou a tagarelar a mulher do comerciante, uma camponesinha esperta. — Olho para a senhora, a senhora parece uma criancinha. E sua irmã não é de sangue mas unilateral, no entanto, como domina a senhora.

— Mas desta vez a senhora não diga nada a Aliena Ivánovna — interrompeu o marido —, eis meu conselho, e venha à nossa casa sem pedir. O negócio é vantajoso. Depois sua irmã mesma vai entender.

— E quando devo vir?

— Aí pelas sete horas, amanhã; os três mandarão alguém; a senhora mesma decidirá.

— E vamos oferecer chá — acrescentou a mulher.

— Está bem, eu virei — pronunciou Lisavieta, ainda pensativa, e começou a afastar-se lentamente do lugar.

Nesse instante Raskólnikov passou e não ouviu mais nada. Passou em silêncio, sem ser percebido, procurando não dizer palavra. Sua surpresa inicial foi sendo pouco a pouco substituída pelo pavor, como se sentisse um arrepio. Soubera, de modo súbito e absolutamente inesperado, que no dia seguinte, às sete da noite em ponto, Lisavieta, irmã da velha e sua única companheira de moradia, não estaria em casa e que, portanto, às sete da noite em ponto a velha *ficaria sozinha em casa*.

Faltavam apenas alguns passos para chegar ao seu apartamento. Ele entrou como um condenado à morte. Não raciocinava sobre nada e absolutamente sobre nada podia raciocinar; mas de repente sentiu em todo o seu ser que não tinha mais liberdade de juízo, nem vontade, e que de uma hora para outra tudo tinha sido resolvido em definitivo.

É claro que, mesmo se tivesse passado anos inteiros aguardando a ocasião oportuna, nem no momento em que já dispunha de um plano podia contar com passo mais evidente para o sucesso desse plano do que este que de repente acabara de aparecer. Em todo caso, seria difícil saber na véspera e com certeza, com grande precisão e o menor risco, sem quaisquer indagações e procuras perigosas, que no dia seguinte, em certa hora, uma certa velha, contra a qual se preparava um atentado, estaria sozinha-sozinha em casa.

## VI

Depois apresentou-se a Raskólnikov a ocasião de inteirar-se de algum modo por que o ambulante e a mulher haviam convidado Lisavieta à sua casa. A coisa era das mais corriqueiras e não tinha nada de especial. Uma família forasteira e empobrecida estava vendendo objetos, roupas e similares, tudo feminino. Como não era vantajoso vender no mercado, estava procurando negociar e Lisavieta fazia isso: cobrava comissão, vendia de casa em casa e tinha uma grande prática porque era honesta e o preço que pedia era sempre a última palavra: se dava um preço era aquele e pronto. Era de falar pouco e, como já foi dito, cordata e assustadiça...

Mas nos últimos tempos Raskólnikov se tornara supersticioso. Os vestígios da superstição ainda permaneceram nele muito tempo depois, de forma quase indelével. Mais tarde, ele esteve sempre inclinado a ver em tudo isso qualquer coisa de estranho, misterioso, a insinuar a presença de certas influências e coincidências especiais. Ainda no inverno, Pokoriev, um estudante conhecido seu, durante uma conversa, dera-lhe meio por acaso o endereço da velha Aliena Ivánovna, para a eventualidade de ele precisar penhorar alguma coisa. Durante muito tempo ele não a procurou porque tinha suas aulas e acabava dando um jeito de se virar. Há coisa de um mês e meio lembrara-se do endereço; tinha dois objetos que serviam para ser empenhados: um velho relógio de prata do pai e um anelzinho de ouro com três pedrinhas vermelhas que a irmã lhe havia dado de lembrança na despedida. Resolveu penhorar o anelzinho; ao encontrar a velha, logo que bateu com os olhos nela, ainda sem saber nada de especial a seu respeito, sentiu uma aversão irresistível; recebeu dela duas "notinhas" e a caminho de casa entrou numa taberninha bem ruinzinha. Pediu chá, sentou-se e caiu em forte meditação. Uma ideia estranha lhe beliscava a cabeça como o pinto dentro do ovo e o ocupava muito, muito.

Quase a seu lado, a uma mesa pequena, estava um estudante inteiramente desconhecido, de quem ele não se lembrava, e um oficial jovem. De repente ouviu que o estudante falava ao oficial a respeito da usurária Aliena Ivánovna, viúva de um registrador de colégio, e lhe dava o endereço dela. Só isso já pareceu um tanto estranho a Raskólnikov: acabava de chegar de lá e eis que ali falavam justamente dela. Claro que é um acaso, mas acontece que ele não está conseguindo se livrar de uma impressão bastante singular, e agora é como se alguém ali resolvesse obsequiá-lo para lhe cair nas graças: súbito o estudante começa a comunicar ao companheiro detalhes vários sobre essa Aliena Ivánovna.

— Ela é excelente — diz ele —, com ela sempre se pode arranjar dinheiro. É rica como um *jid*,[37] pode emprestar cinco mil de uma só vez, e não dispensa um rublo de penhor. Muitos dos nossos colegas a procuram. Só que é uma infame...

E passou a contar o quanto ela é má, caprichosa, que basta alguém atrasar um dia o pagamento do penhor e adeus objeto penhorado. Dá pelo objeto quatro vezes menos do que ele vale e cobra cinco e até sete por cento de juros ao mês etc. O estudante começou a tagarelar e informou ainda que a velha tem uma irmã, Lisavieta, que ela, tão baixa e torpe, espanca a cada instante e mantém em absoluta escravidão, como uma criança pequena, mesmo sendo Lisavieta pelo menos um palmo e meio mais alta...

— Mas ela também é um fenômeno! — bradou o estudante e deu uma gargalhada.

Os dois passaram a falar de Lisavieta. O estudante falava dela com um prazer um tanto especial e não parava de rir, enquanto o oficial ouvia com grande interesse e lhe pedia que mandasse essa Lisavieta à casa dele para consertar roupa branca. Raskólnikov não perdeu uma palavra e ficou a par de tudo de uma vez: Lisavieta era a irmã caçula (filhas de mães diferentes) da velha por parte de pai e já estava com trinta e cinco anos. Trabalhava para a irmã dia e noite, na casa fazia as vezes de cozinheira e de lavadeira e, além disso, costurava para fora e fazia até faxina, e entregava tudo o que ganhava à irmã. Não ousava aceitar nenhuma encomenda e nenhum serviço sem a permissão da velha. Esta já havia feito o seu testamento, o que era do conhecimento da própria Lisavieta, que não recebia um único centavo de herança, além dos móveis, cadeiras etc.; todo o dinheiro estava destinado a um mosteiro na província N., pelo repouso eterno da alma da velha. Lisavieta não era funcionária pública mas uma espécie de mascate e moça terrivelmente desengonçada, muito alta, de pernas longas como se fossem torcidas e sempre metida em gastos sapatos de couro de bode, mas era asseada. Porém o principal, que deixava o estudante admirado e o fazia rir, era o fato de que Lisavieta a cada instante aparecia grávida...

— Mas você não diz que ela é um monstro? — observou o oficial.

---

[37] Denominação depreciativa de judeu. (N. do T.)

— Sim, é morena, igualzinha a um soldado travestido, mas saiba que de monstro não tem nada. Um rosto e uns olhos bondosos. Muito mesmo. Uma prova: ela agrada a muita gente. Tão quietinha, dócil, calada, cordata, cordata com tudo. E o sorriso chega a ser até bem bonito.

— E ela também é do seu agrado, não? — sorriu o oficial.

— Pela esquisitice dela. Não, escute o que vou lhe dizer. Eu mataria e saquearia aquela velha maldita e lhe garanto que sem nenhum remorso — acrescentou o estudante com fervor.

O oficial voltou a gargalhar, mas Raskólnikov estremeceu. Como aquilo era estranho.

— Permita, eu quero lhe fazer uma pergunta séria — excitou-se o estudante. — É claro que eu estava brincando, mas preste atenção: por um lado é uma velhota tola, absurda, insignificante, má, doente, que não é útil a ninguém e, ao contrário, prejudica a todos, que não sabe para que vive e amanhã morre de morte natural. Está entendendo? Está entendendo?

— Estou entendendo, e daí? — respondeu o oficial, fixando atentamente o olhar no excitado companheiro.

— Escute mais isso. Por outro lado, forças jovens, viçosas, sucumbem em vão por falta de apoio, e isso aos milhares, e isso em toda parte! Cem, mil boas ações e iniciativas que poderiam ser implementadas e reparadas com o dinheiro da velha, destinado a um mosteiro! Centenas, talvez milhares de existências encaminhadas; dezenas de famílias salvas da miséria, da desagregação, da morte, da depravação, das doenças venéreas — e tudo isso com o dinheiro dela. Mate-a e tome-lhe o dinheiro, para com sua ajuda dedicar-se depois a servir a toda a humanidade e a uma causa comum: o que você acha, esse crime ínfimo não seria atenuado por milhares de boas ações? Por uma vida — milhares de vidas salvas do apodrecimento e da desagregação. Uma morte e cem vidas em troca — ora, isso é uma questão de aritmética. Aliás, o que pesa na balança comum a vida dessa velhota tísica, tola e má? Não mais que a vida de um piolho, de uma barata, e nem isso ela vale porque a velhota é nociva. Ela apoquenta a vida dos outros: por esses dias mesmo mordeu um dedo de Lisavieta com raiva: por pouco não arrancou!

— É claro que ela não merece viver — observou o oficial —, mas isso é coisa pra natureza.

— Êh, meu irmão, a natureza a gente corrige e direciona, porque senão teria de afundar em superstições. Sem isso nenhum grande homem existiria. Dizem: "dever, consciência" — eu não quero falar nada contra o dever e a consciência —, entretanto, como é mesmo que nós entendemos isso? Espere, vou lhe fazer mais uma pergunta. Escute!

— Não, escute você; eu é que vou lhe fazer uma pergunta. Escute!

— Então!

— Você fica aí falando e discursando, agora me diga: quem vai matar a velha é *você mesmo* ou não?

— É claro que não! Eu estava falando por uma questão de justiça... Isso não está em mim e a questão...

— A meu ver, uma vez que você mesmo não se decide, então nesse caso não cabe justiça nenhuma! Vamos a mais uma partida!

Raskólnikov estava numa agitação excepcional. É claro que tudo aquilo eram conversas e ideias de jovens, as mais comuns e mais frequentes, que ele já ouvira mais de uma vez. Mas por que justamente agora tinha ele de ouvir logo essa conversa e essas ideias, quando em sua própria cabeça acabavam de medrar... *exatamente essas mesmas ideias*? E por que logo agora, quando ele mal acabara de sair da casa da velha com o embrião da sua ideia, logo agora ia dar de cara com uma conversa sobre a velha?... Essa coincidência sempre lhe pareceu estranha. Aquela insignificante conversa de botequim teve uma influência excepcional sobre ele no posterior desenvolvimento do caso: como se ali tivesse mesmo havido alguma predestinação, um sinal...

* * *

Ao retornar da Siennáia, lançou-se no sofá e passou uma hora inteira sentado sem se mover. Enquanto isso escurecia; não tinha velas, e aliás nem lhe ocorreu acendê-las. Nunca conseguiu se lembrar: estaria pensando em alguma coisa naquele momento? Por fim voltou a sentir a antiga febre, um calafrio, e adivinhou com prazer que no sofá também dava para se deitar. Um sono forte, de chumbo, logo desabou sobre ele, como se o esmagasse.

Dormiu um sono excepcionalmente longo e sem sonhos. Nastácia, que entrou no quarto dele às dez horas da manhã seguinte, acordou-o à força aos empurrões. Trouxe chá e pão. Mais uma vez o chá estava fraco, e outra vez vinha da chaleira dela.

— Veja só, tá dormindo! — gritou ela indignada. — Só vive dormindo!

Ele fez esforço para soerguer-se. A cabeça doía; levantou-se, deu um giro em seu cubículo e tornou a cair no sofá.

— Vai dormir de novo! — exclamou Nastácia. — Será que tá doente?

Ele nada respondeu.

— Quer chá?

— Depois — respondeu ele com esforço, tornando a fechar os olhos e voltando-se para a parede. Nastácia ficou em pé olhando-o.

— Talvez esteja mesmo doente — disse ela, deu meia-volta e foi embora.

Tornou a voltar às duas horas trazendo sopa. Ele estava deitado como antes. Não tocara no chá. Nastácia até se sentiu ofendida e começou a empurrá-lo, furiosa.

— Por que tá sempre dormindo? — gritou, olhando para ele com asco. Ele soergueu-se e sentou-se, mas nada lhe disse e ficou olhando para o chão.

— Tá doente ou não? — perguntou Nastácia, e mais uma vez ficou sem resposta.

— Você podia pelo menos sair à rua — disse ela, depois de uma pausa —, pelo menos pra receber uma baforada de vento. Vai comer ou não?

— Depois — respondeu ele com voz fraca —, saia! — e fez um sinal de adeus.

Ela ainda permaneceu um pouco, olhou para ele com pena e saiu.

Alguns minutos depois ele levantou os olhos e ficou muito tempo olhando para o chá e a sopa. Depois pegou o pão, pegou uma colher e começou a comer.

Comeu um pouco, sem apetite, umas três, quatro colheres, como que maquinalmente. A dor de cabeça havia diminuído. Depois de almoçar, tornou a estirar-se no sofá, mas já não conseguiu adormecer, ficou deitado, imóvel, de bruços, o rosto mergulhado no travesseiro. Sonhava sem parar, e eram uns sonhos todos estranhos: com mais frequência lhe parecia que andava pela África, no Egito, em algum oásis. A caravana está descansando, os camelos deitados, obedientes; ao redor palmeiras se projetam, formam um verdadeiro círculo; todos estão almoçando. Ele não para de beber água, direto de um regato, que corre ali mesmo, ao lado, e murmureja. E como está fresco, e que água maravilhosa, maravilhosa, azul, fria, escorre por sobre pedras de cores diversas e por essa areia limpa com reflexos dourados... De repente ele ouviu nitidamente o bater do relógio. Estremeceu, recobrou-se, soergueu a cabeça, olhou pela janela, sondou a hora e súbito deu um salto, voltando inteiramente a si, como se alguém o tivesse arrancado do sofá. Foi até à porta na ponta dos pés, entreabriu-a devagarinho e se pôs a escutar o que vinha da parte baixa da escada. O coração batia terrivelmente. Mas a escada permanecia em silêncio, como se todos ali estivessem dormindo... Pareceu-lhe absurdo e estranho ter podido dormir em total entrega desde a véspera e não haver conseguido fazer nada, não ter preparado nada... Enquanto isso, vai ver que já haviam batido seis horas... E súbito uma azáfama fora do comum, febril, e com um quê de desconcertante apoderou-se dele, tomando o lugar do sono e do embotamento. Por outro lado, havia pouca coisa preparada. Ele fez todos os esforços para pensar em tudo e não esquecer nada; mas o coração pulsava sem parar, batia tanto que lhe foi difícil respirar. Em primeiro lugar, precisava fazer um laço e cosê-lo ao sobretudo, coisa de minutos. Mexeu debaixo do travesseiro e encontrou no meio da roupa branca ali apinhada uma sua camisa velha, suja, totalmente esfarrapada. Dos farrapos ele fez uma tira de umas duas polegadas de largura e treze de comprimento. Dobrou-a, tirou o sobretudo de verão folgado, forte, de um tecido de algodão grosso (era o seu único sobretudo) e passou a costurar as duas pontas da tira na parte interna abaixo da manga esquerda. As mãos tremiam enquanto ele costurava, mas ele venceu o tremor, e de tal forma que de fora não se notava nada depois que tornou a vestir o sobretudo. A agulha e a linha já estavam ali fazia tempo e ficavam em uma mesinha, embrulhadas em um papel. Quanto ao laço, era uma criação própria muito engenhosa: destinava-se à machada. Ora, não dava para andar de machada na mão pela rua. E se escondesse debaixo do sobretudo, ainda assim era necessário apoiá-la com o braço, o que dava na vista. Mas agora, com o laço, bastava encaixar nele a lâmina e a machada ficaria ali suspensa tranquilamente, na parte interna abaixo da manga, durante todo o caminho. Com a mão no bolso lateral do sobretudo ele poderia apoiar a ponta do cabo da machada para evitar que balançasse; e como o sobretudo era muito folgado, um verdadeiro saco, por fora não dava para notar que ele apoiava com a mão alguma coisa por dentro do bolso. Esse laço ele também tinha concebido fazia já duas semanas.

Feito isso, enfiou os dedos na pequena brecha entre o seu sofá "turco" e o chão, remexeu perto do canto esquerdo e tirou de lá o *penhor* há muito preparado e escondido. Aliás esse penhor não era propriamente um penhor mas uma simples chapinha de madeira desbastada e lisa, de tamanho e largura não superiores a uma cigarreira de prata. Achara essa chapinha por acaso em um dos seus passeios, em um pátio onde havia uma oficina na casa dos fundos. Depois já acrescentara a ela uma chapa fina de ferro, na certa um pedaço de alguma coisa que ele também havia achado na rua naqueles mesmos dias. Juntando as duas chapinhas, das quais a de ferro era menor, amarrou-as solidamente com um barbante em cruz; depois as embrulhou cuidadosa e elegantemente em um papel branco limpo e prendeu com um cadarço, também solidamente, e ajustou o nó de modo a tornar mais complicado desatá-lo. Fez isto com a finalidade de desviar por algum tempo a atenção da velha quando ela começasse a ocupar-se com o nó e assim aproveitar o momento. Acrescentou a chapa de ferro com o intuito de fazer peso para que, pelo menos no primeiro minuto, a velha não descobrisse que o "objeto" era de madeira. Tudo isso foi mantido debaixo do sofá até que chegasse o momento. Mal ele tirou o penhor, ouviu-se de repente o grito de alguém em algum ponto do pátio:

— Já passa das seis horas!

— Faz tempo! Meu Deus!

Ele se precipitou para a porta, ficou atento, agarrou o chapéu e começou a descer os seus treze degraus, cautelosamente, em silêncio, como um gato. Restava a questão mais importante — roubar a machada da cozinha. Há muito ele havia decidido que a coisa devia ser feita com uma machada. Ele ainda tinha uma tesoura de podar; mas na tesoura, e especialmente nas suas forças ele não confiava, e por isso se fixara em definitivo na machada. Observemos a propósito uma peculiaridade no tocante a todas as decisões definitivas já tomadas por ele nessa questão. Tinham elas uma qualidade estranha: quanto mais definitivas se tornavam, mais repugnantes, mais absurdas se delineavam, até mesmo aos olhos dele. Durante todo esse tempo, apesar de toda a sua angustiante luta interior, jamais pôde, um momento sequer, crer na exequibilidade dos seus projetos.

E mesmo se algum dia ele viesse a ter tudo já examinado e decidido até o último ponto e de forma definitiva e não restassem mais quaisquer dúvidas, é de crer que ainda assim viesse a renunciar a tudo como algo absurdo, monstruoso e impossível. Mas restava ainda toda uma infinidade de pontos não resolvidos e dúvidas. Quanto à questão de onde conseguir a machada, esse pormenor não lhe dava a mínima preocupação porque não havia nada mais fácil. É que a todo instante Nastácia se ausentava de casa, sobretudo à noitinha; ou corria aos vizinhos, ou a uma vendinha, e deixava sempre a porta escancarada. A dona da casa brigava com ela só por isso. Portanto, quando chegasse o momento, era só entrar na cozinha devagarinho, pegar a machada, e uma hora depois (quando tudo já estivesse terminado) voltar lá e devolvê-la. Mas também surgiam dúvidas: ele, suponhamos, retornaria uma hora depois para pôr a machada de volta, e daria de cara com Nastácia circulando por ali. É claro que precisava passar sem ser notado e esperar que ela tornasse a sair. Vamos que entrementes ela desse pela falta da machada, começasse a procurá-la, resolvesse gritar — aí apareceria uma suspeita, ou pelo menos um motivo para suspeita.

Mas isso ainda eram minúcias sobre as quais ele nem tinha começado a pensar, e também não tinha tempo para isso. Pensava no principal, e adiava as minúcias até o momento em que ele mesmo *estivesse convencido de tudo*. Mas este último ponto lhe parecia terminantemente inexequível. Pelo menos era o que parecia a ele mesmo. Nunca podia, por exemplo, imaginar que um dia parasse de pensar, se levantasse e simplesmente caminhasse para lá... Até mesmo aquele seu *ensaio* recente (isto é, a visita que fizera com a intenção de estudar definitivamente o lugar) ele apenas *esboçara*, mas nem de longe para valer, fizera por fazer: "deixa eu ir lá, articulou ele, experimentar, por que ficar nesse devaneio!?" — e no mesmo instante não se conteve, mandou tudo às favas e saiu de supetão, furioso consigo mesmo. Enquanto isso, porém, no tocante à solução moral da questão, ele parecia já ter concluído toda a sua análise: sua casuística estava afiada como uma navalha, e em si mesmo ele já não encontrava objeções conscientes. Mas no último caso ele simplesmente não acreditava em si mesmo e, de modo obstinado e servil, procurava objeções por todos os lados e às apalpadelas, como se alguém o forçasse e o arrastasse para tal. O último dia, que começara tão por acaso e resolvera tudo de uma só vez, agia sobre ele de maneira quase inteiramente mecânica: era como se alguém o segurasse pelo braço e o arrastasse, de forma irresistível, cega, com uma força antinatural, sem objeções. Como se uma nesga da sua roupa tivesse caído debaixo de uma roda de máquina e esta começasse a tragá-lo.

De início — aliás, isso já vinha acontecendo há muito tempo — uma questão o ocupava: por que se descobrem e se denunciam tão facilmente quase todos os crimes e se indicam com tanta evidência as pistas de quase todos os criminosos? Pouco a pouco ele chegou a conclusões diversas e curiosas e, segundo opinião sua, a causa principal não está tanto na impossibilidade material de ocultar um crime quanto no próprio crime; já o próprio criminoso, e quase todos eles, no momento do crime passa por um certo abatimento da vontade e da razão, que, ao contrário disso, são substituídas por uma fenomenal imprudência infantil, e justo no momento em que a razão e a precaução são mais indispensáveis. Segundo sua convicção, ocorre que esse eclipse da razão e esse abatimento da vontade se apossam do homem como uma doença, evoluem gradualmente e chegam ao ponto máximo um pouco antes do cometimento do crime; continuam da mesma forma no próprio momento do crime e algum tempo depois dele, dependendo do indivíduo; depois passam da mesma forma como passa qualquer doença. Mas a questão: é a doença que gera o crime ou o próprio crime, por sua natureza específica, de certa forma é sempre acompanhado de algo como uma doença? — ele ainda não se sentia em condição de resolver.

Chegando a tais conclusões, resolveu que pessoalmente, no caso dele, essas reviravoltas mórbidas não poderiam acontecer, que a razão e a vontade permaneceriam nele, inalienáveis, durante todo o tempo da execução do plano, pelo único motivo de que o que ele planejara "não era crime"...

Omitamos todo o processo pelo qual ele chegou à decisão final; já nos antecipamos demais... Acrescentemos apenas que as dificuldades reais, puramente materiais da questão tiveram o papel mais secundário na mente dele. "Basta apenas que eu mantenha sobre elas toda a minha vontade e toda a razão, e elas serão todas vencidas no seu tempo, quando chegar o momento de tomar conhecimento de todos os detalhes da coisa, até as mínimas sutilezas..." Mas a coisa não começava. No que ele menos continuava a crer era na sua decisão definitiva, e quando chegou a hora tudo saiu não como o planejado mas meio por acaso, de forma até quase inesperada.

Uma circunstância de suma insignificância levou-o ao impasse ainda antes que ele acabasse de descer a escada. Ao se aproximar da cozinha da senhoria, de porta escancarada como sempre, ele olhou de esguelha, cautelosamente, para certificar-se de antemão: na ausência de Nastácia, não estaria ali a própria senhoria? E, se não, estariam bem fechadas as portas do seu quarto para que ela não acabasse achando de aparecer quando ele entrasse em busca da machada? Mas qual não foi a sua surpresa ao ver subitamente que desta vez Nastácia não só se encontrava em casa, na sua cozinha, como ainda estava ocupada: tirava roupa branca de um cesto e a pendurava no varal! Ao vê-lo, parou de pendurar, voltou-se para ele e ficou o tempo todo a observá-lo enquanto ele passava. Ele desviou o olhar e passou como se não notasse nada. Mas a coisa estava decidida: não havia machada. Ele estava terrivelmente estupefato.

"E de onde deduzi — pensava, ao atravessar o portão —, de onde deduzi que nesse instante ela estaria forçosamente fora de casa? Por que, por que, por que eu resolvi isso com tanta certeza?" Estava esmagado, de certa forma até humilhado. Quis rir de si mesmo por raiva... Uma raiva estúpida, feroz, ferveu dentro dele.

Parou meditabundo ao portão. Sair à rua assim, para salvar as aparências, caminhar, era repugnante; voltar para casa era mais repugnante ainda. "E que chance perdi para sempre!", resmungou ele, à toa ali ao portão, bem em frente ao cubículo escuro do zelador, também aberto. Súbito estremeceu. Do cubículo do zelador, a dois passos dele, debaixo de um banco à direita, alguma coisa brilhou aos seus olhos... Examinou ao redor — ninguém. Aproximou-se do cubículo na ponta dos pés, desceu dois degraus da escada e chamou o zelador com uma voz fraca. "Isso mesmo, não está em casa! Está aqui por perto, pensando bem, no pátio, porque a porta está escancarada." Precipitou-se para o machado (esse era um machado) e o retirou de debaixo do banco, onde ele estava entre duas achas de lenha; ali mesmo, sem sair, fixou-o no laço, meteu ambas as mãos nos bolsos e saiu da casa do zelador.

Ninguém notou! "Se não é a razão, que seja o diabo!" — pensou, e riu de modo estranho. Esse acaso o deixou extremamente animado.

Saiu em seu caminho sereno e com *ar grave*, sem pressa, para evitar quaisquer suspeitas. Pouco olhava para os transeuntes, até procurava não olhar uma só vez para as caras e passar o quanto pudesse despercebido. Nisso lembrou-se do chapéu. "Meu Deus! Três dias atrás eu tinha dinheiro e não consegui comprar um boné!" Uma maldição lhe escapou da alma.

Olhando por acaso, com um olho só, para uma venda, notou que no relógio de parede já eram sete e dez. Precisava apressar o passo e ao mesmo tempo dar uma volta: chegar-se ao prédio contornando-o, pelo lado oposto...

Antes, quando lhe ocorria imaginar tudo isso, às vezes pensava que sentiria muito medo. Mas agora não estava com muito medo, na verdade não estava mesmo com medo nenhum. Nesse instante chegaram até a ocupá-lo umas ideias estranhas, só que durou pouco. Ao passar ao lado do Jardim de Yussúpov,[38] ia até mesmo esboçando a ideia da construção de altos repuxos e de como eles refrescariam bem o ar em todas as praças. Pouco a pouco passou à convicção de que, caso estendessem o Jardim de Verão a todo o Campo de Marte e também o unissem ao jardim do Palácio de Mikhailovski, isso seria uma coisa maravilhosa e útil para a cidade. Súbito uma coisa o interessou: por que precisamente em todas as grandes cidades o homem, não propriamente por uma necessidade mas por um motivo qualquer, tem uma inclinação especial para morar e fixar-se logo naquelas partes em que não existem nem jardins, nem repuxos, onde há sujeira, mau cheiro, e toda sorte de porcaria? Nisso ele se lembrou dos seus próprios passeios pela Siennáia, e por uns instante voltou a si. "Que absurdo é esse! — pensou. — Não, o melhor é não pensar nada!"

"Então, é verdade que as pessoas que são levadas para execução se aferram em pensamento a todos os objetos que encontram pelo caminho"[39] — passou-lhe pela cabeça, mas apenas como um raio; ele mesmo apagaria o mais depressa esse pensamento... Mas eis que já está perto, eis o prédio, eis o portão. Em algum lugar um relógio deu uma súbita badalada. "O que é isso, serão mesmo sete e meia? Pode ser que não seja verdade, que o relógio esteja adiantado!"

---

[38] Jardim público situado na rua Sadóvaia (hoje avenida Rimski-Kórsakov) em Petersburgo. (N. da E.)

[39] Essa sensação o próprio Dostoiévski experimentou quando estava sendo conduzido para a prisão. A psicologia do condenado à morte o inquietava profundamente. (N. da E.)

Mas por sorte tornou a passar sem nenhum problema pelo portão. Além disso, como se fosse de propósito, nesse mesmo instante acabava de entrar por ali, bem à sua frente, uma carroça de feno, encobrindo-lhe a passagem durante todo o tempo em que ele cruzava o portão, e mal ela conseguiu atravessar o portão e entrar no pátio ele se esgueirou num abrir e fechar de olhos para a direita. Lá, para onde se dirigia a carroça, algumas vozes discutiam mas ninguém o notou, e ele não cruzou com ninguém. Muitas janelas, que davam para aquele imenso pátio quadrado, estavam abertas naquele instante, mas ele não levantou a cabeça — não tinha nem força. A escada que conduzia à casa da velha ficava próxima, ali mesmo à direita do portão. Ele já estava na escada...

Tomando fôlego e apertando com a mão o coração que palpitava, depois de apalpar e ao mesmo tempo ajustar mais uma vez o machado, passou a subir a escada com cautela e em silêncio, apurando o ouvido a cada instante. Mas àquela altura a escada também estava totalmente deserta; todas as portas trancadas; não cruzou com ninguém. É verdade que no segundo andar havia um apartamento vazio escancarado e ali trabalhavam pintores de parede, mas estes nem cuidaram de olhar. Ele parou um pouco, refletiu e seguiu em frente. "É claro que seria melhor que eles não estivessem mesmo por aqui, mas... acima deles ainda há dois andares."

Mas eis aí o quarto andar, eis também a porta, e eis o apartamento em frente; aquele, vazio. No terceiro andar, por todos os indícios, aquele apartamento que fica debaixo do da velha também está vazio; o cartão de visita, antes preso à porta por tachas, foi retirado — saíram!... Ele ofegava. Por um instante um pensamento lhe passou pela mente: "Não será o caso de ir-me embora?". Mas não se respondeu e se pôs de ouvido atento no apartamento da velha: silêncio mortal. Depois ficou mais uma vez a escutar o que viesse da parte inferior da escada, escutou muito tempo, atentamente... Em seguida lançou um último olhar ao redor, aproximou-se de forma sorrateira, recompôs-se e mais uma vez testou o machado no laço. "Será que não estou pálido... muito? — pensou. — Será que não estou nervoso demais? Ela é desconfiada... Será que não é o caso de esperar mais... deixar que o coração cesse de...?"

Mas o coração não cessava. Ao contrário, como se fosse de propósito, batia mais forte, mais forte, mais forte... Ele não se conteve, estendeu lentamente a mão na direção da sineta e chamou. Meio minuto depois tornou a chamar, mais alto.

Nada. Ficar chamando à toa não era o caso, e nem fazia o jeito dele. A velha naturalmente se encontrava em casa, mas era desconfiada e estava só.

Em parte ele conhecia os hábitos dela... e mais uma vez pregou o ouvido à porta. Sabe-se lá se a sensibilidade dele estava muito aguçada (o que é mesmo difícil supor), ou se realmente dava para ouvir muito bem, o fato é que num repente ele distinguiu qualquer coisa como um cauteloso rumor de mão na maçaneta e como um farfalhar de vestido bem junto à porta. Alguém, que não se deixava notar, estava junto à própria fechadura e, exatamente como ele ali fora, auscultava escondido lá de dentro e, parece, também de ouvido colado à porta...

Ele se mexeu deliberadamente e balbuciou alguma coisa em voz alta para não deixar transparecer que estava se escondendo; depois chamou pela terceira vez, mas baixo, firme e sem qualquer impaciência. Ao lembrar-se disso mais tarde, de forma viva, nítida — esse instante lhe ficou cunhado para sempre —, ele não conseguia entender de onde havia tirado tanta astúcia, ainda mais porque em alguns momentos ele ficava com a mente embotada e quase não sentia o próprio corpo... Ao cabo de um instante ouviu-se alguém puxando o ferrolho.

## VII

Como da outra vez, a porta se abriu numa fresta minúscula, e do escuro dois olhos penetrantes e desconfiados se fixaram novamente nele. Nesse ponto Raskólnikov ficou desconcertado e ia cometendo um sério erro.

Temendo que a velha se assustasse por estarem os dois a sós e sem esperança de que seu aspecto a dissuadisse, ele agarrou a porta e a puxou em sua direção para que à velha não ocorresse a ideia de voltar a trancar-se. Ao ver isto, ela não puxou a porta de volta para si mas também não largou a maçaneta, de sorte que por pouco ele não a arrastou para a escada junto com a porta. Vendo, porém, que ela estava em pé na soleira da porta e não lhe dava passagem, ele avançou direto contra ela. Ela deu um salto para trás de medo, quis dizer alguma coisa mas pelo visto não conseguiu, e ficou olhando de olhos arregalados para ele.

— Boa noite, Aliena Ivánovna — começou ele da forma mais desembaraçada possível, mas a voz não lhe obedeceu, ficou embargada e tremeu —, para a senhora eu... trouxe um objeto, mas é melhor a gente vir para cá... para o claro... — e deixando-a, ele foi entrando direto no quarto, sem ser convidado. A velha correu atrás dele: sua língua destravou-se.

— Meu Deus! O que o senhor está querendo?... O que é isso? O que o senhor deseja?

— Ora, Aliena Ivánovna... sou um conhecido seu... Raskólnikov... olhe, trouxe o penhor que havia prometido há poucos dias... — e ele lhe estendeu o penhor.

A velha quis dar uma olhada no penhor mas no mesmo instante fixou o olhar direto nos olhos do visitante intruso. Ficou a olhar atentamente, com fúria e desconfiança. Transcorreu cerca de um minuto; a ele pareceu até que nos olhos dela havia qualquer coisa como zombaria, como se ela já tivesse adivinhado tudo. Ele percebeu que estava ficando desnorteado, que estava quase apavorado, tão apavorado que se ela continuasse mais meio minuto com aquele olhar, sem dizer uma única palavra, ele na certa fugiria dela correndo.

— E por que a senhora me olha desse jeito como se não me reconhecesse? — disse subitamente também com raiva. — Se quiser fique com o objeto, se não, vou procurar outras pessoas, não tenho tempo a perder.

Ele não pensava falar assim, mas súbito acabou lhe saindo automaticamente.

A velha voltou a si, e pelo visto o tom decidido da visita a animou.

— Por que você, meu caro, apareceu tão de repente... o que está acontecendo? — perguntou ela, olhando para o penhor.

— É uma cigarreira de prata: eu não falei da outra vez?

Ela estendeu a mão.

— E por que é que você está tão pálido? Veja como as mãos estão tremendo! Tomou banho, meu caro?

— É febre — respondeu com voz entrecortada. — Fica-se pálido a contragosto... quando não se tem o que comer — acrescentou ele, mal pronunciando as palavras. Mais uma vez as forças o abandonavam. Mas a resposta pareceu verossímil; a velha pegou o penhor.

— O que é isso? — perguntou ela, mais uma vez fixando o olhar em Raskólnikov e pesando o penhor na mão.

— Um objeto... uma cigarreira... de prata... dê uma olhada.

— Que coisa, como se não fosse de prata... E como você a amarrou!

Procurando desamarrar o cadarço e voltando-se para a janela, no sentido da claridade (todas as janelas estavam fechadas, apesar do abafamento), ela o deixou inteiramente por alguns segundos e lhe deu as costas. Ele desabotoou o sobretudo e soltou o machado do laço, mas ainda não o tirou por inteiro, ficando apenas a segurá-lo com a mão direita por cima da roupa. Os braços estavam terrivelmente fracos; ele mesmo os sentia a cada instante cada vez mais entorpecidos e duros. Temia soltar e deixar cair o machado... num repente foi como se a cabeça começasse a rodar.

— O que ele enrolou aqui! — gritou a velha irritada e mexeu-se na direção dele.

Ele não podia perder nem mais um instante. Tirou o machado por inteiro, levantou-o com as duas mãos, mal dando conta de si, e quase sem fazer força, quase maquinalmente, baixou-o de costas na cabeça dela. Era como se nesse instante tivesse lhe faltado força. Mas foi só ele baixar uma vez o machado que lhe veio a força.

A velha, como sempre, estava de cabeça descoberta. Os cabelos claros com tons grisalhos, ralinhos, habitualmente besuntados de óleo, formavam uma trança à moda de rabo de rato e estavam presos a um resto de pente de chifre que se destacava na nuca. O golpe acertara em plenas têmporas, para o que contribuíra a sua baixa estatura. Ela deu um grito, mas muito fraco, e súbito arriou inteira no chão, mas ainda conseguiu levantar ambas as mãos até à cabeça. Em uma das mãos ainda continuava segurando o "penhor".

Então ele bateu duas vezes com toda a força, sempre com as costas do machado e nas têmporas. O sangue jorrou, como de um copo derrubado, e o corpo caiu de costas. Ele recuou, deixou-a cair e no mesmo instante abaixou-se para lhe olhar o rosto; estava morta. Tinha os olhos esbugalhados, como se quisessem saltar, e a testa e todo o rosto franzidos e deformados pela convulsão.

Ele botou o machado no chão, ao lado da morta, e no mesmo instante atirou-se ao bolso dela, procurando não se sujar do sangue que escorria — àquele mesmo bolso direito de onde ela havia tirado a chave da última vez. Ele estava em plena consciência, já não sentia mais perturbação mental nem vertigem, no entanto as mãos ainda continuavam a tremer. Mais tarde lembrou-se de que estivera inclusive muito atento, cauteloso, procurando sempre evitar manchas... As chaves ele tirou no mesmo instante daquele bolso; como da vez anterior, tudo estava em um molho, em um aro de aço. Imediatamente correu com elas ao quarto. Era um quarto muito pequeno, com um enorme caixilho para ícones. Junto à outra parede ficava uma cama grande, bastante limpa, coberta por um edredom de retalhos de seda. À terceira parede ficava a cômoda. Coisa estranha: mal ele começou a enfiar a chave na cômoda, mal ouviu o seu tinido, foi como se uma convulsão lhe percorresse o corpo. Súbito, mais uma vez quis largar tudo e ir embora. Mas foi apenas um instante; era tarde para ir embora. Chegou até a rir de si mesmo, e súbito bateu-lhe outro pensamento inquietante. Eis que lhe pareceu que a velha talvez ainda estivesse viva e ainda pudesse voltar a si. Largando as chaves, e a cômoda, ele correu de volta ao corpo, agarrou o machado e o levantou mais uma vez sobre a velha, mas não o desceu. Não havia dúvida: ela estava morta. Inclinando-se e examinando-a outra vez mais de perto, viu com clareza que o crânio estava esfacelado e até levemente deslocado. Quis tocá-la mas afastou a mão; já estava tudo claro. Entrementes o sangue já havia formado uma verdadeira poça. Nisso ele notou um cordão no pescoço dela, puxou-o, mas o cordão era forte e não cedeu; além do mais estava molhado de sangue. Ele tentou tirá-lo pelo pescoço, num gesto de baixo para cima, mas alguma coisa atrapalhava, prendia. Tomado de impaciência, quis levantar mais uma vez o machado e malhar imediatamente no cordão, no corpo, de cima para baixo, mas não se atreveu e, depois de pelejar uns dois minutos, sujando de sangue as mãos e o machado, cortou a muito custo o cordão e o tirou, sem aplicar o machado ao corpo; não se enganou — era a bolsa. No cordão havia duas cruzes, uma de cipreste e outra de cobre, além de um santinho de esmalte; pendurado com eles estava uma pequena bolsa de camurça engordurada, com um aro de aço e um anelzinho.

A bolsa estava abarrotada; Raskólnikov a enfiou no bolso sem examiná-la, atirou a cruz no peito da velha e, agarrando desta feita o machado, lançou-se de volta ao quarto.

Estava com uma pressa terrível, agarrou as chaves e voltou a mexer com elas. Mas era como se tudo saísse errado: não entravam na fechadura. Não é que as mãos tremessem tanto, é que ele só fazia errar: vê, por exemplo, que a chave está errada, não entra, mas ele continua insistindo. Súbito atinou e percebeu que aquela chave grande, de palhetão dentado, que balançava ali junto de outras pequenas, devia infalivelmente ser não da cômoda (como lhe ocorrera da outra vez) mas de algum baú, e que nesse baú talvez estivesse tudo guardado. Ele largou a cômoda e no mesmo instante meteu-se debaixo da cama, sabendo que as velhas costumam guardar os baús debaixo da cama. E foi o que aconteceu: havia um baú considerável, com mais de uma braça de comprimento, com tampa arqueada, revestida de marroquim vermelho sob cravos de aço. A chave dentada veio na medida e o abriu. Em cima, debaixo de um lençol branco, estava um casaco de pele de lebre, coberto por um conjunto vermelho; debaixo dele havia um vestido sedoso, depois um xale, e lá, mais para o fundo, parecia haver apenas trapos. Antes de mais nada ele se pôs a limpar no conjunto vermelho as mãos manchadas de sangue. "É vermelho, e no vermelho não se nota o sangue" — ia raciocinando ele, e súbito caiu em si: "Meu Deus! Será que estou enlouquecendo?" — pensou assustado.

Contudo, mal sacudiu essa traparia, um relógio de ouro brotou de debaixo do casaco de pele. Lançou-se a revirar tudo. De fato, no meio da traparia haviam sido colocados objetos de ouro — provavelmente tudo penhores resgatados e não resgatados —, pulseiras, correntes, brincos, alfinetes etc. Alguns estavam em estojos, outros simplesmente embrulhados em papel de jornal, mas em folhas duplas, com cuidado e zelo, e amarrados em círculo por cadarços. Sem qualquer demora, ele passou a encher os bolsos da calça e do sobretudo, sem examinar nem abrir os embrulhos e estojos; mas não teve tempo de pegar muita coisa...

Súbito soaram passos de alguém no cômodo onde estava a velha. Ele parou e ficou quieto como um morto. Mas tudo estava em silêncio, logo, fora impressão. De repente ouviu-se nitidamente um leve grito, ou como se alguém tivesse dado um gemido baixinho e entrecortado, calando em seguida. Depois voltou a fazer-se um silêncio de morte, durante um a dois minutos. Ele estava de cócoras junto ao baú e aguardava, mal conseguindo tomar fôlego, mas de repente deu um salto, agarrou o machado e saiu do quarto correndo.

No meio do cômodo estava Lisavieta em pé, com uma trouxa grande na mão, olhando pasma para a irmã morta, toda branca como um pano e como que sem forças para gritar. Ao vê-lo sair correndo, ela começou a tremer feito vara verde, e ficou com todo o rosto convulsionado; levantou a mão, fez menção de abrir a boca, mas mesmo assim não gritou e começou a afastar-se dele devagar, de costas, para o canto, olhando-o fixamente, à queima-roupa, mas ainda assim sem gritar, como se lhe faltasse ar para tanto. Ele investiu contra ela de machado em punho; os lábios dela se contraíram de forma tão penosa quanto os de uma criancinha que começa a ficar com medo de alguma coisa, com o olhar fixo no objeto que as amedronta, e se preparam para começar a gritar. Essa infeliz Lisavieta era de tal forma ingênua, esquecida e sempre assustada que nem sequer levantou o braço para proteger o rosto, embora fosse esse o gesto defensivo mais necessariamente natural nesse instante, porque o machado havia sido levantado direto sobre o seu rosto. Ela apenas soergueu de leve o braço esquerdo livre, sem sequer proteger o rosto, e o esticou devagarinho na direção dele, como se o afastasse. O golpe foi direto no crânio, de lâmina, e de uma só vez abriu toda a parte superior da testa, chegando quase às têmporas. E ela desabou. Raskólnikov estava quase desnorteado; agarrou-lhe a trouxa, largou-a e correu para a antessala.

O pavor se apoderava dele cada vez mais, sobretudo depois desse segundo assassinato totalmente inesperado. Queria correr dali o mais rápido possível. E se nesse instante ele estivesse em condição de ver e raciocinar de modo mais correto; se pudesse ao menos perceber todas as dificuldades da sua situação, todo o desespero, toda a hediondez e todo o absurdo que havia nela, compreender quantas dificuldades e talvez até quanta crueldade ainda teria de superar e praticar para escapulir dali e chegar em casa — é bem possível que ele largasse tudo e dali mesmo fosse denunciar-se, e não por temer por si próprio mas pelo simples horror e repugnância ao que havia praticado. Nele a repugnância crescia sobremaneira e aumentava a cada instante. Agora ele não voltaria ao baú e nem ao quarto por nada nesse mundo.

Mas pouco a pouco começou a dominá-lo um certo alheamento, uma espécie de meditação: por minutos era como se ele perdesse a consciência ou, melhor, esquecesse o principal e se apegasse a minúcias. Aliás, olhando para a cozinha e avistando em cima de um banco um balde com água até o meio, ocorreu-lhe lavar as mãos e o machado. As mãos estavam ensanguentadas e pegajosas. O machado ele mergulhou pela lâmina direto na água; agarrou um pedaço de sabão que estava na janela em um caco de pires e começou a lavar as mãos ali mesmo no balde. Depois de lavá-las tirou também a lâmina do machado, lavou-a e passou um longo tempo, coisa de uns três minutos, lavando o cabo onde havia respingos, esfregando o sangue até com sabão. Depois enxugou tudo na roupa branca que estava ali mesmo, secando numa corda estendida através da cozinha, após o que ficou muito tempo examinando o machado, atentamente, junto à janela. Não restaram vestígios, apenas o cabo ainda estava úmido. Encaixou cuidadosamente o machado no laço, debaixo do sobretudo. Em seguida, até onde permitia a fraca claridade da cozinha, examinou o sobretudo, as calças, as botas. Na superfície, à primeira vista, parecia não haver nada; só nas botas havia manchas. Ele molhou um pano e limpou-as. Sabia, aliás, que discernia mal, que, talvez, houvesse alguma coisa que saltasse à vista, mas ele não estava notando. Parou no meio do quarto, meditando. Uma ideia angustiante, sombria, crescia nele — a ideia de que estava enlouquecendo, de que naquele instante não tinha condição nem de raciocinar, nem de se defender, de que talvez não devesse fazer o que estava então fazendo... "Meu Deus! Preciso fugir, fugir!" — balbuciou e precipitou-se para a antessala. Mas ali o aguardava um horror como, é claro, nunca havia experimentado.

Ficou parado, observando, e não acreditava no que viam os próprios olhos: a porta, a porta da frente, que dava da antessala para a escada, aquela mesma em que, não fazia muito, ele batera e por onde entrara, estava descerrada, inclusive entreaberta e cabendo a mão inteira: sem chave nem ferrolho, o tempo todo, todo aquele tempo! A velha não fechara a porta atrás dele talvez por precaução. Mas Deus! Ora, depois ele viu Lisavieta! E como podia, como podia não adivinhar que ela havia entrado de algum lugar! Não teria atravessado a parede.

Ele se lançou para a porta e passou o ferrolho.

"Ah, não, mais um erro! Preciso sair daqui, sair, sair...!"

Puxou o ferrolho, abriu a porta e ficou de ouvido atento na escada.

Passou muito tempo auscultando. Em algum ponto longe dali, embaixo, provavelmente à entrada do portão, duas vozes, sabe-se lá de quem, gritavam esganiçadas, discutiam e se insultavam. "O que eles estarão?..." Esperou com paciência. Num instante tudo ficou em silêncio, cessou bruscamente: dispersaram-se. Ele já estava para sair, mas súbito a porta do andar inferior, que dava para a escada, abriu-se com ruído e alguém começou a descer a escada cantarolando um motivo qualquer. "Como estão sempre fazendo barulho!" — passou-lhe pela cabeça. Tornou a encostar a porta e ficou aguardando. Por fim tudo ficou em silêncio, nem viva alma. Ele já ia pondo o pé na escada quando de repente novos passos se fizeram ouvir.

Vinham de muito longe, lá bem do começo da escada, mas na lembrança dele estava muito bem nítido que desde o primeiro som algum motivo o levara a desconfiar de que eles se dirigiam forçosamente *para lá*, para o quarto andar, para o apartamento da velha. Por quê? Seriam os sons tão especiais, notáveis? Eram passos pesados, regulares, sem pressa. Aí vem *ele*, já passou o primeiro andar, já subiu mais; dá para ouvir cada vez mais, cada vez mais! Ouve-se o ofegar pesado da pessoa chegando. Já vem aí subindo o terceiro... Vindo para cá! E de repente lhe pareceu que estava como que paralisado, que era como se estivesse sonhando que o acossavam, de perto, querendo matá-lo, e ele mesmo era como se estivesse pregado no lugar, sem poder sequer mexer as mãos.

Por fim, quando a visita começou a subir para o quarto andar, só então agitou-se de repente e acabou se esgueirando com destreza do saguão para o apartamento e fechando a porta atrás de si. Em seguida agarrou o machado e calmamente, em silêncio, acomodou-o no laço. O instinto o socorreu. Terminado tudo, escondeu-se ali mesmo ao pé da porta, prendendo a respiração. O intruso também já estava à porta. Agora os dois estavam frente a frente como há pouco tempo ele estivera com a velha quando a porta os separava e ele auscultava.

A visita tomou fôlego várias vezes, pesadamente. "Deve ser gordo e grande" — pensou Raskólnikov, apertando o machado na mão. De fato, era como se tudo fosse um sonho. O visitante agarrou a sineta e puxou com força.

Logo que soou o som de lata da sineta ele teve a súbita impressão de que alguém se havia mexido no quarto. Chegou até a ficar alguns segundos de ouvido seriamente aguçado. O desconhecido tornou a chamar, esperou mais um pouco e, de repente, tomado de impaciência, começou a puxar com toda a força a maçaneta da porta. Raskólnikov observava com horror o eixo do ferrolho pulando nos gonzos e esperava com um medo estúpido que ele saltasse a qualquer momento. Isso de fato parecia possível, tão grande era a força com que puxava. Ele esboçou a ideia de segurar o ferrolho com a mão, mas *o outro* poderia adivinhar. Sua cabeça parecia querer voltar a girar. "Vou desmaiar!" — passou-lhe pela cabeça, mas o desconhecido começou a falar e ele se refez no mesmo instante.

— Raios, será que estão dormindo ou foram estranguladas? Trimalditas — mugiu como se estivesse dentro de uma barrica. — Ei, Aliena Ivánovna, sua bruxa velha! Lisavieta Ivánovna, beleza indescritível! Abram! Ô, trimalditas, será que estão dormindo?

E novamente, tomado de fúria, puxou a sineta umas dez vezes seguidas, com toda a força. Era mesmo um homem imperioso e íntimo da casa.

Nesse mesmo instante ouviram-se passos apressados ali perto na escada. Passava mais alguém. Raskólnikov acabou perdendo o começo da conversa.

— Será que não tem ninguém? — bradou com voz sonora e alegre o recém-chegado, dirigindo-se diretamente ao primeiro visitante, que ainda continuava a puxar a sineta. — Boa noite, Koch!

"A julgar pela voz, deve ser muito jovem" — pensou de súbito Raskólnikov.

— O diabo sabe delas, por pouco não arrebentei a fechadura — respondeu Koch. — E o senhor, como é que me conhece?

— Ora como! Há três dias ganhei do senhor três partidas seguidas de bilhar no "Gambrinus"!

— Ah-ah-ah!

— Então elas não estão? Estranho. Um absurdo, aliás, um horror.

— Onde a velha iria meter-se? Vim a negócio.

— Eu também vim a negócio, meu caro!

— Então, o que a gente vai fazer? Quer dizer que vai voltar? Ora, ora! E eu que pensava em arranjar dinheiro! — exclamou o jovem.

— É claro que vamos voltar; pra que marcar hora? Ela mesma, a bruxa, marcou hora comigo. Eu tive de dar uma volta. Aliás, não consigo entender; por onde diabo ela andará? A bruxa passa o ano inteiro enfiada em casa, mofando, com dor nas pernas, e de repente sai para passear!

— Não será o caso de perguntar ao zelador?

— O quê?

— Pra onde foi e quando volta.

— Hum.. diabos... é perguntar... Porque ela não vai a lugar nenhum... — e ele deu mais um puxão na maçaneta da porta. — Diabos, não há o que fazer, vamos embora!

— Espere! — gritou de repente o jovem. — Olhe: está vendo como a porta cede se a gente puxa?

— E daí?

— Significa que não está fechada a chave mas a ferrolho, isto é, no trinco. Está ouvindo o tilintar do ferrolho?

— E então?

— Mas como é que o senhor não entende? Quer dizer que uma delas está em casa. Se todas as duas tivessem saído, teriam trancado a porta por fora com chave e não se trancado por dentro com ferrolho. Mas neste caso — está ouvindo como o ferrolho tilinta? E para trancar-se por dentro a ferrolho é preciso estar em casa, entende? Logo, estão em casa, mas não abrem!

— Bah! É isso mesmo! — gritou surpreso Koch. — Então o que estão fazendo lá dentro? — E ele começou a puxar freneticamente a porta.

— Pare! — tornou a gritar o jovem — Não puxe. Aqui há qualquer coisa de estranho... O senhor tocou a sineta, puxou a porta, mas não abrem; então ou as duas estão desmaiadas, ou...

— O quê?

— Veja o quê: vamos procurar o zelador; que ele mesmo acorde as duas.

— Isso! — Os dois se puseram a descer.

— Espere! O senhor fique aqui, enquanto eu vou lá embaixo chamar o zelador.

— Por que ficar?

— Quem sabe o que pode acontecer?

— É mesmo...

— Estou me preparando para ser juiz de instrução! Aqui evidentemente, e-vi-den-te-men-te há alguma coisa estranha! — bradou entusiasmado o jovem e desceu a escada correndo.

Koch ficou, mexeu mais uma vez devagarinho a sineta, e esta deu uma batida; depois, devagarinho, como se refletisse e examinasse, passou a mexer na maçaneta da porta, puxando-a e largando-a, querendo se convencer mais uma vez de que ela estava apenas no ferrolho. Depois inclinou-se ofegante e ficou olhando pelo buraco da fechadura; mas por dentro a chave estava pendurada, logo, não dava para enxergar nada.

Em pé, Raskólnikov apertava o machado. Era como se estivesse delirando. Estava inclusive disposto a lutar com eles quando entrassem. Enquanto batiam e discutiam, várias vezes teve a repentina ideia de acabar com tudo de uma vez e gritar para eles do outro lado da porta. Teve vontade de começar a xingá-los, a provocá-los enquanto não abriam a porta. "É melhor que termine logo!" — veio-lhe de relance à cabeça.

— Mas ele, ô diabo...

Passava o tempo, um minuto, outro, ninguém aparecia. Koch começou a mexer-se.

— Mas é o diabo!... — gritou de repente e, largando a guarda tomado de impaciência, também foi para baixo, com pressa e batendo as botas na escada. Os passos silenciaram.

— Deus, o que fazer!

Raskólnikov puxou o ferrolho, entreabriu a porta — não ouviu nada, e súbito, já sem pensar em absolutamente nada, saiu, encostou a porta o mais firme que pôde e lançou-se escada abaixo.

Já havia descido três lanços de escada quando subitamente ouviu um vozerio forte embaixo. Onde se meter? Não havia onde se esconder. Ia correr de volta, ao mesmo apartamento.

— Ei, maldito, diabo! Segurem!

Alguém lá embaixo saiu de algum apartamento aos gritos e não só correu como de fato caiu escada abaixo se esgoelando:

— Mitka! Mitka! Mitka! Mitka! Mitka![40] O diabo que te carregue!

O grito terminou com um ganido; os últimos sons já se ouviram do pátio; tudo ficou em silêncio. Mas nesse mesmo instante vários homens começaram a subir a escada fazendo barulho, falando alto e repetidamente. Eram uns três ou quatro. Ele ouviu a voz sonora do jovem. "São eles!"

Em completo desespero, foi de cara ao encontro deles: "Seja lá o que for! Se me pararem, tudo estará perdido, se não pararem, também estará tudo perdido: haverão de lembrar-se". Os outros já vinham ao encontro dele; entre eles restava apenas um lanço de escada — e de repente a salvação! A alguns degraus dele, à direita, estava o apartamento vazio e escancarado, aquele mesmo apartamento do segundo andar que os operários estavam pintando e agora haviam deixado como que de propósito. Com certeza tinham sido eles que há pouco haviam saído correndo naquela gritaria. O assoalho acabava de ser pintado, no meio do cômodo havia uma barrica, um caco de louça com tinta e um pincel. Num abrir e fechar de olhos ele se esgueirou pela porta aberta e escondeu-se atrás de uma parede, e não foi sem tempo: eles já estavam em pleno patamar. Em seguida guinaram para cima e passaram ao lado conversando alto, em direção ao quarto andar. Ele esperou, saiu na ponta dos pés e correu para baixo.

Na escada não havia ninguém! Nem no portão. Ele passou rapidamente pelo portão, deu uma guinada para a esquerda e ganhou a rua.

Sabia muito bem, sabia perfeitamente bem que, àquela altura, eles já se achavam no apartamento, que tinham ficado muito surpresos ao encontrá-lo aberto quando ainda há pouco estivera fechado, que já examinavam os corpos e que não passaria mais de um minuto para que adivinhassem e compreendessem inteiramente que o assassino acabara de estar ali e conseguira esconder-se em algum lugar, esgueirar-se deles, fugir; ainda adivinhariam, talvez, que ele estivera sentado no apartamento vazio no momento em que eles passavam subindo. Enquanto isso, sob nenhum pretexto ele se atreveria a aumentar muito o passo, embora estivesse a uns cem passos da próxima esquina. "Não seria o caso de me esgueirar para alguma passagem e ficar

---

[40] Diminutivo ou tratamento carinhoso de Dmitri. (N. do T.)

esperando por aí em alguma escada desconhecida? Não, a coisa vai mal! E não será o caso de largar o machado em algum lugar? Não será o caso de pegar um coche? A coisa vai mal! Mal!"

Até que enfim um beco; guinou para ele mais morto do que vivo; aí já estava metade salvo, e compreendia isso: menos suspeitas, e ainda por cima um vaivém de gente, e ele desaparecia no meio como um grão de areia. Mas todos esses tormentos o haviam esgotado a tal ponto que ele se movimentava a muito custo. Suava às bicas; tinha o pescoço todo molhado. "Eta porre!" — gritou-lhe alguém, quando ele apareceu no canal.

Nesse momento ele mal lembrava de si mesmo; e isso piorava conforme o tempo ia passando. Lembrava-se, entretanto, de que, ao chegar ao canal, levara um súbito susto, de que havia pouca gente e ali estava mais à vista, e quis voltar para o beco. Apesar de quase ter desmaiado, ainda assim deu uma volta e chegou em casa por um lado totalmente oposto ao de costume.

Não estava senhor de si quando chegou ao portão do seu prédio; já havia pelo menos tomado a direção da escada e só então se lembrou do machado. Entretanto, tinha pela frente uma tarefa muito importante: colocá-lo de volta da forma mais invisível que pudesse. É claro que ele já não estava em condição de compreender que lhe seria bem melhor não pôr, de maneira nenhuma, o machado no lugar anterior, e sim largá-lo, mesmo que depois, em algum pátio estranho.

No entanto tudo saiu bem. A porta da casa do zelador estava fechada, mas não à chave, logo, o mais provável era que ele estivesse em casa. Contudo ele já havia perdido a tal ponto a capacidade de atinar qualquer coisa que foi direto à casa do zelador e abriu a porta. Se o zelador lhe perguntasse: "O que deseja?" — ele talvez lhe entregasse diretamente o machado. Porém mais uma vez o zelador não estava em casa, e ele conseguiu colocar o machado no antigo lugar debaixo do banco; até o encobriu com a acha de lenha como antes. Depois não encontrou ninguém, viva alma, até à porta do seu quarto; a porta da casa da senhoria estava fechada. Ao entrar no quarto, lançou-se no sofá como estava. Não dormiu, ficou na modorra. Se nessa ocasião alguém entrasse no quarto, imediatamente ele daria um salto e começaria a gritar. Retalhos e trechos de alguns pensamentos fervilhavam sem parar em sua cabeça; mas ele não conseguia captar nenhum deles, não podia deter-se em nenhum deles, nem apesar dos esforços...

# SEGUNDA PARTE

I

Permaneceu muito tempo deitado. Vez por outra parecia que ia despertar, e nesses instantes notava que há muito já era noite, mas levantar-se não lhe passava pela cabeça. Por último notou que já havia uma claridade de dia. Estava de bruços no sofá, ainda estupefato com os recentes acontecimentos. Da rua lhe chegavam nitidamente berros terríveis, desesperados, que, aliás, toda noite ele ouvia debaixo da sua janela quando já passava das duas. Foram eles que desta feita o acordaram. "Ah! Os bêbados já estão saindo dos botequins — pensou —, já passa das duas —, e num repente deu um salto, como se alguém o tivesse arrancado do sofá. — Como! Já passa das duas!" Sentou-se no sofá — e aí se lembrou de tudo! Súbito, num abrir e fechar de olhos lembrou-se de tudo.

No primeiro instante pensou que fosse enlouquecer. Um frio terrível o envolvia; mas o frio vinha também da febre, que há muito tempo o acometera enquanto ele dormia. Agora lhe batia tamanho calafrio que os dentes por pouco não lhe saltavam da boca, e ele se sentiu inteiramente entorpecido. Entreabriu a porta e pôs-se a escutar; o prédio todo estava mergulhado em um sono absoluto. Admirado, examinava a si mesmo e tudo ao redor em seu quarto e não entendia como, na véspera, ao entrar no quarto, pudera não fechar a porta no trinco e atirar-se no sofá não só sem trocar de roupa mas até de chapéu na cabeça: este rolara e estava ali mesmo no chão, perto do travesseiro. "Se entrasse alguém, o que iria pensar? Que eu estou bêbado, mas..." Precipitou-se para a janela. Havia bastante luz, e ele começou a examinar-se apressadamente, todo, da cabeça aos pés, toda a roupa: será que não haveria marcas? Mas assim não é possível: tremendo de calafrio, começou a tirar toda a roupa e mais uma vez a examiná-la por completo. Revirou tudo, até a última linha e o último farrapo e, desconfiando de si mesmo, repetiu a vistoria três vezes. Mas não havia nada, parece que nenhum vestígio; só na bainha da calça, que de desfiada virara franja, apareciam marcas espessas de sangue coagulado. Ele pegou uma navalha grande e cortou a franja. Parece que não havia mais nada. Súbito lembrou-se de que a carteira e os objetos que havia tirado do bauzinho da velha ainda continuavam todos espalhados pelos seus bolsos! Até então não lhe ocorrera tirá-los e escondê-los! Não se lembrara deles nem agora enquanto revistava a roupa! O que está acontecendo? Num abrir e fechar de olhos começou a tirá-los e jogá-los em cima da mesa. Depois de juntar tudo, chegando até a revirar os bolsos para ver se ainda não havia ficado alguma coisa, transferiu todo o monte para um canto. Ali, em um lugar bem no canto da parede, embaixo, o papel se descolara e estava rasgado: no mesmo instante ele começou a meter tudo naquele buraco, atrás do papel: "Coube! Tudo fora do alcance da vista, e a carteira também!" — pensava com alegria, soerguendo-se e lançando um olhar estúpido para o canto, para o buraco ainda mais alargado. Nisso estremeceu, todo tomado de pavor: "Meu Deus — sussurrou em desespero —, o que está acontecendo comigo? Por acaso está escondido? Isso lá é jeito de esconder?"

É verdade que nem chegara a contar com os objetos: pensara que só houvesse dinheiro, e por isso não tinha preparado um lugar de antemão. "Mas agora, do que estou contente agora? Isso lá é jeito de esconder? A razão está me abandonando de verdade!" Sentou-se exausto no sofá, e no mesmo instante um calafrio insuportável tornou a sacudi-lo. Puxou maquinalmente o sobretudo de inverno dos tempos de estudante, que estava numa cadeira ao lado, quente mas já quase em farrapos, cobriu-se com ele, e mais uma vez o sono e o delírio se apoderaram dele ao mesmo tempo. Caiu no sono.

Não mais que cinco minutos depois tornou a levantar-se de um salto e no mesmo instante, tomado de furor, lançou-se mais uma vez à roupa. "Como pude adormecer de novo sem ter feito nada! É mesmo, é mesmo: até agora não tirei o laço de debaixo da manga! Esqueci, esqueci uma coisa como essa! Um prova como essa! Puxou o laço e começou a parti-lo em pedaços, enfiando-os no meio da roupa branca debaixo do travesseiro. "Pedaços de pano rasgado não vão provocar suspeita de maneira nenhuma; acho que é isso, acho que é isso!" — repetia em pé, no meio do quarto, e, presa de uma atenção que beirava a dor, passou mais uma vez a examinar ao redor, no chão, em toda parte; não teria esquecido mais alguma coisa? A certeza de que tudo, até a memória, até a simples capacidade de pensar o estavam abandonando começava pouco a pouco a angustiá-lo. "O que é isso, será que já está começando, será que o suplício já está chegando? Vejam, vejam, é isso mesmo!" De fato, os fiapos da franja, que ele cortara da calça, continuavam espalhados pelo chão, no meio do quarto, às vistas do primeiro que aparecesse! "Ora, que coisa está acontecendo comigo!" — tornou a exclamar feito um desnorteado.

Nesse instante um pensamento estranho lhe veio à cabeça; talvez toda a sua roupa estivesse manchada de sangue, talvez houvesse muitas manchas, e ele apenas não conseguia enxergá-las, notá-las, porque estava com a capacidade de pensar debilitada, desarticulada... com a razão perturbada... Lembrou-se num átimo de que na carteira também havia sangue. "Caramba! Quer dizer então que no bolso também deve haver sangue, porque na ocasião eu meti nele a carteira ainda molhada!" Num piscar de olhos revirou o bolso e — de fato: vestígios, manchas no forro do bolso! "Logo, a razão ainda não me abandonou por completo, logo, ainda tenho capacidade de pensar e memória, uma vez que eu mesmo me apercebi e adivinhei! — pensou com ar triunfal, enchendo o peito num suspiro fundo e contente — Foi apenas uma fraqueza provocada pela febre, um instante de delírio" — e arrancou todo o forro do bolso esquerdo da calça. Nesse instante um raio de sol iluminou sua bota esquerda; na meia, que brotava da bota, era como se aparecessem sinais. Ele tirou a bota; "De fato, sinais! Todo o bico da meia embebido de sangue"; pelo visto na ocasião ele havia metido o pé naquela poça por descuido... "E agora, o que vou fazer com isso? Onde vou meter essa meia, a franja, o bolso?"

Juntou tudo em um punhado e postou-se no meio do quarto. "Meto na estufa? Mas é na estufa onde primeiro vão começar a remexer. Queimar? Mas queimar com quê? Nem fósforo tenho. Não, é melhor ir a algum lugar e jogar tudo fora. Sim! É melhor jogar fora! — repetia, voltando a sentar-se no sofá — E agora, neste instante, sem demora!..." Mas em vez disso a cabeça pendeu mais uma vez para o travesseiro; mais uma vez um calafrio insuportável o deixou gelado, e mais uma vez ele puxou para si o capote. E durante muito tempo, horas a fio imaginou-se com ímpetos de "ir agora mesmo, sem demora, a algum lugar e jogar tudo fora, para que tudo fique longe do alcance da vista e sem demora, sem demora!". Teve ímpeto de levantar-se do sofá várias vezes, mas já não conseguiu. Uma batida forte na porta o despertou definitivamente.

— Ora, abre isso, tá vivo ou não? Ele não para de dormir! — gritava Nastácia, esmurrando a porta. — Dias e mais dias dormindo como um cachorro! Aliás é um cachorro mesmo. Abre isso, ora. Já passa das dez.

— Vai ver que não está em casa! — falou uma voz de homem.

"Caramba! É a voz do zelador... O que ele estará querendo?"

Deu um salto e sentou-se no sofá. O coração batia tão forte que até doía.

— No entanto, quem fechou a porta no trinco? — objetava Nastácia. — Vejam só, passou a se trancar! Será que pensa que vão levá-lo? Abre, cabeça de vento, acorda!

"O que estarão querendo? Por que o zelador? Estão a par de tudo. Resistir ou abrir? Dane-se..."

Soergueu-se, inclinou-se para a frente e abriu o trinco.

Todo o quarto era de um tamanho tal que se podia abrir o trinco sem se levantar da cama.

De fato: ali estavam o zelador e Nastácia.

Nastácia o olhou de um modo um tanto estranho. Ele olhou para o zelador com um olhar desafiador e desesperado. Este lhe entregou em silêncio um papel cinza dobrado, fechado por um lacre verde-escuro.

— Uma intimação da delegacia — pronunciou ele, entregando o papel.

— De que delegacia?...

— De polícia, pois então, intimação pra comparecer à delegacia. É sabido que delegacia.

— À polícia!... Pra quê?...

— Como é que eu vou saber? Tão intimando, vai. — olhou atentamente para ele, sondou em torno, virou-se para sair.

— Pelo jeito está doente mesmo, não é? — observou Nastácia, sem tirar os olhos dele. O zelador também olhou para trás por um instante. — Desde ontem queimando em febre — acrescentou ela.

Ele não respondia e continuava segurando o papel, sem o deslacrar.

— Bem, sendo assim não te levantes — continuou Nastácia, tomada de pena e vendo que ele tirava os pés do sofá. — Já que estás doente não vás: não vás te consumir. O que é que tens na mão?

Ele olhou: tinha na mão direita pedaços da franja cortada, a meia e farrapos do bolso arrancado. Havia dormido com eles. Depois, já refletindo sobre isso, lembrou-se de que, ao semidespertar em febre, apertava com toda a força tudo aquilo na mão e tornava a adormecer.

— Vejam só que trapos juntou e dorme com eles como se fossem um tesouro... — E Nastácia soltava a sua gargalhada morbidamente nervosa. Num piscar de olhos ele meteu tudo debaixo do capote e cravou fixamente os olhos nela. E mesmo que nesse momento não conseguisse entender quase nada, sentia que não iriam tratá-lo daquele jeito quando viessem prendê-lo. "Mas... a polícia?"

— Devias tomar um chá, não? Queres? Eu trago; sobrou...

— Não... eu vou: vou agora — balbuciava ele, pondo-se em pé.

— Vais, e se não conseguires descer a escada?

— Eu vou indo.

— Como queiras.

Ela saiu atrás do zelador. No mesmo instante ele se precipitou para a claridade a fim de examinar a meia e a franja: "Há manchas mas não inteiramente visíveis; está tudo sujo, surrado e já desbotado. Quem não sabe de antemão não percebe nada. Logo, Nastácia não pode ter percebido nada de longe, graças a Deus!". Então ele deslacrou trêmulo a intimação e pôs-se a ler; demorou-se na leitura e finalmente entendeu. Era uma intimação de praxe da delegacia para comparecer naquele dia, às nove e meia, à presença do inspetor de polícia.

"Ora, onde já se viu coisa igual? Pessoalmente não tenho nenhum assunto a tratar com a polícia! E por que justo hoje? — pensava ele com uma perplexidade angustiante. — Meu Deus, que tudo isso acabe logo!" Ia ajoelhar-se para rezar, mas até chegou a rir — não da reza, mas de si mesmo. Começou a vestir-se às pressas. "Se é pra me danar que me dane, dá no mesmo! Calçar a meia! — ocorreu-lhe de repente. — Vai se sujar ainda mais na poeira, e os vestígios irão desaparecer." Contudo, mal a calçou, no mesmo instante a descalçou com nojo e horror. Porém, considerando que não tinha outra, pegou e a calçou de novo, e de novo desatou a rir. "Tudo isso é convencional, tudo é relativo, tudo isso são apenas formas" — pensou um tiquinho, apenas com uma pontinha de pensamento, mas com todo o corpo tremendo, porque acabou mesmo calçando. "Ora, no fim das contas acabei calçando!" O riso, aliás, foi imediatamente substituído pelo desespero. "Não, não estou em condição..." — pensou. As pernas tremiam. "De pavor" — balbuciou de si para si. A cabeça girava e doía de febre. "Isso é um ardil! São eles que estão querendo me atrair com um ardil e de repente me confundir em tudo — continuou ele de si para si, saindo para a escada. — É péssimo que eu esteja quase delirando... posso soltar alguma bobagem..."

Na escada lembrou-se de que deixava todos os objetos no buraco atrás do papel de parede — "de repente, pegam e inventam uma batida na minha ausência" —, lembrou-se e parou. Mas esse desespero e esse, se é lícito dizer, esse cinismo de morte subitamente o dominaram de tal forma que ele deu de ombros e foi em frente.

"Só quero que acabe logo!..."

Na rua outra vez fazia um calor insuportável; não tinha caído nem uma gota de chuva em todos esses dias. Novamente poeira, tijolo e cal, novamente o mau cheiro das vendas e dos botequins, novamente cocheiros finlandeses bêbados aparecendo a cada instante quase caindo. O sol atingiu-lhe os olhos com um brilho intenso, de tal forma que doía olhar e a cabeça começou a girar — a sensação habitual de alguém que está com febre e sai de repente à rua em um dia de sol claro.

Ao chegar à curva para a rua *da véspera*, deu uma olhada para ela com uma inquietação angustiante, para *aquele* prédio... e no mesmo instante desviou o olhar.

"Se perguntarem pode ser até que eu confesse" — pensou ele ao aproximar-se da delegacia.

A delegacia estava a meia versta dele. Acabara de ser transferida para uma nova sede, que ficava no quarto andar de um edifício recém-construído. Certa vez ele estivera rapidamente no anterior, mas já fazia muito tempo. Ao passar pela entrada avistou uma escada à direita, por onde descia um mujique com um livro na mão: "Esse aí é um funcionário; quer dizer que aqui fica a delegacia", e ele começou a subir a esmo. Não queria perguntar nada a ninguém.

"Entro, me ajoelho e conto tudo..." — pensou, ao chegar ao quarto andar.

A escada era estreita, íngreme e a estavam lavando. Todas as cozinhas de todos os apartamentos em todos os quatro andares abriam suas portas para essa escada e assim ficavam o dia quase todo. Daí o terrível abafamento. Subindo e descendo circulavam funcionários com livros debaixo do braço, serventuários da polícia e gente de todo tipo, de ambos os sexos — visitantes. A porta da própria delegacia também estava escancarada. Ele entrou e se deteve na antessala. Ali havia uns mujiques em pé, aguardando há tempo. O abafamento também era excessivo e, além disso, a tinta fresca, à base de um óleo de linhaça fétido, ainda úmida nas paredes das salas repintadas, batia no nariz e provocava enjoo. Depois de aguardar um pouco, ele decidiu avançar ainda mais na direção da sala seguinte. As salas eram ínfimas e de teto muito baixo. Uma impaciência terrível o impelia a ir sempre em frente. Ninguém o notava. Na segunda sala trabalhavam sentados uns escreventes, vestidos apenas um pouco melhor que ele, uma gente toda de aparência estranha. Ele se dirigiu a um deles.

— O que é que tu desejas?

Ele mostrou a intimação recebida da delegacia.

— O senhor é estudante? — perguntou o outro, olhando para a intimação.

— Sim, ex-estudante.

O escrevente o observou, aliás sem nenhuma curiosidade. Era um homem de cabelos especialmente eriçados e ideia fixa no olhar.

"Por este a gente não se inteira de nada, porque para ele tudo é indiferente" — pensou Raskólnikov.

— Procure o escriturário lá — disse e apontou com o dedo para a frente, mostrando a última sala.

Ele entrou naquela sala (a quarta, pela ordem) apertada e abarrotada de pessoas — uma gente de roupa um pouco mais limpa do que a das outras salas. Entre os visitantes havia duas senhoras. Uma, de luto, em trajes pobres, sentada à mesa diante do escriturário e escrevendo alguma coisa ditada por ele. A outra, mulher muito gorda e de um vermelho rúbido, com pintas, bem-apessoada e vestida com muito luxo, com um broche do tamanho de um pires no peito, estava em pé à parte e aguardava alguma coisa. Raskólnikov apresentou a sua intimação ao escriturário. Este a olhou de relance, disse: "Aguarde", e continuou ocupado com a mulher de luto.

Ele tomou fôlego mais aliviado. "Na certa não é aquilo!" Pouco a pouco foi ganhando ânimo, foi usando todas as forças para se conscientizar de que precisava criar alento e voltar a si.

"Alguma bobagem, algum descuido o mais ínfimo, e eu posso me denunciar por completo! Hum... é uma pena que aqui não tenha ar — acrescentou ele —, que abafamento... A cabeça gira ainda mais... e a mente também..."

Sentia em todo o seu ser uma terrível desordem. Ele mesmo temia não ter domínio de si. Procurava agarrar-se a alguma coisa e pensar em alguma coisa totalmente estranha ao assunto, mas não havia jeito de consegui-lo. O escriturário, aliás, o interessou fortemente: queria adivinhar alguma coisa no rosto dele, julgar. Era um homem muito jovem, de uns vinte e dois anos, de cara morena e viva, aparentando ser mais velho do que era, vestido na moda e como almofadinha, cabelo penteado em risca até à nuca e besuntado, com uma infinidade de anéis e anelões nos dedos brancos escovados e correntes de ouro no colete. Com um estrangeiro que ali estivera chegara até a trocar umas duas palavras em francês, e de forma muito satisfatória.

— Luiza Ivánovna, a senhora bem que podia sentar-se — disse de passagem à senhora luxuosa, de pele tirante a um vermelho rúbido, que ainda continuava em pé, como se não ousasse sentar-se por conta própria, embora houvesse uma cadeira ao lado.

— *Ich danke*[1] — disse ela, e calmamente, fazendo um ruído sedoso, pousou na cadeira. O vestido azul-claro, com acabamento em rendado branco, estendeu-se em volta da cadeira como um balão de ar e ocupou quase metade da sala. O perfume espalhou-se. Mas a senhora, pelo visto acanhada por ocupar metade da sala e por exalar tanto perfume, ainda que sorrindo com timidez e desfaçatez ao mesmo tempo, fê-lo com notória intranquilidade.

A senhora de luto finalmente terminou e começou a levantar-se. Súbito um oficial entrou fazendo algum barulho, com um ar bastante garboso e voltando os ombros a cada passo de um modo um tanto peculiar, atirou em

---

[1] "Eu agradeço", em alemão. (N. do T.)

cima da mesa o quepe com cocar e sentou-se em uma poltrona. A luxuosa senhora saltitou do lugar ao avistá-lo, e com um êxtase especial pôs-se a fazer uma reverência; mas o oficial não lhe deu a mínima atenção, e ela já não se atreveu a sentar-se na presença dele. Era o tenente, ajudante do inspetor de polícia, com seus bigodes arruivados, projetados horizontalmente para ambos os lados, de um rosto com feições demasiado miúdas, que, aliás, não exprimia nada de especial a não ser uma certa desfaçatez. Ele olhou de esguelha e até com certa indignação para Raskólnikov: este vestia um terno deplorável demais e, apesar de toda a humilhação que lhe causava, ainda assim não era o terno que provocava aquela atitude; por descuido, Raskólnikov olhou para ele de modo excessivamente demorado e direto, de sorte que o outro chegou até a ofender-se.

— O que tu desejas? — gritou ele, provavelmente admirado de que um maltrapilho como aquele nem pensasse em apagar-se diante do seu olhar fulminante.

— Convocaram... por intimação... — respondeu Raskólnikov de qualquer jeito.

— É o *estudante* contra quem estão movendo uma ação de cobrança de dinheiro — apressou-se o escriturário, desviando a vista do papel. — Veja! — e passou a Raskólnikov o caderno, indicando o lugar — Leia!

"Dinheiro? Que dinheiro? — pensou Raskólnikov. — Mas... quer dizer então que na certa não é *aquilo*!" E estremeceu de alegria. De repente se sentiu terrivelmente, indescritivelmente leve. Estava livre de todas as preocupações.

— E que hora está marcada para o seu comparecimento, caro senhor? — bradou o tenente, cada vez mais ofendido sabe-se lá com quê. — Marcam por escrito para o senhor comparecer às nove, mas agora já são doze horas!

— Faz apenas quinze minutos que me entregaram isso — respondeu Raskólnikov alto e por cima dos ombros, também zangado súbita e inesperadamente para si mesmo, e chegando até a experimentar certa satisfação com isso. — E já basta eu ter comparecido doente e com febre.

— E trate de não gritar!

— Não estou gritando, mas falando de forma bastante regular; o senhor é quem está gritando. Sou estudante e não permito que gritem comigo.

O ajudante estava tão encolerizado que no primeiro instante nem conseguiu articular nada, e só alguns perdigotos voavam de sua boca. Levantou-se de um pulo.

— Trate de ca-lar-a-bo-ca! O senhor está numa repartição pública. Nada de gr-r-rosseria, senhor!

— Aliás o senhor também está em uma repartição pública — gritou Raskólnikov —, e além de gritar ainda está fumando, logo, está nos faltando com o devido respeito. — Ao dizer isto, Raskólnikov sentiu um prazer indescritível.

O escriturário olhava para os dois com um sorriso nos lábios. O exaltado tenente estava visivelmente desconcertado.

— Não é da sua conta! — bradou ele enfim, num tom meio antinatural. — E queira dar resposta ao que exigem do senhor. Mostre a ele, Aleksandr Grigórievitch. Há queixas contra o senhor! Não paga as dívidas! Vejam só que guapo mancebo botando as unhas de fora!

Mas Raskólnikov já não ouvia e agarrou o papel com avidez, procurando logo decifrá-lo. Leu uma vez, mais uma, e não entendeu.

— O que é isso? — perguntou ao escriturário.

— É dinheiro que estão exigindo do senhor por carta de crédito, é uma cobrança. O senhor deve pagar a dívida com todas as custas, juros de mora e outros, ou declarar por escrito quando deve saldá-la, e ao mesmo tempo assumir a responsabilidade de não deixar a cidade antes do pagamento e não vender nem esconder os seus bens. E o credor tem liberdade para vender os seus bens e agir com o senhor conforme a lei.

— Mas eu... não devo a ninguém.

— Isso já não é assunto nosso. Nós recebemos para cobrança uma carta de crédito vencida e legalmente protestada no valor de cento e quinze rublos, emitida pelo senhor para a viúva de um assessor de colégio Zarnítsina, há nove meses atrás, e da viúva Zarnítsina transferida como pagamento ao conselheiro da corte Tchebarov, e por esta razão nós o intimamos a responder.

— Mas ela é minha senhoria!

— E qual é o problema de ser ela sua senhoria?

O escriturário olhava para ele com um sorriso condescendente de pena e ao mesmo tempo de certo triunfo, como se olhasse para um calouro que mal começam a pôr à prova: "E daí, refletia, como te sentes agora?". Mas o que, o que agora ele tinha a ver com a carta de crédito, com a cobrança! A esta altura valeria a pena ter ao menos algum tipo de inquietação, demonstrar, por sua vez, ao menos alguma atenção! Estava em pé, lendo, ouvindo, respondendo, e até perguntando, mas tudo maquinalmente. O triunfo da autopreservação, a salvação do perigo que o oprimia — eis o que nesse instante lhe preenchia todo o ser, sem previsão, sem análise, sem propor adivinhações futuras nem adivinhar, sem dúvidas nem perguntas. Era um instante de alegria plena, imediata, genuinamente animalesca. Mas nesse mesmo instante aconteceu na delegacia um misto de trovão e raio. O tenente, ainda inteiramente abalado pelo desrespeito, ardendo todo em cólera e, pelo visto, querendo sustentar a vaidade ferida, investiu contra a infeliz da "luxuosa senhora", que, desde que ele entrara, olhava para ele com um sorriso mais que estúpido.

— E tu, sua isso, sua aquilo e mais aquilo... — gritou de repente a plenos pulmões (a senhora de luto já havia saído) — o que foi que aconteceu na tua casa na noite passada? Hein? Outra vez essa vergonha, armando escândalo na rua toda. Outra vez briga e bebedeira. Está sonhando com a casa de correção! Porque eu já te disse, porque eu já te preveni dez vezes que na décima primeira não vou deixar passar! E tu mais uma vez, mais uma vez aprontando, sua isso, sua aquilo!

O papel chegou até a cair das mãos de Raskólnikov. Este olhava assustado para a luxuosa senhora que detratavam com tamanha sem cerimônia; mas, não obstante, logo compreendeu de que se tratava, e no mesmo instante essa história começou até a lhe agradar muito. Ouvia com prazer, e tanto, que teve vontade de gargalhar, gargalhar, gargalhar... Todos os seus nervos pulavam a valer.

— Ilyá Pietróvitch! — ia começando o escriturário com ar solícito, mas resolveu aguardar, pois sabia por experiência própria que não se podia conter o esquentado tenente senão segurando-o pelo braço.

Quanto à luxuosa senhora, de início ela tremeu de fato com o trovão e o raio; contudo, coisa estranha: quanto mais numerosos e fortes iam ficando os insultos, mais amável era a sua feição e mais encantador se tornava o seu sorriso dirigido ao tenente. Ela saltitava no lugar e fazia reverências sem parar, aguardando com impaciência que enfim lhe permitissem ter a palavra de volta, o que acabou conseguindo.

— Não houve nenhum barulho nem briga na minha casa, senhor capiten — começou de repente a falar pelos cotovelos, atropelando as palavras, com um forte sotaque alemão, embora em um russo desenvolto —, e não aconteceu nenhum, nenhum schkandall, mas eles chegô bêbado, e isso eu contará tudo, senhor capiten, mas eu não sou culpado... minha casa é nobre, senhor capiten, o tratamento também é nobre, senhor capiten, e eu sempre, eu mesma nunca quis nenhum schkandall. Mas eles chegó completamente bêbado e depois pediu mais três carrafas, e depois um levantou as pés e começou a tocar piano com a pé, e isso não é nada bom num casa nobre, e ele quebró *ganz*[2] piano, e não tem nenhum, nenhum manera, e eu disse. Mas ele

[2] "Todo", em alemão. (N. da E.)

pegou um carrafa e começó a empurrar todos por trás com o carrafa. E aí eu começó logo chamar servente, e Karl chegó, ele pegó Karl e bateu olho, e Henriet também bateu olho, e em mim batéu cinco vezes no face. E isso é tão indelicado num casa nobre, senhor capiten, e eu gritó. Mas ele abriu o janela que dá pro canal e ficou em cima do janela ganindo como um leitãozinho; e isso é um vergonha. Como que pode ganir do janela pra rua como um leitãozinho; isso é um vergonha. Fui-fui-fui! E Karl o puxó do janela por trás pelo casaca e aí, é verdade, senhor capiten, ele rasgou o *sein Rock*.[3] E então ele gritó que eu *man muß*[4] lhe pagar quinze rublos de multa. Eu mesma, senhor capiten, paguei a ele cinco rublos por *sein Rock*. Ele é um hóspede vil, senhor capiten, e fez schkandall de todo tipo! Eu, disse ele, vai *gedriuk*[5] um grande sátira do senhora, porque em todos jornal posso escreveu tudo.[6]

— Quer dizer que escreve?

— Sim, senhor capiten, e que hóspede vil, senhor capiten, quando em casa nobre...

— Bem-bem-bem! Chega. Eu já te disse, te disse, ora, eu te disse...

— Ilyá Pietróvitch! — voltou a falar o escriturário com ar importante. O tenente olhou rapidamente para ele; o escriturário fez um leve sinal com a cabeça.

— ... Agora escuta, respeitabilíssima *Laviza* Ivánovna, é fim de papo, é a última vez mesmo — continuou o tenente. — Se na tua nobre casa ainda acontecer um único escândalo, vou te mostrar com quantos paus se faz uma canoa, como se diz em alto estilo. Estás ouvindo? Quer dizer que o literato, o escrevinhador recebeu cinco rublos por uma aba de casaco na "casa nobre"? Veja como são eles, os escrevinhadores! — e fez um desdenhoso sinal de cabeça na direção de Raskólnikov. — Faz três dias que também aprontou uma numa taverna; almoçou, e na hora de pagar, neca. "Eu, diz ele, vou fazer uma sátira do senhor." Na semana passada, em um navio, outro insultou com as palavras mais torpes a família honrada, a mulher e a filha de um

---

[3] "A casaca dele", em alemão. (N. da E.)

[4] "Deve-se", em alemão. (N. da E.)

[5] Do alemão *drücken*, imprimir, publicar. (N. da E.)

[6] Comentando os hábitos da ralé literária, um folhetinista do jornal *Peterburgskii Listók* (*Boletim de São Petersburgo*) escreve, em 1865, que era comum entre esses indivíduos a chantagem contra donos de tavernas, restaurantes etc., a quem ameaçavam de denúncia caso não lhes dessem propinas, presentes, ou se lhes cobrassem pelo vinho ou a comida consumidas. (N. da E.)

conselheiro civil. Há poucos dias um foi expulso de uma confeitaria aos empurrões. Assim são eles, esses escrevinhadores, literatos, estudantes, arautos... arre! Quanto a ti, vai andando! Eu mesmo vou dar uma chegadinha lá na tua... e então te cuida! Ouviste?

Com uma amabilidade apressada, Luiza Ivánovna pôs-se a fazer reverências para todos os lados e, depois de reverenciar, tentou chegar à porta; mas à saída esbarrou o traseiro em um destacado oficial de ar franco no rosto viçoso e suíças louras belas e frondosas. Era o próprio Nikodim Fomitch,[7] o inspetor de polícia. Luiza Ivánovna precipitou-se em reverenciá-lo, inclinando-se quase até ao chão, e a passos miúdos e cadenciados, saltitando, saiu voando da delegacia.

— Mais estrondo, mais raios e trovões, tromba-d'água, furacão! — dirigiu-se Nikodim Fomitch a Ilyá Pietróvitch de forma cordial e amigável. — Outra vez perturbando o coração, outra vez fervendo! Deu para ouvir ainda da escada.

— Qual! — pronunciou Ilyá Pietróvitch com uma displicência nobre, passando com alguns papéis para outra mesa e passo a passo encolhendo os ombros em gestos rebuscados, para onde iam os passos iam também os ombros. — Eis, faça o favor de ver: o senhor escrevinhador, isto é, estudante, ou seja, "ex", não paga as dívidas, emitiu letras, não desocupa o apartamento, queixas contra ele não cessam de aparecer, e se atreve a reclamar que eu estava fumando na presença dele! Ele mesmo se comporta de maneira inf-inf-infame, mas agora o senhor mesmo pode reparar: veja só que pinta mais atraente!

— Pobreza não é defeito, meu velho; aliás, não houve nada demais. Sabe-se que és pólvora, não conseguiste suportar a ofensa. O senhor certamente se ofendeu com ele por alguma coisa e não conseguiu controlar-se — continuou Nikodim Fomitch, dirigindo-se amavelmente a Raskólnikov —, mas fez mal: é um homem no-bi-lís-si-mo, estou lhe dizendo, mas é pólvora, é pólvora! Irritou-se, tomou-se de fúria, queimou-se — e só! Tudo passou! E no fundo é apenas um coração de ouro! No regimento o apelido dele era "tenente pólvora"...[8]

---

[7] Em junho de 1865 Dostoiévski recebeu intimação para se apresentar à delegacia da terceira circunscrição do distrito de Kazan para tomar conhecimento de uma ação de sequestro dos seus bens por falta de pagamento de letras de câmbio. O inspetor de polícia, assinante da intimação, é o provável protótipo de Nikodim Fomitch. (N. da E.)

[8] O apelido ligado ao temperamento explosivo de Ilyá Pietróvitch deriva também do seu sobrenome, Pórokh, que em russo significa literalmente "pólvora". (N. do T.)

— E que história é essa de re-re-regimento? — exclamou Ilyá Pietróvitch, bastante satisfeito por estarem a lisonjeá-lo mas ainda assim emburrado.

Raskólnikov teve uma súbita vontade de dizer a eles todos alguma coisa singularmente agradável.

— Perdão, capitão — começou ele bastante à vontade, dirigindo-se subitamente a Nikodim Fomitch —, ponha-se no meu lugar... Estou disposto até a pedir desculpas a ele, se eu tiver lhe faltado com o devido respeito. Sou um estudante pobre e doente, esmagado (foi assim mesmo que ele disse: "esmagado") pela pobreza. Sou um ex-estudante porque hoje não consigo me manter, mas vou receber dinheiro... Tenho mãe e uma irmã, numa província... Elas vão me enviar, e eu... pago. Minha senhoria é uma mulher bondosa, mas ficou tão furiosa por eu ter perdido as aulas que dava e entrado no quarto mês sem pagar o aluguel que não me serve mais nem o almoço. Não tenho como entender que letra é essa! Agora ela está me cobrando através dessa tal carta de crédito, e isso quer dizer que vou pagar, imagine o senhor!!...

— Mas isso não é da nossa conta... — esboçou mais uma vez o escriturário...

— Com licença, com licença, estou inteiramente de acordo com o senhor, mas permita que eu também esclareça — secundou mais uma vez Raskólnikov, dirigindo-se não ao escriturário, mas ainda a Nikodim Fomitch, embora procurando por todos os meios dirigir-se também a Ilyá Pietróvitch, ainda que este insistisse em fingir que estava mexendo em uns papéis e o ignorava desdenhosamente —, permita-me esclarecer, de minha parte, que já sou inquilino dela há cerca de três anos, desde que cheguei da província, e antes... antes... por que não confessar de minha parte, desde o início eu lhe fiz a promessa de casar com a filha dela, promessa verbal, sem nenhuma obrigação... Era uma moça... bem, ela até me agradava... embora eu não estivesse apaixonado... em suma, jovem, ou seja, estou querendo dizer que na ocasião a senhoria me concedia muito crédito e eu levava uma vida em parte... eu era muito leviano...

— Ninguém está lhe cobrando essas intimidades, caro senhor, e além do mais estamos assoberbados — fez menção de interromper de forma grosseira e triunfal Ilyá Pietróvitch, mas Raskólnikov o conteve com fervor, embora experimentando subitamente uma extrema dificuldade de falar.

— Mas me permita, me permita, em parte, contar tudo... como foi e... por minha vez... embora isso seja mesmo desnecessário, concordo com o senhor, permita-me contar. No entanto essa moça morreu de tifo há um ano, porém eu continuei inquilino como antes e a senhoria, depois de se mudar para o apartamento atual, disse-me... e o disse em tom amigável... que confiava plenamente em mim e tudo o mais... no entanto perguntou se eu não queria lhe assinar essa carta de crédito de cento e quinze rublos, a quantia que ela calculava que eu lhe devia. Perdão: ela disse mesmo que era só eu lhe dar esse papel que ela voltaria a me fiar o quanto eu precisasse e que, por sua vez, nunca, jamais — foram palavras dela — usaria esse papel enquanto eu não lhe pagasse... E agora, quando perdi minhas aulas particulares e não tenho o que comer, ela entra com essa ação de cobrança contra mim... E então, o que eu vou dizer?

— Nada temos a ver com todos esses detalhes sensíveis, meu caro senhor — interrompeu descaradamente Ilyá Pietróvitch —, o senhor deve responder e assumir o compromisso, e quanto a ter se permitido apaixonar-se e mais essas passagens trágicas, tudo isso são coisas que não nos dizem nenhum respeito.

— Bem, tu estás... cruel... — resmungou Nikodim Fomitch, sentando-se à mesa e também começando a assinar. Sentiu uma pitada de vergonha.

— Escreva — disse o escriturário a Raskólnikov.

— Escrever o quê? — perguntou este, de forma meio grosseira.

— Eu lhe dito.

Raskólnikov achou que o escriturário ficara mais negligente e mais desdenhoso com ele depois de sua confissão, e no entanto, coisa estranha, súbito lhe pareceu sentir absoluta indiferença por qualquer opinião sobre o que quer que fosse, e de certa forma essa mudança se deu num piscar de olhos. Se ele quisesse refletir um pouco, é claro que ficaria surpreso em pensar como havia podido falar daquele jeito com eles um minuto atrás, e inclusive importunando-os com os seus sentimentos. E de onde lhe vieram tais sentimentos? Agora, ao contrário, se de uma hora para outra a sala se enchesse não de inspetores mas de seus amigos de primeira, é de crer que não encontraria para eles nenhuma palavra humana, a tal ponto seu coração de repente ficara deserto. Uma soturna sensação de isolamento angustiante e infindo e de alheamento súbito se revelou à sua alma. Não eram a baixeza dos seus desabafos afetivos diante de Ilyá Pietróvitch nem a vileza do triunfo do tenente sobre ele que num instante lhe haviam transtornado o coração. Oh, o que lhe importavam agora a sua própria vileza, todas essas ambições, esses tenentes, essas alemãs, cobranças, delegacias etc. etc.!? Mesmo que nesse instante o condenassem a ser queimado, ainda assim ele não se mexeria, e é pouco provável que chegasse a ouvir a sentença com atenção. Acontecia-lhe alguma coisa que ele desconhecia inteiramente, coisa nova, súbita e nunca ocorrida. Não é que entendesse, mas sentia nitidamente, com toda a intensidade da sensação, que não podia mais dirigir-se a essas pessoas na delegacia de polícia não só com a expansividade sensível com que acabara de tratá-los, mas de nenhum outro modo, mesmo que todos eles fossem seus irmãos e irmãs e não tenentes daquela delegacia, mas também nesse caso não tinha nenhum motivo para dirigir-se a eles em nenhuma circunstância da vida; até esse instante ele jamais experimentara uma sensação tão estranha e terrível. E, o mais angustiante — era mais sensação que consciência, que compreensão; sensação imediata, a mais angustiante de todas as sensações que até então havia experimentado em sua vida.

O escriturário passou a ditar-lhe a forma de uma resposta de praxe para casos semelhantes, ou seja, não posso pagar, prometo para uma oportunidade (algum dia), não vou sair da cidade, não vou vender nem dar meus bens etc.

— O senhor não está conseguindo escrever, a pena lhe cai da mão — observou o escriturário, olhando Raskólnikov com curiosidade. — O senhor está doente?

— Estou... com tontura... continue!

— É só; assine.

O escriturário recolheu o papel e passou a atender outras pessoas.

Raskólnikov devolveu a pena, mas em vez de ir embora pôs ambos os cotovelos na mesa e apertou a cabeça com as mãos. Era como se lhe tivessem pregado um prego nas têmporas. Súbito lhe ocorreu uma ideia estranha: levantar-se no mesmo instante, ir a Nikodim Fomitch e lhe contar tudo o que acontecera na véspera, tudo até o último detalhe, depois levá-lo ao apartamento e mostrar-lhe os objetos escondidos no canto, no buraco. A ânsia era tão forte que ele já havia se levantado, disposto a agir. "Não seria o caso de ponderar ao menos por um instante? — passou-lhe pela cabeça. — Não, é melhor sem pensar, tirar esse peso de cima dos ombros!" Mas parou subitamente como se estivesse plantado: Nikodim Fomitch conversava com fervor com Ilyá Pietróvitch, e as palavras chegavam a Raskólnikov:

— Não é possível, os dois vão ser postos em liberdade! Em primeiro lugar, tudo é contraditório; julgue: por que eles iriam chamar o zelador se tivessem feito a coisa? Para denunciar a si próprios? Ou isso era um ardil? Não, seria ardiloso demais! E, por último, o estudante Piestryakov foi visto em pleno portão por ambos os zeladores e por uma mulher no instante mesmo em que ele entrava: estava com três amigos e despediu-se deles bem junto ao portão e perguntou pela residência da velha aos zeladores, ainda na presença dos amigos. Ora, uma pessoa assim ia perguntar pela residência de alguém se estivesse com tal intenção? E Koch, como o outro, antes de ir à casa da velha passou meia hora embaixo na casa do ourives e exatamente às quinze para as oito saiu de lá e foi para a casa da velha. Agora considere...

— Com licença, como é que eles foram se meter numa contradição dessas: eles mesmos asseguram que bateram e que a porta estava fechada, mas três minutos depois, quando voltaram com o zelador, verificou-se que estava aberta?

— É aí que está a coisa: sem dúvida o assassino estava lá e trancou-se com o ferrolho; e sem falta o teriam achado lá se Koch não tivesse feito a besteira de ir pessoalmente à procura do zelador. E foi justo nesse intervalo que *ele* conseguiu descer pela escada e esgueirar-se de algum jeito. Koch se benze com ambas as mãos: "Se eu tivesse ficado lá, diz, ele teria pulado pra fora e me matado a machadadas". Quer celebrar um *te-deum* russo, he-he!...

— E o assassino, ninguém viu?

— Como é que iriam vê-lo? O prédio é uma arca de Noé — observou o escriturário, atento em seu lugar.

— A coisa está clara, a coisa está clara! — repetiu Nikodim Fomitch.

— Não, a coisa está muito obscura — sustentou Ilyá Pietróvitch.

Raskólnikov pegou o chapéu e caminhou para a porta de saída, mas não chegou à porta...

Quando voltou a si, viu que estava sentado em uma cadeira, que um homem o apoiava pela direita e pela esquerda outro segurava em pé um copo amarelo cheio de uma água amarela, e que Nikodim Fomitch estava postado à sua frente olhando fixamente para ele; ele se levantou.

— O que é isso, o senhor está doente? — perguntou Nikodim Fomitch em tom bastante ríspido.

— Enquanto assinava ele mal conseguiu correr a pena — observou o escriturário, sentando-se em seu lugar e mais uma vez ocupando-se dos papéis.

— E faz tempo que o senhor está doente? — bradou Ilyá Pietróvitch de seu lugar e também mexendo em papéis. Ele, é claro, também observou o doente quando este estava desmaiado, mas se afastou no mesmo instante em que ele voltou a si.

— Desde ontem... — balbuciou Raskólnikov.

— E ontem, saiu de casa?

— Saí.

— Doente?

— Doente.

— A que horas?

— Depois das sete.

— E aonde foi, permita-me perguntar?

— Saí pela rua.

Raskólnikov respondia com voz ríspida, entrecortada, todo pálido como um lenço mas sem baixar os olhos negros e inflamados diante do olhar de Ilyá Pietróvitch.

— Ele mal está se segurando nas pernas, mas tu... — ia observando Nikodim Fomitch.

— Não foi nada! — pronunciou Ilyá Pietróvitch de um jeito um tanto especial. Nikodim Fomitch ainda quis acrescentar alguma coisa mas calou depois de olhar para o escriturário, que também fixava o olhar nele. Num repente todos se calaram. Estava estranho.

— Bem, deixa pra lá — concluiu Ilyá Pietróvitch —, não vamos retê-lo.

Raskólnikov saiu. Ainda teve tempo de distinguir a conversa animada que começou após a sua saída, na qual a voz interrogativa de Nikodim Fomitch era a que mais se fazia ouvir... Na rua ele voltou inteiramente a si.

"Vão revistar, vão revistar, vão revistar agora mesmo! — repetia ele de si para si, com pressa de chegar em casa — Bandidos, estão suspeitando!" Um medo aflitivo voltou a dominá-lo por completo, da cabeça aos pés.

## II

"E se já tiverem revistado? E se eu encontrá-los justamente no meu quarto?"

Mas eis o quarto dele. Nada e ninguém; ninguém andou por lá. Nem Nastácia tocou em nada. Mas, Deus! Como ele pudera deixar os objetos naquele buraco até então?

Precipitou-se para o canto, enfiou a mão por trás do papel de parede e passou a tirar os objetos e carregar os bolsos. Eram ao todo oito objetos: duas pequenas caixas de brincos ou coisas desse gênero — ele não as examinou direito; quatro pequenos estojos de marroquim. Uma corrente estava simplesmente embrulhada em uma folha de jornal. Havia mais alguma coisa no jornal, parece que uma medalha...

Ele pôs tudo em bolsos diferentes, no casaco e no bolso direito que restara das calças, procurando deixar bem escondidos. Também pegou a bolsa junto com os objetos. Em seguida saiu do quarto, desta feita deixando-o inclusive escancarado.

Caminhava rápido e firme e, embora se sentisse inteiramente alquebrado, estava consciente. Temia perseguição, temia que dentro de meia hora, dentro de quinze minutos já saísse a instrução para vigiá-lo; logo, precisava destruir as provas a qualquer custo. Tinha de dominar-se enquanto ainda lhe restava ao menos um mínimo de força e algum raciocínio... Então, para onde ir?

Há muito já havia decidido: "Lançar tudo no canal, jogar as provas na água, e assunto encerrado". Assim havia decidido ainda na noite anterior, em delírio, nos instantes em que se lembrara disso, e algumas vezes tivera ímpetos de levantar-se e sair: "Rápido, rápido, jogar tudo fora". Mas acabou sendo muito difícil jogar as coisas fora.

Já fazia meia hora e talvez mais que perambulava pela marginal do canal de Ecaterina,[9] e várias vezes examinara os acessos ao canal, procurando encontrá-los. Mas não dava nem para pensar em pôr a intenção em prática: ou havia balsas estacionadas à beira das próprias descidas e nelas lava-

[9] Pronuncia-se Iecatierina. (N. do T.)

deiras lavavam roupa, ou barcos ali ancorados fervilhavam de gente em toda parte, ou de todos os pontos da marginal ele podia ser visto: era suspeito que um homem descesse intencionalmente, ficasse ali parado e atirasse coisas n'água. E vamos que os estojos não afundassem e saíssem flutuando? Evidentemente isso acabaria acontecendo. Qualquer um notaria. E ademais, todo mundo já o estava olhando de um jeito esquisito quando cruzava com ele, medindo-o com o olhar, como se nada mais interessasse a não ser ele. "Por que isso, ou será impressão minha?" — pensava.

Enfim veio-lhe à mente: não seria melhor ir para algum lugar na direção do Nievá? Lá havia menos gente, e passaria mais despercebido; em todo caso seria mais apropriado e, o principal — ficava mais longe daquelas paragens. E súbito ficou surpreso: como podia ter passado meia hora inteira perambulando melancólico e inquieto, e por lugares perigosos, e até então não se dera conta disso! E se tinha perdido apenas meia hora com uma coisa inútil é porque já havia tomado a decisão uma vez em sonho, quando ainda estava delirando! Tornara-se distraído e esquecido ao extremo, e sabia disso. Decididamente, tinha de apressar o passo!

Tomou a direção do Nievá passando pela avenida V.;[10] mas a caminho ainda lhe ocorreu uma ideia: "Por que ao Nievá? Por que lançar n'água? Não seria melhor ir a algum lugar muito longe, mesmo que fosse mais uma vez às ilhas, e lá, num lugar ermo, no bosque, debaixo de um arbusto, enterrar tudo isso e marcar, quem sabe, a árvore?". E ainda que nesse instante não se sentisse em condição de analisar tudo com clareza e bom senso, sua ideia pareceu infalível.

Mas tampouco conseguiria chegar às ilhas, pois lhe aconteceu outra coisa: ao sair da avenida V. em direção à praça, súbito avistou à esquerda a entrada de um pátio rodeado de muros totalmente inteiriços. À direita, logo depois da entrada, alongava-se pátio adentro o muro inteiriço e sem caiação de um edifício vizinho, de quatro andares. À esquerda, em paralelo com o muro inteiriço e também logo após a entrada, uma cerca de madeira estendia-se uns vinte metros para os fundos e depois já guinava para a esquerda. Era um lugar ermo, cercado, onde havia uns materiais. Adiante, no sentido dos fundos do pátio, aparecia por trás da cerca o canto de um galpão de pedra enegrecido de fuligem, pelo visto parte de alguma oficina. Ali certamente funcionava alguma oficina de carpintaria de carros ou serralharia, ou coisa desse gênero; em toda parte, quase desde o portão, negrejava muito pó de

[10] Tem-se em vista a avenida Voznessiênski. (N. da E.)

carvão. "Eis onde seria bom largar as coisas e ir embora" — ocorreu-lhe de repente. Não notando ninguém no pátio, ele caminhou para a entrada e avistou no mesmo instante, bem ali perto do portão, uma calha encostada na cerca (como é frequente em prédios como esse em que há muitos operários de fábrica, de corporações, cocheiros etc.), e sobre a calha, ali mesmo na cerca, um gracejo escrito a giz daqueles que sempre aparecem em casos semelhantes: "Aqui é pro ibido pará". Logo, já era bom não provocar nenhuma suspeita por ter entrado e parado. "Aqui é largar de uma vez tudo amontoado em algum canto e cair fora!"

Depois de lançar mais um olhar em torno e já haver enfiado uma das mãos no bolso, de repente ele avistou, juntinho à parede externa, no espaço de uma braça de largura entre o portão e a calha, uma grande pedra bruta, de mais ou menos uma arroba e meia, bem encostada na parede de pedra da rua. Do outro lado dessa parede ficavam a rua, a calçada, ouvia-se o vaivém dos transeuntes, que ali são sempre numerosos; mas do outro lado do portão ninguém podia avistá-lo, a não ser que alguém entrasse da rua, o que, aliás, acontecia muito, e por isso precisava ter pressa.

Abaixou-se na direção da pedra, agarrou com força a parte superior, com ambas as mãos, reuniu todas as forças e revirou a pedra. Debaixo desta formou-se uma pequena cova; em seguida começou a despejar nela tudo o que trazia nos bolsos. Teve de pôr a bolsa em cima dos objetos, e mesmo assim ainda sobrou lugar na cova. Em seguida voltou a agarrar a pedra, com um solavanco a revirou na direção anterior, e ela ficou justamente em seu antigo lugar, só que lhe pareceu um pouquinho mais alta. Ainda assim cobriu as bordas com terra e bateu com o pé.

Então saiu e tomou o rumo da praça. Mais uma vez apoderou-se dele por um instante uma alegria forte, que a custo pôde suportar, como aquela que experimentara há pouco na delegacia. "As provas estão enterradas! E quem, quem poderá ter a ideia de ir procurá-las debaixo daquela pedra? Talvez ela esteja ali desde que o prédio foi construído e ainda permaneça outro tanto. E mesmo que achem: quem há de cogitar que fui eu? Está tudo terminado! Não existe prova!", ele sorriu. É, mais tarde lembrou-se de que tinha sorrido um sorriso nervoso, miúdo, surdo e demorado, e tinha sorrido sem parar, durante todo o tempo em que atravessara a praça. Mas quando penetrou no bulevar K., onde três dias antes se deparara com aquela moça, seu riso cessou imediatamente. Outras ideias lhe invadiram a cabeça. Súbito ainda lhe pareceu que agora lhe era demasiado repugnante passar ao lado daquele banco em que, naquela ocasião, ficara sentado e meditando após a saída da menina, e que também seria penoso demais voltar a encontrar aquele policial bigodudo a quem então dera a moeda de vinte copeques: "O diabo que o carregue!".

Caminhava olhando em volta, distraído e furioso. Agora todos os seus pensamentos giravam em torno de um ponto central — e ele mesmo sentia que esse era de fato o ponto central e que agora, precisamente agora, estava cara a cara com esse ponto central — e que era até a primeira vez que isso acontecia nesses dois meses.

"Que se dane tudo isso! — pensou num átimo, num acesso de uma fúria inesgotável. — Já que começou, é deixar correr, que se danem ela e essa vida nova! Meu Deus, que tolice!... Quanto engano e vileza cometi hoje! Como fui vil ao fazer mesuras e bajular ainda há pouco o nojentíssimo Ilyá Pietróvitch! Aliás isso também é uma tolice! Estou me lixando para eles todos, e também para minhas mesuras e bajulação! Isso não tem nada a ver. Nada a ver..."

Parou de chofre; uma pergunta nova, de todo inesperada e de extraordinária simplicidade o fez perder de vez o tino e o deixou amargamente perplexo:

"E se de fato tudo isso tiver sido feito de forma consciente e não como tolice, se você tinha mesmo um objetivo definido e firme, então como é que até agora não deu sequer uma olhada na bolsa e não sabe o que lhe coube, por que assumiu todos esses sofrimentos e se meteu conscientemente numa coisa tão vil, infame, sórdida? Veja que há pouco tempo você quis lançar n'água a bolsa e todos os objetos que você também não viu... Como é que pode?"

É, é assim; é tudo assim. Aliás, antes ele já sabia disso, e para ele essa questão não era nenhuma novidade; e quando à noite decidira lançar tudo n'água, decidira sem qualquer vacilação e objeção, naturalmente, como se tivesse de ser assim, como se não pudesse ser de outra forma... Sim, ele sabia de tudo isso e de tudo se lembrava; e quase resolvera isso ontem, no mesmo instante em que se achava sobre o baú tirando os estojos... Mas acabou saindo assim!...

"Isso é porque ando muito doente — enfim resolveu com ar soturno —, eu mesmo me atormentei e me torturei, e eu mesmo não sei o que estou fazendo... E ontem, e há três dias, e todo esse tempo me torturando... Saro, e... não vou me torturar... E se não sarar inteiramente? Meu Deus! Como tudo isso é absurdo para mim!..."

Caminhava sem parar. Estava com uma terrível vontade de distrair-se de algum modo, mas não sabia o que fazer e o que empreender. Uma sensação nova e insuperável o dominava cada vez mais, praticamente a cada minuto: era uma repulsa infinita, quase física, persistente, raivosa, odiosa a tudo o que encontrava e o cercava. Achava nojentos todos os transeuntes com que cruzava — eram nojentos seus rostos, seu andar, seus movimentos. Simplesmente cuspiria em alguém, talvez mordesse, parecia, se alguém começasse a conversar com ele...

Parou subitamente quando saiu à marginal do Pequeno Nievá, na ilha de São Basílio, ao lado da ponte. "É aqui que ele mora, nesse prédio — pensou ele. — O que é isso, pelo jeito eu vim com as próprias pernas à casa de Razumíkhin! De novo a mesma história daquela vez... Ah, mas é muito curioso: eu mesmo vim ou simplesmente ia passando e dei uma chegada? Não importa; eu disse... anteontem... que depois *daquilo* iria à casa dele no dia seguinte, bem, então vou mesmo! Como se agora eu não pudesse mais ir lá..."

Subiu ao apartamento de Razumíkhin, no quinto andar.

O outro estava em casa, em seu cubículo, estudando, escrevendo, e lhe abriu a porta pessoalmente. Fazia uns quatro meses que não se viam. Razumíkhin estava em seu quarto metido num roupão que de tão batido virara um farrapo, de sapatos sem meia, despenteado, de barba por fazer e desasseado. Tinha a surpresa estampada no rosto.

— O que é feito de ti? — bradou ele, examinando da cabeça aos pés o colega que entrara; depois calou e deu um assobio. — Será que estás tão mal? Tu, meu irmão, passaste a perna neste irmão aqui — acrescentou, olhando para os andrajos de Raskólnikov. — Mas vamos sentando, na certa estás cansado! — e quando o outro desabou no sofá turco encerado, que era ainda pior que o seu, Razumíkhin logo percebeu que seu hóspede estava doente.

— Tua doença é séria, estás sabendo? — Começou a lhe tomar o pulso; Raskólnikov puxou o braço com força.

— Não precisa — disse ele —, eu vim aqui... escuta: estou sem nenhuma aula... eu gostaria... aliás, não preciso de aula nenhuma...

— Sabes de uma coisa? Estás delirando! — disse Razumíkhin, que o observava atentamente.

— Não, não estou... — Raskólnikov levantou-se do sofá. Ao subir para a casa de Razumíkhin, não pensara que fosse ficar cara a cara com ele. Mas agora, já por experiência própria, logo se apercebeu de que o que menos desejava nesse instante era ficar cara a cara com quem quer que fosse em qualquer parte do mundo. Toda a bílis lhe subiu à cabeça, mal cruzou a porta de Razumíkhin.

— Adeus! — disse de repente e caminhou na direção da porta.

— Mas espera, espera, esquisitão.

— Inútil!... — respondeu o outro, puxando bruscamente a mão.

— Então por que diabos vieste depois daquilo! Deu a louca em ti? Porque isso... é quase uma ofensa. Não vou te deixar sair assim.

— Bem, escuta: eu vim te procurar porque, além de ti, não conheço ninguém que possa me ajudar... a começar... porque tu és o mais bondoso de todos eles, ou seja, o mais inteligente, e podes examinar... Mas agora eu vejo que não preciso de nada, estás ouvindo, de absolutamente nada... dos obséquios e da colaboração de ninguém... Eu me viro... sozinho... Bem, chega! Deixa-me em paz!

— Mas espera um minuto, seu porcalhão! Estás totalmente louco! Por mim fazes como quiseres. Vê: eu mesmo estou sem aulas, e aliás estou me lixando, mas na Feira de Usados há um livreiro, Kheruvímov, que em pessoa já é uma espécie de aula. Hoje eu não o troco por cinco aulas para famílias de comerciantes. Ele faz umas ediçõezinhas de uns livrinhos de ciências naturais — e como se esgotam! Só os títulos, o que não valem! Tu mesmo sempre afirmaste que sou um pateta; juro, meu irmão, que há gente mais pateta que eu! Agora também entrou na onda; ele mesmo não entende patavina, mas eu, naturalmente, o estimulo. Vê, pouco mais de duas folhas de um texto alemão — a meu ver, o charlatanismo mais imbecil: numa palavra, o autor discute se a mulher é ou não é gente. E, natural, demonstra com ar solene que é gente. Kheruvímov está preparando isso como parte da questão feminina; eu traduzo; ele transforma essas duas folhas e meia numas seis folhas, a gente bola um título pomposérrimo de meia página e lança a cinquenta copeques. Vai dar certo! Vou receber seis rublos por folha traduzida, logo, uns quinze rublos por tudo, e seis já peguei adiantados. Terminando isso, começaremos a traduzir coisas sobre baleias, depois, vamos traduzir umas bisbilhotices chatíssimas da segunda parte das *Confessions*; também já marcaram para traduzir; alguém disse a Kheruvímov que isso seria de Rousseau, uma espécie de Radíschev.[11] Eu, é claro, não me oponho, que se danem! Então, queres traduzir a segunda folha de *Mulher é gente*? Se quiseres, pega agora mesmo o texto, penas, papel — tudo isso é público — e pega três rublos: uma vez que eu já recebi adiantado por toda a tradução, pela primeira e pela segunda folhas, quer dizer então que te caberão três rublos. Terminando a folha, receberás mais três rublos. Ah, e tem mais: por favor, não contes com nenhum favor da minha parte. Ao contrário, mal entraste já

[11] Entre os democratas revolucionários russos era comum comparar Rousseau ao filósofo materialista Aleksandr Nikoláievitch Radíschev (1749-1802), precursor da tradição revolucionária no pensamento russo. (N. do T.)

calculei em que tu me serias útil. Em primeiro lugar, sou ruim em ortografia, em segundo, em alemão às vezes sou simplesmente um fracasso, de sorte que ponho cada vez mais coisa minha no texto e só me resta o consolo de ver que ele sai ainda melhor. Bem, quem sabe, pode ser que ele não acabe saindo melhor, mas pior... Pegas ou não?

Raskólnikov pegou em silêncio as folhas do artigo em alemão, três rublos, e saiu sem dizer uma palavra. Razumíkhin o acompanhou com o olhar, surpreso. Mas já ao ler a primeira linha Raskólnikov deu meia-volta, tornou a subir ao quarto de Razumíkhin, pôs as folhas em alemão na mesa, os três rublos, novamente sem dizer uma única palavra, e deu o fora.

— Será que estás com *distúrbio mental*? — berrou Razumíkhin finalmente enfurecido. — Que raio de comédia estás representando! Até a mim fizeste perder a cabeça... Então por que me apareceste, diabo?

— Não preciso... de traduções... — balbuciou Raskólnikov já descendo a escada.

— Então de que diabo estás precisando? — gritou de cima Razumíkhin. O outro continuou a descer a escada em silêncio.

— Ei! Onde tu moras?

Não houve resposta.

— Então que o di-a-bo te carregue!...

Mas Raskólnikov já saía para a rua. Na ponte de Nikolai teve mais uma vez de recobrar-se inteiramente por causa de um incidente bastante desagradável para ele. Um cocheiro de uma carruagem deu-lhe uma forte chicotada nas costas porque por pouco ele não caiu debaixo dos cavalos, apesar de o cocheiro ter gritados umas três ou quatro vezes com ele. A chicotada o deixou tão enfurecido que ele, depois de pular para trás na direção da amurada (não se sabe por que ele caminhava justo no meio da ponte, por onde se passa em condução e não a pé), começou a ranger de raiva e a bater os dentes. Ao redor, naturalmente, ouviram-se risos.

— Fez por merecer!

— É algum tratante qualquer.

— É sabido que se fingem de bêbados e se lançam de propósito debaixo das rodas; e você ainda tem de responder por eles.

— É só o que sabem fazer, respeitável senhor, é disso que se ocupam...

Mas no instante em que ele estava em pé junto da amurada e, esfregando as costas, ainda continuava olhando absurda e furiosamente para a carruagem que se distanciava, sentiu de repente que alguém lhe metia dinheiro na mão. Olhou: era uma comerciante idosa, de gáspeas e sapatos de couro de bode, acompanhada de uma moça de chapéu e sombrinha verde, provavelmente filha. "Por Cristo, meu caro, aceite." Ele recebeu, e elas passaram ao lado. Era uma moeda de vinte copeques. Pela roupa e pelo aspecto elas podiam muito bem tomá-lo por mendigo, por autêntico pedinte de trocados na rua, e todos aqueles vinte copeques de esmola ele na certa devia à chicotada, que as deixara compadecidas.

Ele apertou a moeda na mão, caminhou uns dez passos e voltou-se de frente para o Nievá, na direção do palácio.[12] No céu não havia nem uma ínfima nuvem e a água estava azul, o que é muito raro no Nievá. A cúpula da catedral,[13] que de nenhum ponto se destaca melhor que dali, da ponte, a menos de vinte passos da capela, brilhava tanto que em meio ao ar puro dava até para se perceber com nitidez cada um de seus ornamentos. A dor da chicotada havia passado, e Raskólnikov esquecera o golpe; agora apenas um pensamento inquieto e meio obscuro o ocupava inteiramente. Postado, lançou um olhar demorado e fixo ao longe; esse lugar lhe era especialmente conhecido. Quando frequentava a universidade, costumava parar — mais amiúde quando voltava para casa, e talvez o tivesse feito umas cem vezes — exatamente nesse lugar e ficar perscrutando o panorama deveras magnífico, e sempre quase chegava a surpreender-se com uma impressão vaga e irresolúvel. Um frio inexplicável sempre lhe vinha desse panorama magnífico; para ele esse panorama esplêndido era pleno de um espírito mudo e surdo... Sempre se admirava de sua impressão soturna e enigmática, e deixava para decifrá-la no futuro por não confiar em si mesmo. Agora se lembrava súbita e bruscamente dessas suas questões e perplexidades antigas, e lhe pareceu que elas não lhe vinham à lembrança por acaso. E já achou extravagante e maravilhoso que tivesse parado no mesmo lugar que antes, como se realmente imaginasse que agora pudesse pensar nas mesmas coisas como antes e interessar-se pelos mesmos temas e panoramas por que se interessara... ainda há tão pouco tempo. Achava-se mesmo quase ridículo, e ao mesmo tempo sentia no peito uma pressão que chegava a provocar dor. Em algum ponto profundo, lá embaixo, que mal avistava sob os pés, apareciam-lhe agora todo aquele antigo passado, e os pensamentos de antes, e as tarefas de antes, e os temas de antes, e as impressões de antes, e todo esse panorama, e ele mesmo, e tudo, tudo... Parecia ter voado para algum ponto no alto e que tudo desaparecera de sua vista... Fazendo um movimento involuntário com o braço, sentiu a moeda de vinte copeques comprimida na mão fechada.

---

[12] Trata-se do Palácio de Inverno, residência oficial do tsar, que fica à beira do Nievá. (N. do T.)

[13] Trata-se da catedral de São Isaac, cuja cúpula se avista do Nievá. (N. do T.)

Abriu-a, olhou atentamente para a moeda, levantou a mão e atirou-a n'água; depois deu meia-volta e foi embora. Teve a impressão de que naquele momento ele mesmo se havia amputado de tudo e de todos.

Chegou em casa já ao entardecer, logo, caminhara ao todo umas seis horas. Não tinha a mínima lembrança de onde estivera e como retornara. Depois de trocar de roupa e com todo o corpo tremendo como um cavalo estafado, deitou-se no sofá, cobriu-se com o capote e no mesmo instante caiu no sono.

Foi acordado em pleno anoitecer por um terrível grito. Meu Deus, que grito é esse! Aqueles sons tão antinaturais, aqueles uivos, berros, rangidos, lágrimas, pancadaria e desaforos ele nunca tinha ouvido e nem visto. Não podia sequer imaginar tamanha bestialidade, tamanho furor. Tomado de horror, soergueu-se e sentou-se no leito, expirando e torturando-se a cada instante. Mas as brigas, os berros e os desaforos se tornavam cada vez mais fortes. E eis que, para a maior das estupefações, ele ouviu subitamente a voz da sua senhoria. Ela uivava, gania e lamentava-se, às pressas, de forma precipitada, soltando as palavras de tal forma que não dava nem para entender, implorava alguma coisa — claro, que deixassem de espancá-la, porque a espancavam impiedosamente na escada. A voz do espancador ficara tão terrível por causa da raiva e da fúria que já era apenas um ronco, mas mesmo assim até o espancador também falava alguma coisa, e também de forma rápida, confusa, às pressas e ofegando. Súbito Raskólnikov começou a tremer feito vara verde: reconheceu aquela voz; era a voz de Ilyá Pietróvitch. Ilyá Pietróvitch está aqui, e espancando a senhoria! Ele a está chutando, batendo a cabeça dela no degrau — está claro, dá para ouvir pelos sons, pelos berros, pelas pancadas! O que é isso, o mundo ficou de ponta-cabeça, será? Dava para ouvir como em todos os andares, por toda a escada juntava-se uma multidão; ouviam-se vozes, exclamações, pessoas subindo, batendo, fechando portas com estrondo, correndo escada abaixo. "Mas por que isso, por que isso, e como é que pode?" — repetia ele, pensando seriamente que endoidecera por completo. Não, ele está ouvindo com clareza demais!... Portanto, logo virão também ao seu quarto, "porque... verdade, tudo isso é por causa daquilo... por causa de ontem... Meu Deus!". Quis passar o ferrolho na porta, mas a mão não se ergueu... e ademais era inútil! O medo lhe envolvera a alma como gelo, acabara por deixá-lo atormentado, hirto... mas eis que todo esse alarido, que durara exatos dez minutos, enfim começou a cessar. A senhoria gemia e soltava ais, Ilyá Pietróvitch continuava ameaçando e xingando... E eis que, finalmente, parece que calou; já não se faz mais ouvir. "Será que foi embora? Meu Deus!" Sim, e a senhoria também está saindo, ainda está gemendo e chorando... veja, a porta dela bateu... Eis a multidão também saindo da escada para os apartamentos — soltam exclamações, discutem, fazem eco uns aos outros, ora levantam a voz e gritam, ora a baixam e sussurram. "Mas, Deus, será que tudo isso é possível? E o que, o que ele veio fazer aqui?"

Raskólnikov caiu desfalecido no sofá, mas já não conseguiu pregar o olho; ficou cerca de meia hora em sofrimento, com a sensação insuportável de um ilimitado pavor como nunca havia experimentado. Súbito uma luz viva iluminou o quarto: entrou Nastácia com uma vela e um prato de sopa. Olhou-o atentamente e, percebendo que estava acordado, pôs a vela na mesa e começou a arrumar o que havia trazido: pão, sal, o prato e uma colher.

— Vai ver que desde ontem não come. Um dia inteiro batendo pernas, ele próprio assolado pela febre.

— Nastácia... por que estavam espancando a senhoria?

Ela olhou fixamente para ele.

— Quem estava batendo na senhoria?

— Agora mesmo... faz meia hora, Ilyá Pietróvitch, o auxiliar do inspetor de polícia, na escada... Por que ele bateu tanto nela? e... o que veio fazer aqui?

Nastácia o observava calada e de cenho carregado, e assim o fitou demoradamente. Essa mirada longa o fez sentir um grande desagrado, até mesmo pavor.

— Nastácia, por que ficas calada? — perguntou enfim com timidez e com voz fraca.

— Isso é sangue — acabou respondendo baixinho, como se falasse consigo mesma.

— Sangue!... Que sangue?... — balbuciou ele, pálido e recuando na direção da parede. Nastácia continuava a olhar para ele em silêncio.

— Ninguém bateu na senhoria — tornou a dizer com voz severa e decidida. Ele a fitava, mal conseguindo respirar.

— Eu mesmo ouvi... eu não estava dormindo... eu estava sentado — disse ele com timidez ainda maior. — Ouvi demoradamente... O auxiliar do inspetor veio aqui... Todo mundo correu para a escada, de todos os apartamentos...

— Ninguém esteve aqui. Esse sangue é o que grita em ti. Isso acontece quando ele não corre e começa a coagular-se no fígado, aí se começa a ver e ouvir coisas. Vais comer ou não?

Ele não respondia. Nastácia continuava em pé, olhando-o fixamente de cima e nada de ir embora.

— Me dá de beber... Nastáciuchka.[14]

Ela desceu e uns dois minutos depois voltou trazendo água em um caneco de cerâmica branca; mas ele já não se lembraria do que aconteceu depois. Lembrou-se apenas de que sorveu um gole de água fria e derramou do caneco no peito. Em seguida perdeu a memória.

[14] Um dos tratamentos carinhosos do nome Nastácia. (N. do T.)

## III

Todavia, ele não ficou tão inconsciente enquanto esteve doente: seu estado era febril, com alternância de delírio e semiconsciência. Mais tarde lembrou-se de muita coisa. Ora tinha a impressão de que havia muita gente a seu redor, querendo pegá-lo e levá-lo sabe-se lá para onde; discutiam muito sobre ele e brigavam muito por isso. Ora estava subitamente sozinho no quarto, todos haviam ido embora e sentiam medo dele, e só de raro em raro abriam levemente a porta para espiá-lo, ameaçavam-no, combinavam alguma coisa entre si, riam e mexiam com ele. Lembrava-se com frequência de Nastácia a seu lado; distinguia ainda uma pessoa, que dava a impressão de ser muito conhecida sua, mas ele não conseguia adivinhar exatamente quem era e se afligia com isso, chegando até a chorar. Algumas vezes lhe parecia que já estava há um mês acamado; outras, que era a sequência do mesmo dia. Mas *aquilo*, *aquilo* ele havia esquecido de vez; no entanto, a cada instante se lembrava de que esquecera alguma coisa que não poderia ter esquecido — atormentava-se, torturava-se ao forçar a memória, lastimava-se, tomava-se de acessos de fúria ou de um medo terrificante, insuportável. Então vinham-lhe ímpetos de levantar-se, queria sair correndo, mas alguém sempre o segurava com força, e ele tornava a cair desfalecido e sem sentidos. Por fim voltou inteiramente a si.

Isso aconteceu na parte da manhã, às dez horas. Nessa hora da manhã, nos dias claros, uma longa nesga de sol sempre passava pela parede direita do seu quarto e iluminava o canto ao lado da porta. Junto à sua cama estavam Nastácia e um homem, que o observava com muita curiosidade e lhe era totalmente desconhecido. Era um jovem de cafetã, barba, com aparência de membro de algum *artiel*.[15] Da porta entreaberta espiava a senhoria. Raskólnikov soergueu-se.

---

[15] Sociedade de indivíduos de uma profissão ou algum ofício, que se juntam para realizar trabalho comum com participação nos lucros e divisão de responsabilidades consagradas em acordo firmado no ato de adesão. O contrato de prestação de serviços a terceiros é feito em nome da *artiel*. Como se trata de um elemento característico da formação econômico-social russa, traduzimos o vocábulo *artiélchik* por representante da *artiel*. (N. do T.)

— Quem é ele, Nastácia? — perguntou, apontando o rapaz.

— Eita, voltou a si! — disse ela.

— Voltou a si — disse o representante da *artiel*. Percebendo que ele havia voltado a si, a senhoria, que espiava pela porta, fechou-a no mesmo instante e ficou fora do alcance das vistas. Sempre fora acanhada e a muito custo suportava conversas e explicações; tinha uns quarenta anos e era gorda e obesa, de sobrancelhas e olhos negros, dotada daquela bondade que vem da gordura e da indolência; e era até muito bonitinha. Acanhada além do necessário.

— O senhor... que é? — continuou ele a interrogar, dirigindo-se ao próprio representante da *artiel*. Mas nesse instante a porta tornou a abrir-se inteiramente e entrou Razumíkhin, abaixando-se um pouco porque era alto.

— Mas que camarote de navio! — gritou ele ao entrar. — Eu sempre bato com a testa; e ainda chamam isso de apartamento! E tu, meu irmão, te recobraste? Acabei de ouvir de Páchenka.[16]

— Acabou de voltar a si — disse Nastácia.

— Acabou de voltar a si — tornou a fazer coro o representante da *artiel*, sorrindo.

— E o senhor, quem vem a ser? — perguntou Razumíkhin, súbito dirigindo-se a ele. — Eu, como o senhor pode ver, sou Vrazumíkhin;[17] não Razumíkhin, como todos me chamam, mas Vrazumíkhin, estudante, filho de nobres, e ele é meu amigo. Então, quem é o senhor?

— Eu sou membro da *artiel* do nosso escritório, represento o comerciante Chelopáiev, e estou aqui a serviço.

— Queira sentar-se nesta cadeira — o próprio Razumíkhin sentou-se em outra, no lado oposto da mesinha. — Tu, meu irmão, fizeste bem em voltar a si — continuou ele, dirigindo-se a Raskólnikov. — Faz quatro dias que mal comes e bebes. É verdade que te deram chá na colher. Eu trouxe Zóssimov duas vezes para te ver. Tu te lembras de Zóssimov? Ele te examinou atentamente e foi logo dizendo que era tudo bobagem — te deu alguma coisa na cabeça, algo assim. Alguma bobagem nervosa, a ração foi precária, diz ele, liberaram pouca cerveja e rábano, daí a doença, mas não há de ser nada, vai minguar e passar. Zóssimov é um bravo! Começou a trabalhar com excelência. Bem, não quero retê-lo — voltou a dirigir-se ao representante da *artiel* —, gostaria de explicar o que o traz aqui? Observa, Ródia, que já é a

---

[16] Tratamento íntimo de Praskóvia. (N. do T.)

[17] Derivado de *vrazumítielniy*, isto é, compreensível, claro. Razumíkhin deriva de *rázum*, isto é, razão, juízo, e isso determina o seu caráter. (N. do T.)

segunda vez que o escritório deles manda gente aqui; só que da primeira vez não foi este mas outro que veio, e se fez entender. Quem era aquele que veio antes do senhor?

— É de supor que se trata do que veio anteontem. Foi Aleksiêi Semiónovitch quem esteve aqui; também trabalha no nosso escritório.

— Contudo ele é mais diligente que o senhor, não acha?

— Sim; ele é mesmo mais preparado.

— Louvável; bem, continue.

— Por intermédio de Afanassi Ivánovitch Vakhrúchin, de quem, acho, o senhor ouviu falar mais de uma vez, a pedido de vossa mãezinha e através do nosso escritório foi feita uma remessa para o senhor — começou o representante da *artiel*, dirigindo-se diretamente a Raskólnikov. — Caso o senhor já esteja lúcido, temos de lhe entregar trinta e cinco rublos, uma vez que Semion Semiónovitch recebeu o aviso de Afanassi Ivánovitch a pedido de vossa mãe, segundo a maneira antiga. O senhor o conhece?

— Sim... estou lembrado... Vakhrúchin — pronunciou Raskólnikov com ar meditativo.

— Ouviram? Ele conhece o comerciante Vakhrúchin! — gritou Razumíkhin. — Como não haveria de estar lúcido? Aliás, agora estou percebendo que o senhor também é uma pessoa diligente. Então! Dá gosto ouvir palavras inteligentes.

— É ele mesmo, Vakhrúchin, Afanassi Ivánovitch, e a pedido da vossa mãezinha, que através dele e pela mesma maneira já lhe havia feito uma remessa em outra ocasião; desta vez ele também não se recusou e por esses dias Semion Semiónovitch recebeu dele o aviso para entregar ao senhor trinta e cinco rublos, na expectativa do melhor.

— Veja que foi nesse "expectativa do melhor" que o senhor se saiu melhor; também não saiu mal esse "vossa mãezinha". Então o que o senhor acha: ele está plenamente lúcido ou não plenamente lúcido, hein?

— Isso não é comigo. Já quanto à assinatura, seria bom...

— Ele vai rabiscar! O que o senhor tem aí, um livro?

— Um livro, veja.

— Deixa comigo. Bem, Ródia, assina. Eu te apoio; rabisca aí um Raskólnikov para ele, pega a pena, porque, meu irmão, o dinheiro está nos fazendo uma falta dos diabos.

— Não preciso — disse Raskólnikov, afastando a pena.

— Que não preciso é esse?

— Não vou assinar.

— Arre, diabos, como é que vai ser sem assinatura?

— Não preciso... de dinheiro...

— De dinheiro tu não precisas? Ah, meu irmão, estás mentindo, sou testemunha! Por favor, não se preocupe, ele não está falando sério... está viajando de novo. Aliás isso acontece com ele até na realidade... O senhor é um homem sensato, e nós vamos orientá-lo, ou seja, vamos simplesmente conduzir a mão dele, e aí ele assina. Mãos à obra...

— Pensando bem, eu passo noutra ocasião.

— Não, não; por que o senhor iria preocupar-se! O senhor é um homem sensato... Ora, Ródia, não retém a visita... como vês, está esperando — e ele se dispôs seriamente a conduzir a mão de Raskólnikov.

— Deixa, eu mesmo... — pronunciou ele, pegou a pena e assinou no livro. O representante da *artiel* entregou o dinheiro e se foi.

— E agora, meu irmão, queres comer?

— Quero — respondeu Raskólnikov.

— Você tem sopa?

— De ontem — respondeu Nastácia, que durante todo o tempo permanecera ali em pé.

— Com batata e cereais?

— Com batata e cereais.

— Sei de cor. Traga a sopa, e chá também.

— Vou trazer.

Raskólnikov olhava para tudo profundamente surpreso e com um pavor cego e absurdo. Resolvera calar e aguardar: o que viria depois? "Parece que não estou delirando — pensava ele —, parece que isso é real..."

Dois minutos depois Nastácia voltou trazendo a sopa e anunciou que o chá viria num instante. A sopa vinha acompanhada de duas colheres, dois pratos e toda a louça: um saleiro, uma pimenteira, uma mostardeira e outras coisas que há muito tempo não se viam em semelhante ordem. A toalha estava limpa.

— Nastáciuchka, não fará mal se Praskóvia Pávlovna mandar umas duas garrafas de cerveja. A gente vai beber.

— Ora, ora, tu és rápido no gatilho! — resmungou Nastácia, e saiu para cumprir a ordem.

Era com jeito arisco e tenso que Raskólnikov continuava observando. Enquanto isso, Razumíkhin havia se sentado com ele no sofá, de modo desajeitado, como um urso, envolveu-lhe a cabeça com a mão esquerda, mesmo ele estando em condição de soerguer-se, e com a direita levou-lhe à boca a colher de sopa, depois de soprá-la várias vezes para evitar que ele se queimasse. Mas a sopa estava apenas morna. Raskólnikov sorveu com avidez uma colher, depois outra, uma terceira. Tomou várias colheres. Súbito Razumíkhin parou e declarou que era necessário consultar Zóssimov quanto ao futuro.

Nastácia entrou com as duas garrafas de cerveja.

— E chá, tu queres?

— Quero.

— Manda logo o chá também, Nastácia, porque em matéria de chá parece que não se precisa de faculdade. Bem, aqui está a cerveja — ele voltou para a sua cadeira, puxou para o seu lado a sopa, a carne bovina, e começou a comer com tanto apetite que parecia estar há três dias sem se alimentar.

— Eu, meu irmão Ródia, tenho almoçado por aqui todos os dias — murmurou ele o quanto lhe permitia a boca cheia de carne bovina —, e tudo isso gerido por tua senhoriazinha Páchenka, que me homenageia de todo coração. Eu, é claro, não insisto, mas também não protesto. Aí vem Nastácia com o chá. Êta agilidade! Nástienka,[18] queres uma cervejinha?

— Ora, que diabrura é essa!

— E um chazinho?

— Um chazinho pode ser.

— Serve. Espera, eu mesmo te sirvo; senta-te à mesa.

No mesmo instante ele dispôs as coisas, serviu, depois serviu mais uma xícara, largou o seu desjejum e voltou a sentar-se no sofá. Como antes, envolveu com a mão esquerda a cabeça do doente, soergueu-o, e começou a lhe dar chá na colher, outra vez sem intervalos e soprando a colher com um zelo especial, como se nesse processo de soprar estivesse o ponto mais importante e salvador da recuperação. Raskólnikov calava e não resistia, apesar de se sentir com força suficiente para soerguer-se e sentar-se no sofá sem qualquer ajuda estranha, e forças não só para dominar as mãos o bastante para segurar a colher ou a xícara, mas talvez até para andar. No entanto, por alguma astúcia estranha, quase ferina, ocorreu-lhe ocultar por enquanto as suas forças, dissimular, fingir, se necessário, que ainda não estava atinando inteiramente, e enquanto isso ficar escutando e desvendando o que se passava por ali. Aliás, ele não superou a sua repulsa; depois de sorver umas dez colheres de chá, liberou a cabeça num gesto súbito, afastou caprichosamente a colher e tornou a desabar no travesseiro. Sob sua cabeça havia agora travesseiros de verdade — de penugem e com fronhas limpas; isso ele também notou e levou em consideração.

---

[18] Outro tratamento carinhoso do nome Nastácia. (N. do T.)

— É preciso que hoje mesmo Páchenka nos mande geleia de framboesa, prepare uma bebida para ele — disse Razumíkhin, sentando-se em seu lugar e voltando à sopa e à carne bovina.

— E onde é que ela vai te conseguir framboesa? — perguntou Nastácia, segurando o pires nos cinco dedos abertos e sorvendo o chá "através de uma pedra de açúcar".

— Framboesa, minha amiga, ela consegue na venda. Estás vendo, Ródia, aqui na tua ausência aconteceu toda uma história. Quando te mandaste de minha casa daquele jeito pilantra e não deste o endereço, bateu-me uma raiva repentina e tão grande que decidi te achar e te justiçar. E no mesmo dia comecei. Como eu andei, andei, indaguei, indaguei! Esse apartamento em que moras agora eu havia esquecido; aliás, eu nunca tinha me lembrado dele porque não sabia da sua existência. E do primeiro apartamento me lembro apenas que ficava no edifício Kharlámov nas Cinco Esquinas. Procurei, procurei esse edifício Kharlámov, e depois se verificou que ele não se chama Kharlámov mas Bukh — como às vezes a gente se confunde com os sons! Mas aí eu me zanguei. Fiquei zangado e saí, vamos arriscar, no dia seguinte fui ao serviço de informações de endereços, e imagina; em dois minutos descobriram teu endereço para mim. Estás registrado lá.

— Registrado!

— Pudera; mas o endereço do general Kobeliev não houve jeito de descobrirem enquanto estive lá. Bem, essa é uma história longa. Mal eu cheguei de surpresa aqui, no mesmo instante tomei conhecimento de todos os teus assuntos; de todos, meu irmão, de todos, estou a par de tudo: essa aí viu tudo: conheci Nikodim Fomitch, me mostraram Ilyá Pietróvitch, conheci o zelador, o senhor Zamiétov,[19] Aleksandr Grigórievitch, escriturário da delegacia daqui, e finalmente Páchenka — aí já foi a coroação; essa aí está sabendo...

— Passou a conversa nela — balbuciou Nastácia, com um risinho maroto.

— A senhora devia botar açúcar no chá,[20] Nastácia Nikíforovna.

— Ô, seu cão! — gritou Nastácia e caiu na risada. — Mas acontece que

---

[19] Derivado de *zamiétit*, que significa, entre outras coisas, reparar, notar, gravar na memória. (N. do T.)

[20] Alusão a duas formas de tomar chá ou café entre os russos: uma, pondo a pedra de açúcar no copo ou xícara, como o sugere Razumíkhin; a outra, roendo a pedrinha de açúcar enquanto bebe o líquido, que era o que Nastácia estava fazendo. (N. do T.)

eu sou Pietróvna e não Nikíforovna — acrescentou num átimo, quando parou de rir.

— Vamos considerar. Agora veja, meu irmão, para não ter de falar demais, primeiro eu quis instalar corrente elétrica aqui em todos os cantos para erradicar todos os preconceitos que existem por aqui; mas Páchenka venceu. Meu irmão, eu nunca iria esperar que ela fosse tão... *avenântica*...[21] sabias? O que achas?

Raskólnikov calava, embora não desviasse dele um só instante seu olhar inquieto e agora continuasse a fitá-lo obstinadamente.

— E como — continuava Razumíkhin, sem nenhum acanhamento com o silêncio do outro e como quem faz coro à resposta recebida —, está inclusive muito dentro da ordem, sob todos os aspectos.

— Mas que bicho ruim! — tornou a exclamar Nastácia, a quem essa conversa parecia infundir um deleite indizível.

— O ruim, meu irmão, foi que tu não conseguiste entrar em atividade desde o começo. Com ela não era para teres agido daquela maneira. Porque ela é, por assim dizer, de índole altamente imprevisível! Bem, mas deixemos a índole para depois... No entanto, como deixaste a coisa chegar ao ponto de ela suspender a tua comida? Ou, por exemplo, assinar aquela letra! Ou, por exemplo, aquele suposto casamento, quando Natália Iegórovna, a filha dela, ainda estava viva... Estou a par de tudo! Aliás, eu vejo que esse é um ponto delicado e que eu sou um burro; desculpa-me. Mas, a propósito de bobagem: meu caro, Praskóvia Pávlovna não é tão tola como se pode supor à primeira vista, não é? O que tu achas?

— É... — resmungou Raskólnikov, olhando de lado mas compreendendo que era mais útil manter a conversa.

— Não é verdade? — bradou Razumíkhin, pelo visto contente por ter recebido resposta. — Mas também não é inteligente, não é? Uma índole absolutamente, absolutamente imprevisível! Eu, meu irmão, em parte estou atrapalhado, te asseguro... Ela tem exatos quarenta anos. Diz que tem trinta e seis, e tem todo o direito de dizer. Aliás, te juro que a julgo mais em termos intelectuais, com base apenas na metafísica; aqui, meu irmão, surgiu entre nós um emblema igual à tua álgebra! Não estou entendendo patavina! Bem, tudo isso é um absurdo, só que quando ela percebeu que tu já não eras estudante, que havias perdido as aulas particulares e a roupa e que, com a morte da filha, ela já não tinha nenhum motivo para te manter na condição de parente, ficou assustada; e uma vez que tu, por sua vez, te encafuaste num

[21] Adaptação russa do francês *avenante* — agradável, atraente. (N. do T.)

canto e não mantiveste nada do que havias acertado antes, ela resolveu te despejar. Ela alimentava essa intenção há muito tempo, e teve pena de perder a letra. Ainda por cima tu mesmo asseguravas que tua mãe pagaria...

— Isso foi uma baixeza minha... Minha mãe mesma por pouco não pede esmola... e eu menti para que me mantivessem no apartamento e... me alimentassem — disse Raskólnikov em voz alta e nítida.

— É, nisso tu foste sensato. A coisa toda, porém, é que aí imiscuiu-se o senhor Tchebarov, conselheiro da corte e homem de negócios. Sem ele Páchenka não teria inventado nada, ela é muito tímida; mas um homem de negócios não é tímido e, naturalmente, a primeira coisa que fez foi propor a questão: existe esperança de executar a letra? Resposta: existe, porque ele tem uma mamãezinha que deixa de comer mas socorre Ródienka,[22] e tem uma irmãzinha que, pelo irmão, é capaz de trabalhar como escrava. Foi nisso que ele se baseou... Por que estás te mexendo? Eu, meu irmão, agora estou a par de todo o teu segredo, não foi em vão que tu te abriste com Páchenka quando ainda eras da família, e agora eu falo por gostar... A questão é esta: um homem honesto e sensível se abre em confidências, enquanto o homem de negócio escuta e come, e depois consome. Foi assim que ela cedeu essa letra aparentemente como pagamento a esse Tchebarov, e este pegou e fez a reclamação formal, sem nenhuma timidez. Mal tomei conhecimento de tudo isso, deu-me vontade de lançar uma corrente, também por desencargo de consciência, mas nesse momento eu e Páchenka entramos em harmonia e eu ordenei suspender toda essa questão, na própria fonte, garantindo que tu mesmo pagarias. Eu, meu irmão, dei garantia por ti, estás ouvindo? Chamamos Tchebarov, esfreguei-lhe dez rublos na cara e peguei o papel, e agora tenho a honra de apresentá-lo ao senhor — agora acreditam na palavra do senhor[23] — aqui está, receba-o, e já devidamente rasgado por mim.

Razumíkhin pôs na mesa a carta de crédito; Raskólnikov olhou para ela e, sem dizer palavra, virou-se no sentido da parede. Isso até desgostou Razumíkhin:

— Estou vendo, meu irmão — pronunciou ele um minuto depois —, que mais uma vez banquei o bobo. Pensava em te distrair e divertir com minha tagarelice, mas, como me parece, apenas te insuflei a bílis.

— Foi a ti que eu não reconheci quando delirava? — perguntou Raskólnikov, também calando por um instante e sem voltar a cabeça.

---

[22] Outro diminutivo carinhoso de Rodion. (N. do T.)

[23] Nesta passagem Razumíkhin trata Raskólnikov de senhor. (N. do T.)

— A mim, e chegaste até a acessos de fúria por causa disso, especialmente quando uma vez eu trouxe o Zamiétov.

— Zamiétov?... O escriturário?... Para quê? — Raskólnikov virou-se rapidamente e fixou o olhar em Razumíkhin.

— Ora, por que ficaste assim?... Por que ficaste inquieto? Ele quis te conhecer; ele mesmo quis, porque nós dois falamos muito a teu respeito... Do contrário, de quem eu ficaria sabendo tanta coisa a teu respeito? Ele, meu irmão, é um rapaz... para lá de magnífico... em seu gênero, naturalmente. Agora somos amigos: nos vemos quase todos os dias. Porque eu me mudei para este lado. Ainda não sabes? Acabei de me mudar. Estive umas três vezes com ele na casa da Laviza. A Laviza, estás lembrado, a Laviza Ivánovna?

— Eu disse alguma coisa no delírio?

— E como! Não eras dono de si.

— Sobre o que eu delirei?

— Sobre o quê? É sabido sobre o que se fala em delírio... Bem, meu irmão, agora mãos à obra para não perder tempo.

Levantou-se da cadeira e apanhou o boné.

— O que foi que eu falei no delírio?

— Ora, isso está virando mania! Será que não estás temendo por algum segredo? Não te preocupes: nada foi dito sobre a condessa.[24] Já sobre um buldogue, sobre uns brincos, sobre umas correntes, sobre a ilha Krestóvski, e ainda sobre um zelador, sobre Nikolai Fomitch, e sobre Ilyá Pietróvitch, o auxiliar do inspetor — sobre isso muita coisa foi dita. Sim, e além disso tu te mostraste muito preocupado com tua própria meia, muito mesmo! E te lamuriavas: deem-me, dizias, e não saías disso. O próprio Zamiétov procurou tuas meias em todos os cantos, e com as próprias mãos, lavadas, perfumadas e cheias de anéis, trouxe aquela porcaria para o senhor. Só então te acalmaste, e ficaste um dia inteiro com aquela porcaria na mão; não se conseguia arrancá-la de ti. Ainda deve estar por aí debaixo do teu edredom. Sim, e ainda pediste umas franjas das calças, e quanta lamúria! E nós tentando descobrir: que franjas seriam essas? É, não dava para entender nada... Bem, agora vamos ao que interessa! Aqui estão trinta e cinco rublos; deles pego dez, e daqui a umas duas horas presto conta deles. Enquanto isso ponho

---

[24] Segundo os autores das notas à edição russa de *Crime e castigo*, nessas palavras de Razumíkhin há uma insinuação velada à novela de Púchkin *A dama de espadas*. Hermann, personagem central desta novela, jogador compulsivo, obcecado com a notícia de que uma velha condessa teria o segredo das cartas, invade-lhe a alcova tentando arrancar-lhe o segredo e acaba matando-a de susto. Depois fica às voltas com o fantasma da velha. (N. do T.)

Zóssimov a par das coisas, embora independentemente disso ele já devesse estar aqui há muito tempo, pois já passa das onze. Quanto a ti, Nástienka, na minha ausência vem aqui com mais frequência, para o caso de ele querer beber ou outra coisa... No tocante a Páchenka, eu mesmo vou lhe dizer o que é preciso. Até logo!

— Tratando-a por Páchenka! Cara de finório! — pronunciou Nastácia às costas dele; em seguida escancarou a porta e ficou na escuta, mas não se conteve e correu escada abaixo. Tinha muito interesse em saber o que ele conversava com a patroa: além do mais, dava para notar que estava encantada, totalmente fascinada por Razumíkhin.

Mal a porta fechou-se atrás dela, o doente livrou-se do edredom e pulou meio louco para fora da cama. Com uma impaciência pungente, convulsiva, esperou que eles se fossem logo para pôr mãos à obra imediatamente após a saída. Mas em quê, a que obra — agora era como se por azar ele tivesse esquecido. "Senhor! diz-me apenas uma coisa: eles estão sabendo de tudo ou ainda não? E vamos que já saibam e apenas finjam, bulam comigo enquanto estou deitado, mas de repente entrem e digam que já sabiam de tudo há muito tempo e só estavam... O que era mesmo que eu ia fazer agora? Acabei esquecendo, como que por azar; tinha acabado de me lembrar, e de repente esqueci!..."

Estava em pé no meio do quarto e observava ao redor com uma perplexidade angustiante: foi à porta, abriu-a, escutou: mas não era o que tinha em mente. De relance, como se tivesse se lembrado, lançou-se para o canto em que havia um buraco no papel de parede, pôs-se a examinar tudo, enfiou a mão no buraco, remexeu, mas também não era o que procurava. Foi ao forno, abriu-o e meteu-se a remexer na cinza; pedaços das franjas das calças e retalhos do bolso arrancado estavam rolando da mesma forma como os lançara ali, logo, ninguém havia espiado! Nisso ele se lembrou da meia, alvo do relato que Razumíkhin acabara de fazer. Verdade, ali estava ela no sofá, debaixo do edredom, mas já tão surrada e enlameada desde então que Zamiétov, é claro, não poderia ter discernido nada.

"Caramba, Zamiétov!... a delegacia!... E por que é que estão me intimando à delegacia? Cadê a intimação? Caramba!... eu confundi: a intimação foi da outra vez! Naquele momento eu também examinei a meia, mas agora... agora eu estava doente. E o que Zamiétov veio fazer aqui? Para que Razumíkhin o trouxe aqui?... — resmungava ele impotente, voltando a sentar-se no sofá. — O que é mesmo que está hávendo? Será que eu continuo delirando ou isso é de verdade? Parece que é de verdade... Ah, me lembrei: fugir! Fugir logo, sem falta, sem falta fugir! Sim... mas para onde? E onde está minha roupa? Não tenho botas! Recolheram! Esconderam! Compreendo! Mas, e o sobretudo — não distinguiram! Eis o dinheiro na mesa, graças a Deus! E eis a letra... Pego o dinheiro e vou embora, alugo outro quarto, eles não vão me achar!... É, mas e o serviço de informações de endereços? Vão achar! Razumíkhin acha. O melhor é fugir de vez... para longe... para a América, e me lixar para eles! E levar a letra... lá ela vai servir. Levar mais o quê? Eles pensam que estou doente! Eles nem sabem que estou podendo andar, he-he-he!... Pelo olhar deles percebi que estão sabendo de tudo! Eu só precisava descer a escada! Mas lá estão os guardas deles, os policiais! O que é isso, chá? Ah, olha, sobrou cerveja, meia garrafa, fresca!"

Agarrou a garrafa na qual ainda restava um copo inteiro de cerveja e bebeu de um gole, deliciado, como se apagasse um fogo no peito. Porém nem se passara um minuto e já a cerveja lhe subia à cabeça, enquanto um calafrio leve e até agradável corria pela espinha. Deitou-se e puxou o edredom. Seus pensamentos, já doentios e desconexos, foram se embaralhando mais e mais e num instante um sono leve e agradável se apossou dele. Tomado de prazer, descobriu com a cabeça um lugar no travesseiro, agasalhou-se melhor com o edredom, que agora o cobria em vez do antigo capote esfarrapado, suspirou baixinho e caiu num sono profundo, forte, salutar.

Acordou ao ouvir que alguém entrara no quarto, abriu os olhos e viu Razumíkhin, que escancarara a porta e plantara-se perplexo no limiar: entrar ou não entrar? Raskólnikov soergueu-se rápido no sofá e ficou olhando para ele, como quem se esforça para se lembrar de alguma coisa.

— Ah, não estás dormindo, então vê que também estou aqui! Nastácia, traz a trouxa! — bradou Razumíkhin para baixo. — Num instante receberás a prestação de contas...

— Que horas são? — perguntou Raskólnikov, olhando inquieto ao redor.

— Tiraste uma boa soneca, meu irmão: lá fora já é noite, umas seis horas. Seis e uns quebrados.

— Meu Deus! O que está havendo comigo!...

— O que há de mais? Aproveita! Estás com pressa de ir aonde? A algum encontro? Agora o tempo todo nos pertence. Eu já estou há umas três horas à tua espera; entrei aqui umas duas vezes, estavas dormindo. Fui duas vezes procurar Zóssimov: não está em casa, foi só isso que eu soube. Mas não há de ser nada, ele virá!... Ausentou-se em função dos seus afazeres. Hoje eu me mudei, me mudei de uma vez, e trouxe um tio. Agora eu tenho um tio comigo... Bem, mas deixemos isso para lá, vamos ao que interessa!... Nástienka, traz a trouxa. Bem, agora nós... Então, meu amigo, como te sentes?

— Estou com saúde; não estou doente... Razumíkhin, estás aqui há muito tempo?

— Já disse que estou te esperando há três horas.

— Isso não, e antes?

— Antes o quê?

— Desde quando estás vindo aqui?

— Ora, faz pouco tempo que te contei; ou será que não te lembras?

Raskólnikov ficou pensativo. Os últimos acontecimentos lhe pareciam transcorrer em sonho. Não conseguia lembrar-se de um deles e olhava interrogativo para Razumíkhin.

— Hum! — disse o outro — esqueceste. Ainda há pouco me parecia que tu continuavas sem regular... Agora acordas recuperado... Palavra, estás com um olhar bem melhor. Bravo! Sim, mas vamos ao que interessa! Agora mesmo é que te vais lembrar. Olha para cá, meu irmão.

Ele começou a desamarrar a trouxa na qual, pelo que se via, estava sumamente interessado.

— Isso, meu irmão, acredites ou não, é o que particularmente está me pesando no coração. Porque é preciso fazer de ti um homem. Mãos à obra: comecemos de cima para baixo. Estás vendo este casquete? — começou ele, tirando da trouxa um boné bem bonitinho mas ao mesmo tempo muito comum e barato. — Queres dar-te ao luxo de provar?

— Depois, depois — pronunciou Raskólnikov, esquivando-se com rabugice.

— Ah, não, meu irmão Ródia, sem essa de rejeitar, depois será tarde; e vou passar a noite toda em claro porque comprei sem tua medida, a olho. Na medida! — exclamou ele com ar triunfal, depois de tomar as medidas — na justa medida! O adorno da cabeça, meu irmão, é a primeiríssima coisa em um traje, é algo como uma recomendação. Tolstyakov, um amigo meu, sempre é forçado a tirar o seu adorno da cabeça ao entrar em algum recinto social em que todos os demais presentes estão de chapéu e boné. Todos pensam que isso decorre de sentimentos servis, mas ele o faz simplesmente porque tem vergonha do seu ninho de passarinho; é uma pessoa acanhada! Vamos, Nástienka, aqui tens dois chapéus: é esse *palmerston*[25] (tirou de um canto o destroçado chapéu redondo de Raskólnikov, que chamou de *pal-*

[25] Henry John Temple Palmerston (1784-1865), político inglês, primeiro-ministro de 1855 a 1865. Ao brincar com o chapéu de Raskólnikov, chamando-o de *palmerston*, Razumíkhin está insinuando que ele é velho e antiquado. (N. da E.)

*merston* sabe-se lá por quê) ou essa joia? Avalia. Quanto achas que custou? Hein, Nástiuchka?[26] — dirigiu-se a ela, vendo que o outro calava.

— Vai ver que pagou vinte copeques — respondeu Nastácia.

— Vinte copeques, imbecil! — gritou ele, ofendido. — Hoje nem a ti se compra mais por vinte copeques. — Custou oitenta! E ainda assim porque era usado. É verdade que o comprei com uma condição: tu gastas este, no próximo ano te darão outro de graça, juro! Bem, agora passemos aos Estados Unidos Americanos, como chamávamos essa peça no ginásio. Vou avisando — a calça é o meu orgulho! — E exibiu diante de Raskólnikov uma calça de lã cinza, leve, própria para o verão — sem furos nem manchas, e ainda por cima bem sofrível, embora surrada, assim como o colete, de uma só cor, como o exige a moda. E isso de ser surrada, verdade, é ainda melhor: fica mais macia, mais suave... Como vês, Ródia, para fazer carreira na sociedade basta, acho eu, observar sempre a estação; se em janeiro se dispensa o aspargo, então a gente guarda mais alguns rublos na carteira; o mesmo se pode dizer desta compra. Estamos no verão e fiz uma compra de verão, porque no outono a estação já vai pedir uma fazenda mais quente, de sorte que terás de jogar esta fora... ainda mais porque até lá o teu luxo crescente ou a tua desordem interior já terá estragado tudo. Avalia só! Quanto achas que custou? Dois rublos e vinte e cinco copeques! E lembra, sob a mesma condição anterior: quando esta estiver surrada, receberás outra de graça! Na loja de Fedyáiev não se faz negócio de outra forma: uma vez que pagaste, ficas satisfeito pelo resto da vida a ponto de não precisar mais voltar lá. Bem, agora passemos às botas — olha só! Logo se vê que estão surradas, mas servem para uns dois meses porque é trabalho estrangeiro e mercadoria estrangeira: o secretário da embaixada inglesa vendeu-as semana passada no mercado; usou-as apenas seis dias, mas precisou muito de dinheiro. Um rublo e cinquenta copeques. Foi sorte, não?

— Mas vai ver que não servem! — observou Nastácia.

— Não servem! E o que é isso? — e tirou do bolso a bota velha de Raskólnikov, furada, dura, toda ressecada pela lama. — Eu levei uma reserva, e por esta coisa monstruosa restabeleceram o verdadeiro número dele. Tudo isso foi feito de coração. Quanto à roupa de baixo, já conversei com a patroa. Aqui estão, em primeiro lugar, três camisas, de linho, mas com o peitilho na moda... Bem, é isso: oitenta copeques pelo boné, dois rublos e vinte e cinco pelo vestiário, somando tudo três rublos e cinco copeques; um rublo e cinquenta pelas botas — porque são muito boas —, e chegamos a

[26] Outro tratamento carinhoso do nome Nastácia. (N. do T.)

quatro rublos e cinquenta e cinco copeques; acrescentando mais cinco rublos por toda a roupa de baixo — negociamos por atacado — teremos no total nove rublos e cinquenta e cinco copeques. Quarenta e cinco copeques de troco em moedas de cobre de cinco copeques, faz o favor de receber. Assim, Ródia, agora estás com toda a tua indumentária restaurada, porque, acho eu, o teu sobretudo não só ainda pode servir como tem até certa dignidade especial: essa é a vantagem de comprar de Charmer![27] Quanto às meias e coisas afins, deixo por tua conta; ainda nos restam vinte e cinco rublinhos, e no tocante a Páchenka e ao pagamento do aluguel não te preocupes; eu já disse: o crédito é o mais ilimitado. E agora, meu irmão, permite apenas que te troque a roupa de baixo, porque pode ser que a doença agora só esteja na camisa...

— Para! Não quero! — esquivou-se Raskólnikov, que ouvira com nojo a relação artificialmente brejeira das compras feita por Razumíkhin.

— Isso, meu irmão, é impossível; por que cargas-d'água andei gastando sola? — insistia Razumíkhin. — Nastáciuchka,[28] não te acanhes e me ajuda, assim! — e apesar da resistência de Raskólnikov, acabou mesmo conseguindo trocar-lhe a roupa branca. O outro arriou na cabeceira e durante uns dois minutos não disse uma palavra.

"Há quanto tempo não me dão sossego!" — pensava ele.

— Com que dinheiro compraram tudo isso? — perguntou finalmente, olhando na direção da parede.

— Com que dinheiro? Essa é boa! Com teu próprio dinheiro. Há pouco esteve aqui um membro da *artiel*, mandado por Vakhrúchin; trouxe a remessa de tua mãezinha; ou será que até isso esqueceste?

— Agora me lembro... — proferiu Raskólnikov depois de longa e sombria meditação. Razumíkhin olhava para ele com o semblante carregado, intranquilo.

A porta se abriu e entrou um homem alto e corpulento, de cujo semblante Raskólnikov parecia já ter algum conhecimento.

— Zóssimov! Até que enfim! — exclamou contente Razumíkhin.

---

[27] I. G. Charmer, famoso alfaiate de Petersburgo dessa época, que costurou para o próprio Dostoiévski. (N. da E.)

[28] Outro diminutivo do nome Nastácia. (N. do T.)

## IV

Zóssimov[29] era um homem alto e obeso, de rosto inchado de uma palidez mortiça, escanhoado, cabelos lisos e de um louro desbotado, usava óculos e um grande anel de ouro no dedo inchado de gordura. Tinha uns vinte e sete anos. Vestia um sobretudo leve elegante e folgado, calça de verão clara, e tudo nele era folgado, elegante e novinho em folha; usava uma camisa de uma brancura impecável e um relógio de algibeira com uma corrente maciça. Tinha modos lentos, com ares de indolência e ao mesmo tempo artificialmente desembaraçados; as pretensões, que ele, aliás, se desdobrava por dissimular, insinuavam-se a cada instante. Todos os que o conheciam o achavam pesado mas diziam que era bom profissional.

— Meu caro, fui duas vezes te procurar... Estás vendo, voltou a si! — gritou Razumíkhin.

— Estou vendo, estou vendo: então, como nos sentimos agora, hein? — Zóssimov dirigiu-se a Raskólnikov, olhando-o fixamente e sentando-se no sofá, aos pés dele, onde logo refestelou-se tanto quanto pôde.

— É, mas continua melancólico — prosseguiu Razumíkhin. — Acabamos de trocar sua roupa de baixo e por pouco ele não caiu no choro.

— Dá para entender: a roupa de baixo pode ficar para depois, se ele mesmo não está querendo... O pulso está ótimo. A dor de cabeça é que ainda continua, não?

— Estou são, perfeitamente são! — proferiu Raskólnikov com insistência e irritação, soerguendo-se subitamente no sofá e lançando um olhar chamejante, mas logo tornou a desabar no travesseiro e voltou-se no sentido da parede. Zóssimov o observava atentamente.

— Muito bem... está tudo em ordem — disse com indolência. — Tem comido alguma coisa?

Contaram-lhe tudo e perguntaram o que podiam lhe dar.

---

[29] Derivado do grego *zoss*, que significa vida, vivo, vívido. Em russo gerou o nome Zossíma, do qual decorrem duas variantes do patronímico: Zossímov e Zóssimov. Preferi a segunda variante pela proximidade com o nosso Zózimo em português. (N. do T.)

— Podem dar tudo... Sopa, chá... Naturalmente não podem dar cogumelos nem pepinos, e carne de gado também não, e... ora, por que essa conversa fiada?... — trocou um olhar com Razumíkhin. — Nada de poção, não deem nada; amanhã eu o examino... Aliás podia ser hoje... bem, deixa pra lá...

— Amanhã à tardinha vou dar um passeio com ele! — resolveu Razumíkhin. — Iremos ao Jardim de Iussúpov,[30] daremos uma chegadinha no "Palais de Cristal".

— Amanhã eu não o faria mexer-se, mas, pensando bem... um pouquinho... bem, até lá veremos.

— Ai, que pena, justo hoje estou comemorando a mudança de apartamento, a dois passos daqui; ah, se ele também pudesse. Mesmo que lá em casa ficasse deitado no sofá! E tu, vais aparecer? — súbito Razumíkhin dirigiu-se a Zóssimov. — Vê se não esqueces, prometeste.

— Talvez mais tarde. O que estás preparando?

— Nada demais; chá, vodca, arenques. Vai ser servido um pastelão, os amigos estarão lá.

— Quem, exatamente?

— Tudo gente daqui, e quase todos novos, palavra — com exceção apenas do meu tio, e ele também é novato: acabou de chegar a Petersburgo, ontem, para resolver uns probleminhas; a gente se vê uma vez a cada cinco anos.

— Quem é?

— Passou a vida vegetando como administrador dos correios em um distrito... recebe uma pensãozinha, tem sessenta e cinco anos, não vale a pena falar dele. Mas eu gosto dele. Porfiri Pietróvitch vem: é o juiz de instrução daqui... ex-aluno da Escola de Direito.[31]

— Ele também é algum parente teu?

— Bem distante; mas por que essa carranca? Só porque vocês dois se desentenderam uma vez vais acabar não vindo?

— Ora, estou me lixando para ele...

— É o melhor que podes fazer. Bem, vão aparecer estudantes, um professor, um funcionário público, um músico, um oficial, o Zamiétov...

— Queres fazer o favor de me dizer o que tu e esse aí — Zóssimov

---

[30] O Jardim de Iussúpov, nome derivado do seu primeiro proprietário, fica na atual avenida Rimski-Kórsakov, região central de Petersburgo. (N. da E.)

[31] Escola superior destinada à juventude aristocrática na Rússia tsarista. (N. do T.)

apontou para Raskólnikov com um meneio de cabeça — têm em comum com um desses Zamiétov da vida?

— Ai, esses rabugentos! Os princípios!... Tu ficas todo em cima de princípios como se estivesses sobre molas; não ousas te mexer por vontade própria; mas para mim o homem ser bom é que é o princípio, e o resto não me interessa. Zamiétov é uma pessoa maravilhosa.

— Mas está enriquecendo de modo ilícito.

— Ora, que esteja enriquecendo de modo ilícito, pouco se me dá! Vamos que esteja enriquecendo de modo ilícito! — bradou Razumíkhin, irritando-se de modo meio antinatural. — Por acaso eu elogiei o enriquecimento ilícito dele na tua frente? Eu disse apenas que de certo ponto de vista ele é bom! E francamente, se a gente considerasse as pessoas de todos os aspectos, será que sobraria muita gente boa? Tenho certeza de que por mim dariam, com tripa e tudo, apenas uma cebola assada, e ainda por cima te pondo de contrapeso!...

— É pouco; por ti dou duas...

— Por ti só dou uma! Continua com tuas gracinhas! Zamiétov ainda é um menino, eu ainda hei de puxar as orelhas dele, mas o que precisamos é ganhá-lo e não afastá-lo. Não é afastando uma pessoa que se vai reeducá-la, ainda mais um menino. Com um menino a gente precisa ter cautela redobrada. Arre, esses progressistas estúpidos, não entendem nada! Não respeitam as pessoas, ofendem-se a si mesmos... E se queres saber, nós dois estamos com uma causa comum.

— Gostaria de saber.

— É ainda sobre o caso do pintor, isto é, de paredes... Nós vamos livrá-lo mesmo. Aliás, a questão está caminhando sem problema. Agora a coisa está clara, evidente! Nós vamos apenas dar um incentivo.

— Que história é essa de pintor?

— Como, por acaso não te contei? Contei ou não? Quer dizer, só te contei o começo... É sobre o assassinato da velha usurária, viúva de um funcionário público... bem, é nisso que agora o pintor está implicado.

— Sim, sobre o assassinato eu soube antes de ti, e esse assunto me interessa... em parte... por uma circunstância... e também li nos jornais! E veja...

— E mataram Lisavieta também! — deixou escapar Nastácia subitamente, dirigindo-se a Raskólnikov. Ela permanecera o tempo todo no quarto, apertada ao lado da porta, ouvindo.

— Lisavieta? — murmurou Raskólnikov com uma voz que mal se ouvia.

— Sim, Lisavieta, a que vendia de porta em porta, ou não conhecias? Ela andava por aqui, lá embaixo. Uma vez consertou uma camisa tua.

Raskólnikov virou-se para a parede, em cujo papel amarelo e sujo, coberto de florezinhas brancas, escolheu uma florzinha branca e desajeitada, cheia de risquinhas marrons, e ficou a examiná-la: quantas folhas ela terá, quantas nervuras haverá em cada folha e quantas risquinhas? Sentiu que estava com os braços e as pernas dormentes, como se lhos tivessem amputado, mas nem tentou se mexer e ficou olhando fixo para a florzinha.

— Então, o que esse pintor fez? — Zóssimov interrompeu com uma insatisfação especial a tagarelice de Nastácia. Ela suspirou e calou-se.

— Também foi indiciado no assassinato! — continuou Razumíkhin com fervor.

— Existem provas?

— Que provas, que nada! Aliás, prenderam-no justo com base numa prova, só que ela não é prova, e é isso que se precisa provar! Foi exatamente assim que primeiro eles prenderam e puseram sob suspeita esses, como é mesmo que se chamam... Koch e Piestryakov. Arre! Quanta bobagem cometem em tudo isso, dá nojo até em quem está de fora! É possível que Piestryakov venha hoje à minha casa... Aliás, Ródia, tu já conheces esse negócio, porque aconteceu ainda antes da tua doença, exatamente na véspera do teu desmaio na delegacia, quando ouviste contar essa história...

Zóssimov olhou curioso para Raskólnikov; este não se mexeu.

— Sabes de uma coisa, Razumíkhin? Olho para ti: como vives atarefado; sim, senhor — observou Zóssimov.

— É possível, mas apesar de tudo vamos arrancá-lo de lá! — exclamou Razumíkhin, dando um murro na mesa. — Ora, sabes o que mais dá raiva? Não é o fato de mentirem; sempre se pode perdoar a mentira; a mentira é uma coisa simpática, porque conduz à verdade. Não, o deplorável é que mentem e ainda reverenciam a própria mentira. Eu respeito Porfiri, no entanto... Porque, em primeiro lugar, o que foi, por exemplo, que os deixou desnorteados? A porta estava fechada, mas quando eles voltaram com o zelador estava aberta: logo, significa que Koch e Piestryakov são os assassinos! Eis a lógica deles.

— Mas não fiques irritado; eles foram apenas detidos; não se pode, mas... A propósito: eu conheço esse Koch: como se verificou, ele comprava da velha objetos não resgatados para revender, não é?

— Sim, ele é um vigarista! Ele também açambarca títulos. É um empresário. O diabo que o carregue! Entendes o que me irrita? É a sua rotina desgastada, ultrabanal e arraigada demais... E aqui, em uma só causa como essa, pode-se descobrir todo um caminho novo. Os dados psicológicos sozinhos já nos permitem mostrar como se deve chegar à verdadeira pista.

"Nós, sabe como é, dispomos de fatos!" Mas acontece que os fatos não são tudo; pelo menos metade da questão consiste em saber explorar os fatos!

— E tu sabes explorar os fatos?

— Sim, porque não se pode calar quando se sente, quando se percebe pelo tato que poderia ajudar na causa se... Eh!... Conheces o assunto em detalhes?

— Sim, e estou esperando que fales do pintor.

— Ah, sim! Mas escuta a história: exatamente no terceiro dia após o assassinato, pela manhã, quando eles ainda se desfaziam em cuidados com Koch e Piestryakov — embora esses dois tivessem demonstrado cada passo que deram: a evidência é gritante! —, eis que se anuncia o fato mais surpreendente. Um camponês, um tal de Dúchkin, dono de um botequim que fica à frente do mesmo prédio, aparece na delegacia trazendo um estojo de joias com brincos de ouro e conta toda uma novela: "Apareceu lá no meu negócio anteontem, à noite, mais ou menos no começo das nove — o dia e a hora! estás prestando atenção? — um pintor que antes havia aparecido lá durante o dia, Mikolai,[32] e me trouxe esse estojo com brincos de ouro e com pedras, e pediu por eles dois rublos como penhor, e quando perguntei 'onde achaste isso?', respondeu que os tinha apanhado na calçada. Não lhe perguntei mais nada sobre isso — é Dúchkin que está falando — e lhe dei uma nota — isto é, de um rublo, porque pensei que se eu não aceitasse o penhor outro aceitaria, de qualquer forma ele iria torrar na bebida, portanto era melhor que os objetos ficassem comigo: longe dos olhos, perto da mão, e se começassem a espalhar boatos, eu apresentaria imediatamente o estojo". Ora, é claro que ele anda com conversa pra boi dormir, falando mais que o homem da cobra, porque eu conheço esse Dúchkin, ele mesmo é usurário e receptador de roubo, e não ficou com um objeto de trinta rublos para "apresentar", mas roubou Mikolai. Simplesmente ficou com medo. O diabo que o carregue! Dúchkin continua, escuta: "Esse camponês, Mikolai Demiéntiev, eu conheço desde pequeno, é da nossa província e do nosso distrito de Zaraisk, porque nós dois somos de Riazan. E Mikolai, mesmo sem ser um beberrão, é chegado a umas biritas, e era do nosso conhecimento que ele estava trabalhando no tal prédio, pintando junto com Mitrei[33] — eles dois moram no mesmo lugar. Depois que recebeu a nota ele a trocou no mesmo instante, bebeu de uma vez dois copos, recebeu o troco e se mandou, mas na-

---

[32] Variação popular do nome Nikolai. (N. do T.)

[33] Variação popular do nome Dmitri. (N. do T.)

quele momento eu não vi Mitrei com ele. E no dia seguinte ouvimos falar que Aliena Ivánovna e sua irmã Lisavieta tinham sido mortas a machadada, e nós conhecíamos as duas, e aí eu fiquei tomado de dúvida sobre os brincos, porque se sabia que a morta emprestava dinheiro recebendo objetos como garantia. Fui à casa deles e procurei me informar com cautela, de mansinho, e perguntei em primeiro lugar: Mikolai está? E Mitrei disse que Mikolai andava no mundo, tinha chegado em casa de madrugada, de porre, tinha ficado mais ou menos uns dez minutos em casa e tornado a sair, e depois Mitrei não o vira mais no trabalho e naquele momento estava terminando o serviço. E o serviço era num apartamento que dava para a mesma escada do apartamento das vítimas. Depois de ouvir tudo isso, nós não revelamos nada a ninguém — é Dúchkin quem está falando — sobre o assassinato. Ainda ficamos sabendo de tudo o que podíamos e voltamos pra casa com a mesma dúvida. Mas hoje de manhã, às oito horas — isto é, no terceiro dia, estás entendendo? —, vejo Mikolai entrando no meu botequim nem sóbrio e nem lá muito bêbado, mas em condição de entender a gente. Sentou no banco, calado. Naquele momento, além dele só tinha um estranho na venda, e ainda um conhecido que dormia num banco, e ainda os nossos dois meninos. 'Viste, Mitrei?', perguntei. 'Não, não vi', responde. 'E não estiveste aqui?' — 'Não, faz três dias que não venho'. 'E onde passaste esta noite?' — 'Nas Areias,[34] em Kolomna', responde. 'E onde, pergunto, achaste os brincos outro dia?' — 'Achei na calçada' — e responde como quem diz alguma inconveniência, sem me encarar. 'E ouviste falar, pergunto, que isso e aquilo aconteceu naquela mesma noite, na mesma hora e na mesma escada?' — 'Não, diz ele, não ouvi falar' — mas ele mesmo ouvia de olhos arregalados e de repente ficou branco feito giz. Eu contava essa história a ele, olhando-o, e ele quis se levantar pra pegar o gorro de pele. Aí eu tive vontade de segurar ele: 'Espera um pouco, Mikolai, digo eu, ou será que não vais tomar uma?'. E pisquei o olho pra um dos meninos pra que segurasse a porta, e saí de detrás do balcão: mas ele escapa de mim, e pula pra rua, e sai correndo, e embarafusta entre os prédios — mal consegui avistá-lo. Aí a minha dúvida acabou, porque a culpa dele estava na cara..."

— Também, pudera!... — pronunciou Zóssimov.

— Espera! Ouve o final! Naturalmente saíram a passos largos à procura de Mikolai: detiveram Dúchkin e lhe revistaram o botequim, detiveram Mitrei também; também remexeram na casa de Kolomna — e eis que, no

---

[34] Nome de um bairro distante da Petersburgo de então, situado na avenida Suvórov. (N. da E.)

terceiro dia, chegam subitamente com Mikolai: prenderam-no perto do posto... numa estalagem. Ao chegar lá, tirara a cruz de prata do peito e pedira um copo de vodca por ela. Deram-lhe. Passados alguns minutos, uma camponesa vai para o estábulo, olha por uma brecha da cerca e vê: ele está no galpão ao lado, tinha amarrado o cinto numa viga e preparado um laço; subira num cepo de madeira e tentava enfiar o laço no pescoço; a camponesa começa a berrar feito uma possessa, as pessoas acorrem: "Ah, então tu és assim!" — "Levem-me a alguma delegacia, eu confesso tudo", diz. Então o levaram com as devidas *óners*[35] e o apresentaram na delegacia, isto é, trouxeram-no para cá. Bem, aí perguntaram o nome, o meio de vida, a idade — "vinte e dois anos" — etc. etc. Pergunta: "Quando trabalhava com Mitrei, não teriam visto ninguém na escada em tal e tal hora?". Resposta: "Sim, pode ser que tenha passado gente, mas nós não notamos". "E não ouviram algo, algum barulho ou coisa do gênero?" — "Não ouvimos nada de especial". "E tu estavas sabendo, Mikolai, que naquele mesmo dia e hora mataram e roubaram a viúva tal e junto também a irmã dela?" — "Não sei de nada. Ouvi falar disso pela primeira vez três dias depois através de Afanassi Pávlitch, no botequim". "E onde pegaste os brincos?" — "Achei na calçada". "Por que no dia seguinte não foste trabalhar com Mitrei?" — "Porque eu tava na farra". "E onde estavas farreando?" — "Em tal e tal lugar". "Por que fugiste de Dúchkin?" — "Porque naquela ocasião fiquei com muito medo". "Medo de quê?" — "De ser condenado". "Como podias ter medo de ser condenado se não te sentes culpado de coisa nenhuma...?" Acredites ou não, Zóssimov, essa pergunta foi formulada, e literalmente nesses termos, estou seguro de que me transmitiram corretamente! Viu só? Viu só?

— Ah, não; afinal, existem provas?

— Ora, eu não estou me referindo a provas mas à pergunta, à maneira pela qual eles entendem a essência da questão. Bem, o diabo que os carregue!... E o apertaram, apertaram, espremeram, espremeram, e ele acabou confessando: "Não achei na calçada, diz ele, mas no apartamento que eu estava pintando com Mitrei". "De que maneira?" — "Da mesma maneira como eu e Mitrei passamos o dia todo pintando, até às oito, e a gente já se preparava pra ir embora quando Mitrei pegou o pincel e me lambuzou a cara de tinta, lambuzou minha cara com aquela tinta, e aí saiu correndo e eu saí atrás dele. Eu corria atrás dele e berrava; e quando estava acabando de descer a escada para entrar no pátio esbarrei com força no zelador e nos senhores que estavam com ele, mas quantos eram os senhores eu não me lembro,

---

[35] Honras, do francês *honneur*, empregada de forma russificada, no plural. (N. do T.)

mas o zelador me xingou, e o outro zelador também me xingou, e a mulher do zelador apareceu, também xingou a gente, e um senhor estava entrando no pátio com a mulher e também xingou a gente, porque eu e Mitka nos deitamos atravessados no caminho; eu agarrei Mitka pelos cabelos, derrubei ele, e comecei a sovar ele, e Mitka, que estava por baixo de mim, também me agarrou pelos cabelos, mas a gente não fazia aquilo por raiva mas por gostar um do outro, por brincadeira. Depois Mitka se livrou e correu para a rua, e eu atrás dele, mas não o alcancei e voltei para o apartamento sozinho — precisava arrumar. Comecei a arrumar e a esperar por Mitrei, podia ser que aparecesse. Foi quando pisei no estojo perto da entrada, no saguão, num canto, atrás da parede. Olho, está lá, embrulhado num papel. Desembrulho, e vejo uns ganchinhos pequenininhos, tiro os ganchinhos e lá estão os brincos no estojo...

— Atrás da porta? Estava atrás da porta? Atrás da porta? — exclamou Raskólnikov, mirando Razumíkhin com um olhar turvo, assustado, e soerguendo-se lentamente, com as mãos apoiadas no sofá.

— Sim... e por quê? O que tens? Por que falas assim? — Razumíkhin também soergueu-se.

— Não foi nada!... — respondeu Raskólnikov com voz que mal se ouvia, arriando no travesseiro e voltando-se mais uma vez no sentido da parede. Todos fizeram um breve silêncio.

— Estava dormitando, pelo jeito, meio dormindo, meio acordado — disse enfim Razumíkhin, olhando interrogativo para Zóssimov; o outro fez um leve sinal negativo com a cabeça.

— Bem, continua — disse Zóssimov —, o que houve depois?

— O que houve depois? Mal ele viu os brincos, esquecendo ali mesmo tanto o apartamento quanto Mitka, agarrou o gorro de pele e correu para a casa de Dúchkin e, como se sabe, recebeu um rublo dele, mas lhe mentiu dizendo que os havia achado na calçada, e saiu imediatamente para a farra. E quanto ao assassinato continua repetindo: "Não sei de nada, só anteontem ouvi falar". "E por que até agora não tinhas aparecido?" — "Por medo". "E por que quis se enforcar?" — "De tanto refletir." — "Refletir o quê?" — "Que podiam me condenar". Bem, eis toda a história. Agora, que conclusão achas que eles vão tirar dela?

— O que se há de pensar: existe pista, mínima mas existe. É um fato. Não dá para deixar teu pintor em liberdade, não é?

— Mas acontece que eles já o indiciaram por assassinato. Não têm nenhuma dúvida...

— Isso são lorotas; estás irritado. Ora, e os brincos? Tu mesmo hás de concordar que se no mesmo dia e na mesma hora os brincos saem do baú da velha e vão cair nas mãos de Nikolai, tu hás de concordar que isso deve ter acontecido de alguma forma, não é? Isso não é pouco numa investigação desse tipo.

— Como caíram! Como caíram? — exclamou Razumíkhin. — Será possível que tu, um médico, tu, que antes de mais nada tens a obrigação de estudar o homem, e tens mais que qualquer outro a oportunidade de estudar a natureza do homem, será que tu, diante de todos esses dados, não percebes que tipo de natureza é a de Nikolai? Será que não percebes, logo de saída, que tudo o que ele declarou no depoimento é a mais sagrada verdade? Os brincos lhe chegaram às mãos exatamente do jeito que ele declarou no depoimento. Pisou no estojo e o apanhou

— A mais sagrada verdade! Entretanto tu mesmo não declaraste que ele mentiu da primeira vez?

— Ouve-me, ouve-me atentamente: o zelador, e Koch, e Piestryakov, e o outro zelador, e a mulher do primeiro zelador, e a mulher que naquela ocasião estava com ela no cômodo do zelador, e Kryukov, o conselheiro da Corte, que naquele mesmo instante descia da carruagem e penetrava na entrada do pátio de mãos dadas com uma senhora — todos, isto é, oito ou dez testemunhas, declaram por unanimidade em depoimento que Nikolai estava com Dmitri preso ao chão, em cima dele, sovando-o, enquanto o outro lhe agarrava os cabelos com as mãos e também o sovava. Estão deitados, atravessando o caminho e bloqueando a passagem; são insultados de todos os lados e eles, "como garotos" (expressão literal das testemunhas), continuam deitados um sobre o outro, ganem, brigam e gargalham, ambos gargalham, com as caras mais engraçadas, levantam-se como crianças e saem correndo um atrás do outro pela rua. Ouviste? Agora observa com rigor para ti mesmo: lá em cima os corpos ainda estão quentes, estás ouvindo? Quentes, e assim foram encontrados! Se os dois mataram, ou foi Nikolai sozinho, e aproveitaram para saquear o baú quebrando-o, ou de alguma forma apenas participaram do saque, então deixa que eu te faça só uma pergunta: semelhante estado de ânimo — ou seja, ganidos, gargalhadas, briga de meninos no portão — combina com machados, com sangue, com a astúcia vil, com cautela, com roubo? O crime foi cometido apenas uns cinco ou dez minutos antes — porque assim se segue, já que os corpos ainda estavam quentes — e subitamente, abandonando os corpos, o apartamento aberto, e sabendo que naquele momento havia chegado gente lá, e largando o produto do roubo, eles, como meninos, espojam-se na passagem, gargalham, chamam para si a atenção geral, e tudo isso confirmado por dez depoimentos unânimes!

— Claro, é estranho! Naturalmente é impossível, contudo...

— Não, meu caro, sem esse *contudo*; mas se os brincos, no mesmo dia e na mesma hora, apareceram nas mãos de Nikolai, isso de fato representa um importante *contra*[36] material desfavorável a ele — porém diretamente explicável pelos seus depoimentos, mas um *contra discutível* em termos de inquérito —, então é preciso considerar os fatos também absolutórios, tanto mais porque são provas *irrefutáveis*. E tu achas que pelo caráter da nossa jurisprudência eles aceitarão ou serão capazes de aceitar uma prova fundada única e exclusivamente em uma impossibilidade psicológica, apenas no estado de espírito, como prova irrefutável, que destrói todas as provas acusatórias e materiais, independentemente de quais sejam? Não, não aceitarão, de maneira nenhuma aceitarão, porque o estojo foi encontrado e o homem tentou enforcar-se, "o que não poderia acontecer se ele não se sentisse culpado!". Eis a questão capital, eis o que me deixa irritado! Procura entender!

— É, vejo que estás irritado. Espera, esqueci-me de perguntar: o que é que prova que o estojo dos brincos era de fato do baú da velha?

— Isso ficou provado — respondeu Razumíkhin de cara fechada e como que involuntariamente —, Koch reconheceu o objeto e indicou a pessoa que o havia penhorado, e esta demonstrou positivamente que o objeto é mesmo dela.

— Isso é ruim. Mais uma pergunta: alguém não teria visto Nikolai no momento em que Koch e Piestryakov subiam a escada, e isso não poderia ser demonstrado?

— Aí é que está o nó, ninguém o viu — respondeu Razumíkhin agastado —, esse é o mal; nem Koch nem Piestryakov o notaram quando subiam a escada, embora o depoimento deles não significasse grande coisa neste momento. "Vimos, disseram eles, que o apartamento estava aberto, que nele deveria haver gente trabalhando, mas ao passarmos não prestamos atenção e não nos lembramos com precisão se naquele instante havia operários lá ou não."

— Hum. Quer dizer que as únicas justificativas existentes são as de que eles sovavam um ao outro e gargalhavam. Admitamos que esta seja uma prova forte, contudo... Agora me deixa perguntar: como tu mesmo explicas todo esse fato? Como explicas o achado dos brincos, se é que ele realmente os achou conforme vem testemunhando?

---

[36] No original russo esse primeiro "contra" não está sublinhado, mas como o segundo está resolvemos sublinhá-lo para torná-lo mais explícito. (N. do T.)

— Como explico? Ora, o que explicar aqui: a coisa está clara! Pelo menos o caminho que o processo deve seguir está claro e demonstrado, e foi justamente o estojo que o demonstrou. O verdadeiro assassino deixou que esses brincos caíssem. O assassino estava lá em cima no apartamento quando Koch e Piestryakov bateram, e mantinha a porta no ferrolho. Koch fez uma tolice ao descer; nisso o assassino escapou e correu também escada abaixo, porque não tinha nenhuma outra saída. Na escada escondeu-se de Koch, Piestryakov e do zelador no apartamento vazio, no exato momento em que Dmitri e Nikolai dali haviam saído às correrias; ficou parado atrás da porta enquanto o zelador e os outros subiam a escada, aguardou que os passos cessassem e desceu com a maior tranquilidade precisamente no mesmo instante em que Dmitri e Nikolai corriam para a rua, todos haviam ido embora e não restava ninguém na entrada. Pode ser até que o tenham visto, mas não o notaram; acaso passa pouca gente por ali? Quanto ao estojo, deixou cair do bolso quando se encontrava atrás da porta, e não notou que ele havia caído porque não estava ligado nisso. O estojo prova de maneira inequívoca que ele estava precisamente ali. Eis toda a coisa!

— Sutil! Não, meu caro, isso é sutil. Isso é o que há de mais sutil!

— E por que, por que isso?

— Ora, porque tudo saiu certo demais... e se encaixou... exatamente como no teatro.

— Eh-eh! — quis exclamar Razumíkhin, mas nesse instante a porta se abriu e entrou uma pessoa nova, que nenhum dos presentes conhecia.

## V

Era um homem já entrado em anos, de ar grave, bem-apessoado, cauteloso e rabugento pela fisionomia, que começou parando à porta, olhando ao redor com uma surpresa ofensivamente indisfarçável, como se pelo olhar se perguntasse: "Onde foi que eu me meti?". Desconfiado e até mesmo afetando um certo susto, que por pouco não chegava à ofensa, ele examinava a "cabine de navio" de Raskólnikov, apertada e baixa. Com igual surpresa transferiu e fixou em seguida o olhar no próprio Raskólnikov, que estava sem camisa, despenteado, desasseado, deitado em seu sofá miserável e sujo e também o examinava imóvel. Depois, com a mesma pachorra, passou a examinar a figura desgrenhada de Razumíkhin, despenteado e de barba por fazer, que, por sua vez, olhava-o direto nos olhos com uma interrogação petulante e sem se mover do lugar. O silêncio pesado durou por volta de um minuto e finalmente, como era de esperar, houve uma pequena mudança na decoração. Pelo visto, percebendo por alguns elementos, aliás bastante nítidos, que com uma postura exageradamente rígida ali, naquela "cabine de navio", não iria conseguir nada vezes nada, o senhor recém-chegado se fez um pouco mais brando e pronunciou de forma cortês, embora não desprovida de rigidez, dirigindo-se a Zóssimov e escandindo cada sílaba de sua pergunta:

— Rodion Románitch[37] Raskólnikov, senhor estudante ou ex-estudante?

Zóssimov mexeu-se lentamente, e talvez respondesse se Razumíkhin, a quem não se haviam dirigido, não tivesse logo se antecipado:

— Ele está aqui deitado no sofá! E o senhor, o que deseja?

Esse familiar "e o senhor, o que deseja?" acabou cortando o grave senhor; por pouco ele não se voltou para Razumíkhin, mas ainda conseguiu conter-se a tempo e logo tornou a voltar-se para Zóssimov.

— Aqui está Raskólnikov! — balbuciou Zóssimov, fazendo sinal na direção do doente, depois bocejou, e escancarou a boca de modo um tanto

[37] Variação do patronímico Románovitch. (N. do T.)

inusual e assim a manteve por um tempo inusualmente longo. Em seguida enfiou com lentidão a mão no bolso do colete, tirou o imenso relógio de ouro compacto e convexo, abriu-o, olhou, e do mesmo modo lento e preguiçoso o pôs de volta.

O próprio Raskólnikov permaneceu deitado o tempo todo de costas, em silêncio, e observava o recém-chegado com um olhar fixo mas desprovido de qualquer sentido. O rosto, agora desviado da florzinha do papel de parede na qual ele antes se fixara por curiosidade, estava extraordinariamente pálido e exprimia um sofrimento incomum, como se acabasse de passar por uma operação sofrida ou de sair de uma sessão de tortura. No entanto o recém-chegado pouco a pouco foi despertando nele uma atenção cada vez maior, depois perplexidade, em seguida desconfiança e até mesmo uma espécie de temor. Mas quando Zóssimov, depois de apontar para ele, pronunciou: "eis Raskólnikov", ele, soerguendo-se de súbito e rapidamente, como quem dá um salto, sentou-se no leito e pronunciou de modo quase acintoso mas com voz entrecortada e fraca:

— Sim! Eu sou Raskólnikov! O que o senhor deseja?

A visita o olhou com atenção e pronunciou com ar imponente:

— Piotr Pietróvitch Lújin. Estou cheio de esperança de que o meu nome já não lhe seja de todo desconhecido.

Porém Raskólnikov, que esperava algo inteiramente diverso, olhou para ele com ar estúpido e pensativo e nada respondeu, como se de fato ouvisse pela primeira vez o nome de Piotr Pietróvitch.

— Como? Será possível que até hoje o senhor ainda não recebeu nenhuma notícia? — perguntou Piotr Pietróvitch um tanto desapontado.

Em resposta, Raskólnikov arriou lentamente no travesseiro, pôs as mãos atrás da cabeça e ficou a olhar para o teto. O aborrecimento estampou-se no rosto de Lújin. Zóssimov e Razumíkhin passaram a olhá-lo com curiosidade ainda maior, e ele acabou ficando visivelmente desconcertado.

— Eu supunha e contava — balbuciou ele — que a carta, expedida há mais de dez dias, ou até há quase duas semanas...

— Escute, por que o senhor continua parado aí à porta? — interrompeu subitamente Razumíkhin. — Já que tem alguma coisa a explicar então se sente, porque para dois, o senhor e Nastácia, aí fica apertado. Nastáciuchka, afasta-te, deixa-o passar! Entre, há uma cadeira para o senhor, aqui! Penetre, pois!

Ele afastou a sua cadeira da mesa, liberou um pouco o espaço entre a mesa e os joelhos e em posição meio forçada esperou que o hóspede "penetrasse" naquela brecha. O instante fora escolhido de tal forma que não era possível recusar nada, e o visitante começou a escalar o espaço apertado, com pressa e aos tropeções. Atingindo a cadeira, sentou-se e olhou desconfiado para Razumíkhin.

— Aliás, o senhor não precisa ficar acanhado — soltou ele —, Ródia está doente há cinco dias e passou três delirando, mas agora está acordado e até comeu com apetite. Este que está aqui sentado é o médico, que acabou de examiná-lo, e eu sou colega de Ródia, também ex-estudante, e agora estou bancando o pajem dele; de sorte que não ligue para nós e nem se acanhe, e continue o que o senhor tem a fazer.

— Eu lhe sou grato. Mas será que não estou importunando o doente com a minha presença e a minha conversa? — perguntou Piotr Pietróvitch a Zóssimov.

— Não — balbuciou Zóssimov —, pode até distraí-lo — e tornou a bocejar.

— Ah, faz muito tempo que ele recobrou a memória, desde esta manhã! — continuou Razumíkhin, cuja familiaridade tinha o aspecto de uma candura tão sincera que Piotr Pietróvitch refletiu e começou a animar-se, talvez em parte também porque esse maltrapilho e atrevido tinha conseguido apresentar-se como estudante.

— Sua mãe... — começou Lújin.

— Hum! — fez alto Razumíkhin. Lújin lançou-lhe um olhar interrogativo. — Não é nada, não foi por mal; continue...

Lújin deu de ombros.

— Sua mãe, ainda quando eu estava com elas, começou a lhe escrever uma carta. Uma vez aqui, deixei intencionalmente que se passassem vários dias antes de procurá-lo, porque queria ter a certeza de que o senhor estava a par de tudo; mas agora, para surpresa minha...

— Estou a par, estou a par! — pronunciou subitamente Raskólnikov, com a expressão do mais insuportável enfado. — É o senhor? O noivo? Bem, estou sabendo!... e basta!

Piotr Pietróvitch ficou decididamente ofendido mas calou. Desdobrava-se na pressa de compreender o que tudo aquilo significava. O silêncio reinou cerca de um minuto.

Enquanto isso Raskólnikov, que se havia voltado levemente para ele, súbito pôs-se a reexaminá-lo com atenção e uma curiosidade especial, como se ainda há pouco não o houvesse examinado inteiramente ou alguma coisa nele o tivesse surpreendido: para tanto chegou até a soerguer-se do travesseiro. De fato, no aspecto geral de Piotr Pietróvitch havia algo que surpreendia, qualquer coisa que parecia justificar aquela denominação de "noivo" que ele há pouco recebera com tanta sem-cerimônia. Em primeiro lugar, via-se e até se notava demais que Piotr Pietróvitch se desdobrara na pressa de aproveitar alguns dias na capital para ataviar-se e embelezar-se à espera da noiva, o que, aliás, era um procedimento bastante cândido e lícito. Inclusive a própria consciência — talvez até autossuficiente em demasia — de sua agradável mudança para melhor poderia ser perdoada para um caso como esse, porque Piotr Pietróvitch integrava a linhagem dos noivos. Toda a sua roupa acabava de sair do alfaiate, e tudo era bonito, sendo talvez a única exceção o fato de que tudo era novo demais e denunciava em demasia um determinado objetivo. Até o chapéu elegante, redondo e novinho em folha, era uma prova desse objetivo: Piotr Pietróvitch lhe devotava excessiva reverência e o segurava nas mãos com um cuidado exagerado. Até o magnífico par de luvas lilases, Jouvin[38] autênticas, testemunhava a mesma coisa, quando mais não fosse porque não as calçava mas tão somente as segurava nas mãos para os desfiles. Na roupa de Piotr Pietróvitch predominavam as cores claras e juvenis. Ele trajava um bonito paletó de verão de matiz marrom-claro, calças leves e claras, colete idêntico, camisa branca e fina recém-comprada, gravata de cambraia das mais leves com listras rosadas, e, o melhor de tudo: o conjunto todo caía bem a Piotr Pietróvitch. Seu rosto, bastante viçoso e até bonito, aparentava menos idade do que os seus quarenta e cinco anos. As suíças escuras o envolviam agradavelmente de ambos os lados, como duas costeletas mesmo, e cerravam-se com bastante beleza ao lado do queixo claro e brilhante de tão barbeado. Nem os cabelos, que apenas insinuavam um leve tom grisalho, penteados e frisados no cabeleireiro, apresentavam por isso nada de ridículo ou algum aspecto tolo, o que costuma acontecer com cabelos frisados, pois dão ao rosto a inevitável aparência de um alemão no ato do casamento. Se nessa fisionomia bastante bonita e respeitável havia algo efetivamente desagradável e repelente, isso se devia a outras causas. Depois de examinar sem cerimônia o senhor Lújin, Raskólnikov deu um risinho venenoso, tornou a arriar no travesseiro e ficou a olhar para o teto como antes.

Mas o senhor Lújin estava contido e parecia decidido a ignorar por ora todas essas esquisitices.

— É assaz lamentável, assaz mesmo encontrá-lo nessa situação — recomeçou ele, fazendo esforço para romper o silêncio. — Se soubesse que o

---

[38] Xavier Jouvin, de Grenoble, luveiro francês que em 1834 revolucionou a produção de luvas ao inventar uma fôrma especial para elas. (N. da E.)

senhor não estava passando bem teria vindo antes. Mas, o senhor sabe, os afazeres!... Ainda por cima estou com uma causa jurídica bastante importante no Senado. Já nem falo daquelas preocupações que o senhor mesmo pode adivinhar. Estou aguardando os seus, isto é, sua mãe e sua irmã, a qualquer momento...

Raskólnikov mexeu-se e quis dizer alguma coisa; seu rosto exprimiu certa inquietação. Piotr Pietróvitch se deteve, ficou na expectativa, mas como nada se seguiu, ele continuou:

— ... De uma hora para outra. Já arranjei um apartamento para elas...

— Onde? — pronunciou Raskólnikov com voz fraca.

— Bastante perto daqui, no edifício Bakalêiev...

— Fica na avenida Voznessiênski — interrompeu Razumíkhin —, tem dois andares com apartamentos para alugar; é o comerciante Iúchin que os mantém; estive lá.

— Sim, apartamentos...

— É uma imundice das mais terríveis: sujeira, mau cheiro, e além disso um lugar suspeito; tem acontecido coisas; só o diabo sabe quem mora lá!... Eu mesmo estive lá para tratar de um caso escandaloso. Coisa barata, aliás.

— Eu, evidentemente, não pude reunir tanta informação, uma vez que sou um novato — objetou Piotr Pietróvitch melindrado —; aliás, o apartamento tem dois quartos limpíssimos, e como foi alugado por um período bastante curto... Já arranjei o apartamento de verdade, isto é, o nosso futuro apartamento — voltou-se ele para Raskólnikov —, que neste momento está recebendo os acabamentos; enquanto isso eu mesmo vou morando apertado em quartos, a dois passos daqui, no prédio da senhora Lippevechsel, no apartamento de um jovem amigo meu, Andriêi Semiónitch Liebezyátnikov: foi ele quem me indicou o edifício Bakalêiev...

— De Liebezyátnikov? — pronunciou lentamente Raskólnikov, como se forçasse a memória.

— Sim, Andriêi Semiónitch Liebezyátnikov, funcionário de um ministério. O senhor o conhece?

— Sim... não... — respondeu Raskólnikov.

— Desculpe, sua pergunta me deixou essa impressão. Outrora fui tutor dele... é um rapaz muito amável... atualizado... Eu me sinto feliz no meio da juventude: por ela se sabe o que há de novo. — Piotr Pietróvitch olhou esperançoso para todos os presentes.

— Isso em que sentido? — perguntou Razumíkhin.

— No mais sério, por assim dizer, na própria essência da questão — emendou Piotr Pietróvitch, como que satisfeito com a pergunta. — Vejam, há dez anos eu não vinha a Petersburgo. Todas essas novidades entre nós, as reformas, as ideias, tudo isso chegou até a nossa província; mas para notar com mais clareza e ver tudo é necessário estar em Petersburgo. Bem, eu penso justamente que a gente nota e se inteira de mais coisa observando as nossas novas gerações. E confesso: fiquei contente...

— Com que exatamente?

— Sua pergunta é ampla. Posso estar enganado, mas acho que percebo aí um modo mais claro de ver as coisas, por assim dizer, mais crítico; um espírito mais empreendedor...

— Isso é verdade — resmungou Zóssimov.

— Lorotas, não existe espírito empreendedor — aferrou-se Razumíkhin. — O espírito empreendedor se consegue a muito custo, não cai do céu, de graça. Há quase duzentos anos nos desacostumamos de qualquer ato empreendedor...[39] As ideias, admitamos, realmente andam por aí — voltou-se para Piotr Pietróvitch —, e existe um desejo, ainda que infantil, de fazer o bem; e se encontra até honestidade, apesar de haver-se juntado em torno dessa questão um sem-fim de trambiqueiros; no entanto, espírito empreendedor mesmo não existe! O espírito empreendedor custa caro.

— Discordo do senhor — objetou Piotr Pietróvitch com uma visível satisfação —, é claro que há paixões, coisas erradas, mas também precisamos ser condescendentes: as paixões são uma prova do ardor por uma causa e da situação externa irregular em que tal causa se encontra. Se pouca coisa foi feita, é preciso considerar que não houve muito tempo. Dos meios eu nem falo. Pessoalmente, como queira, acho até que se fez alguma coisa: foram divulgados pensamentos úteis, difundidas algumas obras novas e úteis no lugar das antigas sonhadoras e românticas; a literatura vem ganhando matiz mais maduro; foram erradicados e ridicularizados muitos preconceitos nocivos... Em suma, nós cortamos o cordão umbilical com o passado de forma irreversível e isso, acho eu, já é uma obra...

— Decorou a lição! Está apresentado — pronunciou Raskólnikov.

— O quê? — perguntou Piotr Pietróvitch, que não ouvira direito, mas não recebeu resposta.

— Tudo isso é justo — acrescentou Zóssimov apressado.

— Não é verdade? — continuou Piotr Pietróvitch, olhando de um jeito agradável para Zóssimov. — O senhor mesmo há de convir — continuou,

---

[39] Essas palavras de Razumíkhin fazem eco a uma afirmação do Dostoiévski das revistas *Vriêmia* (*O Tempo*) e *Epokha* (*A Época*), segundo a qual as reformas de Pedro, o Grande, separaram a sociedade ilustrada do povo. (N. da E.)

dirigindo-se a Razumíkhin, mas já com um certo ar de triunfo e superioridade, e por pouco não acrescentou: "meu jovem" — que existe avanço ou, como dizem hoje, progresso, ainda que seja em prol da ciência e da verdade econômica...

— Lugar-comum!

— Não, não é lugar-comum! Se a mim, por exemplo, disseram até hoje: "ama teu próximo", e eu amei, o que resultou daí? — continuou Piotr Pietróvitch, talvez com excesso de precipitação. — Resultou que eu rasguei o cafetã ao meio, dividi-o com o próximo e ambos ficamos pela metade nus, seguindo o provérbio russo: "Quando se caçam muitas lebres ao mesmo tempo não se pega nenhuma". Já a ciência diz: ama acima de tudo a ti mesmo, porque tudo no mundo está fundado no interesse pessoal.[40] Se amas apenas a ti mesmo, realizas os teus negócios da forma adequada e ficas com o cafetã inteiro. Já a verdade econômica acrescenta que quanto mais negócios privados organizados houver numa sociedade e, por assim dizer, cafetãs inteiros, tanto mais sólidos serão seus fundamentos e tanto mais organizada será a causa comum. Logo, ao adquirir única e exclusivamente para mim, precisamente dessa forma eu adquiro como que para todos e levo a que o próximo receba um cafetã um tanto mais rasgado porém não mais de favores privados isolados e sim como resultado do avanço geral. A ideia é simples, mas infelizmente demorou demais a ser implementada, empanada que estava pelo entusiasmo e pelo espírito contemplativo, e pelo visto precisava-se de um pouco de engenho para adivinhar...

— Desculpe, eu também não tenho engenho — cortou bruscamente Razumíkhin —, e por isso vamos parando por aí. Eu comecei a falar com um objetivo, mas toda essa conversa fiada para autodeleite, todos esses lugares-comuns incessantes, sem fim, toda essa lengalenga, esse chover no molhado já saturou tanto nesses três anos que, juro, coro não só de falar neles como de ouvi-los. O senhor, é claro, apressou-se em apresentar-se com seus conhecimentos, o que é perfeitamente perdoável e eu não censuro. Agora eu gostaria de saber apenas quem é o senhor, porque, veja, ultimamente

---

[40] Nessas palavras de Lújin há ecos da ética utilitarista de Jeremy Bentham, filósofo burguês e economista, que Dostoiévski considerava patrono do comércio de ideias correntes em Petersburgo, que afirmavam o exclusivismo da utilidade a qualquer custo. São, igualmente, um eco polêmico das famosas palavras de Tchernichévski (*O princípio antropológico em filosofia*), segundo quem "cada indivíduo só pensa em si mesmo, preocupa-se mais com suas vantagens do que com as dos outros". (N. da E.) [Note-se que Dostoiévski já desenvolve a mesma polêmica com esses dois pensadores em *Memórias do subsolo*. (N. do T.)]

empresários de toda espécie têm-se agarrado à causa comum e de tal maneira deformaram em interesse próprio tudo em que tocaram que estragaram a causa toda. Bem, já chega!

— Meu caro senhor — começou chocado Lújin, ostentando uma dignidade excepcional —, o senhor não estará querendo enunciar com a maior sem-cerimônia que eu...

— Oh, perdão, perdão... Poderia eu!... Ora, basta! — cortou Razumíkhin e voltou-se bruscamente para Zóssimov, retomando a conversa há pouco interrompida.

Piotr Pietróvitch mostrou-se inteligente o bastante para logo acreditar na explicação. Ademais, resolveu ir embora em dois minutos.

— Espero que o conhecimento que acabamos de travar — dirigiu-se ele a Raskólnikov —, depois do seu restabelecimento e em função das circunstância que são do seu conhecimento, venha a fortalecer-se ainda mais... Desejo especialmente saúde...

Raskólnikov nem sequer virou a cabeça. Piotr Pietróvitch começou a levantar-se da cadeira.

— Com certeza quem matou foi um de seus fregueses de penhor — disse Zóssimov afirmativamente.

— Com certeza um freguês de penhor! — acrescentou Razumíkhin. — Porfiri não revela o que pensa, mas mesmo assim está interrogando os penhoradores...

— Está interrogando empenhadores? — perguntou Raskólnikov em voz alta.

— Sim, e por quê?

— Por nada.

— Como é que está conseguindo encontrá-los? — perguntou Zóssimov.

— Koch indicou alguns; os nomes dos outros estavam escritos nos embrulhos dos objetos, e eles se apresentaram por si mesmos tão logo ouviram falar...

— Esse pulha deve ser muito astuto e experiente! Que ousadia! Que firmeza!

— Mas o problema é que não é! — interrompeu Razumíkhin. — É isso que desnorteia a todos. E eu afirmo: não é astuto, nem experiente, e na certa esse foi o seu primeiro passo. Imagina um plano e um pulha astuto, e terás o inverossímil. Imagina um inexperiente, e verás que só o acaso o salva da desgraça; e o que o acaso não faz? Ora, parece que ele também não previu obstáculos! E como agiu? Pegou objetos de dez a vinte rublos, abarrotou os bolsos, remexeu na penteadeira, nos trapos, mas na gaveta superior da cômoda, onde havia um cofrinho, acharam mil e quinhentos rublos em dinheiro sonante, além de notas! Nem de roubar foi capaz, só soube matar! Foi o primeiro passo, estou dizendo, o primeiro passo; perdeu-se! E não se safou porque tivesse um plano, mas por acaso!

— Parece que os senhores estão falando do recente assassinato da velha viúva do funcionário — interveio, dirigindo-se a Zóssimov, Piotr Pietróvitch, já em pé com o chapéu e as luvas nas mãos, mas querendo lançar ao sair mais algumas palavras inteligentes. Pelo visto empenhava-se em deixar uma impressão favorável, mas a vaidade venceu o bom senso.

— Isso mesmo. O senhor ouviu falar?

— Como não, aconteceu na vizinhança...

— Conhece os detalhes?

— Não dá para afirmar; mas neste caso estou interessado em outra circunstância, por assim dizer, em toda uma questão. Já nem falo que os crimes aumentaram na classe inferior nos últimos cinco anos; não falo das pilhagens constantes que acontecem em toda parte nem nos incêndios; o mais estranho para mim é que os crimes estão aumentando da mesma forma nas classes superiores e, por assim dizer, paralelamente. Ouve-se dizer que aqui um ex-estudante assaltou o correio numa estrada real; ali gente de posição social destacada falsifica dinheiro; em Moscou, capturam uma quadrilha de falsificadores de bilhetes de loteria,[41] e entre os seus principais participantes há um professor universitário de história universal; alhures no exterior assassinam um nosso secretário diplomático por misteriosos motivos de dinheiro... E se agora essa velha usurária tiver sido assassinada por um de seus clientes de penhor — e essa pessoa vier a ser da sociedade mais alta, uma vez que os mujiques não empenham objetos de ouro —, então, a que atribuir esse desregramento — por um lado — da parcela civilizada da nossa sociedade?

— Há muitas mudanças na economia... — respondeu Zóssimov.

— A que atribuir? — aferrou-se Razumíkhin. — Ora, é justamente à arraigada e excessiva falta de espírito empreendedor que se pode atribuir isso.

---

[41] Essa quadrilha foi efetivamente desbaratada em 1865, e entre seus participantes figurava A. T. Neofítov, que vinha a ser parente do próprio Dostoiévski. A declaração de Neofítov feita em juízo, de que visara a atenuar a sua situação e a da mãe, e sua confissão transcrita por seu advogado: “Neofítov não confessou perante o juiz de instrução mas perante sua consciência... o momento da confissão de Neofítov foi o momento sagrado do despertar de uma alma honesta e ainda não deformada”, figuram nos manuscritos de *Crime e castigo* como elementos motivadores da construção do crime de Raskólnikov. (N. da E.)

— Como assim?

— O que respondeu em Moscou seu professor de história universal quando lhe perguntaram por que falsificava papel-moeda? "Todos estão enriquecendo de várias maneiras, então eu também quis enriquecer o quanto antes." Não me lembro das palavras exatas, mas o sentido foi o de enriquecer o quanto antes, à custa dos outros, sem esforço! Acostumaram-se a viver recebendo tudo pronto, a caminhar levados por mãos alheias, a comer já mastigado. Bem, chegou o grande momento em que cada um se apresenta com a cara que tem...

— Mas, não obstante, como fica a ética? E, por assim dizer, as regras...

— Ora, com que o senhor está preocupado? — interveio inesperadamente Raskólnikov. — Saiu segundo a sua teoria!

— Como assim segundo minha teoria?

— É só dar consequências ao que o senhor acabou de propagar e se concluirá que se pode dar cabo das pessoas...

— Ora, tenha paciência! — exclamou Lújin.

— Não, não é isso! — opinou Zóssimov.

Raskólnikov estava pálido, com o lábio superior tremendo e respirava com dificuldade.

— Para tudo existe medida — continuou Lújin com ar arrogante —, uma ideia econômica ainda não é um convite ao assassinato, e se apenas supusermos...

— E é verdade que o senhor — tornou a interromper de súbito Raskólnikov com a voz trêmula de raiva, da qual transparecia certa alegria de ofender —, é verdade que o senhor disse à sua noiva... no exato momento em que recebeu dela o aceite, que estava mais feliz porque... ela é miserável... porque é mais vantajoso tirar a esposa da miséria para depois reinar sobre ela... e lançar-lhe na cara que o senhor a cumula de benefícios?...

— Meu caro senhor! — exclamou Lújin com ódio e irritado, ruborizado e confuso. — Meu caro senhor... deformar assim um pensamento! Desculpe, mas devo lhe dizer que os rumores que chegaram até o senhor, ou melhor, que trouxeram até o senhor não têm nem sombra de fundamento sadio e eu... suspeito que quem... numa palavra... essa flecha... numa palavra, a sua mãe... Ela já me havia mostrado, a despeito, ademais, de todas as suas magníficas qualidades, ser uma pessoa de matiz um tanto extasiado e romântico nos pensamentos... Mas ainda assim eu estava a mil verstas de supor que ela pudesse interpretar e apresentar a questão num aspecto tão deturpado pela fantasia... E por último, por último...

— Sabe de uma coisa? — bradou Raskólnikov, soerguendo-se no travesseiro e fixando nele um olhar penetrante e flamejante. — Sabe de uma coisa?

— O quê? — Lújin parou e aguardou com ar ofendido e acintoso. O silêncio durou alguns segundos.

— Se o senhor ainda... tiver o atrevimento de mencionar mais uma palavra que seja... sobre minha mãe... eu o faço descambar escada abaixo!

— O que está acontecendo contigo? — exclamou Razumíkhin.

— Já que é assim, então! — Lújin empalideceu e mordeu o lábio. — Ouça-me, senhor — começou pausadamente e contendo-se com todas as forças mas ainda assim ofegante —, até há bem pouco, desde o primeiro momento, adivinhei a sua animosidade, mas permaneci deliberadamente aqui para me inteirar ainda mais. Muita coisa eu poderia desculpar a um doente e parente, mas agora... ao senhor... jamais...

— Eu não estou doente! — gritou Raskólnikov.

— Melhor ainda...

— Vá para o inferno!

Mas o próprio Lújin já estava saindo sem terminar a fala, passando outra vez com dificuldade entre a mesa e a cadeira; desta vez Razumíkhin levantou-se para lhe dar passagem. Sem olhar para ninguém nem sequer acenar para Zóssimov, que há muito tempo lhe fazia sinal com a cabeça para que deixasse o doente em paz, Lújin saiu, levantando por cautela o chapéu à altura dos ombros ao abaixar-se para atravessar o umbral da porta. E até no seu ato de abaixar-se era como se ele exprimisse que levava consigo uma terrível afronta.

— Como pode, como pode agir assim? — disse perplexo Razumíkhin, balançando a cabeça.

— Deixem-me, deixem-me todos! — exclamou possesso Raskólnikov. — Ora, será que finalmente vocês vão me deixar em paz, seus carrascos! Não tenho medo de vocês! Agora não tenho medo de ninguém, de ninguém! Fora daqui! Eu quero ficar só, só, só!

— Vamos indo! — disse Zóssimov, fazendo um sinal de cabeça para Razumíkhin.

— Ora, por acaso podemos deixá-lo assim?

— Vamos! — repetiu Zóssimov com persistência e saiu. Razumíkhin refletiu e saiu correndo atrás dele.

— Poderia ter sido pior se nós não tivéssemos obedecido a ele — disse Zóssimov já na escada. — Não se pode irritar...

— O que ele tem?

— Se ele recebesse ao menos algum estímulo favorável, aí sim! Há pouco ele estava em condição... Sabes, ele está com alguma coisa na cabeça! Alguma coisa fixa, angustiante... É isso que eu mais temo; com certeza!

— E esse senhor Piotr Pietróvitch!... Pela conversa percebe-se que ele está noivo da irmã dele e que Ródia recebeu uma carta sobre o assunto justo na véspera de adoecer...

— É, foi o diabo quem o trouxe nesse momento; talvez tenha estragado todo o caso. E tu notaste que ele é indiferente a tudo, silencia sobre tudo, exceto sobre um ponto que o faz perder as estribeiras: o assassinato?...

— É, é! — pegou a deixa Razumíkhin. — Como notei! Se interessa, se assusta. É que no próprio dia em que adoeceu o assustaram, na delegacia, quando estava com o inspetor de polícia; desmaiou.

— À noite tu me contas isso com mais detalhes, e depois eu te conto alguma coisa. Ele me interessa, muito! Daqui a meia hora venho fazer-lhe uma visita... Aliás, não vai ter inflamação...

— Eu te agradeço! Enquanto isso vou ficar aguardando em casa de Páchenka e a observá-lo através de Nastácia...

Uma vez só, Raskólnikov olhou impaciente e aborrecido para Nastácia; mas ela ainda demorava a sair.

— Vais tomar chá agora? — perguntou ela.

— Depois! Estou com sono! Deixa-me...

Virou-se convulsivamente para a parede; Nastácia saiu.

## VI

Mas tão logo ela saiu ele se levantou, passou o trinco na porta, desfez a trouxa com a roupa que Razumíkhin acabara de trazer e tornara a guardar e começou a vestir-se. Coisa estranha: parecia que num piscar de olhos ficara perfeitamente calmo; não havia nem o anterior delírio meio louco, nem o medo e pânico que estavam sempre a dominá-lo nos últimos tempos. Era o primeiro minuto de uma tranquilidade estranha, repentina. Seus movimentos eram precisos e serenos, deixavam transparecer uma intenção firme. "É hoje mesmo, é hoje mesmo!...", balbuciava de si para si. Compreendia, não obstante, que ainda estava fraco, mas a fortíssima tensão espiritual, que transbordara em tranquilidade, numa ideia fixa, dava-lhe forças e autoconfiança; ademais, esperava não cair na rua. Vestido por completo, tudo roupa nova, olhou para o dinheiro sobre a mesa, pensou e o pôs no bolso. Eram vinte e cinco rublos. Pegou também todas as moedas de cobre de cinco copeques, troco dos dez rublos que Razumíkhin havia gastado com a roupa. Depois tirou devagarinho o trinco da porta, saiu do quarto, desceu escada abaixo e deu uma olhada para a cozinha escancarada: Nastácia estava em pé, de costas para ele, inclinada, soprando o samovar da patroa. Ela não percebeu nada. Ora, e quem poderia supor que ele fosse sair? Um minuto depois ele já estava na rua.

Eram oito horas, o sol estava se pondo. O abafamento continuava; mas ele sorveu com avidez o ar fétido, poeirento, contaminado pela cidade. A cabeça ia começando levemente a rodar; súbito uma energia feroz começou a brilhar em seus olhos inflamados e no rosto descarnado, coberto por uma palidez amarelada. Não sabia nem pensava aonde ir; sabia só uma coisa: "que é preciso terminar tudo *isso* hoje mesmo, de uma vez, agora mesmo; do contrário não voltaria para casa porque *não queria viver assim*". Como terminar? De que maneira terminar? Disso não fazia nenhuma ideia, e não queria pensar. Afastava a ideia; a ideia o atormentava. Apenas sentia e sabia o que precisava fazer para que tudo mudasse, assim ou assado, "seja lá como for", repetia ele com uma autoconfiança desesperada, fixa, e com firmeza.

Repetindo um velho hábito das suas costumeiras andanças anteriores, tomou o caminho direto da Siennáia. Antes da Siennáia, um jovem de cabelos negros girava uma romança bastante sentimental em um realejo na calçada na frente de uma vendinha. Ele acompanhava uma mocinha de uns quinze anos parada na calçada à sua frente, vestida como uma senhorinha, de crinolina, mantilha, luvas e chapéu de palha com uma pena afogueada; tudo era velho e batido. Com uma voz de taquara rachada, de rua, mas bastante agradável e forte, ela cantava uma romança à espera de que alguém da vendinha lhe atirasse uma moeda de dois copeques. Raskólnikov parou ao lado de uns dois ou três ouvintes, ouviu um pouco, tirou do bolso uma moeda de cinco copeques e pôs na mão dela. Ela suspendeu subitamente o canto no ponto mais alto e sentimental, cortou-o de fato, gritou bruscamente um "basta!" para o rapaz do realejo e ambos seguiram adiante na direção da venda seguinte.

— O senhor gosta de canto de rua? — súbito perguntou Raskólnikov a um transeunte já idoso, que estava a seu lado perto do rapaz do realejo e tinha aparência de vagabundo. O outro lançou-lhe um olhar feroz e ficou surpreso. — Eu gosto — continuou Raskólnikov, mas de tal jeito que não parecia referir-se absolutamente a canto de rua —, gosto de ouvir os cantos acompanhados ao realejo em uma noite de outono fria, escura e úmida, sempre úmida, quando todos os transeuntes têm nos rostos uma palidez esverdeada e doentia; ou melhor ainda quando está caindo uma neve úmida, diretamente, sem vento, sabe? E os lampiões brilham entre os flocos.

— Não sei... Desculpe... — resmungou o senhor, assustado tanto com a pergunta quanto com o aspecto estranho de Raskólnikov, e mudou para o lado oposto da rua.

Raskólnikov seguiu em frente e saiu na esquina da Siennáia, onde negociavam o homem e a mulher que naquele dia conversavam com Lisavieta; agora os dois não estavam ali. Reconhecendo o lugar ele parou, olhou ao redor e dirigiu-se a um jovem de camisa vermelha que bocejava à entrada de um armazém de farinha.

— Um homem negocia aqui nesta esquina junto com a mulher, a esposa dele, não é?

— Aqui negocia gente de todo tipo — respondeu o rapaz, medindo Raskólnikov de alto a baixo.

— Como ele se chama?

— Pelo nome de batismo.

— Ô, tu também não és de Zaraisk? De que província?

— Alteza, minha terra não é província, mas distrito, e quem viajou foi meu irmão e eu fiquei em casa, de sorte que não sei de nada... Peço que vossa alteza me perdoe, que seja magnânimo.

— O que funciona lá em cima, uma taberna?

— É uma estalagem, com bilhar; tem até princesas... Pessoas que frequentam!

Raskólnikov atravessou a praça. Na esquina havia uma densa aglomeração, só de mujiques. Enfiou-se no meio da multidão, fitando as caras. Sabe-se lá por quê, sentiu-se impelido a conversar com todos. Mas os mujiques não lhe deram atenção e continuaram berrando alguma coisa entre si, amontoados em grupos. Ele permaneceu algum tempo em pé, pensou e guinou para a direita, tomou a calçada na direção do bulevar V. Evitou a praça e saiu num beco...

Também já havia passado por esse pequeno beco, que faz um cotovelo e leva da praça para a Sadóvaia. Ultimamente vinha sentindo até uma atração por bater pernas por todos esses lugares quando o atacava a náusea, "para sentir mais náusea ainda". Agora ele entrava sem pensar em nada. Ali há um prédio grande, cheio de botequins e toda sorte de estabelecimentos de comes e bebes, de onde a cada instante saem mulheres correndo, trajadas da forma como andam "na vizinhança" — de cabeças descobertas e apenas os vestidos em cima do corpo. Em uns dois ou três lugares aglomeravam-se em grupos na calçada, predominantemente na entrada do subsolo, por onde se podia chegar por dois lanços de escada a diversas casas que ofereciam muitos divertimentos.[42] Naquele instante, em um deles faziam barulho e algazarra, que ecoavam na rua inteira, dedilhavam uma guitarra, cantavam, havia muita animação. Um grande grupo de mulheres se aglomerava à entrada: umas sentadas nos degraus, outras na calçada, outras ainda em pé, conversando. Ao lado, na calçada, praguejando em voz alta, um soldado bêbado perambulava de cigarro na boca e parecia querer ir a algum lugar, mas era como se tivesse esquecido aonde. Um maltrapilho insultava outro maltrapilho, e um caído de bêbado rolava atravessado na rua. Raskólnikov parou junto a um grande grupo de mulheres. Elas conversavam com vozes roufenhas; todas usavam vestidos de chita, sapatos de couro de cabra e estavam com as cabeças descobertas. Umas tinham mais de quarenta anos, mas havia outras com dezessete, e quase todas com equimoses nos olhos.

Sabe-se lá por quê, prendiam a atenção dele todo aquele barulho e aquela algazarra que vinham lá de baixo... Entre as gargalhadas e os ganidos que vinham de lá, ouvia-se alguém a dançar, batendo o ritmo com os saltos dos sapatos ao som de uma melodia afoita, cantarolada em falsete e acom-

---

[42] No beco Tairov, vizinho da Siennáia, havia três casas de tolerância no subsolo de um edifício com portas que davam diretamente para a rua. (N. da E.)

panhada por uma guitarra. Ele ouvia atentamente, com ar sombrio e pensativo, inclinado à entrada e olhando curioso da calçada para o saguão.

*Ai, meu guardinha formoso*
*Ai, não me batas à toa!*

trinava a voz fina do cantor. Raskólnikov teve uma enorme vontade de ouvir o que cantavam, como se toda a questão se resumisse a isso.

"Não será o caso de entrar? — pensou. — Estão gargalhando! De bêbados. E daí, não será o caso de encher a cara?"

— Não vai entrar, meu amável senhor? — perguntou uma das mulheres com uma voz bastante sonora e ainda não inteiramente rouca. Era jovem e nem chegava a dar asco — a única de todo o grupo.

— Veja só, é bonitinha! — respondeu ele, soerguendo-se e olhando para ela.

Ela sorriu; gostou muito do elogio.

— O senhor é que é muito bonitinho — disse ela.

— Como é magro! — observou outra com voz de baixo. — Acabou de receber alta de algum hospital?

— Parecem até filhas de general, e andam de nariz arrebitado! — interrompeu um homem que se aproximou repentinamente, meio tocado, de *armiak*[43] desabotoada e com uma carantonha que ria de um jeito ladino. — Vejam, entretenimento!

— Entre, já que veio!

— Vou entrar! Delícia!

E ele desceu cambaleando.

Raskólnikov moveu-se para seguir adiante.

— Escute, senhor! — gritou atrás dele uma mocinha.

— O quê?

— Amável senhor, eu ficaria sempre feliz dividindo o tempo com o senhor, mas neste momento estou meio sem jeito na sua presença. Dê-me, agradável cavalheiro, seis copeques para um trago!

Raskólnikov tirou do bolso o que havia: três moedas de cinco copeques.

— Ah, que senhor mais bondoso!

— Como te chamas?

— Pode me chamar de Duklida.

---

[43] Antiga veste camponesa de tecido grosso, usada sobre a roupa em forma de cafetã. (N. do T.)

— Ah, não, o que é isso — observou uma das mulheres do grupo, balançando a cabeça para Duklida. — Francamente não sei como tem coragem de pedir assim! Acho que eu ficaria de cara no chão só de vergonha...

Raskólnikov olhou curioso para a falante. Era uma moça de uns trinta anos, pele coberta de marcas de bexiga, cheia de equimoses, com o lábio superior inchado. Falava e censurava com calma e seriedade.

"Onde foi — pensou Raskólnikov seguindo adiante —, onde foi que eu li que um condenado à morte, uma hora antes de morrer, pensava e dizia que se tivesse de viver em algum lugar alto, em um penhasco, e numa área tão estreita que só coubessem dois pés — e cercado de abismos, mar, trevas eternas, solidão eterna e tempestade eterna — e fosse forçado a permanecer assim, em pé num espaço de uns três palmos a vida inteira, mil anos, toda a eternidade, seria melhor viver assim do que morrer agora!? Contanto que pudesse viver, viver, viver! Não importa como viver, mas apenas viver!... Que verdade! Deus, que verdade! O homem é um canalha! E é canalha aquele que por isso o chama de canalha"[44] — acrescentou um minuto depois.

Chegou a outra rua: "Bah! O Palácio de Cristal! Há pouco Razumíkhin falava do Palácio de Cristal. Mas, o que eu estava querendo mesmo? Sim, era ler!... Zóssimov disse que havia lido nos jornais...".

— Tem jornais? — perguntou ele ao entrar na taberna bastante ampla e limpa, de vários reservados, aliás muitos vazios. Uns dois ou três frequentadores tomavam chá, e em outro reservado distante um grupo de umas quatro pessoas bebia champanhe. Raskólnikov teve a impressão de que Zamiétov estava entre elas. Pensando bem, de longe não dava para divisar bem.

"Deixa pra lá!" — pensou ele.

— Deseja que lhe sirva vodca? — perguntou o criado.

— Sirva chá. Sim, e me traga jornais, antigos, de uns cinco dias para cá, e eu lhe pago uma vodca.

— Sim, aqui estão os de hoje. E vodca, deseja que sirva?

Os jornais antigos e o chá apareceram. Raskólnikov acomodou-se e começou a procurar: "Izler[45] — Izler — Astecas — Astecas — Izler — Bartola — Massimo — Astecas[46] — Izler... arre, que diabo! E eis algumas notas: ela desabou da escada — um pequeno-burguês foi consumido pelo fogo do

---

[44] Trata-se de uma passagem de *Notre Dame de Paris*, de Victor Hugo. (N. da E.)

[45] Ivan Ivánovitch Izler, proprietário do jardim "Águas Minerais", no subúrbio de Petersburgo, figura muito popular cujo nome estava sempre presente nas páginas dos jornais da época. (N. da E.)

[46] Em 1865 os jornais de Petersburgo noticiavam amplamente sobre a vinda de um

vinho — incêndio nas Areias — incêndio na Petersbúrgskaia[47] — mais incêndio na Petersbúrgskaia — mais incêndio na Petersbúrgskaia — Izler — Izler — Izler — Izler — Massimo... Ah, está aqui...".

Enfim achou o que procurava, e começou a ler: as linhas saltavam diante de seus olhos, mas ele leu toda a "notícia" e passou a procurar avidamente nos outros números os últimos adendos. Ao folhear as páginas suas mãos tremiam de uma impaciência convulsiva. Súbito alguém sentou-se ao lado, à sua mesa. Ele olhou — era Zamiétov, o mesmo Zamiétov e com a mesma aparência, de anéis, correntes, com uma risca nos cabelos negros, encaracolados e besuntados, de colete elegante, uma sobrecasaca surrada e camisa branca usada. Estava alegre, pelo menos ria de um jeito muito alegre e bonachão. O rosto moreno estava um tanto afogueado pelo champanhe que havia bebido.

— Como! O senhor por aqui? — começou ele perplexo e com um tom de quem o conhecia há um século. — E ainda ontem Razumíkhin me disse que o senhor continuava sem sentidos. Eis uma coisa estranha! Porque eu estive em sua casa...

Raskólnikov sabia que ele iria se chegar. Deixou os jornais e virou-se para Zamiétov. Havia um risinho em seus lábios e nesse risinho transparecia uma impaciência nova e irritante.

— Estou informado de que o senhor esteve lá — respondeu Raskólnikov —, ouvi dizer. À procura de uma meia... Sabe, Razumíkhin está louco pelo senhor, diz que vocês dois estiveram na casa de Laviza Ivánovna, aquela mesma a quem o senhor tentou dar uma ajudinha naquele dia piscando o olho para o tenente Pórokh, mas ele nada de conseguir entender, está lembrado? Ora, parece que não há como não entender, a coisa está clara... hein?

— E que desordeiro!

— O Pórokh?

— Não, o seu amigo, Razumíkhin...

— Sua vida é boa, senhor Zamiétov; entra nos lugares mais agradáveis sem pagar! Quem era aquele que agorinha mesmo lhe servia champanhe?

— É que nós... estávamos bebendo... Daí ele serviu!

---

grupo de liliputianos — o jovem Massimo, de 26 anos, e a jovem Bartola, de 21 — que seriam descendentes dos astecas. (N. da E.)

[47] *Peterbúrgskaia storoná* (Lado Petersburgo), antigo bairro aristocrático de Petersburgo, separado do centro pelo rio Nievá, que já aparece decadente nas obras de Dostoiévski. (N. da E.)

— Honorários!... Aproveita tudo! — Raskólnikov riu. — Não é nada, boníssimo menino, não é nada! — acrescentou, dando um tapa no ombro de Zamiétov. — Não estou falando isso por mal, "mas com toda amabilidade, de brincadeira", como disse o seu operário, aquele do caso da velha, quando estava sovando Mitka.

— E como é que o senhor sabe disso?

— Ora, é possível que eu saiba mais que o senhor.

— O senhor tem qualquer coisa de esquisito... Palavra, ainda está muito doente. Fez mal em ter saído...

— E eu lhe pareço esquisito?

— Sim. Que jornais são esses que estava lendo?

— Jornais.

— Escrevem muito sobre incêndios...

— Não, eu não estava lendo sobre incêndios. — Nisso lançou um olhar enigmático para Zamiétov; um riso de galhofa tornou a lhe torcer os lábios. — Não, eu não estava lendo sobre incêndios — continuou ele, piscando para Zamiétov. — Confesse, meu amável jovem, que está morrendo de vontade de saber sobre o que eu estava lendo, não é?

— Absolutamente; perguntei por perguntar. Por acaso não se pode perguntar? Por que o senhor insiste...

— Escute, o senhor é um homem culto, entende de literatura, não?

— Fiz até o sexto ano do colégio[48] — respondeu Zamiétov com certa dignidade.

— O sexto! Ah, meu pardalzinho! De risca no cabelo, anéis, um homem rico! Arre, que menino mais amável! — Nesse instante Raskólnikov caiu numa risada nervosa, bem na cara de Zamiétov. O outro recuou, não ficou deveras ofendido, mas muito surpreso.

— Caramba, que esquisito! — repetiu Zamiétov muito sério. — Tenho a impressão de que o senhor ainda continua delirando.

— Eu, delirando? Estás[49] enganado, pardalzinho!... Então eu sou esquisito? E curioso, eu não lhe pareço, hein? Pareço curioso?

— É curioso.

— Por assim dizer, quer saber o que eu estava lendo? Veja só quantos números mandei buscar! Suspeito, não?

---

[48] O sexto ano era o penúltimo ano do ginásio russo, correspondente ao segundo ano do nosso ensino médio. (N. do T.)

[49] No diálogo com Zamiétov, Raskólnikov alterna a segunda e a terceira pessoas do verbo. (N. do T.)

— Bem, me diga.

— Está de orelha em pé?

— Que história é essa de orelha em pé?

— Depois eu digo que história é essa de orelha em pé, mas agora, meu amabilíssimo, eu lhe deponho... não, melhor: "confesso"... Não, também não é isso: "eu presto um depoimento, e o senhor o toma" — é isso! Então eu deponho que estava lendo, estava interessado... estava procurando... estava pesquisando... — Raskólnikov franziu os olhos e aguardou — pesquisando... — e com esse fim vim para cá — sobre o assassinato da velha viúva do funcionário — disse enfim, quase em sussurro, chegando o rosto perto demais do rosto de Zamiétov. Este olhava à queima-roupa para ele, sem se mexer nem afastar seu rosto do dele. O que depois pareceu mais esquisito a Zamiétov foi que eles passaram um minuto inteiro em silêncio e durante um minuto inteiro ficaram olhando um para o outro.

— E então, o que o senhor estava lendo? — bradou subitamente atônito e impaciente. — Aliás, o que me importa isso? Que interesse há nisso?

— Trata-se da própria velha — continuou Raskólnikov com o mesmo sussurro e sem se mexer diante da exclamação de Zamiétov —, da própria velha... está lembrado de que quando começaram a falar sobre ela na delegacia eu desmaiei? Então, agora entende?

— Sim, e daí? O que esse... "entende"? — pronunciou Zamiétov quase alarmado.

Num instante o rosto imóvel e sério de Raskólnikov transformou-se e súbito ele caiu na mesma gargalhada nervosa de minutos antes, como se ele mesmo estivesse sem nenhuma condição de controlar-se. E num relance veio-lhe à lembrança, com extrema nitidez, aquele instante recente em que ele estivera atrás da porta de machado em punho, o ferrolho pulava, os dois praguejavam e forçavam a porta do outro lado, e de repente ele teve vontade de gritar para eles, insultá-los, estirar a língua, provocá-los, rir, gargalhar, gargalhar, gargalhar!

— O senhor ou é louco ou... — pronunciou Zamiétov, e parou, subitamente meio estupefato com a ideia que lhe viera repentinamente à cabeça.

— Ou? "Ou" o quê? Então, o quê? Vamos, desembuche!

— Nada! — respondeu Zamiétov num acesso de irritação. — É tudo um absurdo!

Ambos calaram. Depois de uma súbita explosão de riso, eis que Raskólnikov ficou pensativo e triste. Pôs os cotovelos na mesa e apoiou a cabeça nas mãos. Parecia que esquecera inteiramente Zamiétov. O silêncio durou bastante.

— Por que não toma seu chá? Vai esfriar — falou Zamiétov.

— Ah? O quê? O chá?... É mesmo... — Raskólnikov tomou um gole do copo, pôs um naco de pão na boca e súbito, depois de olhar para Zamiétov, pareceu lembrar-se de tudo e animou-se: no mesmo instante seu rosto recobrou a anterior expressão de galhofa. Continuou bebendo o chá.

— Atualmente esses vigaristas têm aparecido em profusão — disse Zamiétov. — Veja, há pouco tempo li no jornal *Boletim de Moscou*[50] que em Moscou prenderam uma quadrilha inteira de falsificadores de moedas. Uma sociedade inteira. Falsificavam papel-moeda.

— Oh, mas isso faz muito tempo. Li a respeito faz um mês — respondeu tranquilamente Raskólnikov. — Quer dizer então que para o senhor eles são vigaristas? — acrescentou com uma risota.

— Como não são vigaristas?

— Eles? São umas crianças, uns *blanbeques*[51] e não vigaristas! Meia centena de pessoas reunidas com esse fim! Isso lá é possível? Três já seriam muito, e isso para que cada um sentisse mais segurança no outro do que em si mesmo! Era só um abrir a boca de bêbado e tudo iria para o espaço. São uns *blanbeques*! Contratam pessoas não confiáveis para trocar notas em bancos: confiar uma coisa dessa natureza ao primeiro que aparece? Bem, admitamos que até com *blanbeques* tenha dado certo, suponhamos que cada um haja trocado um milhão — mas, e depois? A vida inteira? Cada um fica dependendo do outro a vida inteira! Ora, seria melhor estrangular-se! E eles nem de trocar foram capazes: um está no banco trocando as notas, recebe cinco mil e as mãos começam a tremer. Confere até quatro mil, resolve não conferir dos quatro aos cinco, não por confiar, mas só para meter o dinheiro no bolso e ir logo dando no pé. Foi aí que despertaram a suspeita. E tudo foi para o brejo só por causa de um imbecil! Ora, isso lá é possível?

— Que as mãos tenham tremido? — pegou a deixa Zamiétov. — Não, isso é possível. Não, eu estou absolutamente seguro de que isso é possível. Há um momento em que a pessoa não aguenta.

— Isso?

— E o senhor, será que aguentaria? Não, eu não aguentaria! Por uma recompensa de cem rublos aceitar um horror como esse? Levar uma nota falsa — e aonde? A um banco, onde esse truque é para lá de conhecido — não, eu ficaria desconcertado. E o senhor, não ficaria desconcertado?

---

[50] *Moskóvskie Viédomosti*. (N. do T.)

[51] Russificação do francês *blanc-bec*, que significa "fedelho". (N. da E.)

Súbito Raskólnikov teve uma terrível vontade de tornar a "sair dali correndo". Por um instante um calafrio lhe correu pelas costas.

— Eu agiria diferente — começou ele usando de rodeios. — Veja como eu trocaria o dinheiro: conferiria o primeiro milhar, assim, umas quatro vezes, de todos os lados, examinando cada nota, e passaria ao segundo milhar; começaria a contá-los, contaria até a metade, tiraria uma nota qualquer de cinquenta rublos, examinaria contra a luz, viraria a outra face e novamente contra a luz para ver se não era falsa. "Eu, sabe como é, estou com receio, um dia desses uma parenta minha perdeu vinte e cinco rublos assim"; — e contaria uma história. E como contaria o terceiro milhar — "não, com licença: parece que no segundo milhar contei errado a sétima centena, estou em dúvida" —, desistiria do terceiro, voltaria ao segundo, e assim até o quinto. Logo que terminasse tiraria do quinto milhar, e também do segundo, uma nota de cada um, tornaria a conferi-la contra a luz, tornaria a cair em dúvida — "troque, por favor" —, de sorte que eu deixaria o empregado esgotado a tal ponto que ele não saberia como se livrar de mim! Finalmente terminaria tudo, sairia, abriria a porta — não, desculpe, tornaria a voltar, perguntaria alguma coisa, pediria alguma explicação — era assim que eu agiria!

— Arre, que coisas esquisitas o senhor fala! — disse Zamiétov, rindo. — Só que isso é apenas conversa, na prática o senhor certamente tropeçaria. Nesse caso, eu lhe digo, acho que não só nós dois, mas nem um homem calejado, arrojado pode se garantir. Ora, parece que uma cabeça arrojada correu todos os riscos em plena luz do dia, só por milagre safou-se — e ainda assim suas mãos tremeram: não foi capaz de cometer o roubo, não suportou; pela história se vê...

Raskólnikov pareceu ofender-se.

— Está se vendo! Pois bem, vá lá e prenda-o, agora, vá! — bradou ele, incitando maldosamente Zamiétov.

— Ora, vão prendê-lo.

— Quem? O senhor? O senhor vai prendê-lo? Vai ficar esgotado! Ora, o principal para o senhor é saber: o homem está gastando o dinheiro ou não? Não tinha dinheiro, e de repente começa a gastar — como não há de ter sido ele? Assim uma criança o embromaria se quisesse!

— Mas acontece que é assim mesmo que todos agem — respondeu Zamiétov —, o sujeito comete um assassinato com astúcia, isola-se da vida, mas depois vai a um botequim e quebra a cara. É no esbanjamento que cai na rede. Nem todos são assim, astutos, como o senhor. O senhor naturalmente não iria a um botequim, não é?

Raskólnikov franziu o cenho e fixou o olhar em Zamiétov.

— Parece que o senhor ficou guloso e quer saber como eu agiria em semelhante situação, não? — perguntou ele descontente.

— Gostaria — respondeu o outro com firmeza e seriedade. Passara a falar e observar com extrema seriedade.

— Muito?

— Muito.

— Está bem. Eu agiria assim — começou Raskólnikov, de novo chegando subitamente o rosto ao rosto de Zamiétov, voltando a olhar fixo para ele e a sussurrar, de tal forma que desta vez o outro chegou até a estremecer. — Eu agiria assim: pegaria o dinheiro e os objetos, tão logo saísse de lá não desviaria meu caminho e iria imediatamente a algum lugar que fosse ermo, todo cercado e quase deserto — a uma horta qualquer ou coisa do gênero. Ainda antes eu procuraria nesse lugar, nesse pátio, ao pé da cerca, em um canto, alguma pedra de uma arroba ou arroba e meia que tivesse sobrado da construção de uma casa; levantaria essa pedra — debaixo dela deveria haver um buraco — e nesse buraco poria os objetos e o dinheiro. Colocaria a pedra em cima, do mesmo jeito que estava antes, pressionaria com o pé e daria o fora. Passaria um ano, dois anos, três anos sem tocá-los — quem quisesse que os procurasse. Havia, mas sumiu!

— O senhor é louco — proferiu Zamiétov, não se sabe por quê, também quase sussurrando, e sabe-se lá por quê, afastou-se de Raskólnikov num gesto imprevisto. Os olhos deste brilharam; ele ficou terrivelmente pálido; seu lábio superior tremeu e começou a pular. Ele se inclinou o mais que pôde para Zamiétov e começou a mexer os lábios, sem dizer nada; assim ficou em torno de meio minuto; sabia o que estava fazendo, mas não conseguia se conter. Como naquele momento em que a porta estava no ferrolho, uma palavra terrível pulava em seus lábios: estava a ponto de escapar-lhe, e ele a ponto de soltá-la, a ponto de pronunciá-la!

— E se eu tiver matado a velha e Lisavieta? — proferiu inesperadamente e caiu em si.

Zamiétov lançou-lhe um olhar arisco e empalideceu. Um sorriso deformou-lhe o rosto.

— Ora, isso lá é possível? — pronunciou com voz que mal se ouvia.

Raskólnikov olhou para ele com ar malévolo.

— Confessa que acreditou? Sim? Acreditou, não é?

— De jeito nenhum! Agora, mais do que nunca, não acredito! — disse Zamiétov apressadamente.

— Acabou mordendo a isca! Pegaram o passarinho. Quer dizer que antes acreditava, já que agora "mais que nunca" não acredita?

— Ora, não é nada disso! — exclamou Zamiétov, visivelmente atrapalhado. — O senhor ficou me assustando para provocar esse assunto?

— Então não acredita? O que vocês conversaram na minha ausência, depois que saí da delegacia? Por que então o tenente Pórokh me interrogou depois do desmaio? — Ei, você aí — gritou para o criado, levantando-se e pegando o boné —, quanto devo?

— Ao todo trinta copeques — respondeu o outro, chegando-se correndo.

— Toma mais vinte copeques para a vodca. Nossa, quanto dinheiro! — ele estendeu a Zamiétov a mão trêmula com as notas — vermelhinhas, azuizinhas, vinte e cinco rublos. De onde terão vindo? De onde terá vindo a roupa nova? Ora, o senhor mesmo sabe que eu não tinha um copeque! Vai ver que andou interrogando a senhoria... Bem, chega! *Assez causé*![52] Até logo... amigão!...

Saiu todo trêmulo por causa de uma terrível sensação de histeria, na qual, entretanto, havia uma ponta de um prazer insuportável — aliás, saiu sorumbático, sentindo um extremo cansaço. Estava com o rosto distorcido, como se tivesse acabado de sofrer um ataque. A exaustão crescia rápido. Suas forças vinham se excitando e agora lhe chegavam de supetão, com o primeiro impulso, com a primeira sensação de irritação, e com igual rapidez arrefeciam à medida que arrefecia a sensação.

Uma vez só, Zamiétov ainda permaneceu muito tempo sentado no mesmo lugar, matutando. Raskólnikov lhe invertera casualmente as ideias sobre um certo ponto e estabelecera em definitivo a sua opinião.

"Ilyá Pietróvitch é um pateta!" — decidiu de vez.

Mal Raskólnikov abriu a porta para a rua, em pleno alpendre deu de cara com Razumíkhin, que entrava. Os dois, a dois passos um do outro, não se viram e quase bateram cabeça com cabeça. Durante algum tempo mediram-se com o olhar. Razumíkhin estava no auge do espanto, mas súbito uma cólera, uma cólera de verdade cintilou ameaçadoramente em seus olhos.

— Ah, então estás aqui! — gritou a plenos pulmões. — Fugiu do leito! Por pouco não dei uma surra em Nastácia por tua causa... Olhem só onde ele anda! Rodka![53] O que isso significa? Conta toda a verdade! Confessa! Estás ouvindo?

---

[52] "Chega de conversa fiada", em francês. (N. da E.)

[53] Outra forma íntima do nome Rodion. (N. do T.)

— Significa que estou mortalmente saturado de vocês todos e quero estar só — respondeu Raskólnikov com tranquilidade.

— Só? Quando ainda não podes andar, quando o teu focinho ainda está branco como papel e estás arquejando? Idiota!... O que estavas fazendo no Palácio de Cristal? Confessa logo.

— Larga! — disse Raskólnikov e quis passar ao lado. Isso deixou Razumíkhin fora de si: ele o segurou com força pelos ombros.

— Larga? Tu te atreves a dizer "larga"? Sabes o que vou fazer contigo agora? Vou te agarrar, dar um nó, meter debaixo do braço, te levar para casa e trancá-lo.

— Escuta, Razumíkhin — Raskólnikov começou a falar baixinho e pelo visto com toda tranquilidade —, será que não notas que dispenso os teus favores? E que empenho é esse de fazer favor a quem... está se lixando para isso? A quem, enfim, tem séria dificuldade de suportar isso? Então, por que resolveste me procurar no começo da doença? É possível que eu estivesse muito contente em morrer! Pois bem, será que hoje não fui suficientemente claro quando te disse que tu me torturas, que estou... farto de ti? Que vontade de torturar as pessoas! Eu te asseguro que tudo isso impede seriamente o meu restabelecimento porque sempre me irrita. Veja, Zóssimov foi embora há muito tempo para evitar que eu ficasse irritado! Pelo amor de Deus, sai tu também do meu pé! E por fim, que direito tens de me prender? Será que não percebes que estou falando em pleno gozo das minhas faculdades mentais? Como, como, me ensina como te implorar para que finalmente pares de me pegar no pé e me cobrir de favores. Quiçá eu esteja sendo ingrato, quiçá eu esteja sendo vil, mas me larguem vocês todos, pelo amor de Deus, me larguem! Me larguem! Me larguem!

Ele começou calmamente, experimentando uma alegria antecipada por todo o veneno que se dispunha a verter, mas terminou furioso e arfando, como ocorrera antes quando falara com Lújin.

Razumíkhin estava parado em pé, pensou e largou a mão dele.

— Vá pro inferno! — disse baixinho e quase meditando. — Espera! — berrou de chofre quando Raskólnikov ia saindo do lugar. — Escuta. Eu te declaro que vocês todos, sem exceção, são uns conversas-fiadas e fanfarrões! Se acontece uma desgracinha à toa todos passam a curti-la como galinha chocando ovo! Até nesses casos se apropriam de outros autores. Em vocês não há um único sinal de vida autônoma! São feitos de unguento de espermacete, não têm sangue, têm soro de leite! Não acredito em nenhum de vocês! Em quaisquer circunstâncias, a primeira preocupação de vocês é arranjar um jeito de não parecer gente! Es-pe-ra! — gritou com fúria redobrada, ao notar que Raskólnikov tornava a mexer-se para sair — ouve até o fim! Sabes que hoje estou recebendo gente em casa para comemorar a mudança, talvez até já tenham chegado, mas deixei meu tio lá — e vim para cá — para receber os que forem chegando. Pois bem, se tu não fosses uma besta, uma besta banal, um besta quadrada, uma tradução de versão estrangeira... vê, Ródia, estou certo de que és um rapaz inteligente, mas uma besta! — pois bem, se fosses uma besta, o melhor que farias era aparecer lá em casa hoje à noite, em vez de ficar gastando sola de sapato. Já que saíste, não há o que fazer! Eu te arranjaria uma poltrona macia, a senhoria tem... Um chazinho, companhia... Se não quiseres, te ponho numa duquesa, de qualquer forma ficarás deitado em nossa companhia. O Zóssimov também vai aparecer. Vais ou não?

— Não.

— En-ga-no teu! — bradou impaciente Razumíkhin. — Como é que sabes? Não podes responder por si! Além do mais não entendes nada disso... Milhares de vezes rompi com as pessoas exatamente assim e voltei atrás... A gente sente vergonha e volta para os outros! Portanto, lembra, edifício Pótchinkov, terceiro andar...

— Então, senhor Razumíkhin, parece que assim o senhor aceita que alguém lhe bata pelo prazer do benfazer.

— Bater em quem? Em mim! Arranco o nariz de quem apenas imaginar isso! Edifício Pótchinkov, quarenta e sete, apartamento do funcionário Bábuchkin...

— Não vou, Razumíkhin! — Raskólnikov deu meia-volta e foi embora.

— Aposto que virás! — gritou-lhe atrás Razumíkhin. — Senão te... senão eu não vou querer mais saber de ti! Espera, ei! Zamiétov está lá?

— Está sim.

— Viu?

— Vi.

— E conversou com ele?

— Conversei.

— Sobre o quê? Aliás, que se dane, talvez seja melhor não dizer. Edifício Pótchinkov, quarenta e sete, Bábuchkin, não esqueças.

Raskólnikov chegou à Sadóvaia e dobrou a esquina. Razumíkhin o acompanhava com o olhar, pensativo. Por fim deu de ombros, entrou no estabelecimento mas parou na escada do meio.

"Que diabo! — continuou ele, quase em voz alta. — O que ele fala tem sentido, mas é como... Ora, eu também sou um idiota! Por acaso não há sentido no que os malucos falam? E pelo que me pareceu é isso que Zóssimov teme! — Bateu com o dedo na testa. — Mas e se... então, como é que vamos deixá-lo sair sozinho? É possível que se afogue... Caramba, que mancada eu dei! Não pode!" E ele voltou correndo atrás de Raskólnikov, mas já sem pistas. Desistiu e retornou a passos rápidos ao Palácio de Cristal para interrogar Zamiétov o quanto antes.

Raskólnikov foi direto para a ponte -ski, parou no meio, junto à amurada, apoiou nele ambos os cotovelos e ficou a olhar ao longe. Depois de despedir-se de Razumíkhin, sentira-se tão fraco que mal conseguira chegar ali. Teve vontade de sentar-se ou deitar-se em algum lugar, na rua. Inclinado sobre a água, olhava maquinalmente para o último reflexo rosado do pôr do sol, para uma fileira de prédios que escureciam e se condensavam no anoitecer, para uma janelinha de alguma longínqua mansarda na margem esquerda, que, como se estivesse em chamas, brilhava ao último raio do sol que naquele instante caía sobre ela, olhava para a água que escurecia no canal e, pelo visto, examinava atentamente essa água. Por último, em seus olhos começaram a girar uns círculos vermelhos, os prédios puseram-se em marcha, os transeuntes, as marginais, as carruagens — tudo começou a girar e a dançar ao redor. Súbito ele estremeceu, talvez salvo mais uma vez do desmaio por uma visão terrível e feia. Notou que alguém se pusera ao seu lado, à direita; olhou — e viu uma mulher alta, de lenço na cabeça, rosto amarelo, alongado e macilento, olhos avermelhados e encovados. Olhava fixo para ele, mas pelo visto não enxergava nada nem distinguia ninguém. Num piscar de olhos apoiou-se com a mão direita na amurada, levantou a perna direita e passou-a por cima da grade, depois fez o mesmo com a esquerda e atirou-se no canal. A água suja abriu-se e num instante tragou a vítima, mas ao cabo de um minuto a afogada emergiu e boiou tranquilamente correnteza abaixo, a cabeça e os pés submersos e as costas para fora, a saia destacada e inflada como um travesseiro.

— Suicidou-se! Suicidou-se! — gritaram dezenas de vozes: acorreram pessoas, as duas marginais ficaram cobertas de espectadores, na ponte juntou gente em torno de Raskólnikov, investindo sobre ele e pressionando-o por trás.

— Meu Deus! É a nossa Afrossíniuchka![54] — ouviu-se ali de perto um grito choroso de mulher. — Meu Deus, salvem-na! Minha gente, tirem-na de lá!

— Um barco! Um barco! — gritaram da multidão.

---

[54] Diminutivo de Afrossínia. (N. do T.)

Mas o barco já não era necessário: um policial correu pelos degraus da descida de acesso ao canal, tirou o capote e as botas e lançou-se na água. O trabalho foi pouco: a afogada vinha boiando na água a dois passos da escada, ele a agarrou pela roupa com a mão direita, com a esquerda conseguiu segurar uma vara que lhe havia estendido um colega e no mesmo instante a afogada foi retirada. Puseram-na sobre os blocos de granito da escada. Logo voltou a si, soergueu-se, sentou-se e começou a espirrar e fungar, ajeitando com as mãos a roupa molhada num gesto absurdo. Não disse uma palavra.

— Gente, ela bebeu um horror de água, um horror — uivava a mesma voz feminina, já ao lado de Afrossíniuchka. — Ela também vinha querendo se enforcar, foi salva com a corda no pescoço. Eu tinha acabado de sair para fazer umas compras e deixado uma menina tomando conta dela — e vejam a desgraça! Gente, nós moramos ao lado uma da outra, ela é minha vizinha, mora no segundo prédio a partir da esquina, é...

As pessoas se dispersaram, os policiais ainda continuavam cuidando da afogada, alguém gritou alguma coisa com referência à delegacia... Raskólnikov olhava para tudo com uma estranha sensação de indiferença e apatia. Sentiu nojo. "Não, é sórdido... a água... não vale a pena — resmungava de si para si. — Não vai acontecer nada — acrescentou —, não há o que esperar. O que é isso, a delegacia... E por que Zamiétov não está na delegacia? A delegacia está aberta depois das nove..." Virou-se de costas para a amurada e olhou ao seu redor.

"Pois bem! Seja lá o que for!" — pronunciou com decisão, afastou-se da ponte e tomou a direção da delegacia. O coração estava deserto e surdo. Ele não queria pensar. Até a melancolia havia passado, não restava nem vestígio da recente energia que experimentara ao sair de casa para "terminar tudo!". Seu lugar fora ocupado por uma apatia total.

"Bem, isso é o fim! — pensava ele, caminhando com pachorra e indolência pela marginal do canal. — Mesmo assim vou terminar, porque quero... No entanto, será mesmo o fim? Tanto faz! Falta percorrer um passo, he! Mas que fim que nada! Será mesmo o fim? Será que eu vou mesmo contar a eles, ou não? Eh... diabos! Ainda por cima estou cansado: preciso me deitar ou me sentar o quanto antes em algum lugar! O mais vergonhoso é que tudo é uma grande tolice. Mas estou me lixando para isso. Arre, que bobagens vêm à cabeça..."

Para chegar à delegacia tinha de seguir sempre em frente e dobrar à esquerda na segunda esquina: ela estava a dois passos. Contudo, ao chegar à primeira esquina ele parou, refletiu, guinou para um beco e deu uma volta contornando duas ruas — talvez sem objetivo, ou talvez para deixar passar mais um minuto e ganhar tempo. Caminhava olhando para o chão. Súbito pareceu que alguém lhe soprava alguma coisa ao ouvido. Levantou a cabeça e viu-se diante *daquele* prédio, em plena entrada. Desde *aquela* tarde ele não voltara ali nem passara perto.

Uma vontade irresistível e inexplicável o arrastava. Entrou no prédio, atravessou todo o vão de entrada, depois a primeira entrada à direita e começou a subir pela escada já conhecida, rumo ao quarto andar. A escada estreita e íngreme estava muito escura. Ele parava em cada lanço e olhava ao redor com curiosidade. No lanço do primeiro andar havia uma janela com o caixilho todo para fora: "Daquela vez não havia isso" — pensou ele. Eis o terceiro andar... e o quarto... "Aqui!" Ficou tomado de perplexidade: a porta do apartamento estava escancarada, lá dentro havia gente, ouviam-se vozes; isso ele jamais esperaria. Depois de vacilar um pouco, subiu os últimos degraus e entrou no apartamento.

Estava sendo reformado; havia operários trabalhando; isto de certa forma o surpreendeu. Por alguma razão imaginava encontrar tudo exatamente como o havia deixado naquela ocasião, talvez até os cadáveres nos mesmos lugares no chão. Mas o que via agora: paredes nuas, nenhum móvel; um tanto estranho! Foi até a janela e sentou-se no peitoril.

Havia apenas dois operários, ambos mocinhos, um mais velho e o outro bem mais moço. Colavam novos papéis na parede, brancos, com flores lilases miúdas substituindo as antigas amarelas, surradas, desbotadas. Por alguma razão Raskólnikov não gostou de nada daquilo; olhava para aquele papel de parede novo com ar hostil, como se lamentasse que tudo houvesse mudado tanto.

Pelo visto os operários estavam atrasados e agora enrolavam o papel às pressas e preparavam-se para ir embora. O aparecimento de Raskólnikov quase não despertou a atenção deles. Conversavam sobre alguma coisa. Raskólnikov cruzou os braços e pôs-se a escutar.

— Ela me aparece de manhã — conta o mais velho ao mais novo —, bem cedinho, toda enfeitada. "Por que tu, falo eu, me apareces feito um limão, por que me apareces, falo eu, feito uma laranja?" — "Eu quero, Tito Vassílitch, diz ela, de agora em diante, daqui pra frente me entregar a todas as suas vontades". Foi assim que a coisa se deu! E como estava enfeitada: um figurino, simplesmente um figurino!

— E o que é figurino, titio? — perguntou o jovem. Tudo indica que estava aprendendo com o "titio".

— Figurino, meu irmão, são uns quadrinhos pintados, e todo sábado eles chegam para os alfaiates daqui, pelo correio, do estrangeiro, e para mostrar como cada um deve se vestir, tanto o sexo masculino como o feminino. Quer dizer, é um desenho. Os homens aparecem cada vez mais desenhados de *bekesh*,[55] já as mulheres aparecem como umas *sufliéri*[56] e de tal jeito que mesmo que me dessem tudo eu ainda ia achar pouco!

— E o que é que não existe nesse Piter![57] — gritou entusiasmado o mais moço. — Fora a mãe de Deus, tem tudo!

— Fora isso, meu irmão, se encontra tudo — resolveu o mais velho de forma judiciosa.

Raskólnikov levantou-se e foi para o outro cômodo onde antes ficavam a penteadeira, a cama e a cômoda; o quarto lhe pareceu horrivelmente pequeno sem os móveis. O papel de parede continuava o mesmo; em um canto destacava-se nitidamente no papel de parede o lugar em que ficava o caixilho para ícones. Deu uma olhada e voltou para a sua janela. O operário mais velho olhou de esguelha para ele.

— O que o senhor deseja? — perguntou de repente, dirigindo-se a ele.

Em vez de responder, Raskólnikov levantou-se, foi para a entrada, chegou-se à sineta e deu um puxão. A mesma sineta, o mesmo som de folha de flandres! Deu mais um puxão, um terceiro; aguçou o ouvido e forçou a memória. A antiga sensação angustiosamente terrível e repugnante começou a voltar-lhe à memória de forma cada vez mais nítida e viva, ele estremecia a cada toque, e tudo lhe foi ficando cada vez mais agradável, mais agradável.

— Afinal, o que o senhor deseja? Quem é o senhor? — gritou o operário, saindo em direção a ele. Raskólnikov tornou a entrar pela porta.

— Quero alugar o apartamento — disse ele —, estou examinando.

— Ninguém aluga apartamento de noite; além disso o senhor deve vir acompanhado do zelador.

— Lavaram o chão; vão pintá-lo? — continuou Raskólnikov. — E sangue, não tem?

— Que sangue?

— Ora, mataram a velha e a irmã. Aqui havia uma poça inteira.

— Mas que raio de pessoa és tu? — gritou intranquilo o operário.

— Eu?

— Sim.

---

[55] Paletó de corte antigo franzido na cintura. (N. do T.)

[56] Russificação da palavra francesa *souffleur*, isto é, ponto, em linguagem teatral. Segundo os autores das notas à edição russa de *Crime e castigo*, assim eram chamadas as mulheres de “comportamento fútil” na gíria carcerária. (N. do T.)

[57] Tratamento carinhoso de Petersburgo. (N. do T.)

— Tu queres mesmo saber?... Vamos à delegacia, lá eu digo.

Os operários olharam perplexos para ele.

— Está na hora de a gente ir embora, estamos atrasados. Vamos, Aliocha.[58] Precisamos fechar — disse o operário mais velho.

— Então vamos! — disse Raskólnikov com indiferença e saiu na frente, descendo lentamente a escada. — Ei, zelador! — gritou, ao chegar ao portão.

Em plena entrada da rua para o prédio havia algumas pessoas observando os transeuntes: os dois zeladores, uma mulher, um morador de avental e mais alguém. Raskólnikov foi direto a eles.

— O que o senhor deseja? — perguntou um dos zeladores.

— Esteve na delegacia?

— Estive lá agora. O que o senhor deseja?

— Tem gente lá?

— Tem.

— E o auxiliar também está?

— Estava. O que o senhor deseja?

Raskólnikov não respondeu e permaneceu ao lado deles, pensativo.

— Veio olhar o apartamento — disse, chegando-se, o operário mais velho.

— Que apartamento?

— O apartamento onde estamos trabalhando. "Por que, perguntou, lavaram o sangue? Aqui, diz ele, houve um assassinato, e eu vim alugá-lo." E pôs-se a tocar a sineta, por pouco não arrebentou com ela. "Vamos à delegacia, disse, lá eu provo." Um importuno.

O zelador examinou Raskólnikov perplexo e carrancudo.

— E quem é o senhor? — bradou ele em tom mais ameaçador.

— Eu sou Rodion Románitch Raskólnikov, ex-estudante, moro no edifício Schill, por aqui, num beco que não fica longe, apartamento número quatorze. Pergunte ao zelador... ele me conhece. — Raskólnikov falou tudo isso com um ar meio indolente e pensativo, sem se virar e olhando fixo para a rua que escurecia.

— E por que o senhor veio ao apartamento?

— Vim olhar.

— Olhar o quê?

— Não será o caso de pegá-lo e levá-lo à delegacia? — interveio súbito o morador e calou-se.

---

[58] Diminutivo de Aleksiêi. (N. do T.)

Raskólnikov lançou-lhe um olhar por cima dos ombros, olhou-o atentamente e disse do mesmo jeito baixinho e indolente.

— Vamos!

— É, levá-lo mesmo! — pegou a deixa o morador, animado. — Por que ele está falando *naquilo*, o que ele tem em mente, hein?

— Sei lá se está bêbado ou não, sabe lá Deus — resmungou o operário.

— O que é que o senhor está mesmo querendo? — bradou o zelador, que começava a ficar seriamente zangado. — Por que estás[59] importunando?

— Deu medo de ir à delegacia? — disse Raskólnikov com ar de galhofa.

— Medo de quê? Por que estás importunando?

— É um tratante! — gritou a mulher.

— Vamos, pra que gastar conversa com ele — gritou o outro zelador, um mujique enorme, de *armiak* desabotoada e com um molho de chaves na cintura. — Cai fora!... É um tratante mesmo... Cai fora!...

Pegou Raskólnikov pelo ombro e o atirou na rua. Quase deu uma cambalhota mas não caiu, aprumou-se, olhou em silêncio para todos os espectadores e foi embora.

— Tipo esquisitão — pronunciou o operário.

— Hoje em dia o povo é quem anda esquisitão — disse a mulher.

— Eu continuo achando que devíamos levá-lo à delegacia — acrescentou o morador.

— A gente não tem que se meter nisso — resolveu o zelador grandalhão. — Ele é mesmo um tratante! Está procurando encrenca, logo se vê, e se a gente se mete depois não se livra... A gente sabe!

"Então, será que vou, será que não vou?", pensava Raskólnikov, parando no cruzamento no meio da ponte e olhando ao redor, como se esperasse a última palavra de alguém. Mas não vinha resposta de lugar nenhum; tudo estava surdo e morto como as pedras por onde ele andava, morto para ele, só para ele. Súbito, longe dali, a uns duzentos passos, no fim da rua, no escuro fechado, ele distinguiu uma multidão, murmúrio, gritos... E uma carruagem no meio da multidão... Uma luzinha cintilou no meio da rua. "O que será isso?" Raskólnikov guinou para a direita e caminhou no sentido da multidão. Parecia agarrar-se a tudo e deu um risinho frio pensando nisso, porque na certa havia decidido sobre a delegacia e estava firmemente convicto de que agora tudo iria terminar.

---

[59] Essa personagem alterna o "senhor" e o "tu" sem distinção. (N. do T.)

## VII

No meio da rua havia uma carruagem, elegante e de grão-senhor, atrelada a uma parelha de fogosos cavalos cinzentos; estava sem passageiros, e o próprio cocheiro havia descido da boleia e postara-se ao lado; segurava os cavalos pelos freios. Ao redor se acotovelava muita gente, com policiais à frente de todos. Um deles segurava na mão um lampião aceso, com o qual, abaixado, iluminava alguma coisa na calçada, bem ao pé das rodas. Todos falavam, gritavam, soltavam exclamações; o cocheiro parecia atônito e de raro em raro repetia:

— Que pecado! Meu Deus, que pecado!

Raskólnikov abriu caminho na medida do possível e acabou vendo o objeto de todo aquele rebuliço e curiosidade. Estava estirado no chão um homem que acabava de ser atropelado pelos cavalos; parecia desmaiado, estava muito malvestido mas em roupa "nobre", todo ensanguentado. O sangue escorria do rosto, da cabeça; o rosto estava todo arrebentado, esfolado, deformado. Via-se que o atropelamento tinha sido sério.

— Gente! — lamentava-se o cocheiro. — Como controlar uma coisa dessas! Se eu estivesse fustigando os cavalos e não tivesse gritado pra ele, mas eu ia sem pressa, a passos regulares. Todas as pessoas viram: elas não me deixam mentir. Não se acende vela para bêbado, isso é sabido!... Eu o avisto, está atravessando a rua, cambaleando, por pouco não desaba — grito uma vez, mais uma, uma terceira, e aí seguro os cavalos; mas ele me vai cair direitinho debaixo das patas deles! Como se fosse de propósito, ele estava mesmo muito embriagado... Os cavalos são novos, assustadiços; arrancaram, mas ele gritou, aí eles aceleraram mais ainda... e estava feita a desgraça.

— Foi assim mesmo! — ouviu-se a voz de alguma testemunha na multidão.

— Ele gritou, é verdade, gritou três vezes para ele — interveio outra voz.

— Foi assim mesmo, três vezes, todo mundo ouviu! — gritou um terceiro.

Aliás o cocheiro não estava muito desalentado e assustado. Via-se que a carruagem pertencia a alguém rico e importante, que em algum lugar esperava a sua chegada; os policiais naturalmente não faziam pouco empenho para facilitar essa última circunstância. Tinham de levar o atropelado ao distrito policial e ao hospital. Ninguém sabia o nome dele.

Enquanto isso, Raskólnikov abrira caminho e chegara ainda mais perto. Súbito o lampião iluminou com nitidez o rosto do infeliz: ele o reconheceu.

— Eu o conheço, conheço! — gritou, infiltrando-se bem na frente. — É Marmieládov, funcionário público, conselheiro titular! Ele mora por aqui, ao lado, no edifício Kozel... Chamem um médico o quanto antes! Eu pago, vejam! — tirou do bolso o dinheiro e mostrou ao policial. Estava numa agitação extraordinária.

Os policiais ficaram satisfeitos por saberem quem era o atropelado. Raskólnikov deu também seu próprio nome, seu endereço e, como se tratasse de seu próprio pai, usou de todas as forças, persuadindo para que levassem o quanto antes o desmaiado Marmieládov para a própria casa.

— Fica aqui perto, três prédios depois — empenhava-se —, edifício Kozel, de um alemão, rico... Agora na certa ele estava bêbado e indo para casa. Eu o conheço... É um bêbado... Em casa tem família, mulher, filhos, e uma filha. Até que se chegue com ele ao hospital, já no prédio com certeza haverá médico! Eu pago, eu pago!... Seja como for em casa ficará sob os cuidado de seus familiares, será socorrido, senão vai morrer antes de chegar ao hospital...

Conseguiu inclusive meter algum dinheiro na mão do policial; coisa, aliás, óbvia e legal, pelo menos a ajuda estaria mais próxima. Levantaram e levaram o atropelado; apareceu quem ajudasse. O edifício Kozel ficava a uns trinta passos. Raskólnikov se posicionou atrás dos outros, segurando cuidadosamente a cabeça e indicando o caminho.

— Por aqui, por aqui! Na escada precisamos carregá-lo de cabeça para cima; vire... assim! Eu pago, eu agradeço — balbuciava.

Como sempre, mal arranjava um minuto de folga, Catierina Ivánovna começava a andar de um canto a outro em seu pequeno quarto, da janela ao fogão e vice-versa, com os braços fortemente cruzados sobre o peito, falando sozinha e tossindo. Ultimamente passara a conversar cada vez mais e amiúde com sua filha mais velha Pólienka,[60] de dez anos, que, embora ainda não compreendesse muita coisa, em contrapartida havia compreendido muito bem aquilo de que a mãe necessitava e por isso sempre a acompanha-

---

[60] Diminutivo e forma carinhosa do nome Polina, assim como Pólia e Pólietchka. (N. do T.)

va com os olhos graúdos e inteligentes e empenhava todas as suas forças na astúcia de fingir que compreendia tudo. Dessa vez Pólienka trocava a roupa do irmão pequeno, que passara o dia todo adoentado, a fim de botá-lo para dormir. Enquanto lhe trocavam a camisa, que teria de ser lavada à noite, o menino esperava sentado numa cadeira, calado, de cara séria, reto e imóvel, com as perninhas estiradas, muito fechadas, mostrando os calcanhares e com as meias pendendo das pontas dos pés. Escutava o que a mãe conversava com a irmã, amuado, de olhos esbugalhados e sem se mexer, e esperava sentado tal qual devem fazer todos os meninos inteligentes quando trocam suas roupas na hora de se deitarem para dormir. Uma menininha ainda menor que ele, vestida em verdadeiros andrajos, esperava a sua vez em pé ao lado do biombo. A porta que dava para a escada estava aberta para que pudessem defender-se o mínimo que fosse das ondas de fumaça de tabaco, que irrompiam de outros cômodos e a cada instante forçavam a pobre tísica a uma tosse longa e sofrida. Catierina Ivánovna parecia ter emagrecido ainda mais naquela semana, e as manchas vermelhas em suas faces estavam ainda mais acesas do que antes.

— Tu não acreditas, tu nem sequer podes imaginar, Pólienka — dizia ela andando pelo quarto —, o quanto era alegre e esplêndida a nossa vida na casa do meu pai e como esse bêbado arruinou a mim e vai arruinar vocês todos! Papai era coronel no serviço público[61] e já quase chegando a governador; só lhe faltava dar mais um passo qualquer, de sorte que todo mundo ia visitá-lo e dizia: "Nós já o consideramos o nosso governador, Ivan Mikháilitch". Quando eu... cof! Quando eu... cof-cof-cof... ô vida trimaldita! — gritou ela, escarrando e agarrando-se ao peito. — Quando eu... ah, quando no último baile... na casa do chefe... a princesinha Biezzemiélnaya[62] — a que depois me abençoou quando eu estava casando com o teu pai, Pólia — me viu, foi logo me perguntando: "Essa mocinha encantadora não é aquela que dançou de xale no baile da formatura?"... (É preciso cerzir o rasgão; eu pegaria uma agulha e agora mesmo o cerziria, do jeito que te ensinei, senão amanhã... cof! amanhã... cof-cof-cof!... ele vai au-men-tar ainda mais! — gritou ela esganiçada)... — Naquele momento acabava de chegar de Petersburgo o príncipe pajem Schegolskoi... ele dançou comigo uma mazurca e no dia seguinte já queria me fazer uma proposta de casamento; mas eu mesma

---

[61] A burocracia russa usava a nomenclatura militar para qualificar os seus quadros segundo a função. (N. do T.)

[62] Aglutinação da preposição *bez* (sem) com o substantivo *zemlyá* (terra), o que confere à princesinha o sobrenome "Sem-Terra". (N. do T.)

agradeci com expressões lisonjeiras e disse que há muito tempo meu coração pertencia a outro. Esse outro era o teu pai, Pólia; meu pai ficou terrivelmente zangado... E a água, está pronta? Então me dá a camisa; e as meinhas?... Lida — dirigiu-se à filha pequena —, esta noite tu dormes assim mesmo, sem camisa; dá-se um jeito... e põe as meinhas ao lado... Lava-se tudo junto... Por que aquele esfarrapado não chega, beberrão! De tanto usar a camisa, como se fosse um molambo qualquer, acabou com ela toda esfarrapada... Seria bom lavar tudo junto para não passar duas noites seguidas sofrendo! Meu Deus! Cof-cof-cof-cof! De novo! O que é isso? — gritou ela, olhando para um monte de gente no saguão e para as pessoas que entravam apinhadas no quarto carregando algum fardo. — O que é isso? O que estão carregando? Meu Deus!

— Onde vamos botá-lo? — perguntou o policial olhando ao redor, quando ainda adentravam o quarto com o corpo de Marmieládov ensanguentado e sem sentidos.

— No sofá! Ponham-no direto no sofá, a cabeça nesse canto aqui — indicou Raskólnikov.

— Foi atropelado na rua! Estava bêbado! — gritou alguém do saguão.

Em pé e tomada de palidez, Catierina Ivánovna respirava com dificuldade. As crianças ficaram assustadas. A pequena Lídotchka[63] deu um grito, lançou-se na direção de Pólienka, enlaçou-a e todo o seu corpo começou a tremer.

Depois de deitar Marmieládov, Raskólnikov lançou-se para Catierina Ivánovna:

— Pelo amor de Deus fique calma, não se assuste! — falou ele atropelando as palavras. — Ele estava atravessando a rua, foi atropelado por uma carruagem, não se preocupe, ele vai voltar a si, fui eu que mandei que o trouxessem para cá... eu estive aqui em sua casa, está lembrada?... Ele vai voltar a si, eu vou pagar!

— Achou o que procurava — gritou Catierina Ivánovna em desespero e precipitou-se para o marido.

Raskólnikov logo percebeu que essa mulher não era daquelas que iam logo desmaiando. Num piscar de olhos apareceu sob a cabeça do infeliz um travesseiro em que ninguém ainda havia pensado; Catierina Ivánovna começou a tirar a roupa dele, a examiná-lo, azafamada e sem se atrapalhar, esquecida de si mesma, mordendo os lábios trêmulos e reprimindo os gritos que ameaçavam irromper do peito.

---

[63] Diminutivo e forma carinhosa do nome Lida. (N. do T.)

Enquanto isso, Raskólnikov convenceu alguém a ir chamar o médico. Como se verificou, o médico morava no segundo prédio ao lado.

— Mandei chamar o médico — afirmou ele a Catierina Ivánovna —, não se preocupe, eu pago. Será que tem água?... E arranje um guardanapo, uma toalha, alguma coisa o mais rápido possível; ainda não se sabe o quanto ele está ferido... Está ferido mas não morto, pode ficar segura... O que dirá o médico!?

Catierina Ivánovna correu para a janela; ali, no canto, numa cadeira quebrada, havia sido colocada uma grande bacia de barro com água, preparada para a lavagem noturna da roupa de baixo das crianças e do marido. A própria Catierina Ivánovna fazia essa lavagem noturna, com as próprias mãos, pelo menos duas vezes por semana e às vezes até mais amiúde, pois a coisa chegara a um ponto em que quase não havia mais roupa de baixo para trocar, cada membro da família possuía uma muda de roupa, e Catierina Ivánovna não conseguia suportar falta de asseio, e a ver sujeira em casa preferia martirizar-se às noites, fazendo mais do que lhe permitiam as forças, enquanto todos dormiam, para que até o amanhecer desse tempo de secar a roupa molhada estendida numa corda e todos recebessem roupa limpa. Ela ia agarrando a bacia para levá-la conforme pedira Raskólnikov, mas por pouco não caiu com o fardo. No entanto ele já encontrara uma toalha, umedecera-a e limpava o sangue que escorrera de Marmieládov. Catierina Ivánovna estava em pé ao lado, sentindo dor ao tomar fôlego e com as mãos no peito. Ela mesma precisava de ajuda. Raskólnikov começava a entender que talvez houvesse feito mal ao convencer as pessoas a trazerem o atropelado para casa. O policial também estava ali postado, perplexo.

— Pólia! — gritou Catierina Ivánovna. — Corre até Sônia, depressa. Se não a encontrares em casa, mesmo assim deixa o recado dizendo que o pai dela foi atropelado por cavalos e que ela venha imediatamente para cá... assim que voltar. Vai logo, Pólia! Toma esse lenço, te agasalha!

— Corre até não aguentar mais! — súbito gritou da cadeira o menino e, dito isto, tornou a mergulhar no silêncio anterior sentado reto ali na cadeira, de olhos esbugalhados, calcanhares expostos e meias cada uma para um lado.

Enquanto isso o quarto ficara tão cheio que não havia onde caísse uma maçã. Os policiais tinham ido embora, menos um, que permanecera provisoriamente e procurava escorraçar o público que se amontoara desde a escada e fazê-lo voltar para a escada. Ao mesmo tempo, quase todos os inquilinos da senhora Lippevechsel haviam acordado e começaram a amontoar-se, a princípio junto à porta, mas depois se precipitaram em bando para dentro do quarto. Catierina Ivánovna teve um acesso de fúria.

— Deixem pelo menos morrer em paz! — gritou para toda a multidão. — Que espetáculo arranjaram! E de cigarro na boca! Cof-cof-cof! Vão acabar entrando de chapéu na cabeça!... E tem um de chapéu... Fora! Respeitem ao menos um corpo morto!

A tosse a sufocou, mas serviu para meter medo! Pelo visto tiveram até medo de Catierina Ivánovna; um a um os moradores foram se acotovelando em direção à porta, com a estranha sensação interior de satisfação que sempre se observa até nas pessoas mais íntimas quando acontece uma repentina desgraça com o seu próximo e da qual nenhum ser humano, sem exceção, está livre, a despeito até do mais sincero sentimento de compaixão e simpatia.

Lá de fora se ouviram vozes de pessoas que sugeriam hospital e que não convinha causar incômodos inúteis ao sossego do lugar.

— Morrer é o que não convém! — gritou Catierina Ivánovna, e já ia se lançando para abrir a porta e descarregar uma trovejada sobre elas mas esbarrou na própria senhora Lippevechsel, que mal acabara de ouvir falar da desgraça, chegava correndo para fazer cumprir o regulamento. Era uma alemã extremamente atabalhoada e rabugenta.

— Ah, meu Deus! — agitava as mãos —, cavalo pisoteou seu marido bêbado! Levar ele pra hospital! Sou senhoria!

— Amália Ludwigovna! Eu lhe peço que se lembre do que está falando — começou em tom arrogante Catierina Ivánovna (ela sempre falava em tom arrogante com a senhoria para que esta "compreendesse o seu lugar" e nem agora podia abrir mão desse prazer) —, Amália Ludwigovna...

— Eu já lhe disse antes que a senhora nunca se atrever a me chamar de Amal Ludwigovna; eu sou Amal-Ivan![64]

— A senhora não é Amal-Ivan mas Amália Ludwigovna, e como eu não pertenço à legião dos seus vis bajuladores, como o senhor Liebezyátnikov, que neste momento está rindo lá fora (lá fora realmente se fizeram ouvir um riso e o grito de: "engalfinharam-se!"), sempre vou chamá-la Amália Ludwigovna, embora decididamente não consiga entender por que a senhora não gosta desse nome. A senhora mesma está vendo o que aconteceu com Semion Zakhárovitch; ele está morrendo. Peço que a senhora feche essa porta agora e não permita que ninguém entre aqui. Deixe pelo menos que alguém morra em paz! Senão, eu lhe asseguro, amanhã mesmo sua atitude chegará ao co-

[64] Amália Lippevechsel, com seu linguajar precário, procura afirmar sua ascendência russa com o patronímico Ivánovna. (N. do T.)

nhecimento do próprio general governador. O príncipe me conhece desde mocinha e se lembra muito bem de Semion Zakhárovitch, de quem muitas vezes foi benfeitor. Todo mundo sabe que Semion Zakhárovitch teve muitos amigos e protetores, os quais ele mesmo deixou de lado por orgulho nobre ao sentir sua infeliz fraqueza, mas agora (ela apontou para Raskólnikov) contamos com a ajuda de um jovem magnânimo, que tem recursos e relações, e que Semion Zakhárovitch conhece desde criança, e fique certa, Amália Ludwigovna...

Tudo isso ia sendo pronunciado com extrema rapidez, e quanto mais ela falava mais rápidas saíam as palavras, porém a tosse interrompeu de vez a sua eloquência. Nesse momento o doente voltou a si e deu um gemido, e Catierina Ivánovna correu para ele. Ele abriu os olhos e, ainda sem reconhecer onde estava nem entender o que se passava, começou a olhar para Raskólnikov, que estava em pé ao lado. Respirava pesado, fundo e espaçadamente; no canto da boca brotou sangue; na testa apareceu suor. Sem reconhecer Raskólnikov, ele olhou ao redor. Catierina Ivánovna olhava para ele com um olhar triste mas severo, e lágrimas lhe escorreram dos olhos.

— Meu Deus! Ele está com o peito todo esmagado! Sangue, sangue! — proferiu Catierina Ivánovna em desespero. — Precisamos tirar dele toda a roupa de cima! Vira-te um pouco, Semion Zakhárovitch, se podes — disse para ele.

Marmieládov a reconheceu.

— Quero um padre! — pronunciou ele com voz rouca.

Catierina Ivánovna afastou-se para a janela, encostou a testa no caixilho e pronunciou em desespero:

— Ô vida trimaldita!

— Quero um padre! — disse o moribundo, depois de um minuto de silêncio.

— Já foram chamar! — gritou-lhe Catierina Ivánovna; ele ouviu a resposta e calou-se. Ele a procurou com um olhar tímido, melancólico; ela tornou a voltar-se para ele e ficou à cabeceira. Ele se acalmou levemente, mas por pouco tempo. Seus olhos logo se fixaram na pequena Lídotchka (sua preferida), que tremia em um canto como se estivesse com um acesso, e olhava para ele com seus olhos apreensivos infantilmente fixos.

— A... a... — apontou para ela com intranquilidade. Queria dizer alguma coisa.

— Que mais ainda? — gritou Catierina Ivánovna.

— Está descalça! Está descalça! — balbuciou ele, indicando com um olhar meio louco os pezinhos descalços da menininha.

— Cala a bo-o-ca! — gritou Catierina Ivánovna — Tu mesmo sabes por que está descalça.

— Graças a Deus, doutor! — exclamou Raskólnikov satisfeito.

Entrou o médico, um velhote asseado, alemão, olhando para os lados com um ar desconfiado; chegou-se ao doente, tomou-lhe o pulso, apalpou atentamente a cabeça e, ajudado por Catierina Ivánovna, desabotoou-lhe a camisa empapada de sangue e descobriu o peito. O peito estava todo destroçado, cheio de marcas e desfigurado; várias costelas quebradas do lado direito. Do lado esquerdo, bem em cima do coração, havia uma mancha funesta, grande, de uma cor escura, amarelada, golpe feroz de casco. O médico franziu o cenho. O policial lhe contou que o atropelado ficara preso na roda e fora arrastado uns trinta metros pelo calçamento, girando.

— É surpreendente que ele ainda tenha voltado a si — sussurrou o médico a Raskólnikov.

— O que o senhor acha? — perguntou o outro.

— Vai morrer agora.

— Será que não há nenhuma esperança?

— Nem a mínima! Está no último suspiro... Além do mais, os ferimentos da cabeça são muito perigosos... Hum. Talvez se possa fazer uma sangria... no entanto... seria inútil. Vai morrer em cinco ou dez minutos, sem dúvida.

— Então é melhor fazer uma sangria!

— Pode ser... Aliás, eu o previno, será absolutamente inútil.

Nesse instante ouviram-se mais uns passos, a multidão abriu caminho no vestíbulo e na entrada apareceu o padre, um velho de cabeça branca, com os apetrechos para a extrema-unção. Vinha acompanhado de um policial, desde a rua. No mesmo instante o médico lhe cedeu o lugar e trocou com ele um olhar significativo. Raskólnikov pediu ao médico que esperasse ao menos um pouco. Este deu de ombros e permaneceu.

Todos recuaram. A confissão foi muito breve. É pouco provável que o moribundo estivesse entendendo direito alguma coisa; só conseguia repetir sons entrecortados, vagos. Catierina Ivánovna pegou Lídotchka, tirou o menino da cadeira, afastou-se para perto do fogão, num canto, ajoelhou-se e pôs as crianças de joelhos à sua frente. A menina só tremia; já o menino, ajoelhado sobre os joelhinhos nus, levantava compassadamente a mãozinha, benzia-se fazendo a cruz completa e inclinava-se, tocava a testa no chão, o que, pelo visto, dava-lhe um prazer especial. Catierina Ivánovna mordia os lábios e continha as lágrimas; também rezava, de quando em quando ajeitava a camisa do menino e tinha conseguido jogar nos ombros demasiado nus da menina um lenço que tirara da cômoda, e isso sem sair da posição ajoelhada nem parar de rezar. Enquanto isso as portas dos quartos vizinhos voltavam a ser abertas por curiosos. No vestíbulo era cada vez mais denso o amontoado de gente, inquilinos de todo o andar, que, aliás, não passavam do limiar da porta do quarto. Um solitário toco de vela iluminava todo o cenário.

Nesse instante Pólienka chegou correndo depois de levar o recado à irmã e abriu caminho na multidão. Entrou, mal conseguindo tomar fôlego depois da rápida corrida, tirou o lenço da cabeça, procurou a mãe com os olhos, foi a ela e disse: "Ela vem vindo, encontrei-a na rua!". A mãe a pôs de joelhos e colocou-a a seu lado. Entre a multidão, silenciosa e tímida, uma moça abriu caminho, e era estranho o seu aparecimento repentino naquele quarto, no meio da miséria, de maltrapilhos, da morte e do desespero. Ela também estava maltrapilha; metida num vestido barato mas enfeitado à moda da rua, segundo o gosto e as regras do mundo especial dela, com o fim nítido e vergonhosamente explícito. Sônia ficou parada no vestíbulo, em pleno limiar, mas não o atravessava e olhava com ar perdido, parecendo não atinar coisa alguma, esquecida de seu vestido de seda berrante comprado de quarta mão, de cauda longuíssima e ridícula, indecoroso para aquele lugar, com a crinolina larga bloqueando toda a porta, dos sapatos claros, da sombrinha inútil na noite mas que trouxera consigo, e do ridículo chapéu de palha redondo com uma pena cor de fogo vivo. Por baixo daquele chapéu à banda, coisa de menino, aparecia um rostinho magro, pálido e assustado, com a boca aberta e uns olhos imobilizados de susto. Sônia era uma loura de baixa estatura, uns dezoito anos, magrinha mas bastante bonita, e uns magníficos olhos azuis. Olhava fixo para a cama, para o padre; também estava ofegante por causa da caminhada rápida. Finalmente houve cochichos, ouviram-se algumas palavras na multidão, que provavelmente chegaram a ela. Ela baixou a vista, deu um passo porta adentro e entrou no quarto, mas continuou bem junto à porta.

A confissão e a comunhão terminaram. Catierina Ivánovna voltou à cama do marido. O padre afastou-se e, ao sair, quis dizer duas palavras de despedida e consolo a Catierina Ivánovna.

— E esses, onde eu vou meter? — interrompeu de forma brusca e irritada, apontando para as crianças.

— Deus é misericordioso; confie na ajuda do Altíssimo — ia começando o padre.

— Ora essa! Misericordioso, mas não conosco!

— Isso é pecado, é pecado, senhora — observou o sacerdote, balançando a cabeça.

— E isso, não é pecado? — gritou Catierina Ivánovna, apontando para o moribundo.

— É possível que aqueles que foram a causa involuntária concordarão em recompensá-la, ao menos pela perda da receita...

— O senhor não me compreende! — gritou irritada Catierina Ivánovna, dando de ombros. — Além do mais, recompensar por quê? Ele mesmo, bêbado, meteu-se debaixo das rodas! Que receitas? Ele não trazia receitas mas apenas sofrimento. Porque, beberrão como era, bebia tudo. Ele nos roubava e ia gastar no botequim, consumiu a minha vida e a deles no botequim! Graças a Deus que está morrendo! Um prejuízo a menos!

— É preciso perdoá-lo na hora da morte, e isso é pecado, senhora, esses sentimentos são um grande pecado!

Catierina Ivánovna diligenciava ao lado do doente, dava-lhe de beber, enxugava-lhe o suor e o sangue da cabeça, ajeitava os travesseiros e conversava com o padre, voltando-se de raro em raro para ele entre um afazer e outro. Agora investia repentinamente contra ele quase com furor.

— Eh, padre! Palavras são apenas palavras! Perdão! Veja, hoje ele chegaria em casa bêbado se não tivesse sido atropelado, com a mesma camisa de sempre, toda surrada, e maltrapilho, cairia na cama; eu ficaria até o amanhecer enxaguando, lavando as meias dele e das crianças, depois as secaria lá fora, e tão logo o dia amanhecesse eu me sentaria para coser — eis a minha noite!... Por que cargas-d'água ainda fala de perdão? Já havia perdoado mesmo!

Uma tosse funda e terrível interrompeu-lhe as palavras. Ela escarrou no lenço e estirou o braço mostrando-o ao padre, comprimindo o peito com a outra mão num gesto de dor. O lenço estava todo ensanguentado...

O padre baixou a cabeça e não disse nada.

Marmieládov estava na última agonia; não desviava os olhos do rosto de Catierina Ivánovna, mais uma vez inclinada sobre ele. Ele insistia em querer dizer alguma coisa; ensaiou um começo, mexendo com esforço a língua e articulando as palavras de forma confusa, mas Catierina Ivánovna, compreendendo que ele queria lhe pedir perdão, imediatamente gritou em tom impositivo:

— Fica cala-a-ado! Não é necessário!... Sei o que estás querendo dizer!... — E o doente fez silêncio; mas no mesmo instante seu olhar vago foi dar na porta, e ele avistou Sônia...

Até então ele não a havia notado: ela estava em um canto, coberta por uma sombra.

— Quem é? Quem é? — pronunciou de súbito com voz rouca e ofegante, tomado de inquietação, fazendo com os olhos, apavorado, sinais para a porta onde estava a filha e esforçando-se para soerguer-se.

— Deita! De-i-ta! — exclamou Catierina Ivánovna.

Mas com um esforço antinatural ele conseguiu apoiar-se sobre um braço. Ficou olhando imóvel e assustado para a filha durante algum tempo, como se não a estivesse reconhecendo. Além do mais, nunca a havia visto naqueles trajes. Num repente a reconheceu, humilhada, mortificada, emperequetada e envergonhada, aguardando resignadamente a sua vez de despedir-se do pai moribundo. Um sofrimento infindo esboçou-se no rosto dele.

— Sônia! Minha filha! Perdoa! — exclamou e esboçou estender a mão a ela, mas, perdendo o apoio, desabou e despencou do sofá direto de cara no chão; precipitaram-se para levantá-lo, puseram-no no sofá, mas ele já estava no fim. Sônia deu um grito fraco, correu, abraçou-o e ficou congelada nesse abraço. Ele morreu nos braços dela.

— Conseguiu o que queria! — exclamou Catierina Ivánovna, ao ver o cadáver do marido. — Bem, o que fazer agora!? Com que vou enterrá-lo? E eles, com que vou alimentá-los amanhã?

Raskólnikov chegou-se a Catierina Ivánovna.

— Catierina Ivánovna — começou ele a falar-lhe —, na semana passada seu falecido marido me contou toda a sua vida e todas as circunstâncias... Fique certa de que ele falou da senhora com uma estima entusiástica. Desde aquela noite, quando eu fiquei sabendo como ele era dedicado a todos vocês e como respeitava e amava especialmente a senhora, Catierina Ivánovna, apesar de toda a fraqueza dele, desde aquela noite nós nos tornamos amigos... Permita-me agora... contribuir... para a homenagem ao meu falecido amigo. Veja... aqui tem vinte rublos, parece, e se isto puder lhe servir de ajuda, então... eu... em suma, eu virei — virei sem falta... talvez eu venha aqui amanhã mesmo... Adeus!

E saiu rápido do quarto, abrindo caminho apressadamente entre a multidão na escada; mas no meio da multidão esbarrou de repente em Nikodim Fomitch, que ficara sabendo do acidente e desejara tomar as providências pessoalmente. Não se viam desde a cena na delegacia, mas Nikodim Fomitch o reconheceu no mesmo instante.

— É o senhor? — perguntou-lhe.

— Morreu — respondeu Raskólnikov. — Veio o médico, veio o padre, está tudo em ordem. Não perturbe muito a pobre mulher, além de tudo está com tísica. Anime-a, se tiver como... O senhor é um homem bom, eu sei... — acrescentou com um risinho, olhando-o nos olhos.

— E como vai o senhor, ah, mas veja, está manchado de sangue — observou Nikodim Fomitch, notando à luz do lampião algumas manchas frescas de sangue no colete de Raskólnikov.

— É verdade, fiquei manchado... estou todo ensanguentado! — pronunciou Raskólnikov com um ar especial, depois sorriu, fez um sinal de cabeça e saiu escada abaixo.

Descia a escada devagar, sem pressa, todo febril, e, sem que se apercebesse, tomado de uma sensação nova e imensa da vida plena e vigorosa que arremetia. Essa sensação podia parecer-se com a sensação de um condenado à morte, a quem súbita e inesperadamente anunciam o perdão. Na metade da escada foi alcançado pelo padre, que voltava para casa; calado, Raskólnikov deixou-o passar, trocando com ele uma reverência silenciosa. Mas quando já descia o último degrau, súbito ouviu passos apressados às suas costas. Alguém o alcançava. Era Pólienka; corria atrás dele e o chamava: "Escute! Escute!".

Ele se voltou para ela. Ela descia correndo o último degrau e parou bem na frente dele, um degrau acima. Uma claridade baça chegava do pátio. Raskólnikov examinou o rostinho magro mas encantador da menina, que lhe sorria e olhava para ele com ar alegre, infantil. Viera correndo com uma missão de que, pelo visto, ela mesma estava gostando muito.

— Escute, como o senhor se chama?... e mais: onde o senhor mora? — perguntou ela com pressa, com uma vozinha ofegante.

Ele pôs as duas mãos nos ombros dela e ficou a contemplá-la com um quê de felicidade. Era-lhe tão agradável olhar para ela — ele mesmo não sabia por quê.

— E quem mandou a senhorita para cá?

— Quem me mandou foi minha irmã Sônia — respondeu a menininha, sorrindo de um jeito ainda mais alegre.

— Eu bem que sabia que tinha sido sua irmã Sônia quem a havia mandado.

— Mamãe também me mandou. Quando minha irmã Sônia estava me mandando, mamãe também se chegou e disse: "Corre o mais rápido, Pólienka!".

— A senhorita gosta da sua irmã Sônia?

— É dela de quem eu mais gosto! — pronunciou Pólienka com uma firmeza especial, e num átimo seu sorriso se tornou sério.

— E de mim, vai gostar?

Em vez da resposta ele viu o rostinho da menina se aproximando dele e os lábios gordinhos, que se espichavam ingenuamente para beijá-lo. Súbito uns bracinhos finos como palitos de fósforo o envolveram com bastante força, a cabeça inclinou-se para o ombro dele e a menina começou a chorar baixinho, apertando o rosto contra ele com força cada vez maior.

— Tenho pena do papai! — disse ela um instante depois, levantando seu rostinho choroso e limpando as lágrimas com as mãos. — Agora é só essas infelicidades que aparecem — acrescentou de modo inesperado, com aquele ar sério e forçado que as crianças assumem quando de uma hora para outra resolvem falar como "gente grande".

— Seu pai gostava de vocês?

— Ele gostava mais de Lídotchka que dos outros — continuou ela muito séria e sem sorrir, já falando tal qual gente grande —, gostava porque ela é pequena, e ainda porque é doente, e ele sempre trazia doces pra ela, mas ensinou nós todos a ler, e a mim ensinou gramática e catecismo — acrescentou com dignidade. — Mamãe não dizia nada e a gente só sabia que ela gosta disso, e papai também sabia, e mamãe quer me ensinar francês porque já é tempo de começar minha educação.

— E rezar, vocês sabem?

— Ô, como não, sabemos! Já faz tempo; eu, como já sou grande, rezo por mim mesma, mas Kólia[65] e Lídotchka rezam em voz alta com a mamãe; primeiro rezam a "Salve Rainha", e depois mais uma oração "Deus, perdoa e abençoa nossa irmã Sônia", e depois mais "Deus, perdoa e abençoa o nosso outro pai", porque o nosso primeiro papai já morreu, e esse é outro, e nós também rezamos por ele.

— Pólietchka, meu nome é Rodion; um dia reze por mim também: "e pelo servo Rodion" — mais nada.

— Em toda a minha vida futura eu vou rezar pelo senhor — pronunciou a menina com ardor e súbito tornou a sorrir, lançou-se para ele e voltou a abraçá-lo com força.

Raskólnikov disse seu nome, deu-lhe o endereço e prometeu aparecer sem falta no dia seguinte. A menina voltou maravilhada com ele. Passava das dez quando ele saiu à rua. Cinco minutos depois estava na ponte, exatamente na mesma ponte de onde a mulher se havia atirado não fazia muito.

"Basta! — proferiu em tom decidido e solene. — Fora as miragens, fora os falsos temores, fora os fantasmas!... Existe vida! Por acaso não acabei de viver? Minha vida não morreu com a vetusta velha! Que fique com o reino dos céus — e basta, já era tempo de descansar! Agora é o reino da

---

[65] Diminutivo e forma carinhosa do nome Nikolai. (N. do T.)

razão e da luz e... da vontade, e da força... agora vamos ver! Agora vamos nos medir! — acrescentou com arrogância, como se visasse a alguma força do mal e a provocasse. — Ora, eu já aceitei morar numa nesga de espaço!

"... Estou muito fraco neste momento, no entanto... parece que toda a doença passou. Eu bem sabia que iria passar quando saí há pouco. Aliás: o edifício Pótchinkov fica a dois passos... É ir direto à casa de Razumíkhin, ainda que não fique a dois passos... Deixe que ele ganhe a aposta!... Deixe que ele se divirta — não há de ser nada, deixe!... Força, preciso de força: sem força não se consegue nada; e força é preciso conseguir pela própria força, e é isso que eles desconhecem" — acrescentou orgulhoso e seguro de si, mal tirando os pés da ponte. O orgulho e a autoconfiança cresciam nele a cada instante; no instante seguinte já não era o mesmo homem do instante anterior. O que, porém, acontecera de tão especial, a ponto de provocar tal reviravolta nele? Nem ele mesmo o sabia; como alguém que se agarra a um fio de cabelo, de repente lhe pareceu que ele também "podia viver, que ainda existe vida, que sua vida não morrera com a vetusta velha". É possível que tivesse se apressado demais na conclusão, mas não pensava nisso.

"E pelo servo Rodion pedi, contudo, que rezasse — veio-lhe súbito à cabeça —, só que isso... numa eventualidade!" — acrescentou ele, e logo riu de sua extravagância infantil. Estava no mais esplêndido estado de ânimo.

Achou com facilidade o apartamento de Razumíkhin; no edifício Pótchinkov já conheciam o novo morador, e no mesmo instante o porteiro indicou o caminho a Raskólnikov. Da metade da escada já se podia distinguir a algazarra e a vozearia animada de uma grande reunião. A porta que dava para a escada estava escancarada; ouviam-se gritos e discussões. O quarto de Razumíkhin era bastante grande, e havia umas quinze pessoas na reunião. Raskólnikov parou na antessala. Ali, atrás de um tabique, duas criadas da senhoria se desdobravam ao lado de dois grandes samovares, de garrafas, pratos e travessas com pastelão e salgados, trazidos da cozinha da senhoria. Raskólnikov mandou chamar Razumíkhin. Este correu ao seu encontro em êxtase. À primeira vista já se notava que havia bebido muito, e embora Razumíkhin nunca conseguisse embebedar-se, desta vez dava para perceber alguma coisa.

— Ouve — apressou-se Raskólnikov —, vim apenas para dizer que tu ganhaste a aposta, e que ninguém sabe o que pode acontecer consigo. Mas entrar eu não posso: estou tão fraco que posso cair agora mesmo. E por isso boa noite e adeus! Amanhã dá uma chegada lá em casa...

— Sabes duma coisa, vou te levar em casa! Quando tu mesmo dizes que estás fraco, é porque...

— E os convidados? Quem é aquele crespo, estás vendo, o que acabou de olhar para cá?

— Aquele? Quem diabo sabe! É um conhecido do meu tio, talvez, ou pode ter vindo sem ser convidado... Deixo aos cuidados do meu tio; este é uma pessoa maravilhosa; é uma pena que não possas conhecê-lo agora. Pensando bem, que se danem todos! Neste momento não estão ligando para mim, e aliás eu preciso me refrescar, porque, meu caro, chegaste na hora certa: mais dois minutos e eu me atracaria com alguém, juro! Dizem cada sandice em suas lorotas... Nem podes imaginar como o homem pode acabar um mentiroso contumaz! Pensando bem, como não irias imaginar? Por acaso nós mesmos não mentimos? Ah, mas deixe que mintam: em compensação não vão mentir depois... Fica um instante, vou chamar Zóssimov.

Zóssimov lançou-se para Raskólnikov até com certa sofreguidão; notava-se uma curiosidade especial nele; seu rosto logo serenou.

— Dormir imediatamente — resolveu, examinando o paciente na medida do possível —, e tomar uma coisinha para a noite. Toma? Preparei ainda há pouco... é um pó.

— Até dois — respondeu Raskólnikov.

— É muito bom que tu mesmo o leves — observou Zóssimov a Razumíkhin —; veremos como estará amanhã, porque hoje não está nada mal: uma mudança significativa da última vez para cá. É vivendo e aprendendo...

— Sabes o que Zóssimov me acabou de cochichar? — soltou Razumíkhin mal eles ganharam a rua. — Meu irmão, vou te contar tudo francamente, porque eles são uns bobalhões. Zóssimov me mandou tagarelar contigo a caminho de tua casa, também te fazer tagarelar e depois contar a ele, porque ele está com a ideia... de que tu... és louco ou coisa parecida. Imagina isso tu mesmo! Em primeiro lugar, tu és três vezes mais inteligente que ele, em segundo, se não fores louco, então deves te lixar para essa asneira que ele tem na cabeça e, em terceiro, esse sujeito, cirurgião por especialidade, agora anda louco por doenças mentais, e no que te diz respeito ficou com a cabeça definitivamente virada depois da tua conversa de hoje com Zamiétov.

— Zamiétov te contou tudo?

— Tudo, e fez muito bem. Agora eu compreendi todo o segredo, e Zamiétov também compreendeu... Bem, numa palavra, Ródia... acontece que... Estou num porre só... Mas isso não é nada... acontece que essa ideia... estás entendendo? está realmente martelando a cabeça deles... estás entendendo? Ou seja, eles não ousaram pronunciá-la porque é a asneira mais absurda, e ainda mais depois que prenderam aquele pintor, tudo isso ruiu e extinguiu-se para sempre. Mas por que eles são uns bobalhões? Na ocasião eu dei algumas pregadas no Zamiétov — isso fica entre nós, por favor, e nem insinues que estás a par; eu observei que ele é melindroso; estava na casa da Laviza —, mas hoje, hoje ficou tudo claro. O principal é que esse Ilyá Pietróvitch! Ele mesmo aproveitou-se do teu desmaio na delegacia, aliás ele próprio ficou envergonhado depois; eu estou a par...

Raskólnikov ouvia com sofreguidão. Por estar bêbado Razumíkhin dava com a língua nos dentes.

— Desmaiei porque estava abafado e havia cheiro de tinta a óleo — disse Raskólnikov.

— Ele ainda explica! Mas não foi só o cheiro de tinta: a inflamação tinha ficado um mês inteiro incubando; para Zóssimov isso é evidente! Tu só não podes imaginar como aquele fedelho está mortificado! "Eu, diz ele, não mereço o dedo mínimo desse homem!" Isto é, o teu. Meu irmão, às vezes ele tem bons sentimentos. Mas que aula, que aula tu lhe deste hoje no Palácio de Cristal, foi o máximo da perfeição. A princípio tu o deixaste assustado, com convulsão! Porque tu quase o levaste a se convencer mais uma vez desse absurdo monstruoso e depois, num relance, mostraste a língua a ele: "Tá aí", como se dissesses, "o que você foi arranjar!". Foi a perfeição! Agora está deprimido, humilhado! Deste uma de mestre com ele, juro, bem feito. Ah, se eu estivesse lá! Agora mesmo ele estava te esperando lá em casa na maior ansiedade. Porfiri também está querendo te conhecer...

— Ah... mas e esse... E por que me qualificaram de louco?

— Isto é, não foi de louco. Meu irmão, parece que me excedi contigo na falação... Como podes ver, não faz muito ele pasmou ao ver que tu só te interessavas por aquele ponto; agora está claro o porquê desse interesse; conhecendo todas as circunstâncias... e como naquele momento isso te irritava e se misturou com a doença... Eu, meu irmão, estou um pouco bêbado, só o diabo sabe que ele tem lá a sua ideia... Eu te digo: anda louco por doenças mentais. Mas tu deves te lixar...

Os dois ficaram um meio minuto calados.

— Escuta, Razumíkhin — recomeçou Raskólnikov —, quero te dizer francamente: estive na casa de um morto, morreu um funcionário público... deixei lá todo o meu dinheiro... e além disso ganhei um beijo de uma criatura que, se eu tivesse mesmo matado alguém, também teria... numa palavra, lá eu vi mais uma outra criatura... com uma pena cor de fogo... pensando bem, estou abusando da lorota; estou muito fraco, me segura... porque agora vem a escada...

— O que estás sentindo? O que estás sentindo? — perguntou Razumíkhin preocupado.

— Um pouco de vertigem, só que o problema não é esse, é que estou tão triste, tão triste! Como uma mulher... palavra! Olha, o que é aquilo? Olha! Olha!

— O quê?

— Será que não estás vendo? Luz acesa no meu quarto, estás vendo? Saindo pela fresta...

Já estavam diante da última escada, ao lado da porta da senhoria, e realmente se via de baixo que havia luz no cubículo de Raskólnikov.

— É estranho! Talvez seja a Nastácia — observou Razumíkhin.

— Ela nunca vai ao meu quarto a essas horas, e além do mais já está dormindo faz tempo, no entanto... não me importo! Adeus!

— O que é isso? Eu te acompanho e vamos entrar juntos!

— Sei que vamos entrar juntos, mas eu quero te apertar a mão e me despedir de ti aqui. Vamos, me dá a mão, adeus!

— O que se passa contigo, Ródia?

— Não é nada; vamos, serás testemunha...

Os dois retomaram a subida pela escada e ocorreu a Razumíkhin a ideia de que Zóssimov talvez estivesse mesmo com razão. "Eh! Eu o perturbei com a minha conversa fiada!" — balbuciou de si para si. Súbito, ao se aproximarem da porta, ouviram vozes no quarto.

— Mas o que é que está acontecendo aqui? — bradou Razumíkhin.

Raskólnikov foi o primeiro a resolver abrir a porta e a escancarou, abriu e parou na entrada como se estivesse preso ao chão.

A mãe e a irmã estavam sentadas no sofá e o esperavam há uma hora e meia. Por que eram elas quem ele menos esperava e era nelas em quem menos pensava, apesar da notícia, que se repetira até mesmo nesse dia, de que estavam partindo, a caminho, e chegariam a qualquer momento? Durante toda aquela hora e meia elas cobriram Nastácia de perguntas, e ela estava agora postada diante delas e já conseguira contar todos os segredos. As duas ficaram desnorteadas de susto quando souberam que ele "fugiu hoje", doente e, como se depreendia da história, sem dúvida delirando! "Meu Deus, o que está acontecendo com ele?" Ambas choraram, ambas experimentaram um verdadeiro calvário naquela hora e meia.

O aparecimento de Raskólnikov foi recebido por um grito alegre e extasiado. As duas se precipitaram para ele. Mas ele ficou parado feito morto; uma consciência insuportável e repentina o golpeou como um raio. Além disso, os braços não se levantaram para abraçá-las: não conseguiram. A mãe e a irmã o espremiam em abraços, beijavam-no, sorriam, choravam... Ele recuou um passo, cambaleou e desabou desmaiado.

Inquietação, gritos de pavor, gemidos... Razumíkhin, que estava parado no limiar, voou para dentro do quarto, agarrou o doente com seus braços vigorosos e num relance o outro voltou a si no sofá.

— Não foi nada, não foi nada! — exclamava ele para a mãe e a irmã. — Foi uma síncope, uma bobagem! O médico acabou de afirmar que ele está bem melhor, que está plenamente saudável! Água! Vejam, já está voltando a si, vejam, voltou...

E agarrou Dúnietchka pelo braço de tal forma que por pouco não o arrancou, puxando-a para que ela visse que "ele já voltou a si". A mãe e a irmã olhavam para Razumíkhin como para a Providência, com ternura e gratidão; já haviam ouvido de Nastácia o que fora para o Ródia delas durante todo o período da doença aquele "rapaz desembaraçado", como o chamou na mesma noite, em conversa íntima com Dúnia, a própria Pulkhéria Aleksándrovna Raskólnikova.

# TERCEIRA PARTE

# I

Raskólnikov soergueu-se e sentou-se no sofá.

Fez um fraco sinal de mão a Razumíkhin para que este interrompesse todo aquele fluxo de consolações desconexas e ardentes dirigidas à mãe e à irmã, pegou as duas pelas mãos e durante um a dois minutos olhou atentamente ora para uma, ora para a outra. A mãe assustou-se com o olhar dele. Nesse olhar transparecia um sentimento forte que transbordava em sofrimento, mas ao mesmo tempo havia qualquer coisa de estático, até mesmo um quê de loucura. Pulkhéria Aleksándrovna começou a chorar.

Avdótia Románovna estava pálida; sua mão tremia na do irmão.

— Vão para casa... com ele — pronunciou com voz entrecortada, apontando para Razumíkhin. — Até amanhã; amanhã tudo... Faz muito tempo que vocês chegaram?

— À tarde, Ródia — respondeu Pulkhéria Aleksándrovna —, o trem atrasou um horror. No entanto, Ródia, eu não vou te deixar por nada! Vou pernoitar aqui ao lado...

— Não me atormentem! — pronunciou ele, dando de ombros irritado.

— Eu fico com ele! — exclamou Razumíkhin. — Não vou deixá-lo nem por um minuto, e que se danem lá todos os meus convidados, podem subir pelas paredes! Lá meu tio preside a reunião.

— Como, como posso agradecer-lhe!? — começou Pulkhéria Aleksándrovna, tornando a apertar a mão de Razumíkhin, mas Raskólnikov tornou a interrompê-la:

— Eu não aguento, não aguento — repetiu ele irritado —, não me atormentem! Basta, vão embora... Não aguento!...

— Vamos, mãezinha, vamos ao menos sair do quarto por um instante — sussurrou assustada Dúnia —, nós o mortificamos, isso é visível.

— Será que não posso nem dar uma olhadinha nele depois de três anos! — voltou a chorar Pulkhéria Aleksándrovna.

— Esperem! — ele tornou a cortar a conversa delas. — Vocês interrompem sem parar, e meus pensamentos estão embaralhados... Viram Lújin?

— Não, Ródia, mas ele já está a par da nossa chegada. Ouvimos dizer, Ródia, que Piotr Pietróvitch foi muito bondoso ao te visitar hoje — acrescentou Pulkhéria Aleksándrovna com alguma timidez.

— Sim... foi tão bondoso... Dúnia, não faz muito eu disse a Lújin que ia atirá-lo escada abaixo, e o mandei para o diabo...

— Ródia, o que estás dizendo! Tu, na certa... tu não estás querendo dizer — começou Pulkhéria Aleksándrovna amedrontada, mas parou, olhando para Dúnia.

Avdótia Románovna olhava atentamente para o irmão e aguardava os desdobramentos. As duas já haviam sido prevenidas da briga por Nastácia, até o ponto em que esta conseguira compreender e transmiti-lo, e sofriam com a incerteza e a expectativa.

— Dúnia — continuou Raskólnikov a muito custo —, não quero esse casamento, e por isto amanhã mesmo, ao trocar a primeira palavra com Lújin, deves terminar, e que não sobre nem cheiro dele por perto.

— Meu Deus! — exclamou Pulkhéria Aleksándrovna.

— Meu irmão, pensa no que estás dizendo! — ia começando Avdótia Románovna em tom arrebatado, mas no mesmo instante se conteve. — É possível que neste momento não estejas em condição, estás cansado — disse laconicamente.

— Delirando? Não... Tu estás te casando com Lújin por mim. Mas eu não aceito sacrifício. E por isso até amanhã escreverás uma carta... rompendo... De manhã me darás para ler, e assunto encerrado!

— Isso eu não posso fazer! — exclamou ofendida a moça. — Com que direito...

— Dúnietchka, tu também és irascível, para, amanhã... Será que não estás vendo... — assustou-se a mãe, lançando-se para Dúnia. — Ah, vamos, é melhor!

— Está delirando! — bradou Razumíkhin embriagado. — Senão, como ousaria!? Amanhã toda essa doidice passa... Mas hoje ele realmente o expulsou. Foi isso o que aconteceu. Bem, o outro ficou zangado... Deitou falação, fez-se passar por sabichão, mas foi embora, com o rabo entre as pernas...

— Então isso é verdade? — exclamou Pulkhéria Aleksándrovna.

— Até amanhã, meu irmão — disse Dúnia compadecida —; vamos, mãezinha... Adeus, Ródia!

— Estás ouvindo, minha irmã? — repetiu ele à saída delas, fazendo um último esforço. — Não estou delirando; esse casamento é uma baixeza. Eu posso ser um canalha, mas tu não deves... um qualquer... mesmo que eu seja um canalha, uma irmã assim não vou considerar irmã. Ou eu ou Lújin! Podes ir...

— É, tu enlouqueceste! Um déspota! — berrou Razumíkhin, mas Raskólnikov já não respondia, pode ser até que nem estivesse mais em condição de responder. Estava deitado no sofá de cara virada em direção à parede em total exaustão. Avdótia Románovna olhou curiosa para Razumíkhin; seus olhos negros brilharam: Razumíkhin chegou a estremecer sob esse olhar. Pulkhéria Aleksándrovna estava em pé, com ar de estupefata.

— Não posso ir embora por nada nesse mundo! — sussurrou para Razumíkhin à beira do desespero. — Vou ficar por aqui, em algum lugar... acompanhe Dúnia.

— E vai estragar tudo! — também sussurrou Razumíkhin, descontrolando-se. — Vamos sair ao menos até a escada. Nastácia, ilumina! Eu juro à senhora — continuou ele a meio sussurro, já na escada — que há pouco tempo ele quase bateu em mim e no médico! A senhora está entendendo? No próprio médico. E este cedeu, para não irritá-lo, e foi embora, mas eu fiquei lá embaixo, na espreita, e enquanto isso ele se vestiu e escapuliu. E vai escapulir agora se a senhora o irritar, agora em plena noite, e vai fazer alguma coisa contra si próprio.

— Ah, o que o senhor está dizendo?

— E tem mais: Avdótia Románovna não pode ficar sem a senhora no apartamento! Pense em que lugar estão! Porque aquele canalha, Piotr Pietróvitch, será que não podia arranjar um apartamento melhor para as senhoras... Aliás, sabe, estou um pouco bêbado e por isso... xinguei; não liguem...

— Mas eu vou falar com a senhoria daqui — insistia Pulkhéria Aleksándrovna —, vou implorar para que ela dê a mim e a Dúnia um canto por esta noite. Não posso deixá-lo assim, não posso!

Falavam isso em pé na escada, no lanço bem em frente à porta da senhoria. Nastácia os iluminava de um degrau inferior. Razumíkhin estava numa excitação excepcional. Ainda meia hora antes, quando acompanhava Raskólnikov a caminho de casa, mesmo que estivesse excessivamente falastrão, o que ele mesmo reconheceu, estava cheio de ânimo e viço, apesar da terrível quantidade de vinho que bebera nessa noite. Agora seu estado tinha até a aparência de um certo êxtase, e ao mesmo tempo era como se todo o vinho ingerido voltasse de supetão e com força dobrada se precipitasse em sua cabeça. Estava em pé com ambas as senhoras, segurando as duas pelas mãos, persuadindo-as e apresentando-lhes as suas razões com uma franqueza admirável e, provavelmente para ser mais convincente, quase a cada palavra que pronunciava apertava-lhes as mãos com toda a força, como se usasse tenazes, a ponto de provocar dor, e com os olhos parecia devorar Avdótia Románovna, que não esboçava o mínimo acanhamento. Por causa da dor, vez por outra elas arrancavam suas mãos daquela mão gigante e ossuda, mas ele, além de não notá-lo, puxava-as para si com mais força ainda.

Se nesse momento elas lhe ordenassem que se lançasse da escada de cabeça para baixo para servi-las, ato contínuo ele cumpriria a ordem sem refletir nem vacilar. Pulkhéria Aleksándrovna, alarmada com o que nesse momento se pensava sobre seu Ródia, e mesmo sentindo que o jovem era deveras excêntrico e lhe apertava a mão de modo excessivamente dolorido, negava-se, porém, a reparar em todos esses detalhes excêntricos, uma vez que ele era ao mesmo tempo a sua Providência. No entanto, apesar de igualmente alarmada e mesmo não sendo de temperamento assustadiço, Avdótia Románovna acolhia com surpresa e quase até com receio os olhares do amigo do seu irmão, dos quais chamejava um fogo selvagem, e só a confiança ilimitada, infundida pelas histórias de Nastácia sobre esse homem estranho, evitava que tentasse fugir dele e arrastar a mãe consigo. Compreendia ainda, talvez, que agora nem tinham mais como fugir dele. Aliás, ao cabo de uns dez minutos ela se tranquilizou consideravelmente: Razumíkhin tinha a qualidade de revelar-se todo num abrir e fechar de olhos, em qualquer estado que estivesse, de sorte que elas logo perceberam com quem estavam lidando.

— É impossível falar com a senhoria, e um absurdo dos mais tremendos — exclamou ele, persuadindo Pulkhéria Aleksándrovna. — Mesmo a senhora sendo a mãe, se ficar vai levá-lo ao estado de fúria, e então só o diabo sabe o que poderá acontecer! Ouçam o que vou fazer: agora Nastácia vai ficar lá tomando conta dele, e eu vou levar vocês duas para o seu apartamento, porque as senhoras não podem andar sozinhas pelas ruas de Petersburgo; sobre isso aqui em Petersburgo... Bem, não importa!... Depois, no mesmo instante, corro do seu apartamento para cá, e quinze minutos depois, dou minha honorabilíssima palavra, levo informação para a senhora: como ele está, se dorme ou não, e assim por diante. Depois, ouçam! Depois saio de sua casa e num abrir e fechar de olhos dou um pulinho no meu apartamento; lá estão meus convidados, todos bêbados. Pego Zóssimov — é o médico que trata dele, está no meu apartamento, não está bêbado; este não é bêbado, este nunca está bêbado! Trago-o para Rodka e depois o levo imediatamente para as senhoras: logo, em uma hora as senhoras receberão duas notícias sobre ele — e também do médico, entendem, do próprio médico; não é o mesmo que recebê-las de mim. Caso ele fique mal, juro, eu mesmo trarei as senhoras para cá; se estiver bem, então as senhoras podem ir dormir. Quanto a mim, passo a noite toda por aqui, no vestíbulo, ele nem vai saber; já Zóssimov eu mando pernoitar na casa da senhoria, para que ele esteja à mão. Então, o que é melhor para ele neste momento, a senhora ou o médico? Ora, o médico é mais útil, mais útil. Então, vão para casa! Já na casa da senhoria é impossível: para mim é possível, para as senhoras, impossível: ela não vai deixar entrar, porque... porque é uma imbecil. Vai ter ciúme de mim com Avdótia Románovna, se a senhora quer saber, e com a senhora também... Com Avdótia Románovna forçosamente. É de um gênio absolutamente, absolutamente imprevisível! Aliás, eu também sou um imbecil... Estou me lixando! Vamos indo! As senhoras confiam em mim? Então, confiam ou não?

— Vamos, mãezinha — disse Avdótia Románovna —, na certa ele fará como está prometendo. Ele já ressuscitou meu irmão, e se esse médico concordar em pernoitar aqui, poderemos desejar coisa melhor?

— Veja a senhora... a senhora... me entende, porque é um anjo! — bradou extasiado Razumíkhin. — Vamos! Nastácia! Sobe num instante e fica lá tomando conta dele, e leva o lampião; dentro de quinze minutos estou de volta...

Pulkhéria Aleksándrovna, mesmo sem estar inteiramente convencida, não resistiu mais. Razumíkhin deu o braço às duas e levou-as escada abaixo. Aliás ele a preocupava: "Ainda que seja desembaraçado, e bom, será que está em condição de cumprir o que prometeu? Ele está num estado!...".

— É, eu entendo, a senhora pensa que estou nesse estado! — Razumíkhin interrompeu os pensamentos dela, adivinhando-os e caminhando com seus passos agigantados pela calçada, de tal forma que as duas senhoras o seguiam a muito custo, o que, aliás, ele não notava. — Tolice! Isto é... estou embriagado como um imbecil, mas esse não é o problema; não é de vinho que estou embriagado. É que, quando vi a senhora, recebi um golpe na cabeça... Mas não mereço a mínima! Não ligue; isso é lorota; não sou digno da senhora... Sou indigno da senhora no mais alto grau!... Tão logo eu as deixe em casa, num instante, aqui mesmo no canal, deito na minha cabeça duas tinas de água e estarei pronto... Se as senhoras soubessem como eu gosto de ambas!... Não riam e nem se zanguem!... Zanguem-se com todos, mas não se zanguem comigo! Sou amigo dele, logo, das senhoras também. Eu quero tanto... Tive pressentimento disso... no ano passado, houve um instante... Pensando bem, não tive pressentimento nenhum, porque as senhoras, é como se tivessem caído do céu. Eu talvez passe a noite toda acordado... Ainda há pouco o Zóssimov temia que ele enlouquecesse... Eis por que não convém irritá-lo.

— O que o senhor está dizendo! — exclamou a mãe.

— Será que o próprio médico disse isso mesmo? — perguntou Avdótia Románovna, assustada.

— Disse, mas isso não vem ao caso, de maneira nenhuma. Ele ainda receitou um remédio, um pó, eu vi, mas aí as senhoras chegaram... Eh!... O melhor seria se as senhoras chegassem amanhã! Foi bom a gente ter saído. Daqui a uma hora o próprio Zóssimov informará as senhoras sobre isso tudo. Esse não está bêbado! E eu também não estarei bêbado... Por que eu enchi a cara desse jeito? Porque me meteram na discussão, malditos! É que eu tinha jurado não discutir!... Falam cada asneira! Por pouco não briguei! Deixei meu tio lá, presidindo... Bem, não sei se acreditam: exigem total falta de personalidade, e nisso encontram o próprio prazer! A gente tem de arranjar jeito de não ser o que é, de parecer o mínimo possível consigo mesmo! Entre eles é isso que se considera o mais elevado progresso. Se pelo menos mentissem a seu modo, no entanto...

— Escute — interrompeu timidamente Pulkhéria Aleksándrovna —, isso só pôs lenha na fogueira.

— E o que a senhora acha? — exclamou Razumíkhin, levantando ainda mais a voz. — A senhora acha que estou a favor de que eles mintam? Absurdo! Eu gosto quando mentem! A mentira é o único privilégio humano perante todos os organismos. Quem mente à verdade ascende! Minto, logo sou um homem. Nunca se chegou a nenhuma verdade sem antes haver mentido quatorze, e talvez até cento e quatorze vezes, e isso é uma espécie de honra; mas nós não somos capazes nem de mentir com inteligência! Mente para mim, mas mente a teu modo, e então eu te dou um beijo. Mentir a seu modo é quase melhor do que falar a verdade só à moda alheia; no primeiro caso és um homem, no segundo, não és mais que um pássaro! A verdade não foge e a vida a gente pode segurar com pregos; exemplos houve. Mas, e hoje, o que fazemos? Todos nós, todos sem exceção, no que se refere à ciência, ao desenvolvimento, ao pensamento, aos inventos, aos ideais, aos desejos, ao liberalismo, à razão, à experiência e tudo, tudo, tudo, tudo, ainda estamos na primeira classe preparatória do colégio! Nós nos contentamos em viver da inteligência alheia — e nos impregnamos! Não é verdade? Não é verdade o que estou falando? — bradava Razumíkhin, sacudindo e apertando as mãos de ambas as senhoras. — Não é verdade?

— Ô meu Deus, eu não sei — disse a pobre Pulkhéria Aleksándrovna.

— É, é... embora eu não concorde inteiramente com o senhor — acrescentou séria Avdótia Románovna e no mesmo instante deu um grito, tanta foi a dor do aperto de mão que desta vez ele lhe deu.

— É? A senhora disse é? Bem, então, depois disso a senhora... a senhora... — ele bradou enlevado —, a senhora é a fonte da bondade, da pureza, da razão e... da perfeição! Dê-me sua mão, dê-me... a senhora também me dê a sua, que quero beijar as vossas mãos aqui, neste momento, de joelhos!

Ele se ajoelhou no meio da calçada, por sorte deserta nesta ocasião.

— Pare com isso, eu lhe peço, o que o senhor está fazendo? — exclamou Pulkhéria Aleksándrovna extremamente inquieta.

— Levante-se, levante-se! — Dúnia ria e também estava inquieta.

— Por nada, antes que me deem as mãos! Assim, e chega, eu me levantei, vamos! Sou um bobalhão infeliz, sou indigno das senhoras, e bêbado, e estou envergonhado... Sou indigno de gostar das senhoras, mas curvar-se diante das senhoras é a primeira obrigação de cada um, desde que não seja um animal rematado! E eu me curvei... Eis os vossos quartos; e se Rodion estava certo em alguma coisa foi em ter expulsado o vosso Piotr Pietróvitch ainda há pouco! Como ele se atreveu a pôr as senhoras em quartos como esses? É um escândalo! As senhoras sabem quem entra aqui? Ora, a senhora é a noiva! A senhora é a noiva, não é? Sendo assim eu lhe digo que depois disso o seu noivo é um canalha!

— Ouça, senhor Razumíkhin, o senhor está passando do limite... — articulou Pulkhéria Aleksándrovna.

— Sim, sim, a senhora tem razão, eu passei do limite, estou envergonhado! — apercebeu-se Razumíkhin. — Mas... mas... a senhora não pode se zangar comigo por eu falar assim! Porque eu falo com sinceridade e não porque... hum! isso seria vil; em suma, não porque eu... pela senhora... hum! Bem, que seja, é dispensável, não vou dizer o porquê, não me atrevo!... Mal ele entrou, todos nós compreendemos que não é gente da nossa sociedade. Não porque ele entrasse de cabelo frisado no cabeleireiro, não porque ele se precipitasse em exibir sua inteligência, mas porque ele é um espião e especulador; porque é *jid* e prestidigitador, e isso é visível. A senhora acha que ele é inteligente? Não, ele é um imbecil, um imbecil! Por acaso ele é par para a senhora? Ô, meu Deus! Vejam, senhoras — parou repentinamente, já subindo a escada rumo aos quartos —, mesmo que todos os convidados que estão agora em minha casa sejam uns beberrões, são todos honestos, e mesmo que a gente minta, porque eu também minto, a gente vai acabar quebrando a cara de tanto mentir e chegando à verdade porque estamos no caminho decente, ao passo que Piotr Pietróvitch... não está no caminho decente. Apesar de eu ter acabado de censurar injuriosamente todos eles, respeito todos eles; mesmo sem respeitar Zamiétov, até dele eu gosto, porque é um fedelho! Até do animal do Zóssimov, porque é honesto e competente... Mas chega, tudo já foi dito e perdoado. Perdoado? Será? Bem, vamos. Conheço esse corredor, já estive aqui; nesse número três aqui houve um escândalo... Então, onde as senhoras estão alojadas? Em que número? Oito? Pois bem, tranquem-se para passar a noite, não deixem ninguém entrar. Daqui a quinze minutos volto trazendo notícias e mais meia hora depois venho com Zóssimov, verão! Adeus, estou com pressa.

— Meu Deus, Dúnietchka, em que isso vai dar? — falou Pulkhéria Aleksándrovna, dirigindo-se inquieta e assustada à filha.

— Fique calma, mãezinha — falou Dúnia, tirando o chapéu e a mantilha —, foi o próprio Deus que nos enviou esse senhor, mesmo que tenha vindo direto de alguma bebedeira. Podemos contar com ele, eu lhe asseguro. E tudo o que ele já fez pelo meu irmão...

— Ah, Dúnietchka, sabe Deus se ele voltará! E como me atrevi a deixar Ródia!... Não era nada assim, nada assim que eu imaginava encontrá-lo! Como esteve severo, parece até que não ficou contente com a nossa presença...

— Não, mãezinha, não é assim. A senhora não prestou atenção, a senhora só chorou. Ele está muito abalado por uma doença grave — essa é que é a causa de tudo.

— Ah, essa doença! Alguma coisa vai acontecer, alguma coisa! E como ele falou contigo, Dúnia! — disse a mãe timidamente, olhando a filha nos olhos a fim de ler todo o seu pensamento e já meio consolada por ver Dúnia defendendo Ródia; logo, ela o havia perdoado. — Estou certa de que amanhã ele pensará melhor, amanhã ele pensará melhor — acrescentou, sondando até o fim.

— Mas estou bem certa de que amanhã ele vai dizer a mesma coisa... sobre aquele assunto — cortou Avdótia Románovna, e isso, evidentemente, era um embaraço, porque aí havia um ponto em que Pulkhéria Aleksándrovna temia demais tocar nesse momento. Dúnia achegou-se e beijou a mãe. Esta a abraçou com força, em silêncio. Depois sentou-se com uma inquieta expectativa do retorno de Razumíkhin e passou a observar timidamente a filha que, de braços cruzados e também na expectativa, pôs-se a andar de um canto a outro do quarto, refletindo de si para si. Esse vaivém de um canto a outro, em meditação, era um hábito comum de Avdótia Románovna, e a mãe sempre tinha algum temor de interromper-lhe as meditações nesses momentos.

Razumíkhin, naturalmente, foi ridículo em sua paixão por Avdótia Románovna, súbita e inflamada pela embriaguez; entretanto, olhando para Avdótia Románovna, sobretudo agora, no seu vaivém de braços cruzados pelo quarto, triste e meditativa, muita gente talvez o desculpasse, e isso sem falar de sua condição de excêntrico. Avdótia Románovna era de uma beleza notável — alta, admiravelmente esbelta, forte, segura de si, o que se manifestava em cada gesto seu e, aliás, não tirava minimamente a leveza e a graça dos seus movimentos. De rosto era parecida com o irmão, mas se podia até chamá-la de bela. Tinha os cabelos castanho-escuros, um pouco mais claros que os dele; os olhos quase negros, flamejantes, altivos e ao mesmo tempo, às vezes, em alguns instantes, singularmente bondosos. Era pálida, mas não de uma palidez doentia; seu rosto irradiava frescor e saúde. A boca um pouco pequena, o lábio inferior, fresco e rubro, projetava-se levemente para a frente com o queixo — única assimetria nesse rosto lindo, mas que lhe dava um traço especial e, de passagem, até um quê de arrogância. A expressão do rosto era sempre mais séria que alegre, meditativa; mas, em compensação, como o sorriso combinava com esse rosto, como lhe caía bem o riso, alegre, juvenil, sem reservas! Compreende-se que o ardente Razumíkhin, franco, simplório, honesto, forte como um Hércules e bêbado, que jamais vira nada semelhante, tenha perdido a cabeça à primeira vista. Além do mais, como se fosse de propósito, o acaso lhe mostrava Dúnia pela primeira vez no belo momento do amor e da alegria do encontro com o irmão. Depois ele viu seu lábio inferior tremer de indignação em resposta às ordens ousadas e cruelmente ingratas do irmão — e não conseguiu resistir.

Ele, aliás, dissera a verdade, quando há pouco, levado pela embriaguez, dissera um monte de asneiras na escada, ao afirmar que a excêntrica senhoria de Raskólnikov, Praskóvia Pávlovna, iria sentir ciúmes dele não só com Avdótia Románovna mas até com a própria Pulkhéria Aleksándrovna. Apesar dos quarenta e três anos de Pulkhéria Aleksándrovna, seu rosto ainda conservava traços da antiga beleza e, ademais, ela aparentava ser bem mais jovem, o que acontece quase sempre com as mulheres que preservam até a velhice a lucidez do espírito, o frescor das impressões e o ardor honesto e puro do coração. Digamos, entre parênteses, que conservar tudo isso é o único meio de não perder a beleza nem na velhice. Os cabelos já começavam a receber tons grisalhos e a rarear, rugas em raias minúsculas vinham aparecendo há muito tempo perto dos olhos, as faces estavam cavadas e ressecadas de preocupação e sofrimento, e ainda assim o rosto era belo. Era o retrato do rosto de Dúnietchka só que vinte anos depois, além da expressão do lábio inferior, que na mãe não se projetava para a frente. Pulkhéria Aleksándrovna era sensível, mas sem chegar a piegas, tímida e condescendente, mas só até certo ponto: era capaz de ceder muito, de concordar com muitas coisas, inclusive com aquelas que contrariavam as suas convicções, mas sempre havia uma linha de honradez, de regras e convicções extremas que nenhuma circunstância podia forçá-la a ultrapassar.

Exatos vinte minutos após a saída de Razumíkhin, ouviram-se duas batidas baixas mas apressadas na porta; ele voltara.

— Não vou entrar, estou sem tempo! — apressou-se ele quando abriram a porta. — Está dormindo um sono de chumbo, magnificamente, tranquilo, e queira Deus que durma umas dez horas. Nastácia está lá; ordenei que não saísse antes de minha chegada. Agora vou trazer Zóssimov; ele lhes dará informação, depois as duas também irão dormir; vejo que estão exaustas a não poder mais.

E lançou-se corredor afora.

— Que rapaz desembaraçado e... dedicado! — exclamou Pulkhéria Aleksándrovna com extrema satisfação.

— Parece uma pessoa excelente! — respondeu Avdótia Románovna com certo ardor, voltando a andar de um canto a outro do quarto.

Quase uma hora depois ouviram-se passos no corredor e outra batida na porta. Ambas as mulheres aguardavam, desta vez acreditando realmente na promessa de Razumíkhin; e de fato, ele conseguira trazer Zóssimov. Este concordou imediatamente em deixar o banquete e ir visitar Raskólnikov, mas foi ver as senhoras a contragosto e muito desconfiado, suspeitando do bêbado Razumíkhin. No entanto o seu amor-próprio ficou imediatamente tranquilizado e até lisonjeado: compreendeu que realmente o esperavam como um oráculo: ficou ali exatos dez minutos e conseguiu convencer e acalmar Pulkhéria Aleksándrovna. Falava com um interesse excepcional mas comedido, e com uma seriedade redobrada, exatamente como um médico de vinte e sete anos em uma consulta importante, e não desviou uma só palavra do objeto nem revelou a mínima vontade de entrar em relações mais pessoais e particulares com as duas. Notando logo ao entrar a beleza deslumbrante de Avdótia Románovna, empenhou-se de imediato até em ignorá-la inteiramente durante todo o tempo da visita, e dirigia-se exclusivamente a Pulkhéria Aleksándrovna. Tudo isso lhe dava uma extraordinária satisfação interior. Quanto ao próprio doente, disse que nesse momento ele estava em estado bastante satisfatório. Segundo suas próprias observações, a doença do paciente, além da má situação material dos últimos meses de vida, tinha ainda algumas causas éticas: "É, por assim dizer, produto de muitas influências morais e materiais complexas, inquietações, temores, preocupações, de certas ideias... e assim por diante". Notando de relance que Avdótia Románovna passara a escutar com atenção especial, Zóssimov estendeu-se um pouco mais nesse tema. À pergunta ansiosa e tímida de Pulkhéria Aleksándrovna sobre "se haveria algumas suspeitas de loucura" respondeu, com um riso tranquilo e franco, que haviam exagerado demais as suas palavras; que, evidentemente, observava-se no doente uma espécie de ideia fixa, alguma coisa que acusava monomania — área sumamente interessante da medicina, que por sinal ele, Zóssimov, vinha estudando naquele momento —, mas era preciso lembrar que o doente estivera delirando quase que até hoje e... é claro, a chegada dos familiares iria fortalecê-lo, distraí-lo e ter um efeito salvador, "desde que seja possível evitar novas comoções extraordinárias" — acrescentou em tom expressivo. Depois levantou-se, afastou-se com ar respeitável e cordial, acompanhado de anuências, uma cálida gratidão, súplicas, e até da mãozinha de Avdótia Románovna que a ele se estendera para um aperto, sem que ele a procurasse, e saiu sumamente satisfeito com sua visita e ainda mais consigo mesmo.

— Amanhã conversaremos; agora vão dormir, sem falta! — assegurou Razumíkhin, saindo com Zóssimov. — Amanhã, o mais cedo que puder, estarei aqui trazendo informações.

— Mas que moça encantadora essa Avdótia Románovna! — observou Zóssimov quase se lambendo, quando os dois chegaram à rua.

— Encantadora? Tu disseste encantadora! — mugiu Razumíkhin e súbito lançou-se sobre Zóssimov e o agarrou pela gola. — Se algum dia te atreveres... Estás entendendo? Estás entendendo? — gritou, sacudindo-o pela gola e apertando-o contra a parede — ouviste?

— Larga-me, diabo bêbado! — rechaçou-o Zóssimov e depois, quando o outro já o havia largado, olhou fixo para ele e repentinamente desatou a rir. Razumíkhin estava parado diante dele, de braços caídos, em meditação sombria e séria.

— Naturalmente eu sou um asno — pronunciou sombrio como uma nuvem —, mas acontece que... tu também és.

— Ah, não, meu irmão, eu não sou mesmo. Não sonho com tolices.

Os dois seguiram calados, e só quando se aproximavam do apartamento de Raskólnikov, Razumíkhin, seriamente preocupado, interrompeu o silêncio.

— Escuta — disse ele a Zóssimov —, tu és um bom rapaz, no entanto, além de todas as tuas péssimas qualidades, ainda és um devasso, e dos sórdidos, e eu sei disso. És um calhorda nervoso, fraco, és extravagante, ficaste obeso e não consegues abrir mão de nada — e isso eu já chamo de sordidez, porque leva diretamente à sordidez. Tu te fizeste de tal forma mimado que, confesso, o que menos entendo é como, apesar de tudo isso, consegues ser um médico bom e até abnegado. Dormes em colchão de penas (um médico!) e às noites te levantas para atender um doente! Daqui a uns três anos já não estarás te levantando para atender um doente... Ora, bolas, diabos, o problema não é esse, mas outro: hoje tu vais pernoitar no apartamento da senhoria (a muito custo consegui convencê-la!) e eu na cozinha: eis uma oportunidade para vocês dois se conhecerem mais de perto! Não é o que estás pensando! Aí, meu caro, não há nem sombra disso...

— Só que não estou nem pensando...

— Aqui, meu caro, há o pudor, o mutismo, o acanhamento, a castidade obstinada, e a despeito de tudo isso — os suspiros, e ela derrete como cera, e derrete mesmo! Livra-me dela, por todos os diabos desse mundo! É o máximo da *avenântica*!... Eu te recompenso, te dou a cabeça em recompensa!

Zóssimov deu uma gargalhada ainda maior que a anterior.

— Estás mesmo de porre! Para que ela me serve?

— Eu te asseguro que não dará muito trabalho, basta que fales a bobagem que quiseres, basta que te sentes ao lado e fales. Além disso és médico, começa a tratá-la de alguma coisa. Juro que não vais te arrepender. No quarto dela há um clavicórdio; eu, como sabes, toco um pouco, e mal; eu sei uma cançãozinha, russa, autêntica: "Eu derramarei lágrimas amargas...". Ela gosta das autênticas — bem, foi com uma canção que tudo começou; e tu no piano és um virtuose, um mestre, um Rubinstein...[1] Asseguro que não vais te arrepender!

— Fizeste algum tipo de promessa a ela? Assumiste um compromisso por escrito? Vai ver que prometeste casamento...

— Nada, nada, não houve absolutamente nada disso! Aliás ela não tem nada desse tipo: Tchebarov andava com ela...

— Então larga dela!

— Mas não posso largá-la assim!

— E por que não?

— Ora essa, de certa forma não posso, e só! Aqui, meu caro, há um princípio de atração.

— Sendo assim, por que então tu a atraíste?

— Só que eu não a atraí coisa nenhuma, vai ver até que eu é que fui atraído, por uma asneira minha, ao passo que para ela vai dar decididamente no mesmo se serei eu ou tu a estar ao lado, contanto que haja alguém a seu lado e suspirando. Pois bem, meu irmão... Não consigo exprimir isto para ti; pois bem, tu conheces bem matemática, e ainda hoje a estudas, estou sabendo... pois então, começa a lecionar a ela cálculo integral, juro que não estou brincando, para ela vai dar decididamente no mesmo; vai ficar olhando para ti e suspirando, e isso um ano inteiro sem interrupção. Entre outras coisas, levei um longo tempo, dois dias consecutivos, falando da câmara

---

[1] Anton Grigórievitch Rubinstein (1829-1894), famoso pianista e compositor russo. (N. do T.)

alta do parlamento prussiano para ela (porque, o que eu iria conversar com ela?), e ela se limitou a suspirar e transpirar! Só não lhe fales de amor — é tímida a ponto de entrar em convulsão —, mas finge que não consegues te afastar — e basta. É o máximo conforto; a gente se sente exatamente como em casa — a gente lê, escreve, senta, deita... Pode até dar uns beijos, com cautela...

— Ora, para que ela me serve?

— Eh, não tenho como te explicar. Vê: vocês dois foram feitos um para o outro! Antes eu já estava pensando em ti... Porque é assim que vais acabar! Então que diferença faz para ti que seja cedo ou tarde? Aqui, meu irmão, existe um princípio que passa por colchão macio — eh! e não só pelo colchão macio! A coisa atrai; é o fim do mundo, a âncora que se joga, o ancoradouro ameno, o umbigo da terra, o mundo fundado sobre três peixes, a essência das panquecas, dos gordurosos pastelões de carne, do samovar às noitinhas, dos suspiros suaves e das *katsaveikas* agasalhadoras, dos leitos de tijolo com aquecimento — pois bem, é como se tivesses morrido mas ao mesmo tempo estás vivo, usufruindo das duas vantagens simultaneamente. Então, meu irmão, com os diabos, abusei da lorota, é hora de dormir! Ouve: às vezes eu acordo durante a noite, aí vou lá dar uma olhada nele. Só que não haverá de ser nada, uma tolice, tudo vai bem. Tu também não precisas te preocupar muito, mas, se quiseres, dá uma chegadinha lá também. Agora, se notares a mínima coisa, delírio, por exemplo, ou febre, ou outra coisa, me acorda no mesmo instante. Aliás, é impossível...

## II

No dia seguinte Razumíkhin acordou depois das sete horas preocupado e sério. Essa manhã lhe trouxe subitamente muitas dúvidas novas e imprevistas. Antes ele nunca havia sequer imaginado que um dia acordaria assim. Lembrava-se até nos últimos detalhes de tudo o que ocorrera na véspera e compreendia que lhe acontecera algo incomum, que experimentara uma impressão que até aquele momento ignorava por completo e era diferente de todas as anteriores. Ao mesmo tempo, tinha a nítida consciência de que o sonho que se desencadeara em sua cabeça era sumamente irrealizável — irrealizável a tal ponto que até se envergonhou dele e sem perda de tempo passou a outras preocupações e dúvidas mais substantivas que lhe haviam ficado como herança do "trimaldito dia de ontem".

A lembrança mais aterradora era a de como havia sido "baixo e torpe", não só porque estivesse bêbado mas por ter destratado o noivo da moça na presença dela, aproveitando-se da situação dela, movido por um ciúme tolo e precipitado, ignorando não só as relações de reciprocidade e os compromissos entre os dois, mas até mesmo sem conhecer direito o homem. Ademais, quem lhe dera o direito de emitir juízos sobre ele de forma tão precipitada e irrefletida? E quem o chamara a arrogar-se em juiz? E por acaso uma criatura como Avdótia Románovna podia entregar-se por dinheiro a um homem indigno? Logo, ele também tinha méritos. Os quartos? Mas como ele poderia saber que tipo de quartos eram aqueles? Ora, se estava preparando o apartamento... arre, como isso tudo é baixo! E por que essa justificativa de que ele estava bêbado? Uma ressalva tola que o humilhava ainda mais! No vinho está a verdade, e eis que toda a verdade se manifestou, "isto é, toda a sordidez do seu coração invejoso, grosseiro, manifestou-se"! Acaso um sonho como esse é minimamente lícito a ele, Razumíkhin? Quem é ele se comparado a uma moça como essa — ele, o beberrão turbulento e fanfarrão de ontem? "Pode lá ser possível uma comparação tão cínica e ridícula?" Razumíkhin corou de desespero ao pensar nisso e súbito, como se fosse de propósito, veio-lhe nítida a lembrança de que na véspera dissera a elas na escada que a senhoria iria ter ciúmes dele com Avdótia Románovna... isso era mesmo insuportável. Deu com toda a força um murro no fogão da cozinha, machucou a mão e arrebentou um tijolo.

"É claro — resmungou de si para si um minuto depois, com certo sentimento de auto-humilhação —, é claro que agora nunca mais vou encobrir nem reparar essas sujeiras todas... logo, não convém sequer pensar nisso e por essa razão devo me apresentar calado, e... cumprir com as minhas obrigações... também calado, e... não pedir desculpas, e não falar nada, e... e, é claro que tudo agora está perdido!"

E entretanto, ao vestir-se, ele examinou o terno de forma mais escrupulosa que de costume. Não tinha outra roupa, e mesmo que tivesse talvez não a vestisse — "é, não vestiria de propósito". Em todo caso, não podia continuar sendo um cínico e um desleixado sujo: não tinha o direito de ofender os sentimentos dos outros, ainda mais porque esses outros estavam precisando dele e o chamavam à sua casa. Escovou cuidadosamente a roupa. A roupa branca estava sempre tolerável; nesse item ele era especialmente asseado.

Nessa manhã lavou-se com diligência — arranjou sabão com Nastácia —, lavou a cabeça, o pescoço e especialmente as mãos. Quando se colocou a questão: tirar ou não a barba cerdosa (Praskóvia Pávlovna tinha uma navalha excelente, que pertencera ao falecido Zarnítsin), o problema foi resolvido negativamente até com obstinação: "Que fique como está! Vamos que pensem que eu tirei a barba para... sim, forçosamente vão pensar! Ora, por nada no mundo!

"E... e o principal, ele é tão grosseiro, sórdido, sua linguagem é de botequim; e... e, suponhamos, ele sabe que também é, ainda que um pouquinho, um homem direito... então, de que orgulhar-se, de ser um homem direito? Todo homem deve ser direito, e ainda por cima mais limpo, e... e mesmo assim (está lembrado disso) havia uns negócios na conta dele... não é que fossem desonestos, mas, não obstante!... E que intentos acalentava! hum... e colocar tudo isso ao lado de Avdótia Románovna! Essa é boa, com os diabos! Que seja! E vou continuar de propósito sendo o mesmo sórdido, indecente, de botequim, e estou me lixando! Vou ser pior ainda!..."

Nesses monólogos foi surpreendido por Zóssimov, que pernoitara na sala de Praskóvia Pávlovna.

Ele estava indo para casa e, ao sair, tinha pressa em dar uma olhada no doente. Razumíkhin o informou que ele estava dormindo profundamente. Zóssimov deu ordem para que não o despertassem, que o deixassem acordar por si mesmo. E prometeu retornar pessoalmente por volta das onze.

— Se é que ele vai estar em casa — acrescentou. — Arre, diabo! Não tenho poder sobre o meu paciente, e eu que tente curá-lo! Sabes se *ele* irá à casa daquelas ou *aquelas* virão para cá?

— Aquelas, penso eu — respondeu Razumíkhin, compreendendo o objetivo da pergunta —, evidentemente vão ficar conversando sobre os seus assuntos familiares. Eu vou indo. Tu, como médico, naturalmente tens mais direito que eu.

— Não sou confessor; virei e irei embora; já tenho muito o que fazer sem elas.

— Uma coisa me preocupa — interrompeu Razumíkhin, franzindo o cenho. — Ontem, no porre, dei com a língua nos dentes com ele quando vínhamos para cá, falei um monte de besteiras... várias... de passagem que tu temias que ele... estivesse propenso à loucura.

— E ontem à noite deixaste escapar a mesma coisa para as senhoras.

— Sei que foi uma tolice! Se quiseres podes me bater! Agora, falando sério, tinhas alguma ideia sólida a respeito?

— Qual, absurdo; que ideia fixa que nada! Tu mesmo o descreveste como monomaníaco quando me trouxeste para visitá-lo... E ontem à noite nós ainda pusemos lenha na fogueira, ou seja, tu com aquelas histórias... do pintor de parede; boa conversa num momento em que ele talvez estivesse louco com o assunto! Se eu soubesse com precisão o que havia acontecido na delegacia e que lá um pulha qualquer levantou essa suspeita e... o ofendeu! Hum... não teria permitido semelhante conversa ontem. Porque esses monomaníacos fazem de uma gota um oceano, veem fantasmas de olhos abertos... Até onde me lembro, ontem, a história de Zamiétov me esclareceu metade do caso. Até aí! Conheço o caso de um hipocondríaco de quarenta anos que, sem condição de suportar as caçoadas diárias de um menino de oito anos, degolou-o quando estavam à mesa! Aqui nós temos um homem todo esfarrapado, um policial descarado, uma doença em fase inicial e uma suspeita como essa! E lançada sobre um hipocondríaco delirante! De uma vaidade raivosa, excepcional! E é aí que pode estar todo o ponto de partida da doença! Pois é, diabos!... A propósito, esse Zamiétov é um rapazinho encantador, só que hum... não valeu a pena ele ter contado aquilo tudo ontem. É um tremendo falastrão!

— Mas contou a quem? A mim e a ti?

— E a Porfiri.

— E qual é o problema de ele ter contado a Porfiri?

— A propósito, tu exerces alguma influência sobre aquelas duas, a mãe e a irmã? Seria bom mais cautela com elas hoje...

— Vão acabar concordando! — respondeu a contragosto Razumíkhin.

— E por que ele tratou daquele jeito esse Lújin? É homem de dinheiro, e ela, ao que parece, não o acha um nojo... Elas não têm onde cair mortas, não é?

— Ora bolas, por que esse interrogatório? — bradou Razumíkhin irritado. — Como é que eu vou saber se têm onde cair mortas ou não? Pergunta tu mesmo, pode ser que descubras...

— Arre, como às vezes és tolo! Ainda estás com ressaca de ontem... Até logo; agradece por mim a Praskóvia Pávlovna pelo pernoite. Trancou-se, não respondeu ao meu *bonjour*[2] por trás da porta, mas se levantou às sete e passaram da cozinha pelo corredor levando o samovar para ela... Não fui agraciado com o prazer de vê-la...

Às nove horas em ponto Razumíkhin apareceu no apartamento do edifício Bakalêiev. As duas o aguardavam há muito tempo com uma ansiedade histérica. Haviam-se levantado por volta das sete ou até antes. Ele entrou sombrio como a noite, fez um cumprimento desajeitado e no mesmo instante zangou-se — consigo, é claro. Calculava não encontrar o noivo: Pulkhéria Aleksándrovna lançou-se no mesmo instante para ele, agarrou-lhe ambas as mãos e por pouco não as beijou. Ele olhou timidamente para Avdótia Románovna; mas até nesse rosto arrogante havia nesse instante tal expressão de reconhecimento e amizade, uma estima tão completa e inesperada para ele (em vez do olhar zombeteiro e do desprezo involuntário que mal se disfarçava!) que, palavra, ser-lhe-ia mais fácil se o tivessem recebido com impropérios, porque o clima acabou ficando desconcertante demais. Por sorte o tema da conversa estava pronto e foi logo se agarrando a ele.

Ao ouvir "ainda não acordou" mas "está tudo ótimo", Pulkhéria Aleksándrovna anunciou que isso era até melhor, porque precisava "muito, muito, muito trocar opiniões". Seguiu-se a questão do chá e o convite para que o tomassem juntos; elas mesmas ainda não o haviam tomado, esperando por Razumíkhin. Avdótia Románovna acionou a campainha, ao chamado apareceu um maltrapilho sujo, e lhe deram ordem para trazer o chá, que foi finalmente servido, mas com tanta sujeira e inconveniência que as senhoras ficaram envergonhadas. Razumíkhin ia censurar energicamente o quarto, mas se lembrou de Lújin, ficou calado, atrapalhou-se e sentiu um imenso contentamento quando Pulkhéria Aleksándrovna passou a fazer uma pergunta atrás da outra.

Ao responder-lhes, ele falou durante quarenta e cinco minutos, sendo interrompido e interrogado continuamente, e conseguiu transmitir todos os

---

[2] Em francês no original, mas com caracteres russos. (N. do T.)

fatos mais importantes e indispensáveis que conhecia do último ano de vida de Rodion Románovitch, concluindo com um relato minucioso sobre a sua doença. Aliás, omitiu muita coisa que precisava mesmo ser omitida, entre elas a cena da delegacia com todas as suas consequências. Ouviram seu relato com sofreguidão; mas quando ele pensava que já havia terminado e deixado satisfeitas as suas ouvintes, verificou-se que para elas era como se ele ainda nem tivesse começado.

— Diga-me, diga-me o que o senhor acha... ah, desculpe, até agora eu ainda não sei o seu nome — apressou-se Pulkhéria Aleksándrovna.

— Dmitri Prokófitch.

— Pois então, Dmitri Prokófitch, eu gostaria muito, muito mesmo de saber... como de um modo geral... ele está vendo as coisas agora, isto é, me entenda, como dizer isso ao senhor, ou melhor: do que ele gosta e do que não gosta? Ele anda sempre assim irritadiço? Quais são os desejos dele e, por assim dizer, os sonhos dele, pode me dizer? O que precisamente está exercendo influência especial sobre ele neste momento? Numa palavra, eu desejaria...

— Ah, mãezinha, como é possível responder tão de repente a tudo isso? — observou Dúnia.

— Ah, meu Deus, é que eu não esperava de maneira nenhuma, de maneira nenhuma encontrá-lo assim, Dmitri Prokófitch.

— Mas isso é muito natural — respondeu Dmitri Prokófitch. — Eu não tenho mãe, mas todo ano meu tio vem me visitar e cada vez quase não me reconhece nem pela aparência, e ele é um homem inteligente. Bem, nesses três anos de separação entre vocês muita água correu debaixo da ponte. O que dizer à senhora? Eu conheço Rodion há um ano e meio: carrancudo, sombrio, soberbo e altivo; ultimamente (ou talvez bem antes) anda cismado e hipocondríaco. É magnânimo e bom. Não gosta de externar seus sentimentos e antes prefere uma crueldade a fazer falar o coração. Às vezes, porém, não tem nada de hipocondríaco, mas é simplesmente frio e insensível até a desumanidade, palavra, como se nele se alternassem dois caracteres opostos. Às vezes é terrivelmente taciturno! Nunca tem tempo para nada, tudo o atrapalha, mas vive deitado sem fazer nada. Não galhofa, e não porque lhe falte graça, mas é como se não lhe restasse tempo para semelhantes futilidades. Não ouve até o fim o que os outros falam. Nunca se interessa pelo que todos os outros estão interessados em dado momento. Tem um conceito terrivelmente alto de si mesmo e, parece, não deixa de ter certo direito a isso. Bem, que mais?... Acho que a sua vinda terá sobre ele a mais salutar influência.

— Ah, queira Deus! — exclamou Pulkhéria Aleksándrovna, atormentada com as referências de Razumíkhin ao seu Ródia.

Por fim Razumíkhin olhou mais detalhadamente para Avdótia Románovna. Durante a conversa vinha lançando-lhe olhares frequentes mas fugidios, por um só instante, e imediatamente desviava os olhos. Avdótia Románovna ora se sentava à mesa e escutava atentamente, ora tornava a levantar-se e retomava o seu hábito de andar de um canto a outro do quarto, de braços cruzados, apertando os lábios, de raro em raro fazendo a sua pergunta sem parar de andar, refletindo. Também tinha o hábito de não ouvir até o fim o que falavam. Trajava um vestido de fazenda leve de tonalidade escura, e tinha um pequeno cachecol branco preso ao pescoço. Por muitos indícios Razumíkhin percebeu no mesmo instante que a situação de ambas as mulheres era de extrema pobreza. Estivesse Avdótia Románovna vestida como uma rainha e ele, parece, não teria nenhum medo dela; agora, porém, talvez precisamente porque ela estivesse vestida de jeito tão pobre e ele houvesse percebido toda essa situação de tamanha escassez, o medo se instalava em seu coração e ele passou a temer cada palavra, cada gesto, o que, é claro, era embaraçoso para um homem que, além disso, já não confiava em si mesmo.

— O senhor falou muita coisa curiosa sobre o caráter do meu irmão e... falou de forma imparcial. Isso é bom; eu pensava que o senhor fosse reverente com ele — observou Avdótia Románovna com um sorriso. — Parece que também é verdade que ao lado dele deve estar uma mulher — acrescentou ela meditativa.

— Eu não disse isso, mas, pensando bem, é possível que a senhora tenha razão nesse ponto, só...

— O quê?

— Ele não gosta de ninguém; talvez nunca venha a gostar — interrompeu Razumíkhin.

— Ou seja, não é capaz de vir a gostar?

— Sabe, Avdótia Románovna, a senhora mesma é terrivelmente parecida com seu irmão, em tudo mesmo! — deixou escapar subitamente, de modo inesperado para si próprio, mas ao lembrar-se do que acabara de dizer a ela mesma sobre o irmão, ficou vermelho como um camarão e terrivelmente desconcertado. Avdótia Románovna não pôde deixar de rir olhando para ele.

— No que se refere a Ródia vocês dois podem estar enganados — pegou a deixa Pulkhéria Aleksándrovna, um tanto ferida. — Não falo deste momento, Dúnietchka. O que Piotr Pietróvitch escreve nessa carta... e o que nós duas supúnhamos pode não ser verdade, mas o senhor não pode imaginar,

Dmitri Prokófitch, como ele é fantástico e, como dizer, cheio de caprichos. Eu nunca pude confiar no caráter dele, nem quando ele tinha quinze anos. Estou certa de que também agora ele pode fazer consigo mesmo o que nenhuma pessoa jamais pensou fazer... E não é preciso ir longe: o senhor sabe que um ano e meio atrás ele me deixou pasma, abalada e quase me matou quando inventou de casar com aquela, como se chama — com a filha dessa Zarnítsina, senhoria dele?

— O senhor conhece os detalhes dessa história? — perguntou Avdótia Românovna.

— O senhor acha — continuou com ardor Pulkhéria Aleksándrovna — que naquele momento minhas lágrimas, meus pedidos, minha doença, minha morte talvez de saudade, e nossa miséria o teriam demovido? Que ele teria passado tranquilamente por cima de todos esses obstáculos? Será mesmo que ele, será que ele não gosta da gente?

— Ele mesmo nunca me falou nada sobre essa história — respondeu cauteloso Razumíkhin —, mas eu ouvi alguma coisa da própria senhora Zarnítsina, que, em certo sentido, também não é de contar histórias, e o que ouvi talvez chegue a ser até um tanto estranho...

— E o que o senhor ouviu? — perguntaram simultaneamente as duas mulheres.

— Pensando bem, nada de tão especial. Fiquei sabendo apenas que o tal casamento, que já estava inteiramente acertado e só não se realizou por causa da morte da noiva, não era nada do agrado da própria senhora Zarnítsina... Além disso, dizem que a noiva nem era bonita, ou seja, dizem ainda que era até pateta... do tipo enfermiço, e... e estranha... mas, por outro lado, parece que tinha algumas qualidades. Devia ter forçosamente algumas qualidades; do contrário não daria para entender nada... Dote não possuía nenhum, e além disso ele não iria contar com dote... De um modo geral, nesse tipo de assunto é difícil julgar.

— Estou segura de que a moça tinha qualidades — observou laconicamente Avdótia Românovna.

— Deus me perdoe, mas fiquei tão contente com a morte dela naquele momento, embora não saiba quem iria arruinar quem: ele a ela ou ela a ele? — concluiu Pulkhéria Aleksándrovna. Em seguida, lançando olhares cautelosos, demorados e contínuos para Dúnia, o que a desagradava visivelmente, voltou a interrogar sobre a cena da véspera envolvendo Ródia e Lújin. Via-se que esse incidente era o que mais a perturbava, suscitando temor e tremor. Razumíkhin tornou a contar tudo minuciosamente, mas desta vez acrescentou a sua conclusão: acusou diretamente Raskólnikov de ter ofendido Piotr

Pietróvitch de propósito, desta feita desculpando-o muito pouco pela doença.

— Ele já havia idealizado isso antes da doença — acrescentou.

— Eu também acho — disse Pulkhéria Aleksándrovna com ar mortificado. Mas ficou muito surpresa ao ver que desta feita Razumíkhin se referia a Piotr Pietróvitch com tanta cautela e até com um aparente respeito. Isso surpreendeu também Avdótia Románovna.

— Então é essa a sua opinião sobre Piotr Pietróvitch? — não se conteve e perguntou Pulkhéria Aleksándrovna.

— Sobre o futuro esposo da sua filha eu não posso ter outra opinião — respondeu Razumíkhin com firmeza e ardor —, e não estou falando por uma simples cortesia vulgar, mas porque... porque... bem, ao menos pelo simples fato de que a própria Avdótia Románovna se dignou, por livre e espontânea vontade, escolher esse homem. Se ontem eu o insultei daquela forma, foi porque ontem eu estava sordidamente bêbado e ainda... louco; sim, louco, perdi a cabeça, enlouqueci, inteiramente... e hoje estou com vergonha daquilo!... — Corou e calou-se. Avdótia Románovna inflamou-se, mas não rompeu o silêncio. Não disse uma só palavra desde o momento em que começaram a falar de Lújin.

Enquanto isso, Pulkhéria Aleksándrovna, sem o apoio dela, estava visivelmente indecisa. Por fim, gaguejando e olhando sem cessar para a filha, declarou que agora estava muito preocupada com uma circunstância.

— Veja, Dmitri Prokófitch... — começou. — Posso ser inteiramente franca com Dmitri Prokófitch, Dúnietchka?

— Ora, mãezinha, é claro — observou Avdótia Románovna com ar grave.

— Eis o que está acontecendo — apressou-se a outra, como se lhe tivessem tirado uma montanha dos ombros com a permissão para que externasse a sua mágoa. — Hoje, muito cedo, recebemos um bilhete de Piotr Pietróvitch em resposta à nossa participação de ontem sobre a chegada. Veja, ontem ele devia ter nos recebido na própria estação ferroviária, como havia prometido. Em vez disso, mandou nos receber na estação um criado qualquer, com o endereço deste apartamento e para nos mostrar o caminho, e Piotr Pietróvitch lhe deu ordens para nos avisar que ele mesmo nos visitaria aqui hoje pela manhã. Em vez disto, recebemos dele esta manhã este bilhete... O melhor é que o senhor mesmo o leia; aí existe um ponto que está me preocupando muito... agora o senhor mesmo verá que ponto é esse e... me dê sua opinião franca, Dmitri Prokófitch! O senhor conhece melhor que ninguém o caráter de Ródia e melhor que ninguém pode aconselhar. Eu o previno de que Dúnietchka já resolveu tudo, desde o primeiro momento, mas eu ainda não sei como agir, e... estava esperando muito pelo senhor.

"Minha cara senhora Pulkhéria Aleksándrovna, tenho a honra de levar ao seu conhecimento que, por força de impedimentos imprevistos, não pude recebê-la na plataforma da estação ferroviária, enviando com esse fim este homem bastante desembaraçado. De igual maneira, privo-me da honra de encontrá-la também amanhã pela manhã por força de assuntos inadiáveis do Senado e para não atrapalhar o seu encontro familiar com o filho e o de Avdótia Románovna com o irmão. Terei a honra de visitá-la e cumprimentá-la em seu apartamento não antes de amanhã, às oito horas da noite em ponto, e atrevo-me a ajuntar meu pedido convincente e, acrescento, insistente, para que ao nosso encontro já não esteja presente Rodion Románovitch, uma vez que ele me ofendeu de forma inaudita e descortês quando ontem eu o visitei na doença e, além disso, por ter de dar pessoalmente à senhora uma explicação necessária e minuciosa sobre um determinado ponto, a respeito do qual desejo conhecer a sua própria interpretação. Tenho a honra de preveni-la antecipadamente de que se, contrariando o meu pedido, encontrar Rodion Románovitch, serei forçado a me retirar imediatamente, e então a culpa será só sua. Escrevo ainda na suposição de que Rodion Románovitch, que durante a minha visita parecia tão doente e duas horas depois estava repentinamente recuperado, pode, consequentemente, sair de casa e vir visitá-la. Pude me convencer disto pelos meus próprios olhos no quarto de um beberrão que foi atropelado por cavalos e em função disto acabou morrendo, a cuja filha, moça de conduta altamente deplorável, ele deu aproximadamente vinte e cinco rublos a pretexto do enterro, o que me deixou bastante apreensivo por saber das diligências que a senhora teve de fazer para reunir toda essa quantia. Sem mais, aproveitando para enviar minhas provas de especial consideração à prezada Avdótia Románovna, peço receber os protestos de lealdade respeitosa do seu obediente servidor,

P. Lújin"

— O que devo fazer agora, Dmitri Prokófitch? — falou Pulkhéria Aleksándrovna a ponto de chorar. — Ora, como vou sugerir a Ródia para não comparecer? Ontem ele exigiu com tanta insistência o rompimento com

Piotr Pietróvitch, e agora me ordenam que ele mesmo não seja recebido aqui! Mas ele virá de propósito tão logo fique sabendo, e... então o que vai acontecer?

— Faça como decidiu Avdótia Románovna — respondeu Razumíkhin de imediato e calmamente.

— Ah, meu Deus! Ela diz... só Deus sabe o que ela diz, ela não me explica o objetivo! Diz que será melhor, ou seja, não propriamente melhor, mas que por alguma razão seria preciso que Ródia também viesse sem falta e de propósito hoje às oito e que os dois se encontrassem sem falta... Só que eu não gostaria de mostrar a carta assim a ele, mas, por intermédio do senhor, dar um jeito de ele não comparecer... porque ele é tão irascível... Além do mais, não estou entendendo que beberrão foi esse que morreu, e que filha é essa, e como é que ele foi dar a essa tal filha tudo o que lhe restava do dinheiro... que...

— Que saiu tão caro à senhora, mãezinha — acrescentou Avdótia Románovna.

— Ontem ele estava fora de si — pronunciou Razumíkhin com ar meditativo. — Se as senhoras soubessem o que ele disse ontem na taberna, ainda que tenha sido inteligente.. hum! Quando voltávamos para a sua casa ele realmente me falou qualquer coisa sobre um certo falecido e uma certa moça, mas eu não compreendi uma palavra... Aliás, ontem eu mesmo...

— O melhor, mãezinha, é irmos nós mesmas à casa dele; lá, asseguro à senhora, nós logo veremos o que fazer. E além do mais já está na hora — meu Deus! Estamos caminhando para as onze! — exclamou ela, olhando para o seu magnífico relógio de ouro guarnecido de esmalte, pendurado em seu pescoço em uma corrente veneziana fina e em terrível desarmonia com o resto da roupa. "Presente do noivo", pensou Razumíkhin.

— Ah, está na hora!... Está na hora, Dúnietchka, na hora! — agitou-se inquieta Pulkhéria Aleksándrovna. — Ele ainda vai pensar que estamos zangadas desde ontem, porque ficamos tanto tempo sem aparecer. Ah, meu Deus!

Ao dizer isso, ela atirava agitada a mantilha sobre os ombros e punha o chapéu; Dúnietchka também se vestiu. As luvas que usava não estavam apenas surradas, estavam inclusive rasgadas, o que notou Razumíkhin; mas, por outro lado, essa notória pobreza da roupa chegava a dar a ambas as senhoras o ar de uma dignidade especial, o que sempre acontece com quem sabe usar uma roupa pobre. Razumíkhin olhava com veneração para Dúnia e estava orgulhoso porque iria conduzi-las. "A rainha — pensava de si para si —, que consertava suas meias na prisão; é claro que naquele instante tinha o ar de verdadeira rainha, até mais do que nos momentos das solenidades e saídas mais pomposas."[3]

— Meu Deus! — exclamou Pulkhéria Aleksándrovna — Poderia eu pensar que iria temer um encontro com meu filho, com meu amável, amável Ródia, como estou temendo agora!?... Estou com medo, Dmitri Prokófitch! — acrescentou ela, olhando timidamente para ele.

— Não tenha medo, mãezinha — disse Dúnia, beijando-a —, é melhor acreditar nele. Eu acredito.

Saíram para a rua.

— Sabes, Dúnietchka, mal eu adormeci ao amanhecer sonhei com a falecida Marfa Pietróvna... e toda de branco, veio a mim, pegou-me pela mão e ficou balançando a cabeça para mim, tão severa, tão severa, como se me censurasse. Será que isso é bom presságio? Ah, meu Deus, Dmitri Prokófitch, o senhor ainda não sabe: Marfa Pietróvna já morreu!

— Não, não sei; que Marfa Pietróvna?

— Morreu de repente! E imagine...

— Depois, mãezinha — interferiu Dúnietchka —, porque ele ainda não sabe quem é Marfa Pietróvna.

— Ah, não sabe? E eu pensava que o senhor já estivesse a par de tudo. Desculpe, Dmitri Prokófitch, nesse últimos dias eu tenho andado simplesmente tonta. Palavra, eu considero o senhor uma espécie de Providência nossa, e por isso estava certa de que o senhor já estava a par de tudo. Eu considero o senhor uma pessoa da família... Não se zangue por eu falar assim. Ah, meu Deus, o que foi isso na sua mão direita! Machucou-se?

— Sim, me machuquei — balbuciou Razumíkhin tomado de felicidade.

— Às vezes eu sou muito expansiva, de sorte que Dúnia me corrige... Mas, meu Deus, em que cubículo ele mora! Será que já acordou? E aquela mulher, a senhoria dele, considera aquilo um quarto? Ouça, o senhor diz que ele não gosta de expandir-se, então é possível que eu o aborreça com as minhas... fraquezas?... Será que o senhor não me diz, Dmitri Prokófitch? Como me portar com ele? Eu, saiba o senhor, estou totalmente perdida.

— Não o interrogue muito sobre alguma coisa se perceber que ele está de cenho franzido; não pergunte muito principalmente pela saúde: ele não gosta.

---

[3] Alusão a Maria Antonieta (1755-1793), esposa de Luís XVI, a qual, segundo Chateaubriand, "foi levada ao extremo de consertar a própria roupa na prisão". O episódio é mencionado por Dostoiévski nos manuscritos de *Crime e castigo*. (N. da E.)

— Ah, Dmitri Prokófitch, como é duro ser mãe! Veja essa escada... Que escada horrível!

— Mamãe, a senhora está até pálida, acalme-se, minha querida — disse Dúnia, acariciando-a. — Ele decerto ficará feliz de ver a senhora, e a senhora fica aí se martirizando — acrescentou ela, lançando um olhar chamejante.

— Esperem, vou na frente para ver se ele já acordou.

As senhoras seguiram devagarinho Razumíkhin, que subia a escada à frente, e quando já estavam emparelhando à porta da senhoria, no quarto andar, notaram que ela estava com uma fresta aberta e dois rápidos olhos negros examinavam as duas da escuridão. Quando os olhares se cruzaram, a porta escancarou-se subitamente, batendo de tal forma que Pulkhéria Aleksándrovna quase gritou de susto.

III

— Está são, está são! — exclamou alegre Zóssimov saindo ao encontro delas. Ele havia acordado há uns dez minutos e estava sentado no sofá no mesmo canto em que estivera na véspera. Raskólnikov estava sentado no canto em frente, todo vestido e até cuidadosamente lavado e penteado, o que há muito tempo não lhe acontecia. O quarto logo ficou cheio, mas ainda assim Nastácia conseguiu entrar atrás das visitas e ficou escutando.

De fato, Raskólnikov estava quase são, sobretudo em comparação com a véspera, só que muito pálido, alheio e sorumbático. Pela aparência lembrava algo como um homem ferido ou que tivesse sofrido alguma dor física profunda; tinha o sobrolho carregado, os lábios comprimidos, o olhar inflamado. Falava pouco e a contragosto, como se o forçassem ou cumprisse uma obrigação, e nos seus gestos transparecia de raro em raro alguma preocupação.

Faltava um braço na tipoia ou uma atadura de tafetá no dedo para a plena semelhança com um homem que estivesse, por exemplo, com um abcesso muito doloroso no dedo, ou com a mão machucada, ou alguma coisa do gênero.

Por outro lado, esse rosto pálido e sombrio banhou-se por um instante de uma espécie de luz quando entraram a mãe e a irmã, mas isso apenas lhe acrescentou à expressão um sofrimento um tanto mais concentrado em lugar do melancólico alheamento anterior. A luz logo se extinguiu mas o sofrimento permaneceu, e Zóssimov, que observava e estudava o seu paciente com todo o ardor juvenil do médico que está apenas começando a praticar, notou apreensivo que, com a chegada dos familiares, em vez de alegria havia nele algo como uma decisão angustiante e simulada de suportar uma horinha de tortura, que já não dava para evitar. Percebeu depois como quase toda palavra da conversa que se seguiu parecia tocar e avivar alguma ferida do seu paciente; ao mesmo tempo, porém, impressionava-se em parte com a capacidade que ele hoje revelava de dominar-se e ocultar aqueles sentimentos do monomaníaco de ontem, então a ponto de cair num acesso de fúria à palavra mais insignificante que ouvia.

— É, agora eu mesmo vejo que estou quase bom — disse Raskólnikov, beijando amavelmente a mãe e a irmã, o que num instante deixou Pulkhéria Aleksándrovna radiante —, e já não digo isso *como ontem* — acrescentou, dirigindo-se a Razumíkhin e apertando-lhe amigavelmente a mão.

— Hoje eu fiquei muito impressionado com ele — começou Zóssimov muito contente com as visitas, porque ao cabo de dez minutos já havia conseguido perder o fio da conversa com o seu paciente. — Se tudo continuar assim, daqui a uns três ou quatro dias ele estará inteiramente como antes, ou seja, como estava um mês atrás, ou dois... ou talvez três? Porque isso vem de longe e foi preparado... ah? Agora reconheça, o senhor mesmo não pode ter sido o culpado? — acrescentou com um sorriso cauteloso, como se ainda temesse irritá-lo com alguma coisa.

— É muito possível — respondeu friamente Raskólnikov.

— Eu digo isso — continuou Zóssimov cheio de avidez — porque doravante a sua cura total depende, no essencial, unicamente do senhor mesmo. Agora, quando já se pode conversar com o senhor, eu gostaria de incutir-lhe a necessidade de eliminar as causas primárias, por assim dizer, radicais, que influenciaram o surgimento do seu estado mórbido, e então o senhor estará curado, senão será até pior. Eu desconheço essas causas primárias, mas elas devem ser do seu conhecimento. O senhor é um homem inteligente, e, é claro, tem observado a si próprio. Parece-me que o começo da sua perturbação coincide em parte com a sua saída da universidade. O senhor não pode ficar sem ocupações, e por isso o trabalho e um objetivo firmemente proposto, acho eu, poderiam ajudá-lo muito.

— É, é, o senhor tem toda razão... pois bem, vou ingressar o quanto antes na universidade e então tudo vai correr... às mil maravilhas...

Zóssimov, que começara os seus sábios conselhos também visando ao efeito perante as senhoras, ficou, evidentemente, um pouco preocupado quando, terminado o discurso, olhou para o seu ouvinte e lhe notou um decisivo ar de galhofa no rosto. Aliás isso durou um instante. Pulkhéria Aleksándrovna se pôs imediatamente a agradecer a Zóssimov, especialmente pela visita que fizera às duas na noite anterior.

— Como, ele esteve com a senhora e à noite? — perguntou Raskólnikov, como se estivesse inquieto. — Então vocês também não dormiram depois da viagem?

— Ah, Ródia, isso foi só até às duas horas. Mesmo em casa eu e Dúnia nunca nos deitamos antes das duas.

— Eu também não sei como agradecer a ele — continuou Raskólnikov, franzindo subitamente o cenho e baixando a vista. — Declinando a questão do dinheiro — o senhor me desculpa ter mencionado isso (dirigiu-se a Zóssimov), fico até sem saber em que mereci da sua parte uma atenção tão especial. Simplesmente não compreendo... e... e ela é até difícil para mim porque não compreendo: estou sendo franco com o senhor.

— Mas não fique irritado — sorriu forçado Zóssimov —, suponha que seja o meu primeiro paciente, e a gente, que mal começa a praticar, gosta dos seus primeiros pacientes como dos próprios filhos, e alguns quase chegam a apaixonar-se por eles.

— Já nem falo dele — acrescentou Raskólnikov, apontando para Razumíkhin —, esse, além de ofensas e afazeres, também não recebeu nada de mim.

— Eh, está mentindo! O que é isso, hoje estás na veia sentimental? — perguntou Razumíkhin.

Se fosse mais perspicaz, Razumíkhin teria notado que ali não havia nenhuma veia sentimental mas algo inteiramente oposto. Mas Avdótia Románovna o percebeu. Ela observava o irmão atentamente e preocupada.

— Da senhora, mãezinha, nem me atrevo a falar — continuou ele, como se tivesse decorado a lição desde o amanhecer —, só hoje eu consegui pesar um pouco como a senhora deve ter penado ontem aqui à espera da minha volta. — Dito isto, estendeu subitamente a mão à irmã, sorrindo, calado. Mas nesse sorriso transpareceu desta vez um sentimento autêntico, sincero. No mesmo instante Dúnia agarrou a mão estendida e a apertou calidamente, cheia de alegria e agradecida. Era a primeira vez que ele se dirigia a ela depois da desavença da véspera. O rosto da mãe ficou iluminado de enlevo e felicidade à vista dessa reconciliação definitiva e silenciosa do irmão com a irmã.

— Aí está, é por isso que eu gosto dele! — sussurrou Razumíkhin que tudo exagerava, voltando-se energicamente na cadeira. — Ele tem desses gestos!...

"E como ele faz tudo isso bem — pensava consigo a mãe —, que ímpetos nobres, e com que simplicidade e delicadeza terminou todo esse mal-entendido de ontem — com um simples estender de mão e um olhar carinhoso... E que belos olhos, e como todo o rosto é belo!... Ele é até mais bonito do que Dúnietchka... Mas, meu Deus, que terno o dele, como está horrivelmente vestido! O Vássia, moço de recados da venda de Afanassi Ivánovitch, anda mais bem-vestido!... Eu podia... podia, assim, acho, me precipitar para ele, e abraçá-lo, e... chorar — mas estou com medo, estou com medo... olhe o jeito dele, meu Deus!... Mas olha, está até falando de um modo carinhoso, no entanto estou com medo! Mas de que é que eu tenho medo?..."

— Ah, Ródia, tu não vais acreditar — pegou repentinamente a deixa, apressando-se por responder à observação dele —, como ontem eu e Dúnia fomos... azaradas! Agora, depois que tudo já passou e terminou e outra vez todos nós estamos felizes, dá para contar. Imagina, a gente vem correndo para cá, a fim de te abraçar, quase diretamente do trem, mas essa mulher... — ah, aí está ela! Bom dia, Nastácia!... De repente ela nos conta que tu estavas acamado com um distúrbio nervoso[4] e tinhas acabado de fugir sorrateiramente do médico para a rua, delirando, e que saíram correndo à tua procura. Tu não podes acreditar como nós ficamos! Logo me veio à lembrança como morreu o tenente Potántchikov, nosso conhecido, amigo do teu pai — tu não te lembras dele, Ródia —, também de *delirium tremens*, e fugiu do mesmo modo, no pátio caiu dentro do poço, e só no dia seguinte conseguiram retirá-lo. E nós, é claro, também exageramos. Tivemos vontade de sair correndo à procura de Piotr Pietróvitch, para que ao menos com a ajuda dele... porque estávamos sozinhas, totalmente sozinhas — arrastou ela a voz queixosa e súbito parou, atinando que falar de Piotr Pietróvitch ainda era bastante perigoso, apesar de que "outra vez todos estavam plenamente felizes".

— Sim, sim... tudo isso terminou, foi uma lástima... — balbuciou Raskólnikov em resposta, mas com um ar tão perdido e desatento que Dúnietchka olhou surpresa para ele.

— O que é que eu ainda queria mesmo? — continuou ele, soerguendo-se a muito custo. — Sim: por favor, mãezinha, e tu, Dúnietchka, não pensem que eu não estivesse querendo primeiro ir vê-las hoje e primeiro ter esperado por vocês.

---

[4] No original *biélaya goryátchka*. Segundo Vladímir Dal, em russo não há uma clara distinção entre *likhorádka* (febre comum) e *goryátchka* (febre como distúrbio de várias origens). *Likhorádka* é aquela febre mais ou menos branda e passageira, ao passo que *goryátchka* é uma febre longa, perigosa, que pode ser de fundo nervoso, bilioso, infeccioso (V. Dal, *Tolkóviy slovar russkogo yaziká*, Moscou, Rússkie Yazík, 1978, p. 385). Ao substantivo *goryátchka* acrescenta-se o adjetivo *biélaya*, formando a expressão *biélaya goryátchka* (literalmente *febre branca*), que o mais das vezes é associada ao alcoolismo e por isso se costuma traduzir como *delirium tremens*. Ocorre que a pessoa acometida desse tipo de febre nem sempre ingeriu bebida alcoólica, como é o caso de Raskólnikov no contexto referido, assim como o de Ivan na famosa cena do tribunal de *Os irmãos Karamázov*. Depois de ouvir a confissão de Smierdiakóv, Ivan é de fato acometido de um distúrbio mental, que o impede de depor a favor do irmão Dmitri, apresentando a prova que o absolveria do assassinato do pai. Por essas razões e segundo o contexto, traduzo *biélaya goryátchka* como distúrbio nervoso ou mental. (N. do T.)

— Ora, o que estás dizendo, Ródia! — exclamou Pulkhéria Aleksándrovna, já surpresa.

"O que é isso, ele estará nos respondendo por obrigação? — pensou Dúnietchka. — Faz as pazes, e pede desculpas, como se estivesse cumprindo uma formalidade ou repisando uma lição."

— Acabei de acordar e queria ir, mas a roupa me reteve; ontem eu me esqueci de dizer a ela... Nastácia... para lavar esse sangue... Só agora consegui me vestir.

— Sangue! Que sangue? — alarmou-se Pulkhéria Aleksándrovna.

— Nada de mais... não se preocupe. É que ontem, quando eu vagava por aí meio delirando, tropecei em um homem atropelado... um funcionário público...

— Delirando? Mas te lembras de tudo — interrompeu Razumíkhin.

— É verdade — respondeu Raskólnikov com uma solicitude especial —, lembro-me de tudo, até os mínimos detalhes, agora vá eu entender: por que fiz aquilo, por que fui lá, por que falei aquilo? — aí já não consigo explicar direito.

— Um fenômeno por demais conhecido — interveio Zóssimov —: às vezes executa-se um ato com maestria, com extrema habilidade, mas a administração dos atos, a fonte dos atos está em desordem e depende de várias impressões mórbidas. Parece um sonho.

"Ora, pode ser até bom que ele me considere quase um louco" — pensou Raskólnikov.

— Sim, mas é possível que as pessoas sãs também ajam assim — observou Dúnietchka, olhando preocupada para Zóssimov.

— Observação bastante correta — respondeu ele. — Nesse sentido todos nós, e com bastante frequência, agimos quase como loucos, apenas com a pequena diferença de que os "doentes" são um pouco mais loucos que nós, porque neste caso é necessário distinguir o limite. Já o indivíduo harmonioso, e isso é verdade, quase não existe; em dezenas, e talvez até em muitas centenas encontremos um, e ademais em espécimes bastante fracas...

Todos franziram o cenho ao ouvirem a palavra "louco", resvalada imprudentemente dos lábios de Zóssimov, que se esquecera do tempo falando do seu tema predileto. Sentado, meditabundo, e com um riso estranho nos lábios pálidos, Raskólnikov parecia não prestar atenção. Continuava pensando em alguma outra coisa.

— Então, o que é que foi feito do tal atropelado? Eu te interrompi a respeito! — exclamou apressado Razumíkhin.

— O quê? — pareceu acordar o outro. — Sim... bem, eu me sujei de sangue quando ajudei a carregá-lo para casa... Aliás, mãezinha, ontem eu fiz uma coisa imperdoável; não estava de juízo perfeito. Ontem, todo o dinheiro que a senhora me mandou, eu dei... à mulher dele... para o enterro. Deixou viúva, tísica, uma mulher que dá pena... três órfãos pequenos, passando fome... sem nada em casa... e mais uma filha... Talvez a senhora mesma desse o dinheiro se visse... Por outro lado, eu não tinha nenhum direito de fazer isso, confesso, sobretudo sabendo o quanto custou à senhora conseguir aquele dinheiro. Para ajudar é preciso primeiro ter direito a isso, senão: *Crevez chiens, si vous n'êtes pas contents*![5] — Ele riu. — Não é assim, Dúnia?

— Não, não é assim — respondeu Dúnia com firmeza.

— Bah! Até tu... com pretensões!... — resmungou ele, olhando para ela quase que com ódio e sorrindo com ar zombeteiro. — Eu devia ter considerado isso... Bem, é até lisonjeiro; melhor para ti... assim chegarás a um limite que se não o ultrapassares serás infeliz mas se o ultrapassares serás mais infeliz ainda... Pensando bem, tudo isso é absurdo! — acrescentou em tom irritado, agastado com o seu fervor involuntário. — Eu só quis dizer que à senhora, mãezinha, eu peço perdão — concluiu de forma brusca e entrecortada.

— Basta, Ródia, estou certa de que tudo o que tu fazes, tudo é maravilhoso! — disse contente a mãe.

— Não esteja certa — respondeu ele, entortando a boca num sorriso. Fez-se silêncio. Havia qualquer coisa de tenso em toda essa conversa, no silêncio, na reconciliação, no perdão, e isso se percebia.

"Pois é, elas estão mesmo com medo de mim" — pensava consigo Raskólnikov, olhando de esguelha para a mãe e a irmã. De fato, quanto mais Pulkhéria Aleksándrovna calava, mais tímida ia ficando.

"É, parece que eu as amava à distância" — passou-lhe de relance pela cabeça.

— Sabes, Ródia, Marfa Pietróvna morreu! — deixou escapar repentinamente Pulkhéria Aleksándrovna.

— Que Marfa Pietróvna?

— Ah, meu Deus, a Marfa Pietróvna, a Svidrigáilova!

— Ah... sim, eu me lembro... Então morreu? Puxa, de verdade? — animou-se subitamente, como se tivesse despertado. — Mas morreu mesmo? E de quê?

---

[5] "Que morram os cães, se não estiverem contentes!", em francês. (N. da E.)

— Imagina, de repente! — apressou-se Pulkhéria Aleksándrovna, animada pela curiosidade dele. — E justamente naquele mesmo momento em que te escrevi, inclusive no mesmo dia! Imagina, aquele homem horrível parece que foi a causa da morte dela. Dizem que ele a espancou terrivelmente.

— Mas eles viviam assim? — perguntou ele à irmã.

— Não, era até o contrário. Com ela ele sempre foi muito paciente, até gentil. Em muitos casos até condescendente demais com o temperamento dela, sete anos inteiros... Não se sabe como, de repente perdeu a paciência.

— Logo, ele não é nada de tão horrível se durante sete anos se conteve, não é? Tu, Dúnietchka, parece que o absolves?

— Não, não, ele é um homem horrível! Não consigo imaginar ninguém mais horrível — Dúnia respondeu quase estremecendo, franziu o cenho e ficou pensativa.

— Isso aconteceu a eles pela manhã — continuou Pulkhéria Aleksándrovna. — Depois ela mandou arrear imediatamente os cavalos para ir à cidade logo após o almoço, porque nesses casos ela sempre ia à cidade; dizem que no almoço comeu com muito apetite...

— Espancada?

— ... Ela, aliás, sempre teve esse... hábito, mal almoçava ia imediatamente ao local do banho... Veja, lá fazia uma espécie de terapia com banho; lá existe uma nascente de água fria, e ela se banhava regularmente todos os dias; mal entrou n'água teve um ataque súbito!

— Pudera! — disse Zóssimov.

— E ele a espancou duramente?

— Ora, isso não faz diferença — respondeu Dúnia.

— Hum! Mãezinha, a senhora está mesmo querendo falar dessas bobagens? — pronunciou Raskólnikov de repente e meio sem querer.

— Ah, meu amigo, eu estava até sem saber por onde começar a conversa — soltou Pulkhéria Aleksándrovna.

— O que é isso, será que a senhora está com medo de conversar comigo? — falou com um sorriso torto.

— Isso realmente é verdade — disse Dúnia, olhando direta e severamente para o irmão. — Quando começou a subir a escada, mãezinha chegou até a se benzer de pavor.

O rosto dele se contraiu numa espécie de convulsão.

— Ah, o que estás dizendo, Dúnia! Por favor não te zangues, Ródia... Por que isso, Dúnia? — falou perturbada Pulkhéria Aleksándrovna. — Eu, na verdade, ao vir para cá, no trem, sonhei durante a viagem toda: como nos veríamos, como poríamos um ao outro a par de tudo... e estava tão feliz que nem notei a viagem! Como eu estou! Agora estou feliz... Fizeste mal, Dúnia. Eu já estou feliz simplesmente por te ver, Ródia...

— Chega, mãezinha — resmungou ele perturbado, sem olhar para ela e apertando-lhe a mão —, teremos tempo de pôr a conversa em dia.

Dito isso, ficou subitamente confuso e pálido: outra vez aquela horrível sensação percorreu-lhe a alma como um frio de morte; outra vez compreendeu com toda clareza que acabava de dizer uma terrível mentira, que doravante não só nunca mais teria tempo de pôr a conversa em dia como já não teria mais nada a *conversar* com ninguém e nunca mais. A impressão dessa ideia torturante era tão forte que num instante ele quase ficou totalmente alheio, levantou-se do lugar e saiu do quarto sem olhar para ninguém.

— O que estás fazendo? — gritou Razumíkhin, agarrando-o pelo braço.

Ele tornou a sentar-se e ficou a olhar ao redor, calado; todos o fitavam perplexos.

— É que vocês todos são muito chatos! — exclamou num átimo, de forma inteiramente inesperada. — Digam alguma coisa! Por que raios vamos ficar sentados desse jeito? Então, falem! Vamos conversar... Estamos reunidos e calados... Então, desembuchem alguma coisa!

— Graças a Deus! E eu já pensando que ele estivesse com alguma coisa como aquela de ontem — disse Pulkhéria Aleksándrovna, benzendo-se.

— O que tu tens, Ródia? — perguntou desconfiada Avdótia Románovna.

— Não é nada, estava me lembrando de uma brincadeira — respondeu ele e começou a rir.

— Bem, se é brincadeira é coisa boa! Senão eu mesmo ia pensar... — pronunciou Zóssimov, levantando-se do sofá. — Mas já está na minha hora; ainda vou aparecer, talvez... se encontrar...

Fez uma reverência e saiu.

— Que homem maravilhoso! — observou Pulkhéria Aleksándrovna.

— Sim, é maravilhoso, magnífico, instruído, inteligente... — Raskólnikov começou a falar inesperadamente atropelando as palavras e com uma animação até então incomum —, já nem me lembro de onde eu o conheci antes da doença... Acho que o encontrei em algum lugar... Esse aí também é boa gente! — fez sinal de cabeça para Razumíkhin. — Tu gostas dele, Dúnia? — perguntou de supetão, e riu sem que se soubesse a razão.

— Muito — respondeu ela.

— Arre, como tu és um... porco! — pronunciou Razumíkhin terrivelmente desconcertado e vermelho, e levantou-se da cadeira. Pulkhéria Aleksándrovna deu um leve sorriso, e Raskólnikov uma estridente gargalhada.

— Aonde tu vais?

— Eu também... tenho que ir.

— Tu não tens que ir coisa nenhuma, fica! Zóssimov se foi, então tu também tens de ir. Não vás... E que horas são? Já são doze? Que graça de relógio, Dúnia! Por que vocês estão calados de novo? Só eu que falo!...

— Foi presente de Marfa Pietróvna — respondeu Dúnia.

— Puxa, como é grande, quase não é relógio de mulher.

— Eu gosto desse tipo — disse Dúnia.

"Então não foi presente do noivo" — pensou Razumíkhin e ficou feliz não se sabe por quê.

— Eu pensava que fosse presente de Lújin — observou Raskólnikov.

— Não, ele ainda não deu nenhum presente a Dúnietchka.

— Ah...! E a senhora se lembra, mãezinha, que eu estava apaixonado e queria casar? — disse subitamente olhando para a mãe, que estava surpresa com o rumo imprevisto e o tom que ele dava à conversa.

— Oh, meu amigo, me lembro! — Pulkhéria Aleksándrovna trocou olhares com Dúnia e Razumíkhin.

— Hum! É! O que eu posso contar à senhora? Eu mesmo me lembro de pouca coisa. Ela era uma moça doente — continuou ele, como se voltasse a cair em meditação e baixando a vista —, vivia doente; gostava de dar esmola aos pedintes, estava sempre sonhando em ir para um convento, e uma vez ficou banhada em lágrimas quando começou a me falar sobre isso; é, é... me lembro... me lembro muito. Feiazinha... Para falar a verdade, eu mesmo não sei por que me afeiçoei a ela naquele momento, parece que foi porque sempre estava doente... Fosse ela coxa e corcunda, parece que eu teria gostado ainda mais dela... (Sorriu meditativo.) É... foi uma espécie de delírio de primavera...

— Não, aí não houve só delírio de primavera — disse Dúnietchka, inspirada.

Ele olhou para a irmã de um jeito atento e tenso, mas não lhe ouviu direito nem mesmo entendeu as palavras. Depois, em meditação profunda, levantou-se do sofá, chegou-se à mãe, beijou-a, voltou para o seu lugar e sentou-se.

— Tu gostas dela até hoje! — pronunciou perturbada Pulkhéria Aleksándrovna.

— De-la? Hoje? Ah, sim... a senhora está falando dela! Não. Hoje tudo aquilo parece coisa acontecida no outro mundo... e faz tanto tempo. Aliás tudo o que acontece ao meu redor parece não ser coisa daqui...

Ele olhou atentamente para elas.

— A senhora, por exemplo... é como se eu estivesse olhando para a senhora a mil verstas de distância... Mas o diabo sabe por que estamos falando nisso! E a troco de que esse interrogatório? — acrescentou ele agastado e calou-se, roendo as unhas e voltando a ficar pensativo.

— Que quarto ruim este teu, Ródia, parece um caixão de defunto — disse Pulkhéria Aleksándrovna, rompendo o silêncio angustiante. — Estou certa de que metade da causa dessa tua melancolia vem desse quarto.

— O quarto?... — respondeu ele alheio. — É, o quarto contribuiu muito... eu também já pensei nisso... Mas se a senhora soubesse, mãezinha, que estranho pensamento acabou de exprimir — acrescentou ele com um sorriso estranho.

Mais um pouco e essa sociedade, esses familiares, depois de três anos de separação, esse tom familiar da conversa com total impossibilidade de falar sobre o mínimo que fosse acabariam se tornando decididamente insuportáveis para ele. Havia, porém, uma questão inadiável, que, de uma forma ou de outra, precisava ser resolvida obrigatoriamente hoje — era o que ele havia decidido ainda há pouco, ao acordar. Agora a *questão* o contentava como saída.

— Veja uma coisa, Dúnia — começou ele sério e seco —, eu, é claro, te peço desculpas por ontem, mas considero um dever te lembrar mais uma vez que não recuei do meu ponto principal. Ou eu ou Lújin. Que eu seja um canalha, mas tu não deves aceitar. Um tipo qualquer. E se te casares com Lújin deixo imediatamente de te considerar minha irmã.

— Ródia, Ródia! Tu estás dizendo o mesmo que disseste ontem — exclamou amargurada Pulkhéria Aleksándrovna —, e por que sempre se dizendo canalha? Não posso suportar isso! E ontem foi a mesma coisa...

— Meu irmão — respondeu Dúnia com firmeza e também secamente —, em tudo isso há um equívoco de tua parte. Durante a noite ponderei e descobri o equívoco. Tudo isso é porque tu supões que eu estaria me sacrificando por alguém e para alguém. Não é nada disso. Estou me casando simplesmente por mim, porque para mim mesma está difícil; por outro lado, porém, ficarei feliz se conseguir ser útil aos meus familiares, mas em minha decisão esse não é o motivo mais importante...

"Está mentindo! — pensava ele consigo, roendo as unhas de raiva. — Bancando a orgulhosa! Não quer reconhecer que sua finalidade é o benfazer! Oh, naturezas vis! Amam como se odiassem... Ai que ódio as duas me dão!"

— Numa palavra — continuou Dúnia —, vou me casar com Piotr Pietróvitch porque dos males o menor. Tenho a intenção de cumprir honestamente tudo o que ele espera de mim, logo, eu não o estou enganando... Por que estás sorrindo?

Ela também inflamou-se, e a ira brilhou em seus olhos.

— Vais cumprir tudo? — perguntou ele com um risinho venenoso.

— Até certo limite. Tanto a maneira quanto as formalidades do pedido de casamento usadas por Piotr Pietróvitch me mostraram no ato do que é que ele precisa. Ele, evidentemente, se dá importância, pode ser que até exagerada, mas espero que também me dê importância... Por que estás rindo de novo?

— E por que tornas a corar? Estás mentindo, minha irmã, mentindo de propósito, unicamente pela teimosia feminina de não dar o braço a torcer na minha frente... Tu não podes estimar Lújin: eu o vi e conversei com ele. Logo, tu estás te vendendo por dinheiro e, portanto, em todo caso ages com baixeza, e fico feliz por ver que ao menos consegues corar!

— Não é verdade, não estou mentindo!... — exclamou Dúnia, perdendo todo o sangue frio. — Eu não me caso com ele sem estar convencida de que ele me dá importância e me aprecia; não me caso com ele sem estar firmemente convicta de que posso estimá-lo. Felizmente eu posso me convencer disto com certeza, e até hoje mesmo. E um casamento assim não é baixeza, como dizes! Se tu tivesses mesmo razão, se eu realmente me decidisse por uma baixeza, por acaso não seria crueldade da tua parte falar comigo dessa maneira? Por que cobras de mim um heroísmo que talvez não exista em ti? Isso é despotismo, isso é violência! Se eu arruinar alguém será só a mim mesma... Eu ainda não matei ninguém!... Por que estás me olhando assim? Por que ficaste tão pálido? Ródia, o que estás sentindo? Ródia, querido!...

— Meu Deus! Tu o levaste ao desmaio! — exclamou Pulkhéria Aleksándrovna.

— Não, não, foi uma besteira... não foi nada. Um pouco de tontura. Nada de desmaio... Vocês encasquetaram com esses desmaios!... Hum! Sim... o que eu estava querendo? Sim: como vais te convencer hoje de que podes vir a estimá-lo e ele... te aprecia, como tu disseste? Parece que disseste que vai ser hoje? Ou eu ouvi mal?

— Mãezinha, mostre ao meu irmão a carta de Piotr Pietróvitch — disse Dúnietchka.

Pulkhéria Aleksándrovna entregou a carta com as mãos trêmulas. Ele a pegou com grande curiosidade. Mas antes de abri-la olhou admirado para Dúnietchka.

— Estranho — falou devagar, como se estivesse subitamente surpreso com algum pensamento novo —, por que estou me preocupando tanto? Por que toda essa gritaria? Casa com quem quiseres!

Falou como se fosse para si mas o fez em voz alta, e durante algum tempo olhou para a irmã com um quê de perplexidade.

Por fim abriu a carta, ainda mantendo o ar de certa surpresa; depois começou a ler devagar e atentamente e a leu duas vezes. Pulkhéria Aleksándrovna estava particularmente intranquila; e todos esperavam alguma coisa especial.

— Isso me surpreende — começou ele depois de refletir um pouco e entregando a carta à mãe, mas sem se dirigir a ninguém em particular —, ele está envolvido com causas, é advogado, e até a conversa dele é do ramo... com as maneiras — mas como escreve mal.

Todos se mexeram; não era nada disso que esperavam.

— Mas todos eles escrevem assim — observou Razumíkhin com voz entrecortada.

— Tu por acaso a leste?

— Sim.

— Nós mostramos, Ródia, nós... o consultamos há pouco — começou atrapalhada Pulkhéria Aleksándrovna.

— Esse é propriamente o estilo forense — interrompeu Razumíkhin —, os documentos forenses se escrevem assim até hoje.

— Forense? Sim, é forense mesmo, prático... Não é que ele seja lá muito iletrado, mas também não é dos mais literários: um homem de negócios!

— Piotr Pietróvitch não esconde mesmo que teve poucos estudos e chega até a gabar-se de ter aberto seu próprio caminho — observou Avdótia Románovna, um tanto ofendida com o novo tom do irmão.

— E daí, se ele se gaba é porque tem de quê — eu não contradigo. Tu, minha irmã, parece que ficaste ofendida porque eu destaquei de toda a carta uma observação frívola, e pensas que estou falando propositadamente dessas bobagens por despeito, para fazer fita contigo. Ao contrário, por motivo do estilo veio-me à cabeça uma observação que neste caso não é nada secundária. Na carta há uma expressão: "a culpa será sua", colocada de modo muito significativo e nítido e, além disso, traz a ameaça de que ele irá se retirar se eu estiver presente. Essa ameaça de retirar-se equivale à ameaça de abandonar a ambas se não forem obedientes, e abandoná-las agora quando já as chamou a Petersburgo. Então, o que tu achas: não te sentirias ofendida com uma expressão como essa de Lújin da mesma forma como se ela tivesse sido escrita por esse aí (apontou para Razumíkhin) ou por Zóssimov, ou por mais alguém?

— N-não — respondeu Dúnietchka, tomando-se de ânimo —, compreendi perfeitamente que isso foi expresso de forma demasiado ingênua e que ele talvez não seja um mestre na escrita... Isso tu julgaste bem, meu irmão. Eu nem esperava...

— Isso foi expresso em estilo forense, e em estilo forense não dá para escrever de outra forma, e saiu mais grosseiro do que ele, talvez, desejasse. Ademais, devo te deixar um tanto decepcionada: nessa carta existe mais uma expressão, uma calúnia a meu respeito, e bem infamezinha. Ontem eu dei o dinheiro à viúva, uma mulher tísica e mortificada, e não "a pretexto do enterro" mas diretamente para o enterro, e não o entreguei nas mãos da filha — moça, segundo expressão dele, de "conduta altamente deplorável" (e que ontem eu vi pela primeira vez em minha vida) —, mas precisamente à viúva. Em tudo isso eu vejo o desejo excessivamente precipitado de me denegrir e me indispor com vocês. E mais uma vez ele o exprimiu à moda forense, ou seja, explicitando com excessiva evidência o objetivo e com uma precipitação bastante ingênua. Ele é um homem inteligente, mas para agir de modo inteligente a inteligência sozinha não basta. Tudo isso desenha o homem e... não acho que ele tenha te conferido grande apreço. Eu te digo isso unicamente para efeito de conselho, porque te desejo sinceramente o bem...

Dúnietchka não respondeu; sua decisão já havia sido tomada há pouco, ela aguardava apenas a noite.

— Então como te resolves, Ródia? — perguntou Pulkhéria Aleksándrovna, ainda mais inquieta que há pouco com o tom repentinamente novo, *prático*, do discurso dele.

— O que é que quer dizer esse "te resolves"?

— É que Piotr Pietróvitch escreve dizendo para que não estejas conosco à noite e que ele se retirará... se tu estiveres. Então, como é que tu... Vais comparecer?

— Isso, é claro, não me cabe resolver, mas, em primeiro lugar, à senhora, se essa exigência de Piotr Pietróvitch não a ofende; em segundo lugar, a Dúnia, se ela também não se ofende. Farei o que for melhor para vocês — acrescentou secamente.

— Dúnietchka já se decidiu e eu estou de pleno acordo com ela — apressou-se em dizer Pulkhéria Aleksándrovna.

— Eu decidi te pedir, Ródia, pedir insistentemente que estejas sem falta conosco nesse encontro — disse Dúnia. — Tu vais?

— Vou.

— Eu também peço ao senhor para estar conosco às oito horas — dirigiu-se ela a Razumíkhin. — Mãezinha, eu o estou convidando também.

— É magnífico, Dúnietchka. Bem, já que vocês decidiram — acrescentou Pulkhéria Aleksándrovna —, então que seja assim. Eu mesma me sentirei melhor; não gosto de fingir e mentir; é melhor que a gente diga toda a verdade... Agora, se Piotr Pietróvitch vai se zangar ou não!?...

## IV

Nesse instante a porta se abriu devagarinho e uma moça entrou no quarto, olhando timidamente ao redor. Todos se voltaram para ela surpresos e curiosos. Raskólnikov não a reconheceu à primeira vista. Era Sônia Semiónovna Marmieládova. Na véspera ele a vira pela primeira vez, mas num momento tal, e vestida de tal modo, que deixara em sua memória a imagem de uma pessoa bem diferente. Agora era uma moça modesta e em trajes até pobres, ainda muito jovem, quase parecendo uma menina, de maneiras modestas e decentes, com um rosto sereno mas de aparência um tanto assustada. Trajava um vestidinho caseiro muito simples, trazia na cabeça um chapéu velho e fora de moda; só a sombrinha continuava na mão como antes. Ao ver de supetão o quarto cheio de gente, ela não só ficou envergonhada como se desconcertou por completo, intimidou-se como uma criança pequena e chegou até a esboçar um movimento de recuo.

— Ah... é a senhora?... — Raskólnikov falou com uma surpresa excepcional e súbito desconcertou-se.

Ocorreu-lhe no mesmo instante que, pela carta de Lújin, a mãe e a irmã já estavam mais ou menos informadas sobre uma certa moça de conduta "altamente deplorável". Agora que ele protestava contra essa calúnia de Lújin e lembrava-se de que vira aquela moça pela primeira vez, eis que ela mesma entrava no quarto. Lembrou-se ainda de que não fizera um mínimo protesto contra a expressão "conduta altamente deplorável". Tudo isso lhe passou pela cabeça de forma vaga e num relance. No entanto, fixando melhor o olhar, viu de imediato que estava ali uma criatura humilhada, e de tal forma já humilhada que ele sentiu uma súbita pena. Quando ela esboçou o gesto de fugir apavorada, revirou-se alguma coisa dentro dele.

— Eu não a esperava de maneira nenhuma — apressou-se ele, detendo-a com um olhar. — Faça o favor, sente-se. A senhora certamente vem da parte de Catierina Ivánovna. Queira sentar-se, aí não, aqui...

Com a entrada de Sônia, Razumíkhin, que estava sentado em uma das três cadeiras de Raskólnikov, soergueu-se de imediato ao lado da porta para deixá-la passar. A princípio Raskólnikov ia indicar-lhe um lugar no canto do sofá, onde estivera Zóssimov, mas, ao lembrar-se de que esse sofá era um lugar *íntimo* demais e lhe servia de cama, apressou-se em indicar-lhe a cadeira de Razumíkhin.

— E tu te sentas aqui — indicou a Razumíkhin o lugar onde Zóssimov estivera sentado.

Sônia sentou-se quase a tremer de pavor, e olhou timidamente para ambas as senhoras. Via-se que ela mesma não compreendia como podia estar sentada ao lado delas. Ao aperceber-se disto, ficou a tal ponto assustada que tornou a levantar-se no mesmo instante e, em total desconcerto, dirigiu-se a Raskólnikov.

— Eu... eu... vim só por um instante, desculpe pelo incômodo — começou a gaguejar. — Venho da parte de Catierina Ivánovna, ela não tinha quem mandar... Ela mandou pedir muito ao senhor para ir assistir à missa de corpo presente amanhã, de manhã... durante a liturgia... no cemitério São Mitrofan,[6] e depois participar do almoço... lá em casa... na casa dela... Para dar a ela essa honra... Ela mandou pedir.

Sônia titubeou e calou-se.

— Vou me empenhar sem falta... sem falta — respondeu Raskólnikov soerguendo-se também e também titubeando, e não concluiu a fala... — Faça o favor, sente-se — disse ele subitamente —, preciso conversar com a senhora. Por favor, a senhora talvez tenha pressa — faça o favor, conceda-me dois minutos...

E puxou a cadeira para ela. Sônia tornou a sentar-se e outra vez tímida, desconcertada, olhou logo para ambas as senhoras e no mesmo instante baixou os olhos.

O rosto pálido de Raskólnikov corou; era como se ele todo estremecesse: seus olhos brilharam.

— Mãezinha — disse com tom firme e persistente —, esta é Sófia Semiónovna Marmieládova, filha do mesmo infeliz senhor Marmieládov, que ontem foi atropelado pelos cavalos diante dos meus olhos e sobre quem eu já lhe falei...

Pulkhéria Aleksándrovna olhou para Sônia e franziu levemente o cenho. Apesar de toda a sua perturbação diante do olhar persistente e desafiador de Ródia, ela não teve como furtar-se a esse prazer. Dúnietchka olhava séria e fixamente para o rosto da pobre moça e a examinava com perplexidade.

---

[6] O cemitério São Mitrofan foi construído em 1831 em Petersburgo durante uma epidemia de cólera. Era o cemitério dos funcionários públicos pobres, soldados, artesãos e do pessoal das oficinas. (N. da E.)

Ouvindo a recomendação, Sônia quis levantar os olhos, mas ficou ainda mais perturbada que antes.

— Eu queria lhe perguntar — Raskólnikov logo se dirigiu a ela —, como transcorreram as coisas hoje em sua casa. Não foram incomodadas?... Por exemplo, pela polícia?

— Não, tudo já passou... Porque a causa da morte é evidente demais; não incomodaram; só os inquilinos estão zangados.

— Por quê?

— Porque o corpo está demorando a sair... o tempo anda quente... abafado... de sorte que hoje à tardinha vai ser levado para o cemitério, onde ficará na capela até amanhã. Primeiro Catierina Ivánovna não queria, mas agora ela mesma está vendo que não dá...

— Então é hoje?

— Ela pede que o senhor nos faça a honra de assistir à missa de corpo presente amanhã na igreja, e depois participar das exéquias[7] na casa dela.

— Ela vai oferecer exéquias?

— Sim, de frios; ela mandou agradecer muito ao senhor pela ajuda que nos deu ontem... sem o senhor não teríamos nenhum meio de fazer o enterro. — Súbito os lábios e o queixo dela começaram a tremer, no entanto ela aguentou e se conteve, mais uma vez olhando rápido para o chão.

Enquanto conversavam, Raskólnikov a examinava atentamente. Era um rostinho magro, macérrimo e pálido, bastante irregular, um tanto anguloso, com um nariz e um queixo pontiagudos. Nem se podia dizer que fosse bonitinha, mas em compensação os olhos azuis eram tão claros, e quando se avivavam a expressão do rosto se tornava tão bondosa e cândida que exercia uma atração involuntária. No rosto dela, como em toda a sua figura, havia ainda um traço característico: apesar dos seus dezoito anos, ela ainda parecia quase menina, bem mais jovem do que realmente era, quase completamente criança, e aqui e a ali isso chegava até a manifestar-se em alguns de seus gestos.

— Mas será que Catierina Ivánovna conseguiu se safar com recursos tão parcos e ainda tem a intenção de oferecer frios?... — perguntou Raskólnikov, insistindo em continuar a conversa.

— É que o caixão vai ser simples... e tudo vai ser simples, de maneira que não vai sair caro... há pouco eu e Catierina Ivánovna calculamos tudo,

---

[7] As exéquias russas são um banquete ritual em homenagem ao morto, que se celebra no dia do enterro ou no aniversário de sua morte. Nelas estão presentes todos os elementos de um banquete real. (N. do T.)

de sorte que vai sobrar para as exéquias... e Catierina Ivánovna faz muita questão de que seja assim. Logo, não dá para contrariar... é o consolo dela... ela é assim, o senhor mesmo sabe...

— Compreendo, compreendo... é claro... Por que a senhora está examinando tanto o meu quarto? Veja mamãe, ela mesma diz que isso aqui também parece um caixão de defunto.

— Ontem o senhor nos deu todo o seu dinheiro! — pronunciou repentinamente Sônietchka em resposta, com um murmúrio forte e rápido, e num instante baixou fortemente a vista. Os lábios e o queixo voltaram a tremer. Há muito ficara impressionada com a pobreza do quarto de Raskólnikov, e súbito essas palavras agora lhe escapavam naturalmente. Fez-se silêncio. Os olhos de Dúnietchka pareceram iluminar-se, e Pulkhéria Aleksándrovna olhou para Sônia com ar até afável.

— Ródia — disse ela levantando-se —, nós duas, naturalmente, vamos almoçar. Dúnietchka, vamos... Tu, Ródia, procura sair, dar uma caminhada, depois repousar, deitar-se um pouco, e então venhas ao nosso encontro o quanto antes... Talvez a gente tenha te deixado exausto, temo...

— Sim, sim, vou — respondeu ele levantando-se e apressado... — Aliás eu tenho que fazer uma coisa...

— Não me digam que vocês vão almoçar separados? — exclamou Razumíkhin, olhando surpreso para Raskólnikov. — O que é que estás fazendo?

— Sim, sim, eu vou, é claro, é claro... Mas tu ficas por um instante. Vocês não estão precisando dele agora, não é, mãezinha? Ou será que eu o estou tomando de vocês?

— Oh, não, não! E o senhor, Dmitri Prokófitch, vem almoçar conosco, nos faz essa gentileza?

— Por favor, venha — pediu Dúnietchka.

Razumíkhin respondeu com uma reverência e ficou todo radiante. Por um instante todos ficaram estranhamente meio desconcertados.

— Adeus, Ródia, ou melhor, até logo: não gosto de dizer "adeus". Adeus, Nastácia... ah, outra vez eu disse "adeus"!...

Pulkhéria Aleksándrovna quis fazer uma reverência também a Sônietchka, mas não encontrou jeito, e saiu do quarto apressando o passo.

No entanto Avdótia Románovna parecia esperar a sua vez e, ao passar atrás da mãe ao lado de Sônia, fez-lhe uma reverência atenciosa, cortês e completa. Sônietchka ficou perturbada, fez uma reverência um tanto apressada e assustada, e até alguma sensação doentia se refletiu em seu rosto, como se a cortesia e a atenção de Avdótia Románovna lhe fossem pesadas e angustiantes.

— Dúnia, cadê o adeus!? — exclamou Raskólnikov já na saída — Dá a mão aqui!

— Ora, eu já não te dei, esqueceste? — respondeu Dúnia, voltando-se carinhosa e desajeitada.

— Não faz mal, me dá mais um!

E apertou com força os dedinhos dela. Dúnietchka lhe sorriu, corou, desprendeu a mão às pressas e, também cheia de felicidade por alguma coisa, saiu atrás da mãe.

— Eia, tudo ótimo! — disse ele a Sônia, voltando para o quarto e olhando serenamente para ela. — Deus dê paz aos mortos, porque aos vivos ainda resta viver! Não é? Não é? Porque é assim, não é?

Sônia olhou até admirada para o rosto dele, que ficara inesperadamente radiante; durante alguns instantes ele olhou calado e fixamente para ela: nesse instante veio-lhe subitamente à memória toda a história dela contada pelo falecido pai...

— Meu Deus, Dúnietchka! — começou a falar Pulkhéria Aleksándrovna mal chegaram à rua. — Neste momento eu mesma estou deveras feliz porque saímos de lá: com um certo alívio. Ora, quando é que ontem, no trem, eu iria pensar que até isso viesse me dar alegria?!

— Torno a lhe dizer, mãezinha, ele ainda está muito doente. Será que a senhora não está vendo? Talvez tenha prejudicado a saúde sofrendo por nossa causa. É preciso ser condescendente, pode-se perdoar muita, muita coisa.

— Mas tu mesma não foste condescendente! — interrompeu Pulkhéria Aleksándrovna acalorada e enciumada. — Sabes, Dúnia, fiquei olhando para vocês dois, tu és o retrato perfeito dele, e não tanto pelo rosto quanto pela alma: ambos melancólicos, ambos taciturnos e explosivos, ambos arrogantes e ambos magnânimos... Porque não é possível que ele seja egoísta, não é, Dúnia?... Agora, só de pensar no que vai acontecer hoje à noite lá em casa fico com o coração nas mãos.

— Não se preocupe, mãezinha, vai ser como deve ser.

— Dúnietchka! Pensa só em que situação estamos metidas. E se Piotr Pietróvitch desistir? — proferiu de forma súbita e imprudente a pobre Pulkhéria Aleksándrovna.

— Então, o que é que ele vai valer depois disso?! — respondeu Dúnietchka com rispidez e desdém.

— Fizemos bem saindo agora — interrompeu apressada Pulkhéria Aleksándrovna —, ele tinha pressa de sair para resolver alguma coisa; é bom que dê uma caminhada, que ao menos tome ar... o quarto dele é um horror de abafado... mas onde tomar ar por aqui? As ruas daqui também são abafadas como um quarto sem postigos. Meu Deus, que cidade é essa!... Para, afasta-te senão atropelam, estão transportando alguma coisa! É um piano que estão levando, verdade... como empurram... Eu também tenho muito medo daquela mocinha...

— Que mocinha, mãezinha?

— Ora, aquela, a Sófia Semiónovna, que estava lá agora...

— Medo de quê?

— Eu tenho um pressentimento, Dúnia. Não sei se vais acreditar, mas foi só ela entrar que no mesmo instante eu pensei que ali estava o principal...

— Não está coisa nenhuma! — exclamou Dúnia agastada. — E que pressentimentos são esses, mãezinha! Ele só a conheceu ontem, e agora nem a reconheceu quando ela entrou.

— Pois tu hás de ver!... Ela me perturba, tu hás de ver, hás de ver! Fiquei tão assustada: ela olhando para mim, olhando, com uns olhos, a muito custo consegui me manter sentada na cadeira, tu te lembras de como ele começou a apresentá-la? E eu acho estranho: Piotr Pietróvitch escreve aquilo sobre ela, mas ele a apresenta a nós, e ainda mais a ti! Logo, ele a aprecia!

— Que interessa o que ele escreve! Sobre nós duas também andaram falando, e escrevendo também, a senhora já esqueceu? Mas eu estou certa de que ela é... maravilhosa e de que tudo isso é besteira!

— Deus queira!

— Já Piotr Pietróvitch é um patife fofoqueiro — cortou subitamente Dúnietchka.

Pulkhéria Aleksándrovna acabou mesmo silenciando. A conversa foi interrompida.

— Vê só o que eu queria te pedir... — disse Raskólnikov, levando Razumíkhin até a janela...

— Então eu digo a Catierina Ivánovna que o senhor vai... — apressou-se Sônia, fazendo as suas despedidas.

— Um instante, Sófia Semiónovna, entre nós não há segredos, a senhora não está atrapalhando... Eu ainda gostaria de lhe dizer duas palavras... Vê só — dirigiu-se a Razumíkhin sem terminar o que estava dizendo, como se o tivesse interrompido. — Tu conheces esse... Como é o nome dele!... Porfiri Pietróvitch?

— Pudera! É meu parente. Qual é o problema? — acrescentou estourando de curiosidade.

— É que agora aquele caso... bem, o caso daquele assassinato... ontem mesmo vocês falaram nele... não está com ele?

— Sim... e daí? — súbito Razumíkhin esbugalhou os olhos.

— Ele andou interrogando pessoas que penhoravam objetos com a velha, e eu também penhorei, umas bobagens, mas é um anel da minha irmã, que ela me deu de lembrança quando eu estava vindo para cá, e um relógio de prata do meu pai. Tudo custa uns cinco a seis rublos, mas são objetos de estimação, lembranças. Então, o que devo fazer agora? Não quero que as coisas desapareçam, especialmente o relógio. Há pouco eu tremi pensando que minha mãe fosse pedir para dar uma olhada nele quando se falou do relógio de Dúnia. Foi a única coisa que restou depois da morte do meu pai. Ela vai adoecer se ele sumir! Mulheres! Então, o que devo fazer, me diz! Sei que preciso ir à delegacia declarar os objetos. Não seria melhor declará-los ao próprio Porfiri, hein? O que tu achas? Preciso dar um jeito na coisa o mais rápido possível. Tu vais ver, minha mãe há de perguntar por ele ainda antes do almoço!

— Nada de ir à delegacia, mas necessariamente a Porfiri! — exclamou Razumíkhin com uma inquietação fora do comum. — Ah, como estou contente! Qual é o problema? Vamos agora mesmo, fica a dois passos daqui, certamente vamos encontrá-lo.

— Então... vamos...

— E ele vai ficar muito, muito, muito contente de te conhecer! Falei muito a teu respeito, em diferentes oportunidades... Ontem mesmo falei. Vamos!... Então tu conhecias a velha? Pois é aí que está!... Mag-ní-fi-co tudo isso!... Ah, sim... Sófia Ivánovna...

— Sófia Semiónovna — corrigiu Raskólnikov. — Sófia Semiónovna, esse aqui é um amigo meu, Razumíkhin, boa pessoa...

— Se os senhores precisam sair agora... — articulou Sônia sem olhar absolutamente para Razumíkhin e ainda mais atrapalhada por isso.

— E vamos indo! — decidiu Raskólnikov. — Eu vou à sua casa hoje mesmo, Sófia Semiónovna, é só a senhora me dizer onde mora.

Não é que ele estivesse embaraçado, falava por falar, era como se tivesse pressa e evitasse o olhar dela. Sônia deu o endereço e simultaneamente corou. Todos saíram juntos.

— Por acaso não trancas a porta? — perguntou Razumíkhin descendo a escada atrás deles.

— Nunca!... Aliás, já faz dois anos que estou querendo comprar um cadeado — acrescentou em tom displicente. — Felizes não são aqueles que não têm o que trancar? — dirigiu-se a Sônia, sorrindo.

Na rua pararam ao portão.

— A senhora vai para a direita, Sônia Semiónovna? A propósito: como me achou? — perguntou ele, como se quisesse dizer a ela coisa bem diferente. Estava com uma persistente vontade de lhe fitar os olhos serenos, claros, e de certa forma não havia jeito de conseguir.

— Ora, ontem o senhor não deu o endereço a Pólietchka?

— Pólia? Ah, sim... Pólietchka! Aquela... pequena... é sua irmã? Então eu dei o endereço a ela?

— Será que o senhor esqueceu?

— Não... estou lembrado...

— O falecido já me havia falado a seu respeito... Só que naquela época eu ainda não sabia o seu nome, e ele mesmo não sabia... Mas agora eu vim... e como soube ontem o seu sobrenome... hoje eu perguntei: é aqui que mora o senhor Raskólnikov?... E não sabia que o senhor também morava em quarto subalugado... Adeus!... Vou dizer a Catierina Ivánovna...

Ela se sentia imensamente feliz porque até que enfim estava indo embora; saiu com a vista baixa, apressando o passo para fugir de algum modo da visão deles, para percorrer o mais rápido possível aqueles vinte passos até a esquina, à direita, que desembocava na rua e ficar finalmente só, e ali, caminhando, a passos acelerados, sem olhar para ninguém, sem notar nada, pensar, recordar, refletir sobre cada palavra dita, cada circunstância. Nunca, jamais havia sentido nada semelhante. Todo um mundo novo entrou-lhe de modo desconhecido e vago na alma. Lembrou-se num átimo de que o próprio Raskólnikov queria ir à casa dela hoje, talvez ainda pela manhã, talvez agora!

— Só que hoje não, por favor, hoje não! — balbuciava ela de coração nas mãos, como se implorasse a alguém, como uma criança assustada. — Meu Deus! À minha casa... àquele quarto... ele vai ver... oh, meu Deus!

Ela, é claro, não conseguiu notar nesse instante um senhor desconhecido que a seguia de forma aplicada e lhe acompanhava os passos. Ele vinha acompanhando-a desde a saída do edifício. No momento em que os três — Razumíkhin, Raskólnikov e ela — pararam para trocar duas palavras na calçada, esse transeunte, ao contorná-los, pareceu estremecer subitamente ao ouvir as palavras de Sônia: "e perguntei: é aqui que mora o senhor Raskólnikov?". Ele examinou os três de modo rápido mas atento, especialmente Raskólnikov, a quem Sônia se dirigia; depois olhou para o prédio e o gravou na memória. Tudo isso se deu num abrir e fechar de olhos, de passagem, e o transeunte, procurando não deixar transparecer nada, seguiu em frente, diminuindo o passo como se estivesse esperando. Esperou por Sônia; viu que eles estavam se despedindo e Sônia seguiria agora para a sua casa em algum lugar.

"É, está indo para casa, mas onde? Eu vi esse rosto em algum lugar — pensava ele, esforçando-se para lembrar-se do rosto de Sônia... — Preciso inteirar-me."

Ao chegar à esquina, ele passou para o lado oposto da rua, olhou para trás e viu que Sônia já caminhava atrás dele, pelo mesmo caminho, e não notava nada. Chegando à esquina, ela guinou justamente para a mesma rua. Ele seguiu atrás, sem desviar o olhar da calçada oposta; depois de andar uns cinquenta passos, tornou a atravessar na direção em que ia Sônia, alcançou--a e saiu atrás dela, guardando uns cinco passos de distância.

Era um homem de uns cinquenta anos, estatura acima da mediana, corpulento, ombros largos e proeminentes, o que o fazia parecer um tanto encurvado. Vestia-se de forma elegante e confortável e tinha ares de fidalgo garboso. Segurava uma linda bengala, com que batia, a cada passo, na calçada, e estava com luvas novas nas mãos. O rosto largo, de maçãs salientes, bastante agradável, tinha uma cor fresca que não era de Petersburgo. Os cabelos, ainda muito bastos, eram completamente louros, com um leve esboço do grisalho, e a barba vasta e fechada, que descia como pá, era ainda mais clara que os cabelos da cabeça. Os olhos, azuis, fitavam com jeito frio, fixo e ponderado; um vermelho vivo lhe coloria os lábios. Em linhas gerais, era um homem magnificamente conservado e aparentava ser bem mais jovem.

Quando Sônia alcançou o canal, eles se encontraram na calçada. Ao observá-la, ele pôde notar que ela estava pensativa e alheia. Ao chegar ao seu prédio, Sônia guinou portão adentro e ele atrás dela, e pareceu até um tanto surpreso. Ao passar o portão ela dobrou à direita, para o canto, onde ficava seu quarto. "Bah!" — pronunciou o senhor desconhecido, e começou a subir os degraus atrás dela. Só então Sônia o notou. Ela subiu ao terceiro andar, guinou para a galeria e acionou a campainha no número nove, em cuja porta estava escrito a giz: "Alfaiate Kapiernaúmov". "Bah!", repetiu o desconhecido, surpreso com a estranha coincidência, e acionou a campainha do número oito ao lado. As duas portas ficavam a uns oito passos uma da outra.

— A senhora é cliente de Kapiernaúmov! — disse ele, olhando para Sônia e rindo. — Ontem ele reformou um colete para mim. Estou hospedado aqui, ao seu lado, em casa de madame Resslich, Gertrud Karlovna. Que coincidência!

Sônia olhou atentamente para ele.

— Somos vizinhos — continuou ele com um quê especial de alegria. — É que estou apenas há três dias na cidade. Bem, por enquanto até logo.

Sônia não respondeu: abriram a porta e ela se esgueirou para o seu quarto. Sentiu vergonha de alguma coisa e pareceu que ficara acanhada...

A caminho da casa de Porfiri Pietróvitch, Razumíkhin estava em estado de excepcional excitação.

— Isso, meu irmão, é excelente — repetiu várias vezes —, e estou contente! Estou contente!

"E por que estás contente?" — pensava consigo Raskólnikov.

— É que eu não sabia que tu também penhoravas objetos com a velha. E... e... faz tempo? Ou seja, faz tempo que estiveste na casa dela?

"Êta bobalhão ingênuo!"

— Quando foi?... — Raskólnikov parou, avivando a memória — Acho que uns três dias antes da morte dela eu estive lá. Aliás, agora nem posso resgatar os objetos — continuou ele com certa pressa e revelando um cuidado especial pelos objetos... —, porque estou novamente com apenas um rublo de prata... por causa daquele maldito delírio de ontem...

Pronunciou delírio com uma gravidade especial.

— Ah, sim, ah, sim — falou Razumíkhin apressado e fazendo coro não se sabe a quê —, então foi por isso que naquele momento tu... ficaste em parte afetado... bem, fica sabendo, no delírio tu mencionavas a cada instante um anel qualquer e uma corrente!... Agora, sim... agora... Está claro, tudo agora está claro.

"Caramba! Vejam só como essa ideia se espalhou entre eles! Ora, este homem é capaz de aceitar ser crucificado por mim, mas olha, está muito contente que *se tenha esclarecido* por que mencionei o anel no delírio! Quer dizer então que a coisa está consolidada para todos eles!..."

— Será que vamos encontrá-lo? — perguntou em voz alta.

— Vamos, vamos — apressou-se Razumíkhin. — Ele, meu irmão, é um rapaz excelente, tu vais ver! Um pouco desajeitado, ou seja, é um homem mundano, mas eu falo desajeitado em outro sentido. Rapaz inteligente, inteligente, até muito inteligente, só que tem um modo de pensar específico... É desconfiado, cético, cínico... gosta de enganar, ou seja, não de enganar mas de fazer alguém de tolo... E usa o velho método das provas materiais... Mas conhece o serviço, conhece... No ano passado destrinçou um caso, de um assassinato, do qual quase todas as pistas se haviam perdido! Está querendo muito, muito mesmo te conhecer!

— E por que esse "muito mesmo"?

— Ou seja, não é para... vê, ultimamente, depois que adoeceste, tive oportunidade de te mencionar com frequência e muito... Bem, ele ouviu... e quando soube que tu estudavas na faculdade de Direito e não podias concluir o curso por força das circunstâncias, ele disse: "Que pena!". Foi aí que eu concluí... ou seja, tudo isso junto, e não só essa coisa: ontem Zamiétov... Vê, Ródia, ontem quando te acompanhava de volta para casa, eu dei com a língua nos dentes... bem, meu irmão, eu temo que tu não tenhas exagerado, vê...

— O quê? O fato de que me consideraram louco? Ora, pode até ser verdade.

Deu um riso artificial.

— É... é... ou seja, arre, não!... Ora essa, tudo o que eu falei (e sobre o outro assunto também) foi tudo besteira e por causa do porre.

— Quanta desculpa! Como estou farto de tudo isso! — gritou Raskólnikov com uma irritabilidade exagerada. Aliás, em parte ele estava fingindo.

— Sei, sei, compreendo. Fica certo de que compreendo. Dá até vergonha falar...

— Já que dá vergonha, então não fales!

Os dois calaram. Razumíkhin estava mais que em êxtase, e Raskólnikov percebia isso com asco. Inquietava-o também o que Razumíkhin acabara de falar a respeito de Porfiri.

"A esse também vai ser preciso entoar o cântico de Lázaro[8] — pensava ele empalidecendo e com o coração a bater —, e cantar com mais naturalidade. O mais natural seria não cantar nada. Não cantar nada forçado! Não, *forçado* seria outra vez não natural... Ora, bolas, lá a gente dá um jeito... lá a gente vê... neste momento... será bom ou não eu estar indo? A própria mariposa voando contra a vela. O coração está batendo, e isso é que não é bom!..."

— É nesse prédio cinzento — disse Razumíkhin.

"O mais importante: será que Porfiri sabe ou não que ontem eu estive no apartamento daquela bruxa... e perguntei pelo sangue? Preciso descobrir isso num instante, ao primeiro passo que eu der, descobrir pela cara; se não... mesmo que eu me dane, mas vou descobrir!"

— Sabes de uma coisa? — falou subitamente para Razumíkhin com um riso maroto. — Meu irmão, eu notei que desde a manhã de hoje estás num estado extraordinário de excitação. É verdade?

---

[8] No Evangelho de Lucas, 16, 19-31, há um homem rico, que se veste de púrpura e linho e dá banquetes todos os dias, e um pobre chamado Lázaro, cheio de feridas, caído à porta dele e tentando matar a fome com as sobras que caem da mesa. Sentido figurado: entoar o cântico de Lázaro significa queixar-se do seu destino. Os versículos de Lázaro costumavam ser cantados por cegos que pediam esmolas. (N. da E.)

— Que excitação? Não estou com excitação nenhuma — estremeceu Razumíkhin.

— Não, meu irmão, dá para notar, palavra. Há pouco estavas sentado na cadeira de uma forma como nunca te sentas, meio na quina, e a todo instante te contorcias com convulsão. Te levantavas sem mais nem menos. Ora estavas zangado, ora o focinho de repente ficava feito uma bala açucarada. Chegavas a corar; ficaste extremamente vermelho sobretudo quando te convidaram para almoçar.

— Mas eu não senti nada disso; mentira!... Por que essa agora?

— Ora, o que é isso, pareces um colegial, com evasivas! Ah, que diabo, tornou a corar!

— Que porco que tu és, ora vejam!

— Mas então, por que ficas desconcertado? Romeu! Espera, eu vou dar um jeito de contar isso hoje mesmo, quá-quá-quá! Vou divertir minha mãe... sim, e mais alguém ainda...

— Escuta, escuta, escuta, vê lá, isso é coisa séria, vê lá, isso... O que vai acontecer depois disso, diabo!? — Razumíkhin ficou definitivamente desconcertado, gelando de pavor. — O que tu vais contar a elas? Eu, meu irmão... Arre, que porco que tu és!

— És simplesmente uma rosa primaveril! E como isso te cai bem, se tu soubesses; um Romeu de dois metros de altura! E como te lavaste hoje, limpaste até as unhas, não? Quando é que agiste assim? Palavra, passaste brilhantina na cabeça, não? Te abaixa!

— Porco!!!

Raskólnikov riu tanto que parecia não conseguir mais se conter, e sorrindo os dois entraram no apartamento de Porfiri Pietróvitch. Era do que Raskólnikov precisava: dos quartos dava para ouvir que os dois haviam entrado rindo e ainda continuavam gargalhando na antessala.

— Nem uma palavra aqui, senão eu te... esmigalho! — sussurrou ensandecido Razumíkhin, agarrando Raskólnikov pelo ombro.

V

O outro já entrava na sala. E entrou com o ar de quem fazia o maior esforço para não desatar a rir. Atrás dele entrou Razumíkhin com a fisionomia totalmente contraída de fúria, vermelho como um pimentão, esgrouviado, sem jeito, encabulado. Estava com a cara e toda a figura realmente engraçadas, justificando o riso de Raskólnikov. Este, ainda não apresentado, fez uma reverência ao anfitrião que estava em pé no meio da sala e olhava interrogativo para eles, estendeu a mão e apertou a dele, ainda fazendo um esforço visível e extraordinário a fim de conter o bom humor e dizer ao menos umas duas ou três palavras para apresentar-se. No entanto, mal ele conseguiu assumir um ar sério e balbuciar alguma coisa, tornou a olhar de súbito e como que involuntariamente para Razumíkhin, e aí já não pôde conter-se: o riso reprimido irrompeu com uma força ainda mais incontida do que a empregada até então para contê-lo. A fúria incomum com que Razumíkhin recebeu esse riso "sincero" dava a toda essa cena o aspecto de sincera alegria e, principalmente, naturalidade. Como de propósito, Razumíkhin ainda botou mais lenha na fogueira.

— Arre, diabos! — berrou ele agitando a mão, e bateu com a própria numa mesinha redonda em que havia um copo de chá bebido. Tudo voou e tilintou.

— Por que quebrar as cadeiras, senhores, dá prejuízo ao tesouro! — exclamou em tom alegre Porfiri Pietróvitch.

A cena foi a seguinte. Raskólnikov ria muito, com a mão esquecida na mão do anfitrião, mas, sabendo que havia medida, aguardava para terminar o quanto antes e da forma mais natural. Razumíkhin, atrapalhado com o tombo total da mesinha, largou mão e virou-se bruscamente para a janela, onde ficou de costas para o público, terrivelmente carrancudo, olhando através dela e sem ver nada. Porfiri Pietróvitch ria e queria rir, mas era evidente que precisava de explicações. Zamiétov estava sentado em uma cadeira, em um canto, soerguera-se à entrada das visitas e ficara na expectativa, com um riso na boca aberta mas olhando perplexo e meio desconfiado para toda a cena e até meio desconcertado para Raskólnikov. A presença inesperada de Zamiétov causou uma impressão desagradável em Raskólnikov.

"Isso ainda precisa ser considerado!" — pensou ele.

— Por favor, desculpe — começou ele, fortemente confuso — Raskólnikov.

— Ora, muito prazer, e ainda por cima vocês entraram de um jeito tão agradável... O que é que ele tem, não está querendo nem cumprimentar? — Porfiri Pietróvitch fez sinal na direção de Razumíkhin.

— Juro, não sei por que ele ficou furioso comigo. Quando a gente vinha para cá eu disse apenas que ele parece um Romeu e... demonstrei; parece que não houve mais nada.

— Porco! — respondeu Razumíkhin sem se voltar.

— Quer dizer que ele teve motivos muito sérios para ficar tão zangado com uma palavrinha — riu Porfiri Pietróvitch.

— Até tu! Juiz de instrução!... Quer saber, vão todos pro inferno! — cortou Razumíkhin e, súbito, também desatando a rir e com a cara alegre como se nada tivesse acontecido, chegou-se a Porfiri Pietróvitch.

— Chega! São todos uns idiotas; vamos ao que interessa: eis meu amigo, Rodion Românovitch Raskólnikov, em primeiro lugar, de quem estás cansado de ouvir falar e a quem querias conhecer e, em segundo, tem um pequeno assunto a tratar contigo. Bah! Zamiétov. Como vieste parar aqui? Por acaso já se conhecem? E faz tempo que fizeram amizade?

"Mais essa!" — pensou inquieto Raskólnikov.

Zamiétov pareceu perturbar-se, mas não muito.

— Nós nos conhecemos ontem mesmo em tua casa — disse ele sem cerimônia.

— Então Deus deu uma mãozinha: na semana passada ele me pediu muitíssimo para dar um jeito de apresentá-lo a ti, Porfiri, mas vocês já se farejaram mesmo sem minha ajuda... Onde tu guardas os cigarros?

Porfiri Pietróvitch estava à vontade, de roupão, roupa de baixo bastante limpa e chinelos surrados. Era um homem de uns trinta e cinco anos, estatura abaixo da mediana, gordo e até com uma barriguinha, cara raspada, sem bigodes nem suíças, cabelos rentes na cabeça grande e redonda, de um redondo saliente sobretudo na nuca. O rosto rechonchudo, redondo, com um nariz um pouco arrebitado, era de um amarelo escuro doentio, mas bastante animado e até zombeteiro. Chegaria a ser até bonachão não fosse a expressão dos olhos, dotados de um brilho meio líquido, aquoso, cobertos por uns cílios quase brancos, que pestanejavam como se piscassem para alguém. O olhar que dali se irradiava estava em uma desarmonia um tanto estranha com toda a figura, que tinha até qualquer coisa de feminino, e lhe transmitia algo bem mais sério do que se poderia esperar à primeira vista.

Mal ouviu falar que a visita tinha um "pequeno assunto" a tratar com ele, Porfiri Pietróvitch foi logo lhe pedindo para que se sentasse no sofá, e ele mesmo sentou-se no outro canto e fixou-se na visita, na expectativa imediata da exposição do assunto, com aquela atenção redobrada e demasiado séria que chega até a incomodar e deixar alguém perturbado da primeira vez, sobretudo um desconhecido, e particularmente se o que você expõe, a seu ver, nem de longe é proporcional a essa atenção inusitadamente importante que lhe estão concedendo. Mas Raskólnikov, com palavras breves e coerentes, expôs em um instante o seu assunto com clareza e precisão, e ficou satisfeito com o fato de ter até conseguido examinar bastante bem Porfiri Pietróvitch. Este também não desviara o olhar dele um só instante. Sentado defronte, do lado oposto da mesma mesa, Razumíkhin acompanhava com ardor e impaciência a exposição do assunto, a cada instante desviando o olhar de um para o outro e vice-versa, o que já saía um pouco da medida.

"Idiota!" — xingou-o Raskólnikov de si para si.

— O senhor deve apresentar uma declaração à polícia — respondeu Porfiri da forma mais prática —, dizendo que, tendo tomado conhecimento de tal e tal ocorrência, ou seja, daquele assassinato, solicita, por sua vez, informar o juiz de instrução, a quem o caso foi entregue, que tais e tais objetos lhe pertencem e que o senhor deseja resgatá-los... ou que... aliás, eles redigem para o senhor.

— Mas o problema é que, neste momento — Raskólnikov procurava mostrar-se o mais confuso possível — eu não estou com esses dinheiros... e nem uma ninharia como essa eu posso... eu, veja, neste momento gostaria apenas de declarar que os objetos me pertencem, e quando eu tiver dinheiro...

— Isso não faz diferença — respondeu Porfiri Pietróvitch, recebendo friamente a explicação acerca das finanças —, aliás, se o senhor quiser, pode se dirigir por escrito diretamente a mim, no mesmo sentido, dizendo que, tendo tomado conhecimento de tal e tal fato e declarando que tais e tais objetos são seus, solicita...

— E isso em papel simples? — apressou-se Raskólnikov em interromper, mais uma vez mostrando interesse pela parte financeira.

— Oh, no mais simples! — e súbito Porfiri Pietróvitch olhou para ele com um quê de galhofa, apertando os olhos e como se piscasse para ele. Isso, aliás, pode ter sido apenas impressão de Raskólnikov, porque durou um instante. Que houve ao menos alguma coisa parecida, houve. Raskólnikov juraria por Deus que ele lhe havia piscado, o diabo sabe com que fim.

"Está sabendo!" — passou-lhe como um raio pela cabeça.

— Desculpe incomodar com coisas tão insignificantes — continuou ele, perdendo um pouco o fio —, os meus objetos valem apenas cinco rublos, mas são de especial estimação para mim, são uma lembrança de quem os deixou, e confesso, quando soube do ocorrido fiquei muito assustado...

— Foi por isso que tu ontem deste aquele salto quando Zóssimov deu com a língua dizendo que Porfiri estava interrogando as pessoas que tinham penhor com a velha! — insinuou Razumíkhin com visível intenção.

Isso já era insuportável. Raskólnikov não se conteve e lançou raivosamente sobre ele um olhar chamejante, com seus olhos negros ardendo de ira. Mas no mesmo instante apercebeu-se.

— Ao que parece, meu irmão, estarás zombando de mim? — dirigiu-se a ele com uma expressão habilmente elaborada. — Concordo que eu talvez esteja mesmo me preocupando demais com semelhante porcaria, a teu ver; mas por isso eu não posso ser considerado nem egoísta nem cobiçoso e, a meu ver, essas duas coisinhas insignificantes podem não ser nenhuma porcaria. Eu já te disse há pouco que o relógio de prata, que vale uma ninharia, é a única coisa que restou de meu pai. Podes rir de mim, mas minha mãe chegou para me ver — voltou-se num repente para Porfiri —, e se ela soubesse — tornou logo a voltar-se para Razumíkhin, procurando, em especial, falar com voz trêmula — que esse relógio sumiu, juro que ficaria desesperada! As mulheres!

— Não foi nada disso! Eu não falei com esse sentido, absolutamente! Foi inteiramente o contrário! — exclamou Razumíkhin amargurado.

"Será que me saí bem? Que fui natural? Não terei exagerado? — tremia Raskólnikov de si para si. — Por que falei 'as mulheres'?"

— Sua mãe chegou para visitá-lo? — quis saber por alguma razão Porfiri Pietróvitch.

— Sim.

— Quando foi isso?

— Ontem à noite.

Porfiri calou-se, como se estivesse considerando.

— Os seus objetos não poderiam sumir de maneira nenhuma — continuou ele com calma e frieza. — Aliás, eu já o aguardava aqui há muito tempo.

E como se nada estivesse acontecendo, passou com solicitude o cinzeiro a Razumíkhin, que cruelmente deixara cair cinza de cigarro no tapete. Raskólnikov estremeceu, mas Porfiri pareceu nem olhar, ainda ocupado com o cigarro de Razumíkhin.

— O quê? Aguardava! E por acaso tu sabias que ele também penhorava coisas *lá*? — exclamou Razumíkhin.

Porfiri Pietróvitch dirigiu-se diretamente a Raskólnikov:

— Os seus dois objetos, o anel e o relógio, estavam *na casa dela* embrulhados em um papel, onde o seu nome aparece escrito nitidamente a lápis, assim como o dia do mês em que ela os recebeu do senhor...

— Como o senhor é observador!... — quis rir sem jeito Raskólnikov, procurando especialmente encará-lo; mas não conseguiu conter-se e súbito acrescentou: — Eu fiz essa observação porque provavelmente havia muita gente que penhorava... de sorte que para o senhor seria difícil lembrar-se de todos eles... Mas o senhor, ao contrário, lembra-se com precisão de todos eles e... e...

"Bobagem! Fraco! Por que acrescentei isso?"

— Mas quase todos os que penhoravam já são conhecidos, de sorte que só o senhor não havia dado a honra de aparecer — respondeu Porfiri com um matiz de malícia levemente visível.

— Eu não estava muito bem de saúde.

— Ouvi dizer. Ouvi dizer ainda que o senhor andava muito abalado com alguma coisa. Agora mesmo o senhor parece pálido!

— Não estou nada pálido... ao contrário, estou perfeitamente são! — cortou Raskólnikov de modo grosseiro e raivoso, mudando subitamente de tom. A raiva ferveu e ele não conseguiu contê-la. "A raiva vai me fazer dar com a língua nos dentes!" — voltou a lhe passar pela mente. — Por que me atormentam?...

— Não está perfeitamente são! — emendou Razumíkhin. — Vejam só, acabou de dizer um absurdo! Até ontem esteve delirando quase sem sentidos... Tu acreditas, Porfiri, ontem ele mesmo mal se segurava nas pernas, mas foi só eu e Zóssimov darmos as costas que ele se vestiu, saiu de fininho e andou por aí fazendo das suas quase até à meia-noite, e ainda por cima, posso afirmar, no mais completo delírio; tu podes imaginar isso?! Um caso notabilíssimo!

— Será que foi mesmo *no mais completo delírio*? Faça o favor de dizer! — balançou a cabeça Porfiri Pietróvitch com um quê de afeminado no gesto.

— Eh, absurdo! Não acredite! Aliás, o senhor já não estava acreditando mesmo! — deixou escapar Raskólnikov com excesso de raiva. Mas Porfiri Pietróvitch pareceu não ouvir direito essas estranhas palavras.

— E como é que podias ter saído se não estivesses delirando? — inflamou-se repentinamente Razumíkhin. — E por que saíste? Para quê?... E por que precisamente de fininho? Será que naquele momento estavas com o juízo no lugar? Agora que todo o perigo passou, posso te falar com franqueza.

— Ontem eles me deixaram saturado — súbito Raskólnikov se dirigiu a Porfiri com um riso disfarçadamente acintoso —, e fugi deles a fim de alugar um apartamento para que eles não me encontrassem, e levei comigo uma penca de dinheiro. Aí está o senhor Zamiétov, ele viu o dinheiro. Então, senhor Zamiétov, resolva esta discussão aqui: ontem eu estava no meu juízo ou delirando?

Ele, é de crer, pegaria Zamiétov ali mesmo e o estrangularia. O olhar e o silêncio dele o desagradavam demais.

— Acho que o senhor falou de forma bastante sensata e até ardilosa, só que estava excessivamente irascível — declarou secamente Zamiétov.

— E hoje Nikodim Fomitch — meteu-se na conversa Porfiri Pietróvitch — me disse que o havia encontrado ontem, altas horas da noite, no apartamento de um funcionário público atropelado por cavalos...

— Pois bem, pelo menos esse funcionário! — secundou Razumíkhin. — Bem, será que tu não estavas louco em casa desse funcionário? O último dinheiro que tinhas deste à viúva para o enterro! Ora, se querias ajudar, podias ter dado quinze, vinte, mas deixado pelo menos uns três rublos contigo, no entanto deste todos os vinte e cinco rublos!

— Vai ver que eu achei um tesouro em algum lugar e tu não estás sabendo, hein? Por isso tive ontem um acesso de generosidade... Está aí o senhor Zamiétov, ele sabe que eu achei um tesouro!... O senhor por favor desculpe — dirigiu-se a Porfiri Pietróvitch com os lábios trêmulos — por essa enxurrada de bobagens com que o importunamos há meia hora. Está saturado, não é?

— O que é isso, ao contrário, ao con-trá-rio! Se o senhor soubesse o quanto o senhor me interessa! É até curioso olhar, e ouvir... e confesso, estou tão contente pelo fato de que o senhor finalmente deu a honra de aparecer...

— Vamos, serve ao menos um chá! A goela está seca! — exclamou Razumíkhin.

— Magnífica ideia! Talvez todos acompanhem. E tu, não queres... algo mais substancial antes do chá?

— Vai tocando!

Porfiri Pietróvitch saiu para mandar servir o chá.

As ideias giravam como um remoinho na cabeça de Raskólnikov. Ele estava terrivelmente irritado.

"O principal é que nem escondem, nem fazem cerimônia! E por que motivo, já que não me conheces absolutamente, conversaste a meu respeito com Nikodim Fomitch? Logo, não querem nem esconder que estão me seguindo como uma matilha de cães! Por isso me cospem tão francamente nas fuças! — tremia de fúria. — Vamos, batam direto, mas não fiquem brincando de gato e rato. Isso é descortesia, Porfiri Pietróvitch, porque pode ser que eu ainda não o permita!... Levanto-me, e lanço toda a verdade nas fuças de todos; e vocês verão como eu os desprezo!... — Tomou fôlego com dificuldade. — E se isso for apenas impressão minha? E se for apenas miragem e eu estiver totalmente enganado, não estiver sustentando meu papel vil e ficando furioso por inexperiência? Poderá ser que nada disso venha a ser intencional? Todas as palavras deles são habituais, mas nelas há qualquer coisa... Sempre se pode dizer tudo isso, mas existe alguma coisa. Por que ele disse francamente 'na casa dela'? Por que Zamiétov acrescentou que eu falava de forma *ardilosa*? Por que ele falou naquele tom? Por que eles falam com esse tom? É, o tom... Razumíkhin está aí mesmo ao lado, então por que ele não acha nada? Por que esse pateta inocente nunca acha nada?! Outra vez a febre!... Será que Porfiri me piscou o olho há pouco, ou não? Palavra, um absurdo; por que iria piscar? Estará querendo me irritar os nervos ou me provocar? Ou será tudo miragem, ou estarão *sabendo*!... Até Zamiétov está atrevido... Será Zamiétov um atrevido? Zamiétov reconsiderou durante a noite. E eu pressenti que ele estava reconsiderando! Aqui ele está entre os seus, e é a primeira vez que comparece. Porfiri não o considera visita, está sentado de costas para ele. Mancomunaram-se! Forçosamente *por minha causa* mancomunaram-se! Forçosamente falaram a meu respeito antes da nossa chegada!... Estarão sabendo sobre o apartamento? Descobrir o quanto antes!... Quando eu disse que havia fugido ontem para alugar um apartamento, ele deixou passar, não levantou... Essa história do apartamento foi uma tirada astuta: depois vai me ser útil!... Em delírio, diz-se!... Ah-ah! Está sabendo sobre toda a noite de ontem! Não sabia da chegada da minha mãe!... E a bruxa anotou até a data a lápis!... Está mentindo, não me deixarei apanhar! Porque isso ainda não são fatos, isso é apenas miragem! Não, os senhores me apresentem fatos! E o apartamento não é fato, mas delírio; eu sei o que dizer a eles... Será que estão sabendo do apartamento? Não saio daqui sem me inteirar! O que vim fazer aqui? Bem, que neste momento eu estou com raiva, isso, vai ver, é até fato! Arre, como estou irritadiço! Mas pode ser até bom; o papel de doente... Ele está me tateando. Vai me embrulhar. O que me trouxe aqui?"

Tudo isso passou pela cabeça dele como um raio.

Porfiri Pietróvitch voltou num abrir e fechar de olhos. Ficara subitamente meio alegre.

— Meu irmão, depois da tua festa de ontem minha cabeça... Aliás, eu todo fiquei como que desaparafusado — começou ele em um tom bem diferente, rindo, para Razumíkhin.

— E então, foi interessante? Porque ontem eu os deixei no ponto mais interessante. Quem venceu?

— Ora, ninguém, naturalmente. Chegamos às questões eternas, ficamos andando nas nuvens.

— Imagina, Ródia, aonde chegamos ontem: existe ou não o crime? Eu disse que metemos os pés pelas mãos!

— O que há de surpreendente nisso? A costumeira questão social — respondeu Raskólnikov com ar distraído.

— A questão não foi formulada assim — observou Porfiri.

— Não foi bem assim, é verdade — concordou no mesmo instante Razumíkhin, apressado e inflamando-se como de costume. — Vê, Rodion: ouve e dá tua opinião. Eu quero. Ontem eu fiz das tripas coração com eles e fiquei te esperando: eu disse a eles que tu virias... Começou com a concepção dos socialistas. Uma concepção conhecida: o crime é um protesto contra a anormalidade do sistema social e só, e nada mais, e não se admitem quaisquer outras causas — e nada mais!...

— E foi aí que te enganaste! — exclamou Porfiri Pietróvitch. Estava visivelmente animado e ria a cada instante olhando para Razumíkhin, e com isso o deixava ainda mais inflamado.

— N-nada mais se admite! — interrompeu entusiasmado Razumíkhin. — E não estou enganado!... Eu te mostro um livro deles: eles defendem tudo isso porque para eles "o indivíduo é vítima do seu meio"[9] e nada mais! É a frase preferida! Daí se deduz diretamente que, caso se construa a sociedade de maneira correta, todos os crimes desaparecerão de um só golpe, uma vez que não haverá contra o que protestar e em um instante todos os homens se tornarão justos. Não se leva a natureza em conta, suprime-se a natureza, não se percebe a natureza! Para eles não é a humanidade — que se desenvolveu pela via histórica e *viva* até o fim — que vai finalmente converter-se numa sociedade normal, mas, ao contrário, é o sistema social que, saindo de alguma cabeça de matemático, vai imediatamente organizar toda a sociedade e num piscar de olhos a tornará justa e pura antes de qualquer processo vivo,

---

[9] Fórmula muito corrente na crítica liberal e democrática e na beletrística de fins de 1850 e começo de 1860, que explicava as causas sociais responsáveis pela trágica vida vegetativa dos chamados "homens supérfluos" e pela morte dos talentosos representantes dos segmentos democráticos da sociedade no regime servil. A essa fórmula Dostoiévski contrapôs a ideia da responsabilidade moral do indivíduo por seu comportamento e pelo nível geral da vida ao redor. (N. da E.)

sem qualquer via histórica e viva! É por isso que eles detestam tão instintivamente a história: nela veem "só deformidades e tolices", e tudo se explica exclusivamente pela tolice! É por isso que detestam o processo *vivo* da vida: a *alma viva* é dispensável! A alma viva exige vida, a alma viva não obedece à mecânica, a alma viva é desconfiada, a alma viva é retrógrada! E mesmo que cheire a carniça, pode ser feita de borracha, mas aí não é viva, aí não tem vontade, aí é escrava, incapaz de rebelar-se! E daí resulta que no falanstério reduziram tudo a uma simples alvenaria de tijolos e à disposição de corredores e quartos! O falanstério está pronto, mas a natureza dos senhores ainda não está pronta para o falanstério, ela quer vida, ainda não concluiu o processo vital, é cedo para ir para o cemitério! Só com a lógica é impossível pular por cima da natureza! A lógica adivinha três casos, mas há milhões deles! Cortar um milhão inteiro e reduzir tudo apenas à questão do conforto! A solução mais fácil da questão! É de uma clareza sedutora, e nem se precisa pensar! O principal — não se precisa pensar! Todo o mistério da vida cabe em dois cadernos!

— Pronto, transbordou, agora está martelando! É preciso segurá-lo — ria Porfiri. — Imagine — voltou-se para Raskólnikov —, foi esse mesmo o tom de ontem à noite, em um quarto, a seis vozes, e ainda previamente embebidos de ponche — pode imaginar? Não, meu irmão, estás enganado: o "meio" significa muito no crime; isso eu vou te demonstrar.

— Eu mesmo sei que significa muito, mas agora me diz uma coisa: um quarentão desonra uma menina de dez anos — foi o meio que o impeliu a isso?

— E por que não? No sentido rigoroso do termo, pode ter sido o meio mesmo — observou Porfiri com uma imponência surpreendente —, o crime contra uma menina pode, e muito, ser explicado pelo "meio".

Razumíkhin por pouco não teve uma acesso de fúria.

— Ora essa, estás querendo que eu *deduza* para ti — berrou ele — que tens os cílios brancos unicamente porque a igreja de Ivan, o Grande, tem trinta e cinco braças de altura, e o deduza com nitidez, com precisão, de forma progressista e até com matiz liberal? Eu topo! Então, queres apostar?

— Aceito! Ouçamos, por favor, como ele vai deduzir!

— É que ele está sempre simulando, diabo! — Razumíkhin gritou, deu um salto e deu de mão. — Valerá a pena conversar contigo? Acontece que ele faz tudo isso de caso pensado, tu ainda não o conheces, Rodion! Ontem ele também tomou o partido deles só para fazer todos de bobos! E o que ele falou ontem, meu Deus! Mas eles ficaram contentes com ele!... E olhe que ele aguenta duas semanas nesse rojão. No ano passado andou assegurando, sabe-se lá por quê, que ia ser monge: passou dois meses sustentando isso! Faz pouco inventou que ia se casar, que tudo já estava pronto para o casamento. Até uma roupa nova havia mandado fazer. Então nós resolvemos felicitá-lo. Não havia noiva nem coisa nenhuma: tudo miragem!

— Aí eu menti! A roupa eu havia mandado fazer antes. E foi por causa da roupa nova que me ocorreu a ideia de engazopar vocês todos.

— O senhor é realmente esse fingidor? — perguntou displicentemente Raskólnikov.

— E o senhor pensava que não? Aguarde, eu vou engazopar o senhor também — he-he-he! Não, veja, ao senhor eu direi toda a verdade. A propósito de todas essas questões, de crimes, de meio, de moças, acabei de me lembrar — e aliás ele sempre me interessou — do seu artiguinho: "A respeito do crime"... ou como o senhor o denominou, esqueci o título, não me lembro. Há dois meses tive o prazer de o ler no *Discurso Periódico*.

— O meu artigo? No *Discurso Periódico*? — perguntou Raskólnikov surpreso. — Há meio ano, quando deixei a universidade, eu realmente escrevi a respeito de um livro, um artigo, mas na ocasião eu o levei ao jornal *Discurso Semanal* e não ao *Discurso Periódico*.[10]

— Mas acabou chegando ao *Periódico*.

— Acontece que o *Discurso Semanal* deixou de existir e por isso não o publicaram na ocasião...

— É verdade; mas ao deixar de existir, o *Discurso Semanal* fundiu-se com o *Discurso Periódico*, e por isso seu artiguinho saiu no *Discurso Periódico* dois meses atrás. O senhor não sabia?

Raskólnikov realmente não sabia de nada.

— Ora, o senhor pode exigir que eles lhe paguem pelo artigo! Sim, senhor, que caráter o seu! Vive tão isolado que desconhece coisas que lhe dizem respeito diretamente. Isso é fato, não é?

— Bravo, Rodka! E eu também não sabia! — bradou Razumíkhin. — Hoje mesmo vou correr para a sala de leitura e pedir o número! Dois meses atrás? Que data? Seja como for vou achá-lo! Puxa! E ele calado!

— E como foi que o senhor soube que o artigo era meu? Foi assinado com iniciais.

---

[10] Em 1861 o jornal *Rússkaia Rietch* (*Discurso Russo*) deixou de circular e fundiu-se com o *Moskóvski Viéstnik* (*Mensageiro Moscovita*). Aqui também pode haver uma alusão à revista *Iuridítcheski Viéstnik* (*Mensageiro Jurídico*), que deixou de circular em 1864. (N. da E.)

— Por acaso e há poucos dias. Por intermédio do redator; eu o conheço... Fiquei bastante interessado.

— Pelo que me lembro, tratei do estado psicológico do criminoso durante todo o ato do crime.

— Sim, e o senhor insiste em que o ato de execução de um crime sempre é acompanhado de uma doença. Muito, muito original, no entanto... a mim propriamente não foi essa parte do seu artigo que me interessou e sim um certo pensamento emitido no final do artigo mas que o senhor, infelizmente, desenvolve apenas por insinuação, de forma vaga... Numa palavra, se o senhor está lembrado, há certa insinuação ao fato de que existiriam no mundo certas pessoas que podem... ou seja, não é que podem, mas têm o pleno direito de cometer toda sorte de desmandos e crimes, como se a lei não houvesse sido escrita para eles.

Raskólnikov sorriu ante a deturpação redobrada e proposital da sua ideia.

— Como? O que é isso? Direito ao crime? Mas isso não é porque "o homem é vítima do meio", é? — quis saber Razumíkhin até com certo espanto.

— Não, não, não é bem assim — respondeu Porfiri. — Toda a questão consiste em que, no artigo dele, todos os indivíduos se dividiriam em "ordinários" e "extraordinários". Os ordinários devem viver na obediência e não têm o direito de infringir a lei porque eles, vejam só, são ordinários. Já os extraordinários têm o direito de cometer toda sorte de crimes e infringir a lei de todas as maneiras precisamente porque são extraordinários. É assim, parece, que está em seu artigo, se não me engano, não é?

— Ora, como é que pode? Não é possível que esteja assim! — balbuciou perplexo Razumíkhin.

Raskólnikov tornou a sorrir. Num instante compreendeu em que consistia a questão e para onde queriam empurrá-lo; estava lembrado do seu artigo. Decidiu aceitar o desafio.

— Não é exatamente assim que está em meu artigo — começou ele com simplicidade e modéstia. — Pensando bem, reconheço que o senhor o expôs quase fielmente; até mesmo, se quiser, com absoluta fidelidade... (Era-lhe de fato agradável concordar que fora com absoluta fidelidade.) A única diferença é que eu, de modo algum, insisto em que as pessoas extraordinárias devam e sejam forçosamente obrigadas a cometer sempre toda sorte de desmandos, como o senhor diz. Acho até que um artigo desse tipo nem deixariam publicar. Eu insinuei pura e simplesmente que o "homem extraordinário" tem o direito... ou seja, não o direito oficial, mas ele mesmo tem o direito de permitir à sua consciência passar... por cima de diferentes obstáculos, e unicamente no caso em que a execução da sua ideia (às vezes salvadora, talvez, para toda a humanidade) o exija. O senhor afirmou que meu artigo é vago; estou disposto a elucidá-lo para o senhor, na medida do possível. Eu talvez não esteja enganado ao supor que o senhor parece querer isso mesmo; permita-me. Acho que se as descobertas que Kepler e Newton fizeram, como resultado de certas combinações, nunca pudessem chegar ao conhecimento dos homens senão com o sacrifício da vida de um, dez, cem e mais homens, que impediriam tais descobertas ou lhes seriam um obstáculo, Newton teria o direito, e estaria inclusive obrigado, a... *eliminar* esses dez ou cem homens para levar suas descobertas ao conhecimento de toda a humanidade. Por outro lado, daí não se conclui que Newton tivesse o direito de matar qualquer pessoa que lhe desse na telha, estivesse essa pessoa em sua frente ou cruzando com ele, ou de roubar todos os dias na feira. Lembro-me, ainda, de que eu desenvolvo em meu artigo a ideia de que todos... bem, por exemplo, embora os legisladores tenham instituído a sociedade humana, começando pelos mais antigos e continuando com os Licurgos, Sólons, Maomés, Napoleões etc., todos eles, sem exceção, foram criminosos já pelo simples fato de que, tendo produzido a nova lei, com isso violaram a lei antiga que a sociedade venerava como sagrada e vinha dos ancestrais, e aí, evidentemente, já não se detiveram nem diante do derramamento de sangue, caso esse sangue (às vezes completamente inocente e derramado de forma heroica em defesa da lei antiga) pudesse ajudá-los. É até notável que em sua maioria esses beneméritos e fundadores da sociedade humana tenham sido sanguinários especialmente terríveis. Em suma, eu concluo que todos os indivíduos, não só os grandes, mas até aqueles que saem um mínimo dos trilhos, isto é, que têm a capacidade, ainda que mínima, de dizer alguma coisa nova, devem ser, por sua natureza, forçosamente criminosos — mais ou menos, é claro. Caso contrário seria difícil para eles sair dos trilhos, e em permanecer nos trilhos eles naturalmente não poderiam concordar, mais uma vez por sua natureza, e acho até que nem os macacos concordariam com isso. Numa palavra, o senhor percebe que nesse ponto não há até hoje nada de propriamente novo. Isso já foi publicado e lido milhares de vezes. Quanto à minha divisão dos indivíduos em ordinários e extraordinários, concordo que ela é um tanto arbitrária, mas acontece que não chego a insistir em números exatos. É só na minha ideia central que eu acredito. Ela consiste precisamente em que os indivíduos, por lei da natureza, em geral se dividem em duas categorias: uma inferior (a dos ordinários), isto é, por assim dizer, o material que só serve para criar seus semelhantes; a outra, a dos indivíduos propriamente ditos, ou seja, os dotados de dom ou talento para dizer em seu meio a *palavra nova*. Aqui as subdivisões, naturalmente, são infinitas, mas os traços que distinguem ambas as categorias são bastante nítidos: em linhas gerais, formam a primeira categoria, ou seja, o material, as pessoas conservadoras por natureza, corretas, que vivem na obediência e gostam de ser obedientes. A meu ver, elas são obrigadas a ser obedientes porque esse é o seu destino, e nisso não há decididamente nada de humilhante para elas. Formam a segunda categoria todos os que infringem a lei, os destruidores ou inclinados a isso, a julgar por suas capacidades. Os crimes desses indivíduos, naturalmente, são relativos e muito diversos; em sua maioria eles exigem, em declarações bastante variadas, a destruição do presente em nome de algo melhor. Mas se um deles, para realizar sua ideia, precisar passar por cima ainda que seja de um cadáver, de sangue, a meu ver ele pode se permitir, no seu íntimo, na sua consciência passar por cima do sangue — todavia, conforme a ideia e suas dimensões — observe isso. É só neste sentido que em meu artigo eu falo do direito deles ao crime. (Lembre-se o senhor de que nossa discussão começou pela questão jurídica.) Aliás, não há motivo para muita inquietação: a massa quase nunca lhes reconhece esse direito, ela os justiça e enforca (mais ou menos) e assim, de forma absolutamente justa, cumpre o seu destino conservador para, não obstante, nas gerações seguintes, essa mesma massa colocar os mesmos executados no pedestal e reverenciá-los (mais ou menos). A primeira categoria é sempre de senhores do presente, a segunda, de senhores do futuro. Os primeiros conservam o mundo e o multiplicam em número; os segundos fazem o mundo mover-se e o conduzem para um objetivo. Tanto uns quanto os outros têm o mesmo direito de existir. Numa palavra, no meu artigo todos têm direito idêntico e — *vive la guerre éternelle*[11] — até a Nova Jerusalém,[12] é claro!

---

[11] "Viva a guerra eterna", em francês. (N. do T.)

[12] Expressão do Apocalipse de João, 21, 1-2: "Vi novo céu e nova terra, pois o primeiro céu e a primeira terra passaram, e o mar já não existe. Vi também a cidade santa, a nova Jerusalém, que descia do céu, da parte de Deus". Segundo a doutrina dos saint-simonistas, a fé na Nova Jerusalém significava fé na chegada de um novo paraíso terrestre — a "Idade de Ouro". Dostoiévski conhecia bem essa reformulação do ideal cristão segundo o espírito das doutrinas dos socialistas utópicos, difundida na Rússia nas décadas de 1830 e 1840, tanto que escreveu em seu *Diário de um escritor* de 1873: "Naquele momento, o socialismo nascente era comparado, até por alguns de seus mentores, com o Cristianismo, e aceito apenas como reparo e melhoria deste em conformidade com o século e a civilização". (N. da E.)

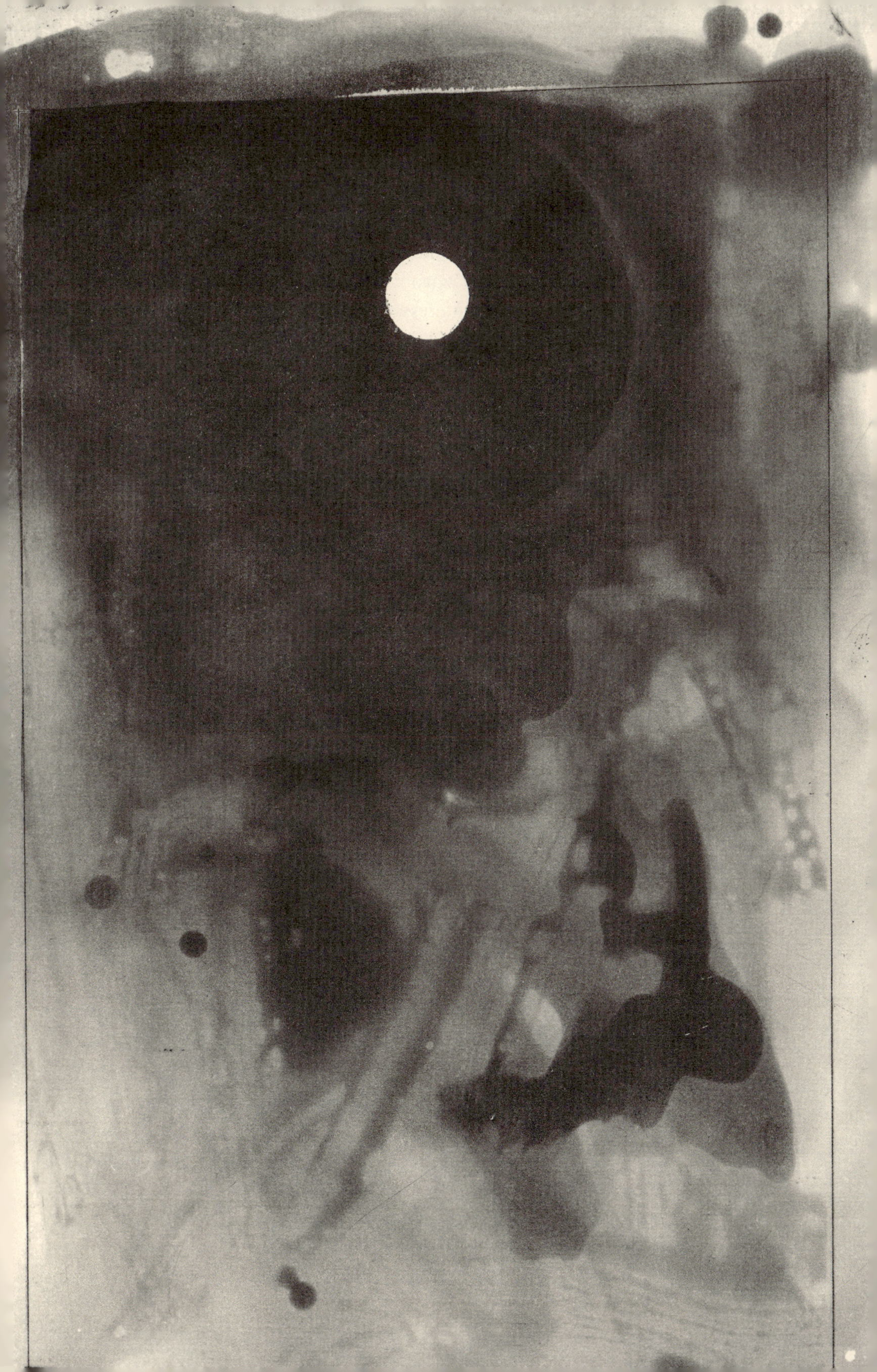

— Então, apesar de tudo o senhor acredita mesmo na Nova Jerusalém?

— Acredito — respondeu Raskólnikov com firmeza; ao dizer isso e continuando toda a sua longa tirada, ele olhava para o chão, onde havia escolhido um ponto no tapete.

— E... e... e... em Deus, acredita? Desculpe tanta curiosidade.

— Acredito — repetiu Raskólnikov, levantando a vista para Porfiri.

— E... e na ressurreição de Lázaro, acredita?

— Ac-acredito. Por que lhe interessa tudo isso?

— Acredita literalmente?

— Literalmente.

— Então é assim... eu estava curioso. Desculpe. No entanto me permita — retomo o assunto anterior: acontece que eles nem sempre são justiçados; uns ao contrário...

— Triunfam em vida? Oh, sim, uns até atingem o objetivo em vida, e então...

— Eles mesmos começam a justiçar?

— Se preciso for e, fique sabendo, até na maioria dos casos. Sua observação é bem sutil.

— Obrigado. Mas me diga uma coisa: como distinguir esses extraordinários dos ordinários? Teriam alguns sinais particulares? Falo no sentido de que, neste caso, caberia mais precisão, por assim dizer, mais precisão externa: desculpe-me essa preocupação natural de homem prático e bem-intencionado, mas aí não seria necessário arranjar, por exemplo, algum uniforme, usar alguma coisa, certas marcas?... Porque, o senhor há de convir, se houver uma confusão e um indivíduo de uma categoria imaginar que pertence à outra categoria, e começar a "eliminar todos os obstáculos", como o senhor se expressou de modo bastante feliz, então aí...

— Oh, isso acontece com bastante frequência! Essa sua observação é ainda mais sutil que a anterior.

— Obrigado.

— Não há de quê; mas leve em consideração que o erro é possível mas só por parte da primeira categoria, ou seja, das pessoas ordinárias (como eu as denominei talvez de modo muito falho). Apesar da sua vocação congênita para obedecer, por certa brejeirice da natureza, que não se pode negar nem a uma vaca, muitas delas gostam de imaginar-se pessoas avançadas, "destruidoras", de meter-se a portadoras da "palavra nova", e o fazem com absoluta sinceridade. Ao mesmo tempo e com bastante frequência não notam e até desprezam as pessoas efetivamente *novas* por acharem que são atrasadas e pensam de modo humilhante. Acho, no entanto, que aí não pode haver perigo considerável e o senhor, palavra, não tem razão para se preocupar, porque elas nunca vão longe. Por envolvimento, é claro, às vezes pode-se açoitá-las, para que compreendam o seu lugar, porém não mais; aí nem se precisa de quem execute: elas mesmas se chicoteiam, porque são muito bem-comportadas; umas trocam esses serviços entre si, e outras se chicoteiam com as próprias mãos... Impõem-se a si mesmas diversas confissões públicas — isso é bonito e edificante, numa palavra, o senhor não tem por que se preocupar... Essa lei existe.

— Bem, pelo menos desse aspecto o senhor me tranquilizou ainda que um pouco; eis, porém, outra vez o mal: diga-me por favor; existem muitos desses indivíduos que têm o direito de matar outros, esses "extraordinários"? Eu, é claro, estou disposto a reverenciá-los, mas, convenha o senhor, será um horror se houver mesmo um número muito grande deles, não?

— Oh, não se preocupe com isso — continuou Raskólnikov no mesmo tom. — Em linhas gerais, as pessoas de pensamento novo, mesmo aquelas com um mínimo de capacidade para dizer ao menos alguma coisa *nova*, nascem em número inusitadamente baixo, até estranhamente baixo. A única coisa clara é que a ordem de nascimento das pessoas de todas essas categorias e subdivisões provavelmente é determinada, de modo bastante certo e preciso, por alguma lei da natureza. Essa lei, é claro, é hoje desconhecida, mas acredito que ela existe e mais tarde pode vir a ser conhecida. A imensa massa de pessoas, o material, existe unicamente no mundo para, através de algum esforço, por algum processo até hoje misterioso, por meio de algum cruzamento de espécies e raças, finalmente fazer uma forcinha e acabar gerando em mil ao menos um indivíduo com autonomia, ainda que seja pouca. Talvez em cada dez mil nasça um (falo em termos aproximados, evidentemente) com autonomia mais ampla, e em cada cem mil nasça um com autonomia ainda mais ampla. Dos indivíduos geniais nasce um entre milhões, e dos grandes gênios, os que dão acabamento à humanidade, nasce um depois da passagem de muitos milhares de milhões na face da terra. Numa palavra, não dei uma olhada na retorta em que tudo isso acontece. Mas existe forçosamente e deve existir certa lei: aqui não pode haver acaso.

— É, o que vocês dois estão fazendo, brincando? — bradou Razumíkhin. — Engambelando um ao outro? Aí sentados um fazendo o outro de palhaço? Tu, Ródia, estás falando sério?

Raskólnikov ergueu para ele seu rosto pálido e quase triste e nada respondeu. Ao lado desse rosto sereno e triste, pareceu estranha a Razumíkhin a mordacidade impertinente, irritante e *descortês* de Porfiri.

— Bem, meu irmão, se isso for realmente sério, então... Tu, evidentemente, tens razão quando dizes que isso não é novo e parece com tudo o que já lemos e ouvimos milhares de vezes: mas o que há de efetivamente *original* em tudo isso — e em realidade de exclusivamente teu, para o meu horror — é o fato de que tu, não obstante, permites o derramamento de sangue *por uma questão de consciência*, e, desculpa-me, até com certo fanatismo... Nisso, portanto, é que consiste a ideia central do teu artigo. Porque essa permissão do derramamento de sangue *por uma questão de consciência* é... é, a meu ver, mais terrível que a permissão oficial de derramar sangue, a permissão legal...

— Tens toda razão, é mais terrível — respondeu Porfiri.

— Não, de uma forma ou de outra foste levado pelo entusiasmo! Aqui há um equívoco. Eu vou ler... Foste levado pelo entusiasmo! Não podes pensar assim... Vou ler.

— No artigo não há nada disso, lá há apenas insinuações — pronunciou Raskólnikov.

— É, é — Porfiri não conseguia parar —, quase me ficou claro como o senhor vê o crime, no entanto... desculpe-me pela minha importunação (eu o estou importunando muito, a mim mesmo dá vergonha!) — veja: há pouco o senhor me tranquilizou muito ao falar dos casos equivocados de mistura das duas categorias, mas... aqui os diversos casos práticos de sempre voltam a me inquietar! Vamos que algum homem, ou jovem, imagine que é Licurgo ou Maomé... — futuro, é claro — e ponha-se a eliminar todos os obstáculos para isso... Terá pela frente, dirá, uma longa marcha, e para a marcha precisará de dinheiro... e aí começará a consegui-lo para a marcha... não é provável?

Súbito Zamiétov bufou do seu canto. Raskólnikov nem chegou a levantar a vista para ele.

— Hei de convir — respondeu ele calmamente — que casos dessa natureza devam mesmo acontecer. Os parvos e os vaidosos, em particular, hão de cair nessa armadilha; sobretudo os jovens.

— Para o senhor ver! Então, como é que fica?

— Assim mesmo, ora — riu Raskólnikov —, isso não é culpa minha. Assim é e será sempre. Veja ele (fez sinal para Razumíkhin), acabou de dizer que eu consinto no derramamento de sangue. Mas qual é o problema? Porque a sociedade está excessivamente provida de pontos de confinamento, cadeias, juízes de instrução, trabalhos forçados — logo, por que essa preocupação? É só procurar o ladrão!...

— Bem, e se o encontramos?

— Para lá é o destino dele.

— Aí o senhor está sendo lógico. Pois bem, e quanto à consciência?

— E o que é que o senhor tem a ver com ela?

— Quanto mais não seja, por uma questão de humanidade.

— Quem a tem que sofra, caso reconheça o erro. Esse é o seu castigo — além dos trabalhos forçados.

— Pois bem, e os realmente geniais? — perguntou Razumíkhin carregando o semblante. — Por exemplo, aqueles a quem é dado o direito de matar, eles devem mesmo não sofrer nada, nem pelo sangue derramado?

— Por que esse *devem*? Aqui não se trata de permissão nem de proibição. Que sofra se tem pena da vítima... O sofrimento e a dor são sempre obrigatórios para uma consciência ampla e um coração profundo. Os homens verdadeiramente grandes, a meu ver, devem experimentar uma grande tristeza no mundo — acrescentou ele subitamente pensativo, até fora do tom da conversa.

Ele levantou a vista, olhou pensativo para todos, deu um sorriso e apanhou o boné. Estava calmo demais em comparação com a maneira como entrara há pouco, e o sentia. Todos se levantaram.

— Bem, repreenda-me o senhor ou não, zangue-se comigo ou não, mas eu não consigo me conter — voltou a concluir Porfiri Pietróvitch —; permita-me mais uma perguntinha (eu estou importunando muito o senhor!). Eu gostaria de lançar só mais uma ideiazinha, unicamente para não esquecer...

— Está bem, diga qual é sua ideiazinha — Raskólnikov estava em pé diante dele, sério e pálido.

— Veja bem... palavra, não sei como me exprimir melhor... a ideiazinha é brejeira demais... psicológica... Veja bem, quando o senhor estava escrevendo seu artiguinho, é impossível, pois, he-he!, que também não se considerasse, ao menos uma gotinha, um homem "extraordinário, que pronuncia a palavra nova" — isto é, no sentido que o senhor lhe dá... É isso, não é?

— É muito possível — respondeu desdenhosamente Raskólnikov.

Razumíkhin fez um movimento.

— Já que é assim, será que o senhor se atreveria — fosse lá em virtude de alguns desacertos e apertos da vida ou com vistas a algum tipo de contribuição para toda a humanidade — a passar por cima dos obstáculos?... Por exemplo, matar e saquear?...

E de certa forma ele subitamente tornou a piscar-lhe o olho esquerdo e desatou a rir abafado — exatamente como o fizera há pouco.

— Se eu tivesse mesmo passado por cima, isso, é claro, não iria lhe contar — respondeu Raskólnikov com um desprezo acintoso, soberbo.

— Veja só, eu só me interesso por isso, propriamente, com o fito de compreender o seu artigo, unicamente no sentido literário...

"Arre, como isso é evidente e descarado!" — pensou Raskólnikov enojado.

— Permita observar ao senhor — respondeu ele secamente — que eu não me considero Maomé nem Napoleão... nem quem quer que seja dentre semelhantes personagens; logo, tampouco posso, sem ser eles, lhe explicar satisfatoriamente de que modo eu agiria.

— Basta, quem entre nós na Rússia não se considera hoje um Napoleão? — pronunciou de pronto Porfiri com uma imensa familiaridade. Desta vez até na modulação da voz dele havia qualquer coisa de particularmente claro.

— Acaso não terá sido algum futuro Napoleão que semana passada matou a nossa Aliena Ivánovna com um machado? — deixou Zamiétov escapar subitamente de seu canto.

Raskólnikov olhou calado e fixo, com firmeza, para Porfiri. Razumíkhin ficou de semblante carregado, sombrio. Já antes era como se estivesse achando alguma coisa. Ele olhou irado ao redor. Houve um minuto de um silêncio sombrio. Raskólnikov virou-se para sair.

— O senhor já vai! — pronunciou amigavelmente Porfiri, estendendo a mão com extraordinária gentileza. — Fiquei muito, muito contente em conhecê-lo. Quanto ao seu pedido, não tenha nenhuma dúvida. Ainda assim escreva como eu lhe disse. Aliás, o melhor é o senhor me procurar pessoalmente lá... num desses dias... pode ser até amanhã. Estarei lá por volta das onze, com certeza. E aí a gente arranja tudo... conversa... O senhor, como um dos últimos que estiveram *lá*, pode, poderia nos dizer alguma coisa... — acrescentou com ar bonachão.

— O senhor deseja me interrogar oficialmente, segundo toda a praxe? — perguntou bruscamente Raskólnikov.

— Para quê? Por enquanto não há nenhuma necessidade disso. O senhor me entendeu errado. Veja o senhor, eu não perco a oportunidade e... conversei com todos os que penhoraram objetos... tomei os depoimentos deles... e o senhor, como é o último... Ah, sim, a propósito! — soltou um grito, alegrando-se repentinamente com alguma coisa. — A propósito eu me lembrei, o que é que me deu!... — voltou-se para Razumíkhin. — Tu andaste me enchendo os ouvidos com aquele Nikolachka... mas veja, eu mesmo sei, eu mesmo sei — virou-se para Raskólnikov — que o rapaz está inocente, mas o que eu haveria de fazer, tive de incomodar Mitka também... Eis a questão, toda a sua essência: ao subir a escada naquela ocasião... desculpe: o senhor esteve lá depois entre as sete e as oito?

— Entre as sete e as oito — respondeu Raskólnikov, percebendo desagradavelmente no mesmo instante que poderia não ter falado nisso.

— Então, ao passar entre as sete e as oito pela escada, será que ao menos o senhor não terá visto, no segundo andar, em um apartamento de porta aberta — está lembrado? — dois operários ou ao menos um deles? Eles estavam pintando lá, o senhor não os notou? Isso é muito, muito importante para eles!...

— Pintores? Não, não vi... — respondeu Raskólnikov devagar e como que revolvendo as lembranças, ao mesmo instante em que forçava todo o seu ser e gelava de angústia tentando adivinhar o quanto antes em que consistia precisamente a armadilha e se não teria deixado escapar alguma coisa. — Não, não vi, e o tal apartamento, de porta aberta, não notei... mas no quarto andar (ele já havia decifrado inteiramente a armadilha e triunfava), aí eu me lembro que um funcionário qualquer estava se mudando de um apartamento... em frente ao de Aliena Ivánovna... estou lembrado... disso eu me lembro nitidamente... uns soldados carregavam um sofá e me espremeram contra a parede... mas dos pintores — não, não me lembro de que houvesse pintores... e apartamento de porta aberta, me parece que não havia em lugar nenhum. Sim; não havia...

— Mas o que estás querendo! — perguntou de pronto Razumíkhin, como que caindo em si e compreendendo. — Ora, os pintores estavam pintando no próprio dia do assassinato, e acontece que ele esteve lá três dias antes. O que é que estás perguntando?

— Eu embaralhei! — Porfiri bateu com a mão na testa. — Diabos, este caso está me deixando tonto! — dirigiu-se a Raskólnikov até como que se desculpando. — É que para nós é tão importante saber se alguém os viu entre as sete e as oito no apartamento, que eu agora imaginei que o senhor também pudesse dizer... embaralhei tudo!

— Pois precisa ser mais atencioso — observou sombrio Razumíkhin.

As últimas palavras já foram ditas na antessala. Porfiri Pietróvitch os acompanhou até a porta com extrema amabilidade. Os dois saíram à rua sombrios, sorumbáticos, e deram vários passos sem dizer uma palavra. Raskólnikov respirou fundo.

## VI

— ... Não acredito! Não posso acreditar! — repetia perplexo Razumíkhin, procurando com todas as forças refutar os argumentos de Raskólnikov. Os dois já se aproximavam do edifício Bakalêiev, onde Pulkhéria Aleksándrovna e Dúnia os aguardavam há muito tempo. Enquanto caminhavam, Razumíkhin parava a cada instante no calor da conversa, embaraçado e nervoso já pelo simples fato de que conversavam sobre *aquilo* pela primeira vez.

— Não acredite! — respondeu Raskólnikov com um riso frio e displicente. — Como é hábito teu, tu não percebes nada, mas eu pesei cada palavra.

— Tu és cismado, por isto pesaste... Hum... de fato, concordo que Porfiri estava bastante estranho, e sobretudo aquele canalha do Zamiétov!... Tens razão, havia qualquer coisa nele — mas por quê? Por quê?

— Reconsiderou durante a noite.

— É o contrário, o contrário! Se eles estivessem com essa ideia desmiolada, teriam procurado ocultá-la por todos os meios e esconder as cartas para depois apanhar... Mas agora isso é uma coisa descarada e leviana!

— Se eles dispusessem de fatos, isto é, provas de verdade, ou ao menos de suspeitas com o mínimo de fundamento, aí sim procurariam realmente esconder o jogo: na esperança de ganhar ainda mais (e, além disso, há muito tempo teriam me revistado!). Mas não dispõem de provas, de nenhuma — tudo miragem, tudo faca de dois gumes, só uma ideia volátil —, e é por isso que estão procurando confundir com essa desfaçatez. Pode ser que ele mesmo tenha ficado com raiva por não dispor de fatos, e estourou de despeito. E pode ser também que tenha alguma intenção... Ele, parece, é um homem inteligente... Pode ter querido me intimidar com o que sabe... Aí, meu irmão, ele tem a sua psicologia... Mas, pensando bem, dá nojo explicar tudo isso. Deixa pra lá!

— E é uma ofensa, uma ofensa! Eu te compreendo! No entanto... já que começamos a falar com clareza (e é ótimo que finalmente a gente tenha começado a conversar com clareza, estou contente!), então agora eu te confesso francamente que há muito eu vinha notando isso neles, essa ideia, durante todo esse tempo, é claro que numa forma que só se esboçava muito palidamente, numa forma volátil, mas por que isso, mesmo que fosse volátil!? Como se atrevem? Onde está a origem dessa atitude deles? Se tu soubesses como isso me enfurecia! Qual: porque um estudante pobre, desfigurado pela miséria e pela hipocondria, na véspera de uma doença cruel acompanhada de delírio, doença que talvez já estivesse incubada nele (repare!), cismado, cheio de amor-próprio, cioso de seu próprio valor e há seis meses metido em seu canto sem ver ninguém, em farrapos e de botas sem sola — está diante de certos inspetorezinhos de polícia do quarteirão e é insultado por eles; e de repente tem diante do nariz uma dívida inesperada, uma letra bancária vencida em nome do conselheiro da corte Tchebarov, o cheiro da tinta, trinta graus de calor, o ar pestilento, um monte de gente, a história do assassinato de uma pessoa com quem estivera na véspera, e tudo isso em cima de uma barriga vazia! Ora, como não haveria de desmaiar em tais circunstâncias? E tomar isso, tomar tudo isso como fundamento! É o diabo! Eu compreendo que isso aborrece, mas em teu lugar, Rodka, eu daria uma gargalhada na cara deles, ou melhor: eu cus-pi-ria nas fuças deles, e cuspe grosso; distribuiria para todos os lados umas duas dezenas de tapas, com ar inteligente, como sempre devem ser dadas, e assim encerraria a questão. Cospe! Ânimo! É uma vergonha!

"Ele, não obstante, fez uma boa exposição" — pensou Raskólnikov.

— Cuspo, é? Só que amanhã tenho outro interrogatório! — pronunciou ele com amargura. — Será que tenho de ir me explicar a eles? Já estou agastado por ter me humilhado ontem na taberna perante Zamiétov...

— Que diabo! Amanhã eu mesmo vou a Porfiri! Vou dar um aperto nele, *como parente*; que me exponha tudo até as raízes! Já quanto a Zamiétov...

"Até que enfim adivinhou" — pensou Raskólnikov.

— Espera! — exclamou Razumíkhin, agarrando-o subitamente pelo ombro —, espera! Estás equivocado! Pensei bem pensado: te equivocaste! Que raio de ardil é esse? Tu disseste que a pergunta sobre os operários foi um ardil? Vejamos: se tivesses cometido *aquilo*, poderias ter deixado escapar que tinhas visto que estavam pintando o apartamento... e os operários, não? Ao contrário: não viste nada, e mesmo que tivesses visto! Quem é que confessa contra si mesmo?

— Se eu tivesse *cometido aquilo*, forçosamente teria dito que havia visto os operários e o apartamento — continuou respondendo Raskólnikov, sem vontade e com visível asco.

— E por que falar contra si mesmo?

— Porque só alguns mujiques ou os novatos mais inexperientes se obstinam em negar tudo de forma direta e ininterrupta nos depoimentos. Um homem minimamente desenvolvido e vivido vai procurar, sem falta e na medida do possível, confessar todos os fatos externos e irremovíveis; só que vai procurar para eles outras causas, vai insinuar algum traço deles, peculiar e inesperado, que lhes dará um sentido inteiramente distinto e os colocará sob outra luz. Porfiri pode ter esperado precisamente que eu fosse responder sem falta assim e afirmasse sem falta que tinha visto, para efeito de verossimilhança, e assim insinuasse alguma coisa como explicação...

— E ele te diria de pronto que dois dias antes os operários não poderiam estar lá e que, portanto, tu havias estado precisamente no dia do assassinato, entre as sete e as oito. E te pegaria por um nada!

— É, ele calculava que eu não tivesse tempo de tomar pé na coisa e daí me precipitasse a responder de modo mais verossímil e esquecesse que dois dias antes os operários não poderiam estar ali.

— E como irias esquecer isso?

— É o mais fácil! É nesse tipo de coisas mais insignificantes que as pessoas ladinas são pegas com mais facilidade. Quanto mais ladino o homem menos ele suspeita de que é num detalhe simples que o pegam. O homem mais ladino deve ser pego precisamente no detalhe mais simples. Porfiri não tem nada do pateta que tu imaginas...

— Canalha é o que ele é depois disso!

Raskólnikov não pôde deixar de rir. Mas nesse mesmo instante pareceram-lhe estranhas a sua própria animação e a vontade com que pronunciara a última explicação, não obstante ter mantido toda a conversa anterior com um asco sombrio, talvez movido por objetivos, por necessidade.

"Estou começando a tomar gosto por certos pontos!" — pensou de si para si.

Mas súbito, quase no mesmo instante, ele ficou meio intranquilo, como se um pensamento inesperado e inquietante o tivesse acometido. Sua intranquilidade aumentava. Eles estavam chegando ao terraço de entrada do Bakalêiev.

— Vá só — disse Raskólnikov de supetão —, eu volto já.

— Aonde vais? Nós já chegamos!

— Eu preciso, preciso; um assunto... volto em meia hora... Diga lá.

— Como queiras, eu te sigo!

— Pois é, até tu querendo me atormentar! — bradou ele com uma irritação tão amarga, com tamanho desespero no olhar que Razumíkhin ficou sem ação. Permaneceu algum tempo na entrada, olhando sombrio como o outro caminhava rápido na direção do seu beco. Por último, rangendo os dentes e cerrando os punhos e no mesmo instante jurando que nesse mesmo dia espremeria Porfiri inteiro como um limão, subiu a fim de tranquilizar Pulkhéria Aleksándrovna, já inquieta com a longa ausência deles.

Quando Raskólnikov chegou ao seu prédio estava com as têmporas molhadas de suor e respirava com dificuldade. Subiu apressado a escada, entrou no seu quarto, que estava aberto, e no mesmo instante trancou a porta com um gancho. Em seguida, num gesto assustado e alucinado, precipitou-se para o canto, para o mesmo buraco no papel de parede em que outrora estiveram os objetos, enfiou a mão nele e durante alguns minutos revistou minuciosamente o buraco, remexendo todos os recantos e todas as dobras do papel. Não tendo encontrado nada, levantou-se e tomou fôlego profundamente. Ao chegar há pouco ao terraço de entrada do Bakalêiev, imaginou subitamente que algum objeto, alguma corrente, abotoadura ou até mesmo o papel em que eles estavam embrulhados, assinalado pela mão da velha, pudesse de alguma forma ter escorregado e ficado perdido em alguma fenda e depois aparecer de repente como alguma prova inesperada e irrefutável.

Estava em pé como que mergulhado em meditação, e um sorriso estranho e meio sem sentido vagava em seus lábios. Por fim apanhou o boné e saiu do quarto em silêncio. As ideias estavam embaralhadas. Chegou pensativo ao portão.

— Aí está o próprio — exclamou alguém; ele levantou a cabeça.

O zelador estava à porta de seu cubículo e o indicou diretamente a um homem baixo, de aparência pequeno-burguesa, que vestia uma espécie de roupão, colete, e de longe se parecia muito com uma mulher. A cabeça, sob um boné sebento, pendia para baixo, e ele próprio era como se fosse todo curvado. O rosto flácido, cheio de rugas denunciava idade acima dos cinquenta; os olhinhos miúdos, pelancudos, olhavam lúgubres, severos e insatisfeitos.

— O que está havendo?! — perguntou Raskólnikov, chegando-se ao zelador.

O tal homem o olhou de esguelha e o examinou fixa e atentamente, sem pressa; depois virou-se lentamente e, sem dizer palavra, saiu do portão do prédio para a rua.

— Mas o que está havendo! — exclamou Raskólnikov.

— Veja esse tipo aí, perguntou se aqui morava um estudante, e dei seu nome, disse de quem era inquilino. O senhor apareceu no momento, eu o mostrei, mas então ele foi embora. Veja que coisa.

O zelador também estava um tanto perplexo mas não muito, e depois de pensar um mínimo deu meia-volta e retornou ao cubículo.

Raskólnikov lançou-se atrás do homem e logo o avistou caminhando do lado oposto da rua, com o passo regular e pachorrento de antes, os olhos metidos no chão, parecendo matutar alguma coisa. Ele logo o alcançou, mas ficou algum tempo seguindo-lhe os passos; por fim emparelhou com ele e o olhou no rosto, de lado. O outro o notou de pronto, lançou-lhe um olhar rápido mas voltou a baixar a vista, e assim os dois caminharam por volta de um minuto, lado a lado e sem dizer palavra.

— O senhor perguntou por mim... ao zelador? — pronunciou finalmente Raskólnikov, mas de um jeito muito baixo.

O homem não deu nenhuma resposta e nem sequer olhou. Voltaram ao silêncio.

— O que é isso... o senhor aparece, faz perguntas... e fica calado... o que é isso? — A voz de Raskólnikov ficou embargada, e as palavras pareciam negar-se a sair com clareza.

Desta vez o homem levantou a vista e, com um olhar funesto e sombrio, olhou para Raskólnikov.

— Assassino! — pronunciou de súbito em voz baixa, mas límpida e nítida...

Raskólnikov caminhava ao lado dele. Num átimo suas pernas ficaram terrivelmente fracas, ele sentiu um frio na espinha e por um instante o coração pareceu parar; depois tornou a bater de supetão, como se tivesse desandado. Assim eles deram uns cem passos, lado a lado e de novo inteiramente calados.

— O que é isso... o que... quem é assassino? — balbuciou Raskólnikov de modo que mal se ouvia.

— *Tu* és o assassino — pronunciou o outro de forma ainda mais distinta, como se esboçasse o sorriso de algum triunfo odioso, e voltou a cravar o olhar fixo no rosto pálido de Raskólnikov e nos seus olhos amortecidos. Ambos se aproximavam de um cruzamento. O homem guinou para a rua à direita e seguiu em frente sem olhar para trás. Raskólnikov permaneceu no lugar e durante muito tempo o acompanhou com o olhar. Viu o outro, já depois de dar uns cinquenta passos, voltar-se e olhar para ele, que continuava postado, imóvel no mesmo canto. Era impossível distinguir, mas Raskólnikov teve a impressão de que também desta vez ele sorria o seu sorriso frio, odioso e triunfante.

Raskólnikov voltou a passos lentos, enfraquecido, com os joelhos trêmulos e parecendo terrivelmente gelado, e subiu para o seu cubículo. Tirou e pôs o boné na mesa e ficou uns dez minutos ao lado dela, imóvel. Em seguida deitou-se sem forças no sofá e estirou-se num gesto mórbido, com um gemido fraco; tinha os olhos fechados. Assim permaneceu cerca de meia hora.

Não pensava em nada. Ocorriam-lhe alguns pensamentos ou retalhos de pensamentos, algumas imagens, desordenadas e desconexas — rostos de pessoas que vira ainda na infância ou encontrara por aí uma única vez e das quais nunca iria se lembrar; os sinos da igreja V.; o bilhar de uma taberna e um oficial qualquer ao lado do bilhar, o cheiro de charutos em alguma tabacaria de subsolo, um botequim, uma escada de serviço, completamente escura, toda banhada de água suja e coberta de cascas de ovos, e o som domingueiro dos sinos chegando não se sabe de onde... Os objetos se alternavam e giravam como num redemoinho. De alguns ele até gostava, e agarrava-se a eles, mas eles se apagavam, e alguma coisa o oprimia em seu íntimo, mas não muito. Vez por outra era até gostoso... O leve calafrio não passava, e também era quase agradável senti-lo.

Ouviu os passos apressados e a voz de Razumíkhin, fechou os olhos e fez de conta que estava dormindo. Razumíkhin abriu a porta e ficou algum tempo parado à entrada, como quem reflete. Depois entrou devagarinho no quarto e chegou-se cuidadosamente ao sofá. Ouviu-se o sussurro de Nastácia:

— Não toque nele, deixe ele dormir bem; depois ele come.

— É mesmo — respondeu Razumíkhin.

Ambos saíram cautelosamente e fecharam a porta. Passou-se mais meia hora. Raskólnikov abriu os olhos e de novo ergueu-se de peito para a frente, trançando os braços por trás da cabeça...

"Quem é ele? Quem é aquele homem que brotou de debaixo do chão? Onde ele esteve, e o que viu? Ele viu tudo, disso não há dúvida. Onde ele estava na ocasião, e de onde olhava? Por que só agora sai de debaixo do chão? E como poderia ter visto — isso lá é possível?... Hum... — continuou Raskólnikov, gelando e estremecendo — e o estojo, que Nikolai achou atrás da porta: por acaso isso também é possível? Provas? Deixas escapar uma linha à toa entre cem mil — e eis uma prova do tamanho de uma pirâmide do Egito! Uma mosca voava, ela viu! Isso lá é possível?"

E súbito ele sentiu com repugnância como estava fraco, fisicamente fraco.

"Isso eu devia saber — pensava com um sorriso amargo —, e como me atrevi, conhecendo-me, *pressentindo-me*, a pegar o machado e me sujar de sangue? Eu tinha a obrigação de saber de antemão... E! Ora, eu até já sabia!..." — sussurrou em desespero.

Aqui e a ali detinha-se imóvel ante algum pensamento:

"Não, aqueles homens não foram feitos assim; o verdadeiro *soberano*, a quem tudo é permitido, esmaga Toulon,[13] faz uma carnificina em Paris,[14] *esquece* um exército no Egito,[15] *sacrifica* meio milhão de homens na campanha da Rússia[16] e se safa com um calembur em Vilna;[17] e ao morrer é transformado em ídolo — logo, *tudo* lhe é permitido. Não, pelo visto esses homens não são de carne, são de bronze!"

Súbito, um pensamento repentino e estranho quase o fez rir:

"Napoleão, as pirâmides,[18] Waterloo — e uma viúva de registrador, sórdida, descarnada, velha, usurária, com o bauzinho vermelho debaixo da cama — ora, como é que isso iria ser suportado até mesmo por um Porfiri Pietróvitch?!... Onde é que ele iria suportar?!... A estética atrapalha: será, diria ele, que um Napoleão iria meter-se debaixo da cama da 'velha'?! Eh, canalha!..."

Por instantes ele percebia que delirava: estava entrando num estado de exaltação febril.

"A velhusca foi um absurdo! — pensava com ardor e ímpeto —, a velha vai ver que foi mesmo um erro, mas não é nela que está a questão! A velha foi apenas uma doença... eu queria ultrapassar o limite o quanto antes...

---

[13] Foi em Toulon, no sul da França, que o então desconhecido Napoleão Bonaparte venceu sua primeira batalha, em 17 de dezembro de 1793, recebendo pela derrota dos *royalistes* e a conquista da cidade a patente de general de brigada. Raskólnikov enumera mentalmente as principais etapas da carreira de Napoleão. (N. da E.)

[14] No dia 13 de outubro de 1795 Napoleão sufocou em Paris um levante dos *royalistes*, usando para tanto a artilharia. A batalha terminou num banho de sangue, com o local coberto de centenas de cadáveres. (N. da E.)

[15] Em 1799, Napoleão deixou no Egito o exército que comandava e voltou secretamente à França com a finalidade de derrubar o Diretório e assumir o poder supremo. (N. da E.)

[16] Segundo as *Notas de além-túmulo* de Chateaubriand, dos 500 mil homens e da artilharia inumerável que participaram da marcha a Moscou, voltaram a Kovno não mais que mil homens da infantaria regular e alguns canhões, além de três mil feridos. Na biblioteca de Dostoiévski havia um exemplar do livro de Chateaubriand. (N. da E.)

[17] Tem-se em vista a famosa frase de Napoleão "Do grande ao ridículo há apenas um passo", registrada por Armand de Calembour in *Memórias: a marcha de Napoleão contra a Rússia*. (N. da E.)

[18] Alusão à famosa batalha do Egito de 1798, em que Napoleão venceu os mamelucos e na qual pronunciou aos soldados as famosas palavras: "Do alto daquelas pirâmides quarenta séculos vos contemplam!". (N. da E.)

eu não matei uma pessoa, eu matei um princípio! Foi um princípio que matei, mas ultrapassar, não ultrapassei, permaneci do lado de cá... A única coisa que eu soube fazer foi matar. Ademais, nem isso eu soube, como se está verificando... Um princípio? Por que o bobalhão do Razumíkhin xingava os socialistas há pouco? Uma gente laboriosa e mercadora; cuidam da 'felicidade geral'... Não, a vida me é dada uma vez, e ela nunca mais voltará: eu não quero esperar a 'felicidade geral'. E eu mesmo quero viver, do contrário o melhor seria não viver. E então? Eu apenas não queria passar diante da minha mãe faminta, apertando o meu rublo no bolso à espera da 'felicidade geral'. 'Levo, diz-se, um tijolinho para a felicidade universal, e por isso sinto paz no coração.'[19] Ah-ah! Por que me deixaram entrar? É que eu só vivo uma vez, é que eu também quero... Ora veja, eu sou um piolho estético, nada mais — acrescentou súbito, desatando a rir feito um demente. — Sim, eu sou realmente um piolho — continuou ele, agarrando-se com maldade a esse pensamento, escarafunchando nele, brincando e distraindo-se com ele — e já unicamente porque, em primeiro lugar, neste momento raciocino sobre o fato de que sou um piolho; porque, em segundo lugar, passei um mês inteiro incomodando a Providência em sua excelsa bondade, apelando para que testemunhasse que eu não estaria fazendo aquilo com vistas a vantagens materiais mas a um objetivo magnífico e agradável — eh-eh! Porque, em terceiro lugar, decidi observar a justiça possível na execução, o peso e a medida, e a aritmética; de todos os piolhos eu escolhi o mais inútil e, depois de matá-lo, decidi tomar dele exatamente tanto quanto me era necessário para o primeiro passo, não mais nem menos (e o restante, portanto, que fosse para os mosteiros, por testamento espiritual — he-he!)... Porque, porque eu sou definitivamente um piolho — acrescentou rangendo os dentes —, porque eu mesmo, é possível, sou ainda pior e mais torpe que o piolho morto, e *pressenti* de antemão que viria a dizer isso a mim mesmo *depois* que o matasse! É, será que alguma coisa pode comparar-se a tamanho horror? Ó, torpeza! Ó, torpeza!... Ó, como eu compreendo o 'profeta' de sabre em punho, a cavalo. Alá manda, então obedece, 'trêmula' criatura![20] Está certo, está certo o 'profeta' quando coloca no cruzamento de alguma rua uma bo-o-o-

---

[19] Essa expressão ("Apportez sa pierre à l'edifice nouveau") aparece com frequência nos livros de Victor Considérant (1808-1893), socialista utópico francês, partidário e divulgador das ideias de Fourier. O jovem Dostoiévski conhecia bem as ideias de Considérant. (N. da E.)

[20] A expressão "trêmula criatura" remonta ao *Alcorão*, do qual Dostoiévski tinha um exemplar em francês em sua biblioteca. (N. da E.)

-o-a bateria e a aciona contra o justo e o culpado, sem se dignar sequer a dar explicações! Obedece, trêmula criatura, e evita querer, porque isto não é problema teu!... Ó, não perdoo, não perdoo por nada a velhusca!"

Tinha os cabelos molhados de suor, os lábios a tremer crestados, o olhar imóvel fixo no teto.

"Minha mãe, minha irmã, como eu as amava! Por que as odeio agora? É, eu as odeio, odeio fisicamente, não consigo suportá-las a meu lado... Há pouco eu me cheguei e beijei minha mãe, estou lembrado. Abraçá-la e pensar que, se ela ficasse sabendo, então... seria o caso de lhe ter contado na ocasião? De mim tudo é possível... Hum! *Ela* é igualzinha a mim — acrescentou num esforço para pensar, como se lutasse com um delírio que tomava conta dele. — Oh, como agora eu odeio a velhusca! Creio que a mataria de novo se ela ressuscitasse! Pobre Lizavieta! Por que ela achou de aparecer naquele momento?!... Estranho, não obstante, por que eu quase não penso nela, como se não a tivesse matado?... Lizavieta! Sônia! Pobres, dóceis, de olhos dóceis... Amáveis!... Por que elas não choram? Por que não gemem?... Elas dão tudo... têm um olhar dócil e sereno... Sônia, Sônia! Serena Sônia!..."

Caiu no sono; parece-lhe estranho que não se lembre de como pôde encontrar-se na rua. O anoitecer já avança. O lusco-fusco vai-se condensando, a lua cheia deita um clarão cada vez mais e mais intenso; porém, sabe-se lá por quê, o ar está especialmente abafado. As pessoas andam em bandos pelas ruas; artesãos e homens ocupados vão para suas casas, outros passeiam; o ar cheira a cal, poeira, água parada. Raskólnikov caminha triste e preocupado; lembra-se muito bem de que saiu de casa com alguma intenção, de que precisa fazer alguma coisa e se apressar, mas exatamente o quê — esqueceu. Para de súbito e vê do outro lado da rua, na calçada, um homem em pé e acenando para ele. Atravessa a rua em direção a ele, mas o tal homem dá uma repentina meia-volta e se vai como se nada houvesse acontecido, de cabeça baixa, sem olhar para trás nem deixar transparecer que o havia chamado. "Ora, chega; terá ele me chamado?" — pensa Raskólnikov, mas ainda assim sai no encalço do homem. Antes de dar uns dez passos ele o reconhece repentinamente e — leva um susto; é aquele homem de há pouco, no mesmo roupão e igualmente arqueado. Raskólnikov o segue de longe; seu coração bate; guinam para um beco — e o outro nada de olhar para trás. O homem adentra o portão de um prédio grande. Raskólnikov chega rapidamente ao portão e fica observando: será que o outro não irá voltar-se e chamá-lo? De fato, depois de passar toda a entrada e já atingir o pátio, o homem se volta num átimo e mais uma vez é como se acenasse para ele. Raskólnikov atravessa de pronto a entrada, mas no pátio o homem já não está. Então ele acabou de entrar pela primeira escada. Raskólnikov precipita-se atrás dele. Realmente, dois lanços de escada acima ouvem-se os passos cadenciados e sem pressa de alguém. Estranho, é como se a escada fosse conhecida! Eis a janela do primeiro andar; a luz da lua penetra triste e misteriosamente o vidro; eis também o segundo andar. Bah! É o mesmo apartamento que os operários estavam pintando... Como não o reconheceu de imediato? Os passos do homem que vai adiante silenciam: "então ele parou ou se escondeu em algum lugar". Eis também o terceiro andar; seguir ou não adiante? E que silêncio faz lá, dá até medo... Mas ele segue. O ruído dos seus próprios passos o assustam e inquietam. Deus, como está escuro! O homem, na certa, escondeu-se em algum canto por aqui. Ah! um apartamento escancarado para a escada; ele pensa um pouco e entra. A antessala está muito escura e deserta, sem viva alma, como se tudo houvesse sido levado para fora; de mansinho, na ponta dos pés, ele passa à sala de visitas: a sala está toda banhada da luz do luar; ali tudo está como antes: as cadeiras, o espelho, o sofá amarelo e os quadros nas molduras. Uma lua imensa, redonda, de um vermelho acobreado espia direto pelas janelas. "Esse silêncio é por causa da lua — pensa Raskólnikov —; ela, neste momento, certamente está propondo alguma adivinhação." Está em pé esperando, e espera muito, e quanto maior é o silêncio da lua tanto mais forte bate o coração dele, passou até a doer. E haja silêncio. Súbito ouve-se um momentâneo estalo seco, como se tivessem quebrado um graveto, mas cessa tudo outra vez. Uma mosca que acaba de despertar choca-se de repente num arremesso contra a vidraça e põe-se a zumbir queixosa. Nesse mesmo instante, em um canto, entre um armário pequeno e a janela, ele distingue uma capa feminina que parece pendurada na parede. "O que essa capa está fazendo aí? — pensa ele —, porque não estava antes..." Ele se chega devagarinho e adivinha que parece haver alguém escondido atrás da capa. Afasta cuidadosamente a capa com a mão e vê uma cadeira, e na cadeira, no canto, está sentada a velhusca, toda curvada e de cabeça baixa, de tal forma que não há meio de ele conseguir lhe distinguir o rosto, mas é ela. Ele se curva sobre ela: "está com medo!" — pensa, tira devagarinho o machado do laço e golpeia uma, duas vezes as têmporas da velha. Mas, estranho: ela nem se mexe com os golpes, como se fosse de madeira. Ele leva um susto, curva-se mais perto e põe-se a examiná-la; mas ela baixa ainda mais a cabeça. Então ele se abaixa inteiramente até o chão e passa a lhe olhar o rosto de baixo para cima, espia e fica petrificado: a velhusca, sentada, está rindo — desmanchando-se num riso baixo, silencioso, fazendo todos os esforços para que ele não escute. Súbito ele tem a impressão de que a porta do dormitório se entreabriu levemente e parece que lá de dentro também começaram a rir e estão cochichando. Fica tomado de fúria: começa com toda a força a bater na cabeça da velha, mas a cada golpe do machado o riso e o cochicho que vêm lá de dentro se tornam cada vez mais fortes e mais se fazem ouvir, enquanto a velhusca se sacode toda às gargalhadas. Ele se lança a correr, mas toda a antessala já está cheia de gente, as portas que dão para a escada estão escancaradas e no patamar, na escada e lá embaixo está abarrotado de gente, cabeça com cabeça, e todos olham — mas estão todos escondidos e aguardando, em silêncio... Ele está com o coração opresso, as pernas imóveis, cravadas... Ele quer gritar e — acorda.

A muito custo tomou fôlego mas, estranho, era como se o sonho ainda continuasse: a porta do quarto estava escancarada e à entrada, postado, um homem inteiramente desconhecido o examinava fixamente.

Raskólnikov ainda não tivera tempo de abrir inteiramente os olhos e num instante tornou a fechá-los. Estava deitado de costas e não se mexia. "Esse sonho continua ou não" — pensou ele e, de leve, sem se fazer notar, tornou a erguer os cílios e dar uma espiada: o desconhecido estava no mesmo lugar e continuava a examiná-lo. Súbito atravessou cautelosamente o limiar, fechou com solicitude a porta atrás de si, foi até a mesa, esperou cerca de um minuto — sem desviar dele o olhar durante esse tempo todo — e tranquilamente, em silêncio, sentou-se na cadeira junto do sofá; pôs o chapéu ao lado, no chão, e apoiou-se com ambas as mãos na bengala, pousando o queixo nas mãos. Via-se que se preparava para esperar muito. Até onde dava para ver através dos cílios, que piscavam, era um homem já entrado em anos, corpulento, de barba fechada, clara, quase branca...

Passaram-se uns dez minutos. Ainda estava claro, mas já anoitecia. No quarto o silêncio reinava absoluto. Nem da escada chegava um único som. Apenas uma mosca grande zumbia e se debatia ao chocar-se em investida contra a vidraça. Por fim isso se tornou insuportável: Raskólnikov soergueu-se num repente e sentou-se no sofá.

— Então, fale, o que o senhor deseja?

— Eu bem que sabia que o senhor não estava dormindo, e apenas fazia de conta — respondeu estranhamente o desconhecido, rindo calmamente. — Arkadi Ivánovitch Svidrigáilov, permita que me apresente...

# QUARTA PARTE

# I

"Será que isso é a continuação do sonho?" — pensou mais uma vez Raskólnikov. Olhava com cautela e desconfiança para o inesperado visitante.

— Svidrigáilov? Que absurdo! Não pode ser! — proferiu finalmente em voz alta, perplexo.

Pelo visto o visitante não ficou nem um pouco surpreso com essa exclamação.

— Vim procurá-lo por dois motivos: em primeiro lugar, conhecê-lo pessoalmente, uma vez que há muito tempo tenho ouvido falar a seu respeito e de um ponto de vista bastante curioso e lisonjeiro para o senhor; em segundo, tenho muita esperança de que o senhor talvez não se furte a me ajudar em um empreendimento que está diretamente ligado ao interesse de sua irmã Avdótia Románovna. Porque a mim, sozinho, sem uma recomendação, é possível que ela não me permita pôr os pés nem no quintal de sua casa, em virtude de um preconceito; bem, mas com sua ajuda eu, ao contrário, conto com...

— Faz mal em contar — interrompeu Raskólnikov.

— Permita perguntar: elas só chegaram ontem, certo?

Raskólnikov não respondeu.

— Ontem, estou sabendo. Eu mesmo cheguei apenas anteontem. Pois bem, veja o que eu lhe digo a esse respeito, Rodion Románovitch; acho dispensável justificar-me, mas permita que eu também argumente: o que há, em tudo isso, em realidade, de tão especialmente criminoso de minha parte, julgando de forma racional, isto é, sem preconceitos?

Raskólnikov continuou a ouvi-lo em silêncio.

— O fato de eu ter, em minha casa, assediado uma donzela indefesa e de a ter "ofendido com as minhas propostas sórdidas" — é isso? (Eu mesmo estou pondo o carro diante dos bois!) No entanto, suponha apenas que eu seja homem, *et nihil humanum*...[1] numa palavra, que até eu seja capaz de me deixar seduzir e amar (o que, é claro, acontece não por imposição nossa),

---

[1] *Homo sum: humani nihil a me alienum puto* ("Sou homem: nada do que é humano me é estranho"). Terêncio, *O homem que a si mesmo se castiga*, I, 1, 25. (N. da E.)

e então tudo se explicará da forma mais natural. Aí está toda a questão: sou um monstro ou eu mesmo sou uma vítima? Mas vítima, como? É que, ao propor ao meu objeto fugir comigo para a América ou para a Suíça, eu, é possível, nutria os sentimentos mais respeitosos, e ainda pensava em construir a felicidade dos dois!... É que a razão está a serviço da paixão: vai ver que arruinei ainda mais a mim mesmo, pois...

— Só que não é nada disso — interrompeu Raskólnikov com asco —, o senhor é pura e simplesmente repugnante, tenha razão ou não, e aí não querem saber mesmo do senhor, mostram-lhe a porta da rua; e vá embora!...

Svidrigáilov deu uma súbita gargalhada.

— No entanto o senhor... no entanto não dá para desnortear o senhor! — pronunciou ele rindo com a maior franqueza. — Eu pensei em tergiversar, mas nada, o senhor acertou na mosca!

— Mas até neste instante o senhor continua tergiversando.

— Mas e daí? Mas e daí? — repetiu Svidrigáilov, rindo às escâncaras. — Ora, essa é uma *bonne guerre*,[2] como se diz, a mais lícita das artimanhas!... Todavia o senhor me interrompeu; seja como for, eu reafirmo: não teria havido nenhum problema não fosse o incidente do jardim. Marfa Pietróvna...

— E Marfa Pietróvna, o senhor também arruinou, como andam dizendo? — interrompeu grosseiramente Raskólnikov.

— Até isso o senhor ouviu dizer? Aliás, como não haveria de ouvir... Bem, a respeito dessa sua pergunta, palavra, não sei o que dizer, embora minha própria consciência esteja absolutamente tranquila. Ou seja, não pense que temo alguma coisa que daí possa advir: tudo isso foi feito em perfeita ordem e com plena precisão: a perícia médica revelou apoplexia, provocada pelo banho tomado imediatamente após um farto almoço e quase uma garrafa de vinho ingerida, e aliás nem poderia revelar outra coisa... Mas veja só o que eu fiquei pensando algum tempo, particularmente ao viajar para cá, sentado no vagão: não terei eu contribuído para toda essa... desgraça, de alguma forma, com alguma exasperação de ordem moral ou alguma coisa dessa natureza? Mas concluí que, positivamente, isso também seria impossível.

Raskólnikov caiu na gargalhada.

— O senhor gosta de aborrecimentos!

— Ora, de que está rindo? Procure entender: bati apenas duas vezes com a chibata, nem ficaram marcas... Por favor, não me considere um cínico;

---

[2] "Boa guerra", em francês. (N. do T.)

sei exatamente o quanto isso é torpe de minha parte, e assim por diante; mas também estou certo de que Marfa Pietróvna pode até ter ficado contente com esse meu, por assim dizer, envolvimento. A história a respeito de sua irmã quase se esgotara por completo. Já era o terceiro dia em que Marfa Pietróvna se via forçada a permanecer em casa; ela não tinha motivo para ir à cidadezinha, e além disso já havia saturado todo mundo com a leitura daquela carta (ouviu falar da leitura da carta?). E eis que aquelas duas chibatadas pareceram cair do céu! A primeira coisa que fez foi mandar arrumar a carruagem!... Já nem falo que entre as mulheres há aqueles casos em que elas acham muito, muito agradável serem ofendidas, apesar de toda a aparente indignação. Entre todas elas acontece isso, esses casos; o ser humano, de um modo geral, chega até a gostar muito, muito de ser ofendido, o senhor já observou isso? Mas isso acontece particularmente com as mulheres. Pode-se até dizer que só assim elas se contentam.

Houve um momento em que Raskólnikov pensou em levantar-se e sair, e assim encerrar aquele encontro. Mas alguma curiosidade e até mesmo uma espécie de cálculo o contiveram por um instante.

— O senhor gosta de brigar? — perguntou distraído.

— Não, não muito — respondeu calmamente Svidrigáilov. — Eu e Marfa Pietróvna quase nunca brigávamos. Vivíamos em bastante harmonia, e ela sempre ficava satisfeita comigo. Em todos os nossos sete anos de vida, usei a chibata apenas duas vezes (se omitir mais um terceiro incidente, aliás bastante ambíguo): da primeira vez, dois meses depois do nosso casamento, assim que chegamos ao campo, e agora nesse último incidente. E o senhor já estava pensando que eu sou um monstro, um retrógrado, um escravocrata, não? eh-eh... A propósito, o senhor não se lembra, Rodion Románovitch, de como há alguns anos, ainda na época da benfazeja *glásnost*,[3] injuriaram, de público e em toda a literatura, um nobre — esqueci o sobrenome! —, aquele que açoitou uma alemã no vagão de um trem, está lembrado?[4] Naquela mesma ocasião, no mesmo ano, parece, houve ainda a "Atitude vil de

---

[3] A referência de Svidrigáilov à "época da benfazeja *glásnost*" (transparência) é uma ironia com a imprensa liberal do início dos anos 1860. Cinco anos antes de *Crime e castigo*, um colaborador da revista *Vriêmia* (*O Tempo*), dos irmãos Dostoiévski, escreveu à redação referindo-se a uma "hóspede que não conhecemos", chamada de "benfazeja *glásnost*", época em que "tornou-se possível rir de algumas figuras ou de todos os que nos saturaram, ou abusaram da lei e do poder... ou do senhor Kozliainov...". (N. da E.)

[4] Em 1860 os jornais divulgaram que o senhor de terras A. P. Kozliainov havia espancado uma passageira ruiva no vagão de um trem. O incidente causou uma grande polêmica na imprensa, da qual tomou parte a revista *Vriêmia*. (N. da E.)

*O Século*"[5] (bem, as "Noites egípcias", uma leitura pública, está lembrado? Olhos negros![6] Oh, onde estais, anos dourados da nossa juventude!?). Pois bem, veja a minha opinião: não nutro maiores simpatias pelo tal senhor que açoitou a alemã, porque, de fato... simpatizar com quê? Mas não posso me furtar a declarar que às vezes aparecem umas "alemãs" tão provocantes que, acho eu, não existe um único homem progressista que possa responder inteiramente por si. Dessa ótica ninguém enfocou a questão naquele momento, e olhe que essa ótica é que é a verdadeiramente humana, palavra!

Depois dessas palavras, Svidrigáilov desatou outra vez a rir. Para Raskólnikov estava evidente que aquele era um homem firmemente decidido e que não dava ponto sem nó.

— Pelo visto o senhor ficou vários dias seguidos sem falar com ninguém, não? — perguntou ele.

— Quase isso. Por quê? O senhor está deveras admirado que eu seja uma pessoa tão flexível?

— Não, me admira que o senhor seja flexível demais.

— Porque não me ofendi com a grosseria das suas perguntas? É isso? Ora... me ofender por quê? Do jeito que perguntou eu respondi — acrescentou ele com uma surpreendente expressão de candura. — É que eu não me interesso especialmente por quase nada, juro — continuou ele com ar pensativo. — Neste momento, em particular, não estou ocupado com coisa nenhuma... Aliás o senhor pode pensar que eu sou do tipo bajulador, ainda mais porque tenho um assunto a tratar com sua irmã, como eu mesmo afirmei. Mas vou ser franco: sinto muito tédio! Sobretudo nesses três dias, de sorte que fiquei até contente com o senhor... Não se zangue, Rodion Románovitch, mas o senhor mesmo, por algum motivo, me parece muitíssimo estranho. Queira ou não queira, mas há qualquer coisa no senhor; e justo agora, isto é, não propriamente neste instante, mas agora num sentido geral...

---

[5] "Atitude vil de *O Século*", título do ruidoso artigo de M. L. Mikháilov (*Boletim de São Petersburgo*, 3/3/1861), ardoroso partidário e propagandista da emancipação da mulher. O artigo censura com indignação o folhetim machista publicado na revista *Viék* (*O Século*) pelo poeta e tradutor P. I. Weinberg (sob o pseudônimo de Kámien Vinogórov). Esse autor ataca E. E. Tolmatchova, mulher de um funcionário de província, a qual declamou em público, num sarau de música e literatura, o episódio do convite amoroso de Cleópatra no poema de Púchkin "Noites egípcias". Weinberg considerou a declamação como atitude imoral, que mostrava os verdadeiros fins dos adeptos da emancipação da mulher. Dostoiévski participou da polêmica defendendo Tolmatchova. (N. da E.)

[6] Referência à cor dos olhos da senhora Tolmatchova. (N. da E.)

Bem, bem, não vou insistir, não vou, não fique carrancudo! Porque eu não sou o urso que o senhor está pensando.

Raskólnikov olhou sombrio para ele.

— Pode ser até que o senhor não seja nada urso[7] — disse ele. — Parece--me até que o senhor é oriundo de uma ótima sociedade, ou, ao menos, pode ser um homem decente em caso de necessidade.

— Acontece que não me interesso particularmente pela opinião de ninguém — respondeu Svidrigáilov em tom seco e até com um quê de arrogância —, portanto, como não iria ser vulgar, quando em nosso clima é tão cômodo usar essa roupagem e... ainda mais se para tanto se tem inclinação natural —, acrescentou, voltando a rir.

— Ouvi dizer, não obstante, que o senhor tem muitos conhecidos aqui. Portanto, o senhor é do tipo que se diz "um homem de relações". Neste caso, por que precisou de mim se não foi com um objetivo?

— O senhor disse a verdade quanto ao fato de que tenho conhecidos — secundou Svidrigáilov, sem responder ao ponto central —, já estive com eles; há três dias que ando sem destino; eu me inteiro sobre eles e eles, parece, sobre mim. Eu, é claro, me visto bastante bem e não figuro como um homem pobre; até a reforma camponesa nos poupou: tenho matas e várzeas, as rendas continuam;[8] no entanto... não vou procurar essa gente; antes eu já estava farto dela: há três dias ando por aí e não me anunciei a ninguém... E ainda tem a cidade! Como é que ela foi inventada, diga-me, por favor! Uma cidade de burocratas e seminaristas de toda espécie! Palavra, antes eu não percebia muita coisa aqui, há uns oito anos atrás, quando andei zanzando por aqui... Hoje a anatomia é a única coisa que me dá esperança, juro.

— Que anatomia?

— Eu falo desses clubes, Dussot,[9] desses *pointes*[10] ou, talvez, ainda do progresso; este, porém, que venha sem nós — continuou ele, omitindo mais uma vez a pergunta. — Sim, dá até vontade de ser trapaceiro.

— E o senhor foi até trapaceiro?

---

[7] Além do sentido literal, para o russo "urso" significa ainda homem forte, desajeitado e pesadão, além de pessoa grosseira, mal-educada. (N. do T.)

[8] A agrimensura e a demarcação das terras após a reforma de 1861 favoreceram os latifundiários, que ficaram com as melhores matas e prados e as melhores terras, ficando as piores para os camponeses. (N. da E.)

[9] Proprietário de um restaurante famoso, situado na rua Bolcháia Morskáia em Petersburgo. (N. da E.)

[10] "Pontos", em francês, transliterado no original russo. (N. do T.)

— Como evitar isso? Tínhamos um grupo inteiro, dos melhores, faz uns oito anos; passávamos o tempo; e, fique sabendo, tudo gente com seus modos; havia poetas, havia capitalistas. Aliás, de um modo geral, na nossa sociedade russa os melhores modos são encontrados naquelas pessoas que andaram apanhando da vida — o senhor já observou isso? Agora é que eu decaí no campo. Mesmo assim, naquela ocasião eu teria sido preso por dívidas, por causa de um greguinho de Niejin. Foi aí que Marfa Pietróvna arregaçou as mangas, negociou e me resgatou por trinta mil dinheiros (eu devia ao todo setenta mil). Eu e ela nos unimos por matrimônio legítimo, e ela me levou de pronto para o campo tal qual um tesouro. Ela é cinco anos mais velha do que eu. Me amava muito. Fiquei sete anos sem sair do campo. E observe, a vida toda ela guardou um documento contra mim, em nome de outro, no valor desses trinta mil, de sorte que era só eu esboçar alguma rebeldia e cairia imediatamente na armadilha! E ela o faria mesmo! Ora, isso tudo junto se combina bem nas mulheres.

— E se não fosse o documento, o senhor teria caído fora?

— Não sei como lhe responder. Aquele documento quase não me tolhia. Eu não queria ir a lugar nenhum, ao exterior a própria Marfa Pietróvna me convidou umas duas vezes, vendo que eu estava entediado. Ora veja! Eu já estivera antes no exterior, e sempre me deu náusea. Não é que fosse náusea, pois a gente vê, por exemplo, o despontar da aurora, a baía de Nápoles, o mar, mas de alguma forma ainda fica melancólico. O que mais repugna é a gente sentir melancolia de fato por alguma coisa! Não, na terra da gente é melhor: aqui, ao menos a gente põe a culpa de tudo nos outros e se desculpa a si mesmo. Neste momento eu talvez fosse com uma expedição ao Polo Norte,[11] porque *j'ai le vin mauvais*[12] e acho repugnante beber, e com exceção do vinho nada mais resta. Experimentei. Pois bem, dizem, domingo Berg[13] vai subir num imenso balão no Jardim de Iussúpov e está recrutando acompanhantes a um determinado preço, não é verdade?

— E então, o senhor levantaria voo?

— Eu? Não... falei por falar... — pronunciou Svidrigáilov, realmente como se refletisse.

---

[11] A imprensa russa informava que em 1865 estava sendo preparada uma grande expedição de estudos ao Polo Norte. (N. da E.)

[12] "O vinho não me cai bem", em francês. (N. da E.)

[13] Berg era dono de parques de diversões em Petersburgo e aeronauta conhecido de toda a cidade. (N. da E.)

"Será que ele está mesmo falando sério?" — pensou Raskólnikov.

— Não, o documento não me tolhia — continuou Svidrigáilov com ar meditativo —, era eu mesmo que não saía do campo. E além disso há coisa de um ano, no dia do meu santo,[14] Marfa Pietróvna tinha me devolvido o documento e ainda por cima me dado de presente uma quantia notável. É que ela possuía capital. "Veja como eu confio em você, Arkadi Ivánovitch" — palavra, foi assim mesmo que se exprimiu. O senhor não acredita que ela se exprimiu assim? Pois fique sabendo: eu me tornei um patrão decente na aldeia; sou conhecido nos arredores. Também comprava livros por encomenda. A princípio Marfa Pietróvna apoiou, mas depois esteve sempre com medo de que eu me deixasse esquecer na leitura.

— O senhor, ao que parece, sente muita saudade de Marfa Pietróvna, não?

— Eu? É possível. Palavra, é possível. A propósito, o senhor acredita em fantasmas?

— Em que fantasmas?

— Ora, nos fantasmas habituais!

— E o senhor, acredita?

— Bem, acho que não, *pour vous plaire*...[15] Isto é, não é que não acredite...

— Eles aparecem, será?

Svidrigáilov olhou para ele com um ar meio esquisito.

— Marfa Pietróvna se permite aparecer — pronunciou ele, entortando a boca num riso estranho.

— Como assim, se permite aparecer?

— É que já apareceu três vezes. A primeira vez eu a vi no próprio dia do enterro, uma hora depois de sair do cemitério. Foi na véspera da minha partida para cá. A segunda foi anteontem, na estrada, de madrugada, na estação Málaya Víchera; a terceira foi há duas horas, no apartamento em que estou hospedado, no quarto; eu estava só.

— De olhos abertos?

— Completamente. Todas as três vezes eu estava de olhos abertos. Aparece, conversa coisa de um minuto e sai pela porta, sempre pela porta. Parece até que a ouço saindo.

---

[14] Na Rússia é muito comum comemorar-se o *imenini*, isto é, dia do santo da pessoa. A tradição permaneceu na época soviética. (N. do T.)

[15] "Para lhe ser agradável", em francês. (N. da E.)

— Foi por isso que pensei que alguma coisa dessa natureza estava forçosamente acontecendo com o senhor! — pronunciou súbito Raskólnikov e no mesmo instante admirou-se de ter dito isso. Estava agitadíssimo.

— Como? O senhor pensou isso? — perguntou surpreso Svidrigáilov. — Será possível? Bem, eu não havia dito que entre nós existe algum ponto em comum, hein?

— Em nenhum momento o senhor disse isso! — respondeu Raskólnikov em tom ríspido e exaltado.

— Não disse?

— Não!

— Achei que tivesse dito. Há pouco, ao entrar aqui e ver o senhor deitado de olhos fechados, mas estava mesmo era fingindo, eu disse no ato a mim mesmo: "Esse aí é o próprio!".

— O que quer dizer esse "o próprio"? A que o senhor está se referindo? — exclamou Raskólnikov.

— A quê? Palavra, nem sei a quê... — balbuciou Svidrigáilov com sinceridade e até meio atrapalhado.

Calaram por volta de um minuto. Os dois olharam fixo um para o outro.

— Tudo isso é um absurdo! — bradou Raskólnikov agastado. — O que ela lhe fala quando aparece?

— Ela? Imagine, as coisas mais insignificantes; e a gente que se admire: é isso que me deixa zangado. Da primeira vez ela entrou (eu, sabe como é, estava cansado: o serviço funerário, as orações, a encomenda da alma pelo sacerdote, o lanche para os presentes — e finalmente fiquei sozinho no gabinete, acendi um charuto, caí em meditação), entrou pela porta: "Você, Arkadi Ivánovitch, diz ela, hoje, por causa do corre-corre, se esqueceu de dar corda no relógio da sala de jantar". E de fato, durante todos os sete anos eu mesmo dera corda naquele relógio, e, se esquecia, com sempre acontecia, ela me lembrava. No dia seguinte já estou vindo para cá. Chego à estação, de madrugada — durante a noite havia tirado apenas um cochilo, estava estropiado, os olhos empapuçados —, peço um café; olho — de repente Marfa Pietróvna se senta a meu lado, tem um baralho nas mãos: "Arkadi Ivánovitch, não quer que eu lhe adivinhe como vai ser a viagem?". E ela era mestra em adivinhar. Bem, não me perdoo por ter evitado a adivinhação! Fugi apavorado, e aí, verdade, ouvi o sinal de partida. Hoje, depois de um péssimo almoço numa porcaria de restaurante, estou de barriga pesada — sentado, fumando —, de repente lá vem Marfa Pietróvna outra vez, entrando toda empetecada, metida num vestido novo, de seda, verde e de cauda longa:

"Bom dia, Arkadi Ivánovitch! Que tal meu vestido, faz o seu gosto? Aniska não faria um igual". (Aniska é a nossa costureira na aldeia, foi serva, andou estudando em Moscou — é uma mocinha graciosa.) Está em pé, roda à minha frente. Observei o vestido, depois olhei atentamente para o rosto dela: "Marfa Pietróvna, você gosta de aparecer para mim, preocupar-se com essas bobagens!" — "Ah, meu Deus, meu caro, já não se pode nem te incomodar!". Eu falo, para provocá-la: "Eu, Marfa Pietróvna, quero me casar" — "Você é bem capaz disso, Arkadi Ivánovitch: não será grande honra para você mal ter acabado de enterrar a mulher e já sair correndo para casar. Se pelo menos tivesse feito uma boa escolha, mas eu sei que não vai ser bom para ela nem para você, você vai apenas fazer rir as pessoas de bem". E saiu, e era como se estivesse fazendo ruído com a cauda. Que absurdo, hein?

— Sim, mas, a propósito, pode ser que o senhor tenha mentido o tempo todo, não? — respondeu Raskólnikov.

— Raramente eu minto — respondeu Svidrigáilov, com ar pensativo e como se ignorasse inteiramente a grosseria da pergunta.

— Mas antigamente, antes disso, o senhor nunca tinha visto fantasmas?

— N... não, vi, uma única vez na vida, seis anos atrás. Eu tinha um criado, o Filka;[16] ele tinha acabado de ser enterrado e eu, esquecido, gritei: "Filka, me traz o cachimbo!". Ele entrou, e foi direto à cristaleira, onde estavam os meus cachimbos. Estou sentado, e penso: "Ele vai se vingar de mim", porque logo antes de ele morrer tivemos uma briga feia. "Como te atreves, digo eu, a aparecer à minha frente com essa roupa esfarrapada nos cotovelos? Fora daqui, patife!" Deu meia-volta, saiu, e não tornou a aparecer. Na ocasião eu não contei a Marfa Pietróvna. Quis mandar rezar uma missa pela alma dele mas tive vergonha.

— Procure um médico.

— O senhor nem precisa me dizer porque eu mesmo compreendo que não estou bem, embora, palavra, eu não saiba de quê; acho que na certa eu tenho cinco vezes mais saúde que o senhor. Não foi isso que lhe perguntei: se o senhor acredita ou não que os fantasmas aparecem. Minha pergunta foi essa: o senhor acredita na existência de fantasmas?

— Não, de maneira nenhuma! — bradou Raskólnikov até com certa raiva.

— Mas o que é que costumam dizer? — balbuciou como que de si para si Svidrigáilov, olhando para um lado e baixando um pouco a cabeça. — Eles

[16] Diminutivo de Fillip. (N. do T.)

dizem: "Tu estás doente, logo, o que imaginas é apenas um delírio inexistente". Só que nisso não há uma lógica rigorosa. Eu concordo que os fantasmas só aparecem a doentes; no entanto isso só demonstra que os fantasmas não podem aparecer senão a doentes e não que, em si mesmos, eles não existam.

— É claro que não! — insistiu Raskólnikov com irritação.

— Não? O senhor pensa assim? — continuou Svidrigáilov, olhando com pachorra para ele. — Bem, e se a gente raciocinar assim (ajude-me): "Os fantasmas são, por assim dizer, farrapos e fragmentos de outros mundos, o seu princípio. O homem sadio, naturalmente, não tem por que vê-los, pois o homem sadio é uma pessoa mais terrena, logo, deve viver exclusivamente a vida daqui, para se manter na plenitude e na ordem. No entanto basta ele adoecer um mínimo, basta haver a mais leve infração da ordem normal da terra no organismo para que logo comece a manifestar-se a possibilidade de um outro mundo, e quanto mais ele adoece mais se sente em contato com o outro mundo, de sorte que, quando o homem morre inteiramente, aí ele vai direto para o outro mundo". Venho raciocinando sobre isso há muito tempo. Se o senhor acredita no outro mundo, então pode acreditar nesse raciocínio.

— Eu não acredito na vida futura — disse Raskólnikov.

Svidrigáilov estava sentado, pensativo.

— Mas e se lá houver apenas aranhas ou coisas dessa natureza? — disse ele subitamente.

"Esse é louco" — pensou Raskólnikov.

— A eternidade sempre nos parece uma ideia que não se pode entender, algo enorme, enorme! Mas por que forçosamente enorme? E de repente, em vez de tudo isso, imagine só, lá existe um único quarto, alguma coisa assim como um quartinho de banhos de aldeia, enegrecido pela fuligem, com aranhas espalhadas por todos os cantos, e toda a eternidade se resume a isso. Sabe, às vezes me parece que vejo coisas desse tipo.

— E será, será que o senhor não imagina nada mais reconfortante e mais justo do que isso? — bradou Raskólnikov com um sentimento dorido.

— Mais justo? Como saber, talvez isso é que seja justo; mas fique sabendo que eu assim o faria forçosamente, de propósito! — respondeu Svidrigáilov com um riso indefinido.

Uma espécie de frio apossou-se subitamente de Raskólnikov após essa resposta revoltante. Svidrigáilov levantou a cabeça, olhou fixamente para ele e súbito soltou uma gargalhada.

— Veja só o que o senhor precisa considerar — exclamou ele —: meia hora atrás nós dois ainda não nos conhecíamos direito, agora nos consideramos inimigos, entre nós existe um assunto não resolvido; saímos do assunto e veja em que literaturas nos metemos! Então, não é verdade o que eu disse, que somos vinho da mesma pipa?

— Faça um obséquio — continuou Raskólnikov em tom irritado —, permita pedir que se explique o quanto antes e me informe por que me deu a honra da sua visita... e... e... estou com pressa, não tenho tempo, quero sair à rua...

— Pois bem, pois bem. Sua irmã, Avdótia Románovna, vai se casar com o senhor Lújin, com Piotr Pietróvitch?

— O senhor não daria um jeito de evitar qualquer pergunta a respeito de minha irmã e não mencionar o seu nome? Eu nem consigo entender: como o senhor se atreve a pronunciar o nome dela na minha presença, se é que o senhor é realmente Svidrigáilov?

— Acontece que eu vim para falar a respeito dela, como não iria mencioná-la?

— Está bem; fale, mas seja breve!

— Estou certo de que sobre esse senhor Lújin, meu parente pelo lado de minha mulher, o senhor já firmou opinião própria, caso o tenha visto ao menos meia hora ou ao menos tenha ouvido falar alguma coisa verdadeira e precisa a seu respeito. Ele não é par para Avdótia Románovna. A meu ver, nessa questão Avdótia Románovna está se sacrificando de forma bastante generosa, desinteressada e imprevidente por... por sua família. Por tudo o que ouvi a seu respeito, pareceu-me que o senhor, por sua vez, ficaria muito satisfeito se esse casamento pudesse ser desfeito sem afetar os interesses. Agora, depois de conhecê-lo pessoalmente, estou até seguro disso.

— Da sua parte tudo isso é muito ingênuo; desculpe, eu quis dizer insolente — disse Raskólnikov.

— Ou seja, com isso o senhor está dizendo que estou puxando brasa para a minha sardinha. Não se preocupe, Rodion Románovitch, se eu estivesse legislando em causa própria, não iria me expressar de forma tão direta, não sou totalmente burro. A esse respeito vou lhe revelar uma esquisitice psicológica. Há pouco, quando justificava meu amor por Avdótia Románovna, eu disse que eu mesmo tinha sido vítima. Bem, fique sabendo que agora eu não sinto amor nenhum, nenhum, de sorte que para mim mesmo isso é até estranho, porque eu realmente sentia algo...

— Levado pelo ócio e a libertinagem — interrompeu Raskólnikov.

— De fato, sou um homem libertino e ocioso. Mas por outro lado, sua irmã tem tantas qualidades superiores que nem eu poderia escapar a uma certa impressão. Mas tudo isso é bobagem, como agora eu mesmo estou percebendo.

— Faz tempo que o senhor percebeu isso?

— Comecei a perceber ainda antes, mas me convenci definitivamente anteontem, quase no mesmo instante da chegada a Petersburgo. Aliás, ainda em Moscou eu imaginava que estava viajando para tentar conseguir a mão de Avdótia Románovna e competir com o senhor Lújin.

— Desculpe por interrompê-lo, e me faça um obséquio: o senhor não poderia encurtar a conversa e ir direto ao objetivo da sua visita? Estou com pressa, preciso sair à rua...

— Com o maior prazer. Ao chegar aqui e decidir agora fazer uma certa... *voyage*,[17] desejei tomar as devidas providências prévias. Meus filhos ficaram com a tia; são ricos e não precisam pessoalmente de mim. E além disso, que pai sou eu! Comigo eu trouxe apenas o que Marfa Pietróvna me deu de presente no ano passado. Para mim chega. Desculpe, agora vou passar ao próprio assunto. Antes da *voyage*, que, talvez, venha a realizar-se, eu quero também acabar com o senhor Lújin. Não é que ele me fosse muito insuportável, mas foi por causa dele, não obstante, que saiu aquela briga com Marfa Pietróvna, quando eu soube que ela havia forjado esse casamento. Agora desejo visitar Avdótia Románovna, com sua mediação, e na sua presença explicar a ela, em primeiro lugar, que o senhor Lújin não só não trará a ela nenhuma vantagem como certamente trará um notório prejuízo. Em seguida, depois de pedir desculpas a ela por todos aqueles recentes aborrecimentos, eu pediria permissão para oferecer dez mil rublos a ela e assim facilitar o rompimento com o senhor Lújin, rompimento contra o qual, estou seguro, ela não teria nada a opor, bastava apenas que tivesse a possibilidade.

— Mas o senhor é realmente, realmente louco! — bradou Raskólnikov. — Como se atreve a falar assim!

— Eu bem sabia que o senhor iria gritar; contudo, em primeiro lugar, mesmo eu não sendo rico, esses meus dez mil rublos estão disponíveis, isto é, não tenho a mínima, a mínima necessidade deles. Se Avdótia Románovna não os aceitar, eu certamente vou usá-los de forma ainda mais tola. Isso em primeiro lugar. Segundo: minha consciência está absolutamente tranquila; estou oferecendo sem nenhum interesse. Acredite ou não, mais tarde tanto o senhor quanto Avdótia Románovna ficarão sabendo. Tudo isso é porque causei muitas preocupações e contrariedades à sua muito estimada irmã; portanto, movido por um sincero arrependimento, desejo, de todo coração, não me redimir, não pagar pelas contrariedades, mas pura e simplesmente

---

[17] "Viagem", em francês. (N. do T.)

fazer alguma coisa útil por ela, já que, em realidade, eu não assumi o privilégio de fazer apenas o mal. Se em minha proposta houvesse ao menos uma milionésima fração de interesse, eu não a estaria apresentando de forma tão direta: além do mais, eu não estaria oferecendo apenas dez mil, uma vez que há cinco semanas havia proposto mais a ela. Além disso, é possível que brevemente, muito brevemente eu venha a me casar com uma moça; por consequência, isso já eliminaria todas as suspeitas de qualquer espécie de atentado contra Avdótia Románovna. Para concluir, afirmo que, casando-se com o senhor Lújin, Avdótia Románovna receberá a mesma quantia, só que de outra parte... Mas não se zangue, Rodion Románovitch, julgue com serenidade e sangue-frio.

Ao dizer isso, o próprio Svidrigáilov estava extremamente sereno e de sangue-frio.

— Peço-lhe que conclua — disse Raskólnikov. — Em todo caso, isso é de uma impertinência imperdoável.

— Nem um pouco. Depois ainda dizem que neste mundo o homem só pode fazer mal ao homem e, ao contrário, não tem o direito de fazer uma única migalha de bem por causa das corriqueiras formalidades vazias. Isto é um absurdo. E se, por exemplo, eu morresse e deixasse essa quantia à sua irmã em testamento registrado, será que ainda assim ela se recusaria a recebê-la?

— É bastante possível.

— Ah, isso não. Mas, pensando bem, já que é não, que seja não. Só que dez mil é uma bela bolada, para alguma eventualidade. Em todo caso, peço que transmita minha proposta a Avdótia Románovna.

— Não, não vou transmiti-la.

— Neste caso, Rodion Románovitch, eu mesmo serei forçado a tentar conseguir uma entrevista pessoal, logo, a incomodá-la.

— E se eu transmitir, o senhor não vai tentar a entrevista pessoal?

— Não sei, palavra, como lhe responder. Eu desejaria muito vê-la uma vez.

— Não espere por isso.

— É uma pena. A propósito, o senhor não me conhece. Olhe, pode ser que nos tornemos amigos.

— O senhor acha que nos tornaremos amigos?

— E por que não? — disse Svidrigáilov rindo, levantou-se e pegou o chapéu. — Eu, não é que desejasse incomodá-lo, e, ao vir para cá, nem chegava a contar muito com isso; mas, por outro lado, sua fisionomia me havia impressionado na manhã de hoje, não fazia muito...

— Onde o senhor me viu há pouco, na manhã de hoje? — perguntou intranquilo Raskólnikov.

— Por acaso... Não paro de achar que o senhor tem qualquer coisa que combina comigo... Mas não se preocupe, não sou importuno; convivi bem até com trapaceiros, e não saturei o príncipe Svirbei, meu parente afastado e grão-senhor, e consegui escrever sobre a *Madona* de Rafael no álbum da senhora Prilyukova, e passei sete anos com Marfa Pietróvna sem viajar, e antigamente pernoitei na casa de Viázemski na Siennáia, e pode ser que levante voo com Berg no balão.

— Está bem. Permita-me perguntar: vai partir em viagem brevemente?

— Que viagem?

— Ora, na tal *voyage*... Foi o senhor mesmo que disse.

— Ah, a *voyage*? Ah, sim!... de fato, eu lhe falei da *voyage*... Bem, essa é uma questão vasta... Ah, se o senhor soubesse, não obstante, do que está perguntando!... — acrescentou de repente em voz alta e desatou uma risada curta. — Eu talvez me case em lugar da *voyage*; estão arranjando uma noiva para mim.

— Aqui?

— Sim.

— Como é que o senhor arranjou tempo?

— Mas desejo muito ver Avdótia Románovna uma vez. Estou pedindo a sério. Bem, até logo... ah, sim! Veja o que eu tinha esquecido. Rodion Románovitch, diga à sua irmã que ela foi contemplada com três mil rublos no testamento de Marfa Pietróvna. Isso é positivamente verdadeiro. Marfa Pietróvna determinou uma semana antes de morrer, e isso aconteceu na minha presença. Dentro de umas três semanas Avdótia Románovna pode receber o dinheiro.

— O senhor está falando a verdade?

— Verdade. Transmita. Bem, disponha. Olhe, estou hospedado bem perto do senhor.

Ao sair, Svidrigáilov esbarrou em Razumíkhin na porta.

## II

Já eram quase oito horas; os dois tinham pressa de chegar ao Bakalêiev antes de Lújin.

— Então, quem era ele? — perguntou Razumíkhin mal saíram à rua.

— Era Svidrigáilov, aquele fazendeiro em cuja casa minha irmã foi ofendida quando trabalhava de governanta. Por causa do assédio sexual dele ela deixou a casa, posta para fora pela mulher dele, Marfa Pietróvna. Depois essa Marfa Pietróvna pediu perdão a Dúnia, e agora morreu de repente. Era sobre ela que conversávamos há pouco. Não sei por quê, mas estou com muito medo desse homem. Ele veio imediatamente após o enterro da mulher. É um homem muito estranho e tem alguma decisão tomada... É como se soubesse alguma coisa... Precisamos proteger Dúnia dele... eis o que eu queria dizer, estás ouvindo?

— Proteger! O que ele pode fazer contra Avdótia Románovna? Obrigado, Ródia, por teres me contado... Vamos, vamos protegê-la!... Onde mora?

— Não sei.

— Por que não perguntou? Ah, que pena! Aliás, vou me inteirar!

— Tu o viste? — perguntou Raskólnikov depois de algum silêncio.

— Sim, eu o observei; observei detidamente.

— Tu o viste com precisão? Nitidamente? — insistiu Raskólnikov.

— Vi sim, me lembro nitidamente; posso reconhecê-lo no meio de mil, tenho boa memória visual.

Voltaram a calar.

— Hum... ainda bem... — resmungou Raskólnikov. — Porque, sabes... me ocorreu... não paro de achar... que isso também pode ser fantasia.

— Mas de que estás falando? Não estou te entendendo direito.

— Pois bem — continuou Raskólnikov com um riso torto —, vocês dizem que sou louco; há pouco me pareceu que eu talvez fosse mesmo louco e apenas tinha visto um fantasma.

— Por que tu me vens com essa agora?

— Ora, sabe-se lá! Pode ser que eu seja mesmo louco, e tudo o que aconteceu todos esses dias, tudo, talvez seja apenas fruto da imaginação...

— Eh, Ródia! Te deixaram outra vez perturbado!... O que foi que ele falou, qual foi o fim da visita?

Raskólnikov não respondeu, Razumíkhin ficou um minuto a pensar.

— Vai, escuta o meu relatório — começou ele. — Passei em teu quarto, estavas dormindo. Depois nós almoçamos, e em seguida fui à casa de Porfiri. Zamiétov ainda continuava lá. Eu quis iniciar uma conversa, mas não saiu nada. Não houve jeito de desencadear uma conversa como convém. É como se eles não estivessem entendendo nem pudessem entender coisa nenhuma, mas não estão nada desnorteados. Levei Porfiri à janela e comecei a falar, porém mais uma vez não deu em nada: ele olhava para um lado, e eu também olhava para um lado. Por fim esfreguei o punho nas fuças dele e disse que ia arrebentá-lo, como se faz em família. Ele se limitou a me olhar. Dei de ombros e saí, eis tudo. Foi uma grande tolice. Com Zamiétov não troquei uma palavra. Vê só: pensei que tivesse entornado o caldo, mas, quando descia a escada, uma ideia me veio subitamente à cabeça: por que motivo nós dois andamos nessa azáfama? Porque se tu estivesses correndo algum perigo ou alguma coisa assim, vá lá. Mas tu, qual! Tu não tens nada a ver com isso, logo, devias estar te lixando para eles; depois nós vamos rir deles, e no teu lugar eu ainda apelaria para a mistificação. Depois, como ficariam de cara no chão! Deixa pra lá; depois a gente pode até dar umas alfinetadas, mas por enquanto vamos gozar com a cara deles!

— Sem dúvida, é isso! — respondeu Raskólnikov. "E o que irás dizer amanhã?" — pensou com seus botões. Coisa estranha: até hoje ainda não lhe ocorrera nenhuma vez a pergunta: "O que Razumíkhin vai pensar quando souber?". Depois de pensar isso, Raskólnikov olhou fixamente para ele. Estava muito pouco interessado no atual relatório da visita de Razumíkhin a Porfiri: tantas eram as agravantes que desde então haviam sido acrescentadas!...

No corredor deram de cara com Lújin: este chegara às oito em ponto e procurava o número do apartamento, de sorte que todos os três entraram juntos, mas sem se olharem nem fazerem reverência. Os jovens foram na frente e Piotr Pietróvitch, por uma questão de bom-tom, demorou-se um pouco na antessala, tirando o sobretudo. No mesmo instante Pulkhéria Aleksándrovna saiu para recebê-lo à entrada. Dúnia cumprimentou o irmão.

Piotr Pietróvitch entrou e trocou reverências com as senhoras de modo bastante amável, mas com uma gravidade redobrada. Aliás, estava com ar de quem tinha perdido o norte e ainda não havia achado a saída. Pulkhéria Aleksándrovna, também meio atrapalhada, apressou-se de pronto a sentar todos em volta de uma mesa redonda na qual ardia um samovar. Dúnia e Lújin acomodaram-se um de frente para o outro. A Razumíkhin e Raskólnikov coube sentar-se de frente para Pulkhéria Aleksándrovna — Razumíkhin mais perto de Lújin, Raskólnikov ao lado da irmã.

Fez-se um instante de silêncio. Sem pressa, Piotr Pietróvitch tirou um lenço de cambraia, que exalou perfume, e assoou-se com ar de homem virtuoso mas ainda assim um tanto ofendido em sua dignidade, e ademais firmemente decidido a exigir explicações. Ainda na antessala passou-lhe pela cabeça uma ideia: não tirar o sobretudo e ir embora e, assim, castigar as duas senhoras de forma severa e grave, fazendo sentir tudo de uma só vez. Mas não se atreveu. Ademais, esse homem não gostava de surpresas, e ali era necessário esclarecer: se a sua ordem havia sido desrespeitada de modo tão notório, significava que alguma coisa estava acontecendo e, portanto, o melhor era se inteirar de antemão; sempre haveria tempo para castigar, e isso estava em suas mãos.

— Espero que a viagem tenha transcorrido bem — dirigiu-se oficialmente a Pulkhéria Aleksándrovna.

— Graças a Deus, Piotr Pietróvitch.

— Bastante agradável. E Avdótia Románovna, também não ficou cansada?

— Eu sou jovem e forte, não me canso, mas para mamãe foi muito difícil — respondeu Dúnia.

— O que fazer? As nossas estradas nacionais são muito longas. É grande a chamada "mãe Rússia"... Quanto a mim, por mais que desejasse, ontem não me foi possível arranjar tempo para ir ao encontro. Contudo, espero que tudo tenha corrido sem maiores problemas.

— Ah, não, Piotr Pietróvitch, nós ficamos muito desencorajadas — apressou-se em declarar Pulkhéria Aleksándrovna com uma entonação especial —, e se ontem o próprio Deus, acho, não nos tivesse enviado Dmitri Prokófitch, nós simplesmente estaríamos perdidas. Aqui está ele, Dmitri Prokófitch Razumíkhin — acrescentou ela, apresentando-o a Lújin.

— Como não, já tive o prazer... ontem — pronunciou Lújin, olhando de esguelha e com antipatia para Razumíkhin; depois ficou carrancudo e calou-se. Ademais, no geral Piotr Pietróvitch pertencia àquela categoria de pessoas que, pela aparência, são sumamente amáveis em sociedade e revelam uma especial pretensão de amabilidade, mas tão logo as coisas contrariam um mínimo o seu jeito, perdem de pronto os modos, ficam mais parecidas a sacos de farinha do que a cavalheiros desembaraçados que animam uma sociedade. Todos voltaram a calar-se: Raskólnikov calava obstinadamente, Avdótia Románovna até então se negava a quebrar o silêncio, Razumíkhin nada tinha a dizer, de sorte que Pulkhéria Aleksándrovna tornou a inquietar-se.

— Marfa Pietróvna morreu, o senhor ouviu dizer? — começou ela, recorrendo ao seu recurso capital.

— Como não? Ouvi dizer. Fiquei sabendo pelos primeiros rumores e inclusive vim informá-lo que Arkadi Ivánovitch Svidrigáilov, imediatamente após o enterro da esposa, saiu às pressas para Petersburgo. Ao menos é o que fiquei sabendo de informações precisas que recebi.

— Para Petersburgo? Para cá? — perguntou Dúnietchka inquieta e trocou olhares com a mãe.

— Exatamente; e, é claro, não veio sem objetivos, tendo em vista a precipitação da partida e, em linhas gerais, as circunstâncias antecedentes.

— Meu Deus! Será que nem aqui ele vai deixar Dúnietchka em paz? — exclamou Pulkhéria Aleksándrovna.

— Acho que não há motivo para maiores inquietações, nem da parte da senhora, nem de Avdótia Románovna, se as senhoras mesmas, é claro, não desejarem nenhum tipo de relação com ele. Quanto a mim, venho observando e agora procuro descobrir onde ele está hospedado...

— Ah, Piotr Pietróvitch, o senhor não faz ideia do susto que acabou de me dar! — continuou Pulkhéria Aleksándrovna. — Eu o vi apenas duas vezes, e ele me pareceu horrível, horrível! Estou certa de que ele foi a causa da morte da falecida Marfa Pietróvna.

— A esse respeito não se pode concluir. Disponho de informações precisas. Não discuto, pode ser que ele tenha contribuído para a precipitação dos fatos, por assim dizer, com a influência moral da ofensa; mas no que tange ao comportamento e, de um modo geral, às qualidades morais da pessoa, concordo com a senhora. Não sei se ele agora ficou rico nem exatamente o que Marfa Pietróvna lhe deixou; disto ficarei sabendo no prazo mais breve; no entanto, aqui, em Petersburgo, dispondo ao menos de alguns recursos financeiros, é claro que ele vai voltar imediatamente aos hábitos antigos. Ele é o homem mais depravado e perdido no vício entre todos os homens dessa espécie! Tenho motivo considerável para supor que Marfa Pietróvna, que teve a infelicidade de amá-lo e resgatar-lhe as dívidas oito anos atrás, prestou-lhe ainda um outro serviço: graças unicamente ao seu empenho e aos seus sacrifícios, oito anos atrás foi abafado um processo criminal bem no início, no qual havia um misto de atrocidade e, por assim dizer, de uma perversidade fantástica, pela qual ele teria tudo, tudo mesmo para passar uma temporada na Sibéria. Assim é esse homem, se a senhora quer saber.

— Ah, meu Deus! — exclamou Pulkhéria Aleksándrovna. Raskólnikov ouvia atentamente.

— É verdade, como o senhor disse, que dispõe de informações precisas sobre esse assunto? — perguntou Dúnia em tom severo e grave.

— Estou dizendo apenas o que ouvi pessoalmente, em segredo, da falecida Marfa Pietróvna. Cabe observar que, do ponto de vista jurídico, esse caso é muito obscuro. Morava aqui e, parece, ainda mora uma tal de Resslich, estrangeira, e ainda por cima pequena usurária, que se dedica também a outros negócios.[18] Há muito tempo o senhor Svidrigáilov manteve certas relações muito íntimas e misteriosas com essa mesma Resslich. Morava com esta uma parenta afastada, parece que sobrinha, surda-muda, mocinha de uns quinze anos, que a tal de Resslich odiava sem limites e a recriminava por cada migalha; chegava até a espancá-la de maneira desumana. Um dia ela foi encontrada esganada no sótão. Admitiu-se que havia se suicidado. Depois dos procedimentos de praxe o caso foi encerrado, porém mais tarde, não obstante, apareceu a denúncia de que Svidrigáilov havia... feito mal à menina de maneira cruel. É verdade que tudo isso ficou na obscuridade, a denúncia partiu de outra também alemã, mulher de notória má vida, que não merecia crédito; no fim das contas, no fundo, não houve denúncia, graças ao empenho e ao dinheiro de Marfa Pietróvna; tudo se limitou a rumores. Mas, não obstante, esses rumores foram significativos. A senhora, Avdótia Románovna, também ouviu falar na casa deles da história de Fillip; o que morreu de torturas há seis anos, ainda na época da servidão.

— Ao contrário, ouvi dizer que Fillip enforcou-se.

— Exatamente, mas ele foi forçado, ou foi induzido a uma morte violenta pelo sistema permanente de perseguições e punições do senhor Svidrigáilov.

— Desconheço isso — respondeu secamente Dúnia —, ouvi apenas uma história muito estranha, de que esse tal de Fillip era hipocondríaco, uma espécie de filósofo doméstico; as pessoas diziam que ele havia "treslido", e que tinha se enforcado mais por causa das zombarias de que era alvo do que pelos espancamentos do senhor Svidrigáilov. Na minha presença ele tratava bem as pessoas, e elas até gostavam dele, embora, em realidade, também o culpassem pela morte de Fillip.

— Estou vendo, Avdótia Románovna, que a senhora passou subitamente a absolvê-lo de certa forma — observou Lújin, entortando a boca num riso ambíguo. — De fato, ele é um homem astuto e sedutor quando se trata de mulheres, e um exemplo lamentável foi Marfa Pietróvna, que morreu de

---

[18] Nome inspirado num fato real: Dostoiévski teve de pagar quinhentos rublos em promissórias, de uma dívida do falecido irmão, a uma agiota de nome Reusler. (N. da E.)

maneira tão estranha. Eu quis apenas servir à senhora e à sua mãe com o meu conselho, tendo em vista novas e sem dúvida iminentes tentativas da parte dele. Quanto a mim, tenho a firme convicção de que esse homem forçosamente voltará a sucumbir por causa das dívidas. Marfa Pietróvna nunca teve a mínima intenção de pôr alguma coisa no nome dele, tendo em vista as crianças, e se é que lhe deixou alguma coisa, deve ter sido apenas o estritamente necessário, de pouca valia, efêmero, o que não dará para um ano nas mãos de um homem dos hábitos dele.

— Piotr Pietróvitch — disse Dúnia —, eu lhe peço que pare de falar no senhor Svidrigáilov. Isso me dá tédio.

— Ele esteve há pouco em meu quarto — disse subitamente Raskólnikov, quebrando o silêncio pela primeira vez.

De todos os lados partiram exclamações, todos se voltaram para ele. Até Piotr Pietróvitch ficou inquieto.

— Há uma hora e meia, quando eu estava dormindo, ele entrou, me acordou e se apresentou — continuou Raskólnikov. — Estava bastante desembaraçado e alegre, e nutre total esperança de que nós dois nos tornaremos amigos. A propósito, solicita muito e está procurando um encontro contigo, Dúnia, e me pediu para ser o mediador desse encontro. Ele tem uma proposta a te fazer, cujo teor me comunicou. Além disso, me informou positivamente que Marfa Pietróvna, uma semana antes de morrer, teve tempo para deixar para ti, Dúnia, três mil rublos de herança, e tu podes receber esse dinheiro no tempo mais breve.

— Graças a Deus! — exclamou Pulkhéria Aleksándrovna e persignou-se. — Reza por ela, Dúnia, reza!

— Isso realmente é verdade — deixou escapar Lújin.

— Vamos, vamos, o que mais? — apressou-o Dúnia.

— Depois ele disse que ele mesmo não é rico e toda a fazenda fica para os filhos, que agora estão com uma tia. Disse ainda que está hospedado bem perto de mim, mas onde? — não sei, nem perguntei...

— No entanto, o que ele quer propor a Dúnietchka? — perguntou assustada Pulkhéria Aleksándrovna. — Ele te disse?

— Disse, sim.

— E o quê?

— Depois eu digo. — Raskólnikov calou e voltou-se para o seu chá.

Piotr Pietróvitch tirou o relógio e olhou as horas.

— Preciso partir para tratar de um caso, e assim não vou atrapalhar — acrescentou com ar um tanto melindrado e começou a levantar-se da cadeira.

— Fique, Piotr Pietróvitch — disse Dúnia —, o senhor tinha mesmo a intenção de ficar parte da noite aqui. Além do mais, o senhor mesmo escreveu que desejava se explicar sobre alguma coisa com minha mãe.

— Exatamente, Avdótia Románovna — pronunciou em tom grave Piotr Pietróvitch, voltando a sentar-se na cadeira mas ainda com o chapéu na mão —, eu realmente desejava me explicar com a senhora e com a prezada sua mãe, e inclusive sobre uns pontos muito importantes. No entanto, como o seu irmão não pode explicar na minha presença algumas propostas do senhor Svidrigáilov, então não desejo nem posso explicar-me... na presença de outros... acerca de alguns pontos muito, muito importantes. Além do mais, o meu pedido capital e mais que convincente não foi atendido...

Lújin fez um gesto amargo e calou-se com garbo.

— O seu pedido, para que meu irmão não estivesse presente ao nosso encontro, não foi cumprido unicamente por exigência minha — disse Dúnia. — O senhor escreveu que havia sido ofendido por meu irmão; acho que isso deve ser esclarecido imediatamente, e vocês devem fazer as pazes. E se Ródia realmente o ofendeu, ele *deve* e *irá* lhe pedir desculpas.

No mesmo instante Piotr Pietróvitch se fez de rogado.

— Existem algumas ofensas, Avdótia Románovna, que, mesmo com toda a boa vontade, não dá para esquecer. Para tudo há um limite que é perigoso ultrapassar; porque uma vez ultrapassado, não dá para voltar atrás.

— Eu não estava falando propriamente disso, Piotr Pietróvitch — interrompeu Dúnia com um pouco de impaciência —, procure compreender bem que todo o nosso futuro depende, neste momento, de uma coisa: será tudo isso esclarecido, será tudo isso superado o mais breve possível ou não? Eu afirmo sem rodeios, desde o início, que não posso ver a questão de outra maneira, e se o senhor tem por mim ao menos um mínimo de apreço, então, ainda que seja difícil, toda essa história deve terminar hoje mesmo. Repito ao senhor que, se meu irmão for culpado, ele vai lhe pedir desculpas.

— Admira-me que a senhora coloque a questão assim, Avdótia Románovna — Lújin ia ficando cada vez mais irritado. — Apreciando-a e, por assim dizer, adorando-a, ao mesmo tempo posso assaz, assaz não gostar de alguém da sua família. Ao pretender a felicidade da sua mão, não posso, ao mesmo tempo, assumir obrigações incompatíveis...

— Ah, pare com todo esse melindre, Piotr Pietróvitch — interrompeu Dúnia com sentimento —, e seja aquele homem inteligente e decente como eu sempre o considerei e quero continuar considerando. Eu lhe fiz uma grande promessa, eu sou a sua noiva; confie em mim neste caso, e acredite que estou em condição de julgar de modo imparcial. O fato de eu estar assumindo o papel de árbitro é uma surpresa tanto para o meu irmão quanto para o senhor. Quando, depois da sua carta, eu convidei Ródia para vir hoje ao nosso encontro, não lhe comuniquei nada a respeito das minhas intenções. Compreenda que se vocês dois não fizerem as pazes eu serei forçada a uma escolha entre os dois: ou o senhor ou ele. Assim a questão se colocou da parte dele e da sua. Não quero e nem devo errar na escolha. Para o senhor eu devo romper com meu irmão; para o meu irmão eu devo romper com o senhor. Agora eu quero e posso ficar sabendo com certeza: ele é irmão para mim ou não? E quanto ao senhor: eu lhe sou cara ou não, o senhor tem apreço por mim ou não: o senhor é marido para mim ou não?

— Avdótia Románovna — pronunciou Lújin curvando-se —, suas palavras são significativas demais para mim, digo mais, são até injuriosas, tendo em vista a posição que tenho a honra de ocupar em relação à senhora. Já sem dizer uma só palavra sobre a comparação injuriosa e estranha, em pé de igualdade, entre mim e... um rapazinho insolente, com suas palavras a senhora admite a possibilidade de quebrar a promessa que me fez. A senhora diz: "Ou o senhor, ou ele", logo, assim me mostra como eu significo pouco para a senhora... eu não posso admitir tal coisa nas relações e... compromissos existentes entre nós.

— Como! — inflamou-se Dúnia. — Eu coloco o seu interesse ao lado de tudo o que até hoje me tem sido precioso na vida, do que até hoje tem sido *toda* a minha vida, e de repente o senhor se ofende por eu lhe dar *pouco* valor!

Raskólnikov deu um riso calado e mordaz, Razumíkhin estremeceu todo; mas Piotr Pietróvitch não aceitou a objeção; ao contrário, a cada palavra ia ficando cada vez mais impertinente e mais irascível, como se começasse a tomar gosto.

— O amor ao futuro companheiro da vida, ao marido, deve estar acima do amor ao irmão — pronunciou em tom sentencioso —, seja como for, não posso estar em pé de igualdade... Embora eu tenha reiterado há pouco que, na presença do seu irmão, não desejo e nem posso explicar tudo o que pretendia ao vir para cá, ainda assim pretendo, neste momento, me dirigir à sua prezada mãe, pedindo esclarecimento de um ponto extremamente capital e injurioso para mim. Ontem — dirigiu-se ele a Pulkhéria Aleksándrovna —, na presença do senhor Rassúdkin[19] (ou... parece que é assim, não?

[19] Derivado de *rassúdok* — razão, juízo, em russo; sinônimo de Razumíkhin, derivado de *rázum* — razão, juízo, intelecto. (N. do T.)

Desculpe, fugiu-me da memória o seu sobrenome — fez uma reverência amável a Razumíkhin), seu filho me ofendeu, deturpando meu pensamento, o qual eu expus à senhora naquela conversa particular que tivemos durante o café, ou seja, que o casamento com uma moça pobre, que já experimentou o infortúnio na vida, é, a meu ver, mais vantajoso em termos conjugais do que um casamento com uma moça que viveu na abastança, porque é mais útil para a moralidade. Seu filho exagerou deliberadamente, até o absurdo, o significado das palavras, acusando-me de intenções malignas e, a meu ver, tomando por base a própria correspondência da senhora. Eu me sentirei feliz, Pulkhéria Aleksándrovna, se lhe for possível me convencer do contrário e assim me tranquilizar consideravelmente. Peço que me informe, precisamente, em que termos a senhora transmitiu as minhas palavras em sua carta a Rodion Románovitch?

— Eu não me lembro — perturbou-se Pulkhéria Aleksándrovna —, e transmiti da forma como eu mesma as entendi. Não sei como Ródia as transmitiu ao senhor... Pode ser que ele tenha exagerado alguma coisa.

— Se a senhora não o infundisse ele não poderia exagerar.

— Piotr Pietróvitch — pronunciou Pulkhéria Aleksándrovna com dignidade —, o fato de estarmos *aqui* é a prova de que eu e Dúnia não tomamos as suas palavras em sentido muito mau.

— Muito bem, mamãe! — aprovou Dúnia.

— Logo, até nisso eu tenho culpa — ofendeu-se Lújin.

— Veja, Piotr Pietróvitch, o senhor não para de culpar Rodion, mas há pouco o senhor mesmo escreveu uma inverdade sobre ele — acrescentou Pulkhéria Aleksándrovna ganhando ânimo.

— Não me lembro de haver escrito nenhuma inverdade.

— O senhor escreveu — pronunciou rispidamente Raskólnikov, sem se voltar para Lújin — que ontem eu dei dinheiro não à viúva do atropelado, como de fato aconteceu, mas à filha dele, que até ontem eu nunca havia visto. O senhor escreveu isso com a finalidade de me indispor com meus familiares, e para tanto acrescentou, com expressões torpes, coisas sobre a conduta de uma moça que não conhece. Tudo isso é bisbilhotice e baixeza.

— Desculpe, senhor — respondeu Lújin, tremendo de raiva —, em minha carta eu me referi às suas qualidades e atitudes unicamente para atender ao pedido da sua irmã e da sua mãe para que eu as descrevesse: como eu o encontrei e que impressões o senhor me havia deixado. Quanto ao teor da minha carta, encontre ao menos uma linha injusta, ou seja, negue que o senhor gastou o dinheiro e que naquela família, ainda que na desgraça, há pessoas indignas.

— A meu ver, porém, o senhor, com todos os seus méritos, não vale o dedo mínimo daquela moça infeliz em que o senhor atira pedras.

— Quer dizer que o senhor se atreveria a introduzi-la no círculo de sua mãe e sua irmã?

— Isso eu já fiz, se o senhor quer saber. Hoje eu a sentei ao lado de minha mãe e de minha irmã.

— Ródia! — exclamou Pulkhéria Aleksándrovna.

Dúnietchka corou; Razumíkhin carregou o semblante. Lújin riu com ar sarcástico e arrogante.

— A senhora mesma está vendo, Avdótia Románovna — disse ele —, é possível chegar a um acordo? Espero que agora esse assunto esteja encerrado e esclarecido de uma vez por todas. Eu me retiro para não ser obstáculo a que continuem desfrutando o prazer do encontro familiar e à comunicação dos segredos (levantou-se da cadeira e apanhou o chapéu). Contudo, ao sair eu me atrevo a observar que, doravante, espero estar livre de semelhantes encontros e, por assim dizer, compromissos. À senhora, prezada Pulkhéria Aleksándrovna, peço em especial a mesma coisa, ainda mais porque a carta foi endereçada à senhora e a mais ninguém.

Pulkhéria Aleksándrovna ficou um pouco ofendida.

— O senhor está mesmo nos colocando inteiramente sob seu poder, Piotr Pietróvitch. Dúnia lhe expôs a causa do não cumprimento da sua vontade: as intenções dela foram boas. Ademais, o senhor me escreve como se estivesse ordenando. Por acaso nós temos de considerar cada vontade sua uma ordem? Mas eu lhe digo o contrário; que neste momento o senhor deve ser especialmente delicado e condescendente conosco, porque nós largamos tudo e, confiando no senhor, viemos para cá; logo, já sem isso estamos quase sob seu poder.

— Isso não é inteiramente justo, Pulkhéria Aleksándrovna, e sobretudo neste momento em que a senhora é informada dos três mil rublos deixados por Marfa Pietróvna, o que, parece, veio muito a calhar, a julgar pelo tom com que passaram a falar comigo — acrescentou em tom mordaz.

— A julgar por essa observação, pode-se efetivamente supor que o senhor contava com o nosso desamparo — observou Dúnia irritada.

— Mas agora, ao menos, não posso contar com isso e sobretudo não desejo atrapalhar a comunicação das propostas secretas de Arkadi Ivánovitch Svidrigáilov, que ele delegou ao seu irmão e que, como estou vendo, têm para a senhora um sentido capital e, talvez, muito agradável.

— Ah, meu Deus! — exclamou Pulkhéria Aleksándrovna.

Razumíkhin não parava na cadeira.

— E agora, minha irmã, isso não te envergonha? — perguntou Raskólnikov.

— Envergonha, Ródia — disse Dúnia. — Piotr Pietróvitch, fora daqui! — dirigiu-se a ele, pálida de cólera.

Piotr Pietróvitch, parece, não esperava absolutamente semelhante final. Confiava demasiadamente em si, em seu poder e no desamparo das suas vítimas. E agora também não acreditava. Empalideceu, e seus lábios tremeram.

— Avdótia Románovna, se neste momento eu sair por esta porta, sob esse voto de despedida — leve isso em conta —, nunca mais eu volto. Pondere direitinho! Minha palavra é firme.

— Que descaramento! — exclamou Dúnia, levantando-se rapidamente de seu lugar. — E além disso nem eu quero que o senhor volte atrás!

— Como? Então é is-s-so! — gritou Lújin, sem acreditar, absolutamente, até o último instante, em semelhante desfecho e por isso perdendo inteiramente o fio da meada. — É as-s-sim! Pois fique sabendo, Avdótia Románovna, que eu poderia até protestar.

— Com que direito o senhor se atreve a falar assim com ela? — interveio com ímpeto Pulkhéria Aleksándrovna. — Como o senhor pode protestar? E que direitos tem para isso? Acha que vou dar, a um tipo como o senhor, a minha Dúnia? Retire-se, deixe-nos de uma vez por todas! Nós mesmas somos culpadas de ter aceitado uma coisa injusta, e mais que todos eu...

— Entretanto, Pulkhéria Aleksándrovna — ardia em fúria Lújin —, a senhora me prendeu com a palavra dada, a qual, agora, renega... e finalmente... finalmente, por causa dela, eu me empenhei, por assim dizer, nas despesas...

Essa última pretensão estava tão dentro do caráter de Piotr Pietróvitch que Raskólnikov, pálido de cólera e dos esforços para contê-la, subitamente não se conteve e — desatou numa gargalhada. Mas Pulkhéria Aleksándrovna estava fora de si:

— Nas despesas? Em que despesas? Não estará o senhor falando do nosso baú? Mas acontece que o condutor o transportou de graça para o senhor. Meu Deus, nós prendemos o senhor! Ora, pense bem, Piotr Pietróvitch, foi o senhor quem nos deixou de pés e mãos atados, e não nós o senhor!

— Basta, mãezinha, por favor, basta! — suplicou Avdótia Románovna. — Piotr Pietróvitch, faça o favor, retire-se!

— Eu me retiro, mas quero dizer só mais uma última palavra! — pronunciou ele, quase sem conseguir mais se conter. — Sua mãe, parece, se esqueceu completamente de que eu me atrevi a tomá-la como esposa, por assim dizer, depois dos boatos que correram na cidade, e que se espalharam por todos os arredores, a respeito da sua reputação. Desprezando pela senhora a opinião pública e restabelecendo a sua reputação, eu, é claro, poderia, muito, muito mesmo, esperar represália e até exigir gratidão da sua parte... E só agora meus olhos se abriram! Eu mesmo estou vendo que, é possível, eu agi de forma assaz, assaz leviana ao desprezar a voz pública...

— Ele estará querendo ficar sem a cabeça, é isso! — exclamou Razumíkhin pulando da cadeira e já se preparando para dar cabo dele.

— O senhor é um homem baixo e mau! — disse Dúnia.

— Nem uma palavra! Nem um gesto! — exclamou Raskólnikov segurando Razumíkhin; em seguida, achegou-se a Lújin quase à queima-roupa:

— Trate de dar o fora! — disse baixinho, escandindo as palavras — e nem uma palavra mais, senão...

Piotr Pietróvitch ficou alguns segundos a olhar para ele com o rosto pálido e contraído de raiva, depois deu meia-volta, saiu e, é claro, seria difícil encontrar alguém que levasse no coração tanto ódio raivoso de Raskólnikov quanto esse homem. Acusava a ele, e só a ele, de tudo. O notável era que ele, já descendo a escada, não deixava de imaginar a coisa, talvez, ainda não inteiramente perdida e, no que se referia apenas às senhoras, assaz remediável, assaz mesmo.

III

O principal era que, até o último instante, ele jamais imaginaria semelhante desfecho. Fizera-se de rogado até o último limite, sem supor sequer a possibilidade de que duas mulheres miseráveis e desamparadas pudessem fugir ao seu domínio. Para essa convicção muito contribuíram a vaidade e aquele grau de presunção, que encontram no narcisismo a sua melhor denominação. Tendo aberto caminho a partir do nada, Piotr Pietróvitch pegara o hábito malsão de admirar-se a si mesmo, valorizava muito a sua inteligência e as suas capacidades e, às vezes, a sós consigo, chegava a deliciar-se com o próprio rosto na frente do espelho. No entanto, o que mais valorizava e amava na face da terra era o seu dinheiro, obtido com trabalho e por todo tipo de meios, e que o igualava a tudo o que estava acima dele.

Agora, ao lembrar amargurado a Dúnia que se atrevera a tomá-la por esposa apesar dos maus boatos que corriam a seu respeito, Piotr Pietróvitch usara de total sinceridade e sentia até uma profunda indignação contra tão "negra ingratidão". Entretanto, no momento em que pedira Dúnia em casamento, ele já tinha plena convicção do absurdo de todos aqueles mexericos, desmentidos em público pela própria Marfa Pietróvna e há muito esquecidos por toda a cidadezinha, que absolvera Dúnia calorosamente. Aliás, ele mesmo não renegaria agora o fato de que, já naquela época, tudo isso já era do seu conhecimento. E, não obstante, ainda assim dava alto valor à sua decisão de erguer Dúnia à altura de si mesmo e considerava isso uma proeza. Ao dizê-lo há pouco a Dúnia, ele revelou o seu pensamento secreto, acalentado, com o qual mais de uma vez se deliciara, e não conseguia entender como os outros podiam não se deliciar com a sua proeza. Quando, naquele momento, aparecera em visita a Raskólnikov, entrara com o sentimento do benfeitor pronto para colher os frutos e ouvir cumprimentos muito doces. Mas agora, ao descer a escada, ele, é claro, se considerava sumamente ofendido e não reconhecido.

Dúnia lhe era simplesmente indispensável; renunciar a ela era inconcebível para ele. Já fazia muito, já se iam alguns anos que ele sonhava deliciado com o casamento, mas não parava de juntar dinheiro e esperava. Sonhava extasiado, no mais profundo segredo, com uma donzela bem-educada e pobre (necessariamente pobre), muito jovenzinha, muito bonitinha, de caráter nobre e instruída, muito intimidada, que tivesse sofrido infortúnios em excesso e se anulasse completamente diante dele, que a vida inteira o considerasse a sua salvação, que o venerasse, que se sujeitasse a ele e se sentisse maravilhada com ele e somente com ele. Quantas cenas, quantos episódios doces criara na imaginação para esse tema sedutor e brejeiro nos momentos de ócio depois do trabalho! E eis que o sonho de tantos anos estava quase se realizando: a beleza e a instrução de Avdótia Románovna o haviam deixado pasmo; a situação de desamparo dela o incitara ao extremo. Nela havia até um pouco além daquilo com que ele sonhara: uma moça altiva, de caráter, virtuosa, em educação e desenvolvimento superior a ele (ele percebia isso), e a vida inteira uma criatura dessas iria lhe devotar uma gratidão servil pela proeza dele e anular-se de modo reverente, enquanto ele reinaria infinita e absolutamente!... Como de propósito, pouco antes disso, depois de longas conjecturas e esperas, ele finalmente resolvera mudar em definitivo de carreira e ingressar em um círculo mais vasto de atividades e, concomitantemente, ir passando pouco a pouco a uma sociedade mais alta, coisa que há muito tempo já vinha cogitando com volúpia... Numa palavra, resolvera experimentar Petersburgo. Sabia que com uma mulher poderia levar assaz vantagem, muita vantagem. O charme de uma mulher bela, virtuosa e instruída poderia lhe embelezar extremamente o caminho, atrair a atenção para ele, criar uma auréola... mas eis que tudo desmoronou! Esse rompimento súbito, revoltante, que acabara de acontecer, surtiu sobre ele o efeito do estrondo de um trovão. Era uma brincadeira revoltante, um absurdo! Ele deitara apenas uma gota de bazófia; nem tivera tempo de expressar-se, havia feito simplesmente uma brincadeira, deixara-se arrebatar, mas terminara de modo tão sério! No fim, ele até já amava Dúnia a seu modo, já reinava sobre ela em seus sonhos — e eis que... Não! Amanhã mesmo, amanhã mesmo é preciso restabelecer tudo isso, curar, consertar e, principalmente — destruir esse fedelho insolente, esse menino, que foi a causa de tudo. Com uma sensação mórbida lembrou-se, também meio involuntariamente, de Razumíkhin... mas, por outro lado, por essa parte logo se tranquilizou: "Só faltava pôr esse tipo para ombrear comigo!". Mas quem ele temia realmente a sério era Svidrigáilov... Numa palavra, tinha pela frente muitas dores de cabeça.

— Não, eu, eu sou a mais culpada de todos! — dizia Dúnietchka abraçando e beijando a mãe. — Eu me deixei tentar pelo dinheiro dele, mas, juro, meu irmão — eu nem sequer imaginava que se tratasse de um homem tão indigno. Se o tivesse notado antes, eu jamais teria me deixado tentar!

— Deus te livrou! Deus te livrou! — balbuciava Pulkhéria Aleksándrovna, mas de um jeito meio inconsciente, como se não atinasse tudo o que havia acontecido.

Todos estavam contentes, cinco minutos depois até já riam. Vez por outra só Dúnietchka empalidecia e carregava o semblante, lembrando-se do acontecido. Pulkhéria Aleksándrovna nem podia imaginar que ela também estivesse contente; ainda de manhã o rompimento com Lújin lhe parecia uma terrível desgraça. Mas Razumíkhin estava em êxtase. Ainda não se atrevia a exprimi-lo inteiramente, mas tremia todo como se estivesse com febre, como se um peso de cinco arrobas lhe tivesse saído do coração. Agora ele estava no direito de dar a elas toda a sua vida, de servi-las... Que importava agora o que viesse a acontecer! Mas, pensando bem, ele afugentava com ainda mais medo novos pensamentos e temia a sua imaginação. Só Raskólnikov continuava sentado no mesmo lugar, quase carrancudo e até distraído. Ele, que mais insistira no afastamento de Lújin, era como se agora fosse o menos interessado no ocorrido. Dúnia pensou involuntariamente que ele ainda continuasse zangado com ela, e Pulkhéria Aleksándrovna lançava olhares furtivos e medrosos na direção dele.

— O que foi que Svidrigáilov te disse? — achegou-se Dúnia.

— Ah, sim, sim! — exclamou Pulkhéria Aleksándrovna.

Raskólnikov levantou a cabeça:

— Ele quer te dar impreterivelmente dez mil rublos de presente e declara que deseja te ver uma vez na minha presença.

— Ver! Por nada neste mundo! — exclamou Pulkhéria Aleksándrovna. — E como ele se atreve a oferecer-lhe dinheiro?

Em seguida Raskólnikov transmitiu (com bastante secura) a conversa que tivera com Svidrigáilov, omitindo as aparições do fantasma de Marfa Pietróvna para evitar detalhes supérfluos com a mãe, e sentindo repulsa de introduzir qualquer conversa além da estritamente necessária.

— O que tu respondeste a ele? — perguntou Dúnia.

— Primeiro eu disse que não te transmitiria nada. Então ele declarou que iria em pessoa procurar, por todos os meios, conseguir um encontro. Assegurou que a paixão por ti havia sido uma fantasia e que agora não sente nada por ti... Ele não quer que te cases com Lújin... Em linhas gerais, não falou de modo incoerente...

— O que tu mesmo achas dele, Ródia? O que ele te pareceu?

— Confesso que não estou atinando nada de bom. Propõe dez mil, mas diz que ele mesmo não é rico. Anuncia que pretende viajar sabe-se lá para onde, mas dez minutos depois esquece o que disse. Súbito diz também que pretende casar e já estão até lhe arranjando uma noiva... É claro que ele tem objetivos, e o mais provável é que sejam maus. Contudo, mais uma vez é um tanto estranho supor que ele viesse a entrar no assunto de maneira tão tola se tivesse más intenções em relação a ti... Eu, naturalmente, recusei esse dinheiro dele em teu nome, de uma vez por todas. No geral ele me pareceu muito estranho e... até... com sinais aparentes de loucura. Mas eu posso estar equivocado; talvez isso seja alguma espécie de embromação. Pelo visto, ele está impressionado com a morte de Marfa Pietróvna...

— Que Deus dê paz à alma dela! — exclamou Pulkhéria Aleksándrovna. — Vou rezar eternamente, eternamente a Deus por ela! Pois o que seria agora de nós, Dúnia, sem esses três mil? Deus, parece que caíram do céu! Ah, Ródia, de manhã nós tínhamos só três rublos, e eu e Dúnia não contávamos senão com penhorar o relógio o quanto antes em algum lugar, só para não apanhar dinheiro com o tal até que ele mesmo acabasse atinando.

Dúnia pareceu ter ficado demasiadamente impressionada com a proposta de Svidrigáilov. Continuava em pé, pensativa.

— Ele está maquinando alguma coisa horrível! — pronunciou ela para si mesma quase sussurrando, a ponto de estremecer.

Raskólnikov notou esse pavor excessivo.

— Parece que terei de me avistar com ele mais de uma vez — disse ele a Dúnia.

— Vamos segui-lo! Eu vou espreitá-lo! — bradou energicamente Razumíkhin. — Não vou despregar os olhos! Ródia me deu permissão. Ele mesmo me disse há pouco: “Proteja minha irmã”. E a senhora permite, Avdótia Románovna?

Dúnia sorriu e lhe estendeu a mão, mas a preocupação não lhe saía do rosto. Pulkhéria Aleksándrovna lançava timidamente olhares furtivos para ela: de resto, os três mil a tranquilizavam visivelmente.

Quinze minutos depois todos conversavam da forma mais animada. Até Raskólnikov, mesmo sem conversar, ouviu atentamente durante algum tempo. Razumíkhin deitava falação.

— E por que, por que as senhoras vão partir? — derramava-se enlevado em um discurso extasiado —, e o que as senhoras vão fazer numa cidadezinha? E o principal, aqui vocês estão todos juntos e uns precisam dos outros, ah, como precisam — procurem me compreender. Bem, ao menos por algum tempo... Aceitem-me como amigo, como sócio, e eu asseguro que montaremos uma ótima empresa. Escutem, eu vou explicar tudo isso em detalhes — todo o projeto! Hoje de manhã, quando nada ainda havia acontecido, passou-me pela cabeça... Vejam o quê: eu tenho um tio (vou apresentá-los a ele; é um velhote muito bem-apessoado e ultrarrespeitável!), esse tio tem um capital de mil rublos e vive ele mesmo de uma pensão e não precisa do dinheiro. Faz dois anos que vem me importunando para que eu fique com esses mil e lhe pague seis por cento de juros. Eu percebo uma coisa: ele quer apenas me ajudar; no ano passado eu não precisei, mas este ano eu esperei apenas a chegada dele e resolvi aceitar. Depois as senhoras entram com um mil dos seus três e basta, na primeira oportunidade a gente faz a sociedade. O que é que vamos fazer?

Então Razumíkhin pôs-se a desenvolver o seu projeto e explicou longamente como os nossos livreiros e editores de livros conhecem pouco o sentido da sua mercadoria, e por isso costumam ser maus editores, ao passo que as boas edições costumam cobrir os gastos e dar lucro, às vezes considerável. Era com a atividade de editor que sonhava Razumíkhin, que já trabalhava há dois anos para os outros e conhecia razoavelmente três línguas europeias e, apesar de há uns seis dias ter dito a Raskólnikov que em alemão era *schwach*,[20] tivera a intenção de convencê-lo a assumir metade de uma tradução e receber três rublos adiantados: na ocasião ele mentiu, e Raskólnikov sabia que ele estava mentindo.

— Por que, por que deixar escapar a nossa chance, quando em nossas mãos apareceu um dos recursos mais importantes — o dinheiro próprio? — falava exaltado Razumíkhin. — É claro que será preciso muito trabalho, mas nós vamos trabalhar; a senhora, Avdótia Románovna, eu, Rodion... algumas edições dão atualmente um lucro excelente! E a base principal da empresa está em que nós vamos saber exatamente o que precisamos traduzir.[21] Vamos traduzir, e editar, e estudar, tudo junto. Agora posso ser útil porque experiência eu tenho. Vejam, daqui a pouco está fazendo dois anos que ando correndo atrás de editores e conheço todos os segredos deles: eles não moldam vasos de ouro, acreditem! Então por que, por que deixar escapar a fatia que nos passa diante da boca? Eu mesmo conheço, e faço segredo, umas duas ou três obras que nos permitiriam ganhar uns cem rublos por livro só sugerindo a ideia de traduzi-las e publicá-las, e há uma delas que nem por quinhentos rublos eu cederia como ideia para traduzir e publicar. Agora vá eu oferecê-la a algum editor, e ele ainda há de vacilar: toupeira! E

---

[20] "Fraco", "pouco entendido", em alemão — transliterado no original russo. (N. do T.)

[21] Os planos editoriais de Razumíkhin lembram muito os do próprio Dostoiévski em 1840, quando ele e o irmão Mikhail planejavam editar as obras de Schiller na Rússia. (N. da E.)

quanto aos afazeres propriamente ditos, tipografias, papel, venda, isso podem deixar comigo! Conheço todos os buracos! De grão em grão a galinha enche o papo; ao menos teremos o que comer, em todo caso teremos o nosso dinheiro de volta.

Os olhos de Dúnia brilhavam.

— Gosto muito do que o senhor está falando, Dmitri Prokófitch — disse ela.

— Disso, é claro, não sei nada — falou Pulkhéria Aleksándrovna —, pode ser que seja até bom, porém mais uma vez só Deus sabe. É uma coisa de certa forma nova, desconhecida. É claro que é necessário permanecermos aqui, ao menos por algum tempo...

Ela olhou para Ródia.

— O que tu achas, meu irmão? — perguntou Dúnia.

— Eu acho que a ideia dele é muito boa — respondeu. — Quanto à firma, certamente não se deve sonhar com ela de antemão, mas uns cinco ou seis livros pode-se realmente editar com sucesso seguro. Eu mesmo conheço uma obra que seguramente venderá bem. E quanto à capacidade dele para tocar o negócio, nisso não há qualquer dúvida: entende do assunto... De resto, vocês ainda terão tempo para acertar as coisas.

— Hurra! — gritou Razumíkhin. — Agora esperem; aqui, neste mesmo prédio, há um apartamento, dos mesmos donos. É um separado, privativo, não se comunica com esses quartos, mobiliado, o aluguel é moderado e tem três cômodos. Aconselho alugá-lo na primeira oportunidade. O relógio amanhã mesmo eu penhoro e trago o dinheiro para as senhoras, e aí tudo se arranja. Mas o principal é que vocês podem morar todos os três juntos, e Ródia com vocês... Ei, Ródia, aonde vais?

— Como, Ródia, tu já estás saindo? — perguntou até assustada Pulkhéria Aleksándrovna.

— Num momento como esse! — disse Razumíkhin.

Dúnia olhava para o irmão com uma surpresa incrédula. Ele estava com o boné na mão; preparava-se para sair.

— Parece até que vocês estão me enterrando ou dando adeus para sempre — pronunciou ele de modo meio estranho.

Ele pareceu sorrir, mas foi como se o sorriso não fosse um sorriso.

— Porque, quem sabe, pode ser a última vez que nos vemos — acrescentou sem querer.

Ia pensar isso consigo mesmo, mas, não se sabe como, as palavras saíram por si mesmas.

— Mas o que está acontecendo contigo!? — bradou a mãe.

— Aonde estás indo, Ródia? — perguntou Dúnia de um jeito meio estranho.

— É que estou precisando muito — respondeu vagamente, como se vacilasse no que queria dizer. Mas seu rosto pálido exprimia uma decisão meio brusca.

— Eu quis dizer... ao vir para cá... eu quis dizer à senhora, mãezinha... e a ti, Dúnia, que para nós é melhor nos separarmos por algum tempo. Eu não ando me sentindo bem, não ando tranquilo... depois apareço, apareço pessoalmente, quando... for possível. Eu guardo vocês na lembrança e as amo... Deixem-me! Deixem-me sozinho! Assim eu decidi, ainda antes... Decidi com certeza... Aconteça o que acontecer comigo, morra eu ou não, quero estar só. Esqueçam-me completamente. É melhor... Não procurem informações a meu respeito. Quando for necessário, eu mesmo aparecerei ou... mando chamá-las. Pode ser que tudo ressuscite!... Mas agora, quando me amam, renunciem... Senão eu vou odiá-las, eu sinto isso... Adeus!

— Deus! — exclamou Pulkhéria Aleksándrovna.

A mãe e a irmã estavam terrivelmente assustadas; Razumíkhin também.

— Ródia, Ródia! Faz as pazes conosco, vamos viver como antes! — exclamava a pobre mãe.

Ele se virou lentamente na direção da porta e lentamente foi saindo do quarto. Dúnia o alcançou.

— Meu irmão! O que estás fazendo com nossa mãe! — sussurrou-lhe com um olhar cheio de indignação.

Ele a mirou com um olhar pesado.

— Não é nada, eu apareço, vou aparecer! — pronunciou à meia-voz, como se não se desse plenamente conta do que queria dizer, e saiu do quarto.

— Insensível, egoísta raivoso! — exclamou Dúnia.

— Ele é louco e não insensível! É maluco! Será que a senhora não percebe? A senhora fica insensível depois disso! — sussurrou-lhe ardentemente Razumíkhin bem ao pé do ouvido, apertando-lhe fortemente a mão.

— Volto já! — disse ele, dirigindo-se a Pulkhéria Aleksándrovna, mais morta do que viva, e saiu do quarto correndo.

Raskólnikov o esperava no fim do corredor.

— Eu sabia que sairias correndo — disse ele. — Volta para elas e fica com elas... Fica com elas amanhã também... e sempre. Eu... talvez apareça... se puder. Adeus!

E se foi, sem apertar a mão dele.

— Mas para onde vais? O que estás fazendo? O que tens? Isso lá é jeito!... — balbuciava Razumíkhin totalmente desnorteado.

Raskólnikov tornou a parar.

— De uma vez por todas: nunca me perguntes nada sobre nada. Nada tenho para te responder... Não venhas à minha casa. Eu apareço por aqui, pode ser... Deixa-me, mas a elas... *não deixes*. Estás me entendendo?

O corredor estava escuro; eles estavam parados ao lado de um lampião. Por volta de um minuto olharam-se em silêncio. Esse minuto ficou na memória de Razumíkhin pelo resto da vida. O olhar chamejante e fixo de Raskólnikov parecia intensificar-se a cada instante, penetrando-lhe a alma, a consciência. Súbito Razumíkhin estremeceu. Era como se alguma coisa estranha tivesse passado entre eles... Uma ideia qualquer se insinuou como se fosse uma alusão; alguma coisa terrível, hedionda e subitamente compreendida de ambas as partes... Razumíkhin empalideceu como um defunto.

— Agora estás entendendo? — disse de repente Raskólnikov com o rosto distorcido por uma expressão dorida. — Volta, vai para a companhia delas — acrescentou de súbito e, com uma rápida meia-volta, tomou a saída do prédio...

Não vou descrever o que aconteceu naquela noite em casa de Pulkhéria Aleksándrovna, como Razumíkhin voltou, como as tranquilizou, como jurou que era necessário deixar Ródia repousar na doença; jurou que Ródia apareceria sem falta, iria aparecer todo dia, que ele estava muito, muito perturbado, que não se devia irritá-lo; como ele, Razumíkhin, tomaria conta dele, lhe arranjaria um bom médico, ou melhor, uma junta inteira... Numa palavra, a partir dessa noite Razumíkhin passou a ser filho e irmão para elas.

## IV

E Raskólnikov foi direto ao prédio do canal em que morava Sônia. Era um prédio de três andares, velho e verde. Procurou o zelador e recebeu dele indicações imprecisas de onde morava o alfaiate Kapiernaúmov. Depois de encontrar no canto do pátio a entrada de uma escada estreita e escura, finalmente subiu ao segundo andar e chegou à galeria, contornando-a do lado do pátio. Enquanto perambulava no escuro e procurava atônito onde poderia ficar a entrada do apartamento dos Kapiernaúmov, eis que uma porta se abriu a três passos dele; ele a agarrou maquinalmente.

— Quem está aí? — perguntou assustada uma voz feminina.

— Sou eu... vim visitá-la — respondeu Raskólnikov e entrou na minúscula antessala. Numa cadeira quebrada, em um castiçal de cobre torto, havia uma vela.

— É o senhor! Meu Deus! — exclamou Sônia com voz fraca e ficou como que pregada ao chão.

— Como eu passo para seu quarto? Por aqui?

E Raskólnikov entrou o mais rápido no quarto, procurando não olhar para ela.

Um minuto depois Sônia entrou com a vela, colocou-a no castiçal e postou-se diante dele, totalmente desconcertada, toda tomada de uma intraduzível inquietação e visivelmente assustada com a visita inesperada dele. Súbito um rubor lhe brotou no rosto pálido e até lágrimas apareceram nos olhos... Ela sentiu náusea, e vergonha, e doçura... Raskólnikov virou-se rapidamente e sentou-se numa cadeira à mesa. Com uma olhada conseguiu percorrer por alto todo o quarto.

Era um quarto grande mas extremamente baixo, o único que os Kapiernaúmov alugavam, e na parede à esquerda havia uma porta fechada que se comunicava com o apartamento. Na parede oposta, à direita, havia mais uma porta, sempre hermeticamente fechada. Ali já ficava outro apartamento, do vizinho, com outro número. O quarto de Sônia parecia uma espécie de galpão, tinha o aspecto de um quadrado muito irregular, o que lhe dava uma aparência feíssima. Uma parede com três janelas, que davam para o canal, cortava o quarto de um modo meio oblíquo, razão por que um dos cantos, formando um ângulo terrivelmente agudo, sumia em profundidade, de sorte que não dava para distingui-lo direito sob iluminação fraca; já o outro canto formava um ângulo excessivamente obtuso. Em todo esse quarto grande quase não havia móveis. No canto, à direita, ficava a cama; ao lado, mais perto da porta, uma cadeira. À mesma parede em que ficava a cama, ao pé da porta que dava para o apartamento de estranhos, havia uma mesa tosca de tiras de madeira, coberta por uma toalha azul; junto à mesa, duas cadeiras de vime. Depois, à parede oposta, mais perto do ângulo agudo, ficava uma cômoda pequena, de madeira ordinária, que parecia perdida no vazio. Era tudo o que havia no quarto. Um papel de parede amarelado, desbotado e surrado escurecia por todos os cantos; pelo visto ali era úmido no inverno e cheirava a gás carbônico. A pobreza era visível; nem cortinado havia na cama.

Sônia olhava em silêncio para o seu hóspede, que examinara seu quarto com tanta atenção e sem-cerimônia, e por último começou até a tremer de pavor, como se estivesse diante de um juiz e senhor do seu destino.

— Eu cheguei tarde... Já são onze horas? — perguntou ele, ainda sem levantar a vista para ela.

— São — balbuciou Sônia. — Ah, sim, são! — e tomou-se de súbita pressa, como se nisso estivesse toda a saída para ela. — O relógio do vizinho acabou de bater... e eu mesma ouvi... São.

— Vim visitá-la pela última vez — continuou Raskólnikov em tom sombrio, embora fosse a primeira vez que a visitasse —, é possível que eu não torne a vê-la...

— O senhor... está partindo?

— Não sei... amanhã tudo...

— Então o senhor não estará amanhã em casa de Catierina Ivánovna? — tremeu a voz de Sônia.

— Não sei. Amanhã de manhã tudo... Mas o problema não é esse: eu vim para dizer uma palavra...

Ele ergueu para ela seu olhar pensativo e súbito notou que estava sentado, enquanto ela ainda continuava em pé à sua frente.

— Por que a senhora está em pé? Sente-se — pronunciou com uma voz baixa e carinhosa, repentinamente modificada.

Ela sentou-se. Ele ficou por volta de um minuto a fitá-la com amabilidade e quase com piedade.

— Como a senhora é magrinha! Veja como é sua mão! Totalmente transparente. Os dedos parecem de morta.

Segurou a mão dela. Sônia deu um sorriso fraco.

— Mas eu sempre fui assim — disse ela.

— Até quando morava em sua casa?

— Sim.

— Ah, sim, é claro! — pronunciou com voz entrecortada, e tanto a expressão do rosto como o som da voz tornaram a mudar repentinamente. Ele tornou a olhar ao redor.

— A senhora o aluga dos Kapiernaúmov?

— Sim...

— Eles estão lá, do outro lado da porta?

— Sim... Eles também moram num quarto igual a este.

— Todos em um quarto?

— Em um quarto.

— Eu teria medo de passar as noites em seu quarto — observou ele com ar sombrio.

— Os senhorios são muito bons, muito afáveis — respondeu Sônia, ainda meio alheia e sem atinar as coisas —, e todos esses móveis, tudo... tudo é dos senhorios. Eles são muito bondosos, e as crianças me visitam frequentemente...

— São os gagos?

— São... Ele é gago e coxo também. E a mulher também... Não é que gagueje, mas é como se não pronunciasse tudo. Ela é boa, muito. E ele é um ex-servo. Tem sete filhos, mas só o mais velho gagueja, os outros são simplesmente doentes... mas não gaguejam... E como o senhor sabe a respeito deles? — acrescentou ela com certa surpresa.

— Seu pai me contou tudo. Não parava de contar a seu respeito... E de como a senhora foi para a rua às seis horas e voltou à meia-noite, e de como Catierina Ivánovna ficou de joelhos junto à sua cama.

Sônia ficou acanhada.

— Hoje me pareceu vê-lo — cochichou ela indecisa.

— Quem?

— Meu pai. Eu ia pela rua, ali ao lado, na esquina, entre nove e dez horas, e ele parecia caminhar à frente. E era direitinho como se fosse ele. Eu estava querendo ir à casa de Catierina Ivánovna...

— A senhora estava passeando?

— Sim — sussurrou Sônia com voz entrecortada, tornando a perturbar-se e baixando os olhos.

— Catierina Ivánovna por pouco não lhe bateu, e diante do seu pai, não foi?

— Ah, não, o que está dizendo? De onde o senhor tirou isso? Não! — Sônia olhou para ele até meio assustada.

— Então gosta dela?

— Dela? Sim, cla-a-ro! — arrastou Sônia em tom queixoso e sofrido, cruzando de imediato os braços. — Ah! o senhor a... Se o senhor soubesse. Ela é tal qual uma criança... A mente dela é igualzinha à de um louco... de sofrimento. E como era inteligente... que generosidade... que bondade! O senhor não sabe de nada, de nada... ah!

Sônia falou isso como se estivesse desesperada, inquieta e sofrendo, e torcia os braços. Suas pobres faces tornaram a ruborizar-se, o tormento estampou-se nos olhos. Via-se que a haviam ferido terrivelmente no íntimo, que ela sentia uma enorme vontade de extravasar alguma coisa, dizer, interceder. Uma compaixão *insaciável*, se é que se pode falar assim, manifestou-se subitamente em todos os traços de seu rosto.

— Batia! Por que o senhor me vem com essa! Meu Deus, batia! E mesmo que batesse, e daí!? O que é que tem? O senhor não sabe de nada, de nada... Ela é tão infeliz... ah, como é infeliz! E doente... Ela está atrás de justiça... É pura. Acredita muito que deve haver justiça em tudo, e exige... E ainda que a atormentem, não comete uma injustiça. Ela mesma não percebe como é sempre impossível que a justiça esteja nos homens, e se irrita... Como uma criança, como uma criança! Ela é justa, justa!

— E da senhora, o que vai ser?

Sônia lançou um olhar interrogativo.

— Eles ficaram nas suas costas. É verdade que também antes tudo ficava nas suas costas, e o falecido, quando estava de ressaca, ia procurá-la e pedir dinheiro. Mas e agora, o que vai acontecer?

— Não sei — pronunciou Sônia com tristeza.

— Eles vão continuar lá?

— Não sei, é naquele apartamento que eles devem permanecer; só que a senhoria disse, hoje, e alguém ouviu, que está pensando em não permitir mais, e a própria Catierina Ivánovna diz que não ficará lá nem mais um minuto.

— E de onde vem essa valentia toda? Ela conta com a senhora?

— Ah, não, não fale assim!... Nós somos unidas, vivemos em comum acordo. — Sônia de repente voltou a inquietar-se e ficou até irritada, tal qual se zangaria uma canária ou outro passarinho. — Sim, mas que jeito ela vai dar? Então, que jeito, que jeito dar? — perguntava ela excitada e inquieta. — E como chorou, como chorou hoje! Está com a razão perturbada, o senhor não notou? Perturbada; ora se preocupa, como uma criança, com que amanhã tudo esteja bastante bem, que haja o que comer e tudo... ora torce os braços, escarra sangue, chora, de repente começa a bater com a cabeça na parede feito uma desesperada. Mas depois volta a consolar-se, está depositando toda a esperança no senhor: diz que agora o senhor é o seu auxílio e que ela vai arranjar um pouco de dinheiro emprestado em algum lugar, vai embora para a sua cidade, comigo, vai abrir um colégio interno para moças nobres e me colocar como inspetora, e começará para nós uma vida completamente nova, maravilhosa, e me beija, me abraça, me consola, e acredita tanto! Acredita tanto nessas fantasias! Então, por acaso se pode contrariá-la? E passou o dia de hoje inteirinho lavando, fraca como está arrastou com as próprias mãos a tina para o quarto, arquejando, e acabou caindo na cama; e note que de manhã nós duas já tínhamos ido ao mercado, comprar uns sapatinhos para Pólietchka e Lênia,[22] porque os delas estão rasgados, só que o nosso dinheiro não deu para as despesas, faltou muito, e ela escolheu uns sapatinhos tão bonitinhos, porque ela tem gosto, o senhor não sabe... E ali mesmo, na venda, começou a chorar, diante dos comerciantes, porque o dinheiro não tinha dado... Ah, como dava pena ver!

— Bem, depois disso dá até para entender que a senhora... viva assim — disse Raskólnikov com um riso amargo.

— E por acaso o senhor não tem pena? Não tem pena? — tornou a investir Sônia. — Mas o senhor mesmo, eu sei, o senhor lhe deu até o último centavo, ainda sem ter visto nada. Mas se tivesse visto tudo, meu Deus! E quantas, quantas vezes eu a levei às lágrimas. Inclusive na semana passada! Oh, eu! A apenas uma semana da morte dele. Agi de maneira cruel. Ah, como foi doloroso passar o dia inteiro me lembrando disso!

Ao dizer essas coisas, Sônia chegou até a torcer as mãos pela dor da lembrança.

— A senhora é que é a cruel?

— Sim, eu, eu! Cheguei lá naquele dia — continuou, chorando —, o falecido disse: "Lê para mim, Sônia, estou com uma dor de cabeça, lê para mim... esse livrinho aqui" — ele estava com um livrinho, tinha tomado emprestado a Andriêi Semiónitch, o Liebezyátnikov, que mora lá, e estava sempre conseguindo uns livrinhos engraçados. E eu respondi: "Está na minha hora de ir" — eu não queria era ler, porque tinha ido lá principalmente para mostrar umas golinhas a Catierina Ivánovna; Lisavieta, a vendedora ambulante, tinha me vendido barato as golinhas e uns manguitos, bonitinhos, novinhos, e bordados. Catierina Ivánovna gostou muito deles, ela os vestiu e ficou se olhando no espelho, e gostou, gostou muito deles: "Me dá de pre-

[22] Dostoiévski emprega o hipocorístico Lênia (normalmente usado para Ielena) para se referir à pequena Lida. (N. do T.)

sente, Sônia, por favor", diz ela. Pediu *por favor*, e os estava querendo muito. E onde ela iria usá-los? Pois bem: estava apenas se lembrando do passado, da época feliz! Olha-se no espelho, admira-se a si mesma, mas não tem nenhum, nenhum vestido, coisa nenhuma, e há quanto tempo! Mas nunca pede nada a ninguém; é orgulhosa, é mais fácil ela dar tudo o que tem, mas naquele momento pediu — de tanto que havia gostado! Mas eu fiquei com pena de dar: "Para que a senhora quer isso, Catierina Ivánovna?". Foi assim mesmo que falei: "Para quê". Ah, isso eu não devia ter dito a ela! Ela me olhou de um jeito, e como foi doloroso, doloroso para ela eu ter negado, como deu pena de ver... E não foi doloroso pelas golinhas, mas por eu ter negado, eu o percebi. Ah, acho que agora eu restituiria tudo, repararia tudo, todas aquelas palavras ditas... Oh, eu... mas qual!... que diferença isso faz para o senhor!

— Essa Lisavieta, a vendedora ambulante, a senhora conhecia?

— Sim... E o senhor por acaso a conhecia? — perguntou Sônia com certa surpresa.

— Catierina Ivánovna está com tísica, na fase aguda; logo vai morrer — disse Raskólnikov, calando e sem responder à pergunta.

— Oh, não, não, não! — e com um gesto inconsciente Sônia o segurou por ambas as mãos, como se insistisse que não.

— Mas é até melhor se morrer.

— Não, não é melhor, não é melhor, melhor coisa nenhuma! — repetia ela assustada e sem se dar conta.

— E as crianças? Para onde a senhora vai levá-los a não ser para a sua casa?

— Oh, isso eu já não sei — exclamou Sônia quase em desespero e pôs as mãos na cabeça. Via-se que essa ideia lhe havia ocorrido muitas e muitas vezes, e ele só fizera repisá-la.

— E se, ainda com Catierina Ivánovna viva, a senhora adoecer e for hospitalizada, o que vai acontecer então? — insistia ele impiedosamente.

— Ai, o que está dizendo, o que está dizendo! Isso não pode acontecer! — e o rosto de Sônia contraiu-se num susto terrível.

— Como não pode acontecer? — continuou Raskólnikov com um risinho cruel. — A senhora não está resguardada contra isso, está? Então, o que vai ser delas? Vão todas em bando para a rua, ela vai tossir e pedir, e bater com a cabeça na parede em algum lugar, como hoje, enquanto as crianças choram... Vai cair, ser recolhida a uma delegacia, a um hospital, morrer, e as crianças...

— Oh, não!... Deus não vai permitir! — escapou finalmente do peito confrangido de Sônia. Ela o ouvia, olhando para ele com ar suplicante e cruzando os braços num pedido mudo, como se tudo dependesse dele.

Raskólnikov levantou-se e pôs-se a andar pelo quarto. Transcorreu cerca de um minuto. Sônia estava em pé, de braços e cabeça baixos, em terrível melancolia.

— E não dá para juntar algum dinheiro? Para um caso de necessidade? — perguntou ele, parando súbito diante dela.

— Não — sussurrou Sônia.

— É claro que não! Ora, é claro que não! Nem cabe perguntar!

E tornou a andar pelo quarto. Transcorreu mais cerca de um minuto.

— Não recebe todos os dias?

Sônia ficou ainda mais acanhada que antes, e o rubor voltou a estampar-se em seu rosto.

— Não — sussurrou ela com um esforço aflitivo.

— Na certa vai acontecer a mesma coisa com Pólietchka — disse ele repentinamente.

— Não! Não! Não pode ser, não! — Sônia gritou alto, feito desesperada, como se lhe tivessem dado uma súbita facada. — Deus, Deus não vai permitir um horror como esse!...

— Mas permite com outras.

— Não, não! Deus a protegerá, Deus!... — repetiu ela fora de si.

— É, mas pode ser que Deus absolutamente não exista — respondeu Raskólnikov até com certa maldade, desatou a rir e olhou para ela.

De chofre o rosto de Sônia mudou terrivelmente, tomado por uma convulsão. Ela lançou para ele um indescritível olhar de censura, quis dizer alguma coisa mas nada conseguiu exprimir, e apenas se desfez em um pranto amargo, amargo, cobrindo o rosto com as mãos.

— A senhora disse que a mente de Catierina Ivánovna está perturbada; a senhora mesma está com a mente perturbada — pronunciou ele depois de algum silêncio.

Transcorreram uns cinco minutos. Ele continuava andando para a frente e para trás, calado e sem olhar para ela. Finalmente chegou-se a ela; seus olhos brilhavam. Segurou-lhe os ombros com ambas as mãos e fitou-lhe o rosto choroso. Tinha o olhar seco, inflamado, penetrante, os lábios tremiam fortemente... Súbito inclinou-se todo e, abaixando-se até o chão, beijou-lhe o pé. Sônia recuou apavorada, afastando-se dele como quem se afasta de um louco. E, de fato, ele parecia um doido varrido.

— O que está fazendo, o que está fazendo? Diante de mim! — balbuciou ela, pálida, e súbito sentiu um aperto dolorido, dolorido no coração.

— Eu não me inclinei diante de ti,[23] eu me inclinei diante de todo o sofrimento humano — pronunciou ele de modo meio estranho e afastou-se para a janela. — Ouve — acrescentou, voltando a ela um minuto depois —, há pouco eu disse a um ofensor que ele não valia um dedo mínimo teu... e que hoje eu tinha prestado uma honra à minha irmã sentando-a a teu lado.

— Ah, o que o senhor disse a ele! E na presença dela? — exclamou Sônia assustada. — Sentar-se comigo! Uma honra! Mas acontece que eu... sou uma... desonrada... sou uma grande, uma grande pecadora! Ah, o que o senhor disse!

— Não foi pela desonra nem pelo pecado que eu disse isso a teu respeito, mas pelo teu imenso sofrimento. E quanto a seres uma grande pecadora, isso é verdade — acrescentou ele quase enlevado —; contudo, mais do que ser pecadora, te destruíste *em vão* e traíste a ti mesma. Pudera isso não ser um horror! Pudera não ser um horror tu viveres nessa lama, que tanto odeias, e sabendo ao mesmo tempo (basta apenas que abras os olhos) que com isso não estás ajudando a ninguém nem salvando ninguém de coisa nenhuma! E ademais dize-me por fim — pronunciou quase em delírio —: como combinas em ti tamanha ignomínia e tamanha baixeza com outros sentimentos opostos e sagrados? Porque seria mais justo, mil vezes mais justo e mais racional atirar-te de cabeça n'água e dar cabo de si de uma vez!

— E o que seria deles? — perguntou Sônia com voz fraca, olhando-o com ar sofrido mas ao mesmo tempo como se a sugestão dele não lhe causasse a mínima surpresa. Raskólnikov olhou-a de um jeito estranho.

Ele leu tudo em um olhar de Sônia. Então ela mesma já estava realmente pensando assim. Pode ser que muitas vezes, em momentos de desespero, tivesse ponderado seriamente como pôr termo à vida de uma vez, e tão seriamente que agora quase se surpreendia com a sugestão dele. Não notara nem a crueldade de suas palavras (o sentido de suas censuras e do seu ponto de vista especial sobre a ignomínia dela, é claro, ela também não havia notado, e ele o percebia). Mas compreendeu perfeitamente o monstruoso grau de sofrimento com que a ideia da condição de desonrada e ignominiada vinha atormentando-a há muito tempo. O que então, pensava ele, o que então a impediu até hoje de pôr em prática a decisão de acabar de vez com a vida? E só aí ele compreendeu inteiramente o que significavam para ela aquelas criancinhas, pobres e órfãs, e aquela Catierina Ivánovna miseranda e meio louca, com sua tísica e suas cabeçadas contra a parede.

---

[23] Raskólnikov muda o tratamento e passa a tutear Sônia. (N. do T.)

Não obstante, mais uma vez lhe ficou claro que Sônia, com seu caráter e com aquele nível de evolução que atingira apesar de tudo, jamais poderia continuar nessa vida. Entretanto, colocava-se diante dele uma questão: por que ela, há tanto e tão longo tempo, conseguira permanecer nessa situação sem enlouquecer, se não tinha forças para se atirar n'água? Claro, ele compreendia que a situação de Sônia era obra do acaso na sociedade, embora, infelizmente, nem de longe fosse única e exclusiva. Mas parecia que esse mesmo acaso, esse nível avançado e toda a vida pregressa dela podiam matá-la de uma só vez ao primeiro passo que ela viesse a dar por esse caminho abominável. O que então a mantinha? Na certa não era a perversão! Via-se que toda essa ignomínia só a tocava mecanicamente; em seu coração ainda não havia penetrado nenhuma gota da verdadeira perversão: isso ele percebia; ali, em pé diante dele, ela era real...

"Ela tem três saídas — pensava ele —: atirar-se no canal, ir para um manicômio ou... ou... finalmente entregar-se à perversão, que entorpece a razão e petrifica o coração." A última ideia era a mais abominável para ele; mas ele já era cético, era jovem, dado a abstrações e, portanto, cruel, e por isso não podia deixar de crer que a última saída, ou seja, a perversão, fosse a mais provável.

"Mas será isso verdade — exclamou ele de si para si —, será possível que até essa criatura, que ainda conserva a pureza de espírito, acabe afundando conscientemente nesse fosso abominável, fétido? Será possível que esse afundamento já tenha começado e ela só conseguiu aguentar-se até agora porque o vício já não lhe parece tão abominável? Não, não, isso não é possível! — exclamou ele como há pouco o fizera Sônia. — Não, o que a impediu até agora de atirar-se no canal foi a ideia do pecado, e *elas*, *aquelas*... Se ela até agora não enlouqueceu... Mas quem disse que ela já não enlouqueceu? Estará em sã consciência? Por acaso pode-se falar do jeito que ela fala? Por acaso pode-se raciocinar em sã consciência como raciocina ela? Por acaso é possível viver à beira da perdição, mesmo em cima de um fosso fétido que já está arrastando-a, e dar de ombros, e tapar os ouvidos aos avisos do perigo? O que há com ela, estará esperando por um milagre? Na certa está. Por acaso tudo isso não são indícios de loucura?"

Ele se deteve com obstinação nesse pensamento. Esse desfecho até lhe agradava mais que qualquer outro. E começou a examiná-lo de forma mais atenta.

— Então, Sônia, tu rezas muito a Deus? — perguntou-lhe.

Sônia calava, ele aguardava a resposta em pé a seu lado.

— O que seria eu sem Deus? — sussurrou de pronto e com energia, lançando-lhe subitamente um olhar breve com seus olhos chamejantes, e apertou com força a mão dele.

"Bem, então é isso!" — pensou ele.

— E Deus, o que faz por ti em troca disso? — continuou ele, perscrutando.

Sônia fez longo silêncio, como se não conseguisse responder. Seu peito fraco arfava todo de agitação.

— Cale-se! Não faça perguntas! O senhor não merece!... — exclamou de chofre, olhando para ele severa e irada.

"Então é isso!" — insistiu ele de si para si.

— Faz tudo! — sussurrou ela com rapidez, mais uma vez baixando a vista.

"Eis o desfecho! Eis também a explicação do desfecho!" — resolveu ele consigo mesmo, examinando-a com uma curiosidade ávida.

Era com um sentimento novo, estranho e quase malsão que ele examinava aquele rostinho pálido, magro, anguloso e irregular, aqueles dóceis olhos azuis, capazes de brilhar com aquele fogo, com aquele sentimento severo, enérgico, aquele corpinho pequeno ainda trêmulo de indignação e ira, e tudo isso lhe parecia cada vez mais estranho, quase impossível. "Ela não regula bem! Não regula!" — decidiu firmemente com seus botões.

Sobre a cômoda havia um livro qualquer. Cada vez que passava ao lado em seu vaivém, ele o notava; acabou pegando-o, correndo os olhos sobre ele. Era o *Novo Testamento* em tradução russa. O livro era velho, usado, encadernado em couro.

— De onde veio isso? — perguntou ele em voz alta do outro canto do quarto. Ela continuava em pé no mesmo lugar, a três passos da mesa.

— Trouxeram para mim — respondeu ela, como que a contragosto e sem olhar para ele.

— Quem trouxe?

— Lisavieta trouxe, fui eu que pedi.

"Lisavieta! Estranho!" — pensou ele. A cada instante tudo em Sônia ia assumindo um aspecto cada vez mais estranho e maravilhoso para ele. Levou o livro à luz e começou a folheá-lo.

— Onde está a passagem que fala de Lázaro? — perguntou de súbito.

Sônia olhava obstinadamente para o chão e não respondia. Estava em pé, meio de lado para a mesa.

— A passagem sobre a ressurreição de Lázaro, onde está? Procure para mim, Sônia.

Ela olhava de esguelha para ele.

— Está procurando no lugar errado... está no Quarto Evangelho... — sussurrou ela severamente, sem se mover na direção dele.

— Encontra-me essa passagem e lê para mim — disse ele, sentou-se, plantou os cotovelos na mesa, apoiou a cabeça nas mãos e fixou o olhar para um lado, soturno, preparando-se para ouvir.

"Em três semanas sejas bem-vinda a sete verstas daqui![24] Estarei lá, acho eu, se não acontecer coisa pior ainda" — balbuciou ele de si para si.

Sônia caminhou indecisa para a mesa, depois de ouvir desconfiada o estranho desejo de Raskólnikov. De todo modo, pegou o livro.

— Por acaso o senhor não o leu? — perguntou ela, olhando-o através da mesa, de soslaio. Sua voz ia ficando cada vez mais severa.

— Há muito tempo... Quando estudava. Li.

— E na igreja, não ouviu?

— Eu... não ia à igreja. E tu, vais com frequência?

— N-não — sussurrou Sônia.

Raskólnikov riu.

— Entendo... Então não vais ao enterro do teu pai amanhã?

— Vou. Na semana passada também fui... Assisti à missa das almas.

— Para quem?

— Para Lisavieta. Ela foi morta a machadadas.

Os nervos dele iam-se irritando cada vez mais. A cabeça começava a rodar.

— Tu e Lisavieta eram amigas?

— Éramos... Ela era justa... me visitava... raramente... não podia. Nós duas líamos e... conversávamos. Ela verá Deus.

Soavam estranhas para ele essas palavras livrescas, e mais uma novidade: certos encontros secretos com Lisavieta, e as duas não regulando bem.

"Neste caso nós mesmos acabamos imbecis! É contagioso!" — pensou ele. — Lê! — exclamou num átimo, de modo persistente e irritante.

Sônia continuava vacilando. Seu coração batia forte. Por algum motivo não se atrevia a ler para ele. Ele olhava quase atormentado para aquela "louca infeliz".

— Para que lhe serve isso? O senhor não acredita, não é?... — sussurrou-lhe baixinho e como se ofegasse.

— Lê! Eu quero! — insistiu ele. — Já que lias para Lisavieta!

Sônia abriu o livro e encontrou a passagem. Suas mãos tremiam, falta-

[24] A sete verstas de Petersburgo ficava o famoso manicômio de Udiélnaia. (N. da E.)

va-lhe a voz. Duas vezes começou, e nada de conseguir pronunciar as primeiras sílabas.

"Estava enfermo Lázaro, de Betânia..."[25] — finalmente pronunciou ela, com esforço, mas súbito, a partir da terceira palavra, a voz começou a vibrar e partiu-se como uma corda excessivamente esticada. Ela perdeu o fôlego, o peito confrangeu-se.

Em parte Raskólnikov compreendia por que Sônia não se decidia a ler para ele, e quanto mais o entendia mais parecia grosseiro e irascível na sua insistência. Ele compreendia bem demais como era difícil para ela, nesse momento, revelar e evidenciar todo o *seu íntimo*. Compreendeu que esses sentimentos pareciam deveras constituir o seu *segredo* verdadeiro, talvez já antigo, talvez originado em plena adolescência, ainda no seio da família, ao lado de um pai infeliz e uma madrasta enlouquecida pelo sofrimento, entre crianças famintas, gritos e exprobrações revoltantes. Mas, ao mesmo tempo, agora ele sabia, e sabia de certo, que ela, mesmo que se sentisse pesarosa e temesse alguma coisa terrível ao começar a ler, todavia experimentava simultaneamente uma angustiante vontade de ler, a despeito de todos os pesares e de todos os temores, e ler precisamente para ele, para que ele ouvisse, e justo *agora* — "acontecesse o que acontecesse depois!"... Isto ele leu nos olhos dela, compreendeu pela emoção exaltada que ela revelava... Ela se dominou, controlou o espasmo na garganta, a voz que embargara no início do capítulo e continuou a ler o capítulo 11 do Evangelho segundo João. E assim o leu até o versículo 19.

"Muitos dentre os judeus tinham vindo ter com Marta e Maria, para as consolar, a respeito de seu irmão. Marta, quando soube que vinha Jesus, saiu ao seu encontro; Maria, porém, ficou sentada em casa. Disse, pois, Marta a Jesus: Senhor, se estiveras aqui não teria morrido meu irmão. Mas também sei que, mesmo agora, tudo quanto pedires a Deus, Deus to concederá."

Nisso ela voltou a parar, pressentindo, com pudor, que sua voz iria tremer e novamente embargar...

"Declarou-lhe Jesus: teu irmão há de ressurgir. Eu sei, replicou Marta, que ele há de ressurgir na ressurreição, no último dia. Disse-lhe Jesus: *Eu sou a ressurreição e a vida.*[26] Quem crê em mim, ainda que morra, viverá; e todo

---

[25] As citações do Evangelho segundo João (11, 1 ss.) obedecerão ao texto da *Bíblia Sagrada*, traduzida para o português por João Ferreira de Almeida (1628-1691) e publicada pela Sociedade Bíblica do Brasil, edição revista e atualizada, 1993. (N. do T.)

[26] Todos os grifos do texto sobre Lázaro são de Dostoiévski. (N. do T.)

o que vive e crê em mim, não morrerá, eternamente. Crês isto? (E, como que tomando fôlego, Sônia leu com força e intensidade, como se ela mesma confessasse em alto e bom som:) Sim, Senhor, respondeu ela, eu tenho crido que tu és o Cristo, o Filho de Deus que devia vir ao mundo."

Ela fez menção de parar, ia levantando rapidamente os olhos *para ele*, mas se dominou o mais rápido que pôde e continuou a leitura. Raskólnikov ouvia sentado e imóvel, sem se voltar, com os cotovelos plantados na mesa e olhando de lado. Chegaram ao versículo 32.

"Quando Maria chegou ao lugar onde estava Jesus, ao vê-lo, lançou-se-lhe aos pés, dizendo: Senhor, se estiveras aqui, meu irmão não teria morrido. Jesus, vendo-a chorar, e bem assim os judeus que a acompanhavam, agitou-se no espírito e comoveu-se. E perguntou: Onde o sepultastes? Eles lhe responderam: Senhor, vem, e vê. Jesus chorou. Então disseram os judeus: Vede quanto o amava! Mas alguns objetaram: Não podia ele, que abriu os olhos ao cego, fazer que este não morresse?"

Raskólnikov virou-se para ela e ficou a olhá-la com emoção: é, então é isso mesmo! Ela já tremia de fato, de corpo inteiro, em verdadeiro estado febril. Ele esperava por isso. Ela se aproximava da palavra que narra o milagre mais grandioso e inaudito, e o sentimento de um imenso triunfo apossou-se dela. Sua voz se fez sonora como metal; o triunfo e a alegria soaram nela e lhe deram força. As linhas se embaralhavam diante dela porque a vista estava escurecida, mas ela sabia de cor o que estava lendo. No último versículo: "Não podia ele, que abriu os olhos ao cego..." — ela, que baixara a voz, transmitiu com calor e veemência a dúvida, a censura e a blasfêmia dos incréus, dos judeus cegos, que dentro de um instante, como atingidos por um raio, cairiam prostrados, desatariam em choro e creriam... "E *ele*, *ele* — também ofuscado e incréu —, ele também ouvirá neste instante, ele também crerá, sim, sim! agora mesmo, agora mesmo" — sonhava ela, e tremia de alegre expectativa.

"Jesus, agitando-se novamente em si mesmo, encaminhou-se para o túmulo; era este uma gruta, a cuja entrada tinham posto uma pedra. Então ordenou Jesus: Tirai a pedra. Disse-lhe Maria, irmã do morto: Senhor, já cheira mal, porque já é de *quatro* dias."

Ela acentuou com energia a pronúncia da palavra *quatro*.

"Respondeu-lhe Jesus: Não te disse eu que se creres verás a glória de Deus? Tiraram, então, a pedra. E Jesus, levantando os olhos para o céu, disse: Pai, graças te dou porque me ouviste. Aliás, eu sabia que sempre me ouves, mas assim falei por causa da multidão presente, para que creiam que tu me enviaste. E, tendo dito isto, clamou em alta voz: Lázaro, vem para fora.

Saiu *aquele que estivera morto* (ela leu em voz alta e extasiada, tremendo e gelando, como se estivesse vendo com os próprios olhos), tendo os pés e as mãos ligados com ataduras, e o rosto envolto num lenço. Então lhes ordenou Jesus: Desatai-o e deixai-o ir."

"*Muitos, pois, dentre os judeus que tinham vindo visitar Maria, vendo o que fizera Jesus, creram nele.*"

— Eis tudo sobre a ressurreição de Lázaro — sussurrou ela com voz entrecortada e severa, e ficou imóvel, virada para um lado, sem se atrever e como se sentisse vergonha de levantar os olhos para ele. Seu tremor febril ainda continuava. O toco de vela há muito se extinguia no castiçal torto, iluminando frouxamente naquele quarto miserável um assassino e uma devassa, que se haviam unido estranhamente durante a leitura do livro eterno. Transcorreram uns cinco minutos ou mais.

— Eu vim aqui tratar de um assunto — pronunciou súbito Raskólnikov, levantou-se e chegou-se a Sônia. Esta levantou os olhos para ele, em silêncio. O olhar dele estava especialmente severo, e alguma firmeza selvagem se manifestava nele.

— Hoje eu abandonei meus familiares — disse ele —, minha mãe e minha irmã. Doravante não vou procurá-las.

— Por quê? — perguntou Sônia meio pasma. O encontro recente com a mãe e a irmã dele deixara nela uma impressão extraordinária, ainda que vaga para ela mesma. Ela ouviu quase com horror a notícia do rompimento.

— Agora eu só tenho a ti — acrescentou ele. — Sigamos juntos... Eu vim te procurar. Nós dois juntos somos malditos, então vamos seguir juntos!

Os olhos dele brilhavam. "É que nem um louco!" — pensou por sua vez Sônia.

— Seguir para onde? — perguntou Sônia apavorada e recuou involuntariamente.

— Como hei de saber? Sei apenas que é pelo mesmo caminho, disso estou certo, e só. Um só objetivo!

Ela olhava para ele e nada compreendia. Compreendia apenas que ele era terrivelmente, infinitamente infeliz.

— Ninguém vai entender se tu saíres por aí contando — continuou ele —, mas eu compreendi. Preciso de ti, foi por isso que vim te procurar.

— Não estou entendendo... — sussurrou Sônia.

— Depois entenderás. Por acaso não fizeste a mesma coisa? Também ultrapassaste... conseguiste ultrapassar. Cometeste um suicídio, arruinaste a vida... a *própria* (tanto faz!). Poderias viver com ânimo e razão, mas acabarás na Siennáia... Mas não podes aguentar, e se ficares só acabarás enlouquecendo, como eu. Já agora pareces uma louca; então, precisamos seguir juntos, pelo mesmo caminho! Sigamos!

— Por quê? Por que motivo o senhor diz isso?! — pronunciou Sônia, conturbada e estranhamente emocionada com as palavras dele.

— Por que motivo? Porque não se pode continuar assim — eis o motivo! Por fim, é preciso encarar a coisa com seriedade e de forma direta, e não ficar chorando feito criança e gritando que Deus não vai permitir! E o que acontecerá se amanhã realmente te internarem num hospital? A outra está com o juízo perturbado e tísica, logo vai morrer, e as crianças? Será que Pólietchka não morrerá? Não me digas que por aqui não viste crianças nas esquinas, que as mães botam para pedir esmola? Fiquei sabendo onde moram essas mães e em que situação. Lá as crianças não podem continuar crianças. Lá um menino de sete anos é devasso e ladrão. E olhe que as crianças são a imagem de Cristo: "Delas é o reino de Deus". Ele ordenou que nós as respeitássemos e amássemos, elas são a futura humanidade...

— Então, então o que fazer? — repetiu Sônia, chorando histericamente e torcendo as mãos.

— O que fazer? Esmagar o que for preciso, de uma vez por todas, e só: e assumir o sofrimento! O quê? Não estás entendendo? Depois vais entender... A liberdade e o poder, principalmente o poder!... Sobre toda a canalha trêmula e todo o formigueiro!... Eis o objetivo! Lembra-te disso! É isso que eu te recomendo! Talvez eu esteja falando contigo pela última vez. Se amanhã eu não vier, tu mesma ouvirás falar de tudo, e então lembra-te destas palavras que acabo de dizer. E algum dia, depois, com o passar dos anos, da vida, pode ser que entendas o que elas significam. Se, porém, vier amanhã, te direi quem matou Lisavieta. Adeus!

Sônia estremeceu toda de susto.

— Por acaso o senhor sabe quem matou? — perguntou ela, gelando de horror e olhando assustada para ele.

— Sei e te direi... A ti, só a ti! Eu te escolhi. Não é para pedir perdão que eu virei, mas simplesmente para te dizer. Eu te escolhi há muito tempo para te dizer isso, eu cogitei isso ainda quando teu pai me falava a teu respeito e Lisavieta estava viva. Adeus. Não precisas dar a mão. Amanhã!

Ele saiu. Sônia olhava para ele como para um louco; mas ela mesma estava feito louca e percebia isso. Estava tonta. "Meu Deus! Como ele sabe quem matou Lisavieta? O que significam essas palavras? Isso é um horror!" Mas, ao mesmo tempo, o *pensamento* não lhe vinha à cabeça. Não havia jeito! Não havia jeito!... "Oh, ele deve ser terrivelmente infeliz!... Largou a mãe e a irmã. Por que motivo? O que terá acontecido? E o que ele terá em mente? O que terá dito a ela? Ele beijou um de seus pés e disse... disse (sim, ele disse isso claramente) que já não podia viver sem ela... Oh, Deus!"

Sônia passou a noite toda com febre e delirando. Ora se levantava de um salto, chorava, torcia as mãos, ora voltava a mergulhar num sono febril e sonhava com Pólietchka, Catierina Ivánovna, Lisavieta, a leitura do Evangelho e ele... ele, com seu rosto pálido, com os olhos chamejantes... Ele lhe beijava os pés, chorava... Oh, Deus!

Atrás da porta à direita, aquela mesma porta que separava o quarto de Sônia do apartamento de Gertrud Karlovna Resslich, havia um quarto contíguo, há muito tempo vazio, que pertencia ao apartamento da senhora Resslich e esta o oferecia para alugar, como o mostravam os anúncios afixados no portão de entrada do prédio e as papeletas nas vidraças das janelas que davam para o canal. Há muito tempo Sônia se acostumara a considerar esse quarto inabitado. Entretanto, durante todo o tempo da conversa, do outro lado da porta, no quarto vazio, o senhor Svidrigáilov esteve postado e escutando às escondidas. Depois que Raskólnikov saiu, ele permaneceu um pouco, meditou, saiu na ponta dos pés para o seu quarto, contíguo ao vazio, pegou uma cadeira e a trouxe em silêncio para bem junto da porta que dava para o quarto de Sônia. A conversa lhe parecera atraente e significativa, e ele gostou muito, muito — tanto que transferiu a cadeira para, no futuro, talvez até no dia seguinte, não tornar a passar pelo dissabor de ficar uma hora inteira em pé, e acomodar-se com mais conforto para obter um prazer pleno em todos os sentidos.

## V

Quando, na manhã seguinte, às onze horas em ponto, Raskólnikov entrou no prédio do primeiro distrito, no departamento de instrução criminal, e pediu que Porfiri Pietróvitch fosse informado da sua presença, ficou até surpreso com a demora em recebê-lo: transcorreram pelo menos dez minutos até que o chamassem. Pelos seus cálculos, deviam investir imediatamente contra ele. Enquanto isso, esperou em pé na sala de recepção, com gente passando a seu lado em idas e vindas, aparentando não ligar a mínima para ele: quem era e o que era Raskólnikov. Com um olhar intranquilo e desconfiado ele observava ao redor, examinando: não haveria por perto alguma escolta, algum olhar secreto, destinado a espreitá-lo para que ele não fosse embora? Mas não havia nada semelhante: ele via apenas figuras de escritório, metidas com suas preocupações miúdas, depois algumas outras pessoas, e ninguém ligava a mínima para ele: podia até ir para onde lhe desse na telha. Nele ganhava cada vez mais e mais firmeza a ideia de que, se aquele homem enigmático de ontem, aquele fantasma que brotara de debaixo da terra, realmente soubesse de tudo e tivesse visto tudo — acaso deixariam que ele, Raskólnikov, ficasse ali postado e aguardasse tranquilamente? E por acaso iriam aguardá-lo ali até as onze, até que ele mesmo houvesse por bem dar o ar da graça? Queria dizer, então, que ou o tal homem ainda não havia feito nenhuma denúncia ou... ou simplesmente também não sabia de nada e também não tinha visto nada (e como haveria de ter visto?) com os próprios olhos; logo, tudo aquilo que na véspera acontecera com ele, Raskólnikov, fora mais uma visão, exagerada por sua imaginação exasperada e doentia. Essa suposição começara a ganhar força em sua mente ainda na véspera, no momento das mais fortes inquietações e do desespero. Reconsiderando tudo isso agora e preparando-se para uma nova batalha, percebeu subitamente que estava tremendo — e começou a ferver de indignação ante a ideia de que estava tremendo de medo do odioso Porfiri Pietróvitch. O mais terrível para ele seria voltar a encontrar-se com esse homem: odiava-o sem medida, infinitamente, e chegava a temer que esse ódio o levasse a trair-se. E sua indignação era tão forte que no mesmo instante o tremor cessou; preparou-se para entrar com ar frio e insolente e deu a si mesmo a palavra de calar o máximo que pudesse, observar e escutar com atenção e, ao menos desta vez, vencer a qualquer custo a sua natureza morbidamente irritada. Neste exato momento foi chamado à sala de Porfiri Pietróvitch.

Ocorreu que nesse instante Porfiri Pietróvitch estava sozinho em seu gabinete. Era uma sala nem grande, nem pequena; uma grande escrivaninha diante de um sofá revestido de encerado, uma secretária, um armário no canto e algumas cadeiras eram todo o mobiliário público, de madeira amarela lustrada. Em um canto, na parede do fundo, ou melhor, em um tabique, havia uma porta fechada: do outro lado do tabique, lá mais adiante, devia, portanto, haver mais algumas salas. À entrada de Raskólnikov, Porfiri Pietróvitch fechou imediatamente a porta por onde ele entrara e os dois ficaram a sós. Ele recebeu sua visita do jeito aparentemente mais alegre e amável, e só alguns minutos após, por alguns indícios, Raskólnikov notou nele um quê de embaraço — como se o tivessem feito perder subitamente o fio da meada ou o tivessem pego em algo muito reservado e secreto.

— Ah, respeitabilíssimo! O senhor também por aqui... em nossas paragens... — começou Porfiri, estendendo-lhe ambas as mãos. — Bem, sente-se, meu caro! Ou o senhor não gosta de ser tratado de respeitabilíssimo e... meu caro — assim *tout court*?[27] Por favor, não tome isso como intimidade... Aqui, nesse sofazinho.

Raskólnikov sentou-se, sem tirar os olhos dele.

"Em nossas paragens", as desculpas de familiaridade, a expressão francesa *tout court* etc., eram tudo indícios característicos. "Ele, contudo, me estendeu ambas as mãos mas não deu nenhuma, retirou-as a tempo" — ocorreu-lhe de modo suspeito. Ambos se observavam, e mal seus olhares se cruzavam, ambos os desviavam um do outro com a rapidez de um raio.

— Eu lhe trouxe esse papel... sobre o relógio... veja. É assim que se escreve ou preciso reescrevê-lo?

— O quê? O papel? Isso, isso... não se preocupe, é assim mesmo — pronunciou Porfiri Pietróvitch, como se tivesse pressa de ir a algum lugar e, já tendo dito isso, pegou o papel e o examinou. — É, é assim mesmo. Não preciso de mais nada — confirmou com a mesma pressa e o pôs na mesa. Depois, ao cabo de um minuto, já falando de outra coisa, tirou o papel de cima da mesa e o transferiu para a sua secretária.

— Parece que o senhor disse ontem que queria me fazer umas perguntas... de praxe... sobre o meu conhecimento com aquela... assassinada? — ia

---

[27] "Simplesmente", em francês. (N. da E.)

começando Raskólnikov. “Ora, por que eu coloquei o *parece*?” — ocorreu--lhe de pronto outra ideia, como um raio.

E ele percebeu de chofre que num contato com Porfiri, de apenas duas palavras, de apenas dois olhares a sua cisma crescera num abrir e fechar de olhos em proporções colossais... e que isso era perigosíssimo: os nervos ficam irritados, a inquietação aumenta. “Mal! Mal!... Vou dar com a língua nos dentes outra vez.”

— Sim-sim-sim! Não se preocupe! Há tempo, há tempo — balbuciava Porfiri Pietróvitch, andando para a frente e para trás ao lado da escrivaninha, mas como se não tivesse nenhum objetivo, como se precipitando ora para a janela, ora para a secretária, ora novamente para a escrivaninha, ora evitando o olhar suspeitoso de Raskólnikov, ora parando de súbito num ponto e encarando-o. Nisso parecia estranhíssima a sua figura pequena, gorducha e redonda, que, como uma bolinha, rolava para todos os lados e no mesmo instante ricocheteava em todas as paredes e cantos.

— Teremos tempo, teremos tempo!... O senhor fuma? Tem cigarro? Tome esse cigarrinho... — continuou ele, entregando um cigarro ao visitante. — Sabe, estou recebendo o senhor aqui, mas o meu apartamento fica ali mesmo, atrás do tabique... É do Estado, mas neste momento estou morando em um particular, provisoriamente. O daqui precisava de alguns reparos. Agora já está quase pronto... apartamento do Estado, sabe, é uma coisa magnífica, não é? O que o senhor acha?

— Sim, é uma coisa magnífica — respondeu Raskólnikov, olhando para ele quase com zombaria.

— Uma coisa magnífica, uma coisa magnífica... — repetia Porfiri Pietróvitch, como se de repente já estivesse pensando em alguma coisa bem diferente, por pouco não acabou gritando, deitou subitamente os olhos em Raskólnikov e parou a dois passos dele. Por sua vulgaridade, essa repetição seguida e tola de que o apartamento do Estado era uma coisa magnífica contrariava demais o olhar sério, pensante e enigmático que ele agora fixava no seu visitante.

Mas isso fazia ferver ainda mais a fúria de Raskólnikov, e ele já não encontrava meio de evitar o desafio zombeteiro e bastante imprudente.

— Sabe — perguntou num átimo, olhando quase acintosamente para ele e como que sentindo prazer com o seu acinte —, existe, ao que parece, uma regra jurídica, um procedimento jurídico (para todos os possíveis juízes de instrução) de começar por rodeios, com tolices ou até com coisas sérias, só que inteiramente secundárias, para, por assim dizer, estimular, ou melhor, distrair o interrogado, entorpecer a sua cautela e depois, zás, da forma mais inesperada, fundir-lhe a cuca com alguma pergunta a mais fatal e perigosa; não é assim? Parece que até hoje isso é lembrado como algo sagrado em todas as normas e preceitos?

— Pois é, pois é... então o senhor acha que com a menção ao apartamento do Estado eu o... é? — Tendo dito isto, Porfiri Pietróvitch fechou a cara, piscou; alguma coisa alegre e ladina estampou-se em seu rosto, as rugas da testa alisaram, os olhos miúdos ficaram menores, os traços do rosto se dilataram, e num repente ele se desfez em riso nervoso, demorado, sacudindo agitado todo o corpo e olhando fixo nos olhos de Raskólnikov. Este quis rir, coagindo-se a si mesmo; mas quando Porfiri, ao ver que ele também estava rindo, desatou numa gargalhada e quase enrubesceu, a aversão de Raskólnikov superou num repente toda a cautela: ele parou de rir, fechou a cara e ficou muito tempo olhando com ódio para Porfiri, sem tirar os olhos dele durante toda a sua risada longa e intencionalmente contínua. Aliás, a falta de cautela evidenciava-se de ambas as partes: era como se Porfiri Pietróvitch risse na cara de sua visita, que recebia esse riso com ódio, e se perturbasse muito pouco com essa circunstância. Esta era muito significativa para Raskólnikov: ele compreendeu que, em verdade, há pouco Porfiri Pietróvitch não se perturbara o mínimo, e, ao contrário, ele mesmo, Raskólnikov, caíra, talvez, numa armadilha; que, possivelmente, tudo já estava preparado e agora, neste instante, iria revelar-se e desabar sobre...

No mesmo instante ele foi direto ao assunto, levantou-se, apanhou o boné.

— Porfiri Pietróvitch — começou de modo decidido mas com uma forte irritação —, ontem o senhor manifestou o desejo de que eu me apresentasse para algum interrogatório (acentuou em particular a palavra *interrogatório*). Aqui estou, e se o senhor precisar de alguma coisa, pode perguntar, ou então permita que eu me retire. Estou assoberbado, tenho coisas a fazer... Preciso ir ao enterro daquele funcionário atropelado pelos cavalos, o mesmo de cuja história o senhor... também está a par... — acrescentou ele, e zangou-se no mesmo instante por esse acréscimo e logo ficou ainda mais irritado. — Estou saturado de tudo isso, está ouvindo? E há muito tempo... em parte até adoeci por causa disso... numa palavra — quase chegou a gritar ao perceber que a frase sobre a doença fora ainda mais despropositada —, numa palavra: faça o favor de me interrogar ou me liberar, neste instante... e se vai me interrogar, não o faça senão segundo a praxe! De outro modo não vou permitir; por isso adeus, por ora, uma vez que neste momento nada temos a fazer juntos.

— Meu Deus! O que o senhor está dizendo!? E sobre o que interrogá-

-lo? — cacarejou subitamente Porfiri Pietróvitch, mudando no mesmo instante de tom e de aparência e parando de rir num piscar de olhos. — Por favor, não se preocupe — insistia ele, ora se lançando outra vez para todos os lados, ora procurando subitamente fazer Raskólnikov sentar-se —, temos tempo, temos tempo, e tudo isso são coisas sem importância. Eu, ao contrário, estou tão contente pelo senhor ter finalmente aparecido... Eu o estou recebendo como uma visita. E por esse maldito riso, o senhor, meu caro Rodion Románovitch, me desculpe. Rodion Románovitch? Não é esse o seu patronímico? Sou um homem nervoso, o senhor me fez rir muito com a graça da sua observação; às vezes, é verdade, tremo feito gelatina, e fico assim uma meia hora... Sou de riso fácil. Por minha compleição chego até a temer uma paralisia. Mas sente-se, o que é isso?... Por favor, meu caro, senão vou achar que o senhor ficou zangado...

Raskólnikov calava, ouvia e observava, e ainda continuava de cara fechada de ira. Aliás acabou por sentar-se, mas sem largar o boné.

— Eu, meu caro Rodion Románovitch, vou lhe contar uma coisa a meu respeito, por assim dizer, para explicar as minhas particularidades — continuou Porfiri Pietróvitch, andando pela sala azafamado e, como antes, parecendo evitar que seu olhar cruzasse com o da visita. — Eu, como sabe, sou um celibatário, portanto, não mundano e desconhecido, e ainda por cima um homem acabado, um homem entorpecido, virei semente e... e... e o senhor já notou, Rodion Románovitch, que entre nós, isto é, aqui na Rússia, e mais ainda nos nossos círculos de Petersburgo, se dois homens inteligentes, que ainda não se conhecem direito, mas, por assim dizer, se respeitam mutuamente, se reúnem, como nós dois agora, por exemplo, passam meia hora inteirinha sem achar tema para uma conversa — e ficam petrificados um perante o outro, sentados cara a cara e perturbando um ao outro? Por que, meu caro, isso acontece? Será, por exemplo, que não temos interesses sociais, ou somos muito honestos e não queremos enganar um ao outro? Não sei. Hein? O que o senhor acha? Mas deixe o boné de lado, parece que está querendo ir embora; palavra, fico sem jeito ao ver... Eu, ao contrário, estou tão contente...

Raskólnikov depôs o boné, continuou calado, sério, carrancudo e prestando ouvidos à falação vazia e confusa de Porfiri. "Será que ele espera mesmo distrair minha atenção com sua falação tola?"

— Não lhe ofereço um café, o lugar é impróprio; mas por que não passar uns cinco minutos com um amigo, distraindo-se — despejava sem parar Porfiri —, sabe, todas essas obrigações funcionais... mas o senhor, meu caro, não se ofenda com esse meu vaivém sem fim; desculpe, meu caro, tenho muito medo de ofendê-lo, mas eu realmente preciso me exercitar... hemorroidas... estou sempre pensando em fazer um tratamento com ginástica; dizem que conselheiros efetivos de Estado e até conselheiros secretos pulam corda de bom grado nesse tratamento; veja só a quantas anda a ciência no nosso século... que coisa... E quanto a essas obrigações funcionais, esses interrogatórios e toda essa praxe... aliás, meu caro, o senhor mesmo acabou de fazer menção aos interrogatórios... mas, sabe como é, meu caro Rodion Románovitch, na realidade, às vezes esses interrogatórios desorientam mais o interrogador que o interrogado... Isso, meu caro, o senhor acabou de observar com absoluta justeza e graça (Raskólnikov não observara nada semelhante). A gente se enreda! Palavra, se enreda! E fica batendo sempre na mesma tecla, na mesma tecla, como um tambor! Veja, a reforma está caminhando,[28] e nós vamos mudar ao menos de nome, he-he-he! Agora, quanto aos nossos procedimentos jurídicos — segundo a graciosa expressão usada pelo senhor —, estou de pleno acordo com o senhor. Vamos, diga-me quem dentre os réus, mesmo dentre os mujiques mais durões, não sabe, por exemplo, que primeiro vão começar a entorpecê-lo com perguntas indiretas (segundo feliz expressão do senhor), e depois deixá-lo subitamente aturdido, como se lhe tivessem batido no cocuruto com as costas de um machado, he-he-he! Bem no cocuruto, segundo a feliz comparação do senhor, he-he-he! Então o senhor pensou mesmo que com a alusão ao apartamento eu fosse... he-he! O senhor é mesmo um homem irônico. Mas não vou! Ah, sim, a propósito, uma palavrinha puxa outra, um pensamento puxa outro — veja, há pouco o senhor também fez menção à praxe, sabe, quando se referiu ao interrogatório... Ora, o que significa "segundo a praxe"?! A praxe, sabe como é, em muitos casos é uma tolice. Vez por outra a gente só consegue conversar de forma amigável, e isso acaba sendo mais proveitoso. A praxe nunca sai de cena, quanto a isso permita-me tranquilizá-lo; além do mais, eu lhe pergunto: em essência, o que é a praxe? A praxe não pode tolher a cada passo o juiz de instrução. Porque, de certo ponto de vista, o trabalho

---

[28] Trata-se da reforma do Judiciário, realizada após 1864 na Rússia. Com a reforma, os inquéritos saíam da alçada policial, juízes de instrução substituíam comissários, restringindo-se a plenitude de poderes da polícia. A imprensa discutiu amplamente a atividade dos futuros advogados e os princípios do julgamento: julgar o criminoso com sentimento de humanidade ou segundo a letra da lei. Os processos deviam realizar-se a portas abertas, com a participação de jurados e advogados. A imprensa passara a fazer ampla cobertura dos julgamentos, chegando até a criar uma crônica permanente das atividades do Judiciário. (N. da E.)

do juiz de instrução é, por assim dizer, uma arte livre, ou coisa do gênero... he-he-he!...

Por um instante Porfiri Pietróvitch tomou fôlego. Despejava a torto e a direito, incansável, ora frases absurdamente vazias, ora deixava escapar subitamente certas palavrinhas enigmáticas e, ato contínuo, voltava a perder o fio num disparate. Já estava quase correndo pela sala, deslocando cada vez mais e mais rápido as perninhas gordas, sempre olhando para o chão, com o braço direito nas costas e agitando sem cessar o esquerdo em gestos diversos, que destoavam surpreendentemente das suas palavras. De repente Raskólnikov notou que ele, ao correr pela sala, umas duas vezes pareceu que ia parar perto da porta, por um instante, como quem se põe à escuta... "Será que ele está esperando alguma coisa?"

— Ah, o senhor realmente está coberto de razão — voltou à carga Porfiri, em tom alegre, olhando para Raskólnikov com uma candura incomum (que fez o outro estremecer e por um instante prevenir-se) —, o senhor realmente tem razão em zombar de modo tão espirituoso da praxe jurídica, he-he! Ora, esses nossos procedimentos (alguns, é claro) compenetradamente psicológicos são ridículos ao extremo e, ademais, inúteis se tolhidos pela praxe. É... lá venho eu de novo com a praxe: bem, fosse eu reconhecer, ou melhor, suspeitar de que esse, aquele ou aqueloutro é, por assim dizer, um assassino, com base em algum caso a mim confiado... O senhor estava estudando Direito, não estava, Rodion Románovitch?

— Sim, estava...

— Pois bem, veja o senhor, por assim dizer, um pequeno exemplo para o futuro — quer dizer, não pense que eu me atreva a lhe dar lição: logo ao senhor, que publica aqueles artigos sobre crimes! Não! Falo por falar, só para citar um fato, um pequeno exemplo que me atrevo a apresentar a questão; pois bem, fosse eu considerar esse, aquele ou aqueloutro como criminoso, aí eu me perguntaria: por que iria incomodá-lo antes do tempo, ainda que tivesse provas contra ele? Fulano, por exemplo, eu teria obrigação de prender o quanto antes, mas sicrano não é do mesmo caráter, palavra; então, por que não deixar que ele bata mais um pouco de perna pela cidade, he-he! Veja só, o senhor, pelo que noto, não está entendendo direito, então vou ser mais claro; se eu, por exemplo, meto um sujeito cedo demais na cadeia, dessa forma eu talvez lhe dê um apoio, por assim dizer, moral, he-he! Está rindo? (Raskólnikov nem estava pensando em rir: sentado, trincando os dentes, não tirava o olhar inflamado de Porfiri Pietróvitch.) Entretanto é assim que acontece, sobretudo com um sujeito diferente, porque as pessoas são muito diferentes e todas elas estão sujeitas a uma só prática. O senhor, por exemplo, agora se permite alegar: "as provas"; sim, isso, admitamos, são provas, só que as provas, meu caro, são de dois gumes, na sua maioria, e eu sou um juiz de instrução, logo, um homem fraco, confesso: gostaria de imaginar um inquérito, por assim dizer, matematicamente claro, gostaria de obter uma prova na qual dois mais dois parecesse quatro! Que parecesse uma evidência direta e indiscutível! Mas acontece que uma cilada para ele não seria oportuna — ainda que eu estivesse convicto de que era *ele* —, porque assim eu talvez me privasse a mim mesmo dos meios para continuar a desmascará-lo, e por quê? Porque lhe concederia, por assim dizer, uma certa condição, eu o definiria psicologicamente e o tranquilizaria, e aí ele escaparia de mim e se recolheria à sua casca: enfim compreenderia que é um preso. Dizem que em Sebastópol,[29] logo depois da batalha de Alma, as pessoas inteligentes andavam muito temerosas de que o inimigo atacasse a qualquer momento e tomasse Sebastópol de supetão; e quando viram que o inimigo havia preferido um cerco regular e estava abrindo a primeira trincheira para o assédio, ah, dizem, como aquelas pessoas inteligentes ficaram contentes e tranquilas: então, ao menos por uns dois meses a coisa irá arrastar-se, porque algum dia a cidade seria tomada por um cerco regular! Mais uma vez o senhor está rindo, mais uma vez não está acreditando? É mesmo, tem razão, o senhor tem razão. Tem razão, tem razão! Isso tudo são casos particulares, concordo com o senhor; o exemplo apresentado é de fato um caso particular! No entanto, meu bondoso Rodion Románovitch, veja o que aqui se deve observar: o caso geral, daquele tipo em que se aplicaram todas as formas e normas jurídicas e a partir do qual elas foram definidas e escritas em livros, não existe em absoluto, pelo simples fato de que qualquer caso, qualquer que seja, por exemplo, o crime, mal ele acontece na realidade, logo se transforma em caso absolutamente particular; às vezes até em um tipo que simplesmente não se parece com nada já acontecido anteriormente. Às vezes acontecem coisas muito cômicas, mais ou menos como essas. Pois bem, vá eu, vez por outra, deixar um fulano inteiramente só: não o segure nem incomode, mas o faça sentir a cada hora e a cada minuto, ou pelo menos suspeitar de que estou a par de tudo, de todo o segredo, de que dia e noite estou nos seus calcanhares, de que mantenho sobre ele uma vigilância infatigável, e que, de caso pensado, eu o tenho sob eterna vigilância e pavor. Pois bem, juro que ele ficaria tonto, palavra, apareceria em pessoa, e talvez ainda

[29] Alusão à guerra russo-turca (1853-1856), da qual participaram também Inglaterra e França e teve um de seus momentos mais marcantes no longo cerco à cidade de Sebastópol, episódio imortalizado por Tolstói no livro *Contos de Sebastópol*. (N. do T.)

aprontasse alguma coisa que iria parecer dois mais dois, por assim dizer, teria um aspecto matemático — coisa até agradável. Isso pode acontecer até com um mujique obtuso, porque há muito tempo já vem acontecendo com gente nossa, gente muito inteligente, e até avançada em um determinado sentido! Porque, meu caro, é coisa bem importante entender em que sentido uma pessoa é avançada. Já os nervos, os nervos, o senhor acaba mesmo é deixando-os de lado! De mais a mais, hoje em dia tudo isso está doente, e precário, e exasperado!... E fel, quanto fel há em todo mundo! Isso, posso lhe afirmar, conforme a ocasião, vem a ser uma espécie de mina! E qual é a intranquilidade que ele me dá andando a esmo pela cidade! Que fique por aí batendo perna; porque eu já estou sabendo que é minha presa e não me vai fugir! Ademais, fugir para onde? Para o exterior? Para o exterior foge um polaco, não *ele*, ainda mais porque estou de olho nele e já tomei as providências. Vai fugir para os confins da pátria? Só que lá vivem os mujiques, os verdadeiros, de fibra, russos; ora, o homem evoluído de hoje prefere antes a prisão a viver ao lado de estrangeiros como os nossos mujiques, he-he! Mas tudo isso é tolice e coisa superficial. O que significa fugir!? Uma coisa formal: mas o principal não é isso; não é só por não ter para onde fugir que não me escapará: é por uma questão *psicológica* que ele não me escapará, he-he. Que expressãozinha! É pela lei natural que ele não me fugirá, ainda que tenha para onde fugir. Já viu uma mariposa diante de uma vela? Pois bem, ele ficará, ficará sempre girando a meu redor, como ao redor de uma vela; a liberdade não lhe será doce, ele cairá em meditação, se sentirá numa enroscada, tolhido por todos os lados como se estivesse preso numa rede, morrendo de aflição!... Além disso: ele mesmo armará para mim uma peça matemática, como um dois mais dois, basta que eu lhe conceda um entreato mais longo... E ficará sempre, ficará sempre girando a meu redor, estreitando cada vez mais e mais o raio, e — pimba! Cairá direto em minha boca, eu o engolirei, e isso vai ser muito agradável, he-he-he! O senhor não está acreditando?

Raskólnikov não respondia, continuava sentado, pálido e imóvel, olhando atentamente para o rosto de Porfiri, com a mesma tensão.

"Boa lição! — pensava ele, gelando. — Isso nem chega a ser um jogo de gato e rato, como o de ontem. E nem ele está me exibindo inutilmente a sua força e... fazendo insinuações: ele é bem mais inteligente do que isso! Aqui o objetivo é outro, mas qual? Ei, meu caro, é tolice vir com intimidação e artimanha para cima de mim! Tu não tens provas, e não existe esse homem de ontem! Queres simplesmente me desorientar, me irritar prematuramente, e nesse estado deitar a mão em mim, só que te enganas, vais quebrar a cara, vais quebrar a cara! No entanto, por que, por que me fazer insinuações a esse ponto?... Estarás contando com os meus nervos doentes?... Não, meu caro, estás enganado, vais quebrar a cara, ainda que estejas armando alguma coisa... Pois bem, vamos ver que coisa é essa que andas armando."

E ele se concentrou com todas as forças, preparando-se para a catástrofe terrível e desconhecida. De quando em quando lhe dava vontade de lançar-se sobre Porfiri e esganá-lo ali mesmo. Já temia essa fúria ainda antes de entrar ali. Sentia os lábios ressecados, fisgadas no coração, espuma coagulada nos lábios. Mas ainda assim decidiu calar e por ora não pronunciar uma única palavra. Compreendeu que essa era a melhor tática em sua situação, porque, além de não deixar escapar nada, ainda iria irritar com o silêncio o próprio inimigo e, quem sabe, este ainda acabaria deixando escapar alguma coisa. Pelo menos era o que esperava.

— Não, pelo que vejo o senhor não acredita, pensa que só estou fazendo brincadeiras inocentes — intercalou Porfiri, cada vez mais alegre, dando contínuas risadinhas de satisfação e voltando a girar pela sala. — É mesmo, o senhor tem razão; minha figura foi feita de tal forma pelo próprio Deus que só desperta ideias cômicas nos outros; um *bouffon*; mas eu lhe digo, e torno a repetir, que o senhor, meu caro Rodion Románovitch — queira desculpar este velho —, é um homem ainda jovem, por assim dizer, na primeira mocidade, e por isso aprecia acima de tudo a inteligência humana, a exemplo de toda a juventude. A agudeza brejeira da inteligência e os argumentos abstratos da razão o seduzem. Isso é exatamente igual ao que aconteceu antes, por exemplo, com o *hofkriegsrat*[30] austríaco, até onde posso julgar a respeito de acontecimentos militares: no papel eles derrotaram Napoleão e o fizeram prisioneiro, segundo a maneira como calcularam e conduziram tudo da forma mais espirituosa em seu gabinete, mas o que a gente vê é o general Mack se entregando com todo o seu exército a Napoleão, he-he-he! Estou vendo, estou vendo, meu caro Rodion Románovitch, que o senhor está rindo de mim, porque eu, um civil, não paro de buscar pequenos exemplos na história militar. Mas o que fazer? É o meu fraco, gosto do assunto militar, e gosto tanto de ler todas essas coisas relacionadas com a guerra... decididamente falhei na minha carreira. Eu devia mesmo era ter sido militar, palavra. Um Napoleão talvez não viesse a ser, mas major eu teria sido, he-he-he! Bem, meu querido, agora eu vou lhe contar em detalhe toda a verdade a respeito do que vem a ser o tal *caso particular*: a realidade e a natureza, meu caro senhor, são uma coisa importante, e às vezes interrompem o cálculo mais perspicaz! Ei, escute o velho aqui, estou falando sério, Rodion

---

[30] Conselho de guerra na monarquia dos Habsburgos. (N. do T.)

Románovitch (ao dizer isso, Porfiri Pietróvitch, que mal tinha trinta e cinco anos, num instante realmente pareceu ter ficado todo mais velho: até a voz mudou, e todo ele ficou meio curvo), além disso sou um homem franco... Sou ou não sou um homem franco? O que o senhor acha? E parece que o sou plenamente: estou pondo o senhor a par de cada coisa gratuitamente, e sem cobrar recompensa, he-he! Pois bem, prossigo: a meu ver, o espírito é uma coisa magnífica; é, por assim dizer, o encanto da natureza e o consolo da vida, e, pelo visto, é capaz de armar tamanhos truques que, vez por outra, parece fugir à compreensão do coitado do juiz de instrução, que, de mais a mais, já está envolvido com a sua fantasia, como sempre acontece, porque também é gente! É, a natureza socorre o coitado do juiz de instrução, eis o mal. Mas sobre isso não medita a juventude envolvida com o espírito, a qual "passa por cima de todos os obstáculos" (como o senhor se permitiu exprimir da maneira mais engenhosa e sagaz). Ele, ou seja, o homem, o *caso particular*, a incógnita, admitamos, chega a mentir, e mentirá otimamente, da maneira mais sagaz; nisso, parece, reside o triunfo, e deleita-te com os frutos do teu espírito, mas ele — pimba! Acaba desmaiando no ponto mais interessante, mais escandaloso. Isso, suponhamos, é uma doença, os recintos às vezes estão abafados, mas não obstante! não obstante deu a ideia! Mentiu admiravelmente, mas não foi capaz de levar em conta a natureza. Veja onde está ela, a astúcia! De outra vez, envolvido com o seu espírito, começa a fazer de tolo um homem que suspeitara dele, empalidece como que de propósito, como quem está brincando, mas empalidece *de forma excessivamente natural*, já semelhante demais à verdade, e torna a dar a ideia. Mesmo que embrome da primeira vez, durante a noite reconsidera, caso seja um rapaz esperto. Só que faz isso a torto e a direito! A que ponto chega: começa a avançar muito, a meter-se onde não é chamado, a falar ininterruptamente do que não devia, faz o contrário, passa a calar, a fazer alegorias diversas, he-he! Apresenta-se em pessoa e começa a perguntar: por que demoram a me prender? he-he-he! E isso pode acontecer com a pessoa mais engenhosa, com um psicólogo e um literato! O espelho é a natureza, o espelho é a coisa mais transparente! Olha para ele e te delicia, eis a questão! O que é isso, por que o senhor ficou tão pálido, Rodion Románovitch? Não estará sentindo abafamento, não será o caso de abrir a janelinha?

— Ah, não se preocupe, por favor — exclamou Raskólnikov e soltou uma súbita gargalhada —, por favor, não se preocupe.

Porfiri parou diante dele, esperou, e súbito também soltou uma gargalhada, acompanhando-o. Raskólnikov levantou-se do sofá, interrompendo bruscamente o acesso de riso.

— Porfiri Pietróvitch! — pronunciou alto e com nitidez, embora mal se sustentasse nas pernas bambas. — Enfim estou vendo com clareza que o senhor suspeita positivamente de que cometi o assassinato daquela velha e da irmã Lisavieta. De minha parte eu lhe declaro que já estou saturado de tudo isso há muito tempo. Se achar que tem o direito de me perseguir legalmente, então persiga; de me prender, então prenda. Mas eu não admito que riam de mim na minha cara e nem que me atormentem.

Súbito seus lábios começaram a tremer, os olhos arderem de fúria, e a voz, até então contida, começou a ressoar.

— Não admito! — gritou de repente, dando um murro na mesa com toda a força. — O senhor está ouvindo, Porfiri Pietróvitch? Não admito!

— Ah, meu Deus, o que é isso de novo!? — exclamou Porfiri Pietróvitch, pelo visto totalmente assustado. — Meu caro Rodion Románovitch! Querido! Pai! O que se passa com o senhor?

— Não admito! — quis gritar Raskólnikov outra vez.

— Meu caro, mais baixo! Podem ouvir, aparecer! E então, o que vamos dizer a eles? Pense nisso — sussurrou apavorado Porfiri Pietróvitch, aproximando seu rosto do rosto de Raskólnikov.

— Não admito, não admito! — repetiu maquinalmente Raskólnikov, mas já apenas sussurrando.

Porfiri virou-se rapidamente e correu para abrir a janela.

— É preciso deixar entrar ar fresco! Seria bom o senhor beber uma aguinha, meu caro, porque isso é um acesso! — E ele ia em direção à porta a fim de mandar trazer água, mas nisso uma jarra d'água apareceu em um canto, a propósito.

— Beba, meu caro — sussurrou, precipitando-se para ele com a jarra —, pode ser que ajude... — O susto e a própria colaboração de Porfiri Pietróvitch foram tão naturais que Raskólnikov calou-se e passou a examiná-lo com uma curiosidade selvagem. Aliás, não aceitou a água.

— Rodion Románovitch, meu caro! Desse jeito vai acabar enlouquecendo, posso lhe assegurar, e-he! Ah! Beba! Beba ao menos um pouquinho.

No fim das contas conseguiu que ele aceitasse o copo d'água. Ele ia levá-lo maquinalmente à boca, mas voltou a si e o pôs na mesa.

— É, tivemos um acesso! Mais uma vez, meu caro, a sua antiga doença está de volta — cacarejou Porfiri Pietróvitch mostrando um interesse amigável, mas ainda com ar um tanto desconcertado. — Meu Deus! Como é que pode não se cuidar dessa maneira? Veja, Dmitri Prokófitch esteve ontem comigo — concordo, concordo que tenho um caráter corrosivo, detestável, e foi isso que ele concluiu!... Meu Deus! Veio me procurar ontem depois de estar com o senhor; almoçamos, conversamos, conversamos, eu me limitei a abrir os braços; então, pensei... ai, meu Deus! Terá vindo da parte do senhor? Mas se sente, meu caro, sente-se por Cristo!

— Não, não veio de minha parte! Mas eu sabia que ele tinha vindo procurá-lo e até o motivo — respondeu rispidamente Raskólnikov.

— Sabia?

— Sabia. Mas e daí?

— Daí, meu caro Rodion Románovitch, que eu sei de mais algumas façanhas suas: estou a par de tudo! Sei que o senhor andou procurando *apartamento para alugar* em plena noite, já escuro, que tocou a sineta, que perguntou pelo sangue, que deixou os operários e os porteiros desorientados. Eu compreendo o seu estado de espírito naquele momento... mas desse jeito o senhor vai acabar mesmo é simplesmente enlouquecendo, juro! Vai perder a noção das coisas! No senhor ferve com muita força a indignação, nobre, pelas ofensas recebidas, primeiro do destino, depois dos inspetores de polícia, e por isso fica nesse vaivém, querendo, por assim dizer, fazer as pessoas falarem o quanto antes e assim acabar de vez com tudo isso, porque está saturado dessas tolices e de todas essas suspeitas. É, isso, não é? Adivinhei seu estado de espírito?... Só que desse jeito o senhor deixa tonto não só a si mesmo mas também a Razumíkhin e a mim; porque ele é *bom* demais para isso, o senhor mesmo sabe. O senhor tem a doença, ele, a virtude, e a doença chega a ele por contágio... Meu caro, quando o senhor estiver calmo, vou lhe contar... mas procure sentar-se, meu caro, por Cristo! Por favor, descanse, o senhor está lívido; sente-se.

Raskólnikov sentou-se; o tremor havia passado e a febre se apoderou de todo seu corpo. Profundamente estupefato, ouvia tenso Porfiri Pietróvitch, que cuidava dele assustado e de forma amigável. Mas não acreditava em uma única palavra dele, embora sentisse uma estranha inclinação para acreditar. As inesperadas palavras de Porfiri sobre o apartamento o deixaram totalmente pasmo. "Então, como é que está sabendo do apartamento? — pensou de estalo — e ele mesmo me conta isso!"

— É, houve um caso quase idêntico, psicológico, na nossa prática judiciária, um caso mórbido como esse — continuou Porfiri atropelando as palavras. — Um indivíduo também caluniou a si mesmo por um assassinato, e como se caluniou: armou toda uma alucinação, apresentou fatos, narrou as circunstâncias, confundiu, desorientou todos e cada um, e em que deu? Ele mesmo, de forma absolutamente involuntária, foi em parte a causa do assassinato, mas apenas em parte, e quando soube que havia dado o pretexto aos assassinos, caiu em melancolia, estupidificou-se, ficou completamente abalado e passou a imaginar-se, a assegurar a si mesmo que o assassino era ele! Por fim o Senado examinou o caso e o infeliz foi absolvido e posto sob cuidados. Obrigado, Senado! Sim senhor, ai, ai, ai! Então, meu caro, em que dá isso? Pode-se até pegar febre, quando tais veleidades aparecem para irritar os nervos e se sai pelas noites tocando sinetas e perguntando por sangue! É que eu estudei toda essa psicologia na prática. Pois bem, às vezes uma pessoa sente vontade de pular de uma janela ou de um campanário, e essa sensação é sedutora. O mesmo acontece com uma sineta... É uma doença, Rodion Románovitch, uma doença! O senhor passou a negligenciar demais sua doença. Devia consultar um médico experiente, porque esse seu gordo!... O senhor está delirando! Tudo isso simplesmente lhe acontece apenas em delírio!..

Por um instante tudo girou em volta de Raskólnikov.

"Será — passou-lhe pela cabeça —, será que até neste momento ele está mentindo? É impossível, é impossível!" — afastava essa ideia, sentindo de antemão a que ponto de raiva, de fúria ela podia levá-lo, sentindo que podia enlouquecer de fúria.

— Isso não aconteceu em delírio, aconteceu na realidade! — exclamou ele, mobilizando todas as forças da razão para penetrar no jogo de Porfiri. — Na realidade, na realidade! Está ouvindo?

— Sim, compreendo e estou ouvindo! Ontem o senhor disse que não tinha sido em delírio, e até enfatizou em particular que não havia sido em delírio! Tudo o que o senhor pode dizer eu compreendo! E-he!... Mas escute, Rodion Románovitch, meu benfeitor, observe pelo menos esta circunstância. Pois bem, fosse o senhor realmente, de fato um criminoso ou estivesse de alguma forma implicado nesse maldito caso, iria, pois, ressaltar que não o fizera em delírio mas, ao contrário, em pleno gozo da razão? E ainda ressaltar especialmente, ressaltar com essa obstinação especial — poderia isso acontecer, hein, poderia isso acontecer, hein? Perdão! Ora, eu acho que seria totalmente o contrário. Porque se o senhor percebesse que por trás do senhor havia alguma coisa, o senhor deveria justamente ressaltar: fizera-o, alegaria, em delírio. Não seria assim? Não é isso?

Nessa pergunta havia qualquer coisa de ladino. Raskólnikov recuou de Porfiri, que se inclinava para ele, colando no encosto do sofá, e ficou a examiná-lo calado, fixamente, atônito.

— Ou a respeito do senhor Razumíkhin: se ele veio conversar comigo por conta própria ou instigado pelo senhor? Ora, o senhor devia mesmo dizer que ele veio por conta própria e esconder que o senhor o havia instigado! Mas o senhor não esconde isso! O senhor frisa justamente que foi instigado pelo senhor!

Raskólnikov nunca frisara tal coisa. Um frio lhe correu pelas costas.

— O senhor mente sem parar — pronunciou lento e fraco, crispando os lábios num riso mórbido —, mais uma vez procura me mostrar que conhece todo o meu jogo, que sabe de antemão todas as minhas respostas — falava ele, sentindo que já não pesava as palavras como devia —, procura me intimidar... ou simplesmente zomba de mim...

Ao dizer isso continuava a encará-lo, e uma raiva imensa brilhou de supetão em seus olhos.

— O senhor mente sem parar — exclamou ele. — O senhor mesmo sabe perfeitamente que o melhor subterfúgio de um criminoso é, na medida do possível, não esconder o que se pode não esconder. Não acredito no senhor!

— Eta, como o senhor é irrequieto! — deu uma risadinha Porfiri. — Não se pode chegar a um entendimento com o senhor, meu caro; alguma monomania enraizou-se no senhor. Então não acredita em mim? Mas eu lhe digo que acredita sim, que já está acreditando em um quarto do que eu falo, e vou fazer com que acredite em tudo porque gosto de verdade do senhor e lhe desejo sinceramente o bem.

Os lábios de Raskólnikov tremeram.

— Sim, desejo, e lhe digo definitivamente — continuou ele, segurando de leve, amigavelmente o braço de Raskólnikov um pouco acima do cotovelo —, digo definitivamente: cuide da sua doença. Além do mais, sua família veio visitá-lo; lembre-se dela. Devia zelar por ela e mimá-la, mas o senhor só faz assustá-la...

— O que é que o senhor tem com isso? Como é que está sabendo? Por que está tão interessado? Então anda me seguindo e quer mostrar isso?

— Meu caro! Ora, foi pelo senhor, foi pelo senhor mesmo que tomei conhecimento de tudo! O senhor não percebe que em sua agitação conta tudo antecipadamente, a mim e aos outros. Pelo senhor Razumíkhin, Dmitri Prokófitch, ontem eu também soube de muitos detalhes interessantes. Veja só, o senhor me interrompeu, mas eu digo que, por sua cisma, a despeito de todo o seu espírito, o senhor se permitiu até perder a visão racional das coisas. Bem, veja, por exemplo, mais uma vez o mesmo tema das sinetas: eu lhe forneci tamanha joia, tamanho exemplo (um verdadeiro exemplo!), e o fiz com a maior boa vontade, eu, o juiz de instrução! E nisso o senhor não vê nada? Tivesse eu uma pequena suspeita do senhor, era assim que eu deveria agir? A mim, ao contrário, caberia primeiro entorpecer as suas suspeitas e não dar na vista que esse fato já era do meu conhecimento; desviar, assim, o senhor para o lado oposto e de repente deixá-lo aturdido, como uma machadada no cocuruto (segundo a sua própria expressão): "Então, senhor, perguntaria, o que se permitia fazer no apartamento da morta às dez da noite, e faltando muito pouco para as onze? E por que tocou a sineta? E por que perguntou pelo sangue? E por que deixou os porteiros desorientados e os chamou para irem à delegacia, ao tenente encarregado do quarteirão?". Era assim que me caberia agir caso eu tivesse ao menos uma gota de desconfiança do senhor. E me caberia tomar seu depoimento segundo toda a praxe, revistar sua casa, e talvez ainda prendê-lo. Logo, não alimento suspeitas do senhor, se agi de outra maneira. Mas o senhor perdeu a visão racional das coisas e não percebe nada, repito!

Todo o corpo de Raskólnikov estremeceu, de tal forma que Porfiri Pietróvitch o notou com plena clareza.

— O senhor mente sem parar! — exclamou ele. — Desconheço seus objetivos, mas o senhor mente sem parar... Há pouco o senhor falou com outro sentido, e não posso estar equivocado... O senhor está mentindo.

— Eu minto? — secundou Porfiri, pelo visto exaltando-se porém mantendo o ar mais alegre e zombeteiro e, pelo visto, sem se preocupar nem um pouco com a opinião que o senhor Rodion Raskólnikov pudesse ter a seu respeito. — Eu minto?... Então como foi que eu agi há pouco com o senhor? (eu, o juiz de instrução), eu mesmo lhe sugerindo e fornecendo todos os meios para a defesa, eu mesmo conduzindo toda essa psicologia para o senhor: "A doença, o delírio, estava muito magoado; a melancolia e ainda os inspetores de polícia", e tudo o mais, não? Hein? he-he-he! Se bem que tudo isso, pensando bem — falo a propósito —, todos esses recursos psicológicos para a defesa, essas ressalvas, essas evasivas são por demais inconsistentes, e ainda por cima de dois gumes: "A doença, o delírio, as alucinações, parece que ouvi, não me lembro", tudo isso é real, mas por que, meu caro, na doença e no delírio foram precisamente essas e não outras alucinações que lhe ocorreram? Poderiam ter sido outras, não? Não é verdade? He-he-he!

Raskólnikov olhou para ele com altivez e desdém.

— Em suma — disse em tom alto e persistente, levantando-se e afastando um pouco Porfiri —, em suma, eu quero saber: o senhor me reconhece definitivamente fora de suspeitas ou *não*? Diga, Porfiri Pietróvitch, diga positiva e definitivamente, e o quanto antes, agora!

— Ora, mas que complicação! Como o senhor complica! — exclamou Porfiri com ar inteiramente alegre, ladino e sem qualquer inquietação. — E para que o senhor precisa saber, para que saber de tanta coisa se ainda não começaram a incomodá-lo o mínimo!? Ora, o senhor parece uma criança: quero porque quero pegar em fogo! E por que o senhor se preocupa tanto? Por que insiste tanto conosco, por que motivos? Hein? He-he-he!

— Repito para o senhor — gritou furioso Raskólnikov — que não posso mais suportar...

— O quê? O desconhecido? — interrompeu Porfiri.

— Não me envenene. Eu não quero!... Estou lhe dizendo que não quero!... Não posso e não quero!... Está ouvindo? Está ouvindo? — gritou, dando outro murro na mesa.

— Mais baixo, mais baixo! Podem ouvir! Eu o previno seriamente: cuide-se. Não estou brincando! — sussurrou Porfiri, mas desta vez já não havia em seu rosto aquela bonomia feminil e assustada na expressão; ao contrário, agora ele *ordenava* sem rodeios, com severidade, de cenho carregado e como se violasse todos os segredos e ambiguidades. Mas isso durou apenas um instante. Raskólnikov, que ia ficando desconcertado, caiu de repente em verdadeiro furor: tornou a ouvir a ordem para falar mais baixo, embora estivesse no mais intenso paroxismo de fúria.

— Não permito que me atormentem! — sussurrou num átimo com a mesma entonação anterior, num instante tomando consciência, com angústia e ódio, de que não podia deixar de sujeitar-se à ordem, o que o deixava ainda mais furioso. — Prenda-me, reviste-me, mas faça o favor de agir segundo a praxe e não fique brincando comigo! Não se atreva...

— Ora, não se preocupe com a praxe — interrompeu Porfiri com o mesmo riso ladino de antes e até como se se deliciasse com Raskólnikov —, meu caro, eu lhe fiz um convite familiar, de forma inteiramente amigável!

— Não quero a sua amizade e estou me lixando para ela! Está ouvindo? E tem mais: vou pegar o boné e sair. Então, o que vais[31] dizer agora, se estás disposto a me prender?

Pegou o boné e caminhou para a porta.

— Será que não quer ver uma surpresinha? — Porfiri deu umas risadinhas, segurando-o mais uma vez um pouco acima do cotovelo e parando à porta. Ele, pelo visto, estava ficando cada vez mais alegre e brejeiro, o que deixou Raskólnikov definitivamente fora de si.

— Que surpresinha? O que está acontecendo? — perguntou ele, parando de súbito e olhando assustado para Porfiri.

— A surpresinha está sentada aqui, atrás da porta, he-he-he! (apontou para a porta fechada de um tabique, que dava para o apartamento oficial habitado por ele). — Fechei-a com cadeado para que não fugisse.

---

[31] Aqui Raskólnikov alterna vez por outra a segunda e a terceira pessoas do singular. (N. do T.)

— O que é? Cadê? O quê?... — Raskólnikov foi-se aproximando da porta e quis abri-la, mas estava fechada.

— Está fechada, eis a chave!

E, de fato, mostrou-lhe a chave que tirou do bolso.

— Estás sempre mentindo! — berrou Raskólnikov já sem se conter. — Estás mentindo, polichinelo maldito! — e lançou-se para Porfiri, que se retirara na direção da porta mas sem nenhum medo.

— Estou entendendo tudo, tudo! — correu para ele. — Mentes e me provocas esperando que eu me denuncie...

— Ora, não é possível se denunciar mais, meu caro Rodion Románovitch. Veja, o senhor teve um acesso de fúria. Não grite, porque eu posso chamar os homens!

— Mentes: não vai acontecer nada! Chama os homens! Tu sabias que eu estava doente, e resolveste me irritar até me deixar enfurecido para que eu me denunciasse, foi este o teu objetivo! Não, eu quero provas! Compreendi tudo! Não tens provas, tens apenas conjecturas imprestáveis, insignificantes, as de Zamiétov!... Conhecias o meu caráter, quiseste me levar à fúria, e depois me aturdir com popes e deputados... Estás esperando por eles? O que estás esperando? Onde estão? Podes chamá-los!

— Que deputados, meu caro! Que imaginação! Além do mais não se pode agir conforme a praxe, como o senhor diz, meu querido, o senhor não conhece o assunto... A praxe não vai cair em desuso, o senhor mesmo verá!... — balbuciava Porfiri, pondo-se à escuta junto à porta.

De fato, nesse instante ouviu-se alguma coisa como um ruído no outro cômodo bem junto à porta.

— Ah, estão chegando! — exclamou Raskólnikov —, tu mandaste chamá-los!... Estavas à espera deles! Calculaste... Está bem, manda entrar todos os deputados, testemunhas, quem quiseres... manda entrar! Estou preparado, preparado!...

Mas nesse instante houve um incidente estranho, algo tão inesperado em um desenrolar habitual dos acontecimentos que nem Raskólnikov, nem Porfiri Pietróvitch poderiam contar com semelhante desfecho.

VI

Mais tarde, ao rememorar esse instante, Raskólnikov viu toda a cena da seguinte maneira.

O ruído que se fizera ouvir atrás da porta súbito aumentou rapidamente e a porta entreabriu-se um pouco.

— O que está havendo? — bradou Porfiri Pietróvitch aborrecido. — Eu preveni, não preveni?...

De pronto não houve resposta, mas dava para perceber que atrás da porta havia várias pessoas e pareciam empurrar alguém.

— Mas o que é que está acontecendo aí? — repetiu Porfiri Pietróvitch.

— Trouxemos o preso, o Nikolai — ouviu-se a voz de alguém.

— Não é necessário! Para trás. Esperem!... Por que ele veio se meter aqui!? Que desordem é essa!? — gritou Porfiri, precipitando-se para a porta.

— É que ele... — ia recomeçando a mesma voz, mas de repente cessou.

Durante uns dois segundos, não mais, houve uma verdadeira luta; depois uma pessoa pareceu empurrar subitamente outra, com força, após o quê, um homem muito pálido adentrou pelo gabinete de Porfiri Pietróvitch.

À primeira vista esse homem tinha um aspecto muito estranho. Olhava à sua frente, mas era como se não enxergasse ninguém. Em seus olhos brilhava a decisão, mas ao mesmo tempo uma palidez mortal lhe cobria o rosto, como se o tivessem trazido para a execução. Os lábios totalmente brancos tremiam um pouco.

Era ainda muito jovem, vestido como gente do povo, estatura mediana, magrelo, cabelos cortados em círculo, rosto de traços finos como que secos. O homem que ele empurrara de surpresa foi o primeiro a entrar na sala em seu encalço e conseguiu agarrá-lo por um ombro; era um membro da escolta; mas Nikolai deu um puxão no braço e tornou a livrar-se dele.

Vários curiosos aglomeraram-se à porta. Alguns tiveram ímpetos de entrar. Tudo o que aqui se descreve aconteceu quase no mesmo instante.

— Fora, ainda é cedo! Esperem que eu chame!... Por que o trouxeram antes da hora? — balbuciou Porfiri Pietróvitch extremamente aborrecido, como se o tivessem feito perder o fio. Mas súbito Nikolai ajoelhou-se diante dele.

— O que estás fazendo? — perguntou Porfiri surpreso.

— Sou culpado! Cometi o pecado! Sou o assassino! — pronunciou de pronto Nikolai, como se estivesse um tanto sufocado mas com voz bastante forte e alta.

Fez-se silêncio por uns dez segundos, como se todos tivessem ficado petrificados; até o homem da escolta recuou e não mais se aproximou de Nikolai, retirou-se maquinalmente para a entrada e ali ficou imóvel.

— O que é isso? — exclamou Porfiri Pietróvitch, saindo do torpor momentâneo.

— Eu... sou o assassino... — repetiu Nikolai, depois de um pingo de silêncio.

— Como... tu... Como... Quem mataste?

Porfiri Pietróvitch estava visivelmente desconcertado.

Nikolai tornou a fazer um pingo de silêncio.

— Aliena Ivánovna e a irmã dela, Lisavieta Ivánovna... eu... matei... com um machado. Tive uma perturbação... — acrescentou de súbito e tornou a calar-se.

Por um instante Porfiri Pietróvitch continuou em pé parado, como se meditasse, mas de repente voltou a sacudir-se e fez sinal com as mãos para as testemunhas intrusas. Estas sumiram num piscar de olhos e fechou-se a porta. Em seguida ele olhou para Raskólnikov, que, em pé em um canto, olhava horrorizado para Nikolai, fez menção de dirigir-se a ele mas parou de súbito, lançou-lhe um olhar mas no mesmo instante o desviou para Nikolai, depois novamente para Raskólnikov, em seguida outra vez para Nikolai e de chofre, como que tomado de entusiasmo, voltou a lançar-se para Nikolai.

— Será que não estarias pondo o carro diante dos bois com tua perturbação? — perguntou-lhe quase com raiva. — Eu ainda não te perguntei: terás tido ou não uma perturbação... fala... tu mataste?

— Eu sou o assassino... estou prestando depoimento... — pronunciou Nikolai.

— E-eh! Com que mataste?

— Com um machado. Eu tenho um de reserva.

— Eh, está se precipitando! Sozinho?

Nikolai não entendeu a pergunta.

— Mataste sozinho?

— Sozinho. E Mitka é inocente e não teve nenhuma participação em nada disso.

— Ora, não tenhas pressa com Mitka! E-eh!...

— Como foi que tu, bem, de que jeito fugiste pela escada no momento? Os porteiros não cruzaram com vocês dois juntos?

— Aquilo eu fiz para despistar... na ocasião... correndo com Mitka — respondeu Nikolai às pressas, preparado de antemão.

— Bem, então é isso mesmo! — exclamou zangado Porfiri. — Não está usando suas próprias palavras! — resmungou Porfiri como que de si para si, e súbito tornou a notar Raskólnikov.

Pelo visto, estava tão envolvido com Nikolai que por um instante até esquecera Raskólnikov. Súbito voltava a lembrar-se, e até ficou desconcertado...

— Rodion Románovitch, meu caro! Desculpe — lançou-se para ele —, isso não é jeito; desculpe... o senhor nada tem a fazer aqui... e eu mesmo... como o senhor está vendo, que surpresas!... por favor!...

E tomando-o pelo braço indicou-lhe a porta.

— Parece que por essa o senhor não esperava, não é? — pronunciou Raskólnikov, que, é claro, ainda não estava entendendo nada com clareza mas já conseguira ganhar forte ânimo.

— E o senhor também, meu caro, não esperava. Nossa, como a mão está tremendo! he-he!

— Sim, mas o senhor também está tremendo, Porfiri Pietróvitch.

— E eu também estou tremendo; não esperava!...

Os dois já estavam à porta. Porfiri esperava impacientemente que Raskólnikov saísse.

— E a surpresinha, vai acabar não me mostrando? — pronunciou súbito Raskólnikov.

— O senhor fala, mas os dentes se atropelam na própria boca. O senhor é um homem irônico! Então, até logo.

— A meu ver, *adeus*!

— Como Deus quiser, como Deus quiser! — murmurou Porfiri com um riso um tanto contraído.

Ao passar pelo escritório, Raskólnikov notou que muitas pessoas o olhavam fixamente. Na antessala, no meio da multidão, conseguiu distinguir os dois porteiros *daquele* prédio, os quais ele havia chamado para irem ao inspetor de polícia naquela noite. Os dois aguardavam em pé alguma coisa. Contudo, mal chegou à escada tornou a ouvir atrás de si a voz de Porfiri Pietróvitch. Olhando para trás, viu que o outro o alcançava, arfando.

— Só uma palavrinha, Rodion Románovitch; a respeito de toda essa história seja como Deus quiser, mas ainda assim preciso lhe perguntar mais alguma coisa segundo a praxe... de sorte que ainda nos veremos, é isso.

E Porfiri parou sorrindo diante dele.

— É isso — tornou Porfiri a acrescentar.

Poder-se-ia supor que ele queria dizer mais alguma coisa, no entanto foi como se não a conseguisse articular.

— Ah, Porfiri Pietróvitch, queira me desculpar pelo jeito como agi ainda há pouco... eu me exaltei — começou Raskólnikov já cheio de ânimo, a ponto de sentir uma vontade irresistível de exibir-se.

— Não foi nada, não foi nada... — emendou quase com alegria Porfiri. — Eu mesmo também... Eu tenho um caráter venenoso, confesso, confesso! Bem, então nos veremos. Se Deus quiser, então nos veremos muito, muito em breve!...

— E ficaremos conhecendo definitivamente um ao outro — emendou Raskólnikov.

— E ficaremos conhecendo definitivamente um ao outro — secundou Porfiri Pietróvitch e, apertando os olhos, olhou para ele com ar bastante sério. — E agora, ao dia do santo?

— Ao enterro.

— Ah, sim, ao enterro! E cuide da saúde, cuide da sua saúde...

— E eu já nem sei o que lhe desejar de minha parte! — pegou a deixa Raskólnikov, já começando a descer a escada, mas súbito tornou a voltar-se para Porfiri. — Eu lhe desejaria maiores sucessos porque, veja, como o seu ofício é cômico!

— Por que cômico? — Porfiri Pietróvitch, que também ia dando meia-volta para afastar-se, ficou imediatamente de orelha em pé.

— Pois então, aí está esse coitado do Mikolka, que o senhor na certa atormentou e torturou psicologicamente, a seu modo, enquanto ele não confessava; dia e noite, provavelmente, o senhor lhe provou: "Tu és o assassino, tu és o assassino..." — e agora, uma vez que ele confessou, o senhor vai recomeçar a moer-lhe os ossos: "Estás mentindo, não és o assassino! Tu não poderias sê-lo! Não estás falando com tuas próprias palavras!". Então, como é que depois disso a função não vem a ser cômica?

— He-he-he! Puxa, como notou que acabei de dizer a Nikolai que ele "não fala com as próprias palavras"?

— Como não haveria de notar?

— He-he! Espirituoso, espirituoso. Observa tudo! Uma autêntica inteligência brejeira! E captou o próprio ponto cômico... he-he! Entre os escritores, não foi em Gógol que dizem que esse traço chegou ao máximo grau?

— Sim, foi em Gógol.

— Sim, em Gógol... até o próximo encontro agradabilíssimo.

— Até o próximo encontro agradabilíssimo...

Raskólnikov foi direto para casa. Estava tão esfalfado e embaraçado que, já tendo chegado em casa e se atirado no sofá, passou um quarto de hora sentado só repousando e procurando juntar as ideias ainda que minimamente. Nem ficou a pensar sobre Nikolai: sentia-se estupefato: percebia que na confissão de Nikolai havia qualquer coisa de inexplicável, de surpreendente, o que nesse instante ele não teria como compreender. Mas a confissão de Nikolai era um fato real. As consequências desse fato lhe ficaram imediatamente claras: a mentira não poderia deixar de revelar-se, e logo voltariam a ocupar-se dele. Mas pelo menos até então ele estaria livre e deveria sem falta fazer alguma coisa para si, porque o perigo era incontornável.

Mas, não obstante,[32] até que ponto? A situação começava a elucidar-se. Rememorando, *num esboço*, em linhas gerais, toda a cena que acabara de acontecer entre ele e Porfiri, não pôde deixar de mais uma vez estremecer de pavor. É claro que ainda não conhecia todos os objetivos de Porfiri, não conseguia lhe captar todos os cálculos mais recentes. Mas tinha descoberto uma parte do jogo e, é claro, ninguém melhor do que ele podia compreender como lhe era terrível esse "lance" do jogo de Porfiri. Mais um pouco, e ele *poderia* ter-se denunciado totalmente, já de fato. Conhecendo-lhe a morbidez do caráter, após captá-lo corretamente e penetrá-lo à primeira vista, Porfiri agia quase com certeza, ainda que exagerasse em sua determinação. Não havia o que discutir, um pouco antes Raskólnikov já conseguira comprometer-se demais, mas ainda assim não chegara às *provas*; tudo ainda era apenas relativo. Mas será assim, apesar de tudo, será que ele está entendendo tudo agora? Não estará equivocado? Qual teria sido mesmo o resultado a que Porfiri visara hoje? Estaria de fato com alguma coisa para hoje? E o que precisamente? Estaria mesmo esperando alguma coisa ou não? Como teria sido, precisamente, a despedida entre eles sem a ocorrência do desastre propiciado inesperadamente por Nikolai?

Porfiri mostrara quase todo o seu jogo; é claro que se arriscara, mas mostrara, e (essa era a impressão de Raskólnikov) se ele efetivamente dispusesse de algo mais, teria mostrado também esse algo mais. Que "surpresa" seria aquela? Gozação? Aquilo teria ou não algum significado? Aquilo poderia esconder alguma coisa parecida com uma prova, com uma acusação positiva? E o homem de ontem? Onde teria se metido? Onde estaria hoje? Porque, se Porfiri dispusesse de algo positivo, isto, evidentemente, estaria ligado ao homem de ontem...

---

[32] É frequente em Dostoiévski essa contiguidade de adversativas. (N. do T.)

Estava sentado no sofá, de cabeça baixa, os cotovelos sobre os joelhos e as mãos cobrindo o rosto. O tremor nervoso ainda continuava por todo o corpo. Por fim levantou-se, pegou o boné, pensou um pouco e tomou a direção da porta.

De certo modo pressentia que pelo menos no dia de hoje ele podia se considerar quase certamente fora de perigo. Súbito experimentou uma quase alegria no coração: sentiu vontade de ir o mais rápido possível à casa de Catierina Ivánovna. Naturalmente estava atrasado para o enterro, mas chegaria a tempo para as exéquias, e então veria Sônia.

Parou, pensou, e um sorriso mórbido e forçado lhe apareceu nos lábios.

— É hoje! É hoje! — repetia consigo. — Sim, é hoje! Assim deve ser...

Mal fez um gesto de abrir a porta, súbito ela começou a abrir-se sozinha. Ele tremeu e recuou. A porta se abriu devagar e em silêncio, e de repente apareceu uma figura — o homem da véspera, o que brotara *de debaixo do chão*.

O homem parou no limiar, olhou calado para Raskólnikov e deu um passo para dentro do quarto. Estava tal qual no dia anterior, a mesma figura, a mesma roupa, mas em seu rosto e em seu olhar houvera uma forte mudança: agora ele parecia desolado e, depois de algum tempo em pé, suspirou fundo. Só lhe faltou pôr a mão na face e curvar a cabeça para um lado para ficar com a aparência igualzinha à de uma mulher.

— O que o senhor deseja? — perguntou Raskólnikov, morto de medo.

O homem ficou calado e súbito lhe fez uma reverência profunda, quase chegando ao chão. Ao menos tocou o chão com o anel da mão direita.

— O que o senhor deseja? — exclamou Raskólnikov.

— Sou culpado — pronunciou o homem em voz baixa.

— De quê?

— De maus pensamentos.

Ambos se entreolharam.

— Foi lamentável. Como o senhor apareceu naquela ocasião, talvez embriagado, chamou os porteiros para irem ao inspetor de quarteirão e perguntou pelo sangue, achei lamentável que eles não ligassem para o senhor e o tomassem por bêbado. E foi tão lamentável que perdi o sono. Mas como guardei na memória o endereço, ontem estivemos aqui e perguntamos...

— Quem esteve aqui? — interrompeu Raskólnikov, começando a lembrar-se no mesmo instante.

— Eu, isto é, eu o ofendi.

— Então o senhor é daquele prédio?

— Sim, eu moro lá, e estava na entrada com eles, ou o senhor esqueceu?

Lá trabalhamos no nosso ofício desde que o mundo é mundo. Negociamos com peles, fazemos trabalho a domicílio... e por isso foi ainda mais lamentável...

E súbito Raskólnikov se lembrou com nitidez de toda a cena do portão três dias antes; de que além dos porteiros ainda havia várias pessoas lá, havia também mulheres. Lembrou-se de uma voz a sugerir que o levassem direto ao inspetor de polícia. Não conseguia lembrar-se do rosto desse falante e nem agora o reconheceria, mas recordava que lhe havia até respondido alguma coisa naquela ocasião, que se voltara para ele...

Pois bem, foi assim que se resolveu todo o mistério do dia anterior. O mais terrível era pensar que realmente por pouco ele não se destruíra, por pouco não se destruíra por uma circunstância tão *insignificante*. Então, além do aluguel do apartamento e das conversas sobre o sangue, esse homem não pode contar nada. Então, Porfiri também não dispõe de nada, de nada além desse *delírio*, de nenhuma prova além da *psicologia*, que é de dois gumes, de nada de positivo. Então, se não aparecerem mais quaisquer fatos novos (e eles não devem mais aparecer, não devem, não devem!), então... o que poderão fazer com ele? Com que argumento irão desmascará-lo definitivamente, mesmo que o prendam? Então só agora, só neste momento Porfiri ficou sabendo do apartamento, e até agora não sabia.

— O senhor contou isso hoje a Porfiri... que eu fui lá? — bradou ele, surpreso com essa ideia repentina.

— A que Porfiri?

— O juiz de instrução.

— Contei. Na ocasião os porteiros não foram, mas eu fui.

— Hoje?

— Estive lá um minuto antes do senhor. E ouvi tudo, tudo, como ele torturou o senhor.

— Onde? O quê? Quando?

— Lá mesmo, atrás dos tabiques dele, estive sentado o tempo todo.

— Como? Então o senhor era a surpresa? E como foi que isso pôde acontecer? Como é que pode!

— Vendo que os porteiros não quiseram ir por minha sugestão — começou o homem —, porque, alegaram, já era tarde e talvez ainda se zangassem com eles porque tinham aparecido naquela hora, achei lamentável, perdi o sono, e passei a tomar informação. Ontem recebi a informação e hoje apareci lá. Da primeira vez que fui ele não estava. Depois de uma hora voltei — não me receberam, voltei pela terceira vez — aí fui recebido. Informei tudo a ele, como havia acontecido, e ele ficou andando de um canto a outro da sala e batendo com o punho fechado no peito: "O que vocês, seus bandidos, diz ele, estão fazendo comigo? Estivesse eu a par disso, e teria exigido que o trouxessem escoltado!". Depois correu até a porta, chamou um qualquer e ficou conversando com ele num canto, e tornou a voltar pra mim, me fez perguntas e me insultou. E me repreendeu muito; mas eu informei a ele de tudo e disse que o senhor não se atreveu a responder a nada do que eu disse ontem e não me reconheceu. E aí ele voltou a correr, e quando informaram que o senhor tinha chegado — agora, diz ele, mete-te atrás desse tabique, fica aí sentado por enquanto, não te mexas, não importa o que possas escutar, e me trouxe pessoalmente uma cadeira e me trancou; talvez, diz ele, eu venha a te interrogar. E quando trouxeram Nikolai, aí ele me mandou sair, depois do senhor: eu, diz ele, ainda vou precisar de ti e ainda vou te interrogar...

— E Nikolai, ele interrogou na tua presença?

— Assim que o senhor saiu, mandou eu sair também, e começou a interrogar Nikolai.

O homem parou e súbito voltou a fazer reverência, tocando com o anel no chão.

— Perdão pela calúnia e pela maldade que lhe fiz.

— Deus há de perdoar — respondeu Raskólnikov, e mal pronunciou estas palavras o homem lhe fez uma reverência, só que não mais até o chão e sim até a cintura, deu uma lenta meia-volta e saiu do quarto. "Tudo tem dois gumes, agora tudo tem dois gumes" — afirmou Raskólnikov e saiu do quarto mais animado que nunca.

"Agora ainda havemos de lutar" — pronunciou ele com um riso maldoso, descendo a escada. A maldade se referia a ele mesmo: lembrou-se de sua "pusilanimidade" com desdém e vergonha.

# QUINTA PARTE

# I

A manhã que se seguiu à explicação fatal de Piotr Pietróvitch com Dúnia e Pulkhéria Aleksándrovna surtiu nele seu efeito desembriagador. Para o seu maior desprazer, viu-se forçado a ir aceitando pouco a pouco como fato, ocorrido e irreversível, aquilo que ainda na véspera lhe parecera um acidente quase fantástico e, mesmo depois de consumado, persistia como algo todavia impossível. A serpente negra do amor-próprio ferido passara a noite toda a sugar-lhe o coração. Ao levantar-se da cama, Piotr Pietróvitch olhou-se de pronto no espelho. Temia uma coisa: não lhe teria acontecido um derramamento de bílis durante a noite? Entretanto, nesse aspecto tudo por enquanto ia bem, e depois de olhar para o seu semblante nobre, branco e ultimamente um pouco obeso, por um instante Piotr Pietróvitch ficou até consolado, na mais plena convicção de procurar para si uma noiva em algum outro lugar e, possivelmente, até mais pura; porém no mesmo instante reconsiderou e cuspiu energicamente para um lado, o que provocou o sorriso calado mas sarcástico de seu amigo e colega de quarto Andriêi Semiónovitch Liebezyátnikov. Piotr Pietróvitch percebeu esse sorriso e o lançou no mesmo instante na conta do seu jovem amigo. Nos últimos tempos já conseguira pôr muita coisa na conta dele. Sua raiva duplicou quando subitamente ele percebeu que, na véspera, não devia ter comunicado a Andriêi Semiónovitch os resultados desse dia. Fora o segundo erro que cometera no dia anterior, de cabeça quente, por excesso de expansividade, movido pela irritação... Depois, como se fosse de propósito, nessa manhã houve uma contrariedade atrás da outra. Até no Senado ele esbarrou no fracasso de uma causa pela qual vinha se batendo. Ficou particularmente irritado com o proprietário do apartamento que ele alugara com vistas ao breve casamento e reformara por conta própria: esse proprietário, um artesão alemão enriquecido, não admitia por nada nesse mundo a violação do contrato recém-celebrado e exigia a multa integral inscrita no contrato, apesar de Piotr Pietróvitch estar lhe devolvendo o apartamento quase inteiramente reformado. De igual maneira, a loja de móveis não aceitava devolver um só rublo da entrada que ele dera na compra dos móveis ainda não levados para o apartamento. "Eu não vou me casar só pelos móveis! — rangia consigo Piotr Pietróvitch, ao mesmo tempo em que se insinuava nele uma esperança desalentada: Será possível que tudo isso tenha realmente ido por água abaixo e terminado? Será que não dá para tentar mais uma vez?" O pensamento em Dúnietchka tornava a lhe espetar uma lasca no coração. Suportou com tormento esse instante e, é claro, se nesse momento fosse possível matar Raskólnikov com um simples desejo, Piotr Pietróvitch pronunciaria imediatamente esse desejo.

"Ainda foi um erro, além disso, eu não ter dado nenhum dinheiro a elas — pensava ele, voltando triste ao cubículo de Liebezyátnikov —, e por que diabos eu me judifiquei dessa maneira? Aí nem havia nenhum cálculo! Eu pensava em mantê-las a pão e água e levá-las ao extremo, para que me vissem como a Providência, mas vejam o que elas fizeram!... Arre!... Não, se durante todo esse tempo eu tivesse dado a elas, por exemplo, mil e quinhentos rublos para o enxoval, para presentes, para caixinhas diversas, para estojos de aprestos de toalete, cornalinas, tecidos e todas aquelas porcarias vendidas por Knop[1] e na loja inglesa,[2] a coisa teria sido mais solene e... mais sólida! Agora não seria tão fácil me dizer não! Essa gente é de uma mentalidade tal que, em caso de rompimento, as duas tomariam forçosamente por obrigação devolver os presentes e o dinheiro; mas teriam uma dificuldadezinha e pena de devolvê-los! E ainda por cima teriam comichões na consciência: como é que pode, pois, descartar tão de repente um homem que até agora tem sido tão generoso e bastante delicado?... Hum! Dei uma mancada!" E depois de ranger mais uma vez os dentes, Piotr Pietróvitch chamou a si mesmo de imbecil — de si para si, naturalmente.

Ao chegar a esta conclusão, ele voltou para casa duas vezes mais raivoso e mais irritado do que saíra. Os preparativos para as exéquias no quarto de Catierina Ivánovna atraíram parcialmente a curiosidade dele. Na véspera, já ouvira falar alguma coisa sobre essas exéquias; chegava a lembrar-se de que parecia que o haviam convidado; mas por causa dos seus próprios afazeres não prestara atenção a toda essa parte restante. Apressou-se em tomar informação junto à senhora Lippevechsel, que na ausência de Catierina Ivánovna (que estava no cemitério) dirigia os trabalhos de preparação da mesa. Soube que as exéquias seriam solenes, que quase todos os inquilinos estavam convidados, inclusive desconhecidos do morto, que haviam convidado até Andriêi Semiónovitch Liebezyátnikov, apesar de sua antiga briga com Catie-

---

[1] Proprietário de um armarinho na avenida Niévski, no centro de Petersburgo. (N. da E.)

[2] A loja inglesa ficava na rua Málaia Milliónnaia, também no centro, e também vendia artigos variados de armarinho. (N. da E.)

rina Ivánovna e que, por fim, ele próprio, Piotr Pietróvitch, não só estava convidado mas até sendo aguardado com grande ansiedade, uma vez que quase chegava a ser o mais importante de todos os inquilinos. A própria Amália Ivánovna[3] também havia sido convidada com muita honra, apesar de todos os antigos aborrecimentos, e por isso andava agora à frente dos trabalhos e dos afazeres, o que quase a fazia sentir prazer e, além disso, ainda que estivesse toda de luto, vestia tudo novo, de seda, elegante, e se orgulhava disso. Todos esses fatos e informações sugeriram a Piotr Pietróvitch certa ideia, e ele foi um tanto pensativo para seu quarto, isto é, para o quarto de Andriêi Semiónovitch Liebezyátnikov. É que ele ainda soube que entre os convidados estaria também Raskólnikov.

Por algum motivo, Andriêi Semiónovitch ficara toda essa manhã em casa. Com esse senhor Piotr Pietróvich estabelecera umas relações um tanto estranhas, se bem que, em parte, até naturais: Piotr Pietróvitch o desprezava e odiava inclusive além da medida, quase desde o dia em que se hospedara em seu quarto, mas ao mesmo tempo era como se o temesse um pouco. Hospedara-se em seu quarto ao chegar a Petersburgo não por mera avareza, embora este quase fosse o motivo principal, apesar de haver outro motivo. Ainda na província ouvira falar de Andriêi Semiónovitch, seu ex-pupilo, como de um dos jovens progressistas mais avançados e até detentor de um papel considerável em alguns círculos curiosos e fabulosos. Isso deixara Piotr Pietróvitch estupefato. É que esses círculos poderosos, que tudo sabiam, a todos desprezavam e a todos denunciavam, há muito tempo vinham assustando Piotr Pietróvitch com um tipo de pavor especial, aliás, totalmente indefinido. Ora, é claro que ele mesmo, e ademais numa província, não teria condição de fazer uma ideia precisa, ainda que aproximada, a respeito de qualquer coisa *desse gênero*. Ouvira falar, como todo mundo, que existiam, especialmente em Petersburgo, uns certos progressistas, niilistas, denunciadores etc. etc., mas, como muitas pessoas, exagerava e deturpava até ao absurdo o sentido e o significado dessas denominações. O que ele mais temia, e há vários anos, era a *denúncia*, e isso vinha a ser o principal fundamento da sua preocupação permanente, exagerada, especialmente quando sonhava transferir suas atividades para Petersburgo. Nesse sentido ele andava, como se dizia, *assustado*, como às vezes *andam assustadas* crianças pequenas. Alguns anos antes, na província, quando apenas começava a construir sua carreira, presenciara dois casos de denúncias cruéis contra duas personalidades

---

[3] Amália Lippevechsel (chamada de Fiódorovna no início da história por Marmieládov) é doravante referida pelo patronímico Ivánovna. (N. do T.)

locais bastante importantes, às quais ele estava até então muito preso e de quem recebia proteção. Um caso terminou de forma particularmente escandalosa para o denunciado, e o outro por pouco não redundou numa grande dor de cabeça. Foi por isso que, ao chegar a Petersburgo, Piotr Pietróvitch decidiu pôr-se imediatamente a par da questão e, em caso de necessidade, pelo menos antecipar-se e buscar as boas graças das "nossas novas gerações". Neste sentido contou com Andriêi Semiónovitch e ao visitar Raskólnikov, por exemplo, já havia aprendido o jeito de arredondar certas frases com voz alheia...

Ele, claro, rapidamente conseguiu enxergar em Andriêi Semiónovitch um homem demasiado vulgar e simplório. Mas isso não fez Piotr Pietróvitch mudar uma vírgula de convicção nem o animou. Ainda que se convencesse de que todos os progressistas eram igualmente imbecis, nem assim sua intranquilidade passaria. No que se referia propriamente a todas aquelas doutrinas, pensamentos, sistemas (com que Andriêi Semiónovitch lhe caíra em cima), ele nada tinha a ver. Perseguia seu próprio objetivo. Precisava apenas informar-se o quanto antes e depressa: o que acontecera *ali* e de que modo. *Essas pessoas* têm ou não têm força? Ele próprio, tem ou não tem algo a temer? Irão denunciá-lo, se ele inventar fazer alguma coisa, ou não irão denunciá-lo? E se o denunciarem, por que mesmo e por que logo agora? Além do mais: será que não haverá um jeito de insinuar-se na confiança dessas pessoas e levá-las na conversa, se por acaso elas forem mesmo fortes? Deve ou não deve fazer isso? Será que não dá, por exemplo, para arranjar alguma coisa em sua carreira precisamente por intermédio delas? Em suma, havia pela frente centenas de perguntas.

Andriêi Semiónovitch era um homem magro e escrofuloso, de baixa estatura, funcionário de alguma repartição e estranho de tão louro, usava suíças em formato de costeletas, das quais se orgulhava muito. Além disso, estava quase sempre doente dos olhos. Tinha um coração bastante brando mas um discurso muito presunçoso, às vezes até arrogante demais, o que, em confronto com a sua figurinha, quase sempre resultava cômico. Por outro lado, era tido por Amália Ivánovna como um dos inquilinos bastante honrosos, ou seja, não era dado a bebedeiras e pagava assiduamente o aluguel. Apesar de todas essas qualidades, Andriêi Semiónovitch era deveras atoleimado. Aderira ao progresso e às "nossas novas gerações" por paixão. Era um dentre a legião inumerável e variegada de tipos vulgares, de abortos macilentos e tiranetes ignorantes, que num piscar de olhos aderem forçosamente à ideia mais em voga para banalizá-la no mesmo instante, caricaturar de imediato tudo a que eles mesmos às vezes servem da forma mais sincera.

Aliás, apesar de ser muito bonzinho, em parte Liebezyátnikov também começava a não suportar seu colega de quarto e ex-tutor Piotr Pietróvitch. Isso acontecia de ambas as partes, como que por descuido e de forma recíproca. Por mais simplório que fosse Andriêi Semiónovitch, ainda assim ele começava a perceber pouco a pouco que Piotr Pietróvitch o estava levando na conversa, que no fundo o desprezava e "não era, em absoluto, aquele homem que se esperava". Ele exporia em detalhes o sistema de Fourier e a teoria de Darwin, mas Piotr Pietróvitch, sobretudo nos últimos tempos, começara a ouvi-lo de um modo como que demasiado sarcástico, e ultimamente passara até a destratá-lo. Acontece que, por instinto, ele começava a perceber que Liebezyátnikov não era apenas um homem vulgar e atoleimado mas quiçá também até mentiroso, e que não possuía absolutamente nenhum contato de maior importância nem no seu círculo, tendo-se limitado a ouvir alguma coisa de terceiros; além do mais, talvez não conhecesse direito nem o seu assunto, a *propaganda*, porque se embaralhava demais, portanto, onde é que ele ia ser um denuncista! Aliás, observemos de passagem que nessa semana e meia Piotr Pietróvitch aceitara de bom grado (sobretudo no começo) uns elogios até muito estranhos de Andriêi Semiónovitch, ou seja, não objetava, por exemplo, e calava, se Andriêi Semiónovitch lhe atribuía a disposição e a capacidade de contribuir para uma futura e breve *comuna*[4] em algum ponto da rua Meschánskyaia;[5] ou, por exemplo, de não atrapalhar Dúnietchka, se esta tivesse a ideia de arranjar um amante já no primeiro mês de casamento; ou de não batizar os seus futuros filhos etc. etc. — tudo coisa desse gênero. Por um hábito seu, Piotr Pietróvitch não fazia objeção a essas qualidades que lhe atribuíam e admitia até gabar-se disso — a tal ponto gostava de receber elogios de qualquer espécie.

Piotr Pietróvitch, que naquela manhã descontara com algum fim vários papéis a juros de cinco por cento, sentara-se à mesa e contava os maços de dinheiro e as séries. Andriêi Semiónovitch, que quase nunca tinha dinheiro, andava pelo quarto e fingia olhar para todos aqueles pacotes com indiferença e até com desprezo. Piotr Pietróvitch, por exemplo, não acreditava de mo-

---

[4] Sob a influência da doutrina de Fourier e do romance de N. G. Tchernichévski *Que fazer?*, em Petersburgo surgiram comunas fundadas pela juventude progressista. A mais famosa era a comuna da rua Známienskaia, fundada por Z. A. Slieptsov, que planejou realizar o falanstério de Fourier primeiro a partir de alojamentos urbanos para depois chegar ao verdadeiro falanstério. (N. da E.)

[5] Na rua Sriédniaia Meschánskaia em Petersburgo havia uma comuna, e Dostoiévski deve ter ouvido falar dela no período em que escrevia o romance. (N. da E.)

do algum que Andriêi Semiónovitch pudesse olhar com indiferença para tanto dinheiro; já Andriêi Semiónovitch, por sua vez, pensava amargurado que, de fato, Piotr Pietróvitch podia ser capaz de pensar uma coisa dessas sobre ele e ainda se alegrava, talvez, com a oportunidade de caçoar do seu jovem amigo e provocá-lo com os maços de dinheiro ali espalhados, lembrando-lhe a sua insignificância e toda a diferença que existia entre os dois.

Desta vez ele o achava irascível e desatento como nunca se vira, apesar da tentativa de Andriêi Semiónovitch de desenvolver perante ele seu tema predileto a respeito da implantação de uma *comuna* nova, especial. As breves objeções e observações que ele arrancava de Piotr Pietróvitch nos intervalos entre um e outro estalo das bolas do ábaco transpiravam o deboche mais notório e deliberadamente descortês. Mas o "humanitário" Andriêi Semiónovitch atribuía esse estado de espírito de Piotr Pietróvitch à impressão deixada pelo rompimento da véspera com Dúnietchka e ardia de vontade de começar a falar o quanto antes sobre esse tema: a respeito disso tinha a dizer algo de progressista e propagandístico, capaz de consolar seu respeitável amigo e, "indiscutivelmente", trazer proveito ao seu ulterior desenvolvimento.

— Que exéquias são essas que estão organizando no quarto daquela... da viúva? — súbito perguntou Piotr Pietróvitch, interrompendo Andriêi Semiónovitch no ponto mais interessante.

— Como se você não soubesse; ontem mesmo eu lhe falei sobre esse mesmo tema e desenvolvi um pensamento acerca de todos esses rituais... Mas ela também o convidou, eu ouvi. Você mesmo falou com ela ontem...

— Eu não esperava de maneira nenhuma que essa imbecil miserável fosse gastar nas exéquias todo o dinheiro que recebeu daquele outro imbecil... Raskólnikov. Ao passar agora por lá fiquei até admirado: quantos preparativos, vinhos!... Convidaram várias pessoas — o diabo sabe o que é isso! — continuou Piotr Pietróvitch, interrogando e estimulando essa conversa como quem tem algum objetivo. — O quê? Você disse que eu também fui convidado? — acrescentou subitamente, levantando a cabeça. — Quando foi que isso aconteceu? Não me lembro. Aliás, não vou. O que vou fazer lá? Ontem eu falei apenas com ela, de passagem, sobre a possibilidade de ela receber, na condição de viúva pobre de um funcionário público, um ordenado anual na forma de auxílio único. Então, não será por isso que ela está me convidando? He-he!

— Eu também não tenho intenção de comparecer — disse Liebezyátnikov.

— Também pudera! Surrou-a com as próprias mãos. Dá para entender que esteja com vergonha, he-he-he!

— Quem surrou? E a quem? — Liebezyátnikov ficou subitamente alarmado e até corou.

— Ora, você mesmo, e a Catierina Ivánovna um mês atrás, não foi? Ontem eu soube dessa história... Aí estão as convicções!... E a questão feminina deu em água. He-he-he!

E Piotr Pietróvitch, com ar de consolado, voltou a bater as bolas do ábaco.

— Tudo isso é tolice e calúnia! — explodiu Liebezyátnikov, que sempre temia menções a essa história. — E a coisa não aconteceu nada desse jeito! Foi outra coisa... Não foi como você ouviu dizer; mexericos! Na ocasião eu apenas me defendi. Foi ela quem me agrediu a unhadas... Me arrancou uma costeleta inteira... A todo homem é permitido, espero, defender a sua pessoa. Além do mais não permito a ninguém usar de violência comigo... Por uma questão de princípio. Porque isso já é quase despotismo. O que me restava: simplesmente ficar parado diante dela? Eu apenas lhe dei um empurrão.

— He-he-he! — Lújin continuou rindo maldosamente.

— Você implica porque você mesmo está zangado e furioso... Mas isso é uma tolice e de maneira alguma, de maneira alguma atinge a questão feminina! Você não está entendendo direito; eu até pensava que, se já se aceita que a mulher é igual ao homem em tudo, até na força (o que já se afirma), então nesse ponto também deve haver igualdade. É claro, depois julguei que, no fundo, essa questão não devia existir, porque também não devia haver briga, e que os casos de briga na sociedade do futuro serão inconcebíveis... e que é estranho, evidentemente, procurar a igualdade na briga. Não sou tão tolo, embora, por outro lado, haja mesmo briga... isto é, depois não vai haver mas agora ainda há... arre! Ao diabo! Com você a gente perde o fio! Não é por causa dessa contrariedade que não vou às exéquias. Simplesmente não vou para não participar da superstição torpe das exéquias, eis a questão! Por outro lado, eu até poderia ir, mas tão somente para rir... E lamento que não vá haver popes. Senão eu iria sem falta.

— Ou seja, desfrutar da hospitalidade alheia e no mesmo instante cuspir nela, assim como naqueles que o convidam. É isso?

— Não se trata absolutamente de cuspir, mas de protestar. Eu faço isso com um objetivo útil. Posso contribuir de forma indireta para o desenvolvimento e a propaganda. Todo indivíduo é obrigado a desenvolver e fazer propaganda, e talvez quanto mais ostensiva melhor. Posso lançar uma ideia, um grão... Desse grão medrará um fato. De que modo os ofendo? Primeiro vão se ofender, depois eles mesmos verão que eu lhes trouxe proveito. Veja, entre nós andaram acusando Tierebiova (veja o que agora acontece na comuna) de que, quando ela deixou a família e... entregou-se, escreveu à mãe e ao pai afirmando que não queria viver no meio de preconceitos e estava casando no civil,[6] e aí disseram que isso teria sido grosseiro demais com os pais, que teria sido possível poupá-los e escrever de forma mais branda. Acho tudo isso uma tolice, e não há nenhuma necessidade de ser mais brando, ao contrário, ao contrário, aí é que cabe protestar. Vejam Varentz; viveu sete anos com o marido, abandonou os dois filhos, e rompeu de vez com ele numa carta: "Tomei consciência de que não posso ser feliz a seu lado. Nunca vou perdoá-lo por ter escondido de mim que existe outra organização da sociedade através das comunas. Há pouco tempo tomei conhecimento disto através de um homem magnânimo, a quem me entreguei e com quem estou organizando uma comuna. Falo francamente porque considero desonesto enganá-lo. Fique como lhe aprouver. Não tenha esperança de me fazer voltar, você está atrasado demais. Desejo que seja feliz". É assim que se escreve uma carta dessa natureza.

— Essa Tierebiova é aquela que você disse naquela carta que já estava no terceiro casamento civil?

— Estava apenas no segundo, se julgarmos pelo presente! Sim, ainda que fosse o quarto, ainda que fosse o décimo quinto, tudo isso é uma tolice! E se houve época em que lamentei por meu pai e minha mãe terem morrido, essa época, é claro, é a atual. Várias vezes cheguei até a sonhar que, se eles ainda estivessem vivos, como eu poderia fustigá-los com protesto![7] Eu agiria propositadamente assim... É isso aí, um "filho separado da família", arre! Eu mostraria a eles! Eu os deixaria pasmos! Palavra, lamento que nenhum esteja vivo!

— Para deixá-los pasmos? He-he! Bem, seja lá como lhe convier — interrompeu Piotr Pietróvitch —, agora quero ver o que me diz você, que conhece aquela filha do falecido, tão franzininha! É verdade verdadeira o que dizem a respeito dela, hein?

— Qual é o problema? A meu ver, isto é, estou pessoalmente convencido de que esse é que é o estado mais normal da mulher. E por que não? Ou

---

[6] Liebezyátnikov usa o termo *casamento civil* no sentido arcaico russo como livre coabitação do homem com a mulher, a qual dispensa a autorização da Igreja e do Estado. Quer dar ao termo *civil* um sentido derivado de *cidadania*. (N. do T.)

[7] O discurso de Liebezyátnikov reflete o conflito de gerações na Rússia pós-1816, tão explícito no romance *Pais e filhos* de Turguêniev e mais tarde exacerbado em forma trágica em *Os irmãos Karamázov*, de Dostoiévski. (N. do T.)

seja, *distinguons*.[8] Na sociedade atual isso, é claro, não é inteiramente normal porque é forçado, mas no futuro será perfeitamente normal porque será livre. Mas mesmo hoje ela teria o direito: ela sofreu, e isso foi a sua reserva, por assim dizer, o capital, do qual ela tinha pleno direito de dispor. É lógico que na sociedade do futuro não haverá necessidade de reservas; no entanto, seu papel será determinado em outro sentido, será condicionado de forma harmoniosa e racional. Quanto a Sófia Semiónovna, pessoalmente, no presente momento eu vejo os seus atos como um protesto enérgico e personificado contra a organização da sociedade e eu a respeito profundamente por isso; fico até feliz ao olhar para ela.

— Mas me contaram que foi você que a expulsou daqui!

Liebezyátnikov até se enfureceu.

— Esse é outro mexerico! — berrou. — Não foi nada, não foi nada assim que aconteceu! Ora, pois, não foi assim! Foi Catierina Ivánovna que inventou essa mentira na ocasião, porque não entendeu nada! E eu, absolutamente, não assediava Sófia Semiónovna. Eu a desenvolvia[9] pura e simplesmente, sem nenhum interesse, procurando despertar nela o protesto... Eu só estava interessado no protesto, e ademais a própria Sófia Semiónovna já não podia continuar morando em quarto aqui.

— Então você a convidou para a comuna?

— Você está sempre caçoando e sem nenhum êxito, permita que lhe observe. Você não entende nada! Na comuna não existem esses papéis. E organiza-se a comuna para que não haja tais papéis. Na comuna esse papel lhe modificaria toda a essência atual, e o que aqui é tolo lá se torna inteligente, o que aqui, nas atuais circunstâncias, é antinatural, lá se torna perfeitamente natural. Tudo depende da situação e do meio em que o homem vive. Tudo depende do meio, e o próprio homem é nada. Eu e Sófia Semiónovna nos damos bem até hoje, e para você isto pode ser a prova de que ela nunca me considerou seu inimigo e ofensor. Sim, agora eu a estou seduzindo para a comuna, só que em bases totalmente, totalmente diversas! O que você acha engraçado? Nós queremos organizar a nossa comuna, particular, só que em bases mais amplas que as anteriores. Nós fomos além nas nossas convicções. O que mais fazemos é negar. Se Dobroliúbov[10] se levantasse do túmulo eu

---

[8] "Façamos uma distinção", em francês. (N. da E.)

[9] Liebezyátnikov emprega o verbo "desenvolver" (*razvivat*) com o sentido de cultivar, dar cultura, tornar culto, avançado etc. (N. do T.)

[10] Nikolai Aleksándrovitch Dobroliúbov (1836-1861), poeta, crítico e publicista rus-

discutiria com ele. Quanto a Bielínski[11] eu o faria baixar a crista! Mas por enquanto continuo a desenvolver Sófia Semiónovna. Ela é uma natureza maravilhosa, maravilhosa!

— E é dessa natureza maravilhosa que você se serve? He-he!

— Não, não! Ah, não! Ao contrário!

— Ora veja, ao contrário! He-he-he! Acabou afirmando!

— Mas pode acreditar! E por que cargas-d'água eu iria esconder de você, quer fazer o favor de me dizer? Ao contrário, eu mesmo acho isso até estranho: comigo ela é de um jeito redobradamente, timidamente puro e recatado.

— E você, naturalmente, desenvolve... he-he! Demonstra a ela que esses recatos são uma tolice?...

— De jeito nenhum! De jeito nenhum! Oh, que modo grosseiro, até tolo — desculpe — de entender a palavra: desenvolvimento! Não entende coisíssima nenhuma! Ah, meu Deus, como você ainda está... despreparado! Nós buscamos a liberdade da mulher, mas você só tem uma coisa na cabeça... Ao contornar inteiramente a questão da pureza e do recato da mulher como coisas em si mesmas inúteis e até preconceituosas, eu admito plenamente, plenamente a pureza dela comigo, porque nisso está toda a vontade dela, todo o direito dela. É claro que se ela mesma me dissesse: "Eu te desejo", eu me consideraria de muita sorte porque a moça me agrada muito; mas neste momento, neste momento, é claro, ninguém e nunca a tratou com mais cortesia e civilidade do que eu, com mais respeito por sua dignidade... eu espero e tenho esperança — e só!

— Mas o melhor é você dar algum presente a ela. Aposto como nem chegou a pensar nisso.

— Você não entende coisíssima nenhuma, eu já lhe disse! É essa, claro, a situação dela, mas a questão aqui é outra! Inteiramente outra! Você simplesmente a despreza. Ao notar um fato que, por equívoco, considera digno de desprezo, você já nega ao ser humano uma visão humanitária dele. Você ainda não sabe que natureza é essa! Eu só lamento muito que nesses últimos tempos ela tenha parado inteiramente de ler e já não pegue mais livros co-

---

so, pertencente ao campo dos democratas revolucionários e personagem muito influente em sua época apesar da curta vida que teve. (N. do T.)

[11] Vissarion Grigórievitch Bielínski (1811-1848), figura proeminente no mundo intelectual russo, precursor das ideias socialistas, fundador da nova crítica, exerceu influência em toda a sua geração, particularmente em Dostoiévski. (N. do T.)

migo. Mas antes pegava. Lamento ainda que, a despeito de toda a energia e decisão de protestar — que ela já havia demonstrado uma vez —, ainda pareça haver nela pouca autonomia, por assim dizer, pouca independência, pouca negação para livrar-se de vez de outros preconceitos e... tolices. Apesar disso, ela compreende perfeitamente outras questões. Por exemplo, compreendeu muito bem o problema do beijo na mão, ou seja, que o homem ofende a mulher com a desigualdade se beija a mão dela.[12] Essa questão foi debatida entre nós, o que eu logo lhe transmiti. Ela também ouviu com atenção a respeito das associações de operários na França. Neste momento eu venho comentando com ela a questão do livre acesso aos quartos na sociedade futura.[13]

— O que vem a ser mais essa?

— Ultimamente tem sido debatida a questão: tem ou não um membro da comuna o direito de entrar no quarto de outro, homem ou mulher, a qualquer hora?... E ficou decidido que tem...

— Bem, e se nesse momento ele ou ela estiverem ocupados em necessidades indispensáveis, he-he?

Andriêi Semiónovitch até zangou-se.

— Você sempre falando da mesma coisa, dessas malditas "necessidades"! — bradou ele com ódio. — Arre, que raiva e que aborrecimento me dá por eu lhe ter lembrado prematuramente essas malditas necessidades quando expunha o sistema! Ao diabo! Isso é um obstáculo para todas as pessoas como você, e o que mais provoca chacota antes que entendam do que se está falando. E ainda é como se tivessem razão! Como se estivessem orgulhosos de alguma coisa! Arre! Eu afirmei várias vezes que não se pode expor toda essa questão aos novatos senão bem no final, quando eles já estiverem convencidos do sistema, quando o homem já estiver desenvolvido e orientado. E me diga, faça-me o favor, o que você acha de tão vergonhoso e desprezível até mesmo nos monturos? Sou o primeiro, estou disposto a limpar qualquer monturo que você quiser! Nisso não há sequer nenhum espírito de sacrifício! Nisso há apenas trabalho, uma atividade nobre, útil à sociedade,

---

[12] Liebezyátnikov alude às palavras de Vera Pávlovna no romance de Tchernichévski *Que fazer?*, segundo quem é muito ofensivo para a mulher o homem lhe beijar a mão, pois isto significa não a reconhecer como igual. (N. da E.)

[13] Alusão a um diálogo do referido romance de Tchernichévski, no qual uma personagem diz a outra: "Haverá dois quartos, o teu e o meu, e um terceiro... Não me atreverei a entrar no teu quarto, para não te aborrecer [...] E tu no meu também...". (N. da E.)

que está acima, bem acima, por exemplo, da atividade de algum Rafael ou Púchkin, porque é mais útil.[14]

— E mais nobre, mais nobre — he-he-he!

— O que significa "mais nobre"? Eu não compreendo esse tipo de expressão no sentido de definir a atividade humana. "Mais nobre", "mais magnânimo" — tudo isso são tolices, absurdos, velhos preconceitos da palavra, que eu rejeito! Tudo o que é *útil* ao homem é nobre! Eu só entendo uma palavra: *útil*.[15] Ria como quiser, mas é assim!

Piotr Pietróvitch ria muito. Já havia terminado os cálculos e guardava o dinheiro. Aliás, por alguma razão uma parte dele ainda permanecia na mesa. Essa "questão do monturo", a despeito de toda a sua banalidade, várias vezes já servira como pretexto de divergência e ruptura entre Piotr Pietróvitch e seu jovem amigo. Toda a tolice estava no fato de que Andriêi Semiónovitch realmente se zangava. Lújin, por sua vez, se deleitava com isso e estava com uma vontade especial de enfurecer Liebezyátnikov.

— É por causa do seu fracasso de ontem que você está tão mau e me amolando — estourou finalmente Liebezyátnikov, que, de um modo geral, apesar de toda a sua "independência" e de todos os "protestos", por algum motivo não ousava opor-se a Piotr Pietróvitch e ainda costumava observar diante dele o hábito de certa deferência, que vinha de anos anteriores.

— É melhor que você me diga cá uma coisa — interrompeu Piotr Pietróvitch com presunção e enfado —, será que você pode... ou melhor: você é realmente íntimo daquela jovem fulana, e bastante para lhe pedir que venha agora mesmo, neste instante, a este quarto? Parece que todos eles já voltaram do cemitério... Estou ouvindo os passos escada acima... Eu precisaria vê-la, a fulana.

---

[14] Liebezyátnikov caricatura afirmações polêmicas dos críticos da revista *Rússkoe Slovo* (*Palavra Russa*), Varfomelei Aleksándrovitch Záitsiev (1842-1882) e Dmitri Ivánovitch Píssariev (1840-1868), que combatiam as ideias da ciência "pura" e da arte "pura" e reivindicavam para a ciência e a arte utilidade prática para a sociedade. (N. da E.) [Záitsiev era um publicista democrata revolucionário, e Píssariev, um crítico literário e filósofo materialista. (N. do T.)]

[15] Essas palavras são alusões a declarações de Píssariev e em parte de Tchernichévski, que em seu livro *O princípio antropológico em filosofia* (1860) escreveu: "Só o que é útil ao homem no sentido geral se reconhece como o verdadeiro bem". No artigo "Os realistas", Píssariev afirma que os realistas, que pautaram sua vida na ideia da utilidade geral e do trabalho racional, desprezam e hostilizam tudo o que divide os interesses humanos, tudo o que desvia o homem da atividade pública, tudo o que não traz utilidade essencial, e reivindicam utilidade *real* do poeta e do historiador, cada um em sua especialidade. (N. da E.)

— Você, para quê? — perguntou surpreso Liebezyátnikov.

— Nada de mais, eu preciso. De hoje para amanhã estou indo embora, e por isso gostaria de avisar a ela... Aliás, esteja também aqui, durante o esclarecimento. Será até melhor. Senão, sabe Deus o que você vai pensar.

— Não vou pensar absolutamente nada... Perguntei por perguntar, e se você tem assunto a tratar, nada melhor do que chamá-la. Agora mesmo vou lá, e você pode ficar certo de que não vou atrapalhá-lo.

De fato, uns cinco minutos depois Liebezyátnikov voltou com Sônietchka. Ela entrou extremamente surpresa e, por hábito, intimidada. Sempre ficava intimidada em casos semelhantes e temia muito gente nova e novas relações; já temia antes, na infância, e ainda mais agora... Piotr Pietróvitch a recebeu de modo "carinhoso e polido", se bem que com um certo matiz de alegre familiaridade; aliás, segundo Piotr Pietróvitch, conveniente a um homem tão respeitável e sério como ele no trato com uma criatura tão jovem e, em certo sentido, *interessante*. Apressou-se em lhe infundir ânimo e a fez sentar-se à mesa à sua frente. Sônia sentou-se, olhou ao redor — para Liebezyátnikov, para o dinheiro sobre a mesa, e depois súbita e novamente para Piotr Pietróvitch, e não mais desviou o olhar de cima dele, como se estivesse imobilizada por ele. Liebezyátnikov moveu-se a caminho da porta. Piotr Pietróvitch levantou-se, com um sinal convidou Sônia a permanecer sentada e deteve Liebezyátnikov à porta.

— O tal do Raskólnikov está lá? Ele chegou? — perguntou-lhe cochichando.

— Raskólnikov? Está lá. Por quê? Sim, está lá... Acabou de entrar, eu vi... Por quê?

— Bem, neste caso eu lhe peço encarecidamente para ficar aqui, conosco, e não me deixar a sós com essa... moça. O assunto é insignificante, mas sabe Deus o que vão concluir daí. Não quero que Raskólnikov conte isso *lá*... Compreende a que estou me referindo?

— Ah, compreendo, compreendo! — num átimo adivinhou Liebezyátnikov. — Sim, você tem o direito... Na minha opinião pessoal, você está exagerando nos seus temores, mas... ainda assim tem o direito. Eu fico. Fico aqui ao pé da janela e não vou atrapalhá-lo... Acho que você tem o direito.

Piotr Pietróvitch voltou ao sofá, sentou-se de frente para Sônia, olhou atentamente para ela e súbito assumiu um ar extremamente grave e até severo: "Tu mesma não me venhas imaginar nada de mais, minha senhora", pensou ele. Sônia estava definitivamente acanhada.

— Em primeiro lugar, a senhora faça o favor de me desculpar, Sófia Semiónovna, perante a sua prezada mãe... Parece que é assim, não? Catierina Ivánovna não lhe faz as vezes de mãe? — começou Piotr Pietróvitch de modo bastante sério, mas, por outro lado, muito carinhoso. Via-se que tinha as intenções mais amistosas.

— Exatamente, é assim; as vezes de mãe — respondeu Sônia apressada e com medo.

— Pois então me desculpe perante ela pelo fato de que eu, por circunstâncias alheias à minha vontade, fui forçado a faltar e não vou às suas panquecas... isto é, às exéquias,[16] apesar do amável convite da sua mãe.

— Pois não, direi; agora mesmo — e Sônietchka deu um salto apressado da cadeira.

— *Ainda* não é tudo — deteve-a Piotr Pietróvitch, sorrindo do jeito simplório dela e do desconhecimento do bom-tom —, a senhora demonstraria que me conhece mal, gentilíssima Sófia Semiónovna, se pensasse que por uma causa insignificante, que só a mim diz respeito, eu seria capaz de incomodar pessoalmente e chamar à minha presença uma pessoa como a senhora. Meu objetivo é outro.

Sônia sentou-se apressadamente. As notas cinzentas e irisadas, que não haviam sido retiradas da mesa, tornaram a lhe brilhar aos olhos, mas ela desviou rapidamente o rosto e o levantou para Piotr Pietróvitch: súbito lhe pareceu uma terrível indecência, especialmente para *ela*, olhar para dinheiro alheio. Ia fixar o olhar no lornhão de ouro de Piotr Pietróvitch, que ele segurava na mão esquerda, e ao mesmo tempo no anel grande, maciço, incrustado em pedra amarela e belíssimo que estava no dedo médio dessa mão, mas de repente desviou a vista e, sem saber onde meter-se, terminou voltando a fixá-la nos olhos de Piotr Pietróvitch. Depois de um silêncio ainda mais grave que o anterior, ele prosseguiu:

— Ontem tive oportunidade de trocar, de passagem, umas duas palavras com a desditosa Catierina Ivánovna. Duas palavras foram suficientes para perceber que ela está em um estado — antinatural, se é que se pode usar essa expressão...

— Sim... antinatural — Sônia fez coro apressadamente.

— Ou, dito de forma mais simples e mais compreensível — doentio.

— Sim, mais simples e mais compreensív... está doente.

— Pois bem. Pois bem, por um sentimento de humanidade e-e-e, por assim dizer, de compaixão, eu, de minha parte, gostaria de ser útil em alguma

---

[16] Lújin faz um trocadilho "irônico" com panquecas (*blini*), alimento popular, e exéquias (*pominki*), cerimônia fúnebre de maior peso social, no afã de desqualificar a homenagem de Catierina Ivánovna ao marido pobre e alcoólatra. (N. do T.)

coisa, prevendo inevitavelmente a sorte infeliz dela. Parece que toda aquela família paupérrima depende agora só e unicamente da senhora.

— Permita-me perguntar — Sônia levantou-se de súbito —, o senhor falou ontem com ela sobre a possibilidade de uma pensão? Porque ontem mesmo ela me disse que o senhor havia se encarregado de conseguir uma pensão para ela. É verdade?

— De maneira alguma, e em certo sentido isso é até absurdo. Eu apenas mencionei um auxílio provisório à viúva de um funcionário que morre em serviço — isso em caso de haver pistolão —, mas parece que o seu falecido pai não só não completou o tempo de serviço como ainda abandonara o serviço ultimamente. Em suma, ainda que pudesse haver esperança, seria muito efêmera, porque, no fundo, neste caso não existe nenhum direito ao auxílio, ocorre até o contrário... Mas ela já está pensando em pensão, he-he-he! Senhora esperta!

— Sim, em pensão... Porque ela é crédula e boa, e a bondade a faz acreditar em tudo, e... e... e... É... desculpe — disse Sônia e tornou a levantar-se para sair.

— Perdão, a senhora ainda não ouviu tudo.

— Sim, não ouvi tudo — balbuciou Sônia.

— Então sente-se.

Sônia ficou terrivelmente embaraçada e voltou a sentar-se, pela terceira vez.

— Vendo a situação dela, com crianças infelizes, eu desejaria — como já disse — ser útil em alguma coisa, na medida do possível, isto é, o que se chama na medida do possível e não mais. Pode-se, por exemplo, organizar uma subscrição em favor dela, ou, por assim dizer, uma loteria... ou alguma coisa dessa natureza — como em casos semelhantes sempre fazem parentes ou até mesmo estranhos, mas que em geral desejam ajudar as pessoas. Era isso que eu queria lhe comunicar. Isso poderia ser feito.

— Sim, está bem... Por isso Deus o... — balbuciou Sônia, olhando fixo para Piotr Pietróvitch.

— Poderia, mas... sobre isso falaremos depois... ou seja, poderia ser iniciado hoje mesmo. À noite nos veremos, combinaremos e lançaremos, por assim dizer, os fundamentos. Venha me ver aí pelas sete horas. Andriêi Semiónovitch, espero, também participará conosco... No entanto... existe uma circunstância que deve ser prévia e cuidadosamente lembrada. Foi por isso que eu a incomodei, Sófia Semiónovna, chamando-a aqui. Minha opinião é precisamente essa: o dinheiro não pode ser entregue em mãos de Catierina Ivánovna, seria até perigoso; prova disso são essas exéquias de hoje. Sem ter, por assim dizer, uma côdea de pão de cada dia para amanhã e... bem, e calçado, e tudo o mais, compram hoje rum jamaicano e, parece, até Madeira e-e-e café. Eu vi ao passar. Amanhã tudo volta a desabar sobre os seus ombros, até o último pedaço de pão: isso já é um absurdo. É por isso que, na minha visão pessoal, a subscrição deve ser feita de forma que a infeliz viúva, por assim dizer, nem fique sabendo do dinheiro e só a senhora, por exemplo, fique a par.

— Eu não sei. Só hoje ela agiu assim... uma vez na vida... ela queria muito a missa pela alma, a homenagem, honrar a memória... mas ela é muito inteligente. Aliás o senhor faz como achar que deve, eu ficarei muito, muito... todos eles lhe serão... e Deus o... e os órfãos...

Sônia não concluiu a frase e começou a chorar.

— É. Então fique de sobreaviso; e agora dê-me a honra de receber, no interesse da sua parenta, nessa primeira oportunidade, essa quantia em meu próprio nome e dentro das minhas possibilidades. Desejo muito, muito mesmo que neste caso meu nome não seja mencionado. Aqui está... Tendo, por assim dizer, meus próprios problemas, não estou em condição para mais...

E Piotr Pietróvitch estendeu a Sônia uma nota de dez rublos, depois de desdobrá-la cuidadosamente. Sônia recebeu, corou, levantou-se num salto, balbuciou alguma coisa e pôs-se a fazer reverência com a maior pressa. Piotr Pietróvitch a acompanhou solenemente até a porta. Finalmente ela se precipitou para fora do quarto, numa inquietação só e atormentada, e voltou para Catierina Ivánovna tomada de uma extrema perturbação.

Durante toda a cena Andriêi Semiónovitch ora permaneceu em pé à janela, ora caminhou pelo quarto sem querer interromper a conversa; mas quando Sônia saiu, chegou-se de chofre a Piotr Pietróvitch e lhe estendeu solenemente a mão:

— Eu ouvi tudo e tudo *vi* — disse ele, enfatizando particularmente a última palavra. — É uma atitude digna, ou seja, eu quis dizer humana! Você desejou evitar agradecimento, eu vi! E embora, confesso-lhe, por princípio eu não possa simpatizar com filantropia privada porque ela não elimina o mal de forma radical e até o alimenta ainda mais, mesmo assim não posso deixar de reconhecer que vi sua atitude com satisfação — sim, sim, isso me agrada.

— Ora, tudo isso é tolice! — resmungou Piotr Pietróvitch um tanto agitado e olhando de um jeito observador para Liebezyátnikov.

— Não, não é absurdo! Um homem ofendido e agastado com o acontecido de ontem, como você, e ao mesmo tempo capaz de pensar na infelicidade dos outros — um homem desses... mesmo cometendo um erro social com seus atos, ainda assim... é digno de respeito. Eu nem esperava isso de você, Piotr Pietróvitch, ainda mais porque segundo os seus conceitos, oh! como os seus conceitos ainda o atrapalham! Como o inquieta, por exemplo, aquele fracasso de ontem — exclamou o bonzinho Andriêi Semiónovitch, voltando a experimentar uma forte simpatia por Piotr Pietróvitch —, e por que você quer, quer porque quer esse casamento, esse casamento *legítimo*, digníssimo, amabilíssimo, Piotr Pietróvitch? Por que necessariamente essa *legitimidade* no casamento? Bem, se quiser pode até me bater, mas estou contente, contente porque ele não aconteceu, porque você é um homem livre, porque você ainda não morreu inteiramente para a humanidade, estou contente... Como vê, eu me manifestei.

— Porque, no seu casamento civil, eu não quero usar chifres e criar filhos dos outros, é por isso que preciso do casamento legítimo — disse Lújin para responder algo. Estava especialmente ocupado com alguma coisa e pensativo.

— Filhos? Você se referiu a filhos? — estremeceu Andriêi Semiónovitch como um cavalo de combate que acabou de ouvir a corneta militar. — Filhos são questão social e questão de primeira importância, concordo; mas a questão dos filhos será resolvida de outra maneira. Alguns chegam até a negar os filhos, assim como qualquer outra alusão à família. Falaremos dos filhos depois, por ora tratemos dos chifres. Confesso-lhe que esse é o meu ponto fraco. Essa expressão indecente, hussarda, puchkiniana, será até absurda no léxico do futuro.[17] Aliás, o que são chifres? Oh, que equívoco! Que chifres? Por que chifres? Que tolice! Ao contrário, é no casamento civil que eles não irão acontecer! Chifres são apenas o resultado natural de todo casamento legítimo, por assim dizer, um reparo a ele, um protesto, de sorte que, neste caso, não são nem um pouco humilhantes... E se algum dia — suponhamos a tolice — eu estiver num casamento legítimo, ficarei até contente com os seus chifres ultramalditos; então direi à minha mulher: "Minha amiga, até agora eu apenas te amei, agora eu te respeito porque soubeste protestar!". Você está rindo? É porque não está em condição de se livrar dos preconceitos! Que diabo, eu compreendo onde realmente está a contrariedade quando vêm com a embromação de casamento legítimo; é que isso é apenas a vil consequência de um fato vil, no qual tanto uma parte quanto a outra são humilhadas. Quando, porém, botam-se os chifres abertamente, como no casamen-

---

[17] Liebezyátnikov tem em vista a seguinte estrofe do romance em verso de Púchkin, *Ievguêni Oniéguin*: "E o majestoso cornudo,/ Sempre feliz com sua pessoa,/ Com seus jantares e a patroa". (N. da E.)

to civil, então eles já não existem, são inconcebíveis e perdem até o nome de chifres. Ao contrário, sua mulher lhe prova apenas o quanto o respeita ao considerá-lo incapaz de opor-se à felicidade dela e o quanto você é evoluído para não se vingar dela por causa do novo marido. Aos diabos, às vezes eu fantasio que se me dessem em casamento, arre! se eu me casasse (no civil ou no legítimo, tanto faz), acho que eu mesmo arranjaria um amante para a minha mulher, se ela demorasse muito a arranjá-lo. "Minha amiga — eu lhe diria —, eu te amo, mas ainda por cima desejo que me respeites — eis aqui!" Não é assim como estou dizendo?

Piotr Pietróvitch ouvia dando risadinhas, mas sem grande enlevo. Inclusive ouvia pouco. Estava de fato pensando em outra coisa, e até Liebezyátnikov acabou percebendo. Piotr Pietróvitch estava até inquieto, esfregava as mãos, matutava. Tudo isso Andriêi Semiónovitch compreendeu depois e guardou na memória...

## II

Seria difícil definir com precisão as causas que fizeram medrar na cabeça atrapalhada de Catierina Ivánovna a ideia dessas exéquias inúteis. De fato, nelas foram esbanjados quase dez rublos dos vinte e poucos que ela recebera de Raskólnikov precisamente para os funerais de Marmieládov. Pode ser que perante o falecido Catierina Ivánovna se sentisse na obrigação de lhe reverenciar a memória "à altura", para que todos os inquilinos e Amália Ivánovna, em particular, ficassem sabendo que ele "não só não era nadica pior do que eles como talvez ainda fosse bem melhor", e que nenhum deles tinha o direito de "meter-se a besta" com ele. É possível que, neste caso, a maior influência tenha vindo daquele *orgulho dos pobres* do qual resulta que, em alguns ritos sociais, obrigatórios em nossa vida para todos e cada um, muitos pobres fazem das tripas coração e gastam os últimos copeques economizados unicamente para que não sejam "inferiores aos outros" e estes outros não lhes venham com algum tipo de "censura". Também é bastante provável que Catierina Ivánovna, justo neste caso, justo no instante em que ela poderia parecer abandonada por todos no mundo, tenha desejado mostrar a todos aqueles "inquilinos reles e indecentes" que ela não só "sabe viver e sabe receber" mas até mesmo que não fora, em absoluto, educada para semelhante destino, que fora educada num "lar nobre de coronel, pode-se até dizer aristocrático", mas de maneira nenhuma preparada para varrer chão com as próprias mãos e lavar trapos de crianças noite adentro. Esses paroxismos de orgulho e vaidade vez por outra visitam as pessoas mais pobres e esquecidas e de tempos em tempos nelas se convertem numa necessidade irritante e incontida. Além disso, Catierina Ivánovna nem era do tipo amedrontado: podia até ser exterminada pelas circunstâncias, mas amedrontá-la moralmente, ou seja, assustá-la e sujeitar-lhe a vontade, isso era impossível. Ademais, a seu respeito Sônietchka havia dito, com muito fundamento, que ela estava com a mente perturbada. Isso, é verdade, ainda não podia ser dito de modo positivo e definitivo, mas, nos últimos tempos, durante todo o último ano, a sua pobre cabeça ficara atormentada demais para não sair ao menos parcialmente prejudicada. A forte evolução da tísica, como dizem os médicos, também contribui para a perturbação das faculdades mentais.

*Vinhos* no plural e de múltiplas marcas não havia, *Madeira* também não havia; era exagero, mas vinho havia. Havia vodca, rum, vinho português, tudo da qualidade mais detestável porém em quantidade suficiente. De iguarias, além do *kutyá*,[18] havia uns três ou quatro pratos (aliás, *blini*[19] também), todos da cozinha de Amália Ivánovna, e além disso foram preparados dois aparelhos de samovar para o chá e o ponche previstos para depois do almoço. A própria Catierina Ivánovna se encarregou dos salgados com a ajuda de um inquilino, o coitado de um polaquinho que, sabe Deus por quê, morava em casa da senhora Lippevechsel e imediatamente se pôs a serviço de Catierina Ivánovna para buscar encomendas e passara todo o dia anterior e aquela manhã correndo, quebrando a cabeça e com a língua de fora, parece que se empenhando especialmente para fazer notar essa última circunstância. Por qualquer bobagem corria a cada instante para Catierina Ivánovna, correra até para procurá-la no *Gostini Dvor*,[20] chamando-a de *pani khorundjina*,[21] e acabou deixando-a farta, embora no começo ela dissesse que sem aquele homem "prestimoso e magnânimo" estaria totalmente perdida. Era mais da natureza de Catierina Ivánovna enfeitar a primeira pessoa que encontrasse ou lhe atravessasse o caminho com as cores melhores e mais brilhantes, cobri-la de elogios de tal forma que a outra até ficava envergonhada, inventar para esses elogios circunstâncias várias que nunca existiram, fazer-se acreditar com toda sinceridade e franqueza que elas eram reais e depois, de chofre, de um só golpe, desencantar-se, romper, cuspir e expulsar aos empurrões a pessoa a quem literalmente reverenciara apenas algumas horas antes. Era por natureza de um caráter de índole risonha, alegre e pacífica, mas por causa dos constantes infortúnios e fracassos passara a desejar e exigir com tanto *furor* que todos vivessem em paz e alegria e *não se atrevessem* a viver de outra forma que a mais leve dissonância na vida, o mais ínfimo malogro passaram a levá-la imediatamente à beira do furor, e ela, num piscar de olhos, depois de acalentar as mais vivas esperanças e fantasias, começava a amaldiçoar o destino, rasgar e arremessar tudo que lhe caía nas mãos e bater com a cabeça na parede. Sabe-se lá por quê, súbito Amália

---

[18] Alimento de arroz ou outro grão com mel ou passas, consumido nos funerais ou exéquias. (N. do T.)

[19] Tipo de panqueca russa. (N. do T.)

[20] Fileiras de lojas comerciais em edifício especialmente construído para esse fim. (N. do T.)

[21] *Pani*, "senhora", em polonês; *khorundjina*, do polonês *chorazy*, que significa porta-bandeira de uma tropa ou alferes. (N. do T.)

Ivánovna também ganhou uma importância incomum e um respeito incomum de Catierina Ivánovna, unicamente porque, talvez, organizaram-se essas exéquias e Amália Ivánovna resolveu de todo coração participar de todos os quefazeres: assumiu a responsabilidade de pôr a mesa, arranjar a roupa de mesa, a louça etc. e preparar a comida na sua cozinha. Catierina Ivánovna a incumbiu de tudo e deixou-a em sua casa, indo ela própria para o cemitério. De fato, tudo estava preparado às mil maravilhas: a mesa posta com bastante limpeza, louça, garfos, facas, taças, cálices, xícaras — tudo, é claro, misto, de diferentes modelos e tamanhos, tomado de empréstimo a diversos inquilinos, mas na hora determinada tudo estava em seu lugar e Amália Ivánovna, sentindo que havia executado o trabalho de maneira excelente, recebeu os que retornavam até com certo orgulho, toda empetecada, de touca com fitas de luto novas e de vestido preto. Esse orgulho, ainda que merecido, sabe-se lá por que não agradou a Catierina Ivánovna: "De fato, como se sem Amália Ivánovna nem tivessem conseguido pôr a mesa!". Ela também não gostou da touca com as fitas novas: "Será que essa alemã tola não estará se vangloriando — é até capaz disso — de ter concordado, por ser a senhoria, em ajudar inquilinos pobres por piedade? Por piedade! Ora essa! Na casa do paizinho de Catierina Ivánovna, que era coronel e por muito pouco não chegou a governador, às vezes punha-se a mesa para quarenta pessoas, de sorte que uma Amália Ivánovna ou, melhor dizendo, uma Ludwigovna qualquer não teria acesso nem à cozinha...". Por outro lado, Catierina Ivánovna resolveu não externar por enquanto os seus sentimentos, embora tivesse decidido em seu coração que precisava chamar Amália Ivánovna à ordem forçosamente hoje e lembrar-lhe o seu verdadeiro lugar, senão sabe Deus o que ela irá pensar sobre si mesma, mas por ora limitou-se a tratá-la com frieza. Outra contrariedade também contribuiu em parte para a irritação de Catierina Ivánovna: dos moradores convidados para o enterro, além do polaquinho, que conseguiu dar um jeito de ir até o cemitério, quase ninguém aparecera por lá; já para as exéquias, ou seja, os salgados, apareceram os mais insignificantes e pobres, muitos deles até com uma aparência pior do que costumavam ter, uns rebotalhos. Quanto aos mais velhos e mais bem-apessoados, estes pareciam ter combinado: faltaram. Piotr Pietróvitch Lújin, por exemplo, pode-se dizer o mais respeitável de todos os inquilinos, não apareceu, e entretanto ainda ontem à noite Catierina Ivánovna já conseguira dizer a todo o mundo, ou seja, a Amália Ivánovna, Pólietchka, Sônia e ao polaquinho, que ele era um homem nobilíssimo, generosíssimo, dono de relações imensas e de fortuna, que fora amigo de seu primeiro marido, recebido na casa do pai dela e havia prometido empregar todos os meios para lhe conseguir uma pensão considerável. Observemos aqui que, se Catierina Ivánovna se jactava das relações e da fortuna de alguém, fazia-o sem qualquer interesse, sem qualquer cálculo pessoal, de modo totalmente desinteressado, por assim dizer, de todo coração, apenas pelo único prazer de cobrir de elogios e dar valor ainda maior ao elogiado. Seguindo Lújin e, provavelmente, "tomando-o como exemplo", também não aparecera "aquele canalha nojento do Liebezyátnikov". "O que será que esse tipo pensa que é? Só o convidaram por compaixão, e ainda porque está no mesmo quarto com Piotr Pietróvitch e é conhecido deste, de sorte que seria embaraçoso deixar de convidá-lo." Também não compareceram a senhora refinada e sua filha "donzela passada da idade", que, embora morassem há apenas uma ou duas semanas em um dos quartos de Amália Ivánovna, já haviam se queixado várias vezes do barulho e dos gritos que saíam da casa dos Marmieládov, especialmente quando o falecido voltava bêbado para casa, o que, é claro, já chegara ao conhecimento de Catierina Ivánovna pela boca da própria Amália Ivánovna quando esta, altercando com Catierina Ivánovna e ameaçando enxotar toda a família, gritou em alto e bom som que eles estavam incomodando "inquilinos nobres, de quem não mereciam chegar aos pés". Agora Catierina Ivánovna enfim decidia convidar essa senhora e sua filha, de quem "ela não mereceria chegar aos pés", ainda mais porque até então, quando se cruzavam por acaso, a outra virava a cara num gesto arrogante — pois bem, para que elas soubessem que ali "pensavam e sentiam com mais dignidade, e convidavam esquecendo o mal", para que vissem que Catierina Ivánovna não estava acostumada a viver aquela sina. Pretendia necessariamente dizer isso a eles à mesa, assim como falar da governadoria do falecido paizinho, e ao mesmo tempo observar indiretamente que não deviam virar a cara quando se cruzavam e que isso era a suprema tolice. Também não compareceu o tenente-coronel gordo (na realidade, um capitão-tenente), mas soube-se que desde a manhã da véspera ele estava com estafa. Em suma, compareceram apenas: o polaquinho, depois um empregado de escritório mirrado e sem voz, metido num fraque sebento, cheio de cravos e com um cheiro repugnante; depois um velho surdo e quase cego, que outrora servira em alguma agência de correios e alguém mantinha no prédio de Amália Ivánovna desde tempos imemoriais, não se sabe por quê. Compareceu ainda um tenente alcoólatra reformado, na verdade um funcionário do setor de provisões, que soltava a gargalhada mais indecorosa e estridente e, "imagine", sem colete! Um tipo qualquer foi direto sentar-se à mesa, sem sequer fazer reverência a Catierina Ivánovna e, por último, um indivíduo, na falta de roupa, ia aparecendo de roupão, mas isso já chegava a tal grau de indecência que graças ao empenho de Amália Ivánovna e do polaquinho conseguiram levá-lo para fora. Aliás o polaquinho trouxe mais dois outros polaquinhos, que nunca haviam morado no prédio de Amália Ivánovna e ninguém até então havia visto nos quartos. Tudo isso irritou Catierina Ivánovna de forma sumamente desagradável. "Depois disso, para quem foram feitos todos esses preparativos?" Para economizar lugar, não puseram as crianças à mesa, que já ocupava o quarto todo, mas em torno de um baú que serviu de mesa, no canto posterior, os dois pequenos em um banco e Pólietchka, como era a maior, foi incumbida de tomar conta deles, alimentá-los e limpar-lhes os narizinhos como se faz com "crianças nobres". Em suma, Catierina Ivánovna teve de receber todos a contragosto, com polidez redobrada e até com arrogância. Mediu alguns com um olhar particularmente severo e com ar arrogante os convidou à mesa. Achando, por algum motivo, que Amália Ivánovna devia ser responsável por todos os faltosos, súbito passou a tratá-la com o máximo de displicência, o que a outra notou de pronto e ficou demasiado melindrada. Esse começo não prenunciava um bom final. Enfim sentaram-se.

Raskólnikov entrou quase no mesmo instante em que voltavam do cemitério. Catierina Ivánovna ficou contentíssima com ele, em primeiro lugar porque era o único "convidado culto" entre todos os demais e, "como se sabe, preparava-se para ocupar dentro de dois anos a cadeira de professor na universidade local"; em segundo, porque ele lhe pediu desculpas de modo imediato e respeitoso por não ter comparecido ao enterro, apesar de toda a vontade. Ela foi logo se lançando para ele, acomodou-o à mesa a seu lado, à esquerda (à direita sentou-se Amália Ivánovna), e, apesar da constante correria e da preocupação com que a comida fosse bem servida e chegasse para todos, apesar da tosse torturante que a cada instante a interrompia e sufocava e pelo visto havia-se enraizado particularmente nesses últimos dois dias, não parava de dirigir-se a Raskólnikov e, meio sussurrando, precipitava-se em desabafar com ele todos os sentimentos acumulados e toda a justa indignação com o fracasso das exéquias; além do mais, a indignação era amiúde substituída pela caçoada mais alegre, mais incontida que ela fazia dos convidados presentes, mas sobretudo da senhoria.

— A culpa por tudo isso é desse cuco. O senhor compreende de quem estou falando: é dela, dela! — e Catierina Ivánovna apontou-lhe a senhoria com um sinal de cabeça. — Olhe para ela: está de olhos arregalados, percebe que estamos falando dela, mas não pode entender e arregala os olhos. Arre, coruja! Quá-quá-quá!... Cof-cof-cof! O que ela está querendo mostrar com a sua touquinha! Cof-cof-cof! Observe, ela quer porque quer que todos achem que ela está me patrocinando e me dá a honra de sua presença. Eu lhe pedi, como a uma pessoa decente, que convidasse gente melhor e justamente os conhecidos do falecido, mas veja quem ela trouxe: uns palhaços! uns porcalhões! Olhe para aquele de cara suja: é uma espécie de monco sobre duas pernas. E esses polaquinhos... quá-quá-quá! Cof-cof-cof! Ninguém, ninguém jamais os viu por aqui, eu também nunca os vi; por que então vieram, é ao senhor que pergunto? Estão sentados cerimoniosamente ao lado. Ei, *pani*![22] — gritou de súbito para um deles —, o senhor comeu *blini*? Coma mais! Tome cerveja, cerveja! Não quer vodca? Vejam: levantou-se de um salto, cumprimenta, vejam, vejam: devem estar com toda a fome, coitados! Não é nada, podem comer. Não fazem barulho, pelo menos, só... só, verdade, que eu temo pelas colheres de prata da senhoria!... Amália Ivánovna! — dirigiu-se subitamente a ela, quase em voz alta. — Se por acaso roubarem as suas colheres, eu não vou responder por elas, estou avisando de antemão! Quá-quá-quá! — desabafou, dirigindo-se outra vez a Raskólnikov, outra vez apontando-lhe a senhoria com um sinal de cabeça e regalando-se com a sua extravagância. — Ela não entendeu, mais uma vez não entendeu! Está boquiaberta, olhando: coruja, uma verdadeira coruja, uma mocha de fitas novas, quá-quá-quá!

Nesse ponto o riso tornou a ser interrompido por uma tosse insuportável, que durou cinco minutos. No lenço ficou um pouco de sangue, gotas de suor brotaram na testa. Ela mostrou o sangue a Raskólnikov em silêncio e, mal tomou fôlego, sussurrou-lhe mais uma vez com uma animação excepcional e com manchas vermelhas nas faces:

— Veja, eu dei a ela, pode-se dizer, a incumbência mais sutil de convidar aquela senhora com a filha, compreende de quem estou falando? Neste caso era preciso portar-se da maneira mais delicada, agir da forma mais habilidosa, porém ela agiu de tal modo que aquela forasteira imbecil, aquela besta arrogante, aquela provinciana reles, só porque é viúva de um major qualquer e veio para cá batalhar a pensão e gastar a barra do vestido nas repartições públicas, porque aos cinquenta e cinco anos pinta o cabelo, lambuza a cara de branco e ruge (coisa sabida)... aquela besta não só não houve por bem comparecer como nem enviou as desculpas, se é que não pôde vir, como em tais casos exige a cortesia mais comum! Não consigo entender por que Piotr Pietróvitch também não compareceu. Mas onde anda Sônia? Aonde terá ido? Ah, finalmente aí está ela! O que há, Sônia, onde estiveste? É estranho que até no enterro do teu pai estiveste tão negligente. Rodion Ro-

[22] "Senhor", em polonês. (N. do T.)

mánovitch, deixa-a sentar-se a teu lado. Aqui está o teu lugar. Sôniethcka... pega o que quiseres. Pega a gelatina, é o melhor. Agora mesmo vão trazer os *blinis*. Deram de comer às crianças? Pólietchka, vocês aí têm tudo? Cof-cof-cof! Bem, ótimo. Lênia, sê boazinha, e tu, Kólia, para de balançar as pernas; fica sentado como deve sentar-se um menino nobre. O que estás dizendo, Sônietchka?

Sônia apressou-se em transmitir-lhe de imediato a desculpa de Piotr Pietróvitch, procurando falar em voz alta para que todos pudessem ouvir e empregando as expressões mais seletivamente respeitosas, até alteradas de propósito em nome de Piotr Pietróvitch e enfeitadas por ela. Acrescentou que Piotr Pietróvitch pedira para transmitir em especial que, tão logo fosse possível, viria logo para conversarem a sós sobre os *negócios* e combinarem o que podia ser feito e os passos posteriores, etc. etc.

Sônia sabia que isso apaziguaria e acalmaria Catierina Ivánovna, que a deixaria lisonjeada e, o mais importante — o orgulho dela estaria satisfeito. Sentou-se ao lado de Raskólnikov, a quem fez uma reverência apressada, e lançou-lhe um olhar fugidio e curioso. Aliás, durante todo o tempo restante evitou por algum motivo olhar para ele e conversar com ele. Parecia até distraída, embora não parasse de olhar para o rosto de Catierina Ivánovna com o intuito de agradá-la. Nem ela nem Catierina Ivánovna estavam de luto por falta de vestidos; Sônia trajava um vestido marrom, bem escuro, Catierina Ivánovna usava seu único vestido — de chita, meio escuro, listrado. A notícia sobre Piotr Pietróvitch correu às mil maravilhas. Depois de ouvir Sônia com ar de importância, com a mesma importância Catierina Ivánovna quis saber: como vai a saúde de Piotr Pietróvitch? Depois, devagar e quase em voz alta, *sussurrou* a Raskólnikov que seria realmente estranho para um homem respeitável e bem-apessoado como Piotr Pietróvitch meter-se naquela "companhia singular", mesmo apesar de toda a abnegação dele à família dela e da antiga amizade com o seu paizinho.

— É por isso que eu lhe sou especialmente grata, Rodion Románovitch, porque o senhor não fez pouco da minha hospitalidade, mesmo num clima como esse — acrescentou ela quase em voz alta —, aliás, estou certa de que só a sua amizade especial pelo meu pobre falecido marido o motivou a manter sua palavra.

Em seguida olhou mais uma vez os seus convidados com ar altaneiro e dignidade, e súbito, com uma solicitude especial, perguntou em voz alta e através de toda a mesa ao velho surdo: "Não estaria ele querendo mais assado, e lhe haviam servido vinho português?". O velhote não respondeu e durante muito tempo não conseguiu entender o que lhe perguntavam, embora os vizinhos, por galhofa, até começassem a lhe dar umas sacudidelas para animá-lo. Ele se limitou a olhar ao redor de boca aberta, o que estimulou ainda mais a alegria geral.

— Vejam só que bobalhão! Olhem, olhem! Por que o terão trazido? Quanto a Piotr Pietróvitch, eu sempre confiei nele — continuou Catierina Ivánovna para Raskólnikov —, e ele, é claro, não se parece... — dirigiu-se de modo brusco e em voz alta a Amália Ivánovna, o que a deixou até intimidada —, não se parece com as suas vadias[23] aberrantes, que não serviriam nem de cozinheiras na casa do meu paizinho, e meu falecido marido, é claro, lhes daria a honra de recebê-las, mas unicamente por sua inesgotável bondade.

— É, ele gostava de beber; é, gostava mesmo, e entornava! — gritou de repente o funcionário aposentado do setor de provisões, esvaziando o décimo segundo cálice de vodca.

— Meu falecido marido tinha mesmo essa fraqueza, e disso todo mundo sabe — aferrou-se subitamente a ele Catierina Ivánovna —, mas era um homem bom e digno, que amava e respeitava sua família; o mal é que, levado pela bondade, acreditava demais em toda sorte de gente depravada, e aí sabe Deus com quem ele não bebeu, com gente que não valia nem a sola dos sapatos dele! Imagine, Rodion Románovitch, no bolso dele foi encontrado um pão de mel em formato de frango: morto de bêbado mas se lembrando das crianças.

— Fran-go! A senhora disse fran-go? — gritou o senhor das provisões.

Catierina Ivánovna não o honrou com a resposta. Estava concentrada em alguma coisa e suspirou.

— Pois bem, como todo mundo, o senhor certamente pensa que eu era severa demais com ele — continuou ela, dirigindo-se a Raskólnikov. — Mas acontece que não era assim! Ele me estimava, me estimava muito, muito! Homem de alma boa! Às vezes me dava pena dele! Acontecia de estar sentado, olhando para mim lá do seu canto, dava-me tanta pena dele, sentia vontade de acariciá-lo, mas depois pensava cá comigo: "Faço carinho, e ele volta a encher a cara", e só com um pouco de severidade era possível contê-lo.

— É, levava puxões de cabelo, aconteceu repetidas vezes — berrou novamente o funcionário das provisões e entornou mais um cálice de vodca.

---

[23] *Chliopokhvóstnitsa*: neologismo derivado de *chlyúkha*, isto é, prostituta e suas variações. (N. do T.)

— Não só a puxões de cabelo mas também a cabo de vassoura seria útil tratar alguns imbecis. Desta vez não estou falando do falecido! — Catierina Ivánovna atalhou o funcionário das provisões.

O vermelho das manchas nas faces ia ficando cada vez mais intenso, o peito arfava. Mais um minuto e ela já estaria pronta para começar a história. Muitos davam risadinhas, pelo visto muitos achavam agradável. Começaram a empurrar o das provisões e a sussurrar-lhe alguma coisa.

— Pe-e-ermita perguntar, a respeito de que a senhora — começou o das provisões —, ou seja, a nobre respeito... de quem... a senhora acabou de se permitir... Mas, pensando bem, deixa pra lá! Tolice! É uma viúva! Uma viuvinha! Eu desculpo... Mais forte do que eu! — e voltou a entornar vodca.

Sentado, Raskólnikov ouvia calado e com nojo. Quanto a comer, fazia-o apenas por cortesia, tocando nas fatias que a cada instante Catierina Ivánovna lhe punha no prato, e só para evitar ofendê-la. Observava Sônia atentamente. Sônia, porém, ia ficando cada vez mais inquieta e mais preocupada; também pressentia que as exéquias não terminariam em paz, e acompanhava com pavor a crescente irritação de Catierina Ivánovna. Aliás, sabia que a causa principal que levara ambas as senhoras forasteiras a responder com tanto desprezo ao convite de Catierina Ivánovna era ela, Sônia. Ouvira da própria Amália Ivánovna que a mãe ficara até ofendida com o convite e fizera a pergunta: "De que maneira ela poderia sentar sua filha ao lado *daquela moça*?". Sônia pressentia que isso já havia chegado de alguma forma aos ouvidos de Catierina Ivánovna, e uma ofensa a ela, Sônia, significava para Catierina Ivánovna mais do que uma ofensa pessoal a si própria, aos seus filhos, ao pai, em suma, era uma ofensa mortal, e Sônia sabia que agora Catierina Ivánovna não ficaria sossegada "enquanto não mostrasse àquelas vadias o que as duas eram" etc. etc. Como que de propósito, alguém enviou do outro extremo da mesa um prato para Sônia com dois corações modelados de pão preto e traspassados por uma flecha. Catierina Ivánovna queimou-se e de pronto observou em voz alta, de um extremo a outro da mesa, que quem enviara aquilo era naturalmente "um asno bêbado". Amália Ivánovna, que também pressentira qualquer coisa de ruim mas ao mesmo tempo estava ofendida até o fundo da alma com a arrogância de Catierina Ivánovna, para desviar o desagradável estado de espírito dos presentes e, a propósito, também se promover na opinião geral, de repente, sem mais nem menos, começou a contar que um conhecido seu, o "Karl da farmácia", viajava à noite numa carruagem e que "o cocheiro quis matou ele e que Karl pedill muitho, muitho que ele não o matasse, e chorô, e chorô, e cruzô os braços, e se assustô, e de medo cortô coração". Catierina Ivánovna, mesmo tendo sorrido, no mesmo instante observou que Amália Ivánovna não devia contar piadas em russo. A outra ficou ainda mais ofendida e objetou que seu "*Vater aus Berlin*[24] fói um home muitho, muitho importante e passeava sempre com mãos pelos bolsos".[25] De riso fácil, Catierina Ivánovna não se conteve e deu uma terrível gargalhada, de sorte que a paciência de Amália Ivánovna chegou ao limite e ela se conteve a muito custo.

— Veja só essa coruja! — murmurou Catierina Ivánovna no mesmo instante a Raskólnikov, quase alegre. — Quis dizer andava de mãos nos bolsos e saiu metia as mãos pelos bolsos, cof-cof! O senhor já observou, Rodion Románovitch, de uma vez por todas, que todos esses estrangeiros de Petersburgo, ou seja, principalmente os alemães, que vêm para cá sabe-se lá de onde, são todos mais tolos do que nós? Vamos, o senhor há de convir, ora, pode-se lá contar que "Karl da farmácia de medo cortô coração" e que ele (um fedelho!), em vez de amarrar o cocheiro, "cruzô os braços e chorô, e pedill muitho"! Ah, que idiota! E ainda pensa que isso é muito tocante, e não desconfia de que é tola! Acho que esse bêbado das provisões é bem mais inteligente; pelo menos logo se vê que é um vadio, torrou na bebida até a última gota de inteligência, enquanto esses todos são tão cerimoniosos, sérios... Vejam só, sentada, de olhos arregalados. Zangada! Zangada! Quá-quá-quá! Cof-cof-cof!

Animada, Catierina Ivánovna logo se ateve a detalhes diversos e súbito começou a falar de como, com a pensão obtida, abriria sem falta em sua cidade natal T... um internato para moças nobres. Isso ainda não havia sido comunicado a Raskólnikov pela própria Catierina Ivánovna, e ela se empolgou de imediato com os detalhes mais sedutores. Não se sabe de que maneira apareceu de repente em suas mãos o mesmo "atestado de louvor" de que Raskólnikov fora informado ainda pelo falecido Marmieládov, quando lhe explicou no botequim que Catierina Ivánovna, sua esposa, na festa de formatura havia dançado de xale "na presença do governador e outras personalidades". Pelo visto, esse atestado de louvor devia agora servir como atestado de direito de Catierina Ivánovna para abrir ela mesma o internato; no entanto o mais importante é que havia sido reservado com o fim de desconcertar "as duas vadias aberrantes", caso comparecessem às exéquias, e mostrar claramente a elas que Catierina Ivánovna descendia de uma família das

---

[24] "Pai de Berlim", em alemão. (N. do T.)

[25] Amália Ivánovna usa incorretamente a preposição *po* (sobre, na superfície de algo) em vez de *v* (em, no ou na), e dá a ideia de que o pai andava com as mãos por cima dos bolsos, o que cria um efeito cômico. (N. do T.)

mais nobres, "poder-se-ia até dizer de um lar aristocrático, filha de coronel e, na certa, melhor do que essas aventureiras que haviam proliferado em tão grande número nos últimos tempos". O atestado de louvor correu imediatamente de mão em mão entre os convidados bêbados, o que Catierina Ivánovna não impediu, porque nele estava de fato escrito, *en toutes lettres*,[26] que ela era filha de um conselheiro da corte[27] e cavaleiro, por conseguinte, era mesmo quase filha de coronel. Inflamada, Catierina Ivánovna estendeu-se imediatamente em todos os detalhes da futura, maravilhosa e tranquila vida cotidiana em T...; falou dos professores do ginásio que ela convidaria para dar aulas em seu internato; de um velho respeitável, o francês Mangot, que ainda havia dado aulas de francês à própria Catierina Ivánovna no instituto e que ainda vivia o resto dos seus dias em T... e certamente iria trabalhar para ela pelo salário mais razoável. Por fim chegou a vez de Sônia, "que iria para T... com Catierina Ivánovna e lá a ajudaria em tudo". Mas súbito alguém bufou num extremo da mesa. Mesmo tentando de imediato fingir que ignorava desdenhosamente o riso que surgira naquele extremo da mesa, no mesmo instante, com a voz levantada de propósito, passou a falar com entusiasmo da indiscutível capacidade de Sófia Semiónovna para ser sua auxiliar, da "brandura, paciência, abnegação, decência e instrução dela", além do mais deu umas palmadinhas na face de Sônia e, levantando-se, beijou-a calorosamente duas vezes. Sônia corou, e ato contínuo Catierina Ivánovna começou a chorar, logo observando consigo mesma que "era uma tola de nervos fracos e estava mesmo perturbada demais, que já era hora de terminar, e como os salgados haviam mesmo chegado ao fim, era o caso de servir o chá". Nesse mesmo instante Amália Ivánovna, já definitivamente ofendida por não ter tomado a mínima parte em toda a conversa e inclusive por ninguém lhe estar dando ouvidos, arriscou uma última tentativa e, com um aborrecimento disfarçado, ousou fazer a Catierina Ivánovna a observação excepcionalmente prática e profunda de que, no futuro internato, era necessário dar atenção especial à limpeza da roupa de baixo das moças (*die Wäsche*)[28] e que "sem falto deve ter um senhora (*die Dame*)[29] bom pra tomou conta bem do roupa" e, segundo, "todas as moças jovens não deve ler baixinho nenhum romance pelas noites". Catierina Ivánovna, que estava

[26] "Com todas as letras", em francês. (N. da E.)

[27] Título civil de sétima classe na Rússia anterior ao século XX. (N. do T.)

[28] Lavagem, em alemão. (N. do T.)

[29] "A senhora", em alemão. (N. do T.)

deveras perturbada e muito cansada e já totalmente saturada das exéquias, "atalhou" Amália Ivánovna no ato, dizendo que ela "estava dizendo asneiras" e que não entendia nada; que a preocupação com a *die Wäsche* seria assunto da roupeira e não diretrizes de um internato nobre; e quanto à leitura de romances, isso, simplesmente, era até uma inconveniência, e que ela lhe pedia para calar a boca. Amália Ivánovna queimou-se e, exacerbada, observou que só "desejava o bem" e que "muito bem desejava", e que "pelo quarto já muito tempo *Geld*[30] não pagou" a ela. No mesmo instante Catierina Ivánovna "chamou-a à ordem", afirmando que ela estava mentindo ao dizer que "desejava o bem" porque ontem mesmo, quando o corpo do falecido ainda estava na mesa, ela a atormentara cobrando pelo quarto. A isto Amália Ivánovna observou com muita coerência que a outra "convidou aquelas senhora mas que aquelas senhora não compareceu porque aquelas senhora são senhora digna e não podem frequentou um casa não digna". Imediatamente Catierina Ivánovna lhe "salientou" que ela, uma vez que era uma porcalhona, não podia julgar o que era a verdadeira dignidade. Amália Ivánovna não tolerou e declarou incontinenti que seu "*Vater aus Berlin* fói um home muitho, muitho importante e passeava sempre com ambas mãos pelos bolsos e fazia sempre assim: puf! puf!". E para apresentar uma imagem mais real de seu *Vater*, Amália Ivánovna se levantou de um salto da cadeira, meteu suas duas mãos nos bolsos, inflou as bochechas e passou a emitir uns sons indefinidos pela boca, parecidos com puf-puf, acompanhada de uma estridente gargalhada de todos os inquilinos que a incentivavam de propósito com sua aprovação, pressentindo o corpo a corpo. Mas isso Catierina Ivánovna já não conseguiu suportar e em seguida, para que todos ouvissem, "ressaltou" que Amália Ivánovna talvez nunca houvesse tido *Vater* e que era simplesmente uma *tchukhonka*[31] petersburguense alcoólatra, e que antes na certa fora cozinheira em algum lugar, ou talvez até coisa pior. Amália Ivánovna ficou vermelha como um pimentão e pôs-se a gritar com voz esganiçada que Catierina Ivánovna é que talvez "não teve nenhum *Vater*; e que ela teve um *Vater aus Berlin*, que usava uma sobrecasaca bem longa, e sempre fazia: puf, puf, puf!". Catierina Ivánovna observou com desdém que sua origem era do conhecimento de todos e que naquele mesmo atestado de louvor estava escrito com letras de imprensa que seu pai era coronel; e que o pai de Amália Ivánovna (se é que ela tivera algum pai) certamente era al-

---

[30] "Dinheiro", em alemão. (N. do T.)

[31] Feminino de *tchukhónietz*, denominação depreciativa de finlandês, na Rússia. (N. do T.)

gum *tchukhónietz* petersburguense, um leiteiro; o mais provável, porém, era que ela não tivesse tido pai nenhum, porque até então não se sabia como chamar Amália Ivánovna pelo patronímico: Ivánovna ou Ludwigovna?[32] Nisto Amália Ivánovna, já definitivamente enfurecida e dando murro na mesa, pôs-se a ganir que ela era Amal-Ivan e não Ludwigovna, que seu *Vater* "se chamava Johann e que foi burgomestre", e que o *Vater* de Catierina Ivánovna "nunca foi nenhum burgomestre". Catierina Ivánovna levantou-se da cadeira e com voz severa, parecendo tranquila (embora inteiramente pálida e com o peito erguido), observou-lhe que se ela ao menos uma vez mais se atrevesse a "colocar no mesmo prato o porcaria do seu vaterzinho e o paizinho dela", ela, Catierina Ivánovna, lhe arrancaria a touca e a pisotearia. Ouvindo isto, Amália Ivánovna correu pelo quarto, gritando com todas as forças que era a senhoria e que Catierina Ivánovna "deixasse quartos nesse instante"; em seguida precipitou-se para a mesa a fim de recolher as colheres de prata. Levantou-se um alarido, ouviu-se um estrondo; as crianças começaram a chorar. Sônia quis lançar-se para conter Catierina Ivánovna; mas quando de repente Amália Ivánovna gritou alguma coisa sobre o bilhete amarelo, Catierina Ivánovna empurrou Sônia e precipitou-se para Amália Ivánovna a fim de pôr imediatamente em execução a ameaça à touca. Neste instante a porta se abriu e no limiar do quarto apareceu de chofre Piotr Pietróvitch Lújin. Em pé, ele examinava todo o quarto com um olhar severo e atento. Catierina Ivánovna precipitou-se para ele.

---

[32] Ivánovna seria filha de Ivánov; Ludwigovna, de Ludwig. (N. do T.)

## III

— Piotr Pietróvitch! — gritou ela —, ao menos o senhor me defenda! Convença essa besta tola a não se atrever a tratar dessa maneira uma senhora nobre na desgraça, que para isso existe justiça... eu vou procurar o próprio governador geral... Ela vai responder... Em memória da hospitalidade do meu pai, defenda os órfãos.

— Perdão, minha senhora... Perdão, perdão, minha senhora — esquivava-se Piotr Pietróvitch —, seu paizinho, como a senhora sabe, não tive absolutamente a honra de conhecer... perdão, minha senhora! (alguém deu uma gargalhada estridente), e não tenho a intenção de participar das suas constantes desavenças com Amália Ivánovna... Por necessidade própria... desejo explicar-me, urgente, com a sua enteada Sófia... Ivánovna... Parece que é assim que se chama, não? Permita entrar...

E Piotr Pietróvitch passou ao lado de Catierina Ivánovna, tomando a direção do canto oposto onde estava Sônia.

Do jeito que estava, Catierina Ivánovna permaneceu no lugar, como se tivesse sido atingida por um raio. Não conseguia entender como Piotr Pietróvitch pudera renegar a hospitalidade do seu paizinho. Uma vez que inventara essa hospitalidade, ela mesma já acreditava nela como coisa sagrada. Impressionou-a ainda o tom de Piotr Pietróvitch, prático, seco e cheio até de alguma ameaça desdenhosa. Aliás, com a sua chegada todos os presentes foram de certo modo caindo aos poucos no silêncio. Além disso, esse homem "prático e sério" destoava em extremo de toda aquela sociedade, e via-se também que estava ali por alguma coisa importante, que, provavelmente, alguma causa extraordinária podia tê-lo atraído para semelhante companhia e que, portanto, agora ia acontecer algo, algo ia acontecer. Raskólnikov, em pé ao lado de Sônia, afastou-se para dar passagem a ele; Piotr Pietróvitch pareceu ignorá-lo em absoluto. Um minuto depois Liebezyátnikov também apareceu à porta; não entrou no quarto, e também ficou parado com alguma curiosidade especial, quase surpreso; prestava atenção, mas durante muito tempo pareceu não conseguir entender nada.

— Desculpem que eu talvez interrompa, mas o assunto é muito importante — observou Piotr Pietróvitch de um modo um tanto genérico e sem se dirigir especificamente a ninguém —, até fico alegre diante do público. Amália Ivánovna, peço-lhe encarecidamente, na qualidade de senhoria, prestar atenção à minha conversa seguinte com Sófia Ivánovna. Sófia Ivánovna — continuou ele, dirigindo-se diretamente a Sônia, que estava excepcionalmente surpresa e já assustada de antemão —, logo após a sua visita, sumiu da minha mesa, no quarto do meu amigo Andriêi Semiónovitch Liebezyátnikov, uma nota do banco estatal no valor de cem rublos. Se a senhora souber, seja por que meio for, e nos indicar onde ela se encontra neste momento, asseguro-lhe com palavra de honra, e tomo todos aqui por testemunhas, que só com isso se encerra o caso. Do contrário serei forçado a recorrer a medidas assaz sérias, e então... a culpa será só sua!

No quarto reinou um silêncio absoluto. Calaram-se até as crianças que estavam chorando. Sônia estava em pé com uma palidez mortal, olhava para Lújin e nada podia responder. Era como se ainda não estivesse entendendo. Passaram-se alguns segundos.

— Então, como é que fica? — perguntou Lújin, olhando fixo para ela.

— Eu não sei... Não sei de nada... — pronunciou ela finalmente, com voz fraca.

— Não? Não sabe? — tornou a perguntar Lújin e calou por mais alguns segundos. — Reflita, *mademoiselle* — começou severo, mas como que ainda exortando —, analise, concordo em lhe dar mais um tempo para refletir. Veja: com a minha experiência, se eu não estivesse tão convicto, naturalmente não me arriscaria a acusá-la de forma tão direta; porque por semelhante acusação, direta e pública, caso falsa ou apenas equivocada, eu mesmo respondo em certo sentido. Eu sei disso. Hoje pela manhã, para suprir minhas necessidades, troquei vários papéis a cinco por cento por uma quantia nominal de três mil rublos. O cálculo está anotado na minha carteira. Ao chegar em casa — Andriêi Semiónovitch é testemunha —, passei a contar o dinheiro, e depois de contar dois mil e trezentos rublos, guardei-os na carteira, e pus a carteira no bolso lateral da sobrecasaca. Na mesa ficaram aproximadamente quinhentos rublos em notas, entre as quais três de cem. Nesse instante a senhora chegou (atendendo a um chamado meu), e depois ficou durante todo tempo em meu quarto num extremo embaraço, de forma que, durante a conversa, a senhora se levantou três vezes e por algum motivo desejou sair, embora a nossa conversa ainda não tivesse terminado. Andriêi Semiónovitch pode testemunhar tudo isso. A senhora mesma, *mademoiselle*, provavelmente não se recusará a confirmar e declarar que eu mandei chamá-la, por intermédio de Andriêi Semiónovitch, única e exclusivamente para tratar com a senhora da condição de órfã e desamparada da sua parenta Catierina Ivánovna (com quem não pude vir ter nas exéquias) e de como seria útil organizar a favor dela alguma coisa como uma subscrição, uma loteria ou coisa afim. A senhora me agradeceu e até derramou lágrimas (eu conto tudo como aconteceu para, em primeiro lugar, lembrar à senhora e, em segundo, mostrar-lhe que nem o mínimo detalhe se apagou da minha memória). Em seguida peguei em cima da mesa uma nota de dez rublos e dei à senhora, em meu nome, para atender aos interesses da sua parenta sob a forma da minha primeira contribuição. Tudo isso Andriêi Semiónovitch viu. Em seguida eu a acompanhei até a porta — tudo no mesmo clima de embaraço da sua parte —, após o quê, tendo ficado a sós com Andriêi Semiónovitch e trocado ideias com ele durante cerca de dez minutos, Andriêi Semiónovitch saiu, eu voltei à mesa e ao dinheiro que estava sobre ela com a finalidade de contá-lo e guardá-lo de forma especial, como era a minha intenção anterior. Para minha surpresa, faltava uma nota de cem rublos. Procure raciocinar; suspeitar de Andriêi Semiónovitch eu não posso, de maneira nenhuma; só de supor isto me dá vergonha. Ter errado na contagem também não posso porque, um minuto antes da sua chegada, havia terminado todos os cálculos e achei correto o resultado. Convenha a senhora mesma que, ao lembrar o seu embaraço, a sua pressa de sair e o fato de a senhora ter mantido as mãos sobre a mesa durante certo tempo; tendo, finalmente, levado em consideração a sua posição social e os hábitos a ela vinculados, eu, por assim dizer, *me vi forçado*, com horror e contra a minha vontade, a me fixar na suspeita — claro que cruel, porém justa! Acrescento ainda e repito que, apesar de toda a minha *evidente* certeza, compreendo que, ainda assim, nesta minha acusação existe algum risco para mim. Mas, como a senhora está vendo, eu não a fiz em vão; fiquei revoltado e lhe digo por quê: unicamente, minha senhora, unicamente por causa da mais negra ingratidão da sua parte! Qual? Eu a convido visando aos interesses da sua paupérrima parenta, eu lhe concedo uma esmola de dez rublos, dentro das minhas posses, e ali mesmo, no mesmo instante, a senhora me paga por tudo com uma atitude dessa natureza! Não, isso não fica nada bem! É indispensável uma lição! Decida a senhora; além de ser seu amigo de verdade (porque neste momento a senhora não pode ter melhor amigo), eu lhe peço: reconsidere! Senão serei implacável! Então, como ficamos?

— Eu não tirei nada do senhor — murmurou Sônia tomada de horror. — O senhor me deu dez rublos, aqui estão, tome-os. — Sônia tirou um lenço do bolso, procurou o nó, desatou-o, tirou a nota de dez rublos e estendeu a mão a Lújin.

— E os cem rublos restantes, a senhora teima em negá-los? — pronunciou ele em tom de censura e persistente, sem receber a nota.

Sônia olhou ao redor. Todos a olhavam com umas caras terríveis, severas, zombeteiras e odientas. Ela olhou para Raskólnikov... estava em pé junto à parede, com os braços cruzados, olhando para ela com olhos de fogo.

— Oh, meu Deus! — escapou dos lábios de Sônia.

— Amália Ivánovna, é preciso pôr a polícia a par, e por isso peço encarecidamente mandar chamar por enquanto o porteiro — pronunciou Lújin baixinho e até com tom carinhoso.

— *Gott der barmherzig*![33] Eu bem saber que ela roubar! — agitou as mãos Amália Ivánovna.

— A senhora bem sabia? — secundou Lújin. — Então antes a senhora já dispunha ao menos de alguns fundamentos para chegar a essa conclusão. Peço-lhe, honradíssima Amália Ivánovna, que lembre as suas palavras, pronunciadas, aliás, na frente de testemunhas.

Súbito ergueu-se de todos os lados um murmúrio alto.

— Co-o-mo! — exclamou de repente Catierina Ivánovna, que voltava a si e, como quem perde as estribeiras, precipitou-se para Lújin. — Como! O senhor a está acusando de roubo? A Sônia? Ah, canalhas, canalhas! — E lançando-se para Sônia, ela a abraçou com seus braços ressecados, como tenazes.

— Sônia! Como te atreveste a receber dez rublos dele!? Oh, tola! Me dá aqui! Me dá esses dez rublos — isso!

Agarrando a nota das mãos de Sônia, Catierina Ivánovna a amarfanhou nas mãos e lançou-a com toda a força direto na cara de Lújin. A bolinha acertou-lhe o olho e ricocheteou para o chão. Amália Ivánovna precipitou-se para apanhar o dinheiro.

— Segurem essa louca! — gritou ele.

Nesse instante, ao lado de Liebezyátnikov, apareceram várias pessoas à porta, entre elas as senhoras forasteiras.

— Como! Louca? Eu que sou a louca? Imbecil! — ganiu Catierina Ivánovna. — Imbecil és tu, rábula, sujeito vil! "Sônia, Sônia tira dinheiro dele! Logo, Sônia é ladra!" Ah, ela ainda vai te mostrar, imbecil! — E Catierina Ivánovna deu uma gargalhada histérica. — Os senhores já viram um imbecil? — precipitou-se para todos os lados, apontando Lújin para todos. — Como! Até tu? — avistou a senhoria. — Até tu, salsicheira, confirmas que ela "roubar", reles pé de galinha prussiana vestida de crenolina! Ah, vocês! Ah, vocês! Ora, ela não saiu do quarto, e do jeito que veio do teu, canalha,

---

[33] "Deus misericordioso", em alemão. (N. do T.)

sentou-se aqui mesmo ao lado de Rodion Románovitch!... Reviste-a! Já que ela não saiu para lugar nenhum, então o dinheiro deve estar com ela! Procura, então, procura, procura! Só que se não o encontrares, aí, meu caro, desculpa, porque vais responder! Vou correr ao soberano, ao soberano, ao próprio tsar, clemente, lançar-me aos pés dele, agora mesmo, hoje mesmo! Eu sou uma órfã! Me deixarão entrar! Tu achas que não me deixam entrar? Estás enganado, vou até ele! Vou até ele! Tu contaste com o fato de que ela é dócil! Foi com isto que contaste? Só que eu, meu caro, sou decidida! Vais quebrar a cara! Então procura! Procura, procura, vamos, procura!!

E tomada de furor, Catierina Ivánovna sacudiu Lújin, puxando-o na direção de Sônia.

— Estou pronto e assumo a responsabilidade... mas contenha-se, minha senhora, contenha-se! Estou vendo mesmo que a senhora é decidida!... Isso... isso... mas de que jeito?... — balbuciava Lújin. — Isso deve ser feito na presença da polícia... embora, pensando bem, neste momento há testemunhas mais que suficientes... Estou pronto... Mas em todo caso é difícil para um homem... por uma questão de sexo... Se fosse com o auxílio de Amália Ivánovna... embora, pensando bem, não é assim que se faz... Como é que se faz?

— Quem o senhor quiser! Quem quiser que reviste! — gritava Catierina Ivánovna. — Sônia, revire os bolsos para eles! Isso, isso! Olhe, monstro; veja, está vazio, aqui estava o lenço, o bolso está vazio, estás vendo! Veja o outro bolso, veja, veja! Estás vendo! Estás vendo!

E Catierina Ivánovna não fez só revirar mas até puxou ambos os bolsos, um após outro, para fora. Mas do segundo, o direito, súbito saltou uma nota que, depois de descrever uma parábola no ar, caiu aos pés de Lújin. Isso todos viram; muitos soltaram um grito. Piotr Pietróvitch abaixou-se, apanhou a nota do chão com dois dedos, ergueu-a à vista de todos e a abriu. Era uma nota de cem rublos, dobrada em oito. Piotr Pietróvitch correu a mão em círculo, para que todos vissem a nota.

— Ladra! Fora do quartos! Police! Police! — começou a berrar Amália Ivánovna. — Eles precisam expulsou Sibéria! Fora!

De todos os lados voaram exclamações. Raskólnikov calava, sem desviar os olhos de Sônia; mas de raro em raro, com um gesto rápido, desviando-os para Lújin. Sônia continuava em pé no mesmo lugar, como alguém alheado: quase não estava nem surpresa. Súbito o rubor lhe banhou todo o rosto: ela deu um grito e cobriu o rosto com as mãos.

— Não, não fui eu! Eu não tirei! Não sei — gritou com um ganido de cortar o coração, e lançou-se para Catierina Ivánovna. Esta a agarrou e estreitou contra si, como se quisesse protegê-la de todos com o peito.

— Sônia, Sônia! Eu não acredito! Estás vendo, eu não acredito! — gritava (apesar de toda a evidência) Catierina Ivánovna, embalando-a nos braços como uma criança, beijando-a um sem-número de vezes, segurando-lhe as mãos, agarrando-as mesmo e beijando-as. — Tu, roubando! Onde já se viu gente mais tola! Meu Deus! Vocês são uns tolos, uns tolos — gritava ela para todos —, vocês ainda não sabem, não sabem que coração é esse, que moça é essa! Ela roubando, ela! Ela se desfaz do seu último vestido, vende-o, anda descalça e dá tudo a vocês se vocês precisarem, eis o que ela é! Ela aceitou o bilhete amarelo porque os meus filhos estavam morrendo de fome, vendeu-se por nossa causa!... Ah, falecido, falecido! Ah, falecido, falecido! Estás vendo? Estás vendo? Eis as tuas exéquias! Meu Deus! Ora, procure defendê-la, por que só fica aí em pé!? Rodion Románovitch! Por que o senhor não intercede por ela? Será que o senhor também acredita? Vocês não valem nem o mindinho dela, vocês todos, todos, todos, todos! Meu Deus! Tome finalmente a defesa dela!

O pranto da pobre, tísica e abandonada Catierina Ivánovna produziu, aparentemente, um forte efeito no público. Havia tanto lamento, tanto sofrimento naquele rosto tísico deformado pela dor, naqueles lábios ressecados, crestados pelo sangue, naquela voz de gritos roucos, naquele pranto cheio de soluços, semelhante ao pranto de uma criança, naquele ardente pedido de defesa, que, parecia, todos tinham se compadecido da infeliz. Pelo menos Piotr Pietróvitch *se compadeceu* no mesmo instante.

— Minha senhora! Minha senhora! — exclamava ele com voz imponente. — Esse fato não diz respeito à senhora! Ninguém se atreve a acusá-la de intenção ou de conivência, ainda mais porque a senhora mesma encontrou a nota ao revirar os bolsos dela: logo, não estava supondo nada. Estou assaz disposto, assaz mesmo, a ser indulgente, se, por assim dizer, a miséria tiver impelido Sófia Semiónovna; mas por que, *mademoiselle*, a senhora se negava a confessar? Estava com medo da desonra? Era o primeiro passo? Estava desnorteada, é possível? Coisa compreensível, muito compreensível... Mas, não obstante, por que se decidiu a tais coisas? Senhores! — dirigiu-se ele a todos os presentes — senhores! Compadecido e, por assim dizer, condoído, eu, pois, estou disposto a perdoar, mesmo agora, apesar das ofensas pessoais que recebi. Tomara, *mademoiselle*, que a vergonha deste momento lhe sirva de lição no futuro — dirigiu-se a Sônia —, e quanto a mim, dou o dito pelo não dito e, que seja, encerro o assunto. Basta!

Piotr Pietróvitch olhou de esguelha para Raskólnikov. Seus olhares se cruzaram. O olhar de fogo de Raskólnikov estava pronto para reduzi-lo a cinzas. Enquanto isso, Catierina Ivánovna parecia não ouvir mais nada:

abraçava e beijava Sônia feito louca. As crianças também envolviam Sônia de todos os lados com os seus bracinhos, e Pólietchka — sem, aliás, entender direito o que estava acontecendo — parecia toda afogada em lágrimas, esganiçando-se em pranto e escondendo no ombro de Sônia seu rostinho bonito inchado de tanto chorar.

— Como isso é baixo! — ouviu-se de súbito uma voz alta à porta.

Piotr Pietróvitch virou-se rapidamente.

— Que baixeza! — repetiu Liebezyátnikov, olhando-o fixo nos olhos.

Piotr Pietróvitch pareceu até estremecer. Todos notaram isto. (E o rememoraram mais tarde.) Liebezyátnikov entrou no quarto.

— E você se atreveu a me colocar como testemunha? — disse ele, chegando-se a Piotr Pietróvitch.

— O que isto significa, Andriêi Semiónovitch? De que é que você está falando?

— Significa que você... é um caluniador, eis o que significam as minhas palavras! — pronunciou Liebezyátnikov com ardor, olhando severamente para ele com seus olhinhos míopes. Estava por demais zangado. Raskólnikov cravou de verdade os olhos nele, como se agarrasse e pesasse cada palavra. Mais uma vez o silêncio voltou a reinar. Piotr Pietróvitch quase chegou a ficar desnorteado, no primeiro momento.

— Se você me... — começou ele, gaguejando — ora, mas o que é que você tem? Será que não está regulando bem?

— Eu estou regulando bem, já você... é um trapaceiro! Ah, como isso é baixo! Eu ouvi tudo, fiquei aguardando de propósito a fim de compreender tudo, porque, confesso, até agora isso carece de lógica... Arre, não compreendo com que finalidade você fez tudo isso.

— Ora, mas o que foi que eu fiz de mau!? Pare com essa mania de falar por enigmas absurdos. Ou será que você bebeu?

— Você, que é um homem vil, pode ser que beba; eu, não! Eu nunca bebo nem uma gota de vodca, porque isso está fora das minhas convicções! Imaginem, ele, ele mesmo, com as próprias mãos, deu essa nota de cem rublos a Sófia Semiónovna. Eu vi, eu sou testemunha, eu presto juramento! Foi ele, ele! — repetiu Liebezyátnikov, dirigindo-se a todos e a cada um.

— Será que você ficou maluco, seu fedelho? — ganiu Lújin. — Ela mesma, aqui, neste momento, na presença de todos confirmou que, além dos dez rublos, não recebeu nada de mim. Depois disso, de que maneira eu podia lhe ter dado?

— Eu vi, eu vi! — gritou Liebezyátnikov para confirmar. — E embora isso seja contra as minhas convicções, estou pronto a fazer em juízo o juramento que for preciso, porque eu vi como você lhe meteu sorrateiramente a nota no bolso! À porta, quando você se despedia dela e ela dava meia-volta, enquanto apertava a mão dela com uma das mãos, com a outra, a esquerda, você lhe enfiou a nota no bolso sorrateiramente. Eu vi! Vi!

Lújin empalideceu.

— Que mentira é essa! — gritou ele com ar petulante. — Ademais, como é que você, parado ao pé da janela, podia distinguir a nota? Foi impressão sua... da sua vista míope. Você está delirando!

— Não, não foi impressão! Embora eu estivesse longe, mesmo assim vi tudo, e ainda que da janela seja de fato difícil distinguir a nota — nisso você diz a verdade —, no entanto, por um acaso especial, eu sabia na certa que era a nota de cem rublos porque, no momento em que você entregava a Sófia Semiónovna a nota de dez rublos — eu mesmo vi —, você tirou da mesa a nota de cem (isso eu vi, porque na ocasião eu estava em pé ali perto, e como me surgisse de imediato uma ideia, por isso eu não esqueci que você estava com a nota na mão). Você a dobrou e ficou com ela na mão, apertada, o tempo todo. Depois eu ia tornando a esquecê-la, mas quando você começou a levantar-se, passou-a da mão direita à esquerda e por pouco não a deixou cair; nisso tornei a lembrar-me, porque me voltou a mesma ideia, ou seja, de que você pretendia, escondido de mim, prestar-lhe um benefício. Pode imaginar como eu passei a observá-lo — e então vi como você conseguiu enfiá-la no bolso dela. Eu vi, vi e presto juramento!

Liebezyátnikov estava quase sufocado. De todos os lados começaram a ouvir-se exclamações diversas, o mais das vezes de surpresa; mas havia exclamações também de tom ameaçador. Todos começaram a aglomerar-se na direção de Piotr Pietróvitch. Catierina Ivánovna lançou-se para Liebezyátnikov.

— Andriêi Semiónovitch! Eu me equivoquei a seu respeito! Defenda-a! O senhor é o único que está a favor dela! Ela é órfã, foi Deus que enviou o senhor! Andriêi Semiónovitch, meu pombinho, meu caro!

E Catierina Ivánovna, quase sem se dar conta do que fazia, lançou-se de joelhos diante dele.

— Sandice! — berrou enfurecido Lújin. — É sandice o que está repetindo, meu senhor. "Esqueci, me lembrei, esqueci" — o que é isso! Então, eu pus furtivamente a nota no bolso dela, de propósito? Para quê? Com que fim? O que eu tenho em comum com essa...

— Com que fim? Eis o que eu mesmo não compreendo; agora, que eu estou contando um fato verdadeiro, isso sim é verdade! Eu tanto não estou enganado, homem vil, criminoso, que me lembro precisamente de que, naquela ocasião, justo no momento em que eu lhe agradecia e lhe apertava a mão, veio-me por isso à cabeça a pergunta: para que mesmo você lhe metera a nota no bolso às furtadelas? Ou seja, por que justamente às furtadelas? Seria apenas porque queria esconder de mim, sabendo que eu tenho convicções opostas e rejeito a filantropia privada porque não cura nada de modo radical? Bem, então resolvi que você realmente sentia escrúpulos de dar semelhantes boladas na minha presença e, pensei eu, além disso talvez ele queira armar uma surpresa para ela, fazê-la pasmar quando encontrar cem rublos inteiros em seu bolso. (Porque alguns benfeitores gostam muito de espalhar dessa maneira as suas benfeitorias; eu sei.) Depois também me ocorreu que você queria experimentá-la, isto é, ver se ela viria ou não agradecer após o achado. Depois, que você queria evitar o agradecimento e que, bem, como é que se diz: não deixes que tua mão direita...[34] em suma, foi mais ou menos assim... Bem, que pensamentos não me passaram pela cabeça naquele momento! De sorte que decidi deixar tudo isso para ponderar depois, mas ainda assim achei indelicado revelar a você que eu conhecia o segredo. Não obstante, porém, veio-me no mesmo instante à cabeça outra questão: que Sófia Semiónovna, antes de notar o dinheiro, talvez o perdesse; foi por isso que me decidi a vir para cá, chamá-la e avisá-la que haviam posto cem rublos no seu bolso. Mas de passagem fui antes ao quarto das senhoras Kobiliátnikov para lhes entregar a *Conclusão geral do método positivo*[35] e especialmente recomendar-lhes o artigo de Piderit (aliás, também de Wagner); depois chego aqui e vejo essa história! Será que eu poderia, será que poderia ter todas essas ideias e desenvolver esses raciocínios se realmente não tivesse visto que você pôs cem rublos no bolso dela?

Quando Andriêi Semiónovitch concluiu seus verbosos raciocínios, fechando-os com uma conclusão tão lógica, estava terrivelmente cansado e até corria suor pelo seu rosto. Infelizmente, não conseguia se exprimir direito nem em russo (sem conhecer, aliás, nenhuma outra língua), de sorte que ficou totalmente e quase de um só golpe exaurido, parecendo até que emagrecera depois da sua proeza de advogado. Entretanto seu discurso produziu um efeito excepcional. Ele falou com tamanho entusiasmo, tamanha convicção que, pelo visto, todos acreditaram nele. Piotr Pietróvitch sentiu que a coisa ia mal.

---

[34] Alusão a Mateus, 6, 3: "Quando deres esmola, que tua mão esquerda não saiba o que faz a direita". Devo a Danilo Hora a sugestão desse provérbio. (N. do T.)

[35] Trata-se da coletânea homônima traduzida por N. N. Niekliúdov (São Petersburgo, 1866), que inclui artigos de Theodor Piderit e de Adolph Wagner. (N. da E.)

— Que me importa que lhe tenham vindo à cabeça umas tantas perguntas tolas? — gritou ele. — Isso não é prova! Você pode ter delirado com tudo isso em sonho, eis tudo! E eu lhe digo que mente, meu senhor! Mente e me calunia por alguma maldade, e justamente por vingança, porque eu não concordei com suas propostas sociais de livre-pensador e impudentes, eis a razão!

Mas essa esquisitice não foi útil a Piotr Pietróvitch. Ao contrário, ele ouviu o descontentamento de todos os lados.

— Ah, vejam só aonde chegaste! — gritou Liebezyátnikov. — Mentes! Chame a polícia, e eu presto juramento. Só uma coisa não consigo entender: com que fim ele se arriscou apelando para um ato tão baixo? Ah, que sujeito desprezível, infame!

— Eu posso explicar com que fim ele se arriscou com esse ato e, se for necessário, eu mesmo presto juramento! — pronunciou finalmente Raskólnikov com voz firme e caminhou para a frente.

Pelo visto estava firme e tranquilo. Por algum motivo, um simples olhar para ele deixava claro para todos que ele realmente sabia do que se tratava e que a coisa chegara ao desfecho.

— Agora tudo está plenamente esclarecido para mim — continuou Raskólnikov, falando direto com Liebezyátnikov. — Desde o início dessa história eu já comecei a desconfiar de que aí havia algum ardil abominável; passei a desconfiar em consequência de algumas circunstâncias especiais que só eu conheço e que agora vou explicar a todos: é nelas que está toda a questão! Você, Andriêi Semiónovitch, me esclareceu tudo definitivamente com o seu testemunho precioso. Peço a todos, a todos, que prestem atenção: recentemente, este senhor (apontou para Lújin) pediu uma moça em casamento, e precisamente a minha irmã Avdótia Románovna Raskólnikova. Mas ao chegar a Petersburgo, anteontem, no primeiro encontro que tivemos se indispôs comigo e eu o expulsei de minha casa, fato do qual há duas testemunhas. Esse homem é muito perverso... Anteontem eu ainda não sabia que ele estava hospedado aqui em um dos quartos, no seu, Andriêi Semiónovitch, e que, portanto, no mesmo dia em que brigamos, ou seja, anteontem mesmo, ele testemunhou como eu, na condição de amigo do falecido Marmieládov, entreguei à sua esposa Catierina Ivánovna uma quantia em dinheiro para o enterro. Imediatamente ele escreveu um bilhete à minha mãe e lhe comunicou que eu havia dado todo o dinheiro que tinha não a Catierina Ivánovna mas a Sófia Semiónovna, e usando as expressões mais vis fez alusão ao... ao caráter de Sófia Semiónovna, isto é, aludiu ao caráter das minhas relações com Sófia Semiónovna. Fez tudo isso, como os senhores compreendem, com o fim de me indispor com minha mãe e minha irmã, incutindo-lhes que eu esbanjo com fins indignos o último centavo do dinheiro com que elas me ajudam. Ontem à noite, na presença de minha mãe e minha irmã, e na dele também, eu restabeleci a verdade, demonstrando que havia entregue o dinheiro a Catierina Ivánovna para o enterro e não a Sófia Semiónovna, e que anteontem eu ainda nem conhecia Sófia Semiónovna e sequer lhe havia visto o rosto. Nesse ponto eu observei que Piotr Pietróvitch Lújin, a despeito de todos os seus méritos, não vale um mindinho de Sófia Semiónovna, a quem ele se refere de maneira tão má. À pergunta dele: poria eu Sófia Semiónovna sentada ao lado de minha irmã? — respondi que já a havia posto naquele mesmo dia. Irado ao ver que minha mãe e minha irmã não queriam brigar comigo, como era a intenção das suas calúnias, ele, conversa vai, conversa vem, passou a lhes dizer insolências imperdoáveis. Tudo isso aconteceu ontem à noite. Agora peço uma atenção especial: imaginem que se ele, neste momento, conseguisse demonstrar que Sófia Semiónovna é uma ladra, então provaria à minha mãe e minha irmã que estivera quase com a razão em suas suspeitas; que fora justa a sua raiva pelo fato de eu ter posto Sófia Semiónovna no mesmo prato da balança com minha irmã; que, atacando-me, estava defendendo e, portanto, protegendo a honra de minha irmã, logo, de sua noiva. Numa palavra, através de tudo isso ele poderia até me indispor de novo com meus familiares e, é claro, esperava tornar a cair nas graças delas. Nem falo de que se vingaria de mim pessoalmente, porque tem fundamento para supor que prezo muito a honra e a felicidade de Sófia Semiónovna. Eis todo o cálculo dele! É assim que eu interpreto esse assunto! Aí está toda a causa, e não pode haver outra!

Foi assim ou quase assim que Raskólnikov concluiu sua fala, frequentemente interrompida por exclamações do público, que, aliás, o ouviu com muita atenção. No entanto, apesar de todas as interrupções, ele falou de modo áspero, tranquilo, preciso, nítido e firme. A voz ríspida, o tom convicto e o rosto severo surtiram em todos um efeito excepcional.

— Então, então é isso! — confirmou entusiasmado Liebezyátnikov. — Deve ser isso, porque mal Sófia Semiónovna entrou em meu quarto, ele me perguntou precisamente se você estaria aqui; se eu não o teria visto entre os convidados de Catierina Ivánovna. Com este fim ele me chamou até a janela e lá perguntou baixinho. Logo, ele precisava de que você estivesse aqui sem falta! É isso mesmo, tudo bate com isso!

Lújin sorria calado e com ar de desdém. Aliás, estava muito pálido. Parecia matutar como sair da situação. É possível que largasse tudo com prazer e desse o fora, mas nesse instante isso era quase impossível: significaria reconhecer diretamente que eram justas as acusações lançadas contra ele e que ele de fato caluniara Sófia Semiónovna. Ademais o público, já embriagado, estava excessivamente inquieto. O homem das provisões, aliás, embora não compreendesse tudo, era quem mais gritava e sugeria algumas medidas bastante desagradáveis para Lújin. Mas havia uns que não estavam embriagados: apareceram de todos os quartos e aglomeraram-se. Os três polacos estavam terrivelmente exaltados e gritavam para ele sem cessar: "*Pane lajdak*!",[36] e ainda balbuciavam algumas ameaças em polonês. Sônia ouvia tomada de tensão, mas era como se também não compreendesse tudo, como se estivesse despertando de um desmaio. Só não desviava seus olhos de Raskólnikov, sentindo que nele estava toda a sua proteção. Catierina Ivánovna respirava a muito custo e com rouquidão, parecia terrivelmente prostrada. A expressão mais parva era a de Amália Ivánovna, postada de boca aberta e sem entender nada vezes nada. Percebia apenas que, de certo modo, Piotr Pietróvitch se dera mal. Raskólnikov quis pedir para voltar a falar, mas não o deixaram terminar a frase: todos gritavam e se aglomeravam na direção de Lújin, insultando e ameaçando. Mas Piotr Pietróvitch não se acovardou. Vendo que a causa da acusação a Sônia estava inteiramente perdida, apelou francamente para a desfaçatez.

— Com licença, senhores, com licença; não se aglomerem, deixem-me passar! — dizia ele, abrindo caminho entre a multidão. — E façam o favor, não ameacem; asseguro aos senhores que não vai acontecer nada, não façam nada, não sou do tipo poltrão, ao contrário, os senhores vão responder por terem encoberto um delito com uso da violência. A ladra foi mais que desmascarada, e vou persegui-la. No tribunal as pessoas não são tão cegas e... nem bêbadas, e não vão acreditar em dois rematados hereges, perturbadores da ordem e livres-pensadores, que, por vingança pessoal, me acusam daquilo que eles mesmos confessam pela própria tolice... Vamos, com licença!

— Não quero que fique nem sombra sua no meu quarto e já; queira dar o fora e tudo entre nós está acabado! Quando penso que passei duas semanas inteirinhas... fazendo das tripas coração para expor a ele!...

— Sim, mas eu lhe disse, Andriêi Semiónovitch, eu lhe disse há pouco que estava partindo, quando você ainda me tentava reter; agora acrescento apenas que você é um imbecil. Desejo-lhe que cure a sua inteligência e sua vista míope. Com licença, senhores!

Ele abriu caminho; mas o homem das provisões não queria deixá-lo sair tão facilmente, apenas debaixo de xingamentos: pegou um copo na mesa, le-

---

[36] "Seu canalha", em polonês. (N. do T.)

vantou o braço e o arremessou contra Piotr Pietróvitch; mas o copo voou direto em cima de Amália Ivánovna. Ela deu um guincho, o homem das provisões perdeu o equilíbrio com o arremesso e despencou pesadamente debaixo da mesa. Piotr Pietróvitch voltou ao seu quarto e meia hora depois já não estava no prédio. Sônia, tímida por natureza, já antes sabia que era mais fácil arruinar a ela do que a quem quer que fosse, e ofendê-la qualquer um podia quase impunemente. Mas, apesar de tudo, até esse instante parecia-lhe possível evitar de algum modo a desgraça — com cautela, brandura e submissão a todos e cada um. Seu desencanto era grave demais. Com paciência e quase com resignação, ela, é claro, podia suportar tudo — até isso. Mas no primeiro instante foi duro demais. Apesar do seu triunfo e da absolvição — quando passou o primeiro susto e o primeiro pasmo, quando ela compreendeu e percebeu tudo com clareza — o sentimento de desamparo e ultraje lhe oprimiu dolorosamente o coração. Teve um princípio de histeria. Por fim, não conseguindo suportar mais, precipitou-se para fora do quarto e correu para casa. Isso aconteceu logo após a saída de Lújin. Amália Ivánovna, quando o copo a acertou provocando risadas estridentes dos presentes, também não suportou pagar pela culpa dos outros. Aos ganidos, feito uma doida, investiu contra Catierina Ivánovna, considerando-a culpada por tudo.

— Fora do quartos. Agora! Marche! — Com essas palavras começou a agarrar tudo o que era objeto de Catierina Ivánovna que lhe caía nas mãos e atirá-los no chão. Já quase morta, à beira do desmaio, sufocada, pálida, Catierina Ivánovna levantou-se de um salto da cama (onde havia caído de exaustão) e investiu contra Amália Ivánovna. Mas a luta foi excessivamente desigual; com um empurrão esta a afastou como uma pluma.

— Como! Não bastasse terem caluniado descaradamente, essa besta ainda me vem com essa! Como! No dia do enterro do meu marido me expulsam do quarto, depois da minha hospitalidade, me põem na rua com os órfãos! E para onde eu vou? — berrava aos prantos e sufocada a pobre mulher. — Meu Deus! — gritou ela subitamente, com um brilho nos olhos —, será que existe justiça?! A quem te cabe defender senão a nós, os desamparados? Mas nós veremos! Existe no mundo justiça e verdade, existe, eu vou encontrá-las! Agora, é só esperar, besta impenitente! Pólietchka, fica com as crianças, eu volto. Esperem-me, ainda que seja na rua! Veremos se existe ou não verdade no mundo.

E atirando na cabeça o mesmo lenço de *drap de dames*, a que o falecido Marmieládov aludira em seu relato, Catierina Ivánovna abriu caminho entre a multidão confusa de inquilinos bêbados, ainda aglomerados no quarto, e entre lamentos e lágrimas saiu correndo para a rua — sem fim determinado, para encontrar imediatamente a justiça em algum lugar e a qualquer custo. Apavorada, Pólietchka encafuou-se com as crianças no canto, em cima do baú, onde ficou à espera da volta da mãe, abraçando os dois pequenos tomada de tremor. Amália Ivánovna circulava pelo quarto como possessa, gania, lamentava, arremessava no chão tudo o que lhe caía nas mãos e cometia desatinos. Os inquilinos falavam a torto e a direito — esses concluíam o que sabiam sobre o acontecido; aqueles discutiam e detratavam-se; aqueloutros entoavam canções...

"Agora chegou a minha hora! — pensou Raskólnikov. — Bem, Sófia Semiónovna, vamos ver o que você vai me dizer agora!"

E tomou a direção do quarto de Sônia.

## IV

Raskólnikov era o advogado ativo e ágil de Sônia contra Lújin, apesar de carregar ele mesmo tanto horror próprio e sofrimento na alma. No entanto, depois de ter sofrido tanto pela manhã, era como se estivesse feliz com a oportunidade de mudar de impressões, que se haviam tornado insuportáveis, já sem falar do quanto havia de pessoal e amoroso no seu empenho de defendê-la. Além disso, tinha em vista o iminente encontro com Sônia, o que o inquietava em demasia, sobretudo em alguns instantes: ele *deveria* revelar a ela que havia matado Lisavieta, pressentia para si uma terrível tortura, e era como se procurasse afugentá-la com as mãos. E por isso, quando exclamou, ao sair da casa de Catierina Ivánovna: "Bem, Sófia Semiónovna, o que você vai me dizer agora?", era evidente que ainda se encontrava com alguma excitação exterior, decorrente do ânimo, do desafio e da recente vitória contra Lújin. Mas aconteceu uma coisa estranha com ele. Quando chegou ao apartamento dos Kapiernaúmov, sentiu no íntimo um repentino esgotamento e pavor. Mergulhado em meditação, parou à porta, fazendo-se uma pergunta estranha: "Será que preciso contar quem matou Lisavieta?". A pergunta era estranha, porque ele sentiu, de chofre ao mesmo tempo, que não só não podia deixar de contar, como ainda era impossível adiar esse momento, mesmo que provisoriamente. Ainda não sabia por que era impossível; apenas *sentiu* isso, e essa consciência torturante da sua impotência diante da necessidade quase o esmagava. Para não mais pensar nem torturar-se, abriu rapidamente a porta e da entrada olhou para Sônia. Estava sentada, com os cotovelos apoiados na mesa e o rosto coberto pelas mãos, mas ao avistar Raskólnikov levantou-se rapidamente e foi ao encontro dele, como se o aguardasse.

— O que seria de mim sem o senhor! — rápido pronunciou ela, juntando-se a ele no meio do quarto. Pelo visto era só o que ela queria lhe dizer o quanto antes. Para isto o aguardava.

Raskólnikov atravessou na direção da mesa e sentou-se na cadeira de onde ela acabara de levantar-se. Ela ficou diante dele, a dois passos, tal qual na véspera.

— Então, Sônia? — disse ele e notou de imediato que estava com a voz trêmula. — Toda a questão radicava na "posição social e nos hábitos a ela vinculados". A senhora compreendeu isso quando foi dito há pouco?

Em seu rosto o sofrimento estampou-se.

— Só não fale comigo como ontem! — interrompeu Sônia. — Por favor, não comece. Já estou farta de tormentos...

Ela foi tratando de sorrir, assustada com a ideia de que a recriminação pudesse desagradá-lo.

— Fiz uma tolice ao fugir de lá. O que estará acontecendo por lá agora? Ainda agora deu-me vontade de ir até lá, mas sempre pensando que a qualquer momento... o senhor apareceria por aqui.

Ele lhe contou que Amália Ivánovna estava pondo-as para fora do quarto e que Catierina Ivánovna havia corrido a algum lugar a fim de "procurar a verdade".

— Ah, meu Deus! — Sônia levantou-se de um salto —, vamos rápido... E ela pegou a mantilha.

— É sempre a mesma coisa! — exclamou Raskólnikov com irritação. — A senhora está sempre com eles na cabeça! Fique um pouco comigo.

— Mas... e Catierina Ivánovna?

— Catierina Ivánovna, é claro, não vai ter como evitá-la, ela mesma virá procurá-la uma vez que saiu de casa correndo — acrescentou ele resmungando. — Se não a encontrar, a senhora mesma vai se sentir culpada...

Sônia sentou-se na cadeira num torturante estado de indecisão. Raskólnikov calava, olhando para o chão e ponderando alguma coisa.

— Suponhamos que nesse momento Lújin não tenha querido — começou ele sem olhar para Sônia. — Mas se quisesse ou se de alguma forma isso estivesse nos seus cálculos, ele a teria trancafiado numa prisão, não tivéssemos aparecido eu e Liebezyátnikov! Não é?

— É sim — disse ela com voz fraca —, é sim! —, repetiu distraída e aflita.

— E olhe que eu realmente poderia não aparecer! Quanto a Liebezyátnikov, este já apareceu mesmo por total acaso.

Sônia calava.

— Bem, e se tivesse ido para a cadeia, o que iria acontecer? Está lembrada do que eu disse ontem?

Ela tornou a não responder. Ele esperou.

— E eu pensei que a senhora ia gritar mais uma vez: "Ah, não fale, pare!" — riu Raskólnikov, mas de modo um tanto forçado. — Então, outra vez o silêncio? — perguntou um minuto depois. — Ora, a gente não precisa conversar sobre alguma coisa? Para mim seria interessante saber precisamente como a senhora resolveria agora uma "questão", como diz Liebezyátnikov. (Parecia que ele começava a atrapalhar-se.) Não, eu realmente estou falando sério. Imagine, Sônia, que a senhora conhecesse de antemão todas as intenções de Lújin, soubesse (isto é, com certeza) que através delas estariam totalmente arruinadas Catierina Ivánovna e as crianças também; e até a senhora, como apêndice (uma vez que a senhora não se considera senão um *apêndice*). Pólietchka também... porque o caminho dela será o mesmo. Pois bem: se de repente deixassem para a senhora decidir tudo isso agora: a quem se deve permitir continuar vivendo neste mundo, isto é, Lújin deve continuar vivendo e praticando suas torpezas, ou Catierina Ivánovna deve morrer? Então, como a senhora decidiria: qual dos dois deveria morrer? Estou lhe perguntando.

Sônia olhou intranquila para ele: aos seus ouvidos soou qualquer coisa de especial nessa fala insegura, que remetia a algo que vinha de longe.

— Eu já pressentia que o senhor iria me perguntar qualquer coisa dessa natureza — disse ela, olhando para ele com ar escrutador.

— Está bem, quiçá; mas, não obstante, de que jeito resolveria?

— Por que me pergunta o que é impossível? — falou Sônia com aversão.

— Então, é melhor que Lújin continue vivo e praticando torpezas! Nem isso a senhora se atreve a decidir?

— Ora, acontece que não posso conhecer as intenções da Divina Providência... E por que o senhor me pergunta o que não se deve perguntar? Para que essas perguntas vazias? Como poderia acontecer que isso viesse a depender de decisão minha? E quem me pôs aqui de juiz para decidir quem deve viver, quem não deve?

— Já que a Divina Providência interfere, então nada se pode fazer — resmungou Raskólnikov com ar lúgubre.

— É melhor ir direto ao que o senhor está querendo! — exclamou Sônia com ar sofrido. — Mais uma vez o senhor insinua alguma coisa... Será que só veio para cá a fim de me atormentar?

Ela não se conteve e súbito começou a chorar. Ele a olhava com uma tristeza sombria. Transcorreram cinco minutos.

— Tu[37] é que estás certa, Sônia — enfim pronunciou em voz baixa. De uma hora para outra ele se transformara; desaparecera o tom descaradamente elaborado e debilmente provocante. Até a voz enfraquecera num átimo.

---

[37] Doravante Raskólnikov tratará Sônia por tu. (N. do T.)

— Eu mesmo te disse ontem que não viria aqui pedir desculpas, mas comecei quase pedindo desculpas... Quando falei de Lújin e da Providência, estava falando para mim... Estava pedindo desculpas, Sônia...

Fez menção de sorrir, mas em seu sorriso pálido manifestou-se algo impotente e não concluído. Ele baixou a cabeça e cobriu o rosto com as mãos.

Uma sensação estranha e inesperada de algum ódio corrosivo a Sônia passou-lhe de chofre pelo coração. Meio surpreso e assustado com essa sensação, ele levantou de súbito a cabeça e olhou fixamente para ela; mas deparou com um olhar desassossegado e dorido de tão preocupado; ali havia amor; o ódio dele sumiu como uma visão. Tratava-se de outra coisa; ele confundira um sentimento com outro. Isso apenas significava que *aquele* momento havia chegado.

Tornou a cobrir o rosto com as mãos e a baixar a cabeça. Súbito empalideceu, levantou-se da cadeira, olhou para Sônia e, sem dizer nada, trocou de lugar e sentou-se maquinalmente na cama dela.

Em suas sensações, esse instante se pareceu por demais com aquele em que ele estava atrás da velha, já com o laço do machado solto e sentindo que "não podia perder mais um só instante".

— O que há com o senhor? — perguntou Sônia assustadíssima.

Ele não conseguiu articular palavra. Não era nada, nada daquele jeito que imaginara *anunciar*, e ele mesmo não entendia o que agora lhe estava acontecendo. Ela se chegou devagarinho a ele, sentou-se na cama ao seu lado e ficou esperando, sem desviar a vista. Seu coração batia e parava. Ficou insuportável: ele voltou para ela o rosto de uma palidez mortal; seus lábios torciam-se impotentes, esforçando-se para articular alguma coisa. O horror atravessou o coração de Sônia.

— O que o senhor tem? — repetia ela, afastando-se levemente dele.

— Não é nada, Sônia. Não te assustes... Uma tolice! De fato, se formos julgar, é uma tolice — balbuciou ele com o jeito de alguém em delírio que não se dá conta de si. — Por que achei de vir te atormentar? — acrescentou de súbito, olhando para ela. — De fato. Por quê? Não paro de me fazer essa pergunta, Sônia...

É possível que ele tenha feito a si mesmo essa pergunta um quarto de hora antes, mas agora a pronunciava com total impotência, mal se dando conta do que fazia e sentindo um tremor contínuo em todo o corpo.

— Oh, como o senhor se atormenta! — pronunciou ela em tom sofrido e olhando para ele.

— É tudo tolice!... Vê, Sônia (súbito algo o fez dar um sorriso de uns dois segundos, meio pálido e impotente), tu te lembras do que eu quis te dizer ontem?

Todo o corpo dela tremeu subitamente.

— Pois bem, eu vim para te dizer.

— Sim, ontem o senhor realmente disse isso... — sussurrou ela com dificuldade — E como é que sabe? — perguntou prontamente, como se de chofre voltasse a si.

Sônia começava a respirar com dificuldade. O rosto ganhava uma palidez crescente.

— Sei.

Ela calou cerca de um minuto.

— Acaso *ele* foi encontrado? — perguntou timidamente.

— Não, não o encontraram.

— Então como é que o senhor sabe *disso*? — perguntou com voz que novamente mal se ouvia, e mais uma vez depois de quase um minuto de silêncio.

Ele se voltou para ela e a olhou, fixamente.

— Adivinha — pronunciou ele com o sorriso torto e impotente de antes.

Foi como se todo o corpo dela tivesse sido tomado por uma convulsão.

— Ora, o senhor... me... por que o senhor me... assusta... desse jeito? — pronunciou ela sorrindo como uma criança.

— Logo, sou *dele* um grande amigo... já que sei — prosseguiu Raskólnikov, ainda olhando insistentemente para o rosto dela, como se já estivesse sem forças para desviar o olhar. — Aquela Lisavieta... ele não queria matar... Ele a... matou sem querer... Ele queria matar a velha... quando ela estava só... e ele chegou a... Mas nesse instante Lisavieta entrou... Então ele... a matou.

Transcorreu mais um minuto de horror. E os dois sem desviar o olhar um do outro.

— Então, não consegues adivinhar? — perguntou ele de repente, com a sensação de quem se atirou de um campanário.

— N-não — murmurou Sônia de um modo que mal se ouvia.

— Olhe direitinho.

E logo que disse isso, aquela conhecida sensação anterior lhe congelou de chofre a alma: olhou para ela e súbito foi como se lhe visse no rosto o rosto de Lisavieta. Lembrou-se com nitidez da expressão do rosto de Lisavieta no momento em que ele se aproximava dela de machado em punho, e ela recuava rumo à parede com o braço estendido para a frente, com um medo absolutamente infantil estampado no rosto, tal qual crianças pequenas quando começam subitamente a ter medo de alguma coisa, olham imóveis e intranquilas para o objeto que as assusta, recuam, e com o bracinho estendido para a frente se preparam para chorar. Quase a mesma coisa acontecia agora com Sônia: com a mesma impotência, com o mesmo espanto ela olhou para ele durante algum tempo e súbito, com o braço esquerdo estendido para a frente, apoiou-se de leve, um pouquinho, com os dedos no peito dele e começou a levantar-se lentamente da cama, afastando-se mais e mais e fixando nele um olhar cada vez mais imóvel. Súbito seu horror se comunicou a ele: exatamente o mesmo espanto estampou-se também no rosto dele, que também começou a olhar para ela exatamente do mesmo modo e quase até com o mesmo sorriso *infantil*.

— Adivinhou? — sussurrou enfim.

— Meu Deus! — um terrível lamento escapou do peito dela. Caiu sem forças na cama, de cara no travesseiro. Mas num instante soergueu-se, acercou-se dele num gesto rápido, agarrou-o por ambas as mãos e, apertando-as com força com seus dedos finos, como tenazes, fixou outra vez o olhar no rosto dele, estática, como se estivesse pregada. Com esse último olhar desesperado ela queria descobrir e captar para si ao menos alguma última esperança. Mas não havia esperança; não restava nenhuma dúvida; tudo era *verdade*. Até mesmo depois, mais tarde, quando ela recordava esse instante, sentia-se estranha e maravilhada: por que naquela ocasião logo ela percebera de forma tão imediata que já não havia quaisquer dúvidas? Ora, ela não podia mesmo dizer, por exemplo, que havia pressentido algo semelhante! Por outro lado, agora que ele acabara de lhe dizer isso, ela teve a súbita impressão de que realmente parecia ter pressentido *aquilo* mesmo.

— Chega, Sônia, basta! Não me atormentes — pronunciou ele num tom sofrido.

Não era nada, nada desse jeito que ele pensava em lhe fazer a revelação, mas saiu *assim*.

Por mais fora de si que estivesse, ela se levantou de um salto e, torcendo as mãos, chegou ao meio do quarto; mas rapidamente voltou e tornou a sentar-se a seu lado, quase roçando nele ombro a ombro. Súbito, como se algo a tivesse trespassado, estremeceu, deu um grito e, sem saber para quê, lançou-se de joelhos diante dele.

— O que o senhor fez, o que o senhor fez contra si próprio! — pronunciou ela em desespero e, levantando-se de um salto, lançou-se no pescoço dele, abraçou-o e o apertou forte-forte com os braços.

Raskólnikov recuou e olhou para ela com um sorriso triste:

— Como és estranha, Sônia, me abraças e beijas quando eu te conto *sobre aquilo*. Estás fora de si.

— Não, agora não há ninguém mais infeliz do que tu neste mundo![38] — exclamou como quem delira, sem ouvir a observação dele, e subitamente começou a chorar aos soluços como num acesso de histeria.

Um sentimento que ele já não conhecia há muito tempo desabou como uma onda em sua alma e a abrandou de vez. Ele não lhe ofereceu resistência: duas lágrimas lhe rolaram dos olhos e ficaram suspensas nos cílios.

— Então não vais me deixar, Sônia? — falou, olhando-a quase com esperança.

— Não, não; nunca e em nenhum lugar! — exclamou Sônia. — Vou te acompanhar, vou a toda parte. Ô Deus!... Oh, eu sou uma infeliz!... E por que, por que não te conheci antes!? Por que não me apareceste antes!? Oh, meu Deus!

— Aqui estou.

— Agora! Oh, o que fazer agora!... Juntos, juntos! — repetia ela como quem devaneia e tornava a abraçá-lo. — Irei para os campos de trabalhos forçados junto contigo!

Foi como se ele estremecesse de repente, em seus lábios apareceu o antigo sorriso de ódio, quase arrogante.

— Sônia, pode ser que eu ainda não queira ir para os trabalhos forçados — disse ele.

Sônia olhou rapidamente para ele.

Depois da primeira manifestação de piedade apaixonada e torturante pelo infeliz, a terrível ideia do assassinato voltou a deixá-la estupefata. Súbito o assassino se fez ouvir no tom modificado das palavras dele. Ela o fitava com assombro. Ainda não sabia nada nem do porquê, nem do como, nem do fim daquele ato. Agora todas essas perguntas irrompiam simultaneamente em sua consciência. E mais uma vez ela não acreditou: "Ele, ele um assassino! Ora, isso lá é possível?".

— Mas o que está acontecendo!? Onde é que estou!? — pronunciou ela profundamente atônita, como se ainda não tivesse voltado a si. — E como foi que o senhor, que *um homem como o senhor*... pôde se atrever a tal coisa?... O que é isso!?

— Pois é, para saquear. Para com isso, Sônia! — respondeu ele com certo cansaço e até com um quê de enfado.

Em pé, Sônia parecia aturdida, mas de repente exclamou:

— Tu estavas com fome! Tu... para ajudar tua mãe? Não foi?

---

[38] Doravante Sônia mistura os pronomes de tratamento. (N. do T.)

— Não, Sônia, não — balbuciou ele, virando-se de costas e baixando a cabeça —, não estava com tanta fome... eu realmente queria ajudar a mamãe, mas... nem isso é totalmente verdadeiro... não me atormentes, Sônia!

Sônia levantou os braços.

— Mas será possível, será possível que tudo isso seja verdade! Deus, como é que isso pode ser verdade? Quem pode acreditar nisso?... E como é, como é que o senhor dá até o último centavo, mas mata para saquear! Ah!... — exclamou num átimo. — E aquele dinheiro, aquele dinheiro que o senhor deu a Catierina Ivánovna... aquele dinheiro... Deus, será que até aquele dinheiro...

— Não, Sônia — interrompeu ele às pressas —, aquele dinheiro era outro, fica tranquila! Aquele dinheiro minha mãe me havia enviado, através de um comerciante, e quando o recebi estava doente, no mesmo dia em que o dei... Razumíkhin viu... foi ele quem o recebeu por mim... aquele dinheiro era meu, meu de verdade.

Sônia o ouvia atônita, e fazia todos os esforços na tentativa de compreender.

— Quanto *àquele* dinheiro... aliás, eu nem sei se havia mesmo dinheiro — acrescentou baixinho e com ar pensativo —, na ocasião eu tirei do pescoço dela uma bolsa, de camurça... cheia, uma bolsa abarrotada... mas não a examinei; não tive tempo, deve ter sido isso... Quanto aos objetos — umas abotoaduras e uns brincos —, eu peguei todos esses objetos e mais a bolsa e enterrei em um pátio alheio, na avenida V., debaixo de uma pedra, na manhã seguinte... Até agora tudo continua lá...

Sônia ouvia com todas as forças.

— Sendo assim, então por que... como o senhor disse: para saquear, mas pessoalmente não tirou nada? — perguntou ela sem demora, agarrando-se a qualquer coisa.

— Não sei... ainda não resolvi se pego ou não aquele dinheiro — proferiu ele, mais uma vez como se refletisse e, súbito, voltando a si, deu uma risadinha rápida e breve. — Sim, senhor, que besteira acabei de dizer, hein?

Um pensamento passou pela cabeça de Sônia: "Não será louco?". Mas de pronto ela o deixou de lado: não, aí há outra coisa. Ela não estava entendendo nada vezes nada!

— Sabes de uma coisa, Sônia — disse ele com um certo entusiasmo —, sabes o que vou te dizer? Se eu tivesse matado apenas porque estava com fome — continuou ele, salientando cada palavra e lançando-lhe um olhar enigmático mas sincero —, agora eu estaria... *feliz*! Fica sabendo!

— E o que te adiantaria, o que te adiantaria — exclamou ele um instante depois e até com certo desespero —, bem, o que te adiantaria se neste momento eu confessasse que fiz mal? O que te adianta esse triunfo tolo sobre mim? Ah, Sônia, terá sido para isso que vim para cá?

Mais uma vez Sônia fez menção de dizer alguma coisa mas calou.

— Ontem eu te convidei para me acompanhar porque és a única pessoa que me resta.

— Acompanhar para onde? — perguntou timidamente Sônia.

— Não foi para roubar e nem matar, não te preocupes, não foi para isso — deu um risinho sarcástico —, somos pessoas diferentes... Sabes, Sônia, é que só agora, só neste momento compreendi: *para onde* eu te convidei ontem? Ontem, quando convidei, nem eu mesmo estava entendendo para onde. Para uma coisa eu chamei, por uma coisa eu vim: para que não me deixes. Não vais me deixar, vais, Sônia?

Ela lhe apertou a mão.

— E por que, por que eu disse a ela, por que lhe revelei!? — exclamou ele desesperado um minuto depois, fitando-a com um sofrimento infindo. — Vê, Sônia, aguardas explicações de minha parte, ficas aí sentada e aguardando, e eu vejo isso; mas o que te hei de dizer? Ora, não vais entender nada dessa história e não fazes senão sofrer inteira... por minha causa! Vê só, choras e tornas a me abraçar — vamos, por que me abraças? Porque eu mesmo não me aguentei e vim descarregar nos ombros de outro: "Sofre tu também, para mim será mais fácil!". E podes amar um patife como este?

— E por acaso tu também não te atormentas? — perguntou Sônia.

O mesmo sentimento voltou a inundar-lhe a alma como uma onda e mais uma vez a abrandou por um instante.

— Sônia, eu tenho um coração mau, repara nisso: isso pode explicar muito. Eu vim para cá porque sou mau. Há pessoas que não viriam. Mas eu sou covarde e... patife! Porém... tanto faz! Nada disso vem ao caso... Agora eu preciso falar, mas não sei começar...

Ele parou e pôs-se a matutar.

— Ora, ora, somos pessoas diferentes! — tornou ele a exclamar. — Não somos par um para o outro. Mas por que, por que vim para cá!? Nunca vou me perdoar por isso!

— Não, não, foi bom que tenhas vindo! — exclamou Sônia. — Foi melhor eu ficar sabendo! Muito melhor!

Ele a fitou com ar dorido.

— De fato, é isso mesmo! — disse ele, como que pensando bem. — Ora, foi assim mesmo que aconteceu! Vê só: eu queria tornar-me um Napoleão e por isso matei... Então, agora dá para entender?

— N-não — murmurou Sônia com jeito ingênuo e tímido —, só que... fale, fale! Eu vou entender, *por mim* eu vou entender tudo! — suplicava ela.

— Vais entender? Então está bem, vejamos!

Calou-se e ficou muito tempo ponderando.

— O negócio foi o seguinte: certa vez me fiz uma pergunta: o que aconteceria se, por exemplo, no meu lugar estivesse Napoleão e, para começar a carreira, ele não tivesse nem Toulon, nem o Egito, nem a travessia do Mont Blanc, mas em vez dessas coisas bonitas e monumentais houvesse pura e simplesmente alguma velha ridícula, usurária, que ainda por cima ele precisasse matar para lhe surrupiar o dinheiro do cofre (para a sua carreira, estás entendendo)? Pois bem, será que ele se atreveria a isso se não tivesse outra saída? Não ficaria enojado por ver que isso não tinha absolutamente nada de monumental e... era censurável? Pois bem, eu te digo que sofri durante um tempo terrivelmente longo com essa "questão", de sorte que senti uma imensa vergonha quando enfim adivinhei (de chofre e não sei como) que ele não só não ficaria enojado como nem lhe ocorreria que aquilo não era monumental... e nem chegaria a entendê-lo inteiramente: por que enojar-se com isso? E se ele não tivesse mesmo nenhuma outra alternativa, ele a estrangularia de tal forma que não a deixaria dar um pio, sem nenhuma contemplação!... Bem, eu também... deixei a contemplação... estrangulei-a... a exemplo da autoridade... E foi tal qual o que aconteceu! Estás achando engraçado? É, Sônia, o mais engraçado aqui é que a coisa pode ter acontecido desse jeito mesmo...

Sônia não estava achando nenhuma graça.

— É melhor ser direto... sem usar exemplos — pediu ela de forma ainda mais tímida e com voz que mal se ouvia.

Ele se voltou para ela, fitou-a com tristeza e segurou-a pelas mãos.

— Mais uma vez tens razão, Sônia. É que tudo isso é uma tolice, quase uma conversa fiada! Vê: tu mesma sabes que minha mãe não tem quase nada. Minha irmã recebeu educação por acaso, e está condenada a vegetar pelas casas como governanta. Todas as esperanças delas estavam unicamente em mim. Eu estudava, mas não pude me manter na universidade e fui forçado a sair provisoriamente. Se a coisa até continuasse se arrastando como estava, dentro de uns dez, de uns doze anos (se as circunstâncias viessem a favorecer), eu, apesar de tudo, poderia ter a esperança de vir a ser um professor secundário ou um funcionário público com vencimentos anuais de mil rublos... (Ele falava como se houvesse decorado.) Enquanto isso minha mãe mirraria de preocupações e sofrimento e todavia eu não conseguiria tranquilizá-la, e minha irmã... bem, com minha irmã poderia acontecer coisa ainda pior!... E que vontade é essa de passar a vida inteira ao largo de tudo e dando as costas a tudo, a esquecer a mãe e suportar respeitosamente, por exemplo, a ofensa feita à irmã? Para quê? Para, depois de enterrá-las, arranjar novos familiares — mulher e filhos — e depois também deixá-los sem um centavo e um pedaço de pão? Bem... bem, foi então que eu resolvi me apossar do dinheiro da velha, empregá-lo nos meus primeiros anos, sem atormentar minha mãe, no custeio da minha universidade, nos primeiros passos após a universidade — e fazer tudo isso à larga, de forma radical, de modo a construir toda a nova carreira e enveredar por um novo caminho independente... Bem... bem, isso é tudo... Agora, o fato de eu ter matado a velha, é claro — nisso eu fiz mal... bem, mas chega!

Ele arrastou o relato até o fim com certa fraqueza e de cabeça baixa.

— Oh, não é isso, não é isso — exclamou Sônia com tristeza —, por acaso pode ter sido assim?... não, não é assim, não é assim!

— Tu mesma vês que não é assim!... Só que eu contei sinceramente, a verdade.

— Mas que verdade é essa! Oh, Deus!

— Acontece, Sônia, que matei apenas um piolho, inútil, nojento, nocivo.

— Uma pessoa... é um piolho!?

— Ora, eu também sei que não é um piolho — respondeu ele, fitando-a de maneira estranha. — Aliás, estou mentindo, Sônia — acrescentou —, faz tempo que ando mentindo... Não é nada disso; tu dizes coisas justas. As causas são inteiramente, inteiramente, inteiramente outras!... Fazia tempo que eu não conversava com ninguém, Sônia... Agora estou com muita dor de cabeça.

Os olhos dele ardiam em um fogo febril. Estava quase começando a delirar; um sorriso intranquilo se lhe estampava nos lábios. Através do estado excitado do espírito já transparecia uma terrível fraqueza. Sônia compreendeu como ele estava atormentado. Ela também estava começando a sentir tontura. E de que jeito estranho ele havia falado: parecia que dava para entender alguma coisa, mas... "Mas como! De que maneira!? Oh, Deus!" E ela torcia as mãos de desespero.

— Não, Sônia, não é isso! — recomeçou ele, levantando de repente a cabeça, como se uma súbita mudança de pensamentos o houvesse afetado e tornasse a despertá-lo —, não é isso! O melhor... supõe (sim! assim é realmente melhor!), supõe que eu seja egoísta, invejoso, perverso, vil, vingativo, bem... e talvez ainda com tendência para a loucura. (É melhor dizer tudo de uma vez! Sobre a loucura já falaram antes, isso eu já havia percebido!) Há pouco eu te disse que não pude custear minhas despesas na universidade. E sabes tu que eu talvez o pudesse? Minha mãe me mandaria para o pagamento das anuidades, e para comprar botas, roupa e comida eu mesmo ganharia; com certeza! Arranjaria aulas; ofereciam cinquenta copeques por aula. Razumíkhin trabalha, não trabalha? Mas eu fiquei furioso e não aceitei. Isso mesmo, *furioso* (essa palavra é melhor!). Na ocasião eu me encafuei num canto do meu quarto como uma aranha. Tu estiveste no meu cubículo e o viste... E sabes, Sônia, que os tetos baixos e os quartos apertados oprimem a alma e a inteligência? Oh, como eu odiava aquele cubículo! Mas ainda assim não queria sair dele. De propósito não queria. Passava dias e noites sem sair, não queria trabalhar e nem comer eu queria, vivia só deitado. Nastácia trazia, eu comia; não trazia, eu passava o dia assim mesmo; propositadamente eu não pedia, de raiva! De noite não tinha luz, eu ficava deitado no escuro, mas não queria trabalhar para comprar velas. Precisava estudar, mas tinha vendido aos poucos os livros; na mesa do meu quarto, nas minhas anotações e cadernos existe até agora um dedo de poeira. Eu gostava mais de ficar deitado e pensando. E não parava de pensar... E tinha sempre uns sonhos estranhos, diferentes, cada sonho! Só então começou a me parecer também que... Não, não é isso! Outra vez não estou contando direito! Vê, naquela época eu estava sempre me perguntando: por que sou tão tolo que, se os outros são tolos, se eu sei ao certo que são tolos, por que eu mesmo não quero ser mais inteligente? Mais tarde fiquei sabendo, Sônia, que se a gente for esperar que todos fiquem inteligentes, isso irá demorar demais... Depois fiquei sabendo ainda que isso nunca vai acontecer, que as pessoas não vão mudar, que não há ninguém que possa refazê-las e não vale a pena perder tempo. Sim, isso é assim! É a lei delas. A lei, Sônia! É assim!... E agora eu sei, Sônia, que quem é vigoroso e forte de inteligência e espírito é o senhor delas! Quem muito ousa é que tem razão entre elas.[39] Quem pode se lixar para mais coisas é o legislador delas, e quem pode ousar mais que todos tem mais razão do que todos! Assim tem sido até hoje e assim será sempre! Só um cego não vê.

Ao dizer isso, mesmo olhando para Sônia, Raskólnikov já não se preocupava se ela iria compreender ou não. A febre se apoderara dele completamente. Ele estava tomado por um arroubo sombrio. (De fato, ele passara

---

[39] Compare-se essa passagem à seguinte dos manuscritos do romance: "... nunca ninguém que tivesse poder se sujeitou a essas leis. Os Napoleões as pisotearam e as modificaram [...] Existe uma só lei — a lei da ética". (N. da E.)

tempo demais sem conversar com ninguém!) Sônia compreendeu que esse catecismo sombrio se tornara a fé e a lei dele.

— Naquela ocasião, Sônia — continuou ele entusiasticamente —, eu adivinhei que o poder só se deixa agarrar por aquele que ousa inclinar-se e tomá-lo. Aqui só há uma coisa, uma só: basta apenas ousar! Então, pela primeira vez na vida, me veio à imaginação uma ideia que antes de mim ninguém jamais havia imaginado! Ninguém! Eis que me pareceu claro, como o sol: como é que ninguém até então, ao passar ao lado de todo esse absurdo, havia ousado e não ousava pura e simplesmente agarrar tudo pelo rabo e arremessar para o diabo! Eu... quis *ousar* e matei... eu só quis ousar, Sônia, eis toda a causa!

— Ora, cale-se, cale-se! — exclamou Sônia, erguendo os braços. — O senhor se afastou de Deus e Deus o golpeou, o entregou ao diabo!...

— Aliás, Sônia, quando eu estava deitado no escuro e tudo isso se me afigurava, foi o diabo que me perturbou? Foi?

— Cale-se! Não ria, blasfemador, o senhor não entende nada, nada! Oh, Senhor! Ele não compreende nada, nada!

— Cala-te, Sônia, não estou rindo coisa nenhuma, é que eu mesmo sei que foi o diabo que me arrastou. Cala-te, Sônia, cala-te! — repetiu com ar sombrio e insistente. — Eu sei tudo. Já pensei, repensei e sussurrei tudo isso cá comigo quando estava deitado no escuro naquele momento... Eu mesmo me dissuadi de tudo isso cá comigo, até o último e mais ínfimo detalhe, e estou sabendo tudo, tudo! E como me saturou, como me saturou naquela ocasião toda essa conversa fiada! Eu queria esquecer tudo e recomeçar, Sônia, e parar com essa conversa fiada! Será que pensas que eu fui para lá como um imbecil, de modo irrefletido? Fui como um homem inteligente, e foi isso mesmo que me pôs a perder! Será que pensas que eu não sabia ao menos, por exemplo, que, se já havia começado a me perguntar e me interrogar — tenho ou não o direito de ter poder? — é que eu, então, não tinha o direito de ter poder? Ou se eu me fazia a pergunta: o homem é um piolho? — é que, portanto, o homem não era um piolho *para mim* mas era um piolho para aquele a quem isso não entra na cabeça e vai em frente sem fazer perguntas... E se passei tantos dias sofrendo por saber: Napoleão o faria ou não? — então eu já percebia claramente que não sou Napoleão... Eu suportei todo, todo o tormento dessa conversa fiada, Sônia, e desejei arremessá-la toda de cima dos meus ombros: Sônia, eu quis matar sem casuística, matar para mim, só para mim! A esse respeito eu não queria enganar nem a mim mesmo! Não foi para ajudar minha mãe que matei — isso é um absurdo! Não matei para obter recursos e poder, para me tornar um benfeitor da humanidade. Absurdo! Eu simplesmente matei; matei para mim, só para mim: agora, quanto a eu vir a ser benfeitor de alguém ou passar a vida inteira como uma aranha, arrastando todos para a rede e sugando a seiva viva de todos, isso, naquele instante, deve ter sido indiferente para mim!... E não era do dinheiro, Sônia, que eu precisava quando matei; não era tanto o dinheiro que me fazia falta quanto outra coisa... Agora eu sei tudo isso... Compreende-me: se voltasse a trilhar o mesmo caminho, talvez eu nunca mais repetisse o assassinato. Eu precisava saber de outra coisa, outra coisa me impelia: naquela ocasião eu precisava saber, e saber o quanto antes: eu sou um piolho, como todos, ou um homem? Eu posso ultrapassar ou não![40] Ouso inclinar-me e tomar ou não![41] Sou uma besta trêmula ou tenho o *direito de*...

— Matar? Tem o direito de matar? — Sônia ergueu os braços.

— Ora, ora, Sônia! — ele soltou um grito irritado, quis objetar alguma coisa mas calou desdenhosamente. — Não me interrompas, Sônia! Eu só quis te demonstrar uma coisa: que naquela ocasião o diabo me arrastou, mas já depois me explicou que eu não tinha o direito de ir lá porque sou um piolho exatamente como todos os outros! Ele zombou de mim, e aí eu vim para o teu lado agora! Recebe o hóspede! Se eu não fosse um piolho, teria vindo para o teu lado? Escuta: quando eu fui à casa da velha naquele momento, só fui para *experimentar*... Fica sabendo!

— E matou! Matou!

— Sim, mas como matei? Aquilo lá é jeito de matar? Por acaso alguém vai matar como eu fui naquele momento? Algum dia eu te conto como eu fui... Por acaso eu matei a velhota? Foi a mim que matei,[42] não a velhota! No fim das contas, matei simultaneamente a mim mesmo, para sempre!... Já a velhota foi o diabo quem matou, e não eu... Basta, basta, Sônia, basta! Deixa-me — exclamou ele de repente com uma melancolia convulsiva —, deixa-me!

---

[40] O verbo "ultrapassar" está desacompanhado do objeto "obstáculo" ou "limite". Leia-se, portanto, "ultrapassar o limite", tema central da obra de Dostoiévski. (N. do T.)

[41] Como "ultrapassar", o verbo "tomar" também está desacompanhado do objeto, isto é, o substantivo "poder". Aqui Raskólnikov retoma sua própria reflexão anterior: "O poder só se deixa agarrar por aquele que ousa inclinar-se e tomá-lo". (N. do T.)

[42] "O castigo pelo crime amedronta muito menos o criminoso [...] porque ele mesmo o reclama (moralmente)", escreveu Dostoiévski a Mikhail Kátkov, expondo a ideia do romance. O tema da punição jurídica aos criminosos estava muito em voga nessa época. (N. da E.)

Ele apoiou os cotovelos nos joelhos e apertou a cabeça com as mãos como tenazes.

— Que sofrimento! — escapou o lamento torturante de Sônia.

— Bem, e agora, o que fazer? Fala! — perguntou ele, levantando num átimo a cabeça e fitando-a com um rosto deformado pelo desespero.

— O que fazer! — exclamou ela, levantando-se num salto do lugar, e seus olhos, há pouco cheios de lágrimas, encheram-se de um brilho repentino. — Levanta-te! (Ela o agarrou pelos ombros; ele soergueu-se, olhando-a meio surpreso.) Vai agora, neste instante, para em um cruzamento, inclina-te, beija primeiro a terra, que profanaste, e depois faz uma reverência ao mundo inteiro, e diz em voz alta a quem te der na telha: "Eu matei!". Então Deus te mandará vida mais uma vez. Vais? Vais? — perguntava ela, tomada de tremor, como quem tem um acesso, agarrando-o por ambas as mãos, apertando-as com força nas suas e fitando-o com um olhar de fogo.

Ele ficou surpreso e até pasmo com o inesperado entusiasmo dela.

— Estás falando dos campos de trabalho forçado, Sônia. Para eu me denunciar, é isso? — perguntou com ar sombrio.

— Assumir o sofrimento e redimir-se, é isso que é preciso.

— Não! Não vou até eles, Sônia.

— E viver, como vais viver? Vais viver com quê? — exclamou Sônia. — Por acaso isto te será possível agora? E como vais conversar com tua mãe? (Oh, o que vai ser delas agora!) Ora, o que eu estou dizendo! Tu já abandonaste a mãe e a irmã. Pois é, abandonaste mesmo, abandonaste! Oh, Deus! — exclamou. — Ele mesmo já sabe de tudo isso! Mas como é que pode, como é que pode viver sem uma pessoa! O que é que vai ser de ti agora!

— Não sejas criança, Sônia — proferiu ele baixinho. — Que culpa tenho eu diante deles? Para que terei de ir? O que vou lhes dizer? Tudo isso é apenas visão... Eles mesmos consomem milhões de pessoas,[43] e ainda consideram isso uma virtude. São uns farsantes e patifes, Sônia!... Não vou. O que é que vou dizer: que matei mas não me atrevi a ficar com o dinheiro, que o escondi debaixo de uma pedra? — acrescentou com um risinho sarcástico. — Pois bem, eles mesmos vão zombar de mim, e dizer: é burro por não ter

---

[43] O diário político *Gólos* (*A Voz*), de São Petersburgo, publicava em 7 de abril de 1865 a seguinte crônica de Leon Paul: "Victor Hugo observa que Napoleão consome diariamente dois mil soldados. Os países que durante muito tempo foram teatro de guerra sofreram redução na sua população. A Espanha perdeu quatro milhões de habitantes, Portugal, um milhão e meio. Eis o imenso capital de vidas e abastança que Napoleão devorou". (N. da E.)

ficado com o dinheiro. Covarde e burro! Não vão entender nada, nada, Sônia, e não são dignos de entender. Para que eu iria? Não vou. Não sejas criança, Sônia...

— Vais te atormentar, vais te atormentar — repetia ela numa súplica desesperada e estendendo-lhe as mãos.

— Possivelmente *ainda* me caluniei — observou ele em tom sombrio, como se refletisse —, talvez eu *ainda* seja um homem e não um piolho e me precipitei em me condenar... Eu *ainda* vou lutar.

Seus lábios espremeram um riso de desdém.

— Carregar um tormento como esse! E a vida inteira, a vida inteira!...

— Hei de me acostumar... — pronunciou ele com ar lúgubre e meditativo. — Escuta — começou um minuto depois —, chega de chorar, é hora de tratar do assunto: vim te dizer que estão à minha procura, me caçando...

— Oh! — Sônia deu um gritinho de susto.

— Ora, por que esse grito? Tu mesma queres que eu vá para um campo de trabalhos forçados e agora te assustas? Só que, escuta: não vou me entregar a eles. Ainda vou lutar com eles, e não vão me fazer nada. Não dispõem de provas reais. Ontem corri um grande perigo e pensei que estivesse liquidado: mas hoje a coisa melhorou. Todas as provas que eles têm são de dois gumes, ou seja, posso converter as acusações deles em meu próprio proveito, estás entendendo, e vou convertê-las; porque agora eu aprendi... Mas com certeza vão me pôr na prisão. Não fosse um acaso, talvez me prendessem hoje mesmo, na certa, é até possível que *ainda* me prendam hoje... Só que isso não é nada, Sônia: fico preso um pouco, mas me soltam... porque eles não têm nenhuma prova real e nem vão ter, te dou minha palavra. E com base naquilo de que dispõem não dá para engaiolar um homem. Bem, chega... Eu queria apenas te deixar a par... Quanto à minha mãe e minha irmã, procurarei me empenhar em dar algum jeito de dissuadi-las e não assustá-las... Minha irmã, aliás, agora está com a vida garantida... logo, minha mãe também... Pois bem, eis tudo. De resto, toma cuidado. Irás me visitar na prisão quando eu estiver preso?

— Ó, irei! Irei!

Os dois estavam sentados lado a lado, tristes e abatidos, como se tivessem sido lançados sozinhos numa margem deserta após uma tempestade. Ele olhava para Sônia e sentia o quanto do amor dela estava depositado nele e, estranho, sentiu de repente o peso e a dor de ser tão amado. Sim, era uma sensação estranha e horrível! Ao caminhar para a casa de Sônia, sentia que nela estava toda a sua esperança e toda saída; pensava em descarregar ao menos uma parte dos seus tormentos, e eis que, agora, quando todo o coração dela estava voltado para ele, subitamente ele sentiu e se deu conta de que se tornara mais infeliz do que era antes e de uma forma inaudita.

— Sônia — disse ele —, é melhor que não me visites quando eu estiver na prisão.

Sônia não respondeu, estava chorando. Transcorreram alguns minutos.

— Tens uma cruz no pescoço? — perguntou ela de súbito e inesperadamente, como se isso acabasse de lhe vir à mente.

A princípio ele não entendeu a pergunta.

— Não, não é? Então toma, pega esta, de cipreste. Eu ainda tenho outra, de cobre, de Lisavieta. Eu e Lisavieta trocamos, ela me deu a sua cruz, eu lhe dei um santinho. Agora vou usar a de Lisavieta, e esta fica para ti. Toma... mas é minha! Mas é minha — rogava ela. — É que vamos sofrer juntos, e juntos vamos carregar a cruz!...

— Me dá! — disse Raskólnikov; não queria lhe causar desgosto. Mas no mesmo instante retirou bruscamente a mão estendida para receber a cruz.

— Não agora, Sônia. É melhor depois — acrescentou a fim de tranquilizá-la.

— Sim, sim, é melhor, é melhor — secundou ela com fervor —, quando fores para o sofrimento tu a porás. Virás à minha casa e eu a porei no teu pescoço, rezaremos e partiremos.

Nesse instante alguém bateu três vezes à porta.

— Sófia Semiónovna, posso entrar? — ouviu-se a voz muito conhecida e cordial de alguém.

Sônia precipitou-se assustada para a porta. A cara loura do senhor Liebezyátnikov espiou para dentro do quarto.

## V

Liebezyátnikov parecia alarmado.

— Vim procurá-la, Sófia Semiónovna. Desculpe... Eu bem que pensava que ia encontrá-lo aqui — falou em seguida para Raskólnikov —, ou melhor, eu não pensava nada disso... mas pensava mesmo... É que lá no nosso prédio Catierina Ivánovna enlouqueceu — disse súbito para Sônia, interrompendo a fala com Raskólnikov.

Sônia soltou um grito.

— Isto é, pelo menos é o que parece. Aliás... Nós não sabemos o que fazer, é isso! Ela voltou — parece que foi expulsa sei lá de onde, pode até ter apanhado... ao menos é o que está parecendo. Foi procurar o chefe de Semion Zakháritch, não o encontrou em casa; ele estava almoçando na casa de um outro general... Imagine, ela se precipitou para lá, onde eles almoçavam, para a casa desse outro general e, imagine — ainda insistiu, chamou o chefe de Semion Zakháritch, sim, e parece que até o tirou da mesa. Você pode imaginar em que isso deu. Naturalmente foi escorraçada; mas ela conta que ela mesma o insultou e arremessou alguma coisa contra ele. Isso é até de se supor... só não entendo como não a prenderam! Agora ela está contando isso para todo mundo, até para Amália Ivánovna, só que é difícil compreender o que diz, ela grita e debate-se... Ah, sim: anda dizendo e gritando que, como todos a abandonaram, vai pegar as crianças e sair para a rua, levando um realejo, que as crianças vão cantar e dançar, e ela também, e que vai recolher dinheiro, e passar todos os dias debaixo da janela do general... "Que vejam, diz ela, como os filhos nobres de um pai funcionário público andam mendigando pelas ruas!" Espanca todas as crianças, elas choram. Está ensinando Lênia a cantar "Khutorok", o menino, a sapatear, e Polina Mikháilovna também. Rasga toda a roupa; faz uns chapeuzinhos para eles, como para atores; ela mesma pretende andar com uma bacia na qual vai bater como num instrumento musical... Não escuta nada... Imagine se pode uma coisa dessa. Isso já é simplesmente inadmissível!

Liebezyátnikov teria continuado, mas Sônia, que o ouvira ofegante, agarrou de repente a mantilha e o chapéu e saiu correndo do quarto, vestindo-se às correrias. Raskólnikov saiu atrás dela e Liebezyátnikov atrás dele.

— Não há dúvida de que está louca! — dizia ele a Raskólnikov quando os dois saíam à rua. — Eu apenas não quis assustar Sófia Semiónovna e disse "parece", mas nem há dúvida. Dizem que nos doentes de tísica brotam umas protuberâncias do cérebro;[44] lamento não saber medicina. Aliás eu procurei convencê-la, mas ela não ouve nada.

— Você falou de protuberâncias com ela?

— Isto é, não propriamente de protuberâncias. Além disso ela não iria compreender nada. Mas vou falar disso: se a gente persuade logicamente uma pessoa de que, no fundo, ela não tem por que chorar, ela deixa de chorar. Isso é claro. Você não acha que deixa?

— Neste caso seria fácil demais viver — respondeu Raskólnikov.

— Perdão, perdão; é claro que para Catierina Ivánovna é bastante difícil compreender; mas é do seu conhecimento que em Paris já se fizeram sérias experiências com a possibilidade de curar os loucos apenas mediante convencimento lógico? Um professor de lá, cientista sério, que morreu há pouco tempo, imaginou que é possível curar dessa maneira. A ideia central dele é a de que no organismo dos loucos não existe uma perturbação especial e que a loucura é, por assim dizer, um erro de lógica, um erro de juízo, uma concepção incorreta das coisas. Ele foi refutando gradativamente a doença e, imagine, obteve resultados, segundo dizem! Mas como nesse processo ele também usou duchas, os resultados desse tratamento são, é claro, objeto de dúvida... Ao menos assim parece...

Raskólnikov já não o ouvia há muito tempo. Ao chegar ao seu prédio, fez um sinal de cabeça para Liebezyátnikov e guinou para a entrada. Liebezyátnikov se deu conta, olhou para trás e seguiu em frente a passos acelerados.

Raskólnikov entrou no seu cubículo e parou no meio. "Por que dobrei para cá?" Olhou aquele papel de parede amarelado, aquela poeira, o seu canapé... Ouviu-se uma batida forte, constante, vinda do pátio; parecia que em

---

[44] Segundo testemunho do Dr. S. D. Yánovski, em sua juventude Dostoiévski se interessou por doenças do cérebro e do sistema nervoso e estudou a literatura científica específica, particularmente as obras de Franz Joseph Hall (1758-1828), médico e anatomista austríaco, famoso por sua doutrina das características psíquicas do homem e da estrutura da superfície do crânio. A frenologia de Hall era bastante estudada na Rússia dos anos 1860. Mas ainda é possível que, ao mencionar as protuberâncias, Dostoiévski também tivesse em vista o fisiologista francês Claude Bernard (1813-1878), segundo quem os fenômenos psíquicos nos organismo vivos devem-se ao movimento das partículas nervosas. O nome de Bernard é mencionado em *Os irmãos Karamázov*: Dmitri galhofa de uns "rabinhos" no cérebro. (N. da E.)

algum lugar pregavam alguma coisa, algum prego... Foi à janela, pôs-se na ponta dos pés e ficou longo tempo examinando o pátio, aparentando prestar uma atenção excepcional. Mas o pátio estava deserto e ele não via os autores das batidas. Numa ala, à esquerda, apareciam aqui e ali janelas abertas; em seus parapeitos, uns vasinhos com gerânios mofinos. Lá fora havia roupa estendida... Tudo isso ele sabia de cor. Virou-se e sentou-se no sofá.

Nunca, nunca havia se sentido tão terrivelmente só!

Sim, tornou a sentir que talvez viesse realmente a odiar Sônia, e justo agora quando a havia feito mais infeliz. "Por que a procurara para pedir as suas lágrimas? Por que lhe é tão necessário devorar a vida dela? Ó, infâmia!"

— Hei de ficar só! — falou de súbito e decidido. — E ela não irá me visitar na prisão!

Uns cinco minutos depois levantou a cabeça e sorriu de um jeito estranho. Era um pensamento estranho: "Pode ser que no campo de trabalhos forçados realmente seja melhor" — eis o que lhe veio à cabeça.

Não se dava conta de há quanto tempo estava em casa com seus pensamentos indefinidos se amontoando na cabeça. Súbito a porta se abriu e entrou Avdótia Románovna. Primeiro ela parou e olhou para ele da entrada, como há pouco ele olhara para Sônia; depois já entrou e sentou-se numa cadeira diante dele, no seu lugar da véspera. Ele a fitou calado, como se nada tivesse em mente.

— Não te zangues, meu irmão, vim só por um minuto — disse Dúnia. Tinha no rosto uma expressão pensativa, mas não severa, um olhar brilhante e sereno. Ele percebeu que ela também viera visitá-lo com amor.

— Meu irmão, agora estou a par de tudo, *de tudo*. Dmitri Prokófitch me contou e explicou. Estão te perseguindo e te atormentando por uma suspeita tola e infame... Dmitri Prokófitch me contou que não existe nenhum perigo e que em vão tu encaras isso com tamanho pavor. Não penso assim e *compreendo perfeitamente* como tudo está revoltado em teu ser e que essa indignação pode deixar marcas para sempre. É isso que temo. Não te julgo nem me atrevo a julgar pelo fato de que nos abandonaste, e me perdoa por eu ter te censurado antes. Sinto em mim mesma que se eu experimentasse uma mágoa tão grande eu também me afastaria de todos. *Sobre isso* não vou contar nada a mamãe, mas vou falar a teu respeito sem parar e dizer, em teu nome, que muito em breve tu nos visitarás. Não te atormentes pensando nela; *eu* vou tranquilizá-la; mas tu também não a atormentes: aparece ao menos uma vez; lembra-te de que ela é mãe! Mas agora eu vim apenas te dizer (Dúnia começou a levantar-se) que se por acaso precisares de mim ou se precisares de... toda a minha vida, ou que... me chama que eu virei. Adeus!

Ela deu uma meia-volta brusca e caminhou para a porta.

— Dúnia! — Raskólnikov a deteve, levantou-se e foi até ela. — Esse Razumíkhin, Dmitri Prokófitch, é uma pessoa muito boa.

Dúnia corou levemente.

— É mesmo? — perguntou ela após aguardar um instante.

— É um homem de ação, trabalhador, honesto e capaz de amar intensamente... Adeus, Dúnia.

Dúnia corou toda, depois foi tomada de súbita inquietação.

— O que é isso, meu irmão, por acaso estamos realmente nos separando para sempre, por que me... deixas esses legados?

— Não importa... adeus...

Virou-se e afastou-se dela indo para a janela. Ela ainda ficou um pouco, olhou preocupada para ele e se foi intranquila.

Não, ele não foi frio com ela. Houve um instante (o último) em que teve uma imensa vontade de abraçá-la com força e *despedir-se* dela, e até *contar*, mas nem a mão ele ousou lhe dar:

"Depois talvez ainda venha a estremecer quando se lembrar de que desta vez lhe dei um abraço, e dizer que lhe roubei um beijo!"

"Será que *essa* vai aguentar ou não? — acrescentou de si para si após alguns minutos. — Não, *pessoas assim* não conseguirão aguentar; pessoas desse tipo jamais aguentam..."

E ele pensou em Sônia.

Um frescor entrou pela janela. Lá fora a claridade já não estava tão forte. Súbito ele pegou o boné e saiu.

Ele, é claro, não podia e nem queria se preocupar com seu estado doentio. Mas todo esse contínuo desassossego e todo esse pavor que trazia na alma não podiam passar sem consequências. E se ele ainda não estava acamado com febre de verdade, isso, talvez, era justamente porque esse desassossego interior e contínuo ainda o mantinha de pé e consciente, se bem que de modo meio artificial, provisório.

Perambulava a esmo. O sol estava se pondo. Ultimamente uma melancolia singular começava a manifestar-se nele. Nela não havia nada de especialmente corrosivo, de pungente; mas ela transmitia algo permanente, eterno, fazia pressentir anos desesperadores dessa melancolia fria, mortífera, uma eternidade "no espaço de um metro". Nos finais de tarde essa sensação costumava atormentá-lo com intensidade ainda maior.[45]

---

[45] Como observam os estudiosos, "longos raios oblíquos do sol poente" são uma imagem recorrente na obra de Dostoiévski, imagem-símbolo já presente em suas primeiras

— Pois bem, com essas fraquezas tolíssimas, puramente físicas, que dependem de algum pôr do sol, vá você e tente não fazer bobagens! Você acaba procurando não só Sônia mas até Dúnia! — resmungou ele com ódio.

Chamaram-no. Ele olhou para trás; Liebezyátnikov corria em sua direção.

— Imagine, estive em sua casa, estou à sua procura. Imagine, ela pôs em prática as suas intenções e foi para a rua levando as crianças. Eu e Sônia Semiónovna as encontramos a muito custo. Ela mesma anda batendo numa frigideira, obriga as crianças a cantarem e dançarem. Elas choram. Param nos cruzamentos e diante das vendas. Há uma gente tola correndo atrás delas. Vamos.

— E Sônia?... — perguntou inquieto Raskólnikov, apressando os passos atrás de Liebezyátnikov.

— Está simplesmente desatinada. Quer dizer, não é Sófia Semiónovna mas Catierina Ivánovna que está desatinada; aliás, Sófia Semiónovna também desatinou. Catierina Ivánovna está mesmo totalmente enlouquecida. Eu lhe digo que está definitivamente louca. Vão acabar sendo presas. Imagine o efeito que isso vai ter... Agora estão no canal, perto da ponte... nada longe da casa de Sófia Semiónovna. Perto.

No canal, não muito longe da ponte e a menos de dois prédios de onde morava Sônia, havia um amontoado de gente. Meninos e meninas eram os que mais corriam para lá. Da ponte já se ouvia a voz rouca e dorida de Catierina Ivánovna. De fato, era um espetáculo estranho, capaz de interessar o público da rua. Em seu vestido bem velhinho, com o xale de *drap de dames* e o chapéu de palha amassado, largado à parte como uma bola disforme, Catierina Ivánovna estava realmente desatinada. Cansara e arfava. O exausto rosto tísico tinha um ar mais sofrido que nunca (ademais, na rua, ao sol, o tísico sempre parece mais doente e mais desfigurado que em casa); no entanto o seu estado de excitação não cessava e a cada instante ela ia ficando cada vez mais exasperada. Lançava-se para as crianças, gritava com elas, tentava persuadi-las, ali mesmo, diante do público, ensinava como deviam dançar e cantar, começava a empurrá-las para o que fosse necessário, desesperava-se com a incompreensão delas, batia nelas... Depois, sem terminar o que fazia, lançava-se para o público; se percebia alguém levemente bem-

---

obras. Em seus romances, a hora crepuscular é um símbolo psicológico profundo, que agrava o estado de espírito das personagens. Em *Crime e castigo*, o dourado do poente vence a poeira e o calor do verão de Petersburgo, e a melancolia que ele provoca em Raskólnikov contribui para a sua purificação moral. (N. da E.)

-vestido, que se detivera para dar uma olhada, punha-se imediatamente a lhe explicar a que ponto, veja só, foram levados os filhos de "um lar nobre, pode-se até dizer aristocrático". Se ouvia na aglomeração riso ou alguma palavrinha implicante, investia de pronto para os atrevidos e começava a altercar com eles. Uns realmente riam, outros balançavam a cabeça; para todos era curioso observar uma louca acompanhada de crianças amedrontadas. A frigideira, de que falara Liebezyátnikov, não estava com ela, ao menos Raskólnikov não a divisou; no entanto, no lugar das batidas na frigideira começava a bater o compasso com suas mãos secas, quando obrigava Pólietchka a cantar e Lênia e Kólia a dançarem; ademais, até ela mesma começava a cantar junto, mas todas as vezes se interrompia na segunda nota por causa da tosse torturante, razão por que voltava a cair no desespero, maldizia a tosse e até chorava. O que mais a deixava fora de si eram o choro e o medo de Kólia e Lênia. De fato, houve uma tentativa de vestir as crianças com o mesmo traje com que se vestem os cantores e cantoras de rua. Puseram no menino um turbante feito de algum tecido vermelho mesclado de branco, para que ele representasse um turco. Para Lênia não encontraram traje; puseram-lhe apenas o barrete de lã vermelha torcida (ou melhor, a carapuça) do falecido Semion Zakháritch, com uma pena branca de avestruz enfiada por cima, que pertencera ainda à avó de Catierina Ivánovna e até então fora mantida no baú como relíquia de família. Pólietchka estava com seu vestidinho de sempre. Olhava tímida e desconcertada para a mãe, não se afastava dela, escondia as lágrimas; adivinhava a loucura da mãe e olhava intranquila ao redor. A rua e a multidão a apavoravam. Sônia seguia insistentemente Catierina Ivánovna, chorando e implorando a cada instante que ela voltasse para casa. Mas Catierina Ivánovna estava implacável.

— Para, Sônia, para! — gritava ela atropelando as palavras, correndo, ofegando e tossindo. — Tu mesma não sabes o que estás pedindo, pareces uma criança! Eu já te disse que não volto para a casa daquela alemã bêbada. Deixem que todos vejam, toda Petersburgo, como pedem esmola os filhos de um pai nobre, que dedicou de corpo e alma a vida inteira ao serviço e, pode-se dizer, morreu no posto. (Catierina Ivánovna já conseguira criar para si essa fantasia e acreditar cegamente nela.) Tomara, tomara que esse generalote imprestável veja. Além do mais és tola, Sônia: o que vamos comer agora, podes me dizer? Já te martirizamos demais, não quero mais! Ah, Rodion Románitch, é o senhor! — soltou um grito ao ver Raskólnikov e lançando-se para ele. — Explique por favor a ela, a esta tolinha, que não há nada mais inteligente a fazer! Até os tocadores de realejo ganham o pão, e nos vão distinguir imediatamente, vão descobrir que somos uma família pobre e nobre de órfãos levados à miséria, e esse generalote vai perder o cargo,[46] o senhor verá! Cada dia nós vamos passar debaixo das janelas dele, o soberano vai passar por lá, vou me ajoelhar aos pés dele, botar todos esses tipos na frente e apontá-los: "Defende, pai!". Ele é o pai dos órfãos, o clemente, o defensor, verá, e esse generalote... Lênia! *Tenez-vouz droite*![47] Kólia, agora tu vais dançar de novo, seu bobinho! Deus! O que vou fazer com eles, Rodion Románitch? Se o senhor soubesse como eles são ineptos! O que a gente pode fazer com gente assim!...

E ela mesma, a ponto de chorar (o que não a impedia de continuar matraqueando), mostrava-lhe as crianças que choramingavam. Raskólnikov tentou persuadi-la a voltar e, pensando provocar-lhe o amor-próprio, chegou até a dizer que para ela não ficava bem andar pelas ruas, como faziam os tocadores de realejo, porque ela estava se preparando para dirigir um internato de moças nobres...

— Do internato, quá-quá-quá! Que bela piada! — exclamou Catierina Ivánovna, caindo na tosse logo após a risada. — Não, Rodion Románitch, o sonho acabou! Todos nos abandonaram!... E esse generalote... sabe, Rodion Románitch, arremessei contra ele um tinteiro — ele estava ali a propósito, numa escrivaninha, na sala dos criados, ao lado da folha que as pessoas assinam; eu também assinei, arremessei e fugi. Ó, infames, infames! Mas estou me lixando; agora eu mesma vou alimentar essas crianças, não hei de me humilhar diante de ninguém! Nós a fizemos sofrer demais! (Ela apontou para Sônia.) Pólietchka, quanto ganhamos? Mostra. Como? Só dois copeques? Ó, infames! Não dão nada, só correm atrás delas, estirando a língua! Ora, e de que é que esse papalvo está rindo? (apontou para um da aglomeração). Tudo isso é porque esse Kolka[48] é tão duro de compreender, dá um trabalhão! Pólietchka, fala comigo em francês, *parlez-moi français*.[49] Eu não te ensinei, tu não sabes várias frases?!... Senão como vão distinguir que nós somos de uma família nobre, que vocês são crianças educadas e não têm nenhuma semelhança com todos esses tocadores de realejo? Nós não repre-

---

[46] Segundo a Tabela de Classificação (*Tabel o rangakh*) promulgada em 1722 por Pedro, o Grande, todos os funcionários civis do Estado russo passaram a ser classificados segundo a nomenclatura militar. Assim, o general referido por Catierina Ivánovna era um alto chefe ou conselheiro burocrático. (N. do T.)

[47] "Fica direita", em francês. (N. do T.)

[48] Variação diminutiva ou carinhosa de Kólia. (N. do T.)

[49] "Fala comigo em francês". (N. do T.)

sentamos um "Pietruchka"[50] qualquer nas ruas, mas cantamos romanças nobres... Ah, sim! O que vamos cantar? Vocês todos me interrompem, mas nós... veja, Rodion Románitch, paramos aqui para escolher o que cantar — uma coisa que Kólia possa dançar... porque tudo o que estamos fazendo, pode imaginar, é sem ensaiar; precisamos combinar de tal forma que possamos ensaiar tudo, e depois iremos para a avenida Niévski, onde há muito mais gente da alta sociedade, e logo seremos notados: Lênia sabe o "Khutorok"... Só se canta "Khutorok" e mais "Khutorok", todo mundo canta! Nós devemos cantar alguma coisa muito mais nobre... Então, o que tu pensaste, Pólia? Ao menos para ajudar tua mãe! Memória, está me faltando memória, senão alguma coisa me ocorreria! Não seria realmente o caso de cantarmos "O hussardo apoiado no sabre"![51] Ah, vamos cantar em francês "Cinq sous".[52] Eu ensinei a vocês, ensinei mesmo. E o mais importante: como é em francês, logo verão que vocês são crianças nobres, e isso será muito mais comovente... Podemos cantar até "Malborough s'en va-t-en guerre", porque é uma canção totalmente infantil e é cantada em todos os lares aristocráticos quando ninam crianças.

*Malborough s'en va-t-en guerre,*
*Ne sait quand reviendra...*[53]

começou ela a cantar... — Mas não, é melhor *Cinq sous*! Vamos, Kólia, põe as mãozinhas dos lados, e tu, Lênia, também te põe a girar para o lado oposto, enquanto eu e Pólietchka acompanhamos e batemos palmas!

*Cinq sous, cinq sous,*
*Pour monter notre ménage...*[54]

---

[50] Personagem cômica central do teatro popular de marionetes russo. (N. do T.)

[51] Canção muito popular na época, com letra adaptada do poema "Separação", de K. N. Bátiuchkov. (N. da E.)

[52] "Cinco tostões", em francês. Canção dos pedintes da peça *A clemência divina*, do dramaturgo francês Dennery (Adolphe Phillipe, 1811-1889). A canção era muito conhecida da população de Petersburgo. (N. da E.)

[53] "Malborourgh vai à guerra/ Sabe Deus quando voltará." Esta canção burlesca francesa era realmente cantada com muita frequência como cantiga de ninar. (N. da E.)

[54] Em francês: "Cinco tostões, cinco tostões,/ Para a nossa companhia...". (N. do T.)

— Cof-cof-cof! (teve um acesso de tosse). Ajeita o vestido, Pólietchka, as alças estão caídas — observou ela em meio à tosse, tomando fôlego. — Agora vocês precisam especialmente se portar com decoro e delicadeza para que todos vejam que são filhos de nobres. Na ocasião eu disse que era preciso cortar o corpinho mais comprido e ainda em dois panos. Foste tu, Sônia, que vieste com tuas sugestões: "Mais curto, mais curto", está aí o resultado, enfeiaram inteiramente a menina... Ora, outra vez vocês todos chorando! Mas o que é isso, seus tolos! Vamos, Kólia, começa logo, logo, logo — oh, que criança mais intolerável!...

*Cinq sous, cinq sous...*

— Outra vez o soldado! Afinal, o que desejas?

De fato, no meio da multidão infiltrava-se um policial. Mas ao mesmo tempo um senhor de uniforme e capote, funcionário público respeitável de uns cinquenta anos, medalha no pescoço (esta agradou muito Catierina Ivánovna e influenciou o policial), chegou-se e entregou a Catierina Ivánovna uma notinha verde de três rublos. Estampava-se em seu rosto uma sincera compaixão. Catierina Ivánovna a recebeu e fez-lhe uma reverência cortês, até cerimoniosa.

— Obrigada, meu caro senhor — começou ela com ar altaneiro —, as causas que nos levaram a... pega o dinheiro, Pólietchka. Vês, existem pessoas decentes e magnânimas, dispostas a ajudar imediatamente uma pobre mulher nobre na desgraça. O senhor está vendo, meu caro senhor, órfãos nobres, pode-se dizer detentores dos laços mais nobres... Mas aquele generalote estava lá sentado e comendo perdizes... bateu os pés e disse que eu estava perturbando... "Vossa Excelência, digo eu, protegei os órfãos, porque o senhor conheceu tanto, digo eu, o falecido Semion Zakháritch, e no dia de sua morte o mais patife dos patifes caluniou a filha legítima dele..." Outra vez esse soldado! Protegei! — gritou ela para o funcionário. — Por que esse soldado está se metendo comigo? Já fugimos da rua Meschánskaia para cá por causa de um... mas que, o que queres, imbecil!?

— Porque é proibido andar assim pelas ruas. Não se permite fazer escândalo.

— Escandaloso és tu! Não faz diferença eu andar com o realejo, o que tu tens com isso?

— No tocante ao realejo, é preciso ter permissão, mas a senhora está agindo por conta própria e dessa maneira desencaminha o povo. Onde se permite morar?

— Como, permissão! — berrou Catierina Ivánovna. — Eu enterrei meu marido hoje, qual permissão qual nada!

— Minha senhora, minha senhora, acalme-se — esboçou falar o funcionário. — Vamos, eu levo a senhora... Aqui no meio da multidão é inconveniente... a senhora está sem saúde...

— Meu caro senhor, meu caro senhor, o senhor não sabe de nada! — gritou Catierina Ivánovna. — Nós vamos para a Niévski. Sônia, Sônia! Mas onde está ela? Também está chorando! O que deu em vocês todos?... Kólia, Lênia, onde vocês se meteram? — gritou ela subitamente assustada. — Ô crianças bobas! Kólia, Lênia, onde foi que eles se meteram?...

Aconteceu que Kólia e Lênia, amedrontados até o último grau com a multidão da rua e com os desatinos da mãe louca, e vendo, finalmente, o soldado que queria prendê-los e levá-los não se sabe para onde, num abrir e fechar de olhos, como se tivessem combinado, agarraram-se um ao outro pelas mãos e puseram-se a correr. Aos prantos e clamores a pobre Catierina Ivánovna lançou-se atrás deles. Causava horror e tristeza vê-la correndo, chorosa, ofegante. Sônia e Pólietchka lançaram-se atrás dela.

— Faz com que voltem, Sônia, faz com que voltem! Ô crianças tolas, ô crianças ingratas!... Pólia! Tenta pegá-los... É para vocês que eu...

Tropeçou quando mais corria e caiu.

— Arrebentou-se e está sangrando! Meu Deus! — gritou Sônia inclinando-se sobre ela.

Todos acorreram, todos se aglomeraram em volta. Raskólnikov e Liebezyátnikov foram dos primeiros a chegar; o funcionário também correu e, atrás dele, o policial, que rosnou: "Êta ferro!", e deu de ombros, pressentindo que aquilo iria acabar em problemas.

— Vamos dando o fora! Dando o fora! — dispersava ele as pessoas que se aglomeravam em volta.

— Está morrendo! — gritou alguém.

— Enlouqueceu! — gritou outro.

— Deus, conserva! — pronunciou uma mulher, benzendo-se. — Terão segurado a menininha e o menininho? Olhem lá, estão trazendo, a mais velhinha os segurou... Vejam só que extravagantes!

No entanto, quando examinaram direito Catierina Ivánovna, viram que ela não se arrebentara contra uma pedra, como pensara Sônia, e que o sangue, que tingira de rubro a calçada, jorrara do seu peito pela garganta.

— Isso eu conheço, eu já vi — resmungava o funcionário para Raskólnikov e Liebezyátnikov —, é tísica; o sangue jorra desse jeito e sufoca. Com uma parenta minha aconteceu recentemente o mesmo, e eu testemunhei;

um copo e meio de sangue... de repente... Mas, então o que fazer, vai morrer agora mesmo?

— Para cá, para cá, para o meu quarto! — implorava Sônia. — É aqui que eu moro!... É esse prédio ali, o segundo daqui... Para o meu quarto, depressa, depressa!... — corria ela para todos os presentes. — Mandem chamar um médico... Ó Deus!

Com o empenho do funcionário deu-se um jeito na situação, até o policial ajudou a levar Catierina Ivánovna. Levaram-na quase desmaiada para o quarto de Sônia e a puseram na cama. A hemorragia ainda continuava, mas ela parecia estar voltando a si. Além de Sônia, entraram de uma vez no quarto Raskólnikov, Liebezyátnikov, o funcionário e o policial, que dispersara previamente a multidão, da qual alguns continuaram até a porta de entrada do prédio. Pólietchka conduzia pela mão Kólia e Lênia, que tremiam e choravam. Também apareceu gente da casa dos Kapiernaúmov: ele mesmo, manco e curvo, era um homem de aspecto estranho, de cabelos e suíças cheios e eriçados; sua mulher, que tinha o aspecto de quem vivia definitivamente assustada, e alguns filhos deles, que tinham seus rostos entorpecidos de espanto permanente e as bocas abertas. No meio de todo esse público apareceu repentinamente Svidrigáilov. Raskólnikov olhou para ele surpreso, sem entender de onde ele havia aparecido nem se lembrar de o haver visto na multidão.

Falavam sobre o médico e o padre. O funcionário, mesmo tendo sussurrado ao ouvido de Raskólnikov que pelo visto agora já era inútil chamar o médico, ainda assim se dispunha a mandar chamá-lo. O próprio Kapiernaúmov chegou correndo.

Enquanto isso, Catierina Ivánovna recobrara forças, por ora o sangue estancara. Ela lançou um olhar dorido porém fixo e penetrante para a pálida e trêmula Sônia, que lhe enxugava com um lenço as gotas de suor da testa; finalmente pediu que a soerguessem. Sentaram-na na cama, apoiando-a de ambos os lados.

— As crianças, onde estão? — perguntou com uma voz fraca. — Tu os trouxeste, Pólia? Ó tolos!... Então, por que fugiram?... Ai!

O sangue ainda lhe cobria os lábios ressecados. Ela correu a vista ao redor, sondando. — Então é assim que moras, Sônia! Não te visitei uma única vez... apresentou-se a ocasião...

Olhou para ela com ar de sofrimento:

— Nós te sugamos, Sônia... Pólia, Lênia, Kólia, venham cá... Bem, Sônia, aí estão eles, todos, fica com eles... passo-os das minhas para as tuas mãos... de minha parte chega!... O baile terminou!... Ah!... Deitem-me, deixem-me ao menos morrer em paz...

Tornaram a deitá-la no travesseiro.

— O quê? Um padre?... Não preciso... Quem de vocês tem um rublo sobrando? Não tenho pecados!... Deus deve perdoar assim mesmo... Ele mesmo sabe como sofri!... E se não perdoar é porque não é preciso!...

Um delírio intranquilo se apossava dela cada vez mais. Vez por outra ela estremecia, corria os olhos ao redor, reconhecia todos por um instante; mas em seguida o delírio tornava a substituir a consciência. Respirava com rouquidão e dificuldade, alguma coisa parecia lhe borbulhar na garganta.[55]

— Eu lhe digo: "Vossa Excelência!..." — gritava ela, tomando fôlego depois de cada palavra. — Essa Amália Ludwigovna... ai! Lênia, Kólia, ponham as mãozinhas na cintura, rápido, rápido, *glisser*, *glisser*, *pas-de-basque*![56] Bate os pezinhos... Sê uma criança graciosa.

*Du hast Diamanten und Perlen...*[57]

— Como é a continuação? Ah, se desse para cantar...

*Du hast die schönsten Augen,*
*Mädchen, was willst du mehr?*[58]

— Pois é, parece que não é assim! *Was willst du mehr* — está inventando, papalvo!...

Ah, sim, mais uma:

*No calor do meio-dia, no vale do Daguestão...*

— Ah, como eu gostava... Eu chegava a adorar essa romança, Pólietchka!... sabes, teu pai... cantava quando ainda era meu noivo... Oh, dias!... Isso sim a gente devia cantar! Mas de que jeito, de que jeito... eu esqueci... mas me lembrem, como? — Ela estava numa agitação extraordinária e fazia

---

[55] A cena da morte de Catierina Ivánovna pode ter sido uma recriação da cena de morte de Mária Dmítrievna, primeira mulher de Dostoiévski, a qual também morreu tuberculosa. Segundo Anna G. Dostoiévskaia, segunda mulher do romancista, a imagem de Mária Dmítrievna influenciou a criação da imagem de Catierina Ivánovna. (N. da E.)

[56] Em francês no original. Denominação de passos de dança. (N. do T.)

[57] "Tu tens diamantes e pérolas", em alemão. Trecho do poema do *Livro de cantos* de Heine e romança de Schubert. (N. da E.)

[58] "Tu tens uns olhos belos,/ Menina, o que ainda queres mais?". (N. do T.)

força para soerguer-se. Por fim, com uma voz terrível, rouca, entrecortada, ela começou, gritando e arquejando a cada palavra e aparentando um medo crescente:

*No calor do meio-dia!... no vale!... do Daguestão!...*
*Com uma bala no peito!...*[59]

— Vossa Excelência! — súbito começou a berrar com um lamento cortante e banhada em lágrimas. — Protegei os órfãos! Conhecendo a hospitalidade do falecido Semion Zakháritch!... Pode-se até dizer aristocrático!... Ah! — estremeceu subitamente, voltando a si e examinando todos os presentes com um certo pavor, mas imediatamente reconheceu Sônia. — Sônia, Sônia! — falou em tom breve e carinhoso, como se estivesse surpresa de vê-la à sua frente. — Sônia, querida, tu também estás aqui?

Tornaram a soerguê-la.

— Basta!... Chegou a hora!... Adeus, pobre diabo!... Exauriram a rocinante. Está estrompada! — gritou ela com desespero e ódio e desabou com a cabeça no travesseiro.

Tornou a desfalecer, mas esse último desfalecimento demorou pouco. O rosto, de um pálido amarelado e ressequido, caiu para trás, a boca se abriu, as pernas se esticaram em convulsão. Ela suspirou fundo, fundo e morreu.

Sônia caiu sobre o cadáver, envolvendo-o com seus braços, e congelou nessa posição, com a cabeça aconchegada sobre o peito da morta. Pólietchka colou-se às pernas da mãe e ficou a beijá-las, chorando aos soluços. Kólia e Lênia, ainda sem compreenderem o que havia acontecido mas pressentindo alguma coisa muito terrível, agarraram-se um ao outro com ambas as mãos sobre os ombrinhos, fixaram o olhar um no outro e de pronto, simultaneamente, abriram a boca e começaram a gritar. Os dois ainda estavam com os trajes da rua: ele, de turbante, ela, de barrete com a pena de avestruz.

E de que maneira aquele "atestado de louvor" apareceu de súbito na cama, ao lado de Catierina Ivánovna? Estava ali, junto ao travesseiro; Raskólnikov o viu.

Ele se afastou para a janela. Liebezyátnikov acercou-se às pressas.

— Morreu! — disse Liebezyátnikov.

---

[59] Romança com letra do poema de Liérmontov "O sonho" (1841) e música de K. N. Paufler (1854) ou A. V. Tolstói (1864). (N. da E.)

— Rodion Románovitch, preciso lhe dizer duas palavrinhas — acercou-se Svidrigáilov. No mesmo instante Liebezyátnikov cedeu o lugar e desapareceu delicadamente. Svidrigáilov levou o surpreso Raskólnikov para um canto ainda mais longe.

— Toda essa azáfama, isto é, o enterro e coisas afins ficam por minha conta. Como o senhor sabe, existe aquele dinheiro, e eu já lhe disse que não preciso dele. Vou internar esses dois pintinhos e essa Pólietchka em orfanatos da melhor qualidade e depositar em nome de cada um, até que atinjam a maioridade, mil e quinhentos rublos de capital, para que Sófia Semiónovna fique inteiramente sossegada. Além do mais, vou tirá-la do atoleiro, porque é uma boa moça, não é? Pois bem, transmita a Avdótia Románovna que foi assim que empreguei os seus dez mil.

— Com que objetivos o senhor teve esse acesso de suma generosidade? — perguntou Raskólnikov.

— Que coisa! Que homem desconfiado! — riu Svidrigáilov. — Ora, eu já disse que não preciso daquele dinheiro. Mas será que o senhor não admite que eu possa agir simplesmente por humanidade? Bem, ela não era um "piolho" (ele apontou com o dedo para o canto em que estava a morta) como certa velhota usurária. Pois bem, convenha o senhor, "Lújin deve continuar vivendo e praticando suas torpezas, ou ela deve morrer?". E se eu não ajudar "Pólietchka, por exemplo, o caminho dela será o mesmo...".

Pronunciou essas palavras entre piscadelas que denunciavam um marotismo alegre, sem desviar os olhos de Raskólnikov. Este empalideceu e gelou ao ouvir suas próprias expressões externadas a Sônia. Ele deu um brusco recuo e olhou assustado para Svidrigáilov.

— Como é que... o senhor sabe? — murmurou ele, mal conseguindo tomar fôlego.

— Ora, é que eu estou hospedado aqui, do outro lado da parede, em casa de madame Resslich. Aqui é o apartamento dos Kapiernaúmov, ali, o de madame Resslich, uma velha e dedicadíssima amiga. Somos vizinhos.

— O senhor?

— Eu — continuou Svidrigáilov, sacudido pelo riso — posso lhe assegurar com palavra de honra, caríssimo Rodion Románovitch, que fiquei incrivelmente interessado no senhor. Fui eu que lhe disse que iríamos nos entender, eu lhe previ isto — então, eis que estamos nos entendendo. E o senhor verá que tipo de pessoa sou eu. Verá que comigo ainda é possível viver...

# SEXTA PARTE

I

Para Raskólnikov começou um tempo estranho: era como se de uma hora para outra houvesse baixado uma névoa à sua frente e o encerrasse em uma solidão pesada e irremediável. Ao relembrar esse período mais tarde, muito tempo depois, ele percebia que, às vezes, era como se a sua consciência se turvasse e assim tivesse continuado, com alguns intervalos, até o desastre final. Estava realmente convencido de que, naquele período, havia se equivocado em muita coisa, por exemplo, na duração e no momento de alguns acontecimentos. Ao menos ao recordar mais tarde e esforçar-se por esclarecer para si mesmo o memorizado, descobria muita coisa sobre si mesmo já guiado por informações obtidas de estranhos. Confundia, por exemplo, um acontecimento com outro; considerava outro a consequência de um acontecimento que só existira em sua imaginação. Vez por outra via-se dominado por uma inquietação mórbida e torturante, que degenerava até em pavor pânico. Mas ele também se lembrava de que havia minutos, horas e, talvez, até dias cheios de uma apatia que se apoderava dele como que em contraposição ao pavor anterior — uma apatia semelhante ao estado de indiferença mórbida dos outros mortais. No geral, nesses últimos dias era como se ele mesmo procurasse fugir à compreensão nítida e completa de sua situação; outros fatos vitais, que reclamavam esclarecimento imediato, particularmente o oprimiam; mas como ficaria feliz em livrar-se e fugir de outras preocupações, cujo esquecimento era, aliás, uma ameaça de morte completa e inevitável em sua situação.

Svidrigáilov o inquietava em particular: poder-se-ia até dizer que ele parecia haver-se fixado em Svidrigáilov. Desde o episódio da morte de Catierina Ivánovna no quarto de Sônia, quando ele ouvira de Svidrigáilov aquelas palavras sobremodo ameaçadoras para ele e claras demais, foi como se o fluxo habitual dos seus pensamentos tivesse sido perturbado. Contudo, apesar de estar preocupadíssimo com esse fato novo, de certo modo Raskólnikov não tinha pressa em esclarecê-lo. Vez por outra, achando-se em algum ponto da cidade, distante e isolado, em alguma taberna miserável, sozinho à mesa, mergulhado em reflexões, mal atinando como chegara ali, vinha-lhe à mente a repentina lembrança de Svidrigáilov: reconhecia de imediato, de modo por demais nítido e inquietante, que precisava o quanto antes entender--se com aquele homem e, talvez, resolver definitivamente o assunto. Certa vez, quando ia a algum lugar fora da cidade, chegou até a imaginar que estava esperando Svidrigáilov ali e que ali eles haviam marcado um encontro. Outra vez acordou de madrugada deitado no chão, no meio de arbustos, e quase não conseguia entender como chegara ali. Aliás, nesses dois ou três dias posteriores à morte de Catierina Ivánovna, já se encontrara umas duas vezes com Svidrigáilov, quase sempre no quarto de Sônia, onde ele aparecia como que por acaso, mas quase sempre por um instante. Os dois sempre trocavam palavras breves e nenhuma vez tocaram no ponto central, como se houvesse entre eles a combinação de calar provisoriamente sobre isso. O corpo de Catierina Ivánovna ainda estava no caixão. Svidrigáilov se encarregara do enterro e tomava as providências. Sônia também estava muito ocupada. No último encontro, Svidrigáilov explicou a Raskólnikov que a questão dos filhos de Catierina Ivánovna ele já havia resolvido, e resolvido a contento; que, graças a alguns contatos seus, haviam encontrado umas pessoas através das quais era possível instalar todos os três, imediatamente, em estabelecimentos muito bons para eles; que o dinheiro reservado para eles também havia ajudado muito, uma vez que era bem mais fácil internar órfãos com capital do que órfãos miseráveis. Disse alguma coisa também a respeito de Sônia, prometeu dar um jeito de fazer uma visita pessoal a Raskólnikov e lembrou que "desejaria trocar umas ideias; que precisava muito conversar com ele, que havia uns assuntos...". Essa conversa deu-se no vestíbulo, ao pé da escada. Svidrigáilov olhava fixo nos olhos de Raskólnikov e, súbito, depois de calar e baixar a voz, perguntou:

— O que é isso, Rodion Románitch? O senhor parece alma penada! Palavra! Ouve e olha, mas parece que não compreende. Ânimo! Pois bem, vamos conversar um pouco: só lamento que estou cheio de afazeres, meus e alheios... Arre, Rodion Románitch — acrescentou —, todas as pessoas precisam de ar, de ar, de ar... Antes de tudo!

Num átimo afastou-se para dar passagem ao padre e ao diácono. Os dois iam oficiar a missa de réquiem. Por determinação de Svidrigáilov, oficiavam a missa de réquiem duas vezes por dia, cuidadosamente. Svidrigáilov seguiu seu caminho. Raskólnikov parou um pouco, refletiu e entrou atrás do padre no quarto de Sônia.

Ficou parado à porta. Começara o serviço religioso, baixinho, solene, triste. Para ele, e desde que era menino, na consciência da morte e na sensação da sua presença sempre houvera algo pesado e misticamente terrível; além disso, fazia muito tempo que não assistia a uma cerimônia fúnebre. E ademais, ali ainda havia uma outra coisa, excessivamente terrível e inquietante. Ele olhava para as crianças: todas estavam ao lado do caixão, ajoelhadas, Pólietchka chorava. Atrás delas, Sônia rezava, baixinho, chorando com um quê de timidez. "Olha que durante todos esses dias ela não olhou nenhuma vez para mim e não me disse uma palavra" — pensou num instante Raskólnikov. O sol iluminava intensamente o quarto; a fumaça do turíbulo subia em canudos; o padre lia o "Dai-lhe Senhor, o descanso eterno". Raskólnikov assistiu a todo o serviço em pé. Ao proferir a bênção e fazer as despedidas, o sacerdote olhava ao redor de um modo um tanto estranho. Depois do serviço, Raskólnikov chegou-se a Sônia. Súbito ela lhe segurou as duas mãos e inclinou a cabeça em seu ombro. Esse gesto breve chegou a deixar Raskólnikov atônito; era até estranho: como? Nem a mínima repulsa, nem a mínima repugnância por ele, nem o mínimo tremor nas mãos dela! Isso já era levar ao infinito a própria humilhação. Ao menos foi assim que ele interpretou o gesto. Sônia não falava nada. Raskólnikov lhe apertou a mão e saiu. Para ele era sobremodo doloroso. Se nesse instante fosse possível ir para algum lugar e ficar totalmente só, ainda que fosse pelo resto da vida, ele se consideraria feliz. O problema é que, nos últimos tempos, embora estivesse quase sempre só, não havia como sentir que estava só. Acontecia-lhe de sair da cidade, tomar a estrada real, uma vez até chegou a um bosque; no entanto, quanto mais isolado era o lugar, mais intensa era a consciência de algo como a presença íntima e inquietante de alguém, não que fosse uma presença terrível, mas de certo modo era muito agastante, de maneira que ele voltava o mais rápido para a cidade, misturava-se com a multidão, entrava nas tabernas, nos bares, ia à Feira de Usados, à Siennáia. Ali pelo menos o clima parecia mais leve e até mais aconchegante. Em uma taberna cantavam canções ao cair da tarde: ele passou ali uma hora inteira sentado, ouvindo, e lembrava-se de que até achara aquilo muito agradável. Mas acabou se sentindo de novo intranquilo, como se de súbito o remorso começasse a torturá-lo: "Pois bem, estou aqui sentado, ouvindo canções, por acaso é isso que devo fazer?" — parece que pensou. Aliás, percebeu no mesmo instante que não era só isso que o inquietava; havia algo que reclamava solução imediata, mas que não era possível nem compreender nem transmitir por palavras. Tudo se enredava em um novelo. "Não, a luta seria melhor! O melhor seria Porfiri de novo... ou Svidrigáilov... Algum novo desafio o quanto antes, um ataque de alguém... Sim! sim!" — pensou. Saiu da taberna e precipitou-se quase a correr. Por algum motivo o pensamento em Dúnia e na mãe infundiu-lhe de súbito uma espécie de pavor pânico. Fora naquela noite que acordara de madrugada no meio de um arbusto, na ilha Krestóvski, o corpo todo gelado, com febre; foi para casa e lá chegou já de manhã cedo. Depois de algumas horas de sono a febre passou, mas ele acordou já tarde: às duas da tarde.

Lembrou-se de que naquele dia fora marcado o enterro de Catierina Ivánovna e ficou contente por não ter participado. Nastácia lhe trouxe a comida; ele comeu e bebeu com grande apetite, quase com sofreguidão. A cabeça estava mais fresca e ele mesmo mais calmo que nesses últimos três dias. Ficou até um pouco surpreso com os acessos anteriores de seu pavor pânico. A porta se abriu e entrou Razumíkhin.

— Ah! Comendo, então não estás doente! — Razumíkhin falou, pegou uma cadeira e sentou-se à mesa à frente de Raskólnikov. Estava inquieto e não procurou escondê-lo. Falava com visível agastamento, mas sem ter pressa nem levantar muito a voz. Dava para pensar que estava imbuído de alguma intenção especial e até excepcional. — Escuta — começou decidido —, estou mandando vocês todos ao diabo, mas pelo que agora percebo, vejo claramente que não consigo entender nada; por favor, não penses que vim fazer interrogatório. Pouco se me dá! Eu mesmo não quero! Agora tu mesmo me revela tudo, todos os teus segredos, e pode ser até que eu nem os escute, que mande tudo às favas e vá embora. Vim aqui apenas para saber pessoalmente e de forma definitiva: em primeiro lugar, é verdade que és louco? Sabes, a teu respeito existe a convicção (é o que dizem por aí) de que possivelmente tu és louco ou tens forte propensão para isso. Confesso que eu mesmo estive fortemente inclinado a endossar essa opinião, em primeiro lugar com base nos teus atos tolos e em parte torpes (que nada pode explicar), em segundo, pelo teu recente comportamento em relação à tua mãe e tua irmã. Só um monstro ou um patife, caso não seja louco, poderia agir com elas como tu agiste; logo, és louco...

— Faz tempo que estiveste com elas?

— Agora mesmo. E tu desde aquele dia não as viste? Onde andas batendo pernas? Diz, por favor, porque já estive três vezes aqui. Tua mãe adoeceu seriamente desde ontem. Queria vir te visitar; Avdótia Románovna resolveu demovê-la; não quer ouvir nada: "Se ele, diz ela, está doente, se está com a mente perturbada, quem pode ajudá-lo senão a mãe?". Viemos para cá, todos, porque não íamos deixá-la só, não é? Até chegar à tua porta rogamos que se acalmasse. Entramos; tu, nada; foi aqui que ela ficou sentada. Passou dez minutos, nós de olho nela, calados. Levantou-se e disse: "Se ele saiu de casa é porque está com saúde e esqueceu a mãe, logo, não fica bem e é uma vergonha uma mãe ficar à porta pedinchando carinho como esmola". Voltou para casa e caiu de cama; agora está com febre: "Estou vendo, diz ela, que para a *sua* ele tem tempo". Por essa *sua* ela supõe Sófia Semiónovna, tua noiva, ou amante, ou sei lá o quê. Fui imediatamente à casa de Sófia Semiónovna, porque, meu irmão, eu queria me inteirar de tudo — chego lá e vejo: um caixão de defunto, crianças chorando. Sófia Semiónovna experimentando roupinhas de luto nelas. Tu, nada. Dei uma olhada, me desculpei e saí, e foi isso que relatei a Avdótia Románovna. Portanto, tudo isso é absurdo, e não existe *sua* nenhuma, ou melhor, é loucura, portanto. E eis tu aí sentado e comendo cozido de carne de gado como quem não come há três dias. Bem, é de supor que loucos também comam, mas tu não trocaste sequer uma palavra comigo, só que tu... não és louco! Isso eu juro. Antes de tudo não és louco. Então o diabo que te carregue com todos, porque aí existe algum mistério, algum segredo; e eu não tenho a intenção de ficar quebrando a cabeça com os segredos de vocês. De sorte que vim apenas para te passar uma descompostura — concluiu ele levantando-se —, para desabafar, mas sei o que devo fazer agora!

— E o que pretendes fazer agora?

— E o que tens a ver com o que pretendo fazer agora?

— Vê lá, vais cair na bebedeira!

— Por que... como é que descobriste?

— Pudera!

Razumíkhin calou cerca de um minuto.

— Tu sempre foste uma pessoa muito ponderada e nunca, nunca foste louco — observou entusiasmado. — É isso: vou cair na bebedeira! Adeus! — E moveu-se para sair.

— Anteontem parece que falei com minha irmã a teu respeito, Razumíkhin.

— A meu respeito? Sim, mas... onde é que a podias ter visto anteontem? — parou de súbito Razumíkhin, até um pouco pálido. Poder-se-ia adivinhar que seu coração batia devagar e tenso no peito.

— Ela esteve aqui, sozinha, ficou sentada aí, conversando comigo.

— Ela?

— Sim, ela.

— O que tu falaste... quero dizer, a meu respeito?

— Eu disse a ela que tu és um homem muito bom, honesto e trabalhador. Não lhe disse que tu a amas porque isso ela já sabe.

— Ela mesma sabe?

— Pudera! Para onde quer que eu parta, aconteça o que acontecer comigo — tu ficarás como a Providência para elas. Eu, por assim dizer, entrego-as em tuas mãos, Razumíkhin. Digo isto porque tenho certeza absoluta do quanto tu a amas e estou convencido da pureza do teu coração. Sei ainda que ela também pode te amar, e pode ser que até já te ame. Agora decide tu mesmo o que achares melhor — cair ou não na bebedeira.

— Rodka... Estás vendo... Anda... Ah, diabo! E para onde pretendes partir? Estás vendo: se tudo isso é segredo, que seja! Mas eu... eu vou descobrir o segredo... E estou certo de que se trata forçosamente de algum absurdo e de tremendas bobagens e que tu armaste tudo sozinho... Mas, pensando bem, és uma pessoa excelente! Uma pessoa excelentíssima!...

— Mas eu queria justamente acrescentar para ti, só que tu me interrompeste, que acabaste de tomar a decisão certa desistindo de inteirar-se desses mistérios e segredos. Desiste por ora, não te preocupes. Saberás de tudo a tempo, justamente quando for necessário. Ontem uma pessoa me disse que o homem precisa de ar, de ar, de ar! Quero ir agora à casa dele para me inteirar do que ele subentende por essas palavras.

Razumíkhin estava meditabundo e inquieto, pensando alguma coisa.

"Esse é um conspirador político! Com certeza! E está na véspera de dar algum passo decisivo — isso com certeza! Não pode ser de outra forma e... e Dúnia sabe..." — pensou consigo.[1]

— Então Avdótia Románovna anda te visitando — disse ele escandindo as palavras — e tu mesmo queres te encontrar com o homem que diz que se precisa de mais ar, de ar e... por conseguinte, essa carta... também é algo da mesma procedência — concluiu ele meio para si.

— Que carta?

— Ela recebeu uma carta, hoje, e ficou muito alarmada. Muito. Até demais. Comecei a falar de ti — pediu que eu me calasse. Depois... depois disse que, talvez, muito em breve nós iremos nos separar e em seguida começou a me agradecer calorosamente por alguma coisa; depois foi para o quarto e trancou-se.

---

[1] Tudo indica que essa hipótese tenha sido inspirada pelo caso Karakózov. No dia 4 de abril de 1866, Dmitri Vladímirovitch Karakózov atirou no tsar Alexandre II em Petersburgo, pelo que foi preso e executado. Em virtude disso, a edição de *Crime e castigo*, que estava saindo em partes na revista *Rússkii Viéstnik* (*Mensageiro Russo*), foi provisoriamente suspensa, porque os redatores temiam que a análise do crime de Raskólnikov empreendida pelo autor viesse a suscitar nos leitores da revista associações indesejáveis com o atentado. A parte final do romance foi escrita sob as impressões frescas do processo e da execução de Karakózov, que Dostoiévski qualificou de "suicida infeliz". Dostoiévski considerou sua atitude uma tentativa natural e ao mesmo tempo trágica de um solitário na luta desigual contra a velha ordem, e qualificou sua execução de novo crime das autoridades. Tudo isso influenciou psicologicamente o comportamento trágico de Raskólnikov após o assassinato da velha usurária. (N. da E.)

— Ela recebeu uma carta? — tornou a perguntar Raskólnikov com ar pensativo.

— Sim, uma carta; e tu não sabias? Hum.

Ambos se calaram.

— Adeus, Rodion. Eu, meu irmão... houve um período... aliás, adeus, sabes, houve um período... Mas adeus! Também está na minha hora. Não vou beber. Agora não preciso... estás equivocado!

Estava com pressa; mas já saindo e com a porta quase fechada atrás de si, abriu-a subitamente e tornou a dizer, olhando meio a esmo para um lado:

— A propósito! Estás lembrado daquele crime, o que está com Porfiri: o da velha? Pois bem, fica sabendo que o assassino apareceu, ele mesmo confessou e apresentou todas as provas. É um daqueles mesmos operários, o pintor, imagina, tu te lembras, e eu ainda os defendi?! Acredita que toda aquela cena de briga e riso com o companheiro na escada, quando o porteiro e as duas testemunhas estavam subindo, ele armou de propósito para desviar a atenção? Que astúcia, que presença de espírito naquele fedelho! É difícil acreditar; ele mesmo esclareceu, ele mesmo confessou! E como eu mordi a isca! Pois bem, acho que é simplesmente um gênio da simulação e da engenhosidade, um gênio do disfarce jurídico — logo, não há por que a gente se surpreender tanto! Por acaso não pode haver tipos assim? E se ele não aguentou a barra e confessou, acredito ainda mais nele por isso. É mais verossímil... Mas como, como eu mordi a isca na ocasião! Subi nas paredes por eles!

— Faz o favor de me dizer onde te inteiraste disso e por que isso te interessa tanto? — perguntou Raskólnikov visivelmente agitado.

— Era só o que faltava! Por que me interessa, perguntaste?... Eu soube por Porfiri, entre outros. Aliás por ele fiquei sabendo quase tudo.

— Por Porfiri?

— Por Porfiri.

— Então o que foi que ele... o que foi que ele disse? — perguntou Raskólnikov assustado.

— Ele me esclareceu muito bem. Me esclareceu psicologicamente, a seu modo.

— Esclareceu? Ele mesmo te esclareceu?

— Ele mesmo, ele mesmo; adeus! Depois te conto mais alguma coisa, mas agora tenho um compromisso. Houve... lá um período em que eu pensei... Essa agora; depois!... Por que eu iria me embriagar agora? Tu me embriagaste até sem vinho. Estou embriagado, Rodka! Agora estou embriagado sem vinho, bem, mas adeus; vou aparecer; muito em breve.

Ele saiu.

"Esse, esse é um conspirador político, com certeza, com certeza! — decidiu definitivamente Razumíkhin de si para si, descendo a escada devagar. — E envolveu a irmã; isso, isso pode combinar muito bem com o caráter de Avdótia Románovna. Eles têm se encontrado... E olhe que ela também me insinuou. Segundo muitas palavras dela... umas palavrinhas... e insinuações, tudo aponta justamente para isso! Além do mais, como explicar toda essa confusão? Hum! Eu ia pensar... Ó, Deus, que ideia me ia ocorrendo. É, foi um eclipse, e sou culpado perante ele! Foi ele que naquela ocasião, ao lado do lampião do corredor, me fez ter um eclipse. Arre! Que pensamento indecente, grosseiro e torpe de minha parte! Bravo, Mikolka, por ter confessado... Sim, porque agora o passado também se explica como tudo! A doença dele naquela época, todas aquelas estranhas atitudes dele até antes, antes, ainda na universidade, como ele estava sempre sorumbático, sombrio... Mas o que essa carta significa agora? Aí, vai ver, também há alguma coisa. De quem será a carta? Eu suspeito... Hum. Não, sou eu que estou sempre exagerando."

Lembrou-se e compreendeu tudo sobre Dúnia, e seu coração parou. Despregou-se do lugar e saiu correndo.

Mal Razumíkhin saiu, Raskólnikov se levantou, virou-se para a janela, andou aos encontrões para um canto, para o outro, como se tivesse esquecido da apertura do seu quarto e... tornou a sentar-se no sofá. Estava bastante renovado; outra vez a luta — quer dizer, aparecera a saída!

"É, quer dizer que apareceu a saída! Porque a coisa estava opressiva e sufocante demais, exercendo uma pressão angustiante, provocando torpor. Desde a cena com Mikolka na sala de Porfiri ele começara a sufocar-se com a falta de saída, com o aperto. Depois de Mikolka, no mesmo dia, houve a cena em casa de Sônia; ele a conduziu e terminou de um modo nada, nada parecido com o que poderia imaginar antes... fraquejara, portanto, e de forma súbita e radical! De uma vez! E olhe, acabara concordando com Sônia, ele mesmo concordando, concordando de coração que daquele jeito, sozinho, não iria conseguir viver com uma coisa daquela na alma! E Svidrigáilov? Svidrigáilov é uma enigma... Svidrigáilov o preocupa, é verdade, mas não propriamente nesse aspecto. Com Svidrigáilov, é possível, também ainda haverá de lutar. Svidrigáilov também pode ser uma verdadeira saída; mas Porfiri é outra coisa.

"Pois bem, o próprio Porfiri esclareceu a Razumíkhin, esclareceu-lhe *psicologicamente*! Voltou a apelar para a sua maldita psicologia! Porfiri? Desde quando Porfiri acreditou, ao menos por um minuto, que Mikolka fosse o culpado, depois do que se passara entre eles dois naquela ocasião, depois daquela cena, olho no olho, antes de Mikolka chegar, para a qual não se pode encontrar interpretação correta, a não ser *uma*? (Durante esses dias, toda aquela cena perpassara várias vezes, em retalhos, pela mente e pela lembrança de Raskólnikov; ele não conseguiria suportar as lembranças no seu todo.) Naquele momento foram pronunciadas entre eles tais palavras, houve tais movimentos e gestos, trocaram tais olhares, alguma coisa foi dita com tal voz, chegaram a tais limites que, depois disso, nem Mikolka (que Porfiri já sabia de cor à primeira palavra e ao primeiro gesto), nem Mikolka iria abalar o próprio fundamento das convicções dele.

"E vejam só! Até Razumíkhin começou a desconfiar! A cena do corredor, ao lado do lampião, não foi gratuita. Pois ele correu para Porfiri... Mas a troco de que ele passou a embromá-lo tanto? Qual é o objetivo dele ao desviar o olhar de Razumíkhin para Mikolka? Sem dúvida está maquinando alguma coisa; aí há intenções, mas quais? É verdade que desde aquela manhã muito tempo se passou — tempo demais, demais, e Porfiri não deu sinal de vida. Pois bem, isso, claro, é o pior..." Raskólnikov pegou o boné e saiu pensativo do quarto. Durante todo esse tempo, era o primeiro dia em que se sentia ao menos em sã consciência. "Preciso encerrar o assunto com Svidrigáilov — pensava ele —, e custe o que custar, o quanto antes: esse, ao que parece, também está esperando que eu mesmo vá procurá-lo." E nesse instante brotou-lhe do coração cansado tamanho ódio que ele talvez fosse capaz de matar um dos dois: Svidrigáilov ou Porfiri. Ao menos ele sentiu que, se não fosse agora, mais tarde estaria em condição de fazê-lo. "Veremos, veremos" — repetiu consigo.

No entanto, mal ele abriu a porta para o vestíbulo deu de cara com o próprio Porfiri. Este estava indo à casa dele. Raskólnikov ficou petrificado por um instante. Estranho, não se surpreendeu muito com a presença de Porfiri e quase não se assustou com ele. Apenas estremeceu, mas acautelou-se rápido, num piscar de olhos. "Pode ser o desfecho! Mas como foi que ele se chegou sorrateiramente, feito gato, e eu não ouvi nada? Será que estava escutando?"

— O senhor não esperava a visita, Rodion Románitch — exclamou rindo Porfiri Pietróvitch. — Faz tempo que pensava em aparecer, estou passando, penso: por que não fazer uma visitinha de uns cinco minutos? O senhor estava indo a algum lugar? Não vou retê-lo. Apenas um cigarrinho, se me permite.

— Vamos, sente-se, Porfiri Pietróvitch, sente-se — Raskólnikov ofereceu o assento à visita, com um ar pelo visto tão satisfeito e amistoso que, palavra, ficaria admirado de si mesmo se conseguisse olhar-se. Raspava os restos, os resíduos do medo! Às vezes um homem como esse suporta meia hora de pavor mortal diante de um salteador, mas é só lhe botarem a faca na garganta de modo definitivo que aí até o pavor passa. Sentou-se cara a cara com Porfiri e, sem piscar, ficou olhando para ele. Porfiri apertou os olhos e começou a enrolar o cigarro.

"Então, desembucha, desembucha — parecia que era isso que queria expelir-se do coração de Raskólnikov. — Então, por que, por que, por que não desembuchas?"

## II

— Ah, esse cigarro! — enfim começou Porfiri Pietróvitch, depois de terminar de fumar o cigarro e tomar fôlego. — Faz mal, mal de verdade, mas não consigo parar! Tusso, começo a ficar com a garganta irritada, e a ofegar. Sabe, sou medroso, nesses dias fui a B.[2] — ele examina cada paciente *minimum*[3] meia hora; chegou até a rir de mim ao me examinar: apalpou-me e me auscultou — a propósito, disse ele, o fumo não lhe faz bem: está com os pulmões dilatados. Bem, mas como é que vou deixá-lo? Pelo que vou substituí-lo? Não bebo, eis todo o mal, he-he-he, o mal é que não bebo! É que tudo é relativo, Rodion Románitch, tudo é relativo!

"O que é isso, ele estará apelando para o seu antigo formalismo?" — pensou Raskólnikov com asco. Súbito lhe veio à memória toda a cena recente do último encontro dos dois e aquele sentimento que então experimentara inundou-lhe o coração como uma onda.

— Veja, eu já estive aqui anteontem à tarde; o senhor nem está sabendo? — continuou Porfiri Pietróvitch, examinando o quarto. — Entrei no quarto, neste mesmo. Estava passando ao lado, também como hoje — pois, pensei, vou fazer uma visitinha a ele. Entrei, o quarto estava escancarado; examinei, aguardei, sim, e não comuniquei à sua criada sobre a minha presença — e saí. O senhor não fecha a porta?

O rosto de Raskólnikov foi ficando cada vez mais sombrio. Porfiri Pietróvitch adivinhou-lhe os pensamentos.

— Vim explicar-me, meu caro Rodion Románitch, explicar-me! Devo-lhe uma explicação — continuou, com um sorriso nos lábios e dando até uma palmadinha de leve no joelho de Raskólnikov, mas quase no mesmo instante seu rosto ganhou uma expressão séria e preocupada; pareceu até que a tristeza o assaltara, para surpresa de Raskólnikov. Nunca notara nem suspeitara de semelhante expressão no rosto dele. — Houve uma cena estra-

---

[2] Supõe-se que seja o Dr. S. P. Bótkin, com quem o próprio Dostoiévski se tratou. (N. da E.)

[3] Tal qual no original russo. (N. do T.)

nha entre nós no nosso último encontro, Rodion Románitch. Acontece que no nosso primeiro encontro também houve uma cena estranha entre nós; só que naquele momento... Mas agora umas coisas desembocam em outras! Veja só: é possível que eu tenha muita culpa perante o senhor; eu sinto isso. Em que estado nós nos separamos, está lembrado? O senhor com os nervos cantando e os joelhos tremendo, eu também com os nervos cantando e os joelhos tremendo. Sabe, naquele momento aquilo saiu até meio indecente entre nós, não foi coisa de *gentlemen*.[4] Porque, apesar de tudo, somos *gentlemen*; ou seja, em todo caso, somos acima de tudo *gentlemen*; é preciso compreender isso; o senhor se lembra a que ponto a coisa chegou... a um ponto até já inteiramente indecente.

"O que estaria querendo, por quem me toma?" — perguntava-se Raskólnikov estupefato, de cabeça erguida e fitando Porfiri de olhos arregalados.

— Decidi que, agora, é melhor nós agirmos com franqueza — continuou Porfiri Pietróvitch, atirando a cabeça para trás e baixando a vista, como se não quisesse mais embaraçar sua antiga vítima com o olhar e desprezasse seus antigos métodos e subterfúgios. — Sim, e essas suspeitas e essas cenas não podem durar muito. Naquela ocasião Mikolka nos salvou, senão eu nem sei aonde nós dois teríamos chegado. Aquele maldito homem estava na minha sala, do outro lado do tabique — o senhor pode imaginar isso? O senhor naturalmente já sabe disso; aliás eu mesmo estou sabendo que o tal homem o procurou depois; mas aquilo que o senhor supôs na ocasião não aconteceu: eu não mandei espionar ninguém e ainda não havia tomado nenhuma decisão. Pergunta por que não? Como lhe dizer? Na ocasião era como se aquilo tudo tivesse me dado uma pancada. Eu mal consegui mandar que se intimassem os porteiros. (Por certo o senhor reparou nos porteiros ao passar.) Naquele momento, um pensamento me passou de relance pela cabeça, assim, com a velocidade de um raio; veja, eu estava convencido, firmemente mesmo, Rodion Románitch. Vamos, penso eu, mesmo que eu deixe um escapar, por enquanto, em compensação vou segurar o outro pelo rabo — ao menos o meu, o meu mesmo não vou deixar escapar. O senhor, Rodion Románitch, é muito irascível, por natureza; até demais, a despeito de todas as qualidades fundamentais do seu caráter e do seu coração, que acalento a esperança de ter em parte compreendido. Ora, até eu, é claro, podia julgar, mesmo naquele momento, que nem sempre é assim que acontece — um homem aparecendo e despejando em cima de você todo o seu segredo. E mesmo que isso acon-

[4] "Cavalheiros", em inglês russificado no original. (N. do T.)

teça, particularmente quando se faz um homem perder o resto da paciência, ainda assim é raro em quaisquer circunstâncias. Isso eu consegui perceber. Não, penso, eu precisaria de um indiciozinho! Ainda que fosse um indiciozinho de nada, apenas um, só que um que eu pudesse pegar com as mãos, um que fosse mesmo um fato e não ficasse só nessa psicologia. Por isso, pensava eu, se o homem tem culpa, então, é claro, pode-se, em todo caso, esperar dele alguma coisa essencial; é lícito até contar com o resultado mais surpreendente. Naquele momento eu contava com o seu caráter, Rodion Románitch, mais que tudo com o caráter! Esperava mesmo muito do senhor.

— Mas o senhor... mas por que agora o senhor vem falar tudo isso assim? — enfim balbuciou Raskólnikov, até sem compreender direito a pergunta. "Do que é que ele está falando? — atrapalhava-se ele. — Será que ele está realmente me considerando inocente?"

— Por que falo assim? Mas eu vim para me explicar; por assim dizer, considero isso um dever sagrado. Quero lhe expor tudo por completo, como tudo aconteceu, toda essa história de toda aquela, por assim dizer, perturbação daquele momento. Eu fiz o senhor passar por muito sofrimento, Rodion Románitch. Não sou um monstro. Eu também compreendo o que significa assumir tudo para um homem desalentado mas altivo, imperioso e impaciente, em particular impaciente! Em todo caso, eu o considero um homem sumamente nobre, e até mesmo com rudimentos de magnanimidade, ainda que não concorde com o senhor em todas as suas convicções, sobre o que considero meu dever declarar por antecipação, de forma direta e com absoluta sinceridade, porque, antes de mais nada, não desejo enganar. Depois de conhecê-lo, senti afeição pelo senhor. Pode ser que o senhor ria dessas minhas palavras, não? Está no seu direito. Sei que à primeira vista o senhor não gostou de mim, porque, no fundo, nem haveria motivo para gostar. Mas pode achar o que quiser, porque agora, de minha parte, desejo apagar por todos os meios a impressão deixada e demonstrar que sou um homem de coração e consciência. Estou sendo sincero.

Porfiri Pietróvitch parou com dignidade. Raskólnikov sentiu o afluxo de algum medo novo. A ideia de que Porfiri o considerasse inocente começou repentinamente a assustá-lo.

— Contar tudo pela ordem, como então comecei, dificilmente seria necessário — continuou Porfiri Pietróvitch —, acho até dispensável. E é pouco provável que o consiga. Porque, como explicar isso em detalhes? A princípio correram rumores. Que rumores foram esses, de quem partiram e quando... por que motivo, propriamente, chegaram até o senhor — também, acho eu, é dispensável. Comigo, pessoalmente, começou por um acaso, por um acaso absolutamente casual,[5] que no mais alto grau poderia acontecer e não acontecer. Qual? Hum, acho que também não vem ao caso. Tudo isso, tanto os rumores quanto os acasos, veio então convergir em um pensamento meu. Confesso francamente, porque se é mesmo para confessar, então que seja tudo: primeiro atinei com o senhor. Aquelas anotações da velha nos objetos etc. etc., admitamos — é tudo tolice. Coisas desse tipo podem-se contar às centenas. Ainda tive oportunidade de me inteirar detalhadamente da cena na delegacia, e também por acaso; e não foi narrada de passagem, mas o foi por um narrador especial, capital, que, sem o saber, dominou de forma admirável aquela cena. Tudo isso é uma coisa puxando outra, uma coisa puxando outra, Rodion Románitch, meu caro! Então, como era possível não dar uma guinada em uma determinada direção? De cem coelhos nunca se faz um cavalo, de cem suspeitas nunca se constrói uma prova, como diz um provérbio inglês, e isso aí é apenas a voz do bom senso; quanto às paixões, experimente só dominar as paixões, é por isso mesmo que o juiz de instrução é gente. Nisso eu me lembrei também do seu artiguinho naquela revista, o senhor se lembra? Falamos dele minuciosamente ainda na sua primeira visita. Naquele momento eu o escarneci, mas foi com a finalidade de provocá-lo depois. Repito, o senhor é muito impaciente, e doente, Rodion Románitch. Que o senhor é ousado, arrogante, sério e... sensível, muito sensível mesmo, tudo isso eu já sabia há muito tempo. Conheço todas essas sensações e li seu artiguinho como uma coisa conhecida. Ele foi urdido em noites de insônia e estado de frenesi, com o coração a elevar-se e a bater, com o entusiasmo reprimido. E esse entusiasmo reprimido, altivo, é perigoso na mocidade! Na ocasião eu escarneci, mas agora lhe digo que gosto muito, sempre, ou seja, como apreciador, dessa primeira prova, dessa prova juvenil e ardente da pena. Fumaça, neblina, a corda vibra na neblina. Seu artigo é absurdo e fantástico, mas ele transpira sinceridade, nele existe uma altivez juvenil e íntegra, nele há a ousadia do desespero; é um artigo sombrio, mas isso é bom. Li seu artiguinho e o guardei, e... ao guardá-lo naquele momento, então pensei: "Bem, esse homem não vai ficar nisso!". Pois bem, agora me diga, depois de semelhante antecedente, como não se deixar levar pelo consequente! Ah, meu Deus! Eu lá estou dizendo coisa com coisa? Eu lá estou afirmando alguma coisa? Naquele momento eu apenas observei. Penso: o que há nisso aí? Aí não há nada, isto é, nada vezes nada e, talvez, coisíssima nenhuma. E eu, um juiz de instrução, me envolver com isso é até o cúmu-

[5] Acaso casual (*slutcháinaya slutcháinost*). Essa redundância é uma das marcas do discurso amiúde intencionalmente arrevesado de Porfiri. (N. do T.)

lo da indecência: aí eu tenho o Mikolka nas minhas mãos, e já com provas — digam o que disserem, mas são provas! Ele também tem sua psicologia; preciso cuidar dele, porque aqui se trata de um caso de vida e morte. Por que eu estou lhe explicando tudo isso? Para que o senhor saiba e com a inteligência e o coração que tem não me venha acusar pelo meu comportamento maldoso daquele momento. Não foi maldoso, estou sendo sincero, he-he! O senhor pensa que naquele momento não houve vistoria no seu quarto? Houve, houve, he-he, houve, quando o senhor estava aqui acamado. Não foi oficial nem em meu nome, mas houve. No seu quarto foi examinado até o último fiozinho de cabelo, desde as primeiras pistas; mas *umsonst*![6] Pensei: agora esse homem vai aparecer, vai aparecer em pessoa, e muito em breve; se tem culpa vai aparecer sem falta. Outro não viria, mas esse virá. Lembra-se de como o senhor Razumíkhin começou a deixar escapar coisas para o senhor? Nós maquinamos aquilo para deixar o senhor inquieto, e por esse motivo lançamos o rumor para que ele deixasse escapar coisas, e o senhor Razumíkhin é uma pessoa que não contém a indignação. Foi ao senhor Zamiétov que sua ira e sua ousadia oculta primeiro saltaram à vista: ora, como é que de repente se deixa escapar em uma taberna "Eu matei!"? É ousadia demais, atrevimento demais, então pensei: se ele tem culpa é um combatente terrível! Foi assim que pensei na ocasião. Pus-me à espera! Espero o senhor com todas as minhas forças, mas o senhor simplesmente esmaga Zamiétov e... veja, a coisa consiste justamente em que toda essa maldita psicologia é de dois gumes! Pois bem, estou à sua espera e vejo, é Deus quem quer — o senhor está chegando! Senti aquela pancada no coração! Sim, senhor! Por que o senhor resolveu me aparecer naquele momento? A risada, a sua risada, quando o senhor entrou, está lembrado? Pois eu decifrei tudo com precisão através do vidro, mas não estivesse eu à sua espera daquela maneira especial e não teria notado nada na sua risada. Veja o que significa estar no clima. E então o senhor Razumíkhin — ah! aquela pedra, aquela pedra, está lembrado? Aquela pedra, a mesma debaixo da qual os objetos continuam escondidos. Pois bem, parece que a vejo em algum lugar, numa horta — não foi uma horta que o senhor falou, para Zamiétov, e depois na minha presença, pela segunda vez? E quando começamos a discutir o seu artigo naquela ocasião, quando o senhor passou a uma exposição dele — aí se verificou que cada palavra sua permite dupla interpretação, como se houvesse outra por baixo dela! Pois bem, Rodion Románitch, foi dessa maneira que cheguei ao último limite, aí bati com a testa e pensei melhor. Não, digo eu, que coisa estou

---

[6] "Em vão", "inutilmente", em alemão. (N. do T.)

fazendo! Ora, se eu quiser, digo, posso explicar tudo isso, até a última linha, em outro sentido, sairia até mais natural. Que suplício! "Não, penso, para mim seria melhor um indiciozinho à toa!..." E então foi só ouvir falar daquela sineta que fiquei todo gelado, até tomado de uma tremedeira. "Pois aí está ele, o indiciozinho, pensei! É ele!" É que naquela ocasião eu não tinha sequer raciocinado, simplesmente não quis. Naquele instante eu daria mil rublos, do meu próprio bolso, apenas para olhar o senhor *nos olhos*; para ver como na ocasião o senhor caminhou com aquele homenzinho ao lado, depois que ele o chamou de "assassino" na cara, e ao longo de inteiros cem passos o senhor não se atreveu a lhe perguntar nada!... Então, e aquele frio na espinha? E aquela sineta no seu delírio, durante a doença? Então, Rodion Románitch, depois disso, por que o senhor ficou apreensivo com aquelas brincadeiras que eu fiz com o senhor? E por que o senhor mesmo achou de aparecer justo naquele momento? O senhor parece que foi pessoalmente impelido por alguém, juro, e se Mikolka não nos tivesse apartado, então... e o senhor se lembra de Mikolka naquele momento? Gravou bem na memória? Porque aquilo foi uma trovoada! Uma trovoada que ribombou de uma nuvem, uma trovoada de farpas. E como eu a recebi? Não acreditei nem um tantinho assim nas farpas, o senhor mesmo viu! E nem poderia! Já depois, após a sua saída, quando ele passou a responder com muito mais coerência a alguns pontos, de tal forma que me surpreendeu, nem depois eu acreditei numa vírgula do que ele disse! Eis o que significa estar firme como um diamante. Não, penso eu, *Morgen früh*![7] O que é que Mikolka tem a ver com isso!?

— Razumíkhin acabou de me dizer que o senhor até agora acusa Nikolai e o assegurou ao próprio Razumíkhin...

Ficou com a respiração presa e não concluiu. Com uma inquietação indescritível, ouvia o homem que o decifrara completamente renegar a si próprio. Temia acreditar e não acreditava. Nas palavras ambíguas ainda procurava e captava com sofreguidão alguma coisa mais precisa e definitiva.

— O senhor Razumíkhin! — exclamou Porfiri Pietróvitch, como se tivesse ficado contente com a pergunta de um Raskólnikov que estivera o tempo todo calado. — He-he-he! É, ao senhor Razumíkhin era preciso ter respondido de modo diferente: quando está bom para dois um terceiro não mete a colher. O senhor Razumíkhin não vem ao caso, além do mais é pessoa estranha ao assunto, apareceu em minha casa inteiramente pálido... Que fique com Deus, nada de vir atrapalhar! E quanto a Mikolka, será que o se-

---

[7] Em alemão no original. Literalmente, "amanhã cedo". (N. do T.)

nhor quer saber que figura é essa, isto é, na forma como eu o entendo? Antes de mais nada ainda é uma criança menor de idade, e não chega a ser um poltrão, é uma espécie qualquer de artista. Ora, não ria por eu o explicar dessa forma. É ingênuo e suscetível a tudo. Tem bom coração; é um fantasista. Ele canta, ele dança, e dizem que conta histórias de tal maneira que vem gente de outros lugares para ouvi-lo. Frequenta a escola, é capaz de rir até cair por qualquer bobagem, de encher a cara até desmaiar, não propriamente por ser um depravado mas por beber, vez por outra, quando o embebedam, ainda de maneira infantil. Foi então que cometeu o roubo, e ele mesmo não sabe; porque "se apanhou do chão, que roubo foi esse?". O senhor sabe que ele pertence a uma seita de cismáticos, mas não chega a ser um cismático, é simplesmente um sectário; na família dele houve fugitivos,[8] e ele mesmo passou dois anos inteiros numa aldeia sob as ordens espirituais de um *stárietz*.[9] Tudo isso eu soube por Mikolka e por gente de Zaraisk. Qual! Então! Simplesmente quis fugir para o deserto! Estava tomado de fervor, à noite rezava a Deus, lia livros antigos, "verdadeiros", e tresleu. Petersburgo exerceu uma forte influência sobre ele, principalmente o sexo feminino, ah, e o vinho também. É suscetível, esqueceu o *stárietz*, e tudo o mais. Estou sabendo que um artista daqui gostou dele e passou a visitá-lo, e foi então que veio o incidente! Bem, aí ele ficou atemorizado — quis enforcar-se! Fugir! O que fazer com o conceito que se difundiu no povo sobre a nossa justiça? Para qualquer um é aterradora a palavra "condenação". De quem é a culpa? Alguma coisa os novos tribunais haverão de dizer. Oh, Deus permita! Pois bem, agora, na prisão, pelo visto lembrou-se do venerável *stárietz*; uma Bíblia também reapareceu. O senhor sabe, Rodion Románitch, o que significa "sofrer" para alguns deles? Isso não significa sofrer por alguém, mas simplesmente "sofrer é preciso"; significa aceitar o sofrimento, e mais ainda o

---

[8] Uma das seitas do cisma russo, que surgiu no século XVIII e se disseminou entre o campesinato, a gente pobre e os soldados desertores. Mais conhecida no meio do povo como seita dos peregrinos, seus seguidores consideravam a Igreja russa como renegada, herética, e acreditavam que o Anticristo já havia chegado e reinava na terra, e uma de suas marcas era a subordinação aos órgãos detentores do poder. Para eles, o único caminho para a salvação era separar-se totalmente da Igreja russa e não reconhecer, absolutamente, o poder do tsar nem qualquer poder terreno e, sendo isso impossível, lutar contra ele. Daí a fuga do domínio do Anticristo, da família, da sociedade, da subordinação a qualquer lei civil e a peregrinação pelos bosques e desertos, donde a denominação de *peregrinos*. No período da escrita de *Crime e castigo*, os jornais andavam cheios de notícias sobre seitas, e Dostoiévski se interessava por todas elas. (N. da E.)

[9] Monge ancião, mentor espiritual e guia dos religiosos. (N. do T.).

que vem das autoridades. Na minha época, um preso extremamente cordato passou um ano inteiro na prisão, às noites estava sempre lendo a Bíblia[10] sentado no forno,[11] e acabou treslendo, treslendo inteiramente, e de tal forma que sem quê nem para quê arrancou um tijolo e arremessou contra o chefe, sem haver sofrido deste qualquer ofensa. E de que jeito arremessou: calculou propositadamente para passar a cerca de um metro de distância, a fim de não lhe causar nenhum dano! Bem, sabe-se qual é o fim do prisioneiro que investe armado contra um administrador:[12] e ele "assumiu, então, o sacrifício". Pois bem, agora eu ando desconfiado de que Mikolka está querendo "assumir o sofrimento" ou coisa parecida. Disto tenho certeza, até pelos fatos. Ele só não sabe que eu estou a par. O quê? O senhor não admite que do meio dessa gente saiam fantasistas? Saem a torto e a direito! Agora o *stárietz* voltou a agir, particularmente depois da tentativa de enforcamento. Mas, pensando bem, ele mesmo me contará tudo, há de aparecer. O senhor acha que ele vai suportar? Aguarde, ainda vai se abrir! Espero que apareça de uma hora para outra e negue os depoimentos. Gostei desse Mikolka e o estou estudando a fundo. E veja só, senhor! He-he! A outros pontos me respondeu com muita coerência, pelo visto recebeu as devidas informações, preparou-se com habilidade; já a respeito de outros pontos simplesmente não sabe nada, parece atolado, não faz ideia, e ele mesmo não suspeita de que não faz ideia! Não, meu caro Rodion Románitch, Mikolka está fora disso! Isso aqui é uma coisa fantasiosa, sombria, atual, um incidente da nossa época em que o coração do homem está perturbado; em que se cita uma frase na qual se afirma que o sangue "refresca";[13] em que toda a vida

---

[10] Dostoiévski descreveu um indivíduo semelhante em *Escritos da casa morta*: "Na prisão havia um preso. Já vivia entre nós há vários anos e se distinguia por seu comportamento dócil [...] Era instruído e passou todo o último ano lendo constantemente a Bíblia, lendo dia e noite". (N. da E.)

[11] Construção de alvenaria, o mais das vezes larga, para aquecer estabelecimentos diversos. (N. do T.)

[12] O desrespeito ou ofensa a um detentor de algum cargo de chefia no serviço público russo era considerado desrespeito ao Estado e punido severamente. (N. do T.)

[13] Essas palavras de Porfiri são uma alusão à seguinte passagem da "Crônica do Exterior" de Leon Paul, publicada pelo jornal *Gólos* (*A Voz*) de 7 de abril de 1865: "Napoleão não precisava da conquista mas propriamente da guerra como meio de excitação, como a embriaguez [...] A circulação sanguínea de Napoleão era irregular e extremamente lenta [...] Só no meio da guerra ele se sentia bem, seu pulso começava a bater regularmente e com velocidade normal". (N. da E.)

se resume à pregação do conforto. Aqui vemos fantasias tiradas de livros, aqui vemos um coração exasperado por teorias; aqui vemos a decisão de dar o primeiro passo, mas uma decisão de uma espécie particular — ele tomou a decisão, mas foi como se tivesse caído de uma montanha ou despencado de um campanário, e chegou ao crime como se não houvesse caminhado com as próprias pernas. Esqueceu-se de fechar a porta após entrar, e matou, matou duas pessoas, apoiado na teoria. Matou, mas não conseguiu se apoderar do dinheiro, e o que agarrou meteu debaixo de uma pedra. Achou pouca a aflição que suportou sentado atrás da porta enquanto tentavam arrebentá-la e puxavam o cordão da sineta —, não, depois foi ao apartamento, já vazio, meio delirando, relembrar aquela sineta, sentiu a necessidade de voltar a experimentar o frio na espinha... Bem, mas isso, suponhamos, aconteceu durante a doença, no entanto veja mais uma coisa: matou, mas se considera um homem honrado, despreza as pessoas, anda por aí como um anjo pálido. Não, o que Mikolka tem a ver com o caso, meu caro Rodion Románitch? Mikolka está fora disso.

Essas últimas palavras, depois de tudo o que fora dito antes e tão parecido com uma retratação, foram inesperadas demais. Raskólnikov tremeu da cabeça aos pés, como se o tivessem traspassado.

— Então... quem foi... que matou?... — perguntou ele, sem se conter, com voz ofegante. Porfiri Pietróvitch chegou a recuar para o encosto da cadeira, como se até ele tivesse ficado tão inesperadamente pasmo com a pergunta.

— Como, quem matou?... — falou ele, como se não acreditasse no que ouvia —, ora, *o senhor* matou, Rodion Románitch! Foi o senhor quem matou... — acrescentou quase sussurrando, com a voz absolutamente convicta.

Raskólnikov levantou-se de um salto do sofá, ficou alguns segundos em pé e tornou a sentar-se, sem dizer palavra. Pequenas convulsões lhe percorreram subitamente todo o rosto.

— Seu lábio está tremendo de novo, como da outra vez — balbuciou Porfiri Pietróvitch, até demonstrando algo como simpatia. — O senhor, Rodion Románitch, parece que não me entendeu direito — acrescentou, depois de alguma pausa —, por isso ficou tão pasmo. Eu vim aqui justamente para dizer tudo e conduzir o caso abertamente.

— Não fui eu quem matou — balbuciou Raskólnikov, como criancinhas assustadas que são apanhadas com a mão na massa.

— Não, foi o senhor, Rodion Románitch, o senhor e ninguém mais — pronunciou Porfiri em tom severo e convicto.

Os dois calaram, e o silêncio foi até estranho de tão longo, de uns dez minutos. Raskólnikov apoiara os cotovelos na mesa e em silêncio eriçava os cabelos com os dedos. Súbito olhou com desdém para Porfiri.

— Outra vez o senhor batendo na mesma tecla, Porfiri Pietróvitch! Insistindo nos mesmos procedimentos: realmente, como o senhor não se farta?

— Ora, basta, o que me adiantariam os procedimentos neste momento? Outra coisa era se houvesse testemunhas; mas nós estamos cochichando a sós. O senhor mesmo está vendo que não vim aqui a fim de acuá-lo e capturá-lo como um coelho. Se neste instante o senhor reconhece ou não, para mim é indiferente. Porque mesmo sem o senhor reconhecer, eu cá comigo já estava convencido.

— Já que é assim, então por que veio? — perguntou irritado Raskólnikov. — Eu lhe faço a pergunta de antes: se o senhor me acha culpado, por que então não me mete na cadeia?

— Bem, essa é a questão! Vou lhe responder ponto por ponto: em primeiro lugar, prendê-lo assim de forma tão direta não é vantajoso para mim.

— Como não é vantajoso? Se está convencido, então o senhor deve...

— Ora, e daí se eu estou convencido? Veja que por enquanto tudo isso são fantasias minhas. Agora, por que eu iria lhe propiciar esse *sossego* mandando-o para lá? O senhor mesmo sabe disso, já que está pedindo. Eu trago, por exemplo, um homem para desmascará-lo, e o senhor lhe diz: "Não estarás bêbado? Quem me viu na tua companhia? Eu simplesmente te tomei por bêbado, e tu estavas mesmo bêbado". Pois bem, o que vou lhe dizer sobre isso, sobretudo porque a sua fala foi ainda mais verossímil que a dele, porque no testemunho dele há apenas psicologia — o que torna o focinho dele ainda mais feio —, e o senhor acertou na mosca porque o canalha bebe como uma esponja e é até conhecido demais por isso. Ademais, eu mesmo lhe confessei francamente, já diversas vezes, que essa é uma psicologia de dois gumes e que o segundo gume é superior e ainda bem mais verossímil e que, além dela, por enquanto eu não tenho nenhuma prova contra o senhor. E embora eu acabe mesmo por trancafiá-lo e inclusive tenha vindo pessoalmente (de forma nada humana) lhe antecipar tudo isso, ainda assim eu lhe digo francamente (de forma também não humana) que isso não será vantajoso para mim. Bem, e em segundo lugar, estou aqui...

— Sim, em segundo? (Raskólnikov continuava ofegante.)

— Porque, como eu já declarei há pouco, considero que lhe devo uma explicação. Não quero que o senhor me tome por um monstro, ainda mais porque tenho inclinação sincera em relação ao senhor, acredite ou não. Consequentemente, em terceiro, vim procurá-lo com uma proposta franca e direta — apresentar-se e reconhecer a culpa. Isto será infinitamente mais vantajoso para o senhor, e para mim também — fico livre. Então, é ou não uma franqueza de minha parte?

Raskólnikov pensou por volta de um minuto.

— Escute, Porfiri Pietróvitch, é o senhor mesmo quem diz que existe apenas psicologia, mas enquanto isso apela para a matemática. E que acontecerá se agora o senhor mesmo estiver equivocado?

— Não, Rodion Románitch, não estou equivocado. Disponho de um indiciozinho. Esse indiciozinho eu encontrei naquele momento; foi Deus que me enviou!

— Que indiciozinho?

— Não vou dizer qual, Rodion Románitch. Ademais, em todo caso já não tenho direito de protelar mais; vou prendê-lo. Então pense: *agora* já é tudo indiferente para mim, por conseguinte, estou fazendo isso única e exclusivamente pelo senhor. Juro, Rodion Ròmánitch, será melhor!

Raskólnikov deu um risadinha maldosa.

— Ora, isso não é apenas ridículo, já é até descaramento. Mesmo que eu fosse culpado (o que absolutamente não afirmo), a título de quê eu iria me apresentar ao senhor e reconhecer-me culpado, quando o senhor mesmo já afirma que vou ficar preso lá *no sossego*?

— Ora, Rodion Románitch, não acredite de todo nas palavras; talvez não venha a ficar inteiramente *no sossego*! Veja, isso é apenas uma teoria, e ainda por cima minha, e que autoridade sou eu para o senhor? Pode ser que, até neste momento, eu mesmo esteja escondendo alguma coisa do senhor. Nem tudo me cabe pegar e desembuchar para o senhor, he-he! Segunda questão: que vantagem? Quando é mesmo que o senhor vai se apresentar, em que momento? Pense só! Quando o outro já tiver assumido o crime e confundido todo o caso? Eu lhe digo, e juro pelo próprio Deus, que "lá" eu adultero e arranjo as coisas de forma a que a sua apresentação apareça como se fosse inteiramente inesperada. A gente destrói toda essa psicologia, eu reduzo a nada todas as suspeitas que recaem sobre o senhor, de forma a que o seu crime apareça como uma espécie de perturbação mental, porque, por uma questão de consciência, ele é realmente uma perturbação. Sou um homem honesto, Rodion Románitch, e mantenho minha palavra.

Raskólnikov calou triste e baixou a cabeça; pensou demoradamente e por fim tornou a dar um risinho, mas seu sorriso já era dócil e triste:

— Ora, não é preciso! — pronunciou ele, como se já não se esquivasse de Porfiri. — Não vale a pena! Dispenso inteiramente a sua atenuante!

— Pois era justamente o que eu temia! — exclamou Porfiri com ardor e de modo meio involuntário. — Pois era isso que eu temia, que o senhor dispensasse a nossa atenuante.

Raskólnikov olhou para ele com ar triste e grave.

— Ei, não sinta aversão à vida! — continuou Porfiri. — Ela ainda tem muita coisa pela frente a oferecer. Como dispensar a atenuante, como dispensá-la? O senhor é um homem impaciente!

— De que é esse muito que há pela frente?

— De vida! Que profeta é o senhor, será que sabe muita coisa? Procure e encontrará. Talvez Deus o tenha esperado nesse ponto. E além do mais ela não é para todo o sempre, é uma corrente...

— Haverá atenuante... — zombou Raskólnikov.

— Por quê? Estará temendo a vergonha burguesa? É possível que esteja temendo mas sem que o saiba — porque é jovem! Ainda assim não caberia ao senhor temer ou ter vergonha de confessar a culpa.

— Ora, ora, estou me lixando! — murmurou Raskólnikov com desdém e nojo, como se não desejasse falar. Ia quase soerguendo-se outra vez, como se quisesse ir a algum lugar, mas voltou a sentar-se em visível desespero.

— E como vai se lixar? Perdeu a confiança e pensa que o lisonjeio grosseiramente; por acaso o senhor já viveu muito? Por acaso compreende muita coisa? Inventou uma teoria e ficou envergonhado porque ela fracassou, porque o resultado não foi nada original! Redundou numa coisa torpe, é verdade, mas ainda assim o senhor não é um patife incurável! Não é absolutamente esse patife! Ao menos não ficou muito tempo se engambelando, uma vez que chegou aos últimos limites. Por quem eu o tomo? Eu o tomo por uma daquelas pessoas a quem podem arrancar os intestinos que ela se manterá firme e olhará rindo para os torturadores — desde que encontre a fé ou Deus. Então, encontre e irá viver. O senhor, em primeiro lugar, está precisando mudar de ares há muito tempo. Bem, o sofrimento também é uma boa coisa. Assuma o sofrimento. Mikolka talvez esteja certo ao desejar sofrer. Sei que não acredita — mas o senhor pare com esse jeito finório de filosofar; entregue-se à vida de forma direta, sem discutir, sem se inquietar — será levado para a margem, e colocado de pé. Para que margem? Como é que eu vou saber? Eu apenas acredito que o senhor ainda tem muita vida pela frente. Sei que neste momento o senhor está interpretando minhas palavras como uma receita decorada; sim, é possível, mas depois há de se lembrar, algum dia elas haverão de servir; é com esse fim que estou falando. Ainda bem que matou só a velhota. Inventasse outra teoria e vai ver que teria feito uma coisa cem milhões de vezes ainda mais vil! Talvez ainda precise agradecer a Deus; lá sabe o senhor: pode ser que Deus o esteja conservando justamente para isso. O senhor tem um grande coração: tenha menos medo. Está com medo da grande realização que tem pela frente? Não, aqui é vergonhoso temer. Já que deu semelhante passo, então mantenha firmeza! Aqui se trata de justiça. Então faça o que a justiça exige. Sei que não acredita, mas juro que vai aguentar a vida. O senhor mesmo vai amá-la depois. Agora o senhor precisa apenas de ar, de ar!

Raskólnikov até estremeceu.

— E o senhor, quem é? — gritou ele. — Que espécie de profeta é o senhor? Do alto de quê me vem enunciar profecias sapientíssimas com essa tranquilidade imponente?

— Quem sou eu? Eu sou um homem acabado, nada mais. Um homem que, pode ser, tem sentimentos e simpatias, que, é possível, sabe alguma coisa, mas absolutamente acabado. Já o senhor é outra coisa: Deus lhe preparou a vida (e quem sabe, pode ser que ela lhe passe como fumaça e nada aconteça). Mas, e se o senhor passar a outra categoria de pessoas? Não é pelo conforto que o senhor vai lamentar; logo o senhor, com o coração que tem? E daí se durante um tempo demasiado longo talvez ninguém o veja? O problema não está no tempo, mas no senhor mesmo. Torne-se um sol, e todos o verão. Um sol precisa acima de tudo ser sol. Por que está sorrindo outra vez: por acaso sou algum Schiller? Eu aposto: neste momento o senhor supõe que eu esteja querendo ganhá-lo com lisonja! E daí, pode ser que eu realmente esteja fazendo essa lisonja, he-he-he! O senhor, Rodion Románitch, não deve, talvez, acreditar em minhas palavras, não deve, talvez, até nunca acreditar plenamente — meu caráter é esse mesmo, concordo; só que eis o que acrescento: até que ponto sou um homem vil e até que ponto honesto, o senhor mesmo, parece, pode julgar!

— Quando o senhor pensa me prender?

— Um diazinho e meio ou dois ainda posso deixá-lo bater pernas. Reflita, meu caro, e reze a Deus. E vai ser mais vantajoso, juro, mais vantajoso.

— E se me der na telha fugir? — perguntou Raskólnikov rindo, de um modo um tanto estranho.

— Não, não vai fugir. Um mujique fugiria, um membro de seita da moda[14] fugiria — é lacaio de um pensamento alheio —, porque a ele basta

---

[14] Dostoiévski provavelmente tinha em vista Vassíli Ivánovitch Kelsiev, que em 1862 se declarou imigrante e passou a editar em Londres materiais relacionados à cisão religiosa russa. Kelsiev interessava profundamente Dostoiévski e seu nome aparece com frequência em seus diários da década de 1870. (N. da E.)

que se aponte com a ponta do dedo, como ao sargento Dirka,[15] e ele acreditará no que você quiser pelo resto da vida. Mas o senhor já não acredita mais na sua teoria — então, vai fugir com quê? Além do mais, o que ganharia com a fuga? Nas fugas a situação é sórdida e difícil, e o senhor precisa, antes de mais nada, de vida e de uma posição definida, do respectivo ar; então, estará nelas o seu ar? Fuja e o senhor mesmo voltará. *O senhor não poderá passar sem nós*. Pegue eu o senhor e o meta trancafiado na prisão — digamos um mês, digamos dois, digamos três, e eis que lá o senhor vai se lembrar das minhas palavras, vai me procurar pessoalmente, e talvez ainda de forma inesperada para si mesmo. Uma hora antes o senhor mesmo não vai saber que virá apresentar-se com a confissão de culpa. Estou até certo de que o senhor "pensará bem pensado em assumir o sofrimento"; neste momento não acredita na minha palavra, mas se deteve nela. Porque o sofrimento, Rodion Románitch, é uma coisa grandiosa. O senhor não repare que eu me tornei obeso, pouco importa, mas por outro lado eu sei: não zombe disso, no sofrimento existe uma ideia. Mikolka está certo. Não, não vai fugir, Rodion Románitch.

Raskólnikov levantou-se e pegou o boné. Porfiri Pietróvitch também se levantou.

— Vai dar uma saída? A noitinha vai ser gostosa, tomara só que não caia uma tempestade. Mas pensando bem será até melhor, caso refresque...

Ele também pegou o boné.

— O senhor, Porfiri Pietróvitch — pronunciou Raskólnikov com uma insistência severa —, faça o favor de não meter na cabeça que hoje eu lhe fiz uma confissão. O senhor é um homem estranho, e eu o ouvi só por curiosidade. Não confessei nada ao senhor... Lembre-se disto.

— Ora, eu sei disso, hei de me lembrar —, xi, o senhor está até tremendo. Não se preocupe, meu caro; será feita a sua vontade. Saia um pouco; só que não pode sair demais. Por via das dúvidas, tenho mais um pequeno pedido a lhe fazer — acrescentou ele baixando a voz —, é delicadinho mas importante: se, ou seja, se por via das dúvidas (o que, aliás, não acredito e o considero inteiramente incapaz), se por acaso — bem, por via das dúvidas —, nessas quarenta, cinquenta horas lhe der vontade de pôr termo ao caso de modo diferente, fantástico, atentando contra a própria vida (hipótese absurda, pela qual até lhe peço desculpa), deixe um bilhetinho breve, mas minu-

---

[15] O sargento Dyrka é mencionado na comédia *O casamento*, de Gógol, e pelo visto Dostoiévski o confundiu com outra personagem da mesma comédia, o engraçado suboficial da Marinha Petukhóv. (N. da E.)

cioso. Assim, de duas linhas, de apenas duas linhas, e mencione a pedra: será a atitude mais nobre. Bem, até logo... Bons pensamentos, boas iniciativas!

Porfiri saiu de um jeito um tanto curvo e como que evitando fitar Raskólnikov. Este foi para a janela e com uma impaciência irritadiça ficou esperando o tempo em que, pelos seus cálculos, o outro levaria para chegar à rua e afastar-se. Em seguida deixou o quarto às pressas.

## III

Precipitou-se ao encontro de Svidrigáilov. O que poderia esperar desse homem ele mesmo não sabia. Mas nesse homem escondia-se algum poder sobre ele. Uma vez consciente disso, já não pôde tranquilizar-se, e além do mais a hora havia chegado.

A caminho uma pergunta o atormentava particularmente: teria Svidrigáilov estado com Porfiri?

Até onde ele podia julgar e o que poderia jurar —, não, não estivera. Pensou mais uma vez, mais outra, rememorou toda a visita de Porfiri, considerou: não, não esteve, é claro, não esteve!

Mas, e se ainda não esteve, irá ou não irá a Porfiri?

Por enquanto pareceu-lhe que não iria. Por quê? Não conseguiria explicar nem isso, mas ainda que pudesse explicar, agora não iria quebrar a cabeça sobretudo com esse assunto. Tudo isso o atormentava, e ao mesmo tempo era como se ele não estivesse ligando. Coisa estranha, talvez ninguém acreditasse nisso, mas ele andava com uma preocupação meio fraca e difusa com o seu destino atual, imediato. Atormentava-o alguma outra coisa, muito mais importante, extraordinária — que dizia respeito a ele mesmo e a ninguém mais, e no entanto era algo diferente, algo importante. Além do mais, sentia um infinito cansaço moral, embora a sua razão estivesse funcionando melhor nessa manhã do que em todos aqueles dias.

Além do mais, depois de tudo o que havia acontecido, agora valeria a pena empenhar-se em vencer todas essas novas e míseras dificuldades? Valeria a pena, por exemplo, tentar armar intrigas para que Svidrigáilov não procurasse Porfiri; estudar, informar-se, perder tempo com um Svidrigáilov qualquer?

Oh, como estava farto de tudo isso!

Enquanto isso, mesmo assim ele tinha pressa de ver Svidrigáilov; não estaria esperando dele alguma coisa *nova*, indicações, uma saída? Ora, as pessoas se agarram até a um fio de cabelo! Não seria o destino, não seria algum instinto que os colocava juntos? Talvez isso fosse apenas cansaço, desespero; talvez precisasse procurar não Svidrigáilov mas outro qualquer, e então Svidrigáilov apenas viesse a calhar. Sônia? Mais uma vez pedir suas lágrimas? Ademais, Sônia era o seu pavor. Sônia era a sentença implacável, a decisão inalterável. Aqui era o caminho dela ou o dele. Especialmente nesse instante ele não estava em condições de vê-la. Não, não seria melhor experimentar Svidrigáilov e sondar o que estava acontecendo? Em seu íntimo ele não podia deixar de reconhecer que há muito tempo o outro lhe era de fato necessário para alguma coisa.

Bem, mas o que podia haver mesmo de comum entre eles? Nem o crime poderia ser o mesmo nos dois. Esse homem, além do mais, é muito desagradável, pelo visto devasso ao extremo, sem dúvida um finório e enganador, talvez muito mau. Corre cada história a seu respeito! Verdade, ele intercedeu pelos filhos de Catierina Ivánovna; mas quem sabe com que fim e o que isso significa? Esse homem sempre está com certas intenções e projetos.

Em todos esses dias, passava constantemente pela cabeça de Raskólnikov mais uma ideia que o deixava terrivelmente intranquilo, embora ele até procurasse afugentá-la, tão grave era ela para ele! Às vezes pensava: Svidrigáilov estava sempre girando em torno dele, e agora também continua girando; Svidrigáilov descobriu o segredo dele; Svidrigáilov alimentava intenções contra Dúnia. E se ainda agora as alimenta? Pode-se dizer quase com certeza que *sim*. E se agora, depois de descobrir o seu segredo e assim adquirir poder sobre ele, resolver usá-lo como arma contra Dúnia?

Esse pensamento o torturava, às vezes até em sonho, mas ainda da primeira vez ele se lhe apresentara de forma tão conscientemente clara quanto agora, quando ele ia procurar Svidrigáilov. Só esse pensamento já o deixava num furor sombrio. Em primeiro lugar, até lá tudo já estará mudado, inclusive na própria situação dele: é preciso revelar agora mesmo o segredo para Dúnietchka. Cabe, talvez, entregar-se para desviar Dúnietchka de algum passo imprudente. A carta? Hoje pela manhã Dúnia recebeu uma certa carta! De quem ela poderia receber cartas em Petersburgo? (Teria sido de Lújin?) É verdade que aí Razumíkhin a protegeria; mas Razumíkhin não sabe de nada. Será o caso de abrir-se com Razumíkhin? Foi com asco que Raskólnikov pensou nisso.

"Em todo caso, preciso ver Svidrigáilov o quanto antes — resolveu definitivamente de si para si. — Graças a Deus aqui não se precisa tanto de detalhes quanto da essência da questão; mas se, se ele for só capaz, se Svidrigáilov fizer alguma intriga contra Dúnia, então..."

Raskólnikov ficara tão cansado durante todo esse tempo, durante todo esse mês, que agora já não podia resolver questões desse tipo senão com uma decisão: "Então eu o mato" — pensou com um desespero frio. Um sentimento pesado lhe oprimia o coração; parou no meio da rua e ficou a olhar ao redor: que caminho tomara e aonde chegara? Estava na avenida -sk,[16] a uns trinta ou quarenta passos da Siennáia, que havia atravessado. Todo o segundo andar do prédio à esquerda era ocupado por uma taberna. Todas as janelas estavam escancaradas; a julgar pelas figuras que passavam pelas janelas, a taberna estava abarrotada. No salão distinguiam-se os cantores, soavam um clarinete, um violino, e rufava um tambor turco. Ouviam-se ganidos de mulheres. Ele quis voltar, sem compreender por que dobrara para a avenida -sk, quando, em uma das janelas escancaradas no extremo da taberna, avistou subitamente Svidrigáilov, que estava sentado bem junto à janela em uma mesa de chá e com o cachimbo na boca. Isso o deixou extremamente surpreso, até horrorizado. Svidrigáilov o observava e o examinava em silêncio e, o que de imediato também deixou Raskólnikov estupefato, pareceu querer levantar-se e tentar sair de fininho antes que o notassem. No mesmo instante Raskólnikov também fingiu não tê-lo percebido e olhava pensativo para um lado, mas continuava a observá-lo com o rabo do olho. Seu coração batia inquieto. Era isso mesmo: pelo visto Svidrigáilov não queria ser notado. Tirou o cachimbo da boca e já queria esconder-se; no entanto, ao levantar-se e afastar a cadeira, provavelmente notou de súbito que Raskólnikov o via e observava. Entre eles deu-se algo parecido com a primeira cena do encontro no quarto de Raskólnikov, enquanto este dormia. Um sorriso velhaco apareceu no rosto de Svidrigáilov e foi-se expandindo ainda mais. Tanto um quanto o outro sabiam que ambos se viam e se observavam. Por último, Svidrigáilov deu uma estridente gargalhada.

— Ande, Ande! Vamos entrando, se quiser; estou aqui! — gritou da janela.

Raskólnikov subiu para a taberna.

Foi encontrá-lo em uma sala posterior muito pequena, de uma só janela, que dava para o salão grande, onde comerciantes, burocratas e muita gente de toda espécie tomavam chá em vinte e cinco mesinhas e sob os gritos de um coro desesperado de cantores. De algum lugar ouviam-se batidas de bolas de um bilhar. Na mesa, à frente de Svidrigáilov, havia uma garrafa de champanhe já iniciada e um copo até o meio de vinho. Na sala ainda havia um menino tocador de realejo, com um pequeno órgão manual, e uma moça robusta, de faces coradas, metida numa saia listrada arregaçada e chapéu tirolês com fitas, cantora, de uns dezoito anos, que, apesar da boa música da outra sala, cantava, acompanhada do organista, uma canção vulgar com voz bastante roufenha.

---

[16] Leia-se avenida Voznessiênski. (N. do T.)

— Bem, já basta! — interrompeu-a Svidrigáilov à entrada de Raskólnikov.

A moça parou no mesmo instante e ficou numa expectativa respeitosa. Cantava a sua canção vulgar rimada também com algum matiz de seriedade e respeito no rosto.

— Ei, Fillip, um copo! — bradou Svidrigáilov.

— Não vou tomar vinho — disse Raskólnikov.

— Como quiser, não pedi para o senhor. Bebe, Cátia! Hoje não preciso mais de nada, podes ir! — Serviu-lhe um copo cheio de vinho e meteu-lhe na mão uma cedulazinha amarela. Cátia bebeu de um gole, como as mulheres bebem vinho, isto é, sem interromper e dando vinte goles, pegou a cédula, beijou a mão de Svidrigáilov, que ele, com ar bastante sério, permitiu beijar, e saiu da sala, logo seguida pelo menino do órgão. Os dois haviam sido trazidos da rua. Ainda não fazia nem uma semana que Svidrigáilov estava em Petersburgo, mas tudo a seu redor já se assentava em alguma base patriarcal. Filipp, o criado da taberna, também já era "conhecido" e se desfazia em servilismo. A porta da sala fechou-se; naquela sala Svidrigáilov sentia-se em casa e passava, talvez, dias inteiros ali. A taberna era suja, ruim, e não chegava nem a medíocre.

— Eu ia procurá-lo e o encontrei — começou Raskólnikov —, mas sei lá por que dobrei subitamente da Siennáia para a avenida -sk! Nunca dobro para estes lados nem ando por aqui. Costumo dobrar da Siennáia para a direita. Além disso, o caminho para a sua casa não passa por aqui. Mal dobrei, e eis o senhor! É estranho!

— Por que o senhor não diz francamente: é um milagre!?

— Porque talvez seja apenas um acaso.

— Veja como é toda essa gente! — gargalhou Svidrigáilov. — Não confessa, embora no íntimo acredite em milagres! Mas o senhor mesmo diz que "talvez" seja apenas um acaso. O senhor não pode imaginar, Rodion Románitch, como todo mundo aqui é covarde quando se trata de emitir sua própria opinião! Não estou falando a seu respeito. O senhor tem opinião própria e não tem medo de tê-la. Foi por isso que atraiu a minha curiosidade.

— Por mais nada?

— Ora, isso já é o bastante.

Svidrigáilov estava evidentemente excitado, mas só um pouquinho; tomara apenas meio copo de vinho.

— Parece-me que o senhor me procurou antes de saber que sou capaz de ter o que o senhor chama de opinião própria — observou Raskólnikov.

— Bem, naquela ocasião o assunto era outro. Cada um dá seus próprios passos. E quanto ao milagre, eu lhe digo que o senhor passou esses últimos dois, três dias dormindo. Eu mesmo marquei com o senhor nesta taberna, e não foi nenhum milagre o senhor ter vindo direto para cá; o senhor mesmo explicou todo o caminho, descreveu o lugar em que ela se situa e a hora em que podia me encontrar aqui. Está lembrado?

— Esqueci — respondeu Raskólnikov surpreso.

— Acredito. Eu lhe falei duas vezes. O endereço o senhor tinha cunhado mecanicamente na memória. O senhor virou para cá também de forma mecânica, mas o fez rigorosamente pelo endereço, sem que pessoalmente se desse conta. Eu, quando lhe falava naquela ocasião, não esperava que o senhor estivesse me compreendendo. O senhor se denuncia demais, Rodion Románitch. Veja mais uma coisa: estou convencido de que muita gente em Petersburgo anda falando sozinha. Esta é uma cidade de semiloucos. Se nós tivéssemos ciências, os médicos, juristas e filósofos poderiam fazer estudos valiosíssimos sobre Petersburgo, cada um na sua especialidade. É raro um lugar em que se encontrem tantas influências sombrias, grosseiras e estranhas sobre a alma humana como em Petersburgo. Só as influências climáticas, o que não significam! Por outro lado, é o centro administrativo de toda a Rússia, e o seu caráter deve refletir-se em tudo. Mas agora não é disso que se trata e sim de que já o observei várias vezes à parte. O senhor sai de casa — ainda mantém a cabeça erguida. Vinte passos depois o senhor já a baixou, e está com as mãos para trás. Olha, e pelo visto já não enxerga nada nem à frente, nem dos lados. Por último começa a mexer os lábios e a falar sozinho, sendo que às vezes solta uma das mãos e declama, enfim para um pouco no meio do caminho. Isso é muito ruim. Pode ser que alguém já o observe, além de mim, e isso já é desvantajoso. Para mim é indiferente, não sou eu que vou curá-lo, mas o senhor, é claro, me compreende.

— E o senhor sabe se estão me seguindo? — perguntou Raskólnikov, fitando-o com olhar escrutador.

— Não, não sei de nada — respondeu surpreso Svidrigáilov.

— Sendo assim, deixemos a mim em paz — balbuciou Raskólnikov franzindo o cenho.

— Está bem, deixemos o senhor em paz.

— Se o senhor vem para cá beber e pessoalmente marca duas vezes para que eu venha encontrá-lo, então me diga por que agora mesmo, quando eu olhava da rua para a janela, escondeu-se e quis sair? Isso eu notei muito bem.

— He-he! Então por que naquela ocasião, quando eu estava em pé à sua porta, o senhor continuou deitado em seu sofá, de olhos fechados e fingindo que dormia, quando não dormia coisa nenhuma? Isso eu notei muito bem.

— Eu podia ter... motivos... o senhor mesmo sabe disso.

— E eu também podia ter motivos, embora o senhor não reconheça.

Raskólnikov baixou o cotovelo direito na mesa, apoiou com os dedos da mão direita o queixo e fixou o olhar em Svidrigáilov. Examinou-lhe por um minuto o rosto, que já antes sempre o fizera pasmar. Era um rosto um tanto estranho, meio parecido com uma máscara: branco, corado, lábios corados, rubros, barba de um alourado claro e cabelos louros ainda suficientemente bastos. Os olhos, de um azul exagerado; o olhar, algo pesado e imóvel ao extremo. Havia qualquer coisa muito desagradável naquele rosto bonito e jovem demais para sua idade. Usava um traje elegante, de verão, leve, e a elegância se destacava sobretudo na camisa. Tinha no dedo um imenso anel de pedras caras.

— Será possível que eu ainda tenha de cuidar do senhor? — disse de chofre Raskólnikov, passando a falar francamente com uma impaciência convulsiva. — O senhor pode até ser o mais perigoso dos homens se quiser prejudicar alguém, mas acontece que não estou mais a fim de fazer fita. Vou lhe mostrar, agora, que não me dou tanto valor como o senhor provavelmente pensa. Fique sabendo que vim ao seu encontro para lhe dizer que, se o senhor mantém a sua antiga intenção em relação à minha irmã, e se com este fim pensa em se aproveitar de alguma coisa do que foi revelado ultimamente, eu o matarei antes que o senhor me ponha na cadeia. Minha palavra é precisa: o senhor sabe que saberei mantê-la. Segundo: se deseja me comunicar alguma coisa — porque durante todo esse tempo me pareceu que o senhor queria me dizer alguma coisa —, então me comunique o quanto antes, porque o tempo é valioso e talvez muito em breve já seja tarde.

— Ora, aonde o senhor vai com tanta pressa? — perguntou Svidrigáilov, examinando-o com curiosidade.

— Cada um dá seus próprios passos — pronunciou Raskólnikov com ar sombrio e impaciente.

— O senhor mesmo acabou de me desafiar a falar com franqueza, mas se nega a responder a primeira pergunta — observou rindo Svidrigáilov. — O senhor está sempre achando que eu tenho certos fins, e por isso me olha com desconfiança. Pois bem, isso é perfeitamente compreensível na sua situação. No entanto, por mais que eu queira me entender com o senhor, ainda assim não vou me dar ao trabalho de convencê-lo do contrário. Juro que sai mais caro o pavio do que a vela, e ademais não estou a fim de conversar com o senhor sobre nada de especial.

— Então por que precisou tanto de mim? Porque o senhor andou me cercando?

— Simplesmente como um sujeito curioso para observação. O senhor me agradou pelo aspecto fantástico da sua situação — eis por quê! Além disso, o senhor é irmão de uma pessoa por quem muito me interessei e, por fim, através dessa mesma pessoa outrora ouvi um número tão imenso de coisas a seu respeito, e com frequência, que acabei concluindo que o senhor exerce uma grande influência sobre ela; por acaso isso é pouco? He-he-he! Ademais, confesso que sua pergunta é muito complexa para mim, e tenho dificuldade de lhe responder. Pois bem, o senhor, por exemplo, além de querer tratar desse assunto, não veio mesmo a este encontro comigo por alguma coisa novinha em folha? Não foi isso? Não foi isso? — insistia Svidrigáilov com um sorriso maroto. — Agora, depois disto, imagine o senhor que eu mesmo, ao vir para cá, no trem, contava com o senhor, que o senhor também me diria algo *novinho em folha* e que eu conseguiria tomar alguma coisa de empréstimo ao senhor!

— Tomar o quê de empréstimo?

— Como lhe dizer? Por acaso sei como? Veja em que taberna eu faço hora, e isso me satisfaz, ou seja, não é que me satisfaça, mas é isso, preciso fazer hora em algum lugar. Pois bem, veja ao menos essa pobre Cátia — viu?... Bem, se eu fosse, por exemplo, pelo menos um glutão, um *gourmet* de clube... No entanto, veja o que posso comer! (Apontou com o dedo para um canto, onde em uma mesinha havia os restos de um horrível bife com batatas em um prato de lata.) Aliás, o senhor já almoçou? Já comi um bocado e não quero mais. De vinho, por exemplo, não bebo nada. Além do champanhe nenhum outro, e de champanhe bebo um único copo a noite inteira, e ainda assim fico com dor de cabeça. Pedi essa garrafa para me animar, porque vou a um lugar, daí o senhor estar me vendo de bom humor. Eu me escondi há pouco, feito um colegial, porque pensei que o senhor fosse me atrapalhar; mas parece (tirou do bolso o relógio) que posso ficar uma hora com o senhor; agora são quatro e meia. Acredite, eu gostaria de ter sido pelo menos alguma coisa; fazendeiro, pai de família, ulano, fotógrafo, jornalista... e não fui nada, nenhuma especialidade! Às vezes até sinto tédio. Palavra, pensava que o senhor me dissesse alguma coisa novinha.

— Mas quem é o senhor e o que veio fazer aqui?

— Quem sou eu? O senhor sabe: sou nobre, servi dois anos na cavalaria, depois andei vagabundando aqui por Petersburgo, depois me casei com Marfa Pietróvna e morei no campo. Eis minha biografia.

— O senhor, ao que parece, é um jogador, não?

— Não, que jogador sou eu! Sou um trapaceiro, não um jogador.

— E o senhor era trapaceiro?

— Sim, era trapaceiro.

— Então, chegaram a bater no senhor?

— Houve casos. Por quê?

— Então quer dizer que podia desafiar alguém para um duelo... e em geral isso dá ânimo.

— Não lhe contradigo, e além disso não sou mestre em filosofar. Eu lhe confesso que me apressei em vir para cá mais por causa das mulheres.

— Mal tendo acabado de enterrar Marfa Pietróvna?

— Pois é — sorriu Svidrigáilov com uma franqueza triunfal. — Mas qual é o problema? Parece que o senhor vê algo mau no fato de eu falar assim das mulheres, é?

— Isto é, se eu vejo ou não vejo o mal na libertinagem?

— Na libertinagem! Veja aonde o senhor está indo! Aliás, pela ordem vou lhe responder antes de tudo a respeito das mulheres em geral; sabe, estou disposto a jogar conversa fora. Diga-me, por que eu iria me conter? Por que abandonar as mulheres, se sou um apreciador delas? Pelo menos é uma ocupação.

— Então a sua única esperança aqui é a libertinagem?

— Ora, qual é o problema, pois que seja a libertinagem! Só fala em libertinagem. Mas eu gosto pelo menos de perguntas diretas. Nessa libertinagem existe ao menos alguma coisa permanente, baseada inclusive na natureza e imune à fantasia, algo que permanece no sangue como um carvãozinho sempre incandescente, que arde eternamente, que persiste ainda por muito tempo, e tão cedo não se extingue, talvez nem com o passar dos anos. Convenha, por acaso não é uma espécie de ocupação?

— Que prazer pode haver nisso? Isso é uma doença, e perigosa.

— Ah, veja aonde o senhor quer chegar! Concordo que é uma doença, como tudo o que passa por cima da medida — e aqui temos necessariamente de passar por cima da medida —, mas veja que isso, em primeiro lugar, acontece de um jeito com um, de outro jeito com outro e, em segundo, certamente cabe manter a medida, o cálculo, mesmo que seja vil, mas o que se há de fazer? Não houvesse isso, pois, o jeito era meter um tiro na cabeça, vai ver que seria o caso. Concordo que um homem decente seja obrigado a cair no tédio, mas veja, não obstante...

— E o senhor, seria capaz de meter uma bala na cabeça?

— Ora essa! — rebateu com asco Svidrigáilov. — Faça o favor, não fale disso —, acrescentou às pressas e até sem aquela fanfarronice que transparecia de todas as suas palavras ditas antes. Foi como se até o rosto dele houvesse mudado. — Reconheço minha fraqueza imperdoável, mas o que fazer: tenho medo da morte e não gosto de ouvir falar nela. O senhor sabe que sou em parte um místico?

— Ah! O fantasma de Marfa Pietróvna! Então, continua a aparecer?

— Deixe-o para lá, não o lembre; em Petersburgo ainda não apareceu; e que fique com o diabo! — exclamou com um ar meio irritadiço. — Não, é melhor falarmos disso... e aliás... Hum! Sim, senhor! Tenho pouco tempo, não posso ficar muito com o senhor, ai que pena! Haveria o que comunicar.

— E o que espera? Mulher?

— Sim, mulher, coisa à toa, um caso imprevisto... não, não é isso.

— Bem, e a torpeza de toda essa situação já não surte efeito sobre o senhor? O senhor já não tem mais a força para parar?

— E o senhor tem pretensão à força? He-he-he! O senhor acaba de me surpreender, Rodion Románitch, mesmo eu sabendo antes que seria assim. O senhor conversa comigo sobre libertinagem e estética! O senhor é um Schiller, um idealista! Tudo isso, é claro, deve ser assim mesmo e surpreenderia se fosse o contrário, mas, não obstante, ainda assim é de fato um tanto estranho... Ai, que pena que o tempo esteja escasso, porque o senhor é mesmo um sujeito ultracurioso! A propósito, gosta de Schiller? Eu gosto muitíssimo.

— Mas veja só como o senhor é fanfarrão! — disse Raskólnikov com certo asco.

— Ora, juro que não! — respondeu às gargalhadas Svidrigáilov. — Mas, pensando bem, não discuto, vamos que seja fanfarrão; no entanto, por que não fanfarrear, quando isso é inofensivo? Morei sete anos com Marfa Pietróvna no campo, e por isso, ao esbarrar agora em um homem inteligente como o senhor — inteligente e curioso no mais alto grau —, simplesmente me sinto feliz em jogar conversa fora, e além disso bebi esse meio copo de vinho e até me subiu uma gotinha à cabeça. Mas o principal é que existe uma circunstância que muito me tocou, mas sobre a qual eu... me calo. Aonde o senhor vai? — perguntou Svidrigáilov subitamente assustado.

Raskólnikov começou a levantar-se. Sentiu-se pesado, com falta de ar e um tanto embaraçado por estar ali. Convenceu-se de que Svidrigáilov era o celerado mais vazio e insignificante do mundo.

— Ora, ora! Sente-se, fique — rogou Svidrigáilov —, e mande que lhe tragam ao menos chá. Vamos, sente-se, bem, não vou tagarelar tolices, isto é, sobre mim. Vou lhe contar alguma coisa. Bem, quer que eu lhe conte como uma mulher, usando o estilo do senhor, "me salvou"? Será inclusive a resposta à sua primeira pergunta, porque essa pessoa é sua irmã. Posso contar? E a gente ainda mata o tempo.

— Conte, mas espero que o senhor...

— Oh, não se preocupe! Ademais, até em um homem tão ruim e vazio como eu Avdótia Románovna só pode inspirar o mais profundo respeito.

## IV

— O senhor sabe, talvez saiba (aliás eu mesmo lhe contei) — começou Svidrigáilov —, que estive preso aqui por dívidas, uma quantia enorme, e sem ter nem o mínimo recurso para saldá-la. Não é o caso de entrar nos detalhes de como Marfa Pietróvna me resgatou; o senhor sabe a que grau de embriaguez o amor de uma mulher às vezes pode chegar? Ela era uma mulher honrada, bastante inteligente (ainda que sem nenhuma instrução). Imagine que essa mesma mulher, ciumenta e honrada, depois de muitos acessos terríveis de furor e exprobação, resolveu dignar-se a fazer comigo uma espécie de contrato, que ela cumpriu durante todo o nosso casamento. Acontece que ela era bem mais velha do que eu, além disso sempre estava com algum cravo na boca. Eu tinha tanta sujeira na alma e um quê de honestidade que lhe declarei com toda a franqueza que não podia ser inteiramente fiel a ela. Essa confissão a pôs em fúria, mas parece que de certo modo ela gostou da minha sinceridade grosseira: "Então, diz ela, você mesmo não pretende me enganar, já que assim o declara de antemão". Ora, para uma mulher ciumenta isso é o principal. Depois de demoradas lágrimas, estabeleceu-se entre nós uma espécie de contrato verbal: primeiro, eu nunca deixaria Marfa Pietróvna e seria sempre seu marido; segundo, sem a permissão dela nunca iria me ausentar; terceiro, nunca arranjaria uma amante permanente; quarto, por essas cláusulas Marfa Pietróvna me permitia vez por outra arranjar criadas de quarto, desde que não o fizesse senão com o conhecimento secreto dela; quinto, que Deus me protegesse de amar uma mulher da nossa casta; sexto, na eventualidade, que Deus me protegesse, de me ver dominado por alguma paixão, grande e séria, eu devia me abrir com Marfa Pietróvna. De resto, quanto ao último ponto, Marfa Pietróvna sempre esteve bastante tranquila; era uma mulher inteligente e, por conseguinte, não podia me ver senão como um libertino e depravado, que não estava em condição de amá-la seriamente. Mas uma mulher inteligente e uma mulher ciumenta são dois objetos diferentes, e é nisso que está o mal. Aliás, para julgar com imparcialidade sobre algumas pessoas, precisamos renunciar de antemão a algumas concepções preconcebidas e ao hábito rotineiro que nos prende a pessoas e objetos que via de regra nos rodeiam. Tenho o direito de contar com a sua opinião mais do que com a de quem quer que seja. Talvez o senhor já tenha ouvido falar muita coisa ridícula e absurda sobre Marfa Pietróvna. De fato, às vezes ela revelava hábitos muito absurdos; mas eu lhe digo com franqueza que lamento sinceramente os inúmeros dissabores que lhe causei. Bem, parece que chega, para uma bem decente *oraison funèbre*[17] à esposa meiguíssima de um marido meiguíssimo. Quando aconteciam as nossas brigas, eu passava a maior parte do tempo calado e não me irritava, e essa atitude de *gentleman* quase sempre atingia o objetivo; houve casos de ela até se orgulhar de mim. Mas, apesar de tudo, ela não suportou o incidente com a sua irmã. E como aconteceu que ela se arriscou em contratar tamanha beldade como governanta de sua casa? Eu atribuo isto ao fato de que Marfa Pietróvna era uma mulher ardorosa e suscetível, e que ela mesma se apaixonou pura e simplesmente — se apaixonou literalmente — por sua irmã. Sim, mas, e Avdótia Románovna!? Eu compreendi muito bem, à primeira vista, que a coisa ali ia mal e — o que o senhor acha? — tinha resolvido até nem levantar os olhos para ela. Mas a própria Avdótia Románovna deu o primeiro passo — acredita ou não? O senhor acredita ainda que Marfa Pietróvna chegou a tal ponto que de início até se zangou comigo por causa do meu permanente silêncio a respeito de sua irmã, da minha tamanha indiferença diante das suas referências contínuas e apaixonadas a Avdótia Románovna? Eu mesmo não compreendo o que ela queria! Bem, e é claro que Marfa Pietróvna contou a Avdótia Románovna todos os meus podres. Havia nela esse traço infeliz de contar absolutamente a todo mundo todos os nossos segredos familiares e a todos sempre se queixar de mim; como iria passar sem fazê-lo a essa amiga nova e maravilhosa? Suponho que as duas não tinham outro assunto senão eu, e não há dúvida de que Avdótia Románovna tomou conhecimento de todas aquelas histórias obscuras e misteriosas que me atribuíam... Aposto que o senhor também já ouviu alguma coisa dessa natureza, não?

— Ouvi. Lújin acusou o senhor de ter até causado a morte de uma criança. Isso é verdade?

— Faça-me um favor, deixe todas essas torpezas em paz — pretextou Svidrigáilov com aversão e nojo —, se o senhor quiser forçosamente saber de todo esse absurdo, algum dia eu lhe conto em particular, mas agora...

— Também falam de um criado de sua propriedade rural, e que o senhor também teria sido a causa de alguma coisa que aconteceu com ele.

---

[17] "Oração fúnebre", em francês. (N. do T.)

— Faça-me o favor, basta! — tornou a interromper Svidrigáilov com notória impaciência.

— Não seria aquele criado que depois de morto lhe veio encher o cachimbo... que o senhor mesmo me contou? — irritava-se cada vez mais Raskólnikov.

Svidrigáilov olhou atentamente para Raskólnikov, e este teve a impressão de que um riso maldoso coriscou de relance nesse olhar, mas Svidrigáilov se conteve e respondeu de modo muito cortês:

— É o mesmo. Vejo que o senhor está sumamente interessado em tudo isso, e considero meu dever satisfazer ponto por ponto a sua curiosidade na primeira oportunidade que tiver. Que diabo! Estou vendo que posso mesmo parecer a alguém uma pessoa romântica. Julgue depois disso quanto eu devo ser grato à falecida Marfa Pietróvna por ter contado à sua irmã tanta coisa misteriosa e curiosa a meu respeito. Não me atrevo a julgar as impressões; mas, em todo caso, isso foi vantajoso para mim. A despeito de toda a aversão natural de Avdótia Románovna por mim e apesar do meu aspecto então sempre sorumbático e repelente, ela acabou ficando com pena de mim, com pena de um homem perdido. E quando o coração de uma moça sente *pena*, isto, sem dúvida, é o maior perigo para ela. Aí vem forçosamente a vontade de "salvar", e fazer criar juízo, e ressuscitar, e conclamar a objetivos mais nobres, e fazer renascer para uma nova vida e uma nova atividade — bem, sabe-se que se pode ter sonhos desse gênero. Imediatamente eu percebi que o passarinho estava voando para a gaiola e, de minha parte, me preparei. Parece que o senhor está ficando carrancudo, Rodion Románitch? Não é nada, como o senhor sabe o caso terminou em bobagens. (Que diabo, como estou bebendo vinho!) Sabe, sempre lamentei, desde o início, que o destino não tivesse permitido à sua irmã nascer no segundo ou terceiro século da nossa era, filha de algum príncipe herdeiro ou de algum governante, ou de um procônsul na Ásia Menor. Sem dúvida, ela seria uma daquelas que passariam pelo martírio e, é claro, sorririam quando lhe queimassem os seios com tenazes incandescentes. Ela daria esse passo deliberadamente com as próprias pernas, e nos séculos quarto e quinto iria para o deserto do Egito e ali passaria trinta anos, alimentando-se de raízes, êxtase e visões.[18] É só isso que ela mesma anseia, e exige assumir algum sofrimento por alguém e o quanto antes; não lhe propiciem esse sofrimento e ela mesma irá atirar-se

---

[18] Alusão ao feito de Santa Maria Egipcíaca, santa cristã que viveu 47 anos no deserto da Jordânia e "venceu seu sangue e sua espécie com um sofrimento inédito". Sua imagem interessou Dostoiévski até o fim da vida. (N. da E.)

pela janela. Ouvi falar alguma coisa sobre um tal senhor Razumíkhin. Dizem que é um rapaz ajuizado (o que até o sobrenome dele sugere, deve ser seminarista), bem, então que ele proteja sua irmã. Em suma, parece que eu a compreendi, o que considero uma honra para mim. Mas no momento, isto é, quando se começa a travar conhecimento, o senhor mesmo sabe, a gente sempre é de certo modo mais leviana e mais tola, olha equivocadamente para as coisas, confunde. Que diabo, por que ela é tão bonita? Não tenho culpa! Numa palavra, a coisa brotou em mim por um impulso da mais incontrolável volúpia. Avdótia Románovna é terrivelmente casta, de uma forma inédita e inaudita. (Observe, eu estou lhe comunicando isto sobre sua irmã como um fato. Ela é casta, talvez a ponto de adoecer, apesar de toda a sua vasta inteligência, e isso ainda vai prejudicá-la.) Nisso apareceu lá em casa uma moça, Paracha, a Paracha de olhos negros,[19] que acabava de ser trazida de outra aldeia, uma criada de quarto, que eu nunca tinha visto antes — uma gracinha, mas tola ao extremo; às lágrimas, levantou um alarido para a casa inteira, e deu-se o escândalo. Uma vez, depois do almoço, Avdótia Románovna, intencionalmente, achou-me sozinho numa aleia do jardim e com os olhos chamejantes *exigiu* que eu deixasse a pobre Paracha em paz. Foi quase a primeira conversa que tivemos a sós. Eu, sem dúvida, considerei uma honra satisfazer a exigência dela, procurei fingir-me de estupefato, de perturbado, bem, numa palavra, não desempenhei mal o papel. Começaram os contatos, as conversas secretas, os sermões, os ensinamentos, os rogos, as súplicas, até as lágrimas — acredita, até as lágrimas! Veja que força adquire em algumas moças a paixão por propagar! Eu, é claro, pus toda a culpa no meu destino, fingi-me de ávido e sequioso de luz e, por último, pus em ação o recurso mais grandioso e inabalável para a conquista do coração feminino, o recurso que nunca enganará ninguém e age sobre todos e cada um, sem qualquer exceção. Esse recurso é a lisonja. Não existe nada nesse mundo mais difícil que a franqueza, e não existe nada mais fácil que a lisonja. Se na franqueza é falsa apenas uma fração centesimal da nota, ocorre imediatamente uma dissonância e em seguida o escândalo. Se na lisonja tudo é falso até a última nota, mesmo neste caso ela é agradável e não se ouve sem prazer; ainda que seja com um prazer grosseiro, mas assim mesmo é prazer. E por mais grosseira que seja a lisonja, nela pelo menos a metade tem uma inevitável aparência de verdade. E isso para todos os segmentos e camadas da sociedade. Com uma lisonja pode-se seduzir até uma vestal. O que dizer

[19] Perífrase dos primeiros versos do poema "Paracha" de Gavrila Dierjávin (1743-1816): "A loura Paracha,/ De rosto argênteo e rosado". (N. da E.)

então das pessoas comuns! Não posso me lembrar sem rir de como certa vez seduzi uma grã-senhora dedicada ao marido, aos filhos e às suas próprias virtudes. Como foi divertido e como exigiu pouco trabalho. E a grã-senhora realmente era virtuosa, pelo menos a seu modo. Toda a minha tática consistia simplesmente em aparecer a cada instante abatido e prosternar-me diante da castidade dela. Eu a lisonjeava descaradamente e, às vezes, mal acabava de conseguir um aperto de mão, até um olhar, censurava-me alegando que arrancara aquilo dela à força, que ela resistira, que resistira tanto que na certa eu nunca teria conseguido nada se não fosse tão pervertido; que ela, em sua pureza, não previra a deslealdade e cedera involuntariamente, sem saber, sem se dar conta etc. etc. Em suma, eu consegui tudo, e minha grã-senhora ficou mais que segura de que era pura e virtuosa e cumpria todos os seus deveres e obrigações, mas se perdera absolutamente sem querer. E como ficou zangada comigo quando enfim eu lhe disse que, segundo minha convicção sincera, ela havia procurado o prazer tanto quanto eu. A pobre Marfa Pietróvna também cedeu terrivelmente à lisonja, e se eu quisesse, é claro, teria transferido toda a propriedade dela para o meu nome ainda em vida dela. (No entanto eu estou bebendo um horror de vinho e jogando conversa fora.) Espero que o senhor não se zangue se eu mencionar agora que o mesmo efeito começara a confundir também Avdótia Románovna. É, eu mesmo era tolo e impaciente e pus tudo a perder. Várias vezes, e já antes (sobretudo uma vez), Avdótia Románovna ficou terrivelmente contrariada com a expressão dos meus olhos, o senhor acredita? Numa palavra, neles ia-se inflamando de modo cada vez mais intenso e imprudente um certo fogo, que a assustava e ela acabou odiando. É dispensável contar os detalhes, mas o fato é que nos separamos. Nisso eu tornei a fazer uma asneira. Pus-me a zombar do modo mais grosseiro de todas aquelas propagandas e apelos; mais uma vez Paracha entrou em cena, e não só ela — numa palavra, começou uma barafunda. Oh, Rodion Románitch, se o senhor visse ao menos uma vez na vida os olhinhos da sua irmã do jeito que eles às vezes conseguem brilhar! Não importa se eu agora estou bêbado e já tomei um copo cheio de vinho, mas estou dizendo a verdade; eu lhe asseguro que sonhei com aquele olhar; no fim eu já não conseguia suportar o frufru do vestido dela. Palavra, eu achava que ia ter um ataque epiléptico; eu nunca imaginara que pudesse chegar a semelhante estado de fúria. Numa palavra, era necessário que fizéssemos as pazes; mas isso já era impossível. Pode imaginar o que fiz? A que estado de embotamento a fúria pode levar um homem! Nunca faça nada com fúria, Rodion Románitch. Contando com o fato de que, no fundo, Avdótia Románovna é miserável (ah, desculpe, eu não quis dizer isso... mas não é indiferente se exprimimos o mesmo conceito?), numa palavra, vive do trabalho dos seus braços, que ela mantém a mãe e o senhor (ah, diabo, novamente carrancudo...), eu me decidi por lhe oferecer todo o meu dinheiro (na ocasião eu podia arranjar uns trinta mil) contanto que ela fugisse comigo ao menos para cá, para Petersburgo. Sem dúvida, no mesmo instante eu jurei amor eterno, delícias etc. etc. Acredite, eu estava tão apaixonado que se ela me dissesse: meta a faca ou envenene Marfa Pietróvna e case comigo — eu o teria feito na mesma hora! Mas tudo terminou no desastre que o senhor já conhece, e pode julgar por si mesmo a que estado de fúria eu pude chegar ao saber que então Marfa Pietróvna arranjara o infame burocrata Lújin e por pouco não forjara um casamento — o que, no fundo, seria o mesmo que eu havia proposto. Não seria? Não seria? Ora, não seria? Noto que o senhor está ouvindo com muita atenção... jovem interessante...

Levado pela impaciência, Svidrigáilov deu um soco na mesa. Estava todo vermelho. Raskólnikov notou claramente que o copo ou copo e meio de champanhe que ele havia bebido, sorvendo sem se fazer notar, aos goles, haviam surtido um efeito mórbido — e resolveu aproveitar a oportunidade. Svidrigáilov lhe era muito suspeito.

— Bem, depois do que acabei de ouvir, estou plenamente convencido de que o senhor veio para cá também visando à minha irmã — disse direto a Svidrigáilov e sem fazer segredo, para provocá-lo ainda mais.

— Ora, basta — pareceu aperceber-se Svidrigáilov —, mas eu lhe disse... e além disso sua irmã não consegue me suportar.

— Sim, disso eu estou convencido; ela não consegue, mas a questão agora não é essa.

— E o senhor está convencido de que não consegue? (Svidrigáilov apertou os olhos e sorriu com ar zombeteiro.) O senhor está certo, ela não gosta de mim; mas nunca assegure nada em assuntos passados entre um marido e a mulher ou um amante e a amante. Aí sempre existe um cantinho que continua desconhecido do mundo inteiro e só os dois conhecem. O senhor garante que Avdótia Románovna me olhava com asco?

— Por algumas palavras ou palavrinhas suas, pronunciadas durante a sua narração, noto que até agora o senhor mantém as suas intenções e as pretensões mais urgentes e, claro, torpes, em relação a Dúnia.

— Como! Deixei escapar tais palavras e palavrinhas? — assustou-se subitamente Svidrigáilov com uma cara das mais ingênuas, sem dar a mínima atenção ao epíteto aplicado às suas intenções.

— Ora, elas continuam escapando. Mas de que o senhor, por exemplo, tem tanto medo? Por que acabou de ficar subitamente assustado?

— Estou com medo e assustado? Com medo do senhor? É mais fácil o senhor ter medo de mim, *cher ami*.[20] Ora, mas que sandice... Aliás, estou embriagado, percebo; por pouco não tornei a dar com a língua nos dentes. Ao diabo com o vinho! Ei, me tragam água!

Ele agarrou a garrafa e sem cerimônia atirou-a pela janela. Fillip trouxe a água.

— Tudo isso é uma tolice — disse Svidrigáilov, molhando a toalha e passando-a na cabeça —, mas posso fazê-lo calar com uma palavra e reduzir a pó todas as suas suspeitas. O senhor sabe, por exemplo, que vou me casar?

— O senhor já me havia dito isso antes.

— Já? Esqueci. Mas naquele momento eu não podia falar de modo afirmativo, porque ainda nem tinha visto a noiva; eram apenas intenções. Mas agora eu já tenho noiva, está tudo arranjado, e se não fossem os negócios inadiáveis, sem falta eu levaria o senhor para conhecê-la — porque quero pedir sua opinião. Arre, diabo! Faltam apenas dez minutos. Veja, olhe o relógio; mas, pensando bem, vou lhe contar, porque o meu noivado é uma coisinha muito interessante, de certo ponto de vista. Aonde o senhor vai? Indo embora de novo?

— Não, agora eu já não vou.

— Não vai de jeito nenhum? Veremos! Vou levá-lo até lá, é verdade, mostro-lhe minha noiva, só que não agora, porque logo estará na sua hora. O senhor vai para a direita, eu, para a esquerda. Conhece a Resslich? Aquela mesma Resslich em cuja casa estou hospedado, hein? Está ouvindo? Não, o que o senhor está pensando? É a mesma a quem ligam o suicídio daquela mocinha que se afogou neste inverno — então, ouviu falar? Ouviu? Pois bem, ela me forjou tudo isso: tu, diz ela, andas um tanto entediado, vai te distrair. Mas eu sou um homem sorumbático, enfadonho. O senhor me acha alegre? Não, sorumbático: não faço mal, fico sentado num canto; às vezes passo três dias sem soltar a língua. Mas a Resslich é uma espertalhona, é o que lhe digo, veja o que ela tem na cabeça: que eu vou ficar entediado, largar minha mulher e ir embora, e a mulher vai sobrar para ela, e ela vai fazer gato e sapato dela; em nosso meio, e ainda mais acima. Tem, diz ela, um pai debilitado, funcionário público aposentado, há três anos metido numa cadeira de rodas sem as pernas. Tem mãe também, diz ela, uma senhora sensata, a mamãe. O filho serve em alguma aldeia, não ajuda. A filha casou-se e não a visita, têm dois sobrinhos pequenos sob sua responsabilidade (como se não lhe bastassem os seus), sim, e tiraram a menina do colégio antes que ela

---

[20] "Caro amigo", em francês. (N. do T.)

concluísse o curso, a última filha, que vai fazer dezesseis anos daqui a um mês, quer dizer, daqui a um mês podem dá-la em casamento. E a mim. Fomos para lá: como a coisa entre eles é engraçada! Apresento-me: senhor de terras, viúvo, de família conhecida, com tais e tais relações, capital — bem, qual é o problema, se eu tenho cinquenta e ela ainda não fez dezesseis? Quem vai ligar para isso? Mas é sedutor, não é? Que é sedutor, é, quá-quá! O senhor precisava ver como soltei a língua com o papaizinho e a mamãezinha dela. É preciso pagar para me ver nesses momentos. Aparece ela, senta-se; bem, imagine o senhor, e ainda metida num vestidinho curto, um botãozinho que ainda não desabrochou; cora, inflama-se como a aurora (ela estava sabendo, é claro). Não sei qual é o seu gosto no tocante aos rostinhos femininos, mas eu acho que esses dezesseis anos, esses olhinhos ainda infantis, essa timidez e essas lagrimazinhas de pundonor — acho que isso é melhor que a beleza, e ainda por cima ela parece uma pintura. Os cabelinhos claros, frisados em cachinhos miúdos como um carneirinho, os lábios roliços, escarlates, as perninhas — um encanto!... Bem, nós nos conhecemos, eu informei que as circunstâncias domésticas me apressavam e, no dia seguinte, isto é, anteontem, nosso noivado recebeu as bênçãos. Desde então, mal chego lá boto-a no colo e não a deixo sair... Bem, ela se inflama, como a aurora, e eu a beijo a cada instante; a mamãezinha, é evidente, lhe incute que eu sou seu futuro marido e é assim mesmo que tem que ser, em suma, uma framboesa. Essa condição atual, de noivo, palavra, pode ser até melhor que a de marido. Isso é o que se chama *la nature et la vérité*![21] Quá-quá! Nós dois trocamos opiniões duas vezes — a menina de boba não tem nada; vez por outra me dá umas olhadas furtivas — chega a queimar. Sabe, o rostinho dela é como o da Madona de Rafael. É que a Madona Sistina tem um rosto fantástico, o rosto de uma alienada aflita, isso não lhe saltou à vista? Bem, é mais ou menos assim. Mal abençoaram o nosso noivado, no dia seguinte gastei mil e quinhentos rublos com presentes: um adorno de brilhantes, outro de pérolas e um estojo de prata para toalete feminina, desse tamanho, com coisas variegadas, de sorte que até o rostinho dela, de Madona, ficou ruborizado. Ontem eu a pus no colo, bom, pelo visto com muita sem-cerimônia — inflamou-se toda e jorraram umas gotinhas de lágrima, não queria denunciar-se mas ficou toda em brasa. Todos saíram de casa por um instante, nós dois ficamos o que se chama sozinhos; súbito ela se lança ao meu pescoço (ela mesma pela primeira vez), me abraça com ambos os bracinhos, me beija e jura que me será uma esposa obediente, fiel e boa, que me fará feliz, que

[21] "A natureza e a verdade", em francês. (N. do T.)

dedicará toda a sua vida, cada minuto de sua vida, sacrificará tudo, tudo, e por isso tudo deseja ter *apenas o meu respeito*, e diz não preciso mais "de nada, não preciso de nada, de nenhum presente!". Convenha que ouvir semelhante confissão a sós de um anjinho de dezesseis anos, vestida de tule, de cachinhos frisados, com o rubor do recato de menina e com lágrimas de entusiasmo nos olhos — o senhor há de convir que é bastante sedutor. É sedutor, não é? Vale alguma coisa, hein? Vamos, não vale? Vamos, escute, vamos... então, vamos à casa de minha noiva... mas não agora!

— Em suma, é essa monstruosa diferença de idade e evolução que lhe desperta a sensualidade! E não me diga que o senhor vai se casar assim mesmo?

— Por que não? Sem dúvida. Cada um cuida de si, e aquele que é capaz de embromar a todos melhor do que a si mesmo é quem leva a vida mais alegre. Quá-quá! E por que o senhor acha de botar a canga da virtude em todo mundo? Piedade, meu pai, eu sou um pecador. He-he-he!

— Mesmo assim o senhor remediou as crianças de Catierina Ivánovna. Pensando bem... pensando bem, o senhor teve seus motivos para isso... agora eu compreendo tudo.

— De um modo geral eu gosto muito de criança, gosto muito de criança — Svidrigáilov soltou uma gargalhada. — A esse respeito posso até lhe contar um episódio curiosíssimo, que continua até hoje. No primeiro dia que aqui cheguei, saí andando por essas várias cloacas; bem, depois de sete anos bateu-me até uma sofreguidão. O senhor provavelmente está observando que não tenho pressa em me juntar à minha turma, aos antigos amigos e companheiros. Pois é, vou passar o máximo de tempo que puder sem eles. Sabe, quando eu estava no campo com Marfa Pietróvna, eu morria de tormento ao me lembrar de todos esses cantos e cantinhos misteriosos, nos quais alguém possa quiçá encontrar muita coisa. Com o diabo! O povo enche a cara, os jovens instruídos, por falta do que fazer, levam a vida em sonhos e devaneios irrealizáveis, deformam as mentes em teorias; vindos sabe-se lá de onde os *jids* apareceram de inopino, escondem o dinheiro, e o resto do mundo cai na devassidão. Foi assim que desde as primeiras horas da minha chegada esta cidade exalou sobre mim o cheiro conhecido. Compareci a uma chamada *soirée* dançante — uma cloaca horrível (mas eu gosto das cloacas justamente pela imundície), bem, é evidente, uma noitada de cancã, como não há iguais e as quais não havia no meu tempo. Ora, nisso está o progresso. Súbito olho, vejo uma menina, de uns treze anos, primorosamente vestida, dançando com um virtuose; outro *vis-à-vis* com ela. Junto à parede está sentada a mãe. Bem, o senhor pode imaginar que cancã! A menina está desnorteada, cora, por fim se sente ofendida e começa a chorar. O virtuose a segura e começa a fazê-la girar e a representar diante dela, ao redor os espectadores riem às gargalhadas — nesses momentos eu gosto do nosso público, ainda que seja o público do cancã —, riem às gargalhadas e gritam: "Isso mesmo, bem feito! Quem manda trazer crianças?". Ora, estou me lixando, e não há o que fazer: lógico ou ilógico, eles se consolam a si mesmos! No mesmo instante escolho o meu lugar, sento-me ao lado da mãe e começo a dizer que eu também sou forasteiro, que aqui todos são uns ignorantes, que não sabem distinguir os méritos autênticos e nutrir o devido respeito; fiz saber que tenho muito dinheiro; convidei para levá-la na minha carruagem; levei-as para casa, apresentamo-nos (estão hospedadas no cubículo de uns inquilinos, acabaram de chegar). Declararam-me que ela e a filha não podem considerar o conhecimento comigo senão uma honra; sei que elas não têm eira nem beira, e vieram para cá batalhar alguma coisa; em alguma repartição pública; ofereço meus préstimos, dinheiro; tomo conhecimento de que foram à *soirée* de dança por engano, pensando que ali realmente se ensinava a dançar; ofereço minha contribuição pessoal para a educação da menina moça com aulas de francês e de dança. Aceitam extasiadas, consideram uma honra, e até agora a intimidade... Se quiser, vamos lá — só não agora.

— Pare, pare com suas piadas infames e vis, homem depravado, baixo, lascivo!

— Schiller, Schiller, o nosso Schiller! *Où va-t-elle la vertu se nicher*?[22] Sabe, vou lhe contar de propósito esse tipo de histórias para ouvir os seus gritinhos. Que prazer!

— Pudera, por acaso não estou sendo ridículo neste momento? — resmungou Raskólnikov com raiva.

Svidrigáilov dava gargalhadas estridentes; por fim chamou Fillip, pagou a conta e começou a levantar-se.

— Ora veja, estou bêbado, *assez causé*![23] — disse ele. — Que prazer!

— Pudera o senhor não sentir prazer — exclamou Raskólnikov, também se levantando —, para um depravado gasto, contar semelhantes aventuras — com vistas a alguma intenção monstruosa do mesmo gênero — é um prazer, e ainda por cima em semelhantes circunstâncias e a uma pessoa como eu... Excita.

---

[22] "Onde não se aninha uma virtude?", em francês. Exclamação atribuída a Molière em resposta a um pedinte que achara que o dramaturgo se equivocara ao lhe dar uma moeda de ouro. (N. da E.)

[23] "Chega de conversa fiada", em francês. (N. do T.)

— Bem, se é assim — respondeu Svidrigáilov até com certa surpresa, examinando Raskólnikov —, se é assim então o senhor é um grandessíssimo cínico. Pelo menos guarda em si um material gigantesco. Pode ter consciência de muita coisa, de muita... Pode compreender muito, muito... sim, e pode fazer muito. Ora, mas chega. Lamento sinceramente ter conversado pouco com o senhor, mas o senhor não vai se livrar de mim... É só esperar...

Svidrigáilov saiu da taberna. Raskólnikov saiu atrás. Svidrigáilov, porém, não estava muito embriagado; a bebida tinha subido apenas por um instante, mas a embriaguez ia passando a cada minuto. Estava muito preocupado com alguma coisa, com algo extremamente importante, e carregava o cenho. Alguma expectativa o deixava visivelmente agitado e inquieto. Nos últimos instantes mudara meio de repente com Raskólnikov, e a cada minuto ia se tornando mais grosseiro e mais galhofeiro. Raskólnikov notou tudo isso e também ficou inquieto. Svidrigáilov se lhe tornara muito suspeito; ele resolveu segui-lo.

Estavam na calçada.

— O senhor vai para a direita, eu, para a esquerda, ou talvez ao contrário, só que — *adieu, mon plaisir*,[24] até a alegria do próximo encontro!

---

[24] "Adeus, minha alegria", em francês. (N. do T.)

## V

Raskólnikov o seguiu.

— O que é isso? — gritou Svidrigáilov, olhando para trás. — Parece que eu disse...

— Isto quer dizer que agora não largo mais do seu pé.

— O que-e-ê?

Ambos pararam, e ambos ficaram cerca de um minuto olhando um para o outro, como se estivessem se medindo.

— Por todas as histórias que o senhor contou embriagado — atalhou Raskólnikov em tom ríspido —, concluí *positivamente* que o senhor não só não desistiu de suas intenções mais torpes em relação à minha irmã como ainda está até mais envolvido com elas do que nunca. Estou informado de que minha irmã recebeu uma certa carta esta manhã. O senhor esteve o tempo todo inquieto... O senhor, é de supor, pode ter desenterrado alguma esposa durante a viagem, mas isso não significa nada. Quero me certificar pessoalmente...

Era pouco provável que o próprio Raskólnikov pudesse definir o que estava mesmo querendo e de que precisamente queria certificar-se em pessoa.

— Então é isso! Quer, eu grito agora mesmo para a polícia?

— Grite!

Mais uma vez ficaram cerca de um minuto frente a frente. Por fim o rosto de Svidrigáilov modificou-se. Certo de que Raskólnikov não se assustara com a ameaça, assumiu de súbito o ar mais alegre e amistoso.

— Veja que coisa! De propósito não toquei no seu assunto com o senhor, embora, é claro, a curiosidade me atormente. É um caso fantástico. Eu o deixaria para outra vez, mas, palavra, o senhor é capaz de provocar até um morto... Bem, vamos, apenas quero lhe dizer de antemão: vou dar uma chegadinha em casa para pegar dinheiro; depois fecho o quarto, pego um cocheiro e vou passar a noite inteira nas ilhas. Então, a título de que vai me seguir?

— Por enquanto vou ao quarto de Sófia Semiónovna pedir desculpas por não ter comparecido ao enterro.

— Como o senhor quiser, só que Sófia Semiónovna não está em casa. Levou todas as crianças para a casa de uma senhora, uma velha senhora nobre, minha velha conhecida e responsável por uns orfanatos. Deixei essa senhora encantada ao dar dinheiro pelos três pintinhos de Catierina Ivánovna, além disso sacrifiquei mais dinheiro para o orfanato; por último, contei a ela a história de Sófia Semiónovna, e até com todos os detalhes, sem esconder nada. O efeito que produziu foi indescritível. Por isso foi marcado para Sófia Semiónovna aparecer hoje mesmo, no próprio hotel... onde está provisoriamente a tal senhora que veio direto da *datcha*.

— Não é necessário, mas assim mesmo vou até lá.

— Como quiser, só que não lhe faço companhia; o que tenho com isso? Pronto, estamos chegando. Diga-me uma coisa; estou convencido de que o senhor me olha com suspeita porque eu mesmo tenho sido muito delicado e até agora não o incomodei com interrogatórios... está entendendo? O senhor achou isso uma coisa incomum; aposto que é assim! Pois bem, então seja delicado depois disso.

— Mas escuta atrás das portas!

— Ah, o senhor insiste nisso! — caiu na risada Svidrigáilov. — Sim, eu ficaria surpreso se depois disso o senhor deixasse esse assunto passar sem observação. Quá-quá! Naquela ocasião ao menos alguma coisa eu compreendi do que o senhor... lá... aprontou e contou com suas próprias palavras a Sófia Semiónovna, mas, não obstante, o que há de mais nisso? Talvez eu seja um homem totalmente atrasado e já não consiga compreender nada. Explique, pelo amor de Deus, meu caro! Ilustre-me com princípios modernos.

— O senhor não pode ter ouvido nada, não para de mentir!

— Só que não estou falando daquilo, não é daquilo (embora, por outro lado, eu tenha escutado alguma coisa); não, estou falando que o senhor está sempre soltando ais e mais ais! Há um Schiller perturbando a todo instante dentro do senhor. Agora vá você não escutar atrás da porta! Se é assim, então vá à autoridade e declare: sabe, veja, assim e assado, aconteceu comigo o seguinte caso: houve um pequeno erro na teoria. Se o senhor está convencido de que não dá para escutar atrás da porta, mas se pode esfolar as velhotas com o que aparece à mão em função do próprio prazer, então vá embora o quanto antes para algum lugar da América![25] Fuja, jovem! Pode ser que

[25] Em um manual de direito penal, publicado em 1863 por V. D. Spassóvitch, na parte "A deportação de ingleses para a América", afirma-se que com essa medida o Estado se livrava de desocupados, vagabundos, marginais incorrigíveis e gente suspeita. K. Neumann, em *História dos Estados Unidos da América*, São Petersburgo, 1864, observa que os colonos que povoaram a América do Norte eram "classes depravadas e imprestáveis da população das grandes cidades inglesas". Na época em que escrevia *Crime e castigo*, Dostoiévski já conhecia muito bem o livro *Système pénitentiaire aux États-Unis*, de Gustave de Beau-

ainda haja tempo. Estou sendo sincero. Não tem dinheiro? Eu lhe dou para a viagem.

— Nada disso me passa pela cabeça — interrompeu Raskólnikov com asco.

— Estou entendendo (aliás, o senhor não se dê ao trabalho: se quiser não fale muito); compreendo que questões o senhor levanta: questões morais, não? Questões do cidadão e do homem? Deixe-as de lado; para que lhe servem agora? He-he! Para isso o senhor continua cidadão e homem? Sendo assim, então não devia ter se metido nisso; nada de se meter com o que não é da sua competência. Então meta uma bala na cabeça; ou não quer?

— O senhor parece querer me provocar só para que eu o largue neste momento...

— Que excêntrico! Só que nós já chegamos, faça o favor de subir a escada. Está vendo, ali é a entrada do quarto de Sófia Semiónovna, observe, não há ninguém! Não acredita? Pergunte aos Kapiernaúmov: ela deixa a chave com eles. Aí está a própria madame Kapiernaúmov, hein? O quê? (Ela é um pouco surda.) Saiu? Aonde foi? Pois bem, agora o senhor ouviu? Ela não está e nem estará até tarde da noite. Bem, agora vamos para o meu quarto. O senhor também quer ir à minha casa, não quer? Pois bem, esta é minha casa. Madame Resslich não está em casa. Essa mulher vive numa eterna roda-viva, mas é uma boa mulher, isso eu lhe asseguro... talvez ela lhe pudesse ser útil se o senhor fosse um pouco mais sensato. Faça o favor de ver isto: tiro da gaveta da escrivaninha o título a cinco por cento (veja quantos ainda me restam!), vou trocá-lo hoje no câmbio paralelo. Então, viu? Não tenho mais por que perder tempo. Fechamos a gaveta da escrivaninha, fechamos o quarto, e estamos nós dois outra vez na escada. Então, se quiser, alugamos um coche! Veja, vou para as Ilhas. Não quer dar um passeio? Vou pegar essa carruagem para Ieláguin, o que acha? Não quer? Não aguentaria? A gente dá uma volta, não há de ser nada. Parece que a chuva está chegando, não faz mal, a gente fecha a capota...

Svidrigáilov já estava na carruagem. Raskólnikov julgou que, ao menos nesse instante, as suas suspeitas eram injustas. Sem dizer nenhuma palavra

---

mont e Alexis de Tocqueville, bem como *De la démocratie en Amérique*, de Tocqueville. A ideia da fuga para a América com o fim de ver "o trabalho livre num Estado livre" está presente no artigo "Sonhos e devaneios", do *Diário de um escritor* (1873), e Dostoiévski retoma o tema em *Os demônios*, no qual a vida das personagens na América termina em frustração, e em *Os irmãos Karamázov*, no qual o diabo sugere a Dmitri fugir para a América. (N. da E.)

em resposta, deu meia-volta e retornou na direção da Siennáia. Se ao menos uma vez houvesse olhado para trás, teria visto que Svidrigáilov descera da carruagem sem rodar cem passos, pagara o cocheiro e estava na calçada. No entanto já dobrara a esquina e não podia ver mais nada. Uma profunda aversão o levava para longe de Svidrigáilov. "Ao menos por um instante eu podia esperar alguma coisa desse celerado grosseiro, desse depravado lascivo e patife!" — exclamou involuntariamente. É verdade que Raskólnikov foi excessivamente precipitado e leviano ao emitir esse julgamento. Em toda a situação de Svidrigáilov havia algo que ao menos lhe dava um mínimo de originalidade, se não uma aura de mistério. Quanto ao que tudo isso afetava a irmã, Raskólnikov, não obstante, continuava seguramente convencido de que Svidrigáilov não ia deixá-la em paz. Mas se tornara duro demais e insuportável pensar e repensar tudo isso.

Como era hábito seu, uma vez só e tendo caminhado uns vinte passos, caiu em profunda meditação. Ao entrar na ponte, parou junto à balaustrada e ficou olhando para a água. Por sinal Avdótia Románovna estava ali.

Ele cruzou com ela na entrada da ponte mas passou ao largo, sem vê-la. Dúnietchka nunca o havia encontrado daquele jeito na rua e pasmou do susto. Parou e ficou sem saber se o chamava ou não. Súbito avistou Svidrigáilov, que se aproximava às pressas vindo do lado da Siennáia.

Mas ele parecia aproximar-se misteriosa e cautelosamente. Ele não subiu a ponte, parou ao lado, na calçada, procurando evitar por todos os meios que Raskólnikov o avistasse. Há muito já avistara Dúnia e lhe fazia sinais. Ela achou que com aqueles sinais ele lhe suplicava que não falasse com o irmão e o deixasse em paz, e a convidava a acompanhá-lo.

Foi o que Dúnia fez. Contornou sorrateiramente o irmão e aproximou-se de Svidrigáilov.

— Vamos depressa — sussurrou-lhe Svidrigáilov. — Não desejo que Rodion Románitch saiba do nosso encontro. Quero lhe avisar que eu e ele estivemos juntos numa taberna não longe daqui, onde ele mesmo me descobriu, e a muito custo me livrei dele. Ele sabe da carta que lhe escrevi e está desconfiando de alguma coisa. Não teria sido a senhora que lhe revelou? E se não tiver sido a senhora, então quem foi?

— Pronto, já dobramos a esquina — interrompeu Dúnia —, agora meu irmão não irá nos ver. Quero lhe dizer que não vou adiante com o senhor. Diga-me tudo aqui: tudo isso pode ser dito até na rua.

— Em primeiro lugar, isso jamais poderia ser dito na rua; em segundo, devemos ouvir também Sófia Semiónovna; em terceiro, vou lhe mostrar certos documentos... Ah, sim, por último, se a senhora não quiser ir à minha casa, eu desisto de quaisquer esclarecimentos e vou-me embora agora mesmo. Neste caso, eu lhe peço não esquecer que o segredo muito curioso de seu adorado irmão está inteiramente em minhas mãos.

Dúnia parou indecisa, lançando sobre Svidrigáilov um olhar penetrante.

— De que a senhora está com medo? — observou ele calmamente — Cidade não é aldeia. Mesmo na aldeia a senhora fez mais mal a mim do que eu à senhora, já aqui...

— Sófia Semiónovna está avisada?

— Não, eu não disse uma palavra a ela e nem estou inteiramente seguro de que ela esteja em casa neste momento. Pensando bem, é provável que esteja em casa. Hoje ela enterrou sua parenta, não é dia de sair em visita. Por enquanto não quero falar com ninguém sobre esse assunto, e em parte até me arrependo de o haver levado ao seu conhecimento. Aqui o mínimo descuido já equivale a uma denúncia. Eu moro aqui, nesse prédio, e olhe, nós estamos chegando. Este é o porteiro do nosso prédio; o porteiro me conhece muito bem; veja, está fazendo reverência; vê que estou acompanhado de uma dama e, é claro, já notou o seu rosto, e isso pode lhe ser útil se a senhora sente muito medo e desconfia de mim. Desculpe por eu falar de modo tão grosseiro. Eu mesmo subalugo de inquilinos. Sófia Semiónovna mora num quarto separado do meu por uma parede, também subaluga de inquilinos. Todo o andar é ocupado por inquilinos. De que a senhora está com medo como uma criança? Ou será que eu sou assim tão perigoso?

O rosto de Svidrigáilov contraiu-se num sorriso condescendente; mas ele já não estava para sorrisos. O coração batia, ele estava com a respiração cortada. Falava deliberadamente no afã de ocultar a agitação crescente; mas Dúnia não conseguiu notar essa agitação particular; já ficara irritada demais com a observação de que ela o temia como uma criança e que ele era tão perigoso para ela.

— Embora eu saiba que o senhor é um homem... sem honra, não tenho nenhum medo do senhor. Vá em frente — disse ela, pelo visto tranquila mas com o rosto muito pálido.

Svidrigáilov parou à porta do quarto de Sônia.

— Deixe eu me inteirar se está em casa. Não. Um fracasso! Mas sei que ela deve chegar muito em breve. Se ela saiu não foi senão para ver uma senhora e tratar com ela dos seus órfãos. A mãe deles morreu. Neste caso eu também me envolvi e tomei as providências. Se Sófia Semiónovna não retornar em dez minutos, eu a mando pessoalmente à sua casa, se a senhora quiser, hoje mesmo; esse aqui é o meu apartamento: aqui estão os meus dois quartos. Do outro lado daquela porta mora a minha senhoria, a senhora Resslich. Agora olhe para cá, vou lhe mostrar meus principais documentos: essa porta do meu dormitório dá para dois quartos totalmente vazios, que estão para alugar. Aí estão... a senhora deve olhar com um pouco mais de atenção...

Svidrigáilov ocupava dois quartos mobiliados, muito amplos. Dúnietchka olhou desconfiada ao redor mas não notou nada de mais nem na arrumação, nem na disposição dos quartos, embora fosse possível notar alguma coisa, por exemplo, que o apartamento de Svidrigáilov ficava como que entre dois quartos quase inteiramente desabitados. Nele não se entrava diretamente pelo corredor, mas através de dois quartos da senhoria, quase vazios. Svidrigáilov abriu uma porta do seu dormitório, fechada a chave, e mostrou a Dúnietchka um quarto também vazio, que estava para alugar. Dúnia quis parar à porta, sem entender para que a convidava a olhá-lo, mas Svidrigáilov se apressou em esclarecer:

— Olhe para cá, para esse segundo quarto grande. Observe esta porta: está fechada a chave. Ao lado da porta há uma cadeira, apenas uma cadeira em ambos os quartos. Fui eu quem a trouxe do meu apartamento para escutar melhor. Do outro lado, neste momento, fica a mesa de Sófia Semiónovna; ali ela estava sentada e conversando com Rodion Románitch. E eu fiquei daqui escutando, sentado na cadeira, duas tardes consecutivas, umas duas horas de cada vez — e, é claro, consegui ficar sabendo de alguma coisa. O que a senhora acha?

— O senhor escutou conversas?

— Sim, escutei; agora vamos para o meu apartamento; aqui não há onde sentar-se.

Ele levou Avdótia Románovna de volta ao seu primeiro quarto, que lhe servia de sala, e convidou-a a sentar-se à mesa. Sentou-se ele mesmo no outro extremo, pelo menos a uma braça de distância dela, mas é provável que em seus olhos já brilhasse a mesma chama que outrora tanto assustara Dúnietchka. Ela estremeceu e mais uma vez olhou ao redor desconfiada. Seu gesto foi involuntário; ela, pelo visto, não queria manifestar desconfiança. Mas a posição isolada do apartamento de Svidrigáilov finalmente a fez pasmar. Quis perguntar se ao menos a senhoria dele estava em casa, mas não perguntou... por altivez. Além do mais, tinha no coração um sofrimento incomensuravelmente maior que o pavor que experimentava por sua própria situação. Sua tortura era insuportável.

— Eis a sua carta — começou ela, pondo-a na mesa. — Desde quando é possível o que o senhor escreve? O senhor alude a um crime que meu irmão teria cometido. O senhor faz alusões demasiado claras, e agora não se atreva a arranjar pretextos. Saiba que antes do senhor eu já ouvira falar dessa história tola e que não acredito numa palavra dela. É uma suspeita monstruosa e ridícula. Conheço a história e sei como e por que foi inventada. O senhor não pode ter nenhuma prova. O senhor prometeu provar: pois fale! Mas sabendo de antemão que não acredito no senhor! Não acredito!...

Dúnietchka falou atropelando as palavras, às pressas, e por um instante o rubor estampou-se em seu rosto.

— Se a senhora não acredita, por que correu o risco de vir sozinha à minha casa? Pois então, por que veio? Por mera curiosidade?

— Não me atormente, fale, fale!

— É dispensável dizer que a senhora é uma moça valente. Juro que eu pensava que a senhora fosse pedir ao senhor Razumíkhin para acompanhá-la até aqui. Mas ele não está nem com a senhora nem esteve por perto, eu bem que observei: isso é uma atitude valente: então a senhora quer poupar Rodion Románitch. Aliás, tudo na senhora é divino... Quanto ao seu irmão, o que eu posso lhe dizer? A senhora mesma acabou de vê-lo. Que achou dele?

— Não é só nisso que o senhor se baseia?

— Não, não é nisso mas nas próprias palavras dele. Veja, duas tardes seguidas ele veio para cá visitar Sófia Semiónovna. Eu lhe mostrei onde eles estavam sentados. Ele fez a ela a sua confissão completa. Ele é um assassino. Matou a velha viúva de um funcionário, usurária, com quem ele mesmo empenhava objetos; matou a irmã dela também, uma vendedora, chamada Lisavieta, que entrou inadvertidamente enquanto ele matava a irmã. Matou as duas com um machado que trazia consigo. Matou-as para roubá-las, e as roubou; pegou o dinheiro e alguns objetos... ele mesmo contou tudo isso, palavra por palavra, a Sófia Semiónovna, que é a única a saber o segredo, mas do assassinato não participou com palavras nem atos; ao contrário, ficou tão horrorizada quanto a senhora está neste momento. Fique tranquila, ela não vai entregá-lo.

— Isso não pode ser! — balbuciou Dúnietchka com os lábios pálidos, lívidos; estava ofegante. — Não pode ser, não existe nenhum, o mínimo motivo, nenhuma razão... Isso é mentira! Mentira!

— Ele roubou, eis todo o motivo. Pegou o dinheiro e os objetos. Em verdade, por uma questão de foro íntimo, não se aproveitou nem do dinheiro nem dos objetos, mas os levou para algum lugar e os meteu debaixo de uma pedra, onde continuam até agora. Mas isso foi porque ele não se atreveu a se aproveitar deles.

— Ora, por acaso seria provável que ele fosse capaz de roubar, de saquear? Que pudesse sequer pensar nisso? — exclamou Dúnia e deu um salto da cadeira. — O senhor não o conhece? Não o viu? Acaso ele pode ser ladrão?

Era como se ela implorasse a Svidrigáilov; havia perdido todo aquele seu pavor.

— Neste caso, Avdótia Románovna, existem milhares e milhões de combinações e escolhas. O ladrão rouba, mas por outro lado não sabe a seu respeito que é um patife; pois bem, ouvi dizer que um homem nobre destruiu uma agência de correios; vai ver que ele realmente pensava que estava praticando uma boa ação. Eu certamente não acreditaria, como a senhora, se ouvisse a conversa de estranhos. Mas eu acreditei nos meus próprios ouvidos. Ele explicou a Sófia Semiónovna todos os motivos; mas a princípio ela não acreditou nem nos seus próprios ouvidos, no entanto acabou finalmente acreditando nos olhos, nos seus próprios olhos. Pois foi ele em pessoa quem lhe contou.

— Então que... motivos?

— É uma história longa, Avdótia Románovna. Aqui estamos diante, como lhe dizer, de uma espécie de teoria, é o mesmo tipo de caso a partir do qual eu acho, por exemplo, que um crime único é permitido se o objetivo central é bom. Um único crime e cem boas ações! Para um jovem cheio de méritos e de um desmedido amor-próprio é, evidentemente, deplorável saber que haveria, por exemplo, apenas uns três mil rublos, e que toda a sua carreira, todo o futuro do seu objetivo de vida iria constituir-se de maneira diferente, mas acontece que esses três mil não existem. Acrescente-se a isso a irritação provocada pela fome, pelo quarto apertado, pelos andrajos, pela nítida consciência da beleza de sua posição social e, ao mesmo tempo, pela condição da irmã e da mãe. Mais que tudo a vaidade, o orgulho e a vaidade, aliás, Deus sabe dele, até com as melhores inclinações pode... Mas eu não o culpo, não pense isso, por favor; ademais não é problema meu. No caso houve de fato uma teoriazinha — uma teoria mais ou menos —, segundo a qual os homens são divididos, veja só, em material e em indivíduos extraordinários, ou seja, em indivíduos para os quais, pela alta posição que ocupam, a lei não foi escrita mas, ao contrário, são eles mesmos que criam as leis para o resto dos indivíduos, para o tal material, o tal lixo. Nada mal, uma teoriazinha mais ou menos; *une théorie comme une autre*.[26] Napoleão o envolveu em demasia, ou seja, o que no fundo o envolveu foi o fato de que

[26] "Uma teoria como qualquer outra", em francês. (N. do T.)

muitos homens geniais não ligaram para o crime isolado mas passaram por cima dele, sem vacilar. Ele parece ter imaginado que é um homem genial — ou seja, esteve seguro disto durante certo tempo. Ele sofreu muito e continua sofrendo por causa da ideia de que foi capaz de criar a teoria, mas de ir além, sem vacilar, não esteve em condição, logo, não é um homem genial. Pois bem, para um jovem dotado de amor-próprio isso é mesmo humilhante, especialmente em nossa época...

— E o remorso? Quer dizer que o senhor nega que haja nele qualquer sentimento moral? Por acaso ele é assim?

— Ah, Avdótia Románovna, hoje em dia está tudo tumultuado, ou, se bem que em grande ordem mesmo nunca esteve. Em geral os russos são um povo pródigo, Avdótia Románovna, pródigo como a sua terra, e extremamente inclinado para o fantástico, o desordenado; mas o mal é ser pródigo sem ter uma genialidade particular. A senhora se lembra de que conversamos muito quase desse mesmo jeito e sobre esse mesmo tema, a sós, sentados às noitinhas no terraço do jardim, sempre depois do jantar? E a senhora ainda me censurava justamente por essa prodigalidade. Vai ver que no momento mesmo em que nós conversávamos ele ficava aqui deitado e matutando seus planos. Em nossa sociedade culta não existem lendas especialmente sagradas, Avdótia Románovna: a menos que alguém crie as suas de alguma maneira a partir dos livros... ou tire alguma coisa das crônicas do passado. Mas esses são grandes sábios, e fique certa de que a seu modo são todos uns simplórios, de sorte que isso seria até indecente para um homem de sociedade. Aliás, a senhora conhece as minhas opiniões gerais; eu nunca acuso decididamente ninguém. Eu mesmo sou um folgado, e a isso me aferro. Sim, mas já falamos várias vezes sobre isso. Tive até a felicidade de interessá-la com meus juízos... A senhora está muito pálida, Avdótia Románovna.

— Essa teoria dele eu conheço. Li numa revista o artigo dele sobre os indivíduos a quem tudo é permitido... Razumíkhin me trouxe...

— O senhor Razumíkhin? Um artigo do seu irmão? Numa revista? Esse artigo existe? Eu não sabia. Eis o que deve ser curioso! Mas aonde a senhora vai, Avdótia Románovna?

— Quero ver Sófia Semiónovna — disse Dúnietchka com voz fraca. — Como chegar ao quarto dela? Talvez já tenha voltado; quero vê-la agora mesmo, sem falta. Que ela...

Avdótia Románovna não conseguiu concluir; ficou com a respiração literalmente cortada.

— Sófia Semiónovna não voltará antes de alta noite. Assim o suponho. Ela deveria voltar logo, se não aconteceu então só voltará muito tarde...

— Ah, então estás mentindo![27] Estou vendo... estavas mentindo... mentiste o tempo todo!... Não acredito em ti! Não acredito! Não acredito — gritava Dúnietchka em verdadeiro acesso de fúria, perdendo inteiramente a cabeça.

Caiu quase desmaiada na cadeira, que Svidrigáilov se apressou em empurrar para ela.

— Avdótia Románovna, o que a senhora tem? Acorde! Olhe a água. Beba um gole...

Ele borrifou água nela. Dúnietchka estremeceu e voltou a si.

— O efeito foi forte! — balbuciou de si para si Svidrigáilov, franzindo o cenho. — Avdótia Románovna, acalme-se! Saiba que ele tem amigos. Nós vamos salvá-lo, vamos tirá-lo da enrascada. Quer que eu o leve para o estrangeiro? Eu tenho dinheiro; em três dias consigo a passagem. Quanto ao fato de que ele matou, ele ainda vai praticar muitas boas ações, de sorte que tudo isso acabará sendo apagado; acalme-se. Ele ainda pode ser um grande homem. O que há com a senhora? Como se sente?

— Homem mau! E ainda zomba. Deixe-me sair...

— Aonde a senhora vai? Aonde?

— Procurá-lo. Onde ele está? O senhor sabe? Por que essa porta está fechada? Nós entramos por essa porta e agora ela está trancada a chave. Quando o senhor conseguiu trancá-la a chave?

— Não podia chegar a todos os quartos o que conversávamos aqui. Não estou, absolutamente, zombando; apenas estou farto de falar essa linguagem. Ora, para onde a senhora vai assim? Ou está querendo traí-lo? A senhora vai levá-lo à loucura e ele mesmo acabará se traindo. A senhora sabe que ele já está sendo vigiado, que já estão no encalço dele? A senhora vai apenas entregá-lo. Espere: eu o vi e conversei com ele há pouco; ainda é possível salvá-lo. Espere, sente-se, ponderemos juntos. Foi para conversar a sós sobre isso e ponderarmos bem que eu a trouxe para cá. Mas sente-se, puxa!

— De que maneira o senhor pode salvá-lo? Será que é possível salvá-lo?

Dúnia sentou-se, Svidrigáilov sentou-se ao lado.

— Tudo isso depende da senhora, da senhora, só da senhora — começou ele com os olhos chamejando, quase aos murmúrios, perdendo o fio e até sem conseguir pronunciar algumas palavras de tanta agitação.

---

[27] A partir deste momento Dúnia mistura o "tu" e o "senhor" na discussão com Svidrigáilov. (N. do T.)

Assustada, Dúnia recuou bruscamente, afastando-se dele. Todo ele tremia.

— A senhora... uma palavra sua e ele estará salvo! Eu... o salvarei. Tenho dinheiro e amigos. Eu mesmo o mando para fora, e tiro pessoalmente o passaporte, dois passaportes. Um para ele, outro para mim. Eu tenho amigos; gente prática... Quer? Tiro mais um passaporte para a senhora... um para a sua mãe... para que lhe serve Razumíkhin? Eu também a amo... Amo-a infinitamente. Dê-me a franja do seu vestido para eu beijar, dê-me, dê-me. Não consigo ouvir o ruído dele. Diga-me: faz isto, que eu farei! Eu farei tudo! Farei o impossível. No que a senhora acreditar, eu também acreditarei. E farei tudo, tudo! Não olhe, não olhe desse jeito para mim! Será que sabe que me mata...

Ele começava até a delirar. Algo lhe aconteceu subitamente, como se alguma coisa lhe tivesse subido à cabeça. Dúnia levantou-se de um salto e correu para a porta.

— Abram! Abram! — gritava ela para o outro lado da porta, chamando a alguém e sacudindo a porta com as mãos. — Abram, puxa! Será que não há ninguém?

Svidrigáilov levantou-se e voltou a si. De seus lábios trêmulos esboçou-se lentamente um sorriso maldoso e zombeteiro.

— Não há ninguém em casa — pronunciou baixinho e pausadamente —, a senhoria saiu e é trabalho inútil gritar dessa maneira: só vai inquietar-se à toa.

— Onde está a chave? Abre essa porta agora, agora, homem vil!

— Perdi a chave e não consigo encontrá-la.

— Ah! Então é violação! — gritou Dúnia, pálida como a morte e precipitou-se para um canto, onde depressa se protegeu com uma mesinha que lhe aparecera à mão. Ela não gritava: mas cravara o olhar em seu algoz e lhe acompanhava vigilante cada movimento. Svidrigáilov também não se mexia e estava em pé de frente para ela no outro canto do quarto. Chegara até a dominar-se, ao menos na aparência. Mas o rosto continuava pálido. O sorriso zombeteiro não o abandonava.

— A senhora acabou de dizer "violação", Avdótia Románovna. Se é violação, então a senhora mesma pode julgar que eu tomei as providências. Sófia Semiónovna não está em casa; daqui ao apartamento dos Kapiernaúmov é muito longe, são cinco quartos fechados. Por último, sou no mínimo duas vezes mais forte que a senhora, e além disso não tenho o que temer porque depois a senhora não vai poder se queixar: a senhora não está mesmo querendo entregar seu irmão, está? Além do mais, ninguém vai acreditar na senhora: a troco de quê uma moça iria sozinha ao apartamento de um homem que mora só? Portanto, mesmo que estivesse sacrificando o irmão, nem neste caso conseguiria provar nada: é muito difícil provar uma violação, Avdótia Románovna.

— Patife! — balbuciou Dúnia indignada.

— Como queira, mas observe que acabei de falar apenas em forma de suposição. Por minha convicção pessoal, a senhora está absolutamente certa: a violação é uma torpeza. Falo apenas com vistas a que a senhora não fique com nada vezes nada em sua consciência até mesmo se... até mesmo se a senhora quiser salvar seu irmão de livre vontade, na forma como eu estou lhe propondo. Quer dizer, a senhora apenas se sujeitaria às circunstâncias, bem, à força, enfim, se fosse mesmo impossível evitar essa palavra. Pense nisso; o destino de seu irmão e de sua mãe está em suas mãos. Serei seu escravo... a vida inteira... ficarei esperando aqui...

Svidrigáilov sentou-se no sofá, a uns oito passos de Dúnia. Para ela já não havia a mínima dúvida quanto à decisão inabalável dele. Além do mais ela o conhecia...

Súbito ela tirou do bolso um revólver, armou o cão e baixou a mão com o revólver sobre a mesinha. Svidrigáilov deu um salto.

— Ah! Então é assim! — gritou ele surpreso, mas dando uma risadinha maldosa. — Bem, isso muda inteiramente o curso das coisas. A senhora mesma me facilita ao máximo a questão, Avdótia Románovna! Sim, e onde a senhora conseguiu o revólver? Não teria sido o senhor Razumíkhin? Vejam só! Esse revólver é meu! Um velho conhecido! E eu o procurei tanto naquele momento!... As nossas aulas de tiro no campo, que eu tive a honra de lhe dar, não foram lá em vão.

— O teu revólver não é teu, mas o de Marfa Pietróvna, que tu mataste, celerado! Tu não tinhas nada de teu na casa dela. Eu o peguei assim que comecei a suspeitar daquilo de que tu és capaz. Atreve-te a dar ao menos um passo e juro que te mato!

Dúnia estava enfurecida, mantinha o revólver no ponto.

— Bem, e o teu irmão? Pergunto por curiosidade — perguntou Svidrigáilov, ainda parado no mesmo lugar.

— Denuncia, se quiseres! Nem te mexas! Nem um passo. Eu atiro! Tu envenenaste a mulher, eu sei, tu mesmo és um assassino!...

— E a senhora está segura de que envenenei Marfa Pietróvna?

— Tu! Tu mesmo me insinuaste; tu me falaste em veneno... eu sei... tu viajaste para buscá-lo... tu o tinhas preparado... foste tu... patife!

— Se até isso fosse verdade, terias sido tu o motivo... todavia tu mesma terias sido o motivo.[28]

— Mentira! Eu sempre te odiei, sempre...

— Essa agora, Avdótia Románovna! Pelo visto a senhora esqueceu como no calor da propaganda já se inclinava e se deixava fascinar... Pelos olhinhos eu percebia; lembra-se daquela noite, ao luar, um rouxinol ainda piando?

— Mentira! — A fúria brilhou nos olhos de Dúnia. — Mentes, caluniador!

— Eu minto? Bem, quiçá esteja mentindo. Menti. Não se deve lembrar essas coisas às mulheres. (Deu uma risadinha.) Sei que vais atirar, bichinho bonitinho. Então atira!

Dúnia levantara o revólver e, mortalmente pálida, com o lábio inferior embranquecido e trêmulo, os grandes olhos negros chamejando como fogo, olhava para ele, decidida, medindo-o e aguardando o primeiro movimento da parte dele. Nunca ele a havia visto tão bela. O fogo que se lhe irradiava dos olhos no instante em que ela levantava o revólver era como se o queimasse, e o coração dele confrangeu-se de dor. Ele deu um passo e ouviu-se o disparo. A bala deslizou pelos cabelos dele e bateu na parede atrás. Ele parou e caiu na risada.

— Uma vespa me picou! Aponta direto para a cabeça... O que é isso? Sangue! — Tirou o lenço para limpar o sangue que descia num filete por sua têmpora direita; provavelmente a bala roçara de leve o couro cabeludo. Dúnia baixara o revólver e olhava para Svidrigáilov não tão apavorada quanto com uma perplexidade um tanto absurda. Parecia não entender o que havia feito e o que estava se passando!

— Pois é, um tiro perdido! Atire de novo, estou esperando — pronunciou baixinho Svidrigáilov, ainda rindo mas já de um modo um tanto sombrio —, desse jeito eu vou conseguir agarrá-la antes que a senhora arme o cão!

Dúnietchka estremeceu, armou rapidamente o cão e tornou a levantar o revólver.

— Deixe-me! — pronunciou ela em desespero — Juro que tornarei a atirar... Eu... o mato!

— Pois é... a três passos não pode deixar de matar. Mas se não me matar... aí... — Os olhos brilharam, e ele deu mais dois passos.

---

[28] Em algumas passagens desse diálogo Svidrigáilov mistura o tratamento de senhora e tu. (N. do T.)

Dúnia apertou o gatilho, a arma negou fogo!

— Carregaram mal. Não importa. A senhora ainda tem uma bala. Apronte isso, eu espero.

Ele estava plantado a dois passos diante dela, esperando e fitando-a com uma firmeza selvagem, um olhar inflamado de paixão, pesado. Dúnia compreendeu que era mais provável ele morrer que deixá-la sair. "E... e, é claro, agora ela o mataria, a dois passos!..."

Eis que ela joga fora o revólver.

— Jogou fora! — pronunciou surpreso Svidrigáilov e respirou fundo. Alguma coisa se lhe apartou do coração num instante, e talvez não só o peso do pavor da morte; e é pouco provável que ele o tenha sentido nesse momento. Era ele que se livrava de um sentimento outro, mais doloroso e sombrio, que não conseguia definir com toda a intensidade.

Chegou-se a Dúnia e enlaçou-lhe suavemente a cintura com o braço. Ela não ofereceu resistência mas, tremendo toda feito vara verde, fitava-o com olhos suplicantes. Ele quis dizer alguma coisa, mas seus lábios apenas se crisparam e ele não conseguiu pronunciar nada.

— Deixa-me sair! — suplicou Dúnia.

Svidrigáilov estremeceu: esse *tu* no tratamento já não era tanto aquele pronunciado há pouco.

— Então não me amas? — perguntou ele baixinho.

Dúnia balançou negativamente a cabeça.

— E... não poderás?... Nunca? — sussurrou ele com desespero.

— Nunca! — sussurrou Dúnia.

Transcorreu um instante de luta terrível e surda na alma de Svidrigáilov. Ele a fitava com um olhar indescritível. Súbito tirou o braço, virou-se de costas, afastou-se rapidamente para a janela e parou diante dela.

Transcorreu mais um instante.

— Eis a chave! (Tirou-a do bolso esquerdo do sobretudo e a pôs na mesa atrás de si, sem olhar nem se voltar para Dúnia.) Pegue-a; saia depressa!...

Olhava fixo para a janela.

Dúnia foi à mesa e pegou a chave.

— Depressa! Depressa! — repetia Svidrigáilov, ainda sem se mover nem se virar. Mas nesse "depressa" soava visivelmente um tom terrível.

Dúnia o compreendeu, pegou a chave, precipitou-se para a porta, abriu-a rapidamente e escapou do quarto. Um minuto depois, fora de si, saiu correndo feito louca pelo canal em direção à ponte -mu.

Svidrigáilov ainda permaneceu uns três minutos ao pé da janela; por último examinou ao redor e passou devagarinho a mão na testa. Um sorriso estranho lhe entortou o rosto, um sorriso triste, aflito, fraco, o sorriso do desespero. O sangue, já seco, sujou-lhe a palma da mão; olhou para o sangue com raiva; em seguida molhou uma toalha e limpou a têmpora. O revólver, que Dúnia atirara fora e voara para a porta, apareceu-lhe subitamente diante dos olhos. Ele o apanhou e examinou. Era um revólver pequeno, de bolso, de três balas, modelo antigo; nele ainda restavam dois cartuchos e uma bala. Dava para um tiro. Pensou, meteu o revólver no bolso, pegou o chapéu e saiu.

## VI

Ele passou toda essa noite em diferentes tabernas e cloacas, alternando-as. Em algum lugar descobriu Cátia, que voltou a cantar uma canção vulgar que falava de um "patife e tirano":

*Começou a beijar Cátia.*

Svidrigáilov deu de beber também a Cátia, e ao tocador de realejo, e aos cantores, e aos criados, e a dois escrivãezinhos. No fundo, ligou-se a esses escrivãezinhos porque os dois tinham os narizes tortos: o de um entortava para a direita, o do outro, para a esquerda. Isso impressionou Svidrigáilov. Eles o atraíram, por último, para um parque de diversões, onde ele pagou a despesa e as entradas deles. Nesse parque havia um abeto fino, de três anos, e três arbúsculos. Além disso, haviam construído uma *vokzal*,[29] no fundo uma cantina, mas ali serviam também chá, e ademais havia várias mesinhas verdes e cadeiras. Animavam o público um coro de cantores bem ruinzinhos e um alemão alcoólatra de Munique com aparência de palhaço, de nariz vermelho, mas extremamente desanimado, sabe-se lá por quê. Os escrivãezinhos altercaram com outros escrivãezinhos e estavam partindo para a briga. Escolheram Svidrigáilov como juiz. Este já os julgava há um quarto de hora, mas eles gritavam tanto que não havia a mínima possibilidade de se entender o que quer que fosse. O mais certo era que um deles havia roubado alguma coisa e já conseguira vender ali mesmo a algum *jid* que aparecera por lá; mas, consumada a venda, não quis dividir o lucro com seu companheiro. Verificou-se que o objeto vendido era uma colher de chá pertencente à *vokzal*. Aí se aferraram a ela, e a coisa começou a assumir dimensões complicadas. Svidrigáilov pagou pela colher, levantou-se e saiu do parque. Aproximava-se das dez. Durante todo esse tempo ele mesmo não tomou um gole de vinho na *vokzal* e limitou-se a pedir para si um chá, e assim

---

[29] Russificação de "vauxhall", também grafado como *voksal*. Na época o termo designava um espaço público de diversões e entretenimentos, como apresentações de dança e bailes de máscaras, tendo como modelo o Vauxhall Gardens londrino. (N. do T.)

mesmo mais por uma questão de praxe. Enquanto isso, a noite estava abafada e sombria. Por volta das dez, nuvens aterradoras avançaram de todos os lados; deu uma trovoada e a chuva desabou como uma cascata. A água não caía em gotas, mas em autênticos jatos açoitando o chão. Os relâmpagos iluminavam a cada instante e dava para contar até cinco enquanto durava cada clarão. Ele chegou em casa todo encharcado, trancou-se, abriu a gaveta, retirou todo o dinheiro e rasgou umas duas ou três notas. Depois, tendo metido o dinheiro no bolso, fez menção de trocar de roupa, no entanto, ao olhar pela janela e escutar a trovoada e a chuva, deu de ombros, pegou o chapéu e saiu sem fechar o apartamento. Foi direto para o quarto de Sônia. Ela estava em casa.

Ela não estava só; rodeavam-na os quatro filhos pequenos dos Kapiernaúmov. Sófia Semiónovna lhes dava chá. Ela recebeu Svidrigáilov calada e com respeito, observou surpresa sua roupa encharcada, mas não disse uma palavra. Quanto às crianças, estas fugiram todas no mesmo instante com um medo indescritível.

Svidrigáilov sentou-se à mesa e pediu que Sônia se sentasse ao lado. Ela se preparou timidamente para escutar.

— Eu, Sófia Semiónovna, talvez vá embora para a América — disse Svidrigáilov —, e uma vez que nós dois provavelmente estamos nos vendo pela última vez, vim aqui para transmitir algumas determinações. Bem, esteve com aquela senhora hoje? Sei o que ela lhe disse, não é preciso repetir. (Sônia fez menção de mover-se e corou.) O caráter dessa gente é conhecido. Quanto às suas irmãzinhas e ao seu irmãozinho, eles estão realmente amparados, e o dinheiro que cabe a cada um deles eu depositei no devido lugar, em mãos seguras e contra recibo. Aliás, fique a senhora com esses recibos, para qualquer eventualidade. Aqui estão, receba-os! Portanto, agora esse assunto está encerrado. Bem, aqui estão três títulos a cinco por cento, no valor total de três mil rublos. Fique com eles para si, para si mesma, e que isso fique entre nós de tal forma que ninguém venha a saber, não importa o que a senhora possa ouvir dizer. Vai precisar deles, porque, Sófia Semiónovna, viver como a senhora vinha vivendo é ruim, e a senhora não tem mais nenhuma necessidade.

— O senhor tem beneficiado tanto a mim, os órfãos, a falecida — precipitou-se Sônia —, que se até agora eu lhe agradeci tão pouco, não... considere...

— Ora, basta, basta.

— E esse dinheiro, Arkadi Ivánovitch, eu lhe sou muito grata, mas acontece que agora eu não preciso dele. Sozinha eu sempre haverei de me sustentar, não tome por ingratidão: se o senhor é tamanho benfeitor, esse dinheiro...

— É para a senhora, para a senhora, Sófia Semiónovna, e por favor, sem mais conversas, até porque estou assoberbado. A senhora vai precisar dele. Rodion Románovitch tem duas alternativas: uma bala na cabeça ou Vladímirka.[30] (Sônia olhou apavorada para ele e estremeceu.) Não se preocupe, sei de tudo, pela boca dele mesmo, e não sou tagarela; não direi nada a ninguém. Foi a senhora quem naquela ocasião lhe deu a boa orientação para que ele mesmo se denunciasse. Isso será bem mais vantajoso para ele. Pois, como a senhora está vendo, a alternativa é Vladímirka — ele vai passar por ela e a senhora vai segui-lo, não vai? Não vai? Não vai? Bem, caso seja assim, então o dinheiro vai ser necessário. Necessário para ele mesmo, está entendendo? Ao dá-lo à senhora é o mesmo que eu estar dando a ele. Além do mais, a senhora prometeu saldar também a dívida com Amália Ivánovna; pois eu ouvi. Por que a senhora, Sófia Semiónovna, assume de modo tão irrefletido todos esses contratos e obrigações? Veja, foi Catierina Ivánovna e não a senhora quem ficou devendo àquela alemã, então a senhora deveria mandar a alemã às favas. Desse jeito não dá para se viver nesse mundo. Olhe, se alguém lhe perguntar por mim — digamos, amanhã ou depois de amanhã — ou a meu respeito (e vão lhe perguntar), não mencione que estive hoje em sua casa, e não mostre de maneira nenhuma o dinheiro nem diga que eu lho dei, a ninguém. Bem, agora até logo. (Levantou-se da cadeira.) Minha saudação a Rodion Románitch. A propósito: guarde o dinheiro por enquanto ainda que seja em casa do senhor Razumíkhin. Conhece o senhor Razumíkhin? Ora, é claro que conhece. Esse rapaz não é mau sujeito. Leve-o para a casa dele amanhã ou... quando chegar o momento. Enquanto isso esconda-o o mais longe.

Sônia também se levantou de um salto da cadeira e ficou a olhar assustada para ele. Estava com muita vontade de lhe dizer algo, de perguntar alguma coisa, mas nos primeiros momentos não se atreveu, e aliás não sabia como começar.

— Como o senhor, como o senhor vai sair agora com essa chuva?

— Ora, querendo ir embora para a América e com medo de chuva, he-he! Adeus, minha cara Sófia Semiónovna! Viva e viva muito, a senhora será útil aos outros. A propósito... diga ao senhor Razumíkhin que eu lhe mandei

[30] Vladímirka é a estrada real que atravessa a cidade de Vladímir, por onde passavam os prisioneiros galés em direção à Sibéria. (N. da E.)

meus cumprimentos. Diga assim mesmo: Arkadi Ivánovitch Svidrigáilov lhe manda seus cumprimentos. Sim, e sem falta.

Ele saiu, deixando Sônia estupefata, assustada e com alguma suspeita vaga e pesada.

Soube-se depois que nessa mesma noite, aí pelas doze horas, ele fez mais uma visita muito excêntrica e inesperada. A chuva ainda não havia cessado. Encharcado, ele entrou às onze e vinte no pequeno apartamento dos pais da sua noiva, na avenida Malii, Quadra Três da ilha de São Basílio. Atenderam-no a muito custo, depois de ele bater à porta, e no início esboçou-se uma grande confusão; mas Arkadi Ivánovitch, quando queria, era um homem de maneiras muito cativantes, de sorte que a primeira conjectura (embora, diga-se, bastante espirituosa) dos sensatos pais da noiva — de que Arkadi Ivánovitch na certa já teria enchido tanto a cara em algum lugar que nem mais se dava conta de si mesmo — logo caiu naturalmente por terra. A compassiva e sensata mãe da noiva trouxe, numa cadeira de rodas, o enfraquecido pai à presença de Arkadi Ivánovitch e, por hábito, começou com rodeios a fazer certas perguntas. (Essa mulher nunca fazia perguntas diretas, e sempre apelava primeiro para sorrisos e um esfregar das mãos, e depois, se precisava descobrir algo obrigatoriamente e com certeza, como, por exemplo, quando seria conveniente a Arkadi Ivánovitch marcar a data do casamento, aí começava com perguntas ultracuriosas e quase sôfregas sobre Paris e a vida da corte de lá, e só depois punha a Quadra Três da ilha de São Basílio na ordem das perguntas.) Noutros tempos tudo isso, claro, infundiria muito respeito, mas desta vez Arkadi Ivánovitch revelava particular impaciência e o desejo categórico de ver sua noiva, embora desde o início lhe tivessem avisado que a noiva já se deitara para dormir. Já está entendido que a noiva apareceu. Arkadi Ivánovitch lhe comunicou diretamente que por força de uma circunstância muito importante precisava se ausentar por uns dias de Petersburgo, e por esta razão estava lhe trazendo quinze mil rublos de prata e diversas notas, pedindo-lhe que os recebesse dele em forma de presente, uma vez que há muito tempo ele já vinha mesmo com a intenção de lhe dar essa ninharia como presente de casamento. É claro que essas explicações não mostraram a mínima relação lógica e especial entre o presente e a partida imediata e a necessidade premente de aparecer debaixo de chuva e à meia-noite, mas, não obstante, a coisa transcorreu bastante bem. Até os necessários "ais" e "ohs", as indagações e surpresas súbito se fizeram extraordinariamente moderados e contidos; em compensação, o agradecimento foi o mais ardoroso e respaldado até por lágrimas da sensatíssima mãe. Arkadi Ivánovitch levantou-se, pôs-se a rir, beijou a noiva, deu-lhe uns tapinhas nas faces, reiterou que em breve apareceria, e embora lhe notasse nos olhinhos uma curiosidade infantil e ao mesmo tempo também uma pergunta muito séria, surda, pensou, beijou-a mais uma vez e de pronto sentiu um sincero desgosto na alma porque o presente ia ser imediatamente guardado a sete chaves pela mais sensata das mães. Ele saiu, deixando todos numa extraordinária excitação. Mas a mãe sensível, falando em sussurro e atropelando as palavras, resolveu no mesmo instante algumas importantíssimas incompreensões, ou seja, que Arkadi Ivánovitch era um grande homem, um homem de negócios e com relações, rico — sabe Deus o que ele tem na cabeça, apareceu, deu o dinheiro, portanto, não havia motivo para surpresa. Claro, era estranho que ele estivesse todo molhado, mas os ingleses, por exemplo, eram ainda mais excêntricos, e além disso todos esses indivíduos de tom superior são indiferentes ao que dizem deles e não fazem cerimônia. Vai ver que ele anda assim até de propósito para mostrar que não teme ninguém. Mas o principal é que sobre isso não se diga uma única palavra a ninguém, porque sabe Deus em que isso ainda pode dar e que o dinheiro fique logo debaixo de chave e, é claro, o melhor de tudo em toda essa história é que Fiedóssia fique lá pela cozinha e, o mais importante, não se deve, de maneira nenhuma, de maneira nenhuma, de maneira nenhuma mesmo comunicar nada disso à velhaca dessa Resslich etc. etc. Ficaram até às duas ali sentados e cochichando. A noiva, aliás, foi dormir bem antes, surpresa e um pouco triste.

Enquanto isso, à meia-noite em ponto Svidrigáilov atravessou a ponte -kov[31] em direção ao Lado Petersburgo. A chuva havia cessado mas o vento rugia. Ele começava a tremer e num momento olhou com uma curiosidade especial e até com uma interrogação para a água negra do Pequeno Nievá. Mas logo achou muito frio permanecer parado ali acima da água; virou-se e foi para a avenida -oi.[32] Já andava pela infinita avenida há muito tempo, há quase meia hora, tendo tropeçado e caído mais de uma vez no escuro numa calçada de madeira, mas não desistia de procurar alguma coisa com curiosidade no lado direito da avenida. Nisso avistou, já no fim da avenida, um hotel de madeira, que notara ao passar por ali há poucos dias, mas um hotel amplo que, segundo se lembrava, tinha um nome qualquer como Adria-

---

[31] Tem-se em vista a ponte Tutchkov, que através do Pequeno Nievá liga a ilha de São Basílio à outra parte de Petersburgo. (N. da E.)

[32] Bolchói Prospiekt (Grande Avenida) do Lado Petersburgo. Dostoiévski conhecia bem este lugar, pois ali sua irmã Aleksandra Mikháilovna Golienóvskaia tinha uma casa que ele visitava com frequência e se queixava do tamanho infinito da avenida. (N. da E.)

nopol. Não se enganou em seus cálculos: naquele ermo, esse hotel era um ponto tão visível que seria impossível deixar de encontrá-lo até mesmo no escuro. Era um longo edifício de madeira escurecida, no qual, apesar da hora avançada, ainda havia luzes e notava-se alguma animação. Entrou, e ao primeiro maltrapilho que encontrou no corredor pediu um quarto. O maltrapilho, depois de lançar um olhar para Svidrigáilov, animou-se e o conduziu imediatamente a um quarto distante, abafado e apertado, bem no fim do corredor, no canto, debaixo da escada. Mas não havia outro: todos estavam ocupados. O maltrapilho olhou de modo interrogativo.

— Tem chá? — perguntou Svidrigáilov.

— Dá pra arranjar.

— O que é que tem mais?

— Vitela, vodca, frios.

— Traga vitela e chá.

— E não vai querer mais nada? — perguntou o maltrapilho até meio perplexo.

— Nada, nada!

O maltrapilho se afastou totalmente frustrado.

"Esse deve ser um bom lugar — pensou Svidrigáilov —, como eu imaginava. Provavelmente, tenho a aparência de quem está voltando de algum *café chantant* mas já com uma aventura vivida pelo caminho. No entanto, vejam só, é curioso saber quem se hospeda aqui e por quê."

Acendeu a luz e examinou o quarto de modo mais detalhado. Era uma gaiola e tão pequena que quase não cabia Svidrigáilov em pé, com uma só janela; uma cama muito suja, uma mesa simples pintada e uma cadeira ocupavam quase todo o espaço. As paredes pareciam feitas de tábuas pregadas cobertas de um papel de parede esfarrapado, tão empoeirado e esfrangalhado que ainda dava para se perceber a cor (amarela) mas já não se conseguia distinguir nenhum desenho. Uma parte da parede e do teto havia sido cortada em oblíquo, como se costuma fazer em mansardas, e acima desse corte passava obliquamente a escada. Svidrigáilov ajeitou a vela, sentou-se na cama e começou a matutar. Mas um cochicho estranho e contínuo da gaiola contígua, que de quando em quando quase degenerava em grito, enfim atraiu-lhe a atenção. Esse cochicho não cessara desde o momento em que ele entrara. Ficou na escuta: alguém repreendia e quase às lágrimas censurava o outro, mas só se ouvia uma voz. Svidrigáilov levantou-se, encobriu a vela com a mão e no mesmo instante brilhou uma fresta na parede; ele se chegou e ficou a olhar. No quarto, um pouco maior que o seu, havia dois hóspedes. Um, sem sobrecasaca, de cabelo extraordinariamente crespo e rosto vermelho, afogueado, estava em pose de oração, com as pernas abertas para manter o equilíbrio e, batendo com a mão no peito, censurava pateticamente o outro, dizendo que este era miserável e não tinha sequer uma patente,[33] que o havia arrancado da lama e que, quando quisesse, podia tocá-lo porta fora, e que só o dedo do Altíssimo estava vendo aquilo tudo. Sentado numa cadeira, o amigo censurado parecia estar morrendo de vontade de espirrar, mas não tinha como. De quando em quando olhava para o orador com olhos de carneiro, fitava o orador, mas pelo visto não fazia a mínima ideia do que o outro falava, e era até pouco provável que escutasse alguma coisa. Na mesa extinguia-se uma vela, havia uma jarrinha de vodca quase vazia, cálices, pão, copos, pepinos e louça com chá há muito consumido. Depois de examinar a cena com atenção, Svidrigáilov afastou-se indiferente da fresta e voltou a sentar-se na cama.

O maltrapilho, ao voltar com o chá e a vitela, não pôde conter-se e perguntou mais uma vez: "Não precisa de mais alguma coisa?". Ao ouvir mais uma vez a resposta negativa, afastou-se em definitivo. Svidrigáilov lançou-se ao chá a fim de aquecer-se e tomou um copo, mas não conseguiu comer nada por absoluta falta de apetite. Era visível que começava a ter febre. Tirou o sobretudo, o colete, agasalhou-se no cobertor e deitou-se na cama. Estava desgostoso: "A melhor coisa é desta vez estar com saúde" — pensou e deu um sorriso. O quarto estava abafado, a vela emitia uma luz baça, lá fora o vento zunia, em algum canto um rato roía, e todo o quarto parecia cheirar a rato e alguma coisa de couro. Deitado, era como se estivesse sonhando: um pensamento substituía outro. Ele parecia querer muito prender-se pela imaginação ao menos a alguma coisa especial. "Isso, aí debaixo da janela, deve ser algum jardim — pensou —, tem árvores farfalhando; como detesto o farfalhar de árvores à noite, debaixo de tempestade e no escuro, é uma sensação detestável!" E lembrou-se de como, há pouco, ao passar ao lado do Parque de Pedro, pensou nele com asco. Aí se lembrou a propósito também da ponte -kov, do Pequeno Nievá, e outra vez foi como se sentisse frio, como ainda há pouco, quando estivera parado acima da água. "Nunca em minha vida gostei de água, nem em paisagens" — tornou a pensar e súbito voltou a sorrir de um pensamento estranho: "veja só, parece que agora eu deveria ser indiferente a toda essa questão da estética e do conforto, mas

---

[33] Na Rússia anterior a 1917, a patente (*tchin*) era um título que se atribuía a servidores civis e militares conforme uma tabela de classes ou categorias do serviço. Distribuía-se ao servidor da mais baixa à mais alta qualificação. Ter uma patente significava ter um meio de sobrevivência. (N. do T.)

foi justo nisso aí que fiquei exigente, como um bicho que em situação semelhante escolhe por necessidade um lugar para si... Há pouco eu devia mesmo era ter guinado para o Parque de Pedro! Por certo pareceu escuro, frio, he-he! Quase cheguei a precisar de sensações agradáveis!... A propósito, por que não apago a vela? (Soprou-a.) Os vizinhos se deitaram" — pensou ele ao não ver na fresta aquela luz de ainda agora. — "Veja só, Marfa Pietróvna, esta sim seria a ocasião oportuna para você se dignar a aparecer: está escuro, o lugar é apropriado e o momento é original. Mas é justo agora que você não vai aparecer..."

Nada de pegar no sono. Pouco a pouco a imagem recente de Dúnietchka foi surgindo diante dele, e súbito um tremor lhe correu pelo corpo. "Não, agora preciso abandonar isso — pensou, voltando a si —, preciso pensar em alguma outra coisa. É estranho e engraçado: nunca nutri grande ódio por ninguém, nunca tive nem grande desejo de me vingar, mas isso é um mau sinal, um mau sinal! Também não gostava de discutir e nem me exaltava — também um mau sinal! E quantas promessas fiz a ela ainda há pouco! — Arre, que diabo! E olhe, vai ver, ela iria me moer de alguma forma..." Voltou a calar e cerrou os dentes; outra vez a imagem de Dúnietchka apareceu diante dele, aquela mesma do momento em que ela atirava pela primeira vez, assustou-se terrivelmente, baixou o revólver e, morta de susto, olhava para ele, de modo que duas vezes ele teria conseguido agarrá-la e ela não levantaria a mão para se defender se ele mesmo não lhe tivesse lembrado. Lembrou-se de que naquele instante ficara mesmo com pena dela, era como se o coração o pressionasse... "Arre. Com os diabos! Mais uma vez esses pensamentos, preciso largar tudo isso, largar!"

Já estava adormecendo; o tremor da febre havia passado; súbito algo pareceu correr por cima de suas pernas e de seus braços debaixo do cobertor. Ele estremeceu: "Arre, com os diabos, isso é quase um rato! — pensou ele. — Foi a vitela que deixei em cima da mesa...". Estava sem nenhuma vontade de se descobrir, levantar-se, gelar de frio, mas num repente algo tornou a lhe roçar desagradavelmente o pé; tirou de cima de si o cobertor e acendeu a vela. Tremendo de frio febril, inclinou-se e examinou a cama — não havia nada; sacudiu o cobertor, e súbito um rato irrompeu no travesseiro. Lançou-se para capturá-lo, mas o rato não descia da cama e corria em ziguezagues para todos os lados, escorregou-lhe dos dedos, correu-lhe por cima da mão e súbito sumiu debaixo do travesseiro; ele sacudiu o travesseiro, mas num piscar de olhos sentiu que algo lhe havia pulado em cima da barriga, roçava pelo corpo, e já subia pelas costas, debaixo da camisa. Ele começou a tremer nervosamente e acordou. O quarto estava escuro, ele, deitado na cama, enrolado no cobertor como um pouco antes, debaixo da janela o vento uivava. "Que coisa detestável!" — pensou agastado.

Levantou-se e sentou no extremo da cama, de costas para a janela. "O melhor mesmo é não dormir nada" — decidiu. Aliás, da janela chegavam frio e umidade; sem se levantar, puxou o cobertor e enrolou-se nele. Não acendeu a vela. Não pensava em nada, e aliás nem queria pensar; mas os devaneios se sucediam um atrás do outro, esboçavam-se retalhos de pensamentos, sem princípio nem fim nem nexo. Era como se ele caísse no cochilo. Não se sabe se o frio, se o escuro, se a umidade, se o vento que se enovelava debaixo da janela e balançava as árvores, provocavam nele uma inclinação fantástica persistente e um desejo — no entanto a sua imaginação foi sendo invadida mais e mais por flores. Imaginou uma paisagem encantadora; um dia claro, morno, quase quente, dia de festa, Dia da Trindade. Uma rica casa de campo de madeira, esplêndida, de estilo inglês, toda rodeada de perfumados renques de flores e cheia de canteiros em forma de círculo em todo o seu redor; plantas trepadeiras se enroscam no terraço, tapado por canteiros de rosas; uma escada clara e fresca forrada por um tapete magnífico e rodeada de flores raras em vasos chineses. Nos vasos com água dispostos nas janelas notou sobretudo buquês de narcisos brancos e tenros pendendo em suas hastes verde-claras, roliças e longas, a exalarem um perfume forte. Não sentia nenhuma vontade de afastar-se deles, mas subiu a escada e entrou num salão grande e alto, e ali outra vez havia flores por toda parte, junto às janelas, perto das portas abertas para o terraço, no próprio terraço. Junca o assoalho uma relva segada fresca e perfumada, as janelas estão abertas, um ar fresco, leve e perfumado penetra no salão, passarinhos chilreiam debaixo das janelas e, no centro do salão, sobre mesas cobertas por cortinas de cetim branco, um caixão de defunto. Está forrado de *gros de Naples*[34] branco orlado de tule branco. Grinaldas de flores o envolvem de todos os lados. Dentro, toda coberta de flores, há uma menina de vestido de tule branco, com as mãos cruzadas e apertadas sobre o peito como se tivessem sido esculpidas de mármore. Mas os cabelos soltos, de um louro forte, estão molhados; uma coroa de rosas lhe cinge a cabeça. O perfil severo e já petrificado do rosto também parece meio esculpido em mármore, mas o sorriso nos lábios pálidos está repleto de uma infinita mágoa nada infantil e de uma queixa imensa. Svidrigáilov conhecia essa menina; em torno desse féretro não há nem ícones, nem velas acesas, e não há muita reza. A menina era uma suicida — afogara-se. Tinha apenas catorze anos, mas aquele já era

[34] Espécie de tecido sedoso grosso. (N. da E.)

um coração partido,[35] e se autodestruiu, ultrajado por uma ofensa que horrorizou e fez pasmar a sua consciência jovem, infantil, que lhe inundou de uma vergonha imerecida a alma angelicalmente pura e arrancou o último grito de desespero, não ouvido mas descaradamente profanado numa noite escura, no meio das trevas, no degelo úmido e sob os uivos do vento...

Svidrigáilov acordou, levantou-se e caminhou para a janela. Pelo tato achou o ferrolho e a abriu. O vento arremeteu furiosamente contra seu cubículo apertado e como uma geada gelada grudou-se em seu rosto e em todo o peito coberto apenas pela camisa. Debaixo da janela realmente devia haver alguma coisa como um parque, e parecia até ser um parque de diversões; era provável que ali também se cantasse de dia e se servisse chá nas mesas. Agora voavam respingos das árvores para a janela, estava escuro como numa adega, de modo que mal dava para distinguir algumas manchas escuras que representavam os objetos. Inclinado e apoiando os cotovelos no peitoril, olhava há uns cinco minutos para as trevas, sem despregar os olhos. No meio das trevas e da noite ouviu-se um disparo de canhão, seguido de outro.

"Ah, o sinal![36] As águas estão subindo — pensou ele —, até o dia amanhecer vão arremessar-se para onde for mais baixo, contra as ruas, inundará subsolos e adegas, virão à tona as ratazanas dos subsolos, e no meio da chuva e do vento as pessoas, molhadas, começarão a transferir entre insultos as suas desavenças para os andares de cima... Mas a esta altura, que horas serão?" E mal pensou nisso, ali por perto um relógio de parede, tiquetaqueando com toda força e como quem está com pressa, bateu três horas. "Vejam só, daqui a uma hora já estará clareando! O que esperar? Saio agora mesmo, vou direto ao Parque de Pedro: lá escolho em algum lugar um grande arbusto, todo banhado pela chuva, roço-o só de leve com o ombro e milhões de respingos me banharão toda a cabeça..." Afastou-se da janela, trancou-a, acendeu a vela, vestiu o colete, o sobretudo, pôs o chapéu e saiu para o corredor de vela na mão a fim de encontrar o maltrapilho que dormia em algum cubículo no meio de toda espécie de cacarecos e tocos de vela, pagar-lhe pelo quarto e sair do hotel. "É o melhor momento, impossível escolher outro melhor!"

---

[35] Esse tema foi desenvolvido mais tarde nas "Confissões de Stavróguin" em *Os demônios*. A revista *Vriêmia* (*O Tempo*), nº 5, de 1861, contava a história da menina suicida. (N. da E.)

[36] Na noite de 29 para 30 de junho de 1865 houve realmente uma tempestade em São Petersburgo, que castigou particularmente o lado da cidade em que se desenvolve a ação do romance. (N. da E.)

Andou demoradamente pelo corredor longo e estreito sem encontrar ninguém, e já queria gritar alto quando subitamente distinguiu num canto escuro, entre um armário velho e a porta, algum objeto estranho, algo assim como uma coisa viva. Abaixou-se com a vela e viu uma criança — uma menininha de uns cinco anos, não mais, num vestidinho surrado como um pano de chão, tremendo e chorando. Ela não pareceu assustar-se com Svidrigáilov, mas o olhou com uma surpresa obtusa nos olhinhos negros e graúdos, soltando de raro em raro um soluço como crianças que choraram demoradamente mas já pararam e até se consolaram, e no entanto aqui e acolá voltam de repente a soluçar. A menina tinha o rostinho pálido e exausto, estava transida de frio; mas "de que jeito ela veio parar aqui? Quer dizer que se escondeu aqui e passou a noite toda sem dormir". Ele começou a interrogá-la. Súbito a menina animou-se e balbuciou-lhe de chofre alguma coisa em sua linguagem de criança. Era algo sobre a "mamã", a "mamã" ia dar uma "sula" por causa de alguma xícara que ela "quebô". A menina falava sem parar, de todas as suas histórias dava para perceber alguma coisa; que era uma criança desamada, que a mãe, alguma cozinheira sempre bêbada, provavelmente desse mesmo hotel, arrebentara de pancada e a assustara; que a menina quebrara uma xícara da mãe e ficara tão assustada que fugira ainda de tarde; na certa estivera por muito tempo escondendo-se no pátio, debaixo de chuva, finalmente penetrara ali, escondera-se atrás do armário e ficara sentada naquele canto a noite inteira, chorando, tremendo por causa da umidade, do escuro e do medo, e que por tudo isso agora iriam espancá-la. Ele a pegou nos braços, levou-a para o seu quarto, botou-a na cama e começou a tirar-lhe a roupa. Os sapatinhos furados, sem meias, estavam tão molhados que pareciam ter passado a noite inteira numa poça. Depois de despi-la, ele a pôs na cama, cobriu-a e enrolou-a inteiramente no cobertor, da cabeça aos pés. Ela adormeceu prontamente. Depois de fazer tudo isso, ele tornou a cair numa meditação sombria.

"Veja só, ainda achei de me meter! — resolveu ele de súbito com uma sensação de angústia e raiva. — Que absurdo!" Agastado, pegou a vela para sair, encontrar a qualquer custo o maltrapilho e ir embora dali o quanto antes. "Ah, menininha!" — pensou ele amaldiçoando e já abrindo a porta, mas voltou para tornar a olhar para ela e verificar se estava ou não dormindo. Levantou cuidadosamente o cobertor. A menina dormia um sono forte e satisfeito. Aquecera-se debaixo do cobertor, e o vermelho já se espalhara em suas faces pálidas. Mas, estranho: esse vermelho se destacava de um modo um tanto mais vivo e forte do que poderia ser um habitual vermelho infantil. "Esse vermelho é de febre" — pensou Svidrigáilov; parecia vermelho de vinho, como se lhe tivessem dado um copo cheio para beber. Os labiozinhos escarlates parecem arder, chamejar; mas o que é isso? Súbito teve a impressão de que os longos cílios negros pareciam estremecer e pestanejar, simulavam soerguer-se, de que por baixo deles espiava um olhinho brejeiro, penetrante, que piscava de um jeito como que não infantil, como se a menina não dormisse e estivesse fingindo. Sim, é isso mesmo: seus labiozinhos se abrem num sorriso; as comissuras estremecem, como se ainda se contivessem. Mas eis que ela já deixou inteiramente de conter-se; já é um riso, um riso aberto; qualquer coisa de descarado, de provocante brilha nesse rosto nada infantil; é a perversão, é o rosto de uma camélia, o rosto descarado de uma daquelas venais camélias francesas. Já sem nenhum cansaço, ambos os olhos se abrem: envolvem-no com um olhar fogoso e desavergonhado, convidam-no, riem... Há um quê de infinitamente vil e ultrajante nesse riso, nesses olhos, em toda essa indecência num rosto de criança. "Como? Com cinco anos! — sussurra Svidrigáilov com verdadeiro horror. — Isso... o que é mesmo isso?" Pois bem, ela já vira inteiramente para ele todo o seu rostinho ardente, estira os braços... "Ah, maldita!" — gritou horrorizado Svidrigáilov, levantando o braço sobre ela... Mas nesse mesmo instante acordou.

Estava na mesma cama, enrolado do mesmo jeito no cobertor; a vela não estava acesa, mas na janela o dia já branquejava pleno.

"Pesadelo pela noite inteira!" Levantou-se com raiva, sentindo que estava todo quebrado; os ossos doíam. Lá fora havia uma neblina totalmente fechada e não dava para enxergar nada. Aproximava-se das cinco; perdera a hora! Levantou-se e vestiu o colete e o sobretudo, ainda úmidos. Apalpou no bolso o revólver, tirou-o e ajeitou o cartucho; depois sentou-se, tirou do bolso o caderno de notas e na página de rosto, a mais visível, escreveu várias linhas em letras graúdas. Relendo-as, pôs-se a refletir com os cotovelos apoiados na mesa. Moscas que haviam acordado grudavam na porção intocada da vitela que estava ali mesmo na mesa. Ele olhou demoradamente para elas e por fim começou a tentativa de pegar uma mosca com a mão direita livre. Levou muito tempo nesse esforço exaustivo e não conseguiu apanhá-la. Por último, surpreendendo-se nessa interessante ocupação, voltou a si, estremeceu, levantou-se e saiu decidido do quarto. Um minuto depois estava na rua.

Uma neblina láctea e densa cobria a cidade. Svidrigáilov pegou uma calçada de madeira suja, escorregadia, na direção do Pequeno Nievá. Teve a impressão de ter visto as águas do Pequeno Nievá subirem muito durante a noite, a ilha de Pedro, os caminhos molhados, a grama molhada, as árvores e os arbustos molhados e, por fim, aquele mesmo arbusto... Agastado, começou a examinar as casas, tentando pensar em alguma outra coisa. Na avenida não cruzou com um único transeunte, com um só cocheiro. As casinhas de madeira em amarelo claro, com seus contraventos fechados, tinham um aspecto triste e sujo. O frio e a umidade lhe penetravam em todo o corpo, e ele começou a sentir calafrios. De raro em raro cruzava com letreiros de mercearias e vendas de legumes e lia minuciosamente cada um deles. A calçada de madeira já terminara. Ele já alcançava uma grande casa de pedra. Uma cachorrinha suja e gelada cortou-lhe o caminho com o rabo encolhido. Um indivíduo morto de bêbado, metido num capote, estava estirado na calçada, atravessado de cara para o chão. Ele o olhou e seguiu em frente. À esquerda projetou-se uma torre de bombeiros.[37] "Bah! — pensou ele —, ora, eis o lugar, por que ir à ilha de Pedro? Aqui pelo menos tenho testemunha oficial..." Quase chegou a sorrir dessa nova ideia e dobrou para a rua -skaia. Ali ficava um prédio grande com a torre dos bombeiros. À entrada dos portões do prédio, grandes e fechados, um homem não muito alto apoiava o ombro neles, metido num casaco cinzento de soldado e com um capacete de cobre como o de Aquiles. Com o olhar sonolento olhou com frieza e de esguelha para Svidrigáilov, que se aproximava. Em seu rosto notava-se aquele eterno sofrimento de resmungão, que marcara de modo tão azedo e sem exceção todos os rostos da tribo judia. Ambos, Svidrigáilov e Aquiles, ficaram algum tempo se examinando em silêncio. Por fim Aquiles achou uma violação da ordem um homem que não estivesse bêbado estar em pé a três passos dele, encarando-o e sem dizer uma palavra.

— E o qué senhór dese-e-eja aqui? — pronunciou ele, mas ainda sem se mexer e nem mudar de posição.

— Nada, meu caro, bom dia! — respondeu Svidrigáilov.

— Aqui non é logar.

— Meu caro, estou indo para terras estranhas.

— Para terras estranhas?

— Para a América.

— Para a América?

Svidrigáilov tirou o revólver e armou o gatilho. Aquiles soergueu as sobrancelhas.

— O que é isso? essas brincadéras aqui non é logar.

— Sim, mas por que não seria lugar?

— Porqué non é lugar.

---

[37] Sede da Polícia (Corpo de Bombeiros), situada na esquina da rua Siejínskaia com a Grande Avenida. (N. da E.)

— Bem, meu caro, para mim dá no mesmo. O lugar é bom; se te perguntarem, responde assim mesmo, que fui para a América.

Encostou o cano do revólver na têmpora direita.

— Mas aqui non pode, aqui non é lugar! — Aquiles ficou agitado, arregalando cada vez mais e mais as grandes pupilas.

Svidrigáilov apertou o gatilho.

## VII

Nesse mesmo dia, mas já à noite, depois das seis, Raskólnikov chegou ao apartamento da mãe e da irmã — ao mesmo apartamento do edifício Bakalêiev, onde Razumíkhin as havia acomodado. O acesso à escada era pela rua. Raskólnikov se aproximou ainda contendo os passos, como quem vacila: entrar ou não? Mas nada o faria voltar: essa decisão estava tomada. "Ademais, não faz diferença, elas ainda não sabem de nada — pensava ele — e já se acostumaram a me achar um esquisitão..." A roupa dele estava um horror: tudo sujo, depois de passar a noite inteira debaixo de chuva, esfarrapado, surrado. Tinha o rosto quase desfigurado pelo cansaço, pelo mau tempo, pela exaustão física e por uma luta de praticamente um dia inteiro consigo mesmo. Passara toda essa última noite sozinho, sabe Deus onde. Mas ao menos havia tomado a decisão.

Bateu à porta; a mãe a abriu. Dúnietchka não estava em casa. Nem a empregada estava nesse momento. Pulkhéria Aleksándrovna primeiro emudeceu com a feliz surpresa; depois o pegou pelas mãos e o arrastou para dentro.

— Pois não és tu! — começou ela, gaguejando de alegria. — Não te zangues comigo, Ródia, por eu te receber desse jeito tolo, com lágrimas: estou é sorrindo, não chorando. Pensas que estou chorando? Não, estou é feliz, é que tenho esse hábito tolo: as lágrimas rolam. Desde a morte do teu pai me deu essa mania de chorar por qualquer coisa. Senta-te, meu querido, deves estar cansado, estou vendo. Ah, como estás sujo.

— Ontem peguei chuva, mãezinha... — tentou articular Raskólnikov.

— Ah, não, não! — exclamou Pulkhéria Aleksándrovna, interrompendo-o. — Pensaste que eu ia começar a te interrogar, pelo velho costume de mulher, não te preocupes. Entendo tudo, entendo tudo, agora eu já aprendi o jeito daqui, e, palavra, eu mesma vejo que o jeito daqui é mais inteligente. Decidi de uma vez por todas: como é que vou compreender os teus motivos e exigir relatórios de tua parte? Pode ser que Deus saiba que assuntos e planos tu tens na cabeça, ou que pensamentos estão te surgindo; não serei eu quem vai te perguntar sobre o que pensas. Eu... Ah, Deus! Por que é que eu estou nesse vaivém feito desatinada?... Sabe, Ródia, estou lendo teu artigo da revista pela terceira vez, foi Dmitri Prokófitch quem me trouxe. Eu soltei um ah! quando o vi: eis aí, imbecil, penso cá comigo, eis o que ele faz, eis a solução das coisas! Ele pode estar com novas ideias na cabeça, para a hora apropriada; elabora essas ideias, e eu a atormentá-lo e a deixá-lo embaraçado. Estou lendo, meu querido, e, é claro, não entendo muita coisa; aliás é assim que deve ser; como é que eu iria entender?

— Mamãe, mostre-me.

Raskólnikov pegou o jornalzinho e correu os olhos por seu artigo. Por mais que isso contrariasse a sua situação e o seu estado, ele experimentou aquele sentimento estranho e contagiosamente doce que um autor experimenta ao se ver publicado pela primeira vez, e além disso os vinte e três anos se fizeram sentir. Isso durou um instante. Depois de ler várias linhas, carregou o semblante e uma terrível melancolia lhe comprimiu o coração. Toda a sua luta interior dos últimos meses lhe veio à lembrança de uma só vez.

— Entretanto, Ródia, por mais tola que eu seja, ainda assim posso julgar que muito em breve serás um dos primeiros homens, senão o primeiro, no nosso mundo científico. E eles tiveram o atrevimento de achar que tu estavas louco. Quá-quá-quá! Tu não sabes, mas eles achavam isso! Ah, vermes baixos, como iriam compreender o que é a inteligência? E olhe que por um triz Dúnietchka também não acreditou — vejam só! Teu falecido pai mandou matérias para os jornais duas vezes — primeiro uns poemas (eu ainda guardo o caderno, algum dia te mostro) e depois uma novela inteira (eu mesma consegui a muito custo que ele me deixasse copiá-la), e como nós dois rezamos para que aceitassem — mas não aceitaram! Ródia, há uns seis ou sete dias eu vinha me consumindo ao olhar para a tua roupa, vendo como vives, o que comes, como andas vestido. E agora percebo mais uma vez o quanto eu era tola, porque tu, se quiseres, agora mesmo conseguirás tudo o que desejares, com a inteligência e o talento. Por enquanto não fazes questão disso, pois estás cuidando de coisas muito mais importantes...

— Dúnia não está em casa, mamãe?

— Não, Ródia. Com muita frequência não a vejo em casa, me deixa sozinha. Dmitri Prokófitch, sou grata a ele, vem conversar comigo e fala o tempo todo a teu respeito. Ele gosta de ti e te respeita, meu querido. Quanto à tua irmã, não posso dizer que me tenha faltado muito com o respeito. Ela tem lá o seu gênio, eu tenho o meu; ela deu para andar cheia de uns mistérios; já eu não tenho nenhum segredo a esconder de vocês. Claro, tenho a firme certeza de que Dúnia é inteligente demais e, além disso, ama a mim e a ti... mas eu nem sei mesmo em que tudo isso vai dar. Vê, tu agora estás me dando a felicidade da tua visita, mas ela anda batendo pernas; quando chegar em casa, vou dizer: na tua ausência teu irmão esteve aqui, e tu, onde te dignaste passar o tempo? Tu, Ródia, não me mimes demais: se podes, aparece por aqui, se não, não há nada a fazer, e fico na espera. Seja como for, saberei que me amas, e para mim isso basta. Vou ler as coisas que escreves, ouvir todo mundo falando de ti, e aqui e acolá tu mesmo virás me visitar — o que pode ser melhor? Agora mesmo apareceste para consolar tua mãe, eu mesma estou vendo.

Nisso Pulkhéria Aleksándrovna começou a chorar.

— Lá venho eu de novo! Não ligues para mim, para esta parva! Ah, meu Deus, o que estou fazendo aqui sentada? — exclamou, despregando-se do lugar — ora, temos café e eu não te ofereci! Vê o que significa o egoísmo de uma velha. Num instante, num instante!

— Mãezinha, deixe isso pra lá, já vou sair. Não vim com esse fim. Por favor, me escute.

Pulkhéria Aleksándrovna chegou-se timidamente a ele.

— Mãezinha, aconteça o que acontecer, escute a senhora o que escutar a meu respeito, digam-lhe o que disserem de mim, a senhora vai continuar me amando como agora? — perguntou, de todo coração, subitamente, como se não pensasse em suas palavras nem as pesasse.

— Ródia, Ródia, o que tu tens? Como é que podes me perguntar isso? Ora, quem vai me dizer alguma coisa a teu respeito? E ademais, não vou acreditar em ninguém, não importa quem venha me procurar, simplesmente ponho porta fora.

— Vim lhe assegurar que sempre a amei, e agora estou contente por estarmos a sós, contente até por Dúnietchka não estar em casa — continuou ele com o mesmo ímpeto. — Vim dizer à senhora, diretamente, que mesmo que a senhora venha a ser infeliz, ainda assim saiba que seu filho a ama neste momento mais do que a si mesmo, e que tudo o que a senhora pensou a meu respeito, que eu sou cruel e não a amo, tudo isso era uma inverdade. Nunca vou deixar de amar a senhora... Bem, é só; eu achava que era assim que devia fazer e assim começar...

Pulkhéria Aleksándrovna o abraçou em silêncio, apertou-o contra o peito e chorou baixinho.

— Não sei o que há contigo, Ródia — disse ela enfim —, durante todo esse tempo pensei que nós estivéssemos simplesmente te saturando, mas agora vejo por tudo que tens um grande sofrimento pela frente, por isso estás melancólico. Há muito tempo eu previa isso, Ródia. Perdoa-me por eu ter tocado nesse assunto; estou sempre pensando nisso e passo as noites sem dormir. Tua irmã passou a noite de ontem inteira delirando e sempre se lembrando de ti. Ouvi alguma coisa, mas não entendi nada. Passei a manhã inteira andando como alguém diante da execução, aguardando sei lá o quê,

pressentindo alguma coisa, e finalmente veio a efeito! Ródia, Ródia, para onde vais? Será que vais a algum lugar?

— Vou.

— Foi o que eu pensei! Sim, mas eu posso viajar contigo, se te for preciso. Dúnia também; ela te ama, ela te ama muito, e Sófia Semiónovna pode até ir conosco, se for preciso; estás vendo, eu até a levo de bom grado no lugar da minha filha. Dmitri Prokófitch nos ajudará nos preparativos... no entanto... para onde tu... vais?

— Adeus, mãezinha.

— Como? Já vais hoje? — gritou ela, como se o perdesse para sempre.

— Não posso, está na minha hora, preciso muito...

— E eu não posso ir contigo?

— Não. Vocês duas se ajoelhem e rezem a Deus por mim. Pode ser que a sua reza chegue lá.

— Deixe eu te benzer, te abençoar! Assim, assim. Oh, Deus, o que estamos fazendo?

É, ele se sentia feliz, muito feliz por não haver mais ninguém, por estar a sós com a mãe. Durante todo esse terrível momento seu coração pareceu amolecer de vez. Ele caiu diante dela, beijou-lhe os pés, e os dois choraram abraçados. E desta vez ela não se surpreendeu nem fez perguntas. Há muito tempo havia compreendido que alguma coisa horrível estava acontecendo com o filho, e agora chegava o momento terrível para ele.

— Ródia, meu querido, meu primogênito — falava ela, aos prantos —, neste momento és tal como eras em menino, desse mesmo jeito tu me procuravas, desse mesmo jeito me abraçavas e me beijavas; quando eu ainda vivia ao lado de teu pai e passávamos privações, tu nos consolavas só com o fato de que estavas conosco, e depois que enterrei teu pai, quantas vezes ficamos nós dois assim, como agora, abraçados e chorando ao pé da cova. Se eu já vinha chorando há muito tempo é porque o coração de mãe sabia de antemão. Mal te vi da primeira vez, naquela noite, quando acabávamos de chegar aqui, estás lembrado, adivinhei tudo por um único olhar teu, tamanho foi o tremor que me deu no coração, e hoje, quando abri a porta para ti, olhei e pensei: bem, é visível que chegou a hora fatal. Ródia, Ródia, tu não estás partindo agora, estás?

— Não.

— Ainda vens aqui?

— Sim... venho.

— Ródia, não te zangues, não me atrevo a te interrogar. Sei que não me atrevo, mas me diz uma coisa, apenas duas palavrinhas; tu vais para longe?

— Muito longe.

— O que vais fazer lá, trabalhar, começar a carreira, é isso?

— O que Deus mandar... peço apenas que reze por mim...

Raskólnikov caminhou para a porta, mas ela se agarrou a ele e com um olhar desesperado fitou-o nos olhos. O rosto dela ficou desfigurado de horror.

— Basta, mãezinha — disse Raskólnikov, profundamente arrependido de ter vindo.

— Não é para sempre, não? Ainda não estás indo para sempre, não é? Tu ainda vens aqui, amanhã, não é?

— Venho, venho, adeus.

Enfim ele escapuliu.

A tarde estava fresca, morna e clara; o tempo abrira ainda de manhã. Raskólnikov ia para o seu quarto; estava com pressa. Queria terminar tudo até o pôr do sol. Até então não desejava encontrar ninguém. Ao subir para o quarto, notou que Nastácia largara o samovar, observava-o atentamente e o acompanhava com o olhar. "Será que não haverá alguém no meu quarto?" — pensou ele. Veio-lhe com asco a impressão de que fosse Porfiri. Mas ao chegar ao quarto e abri-lo viu Dúnietchka. Estava sentada inteiramente só, em profunda meditação, e parecia esperá-lo há muito tempo. Ele parou à entrada. Ela se levantou do sofá assustada e aprumou-se diante dele. Seu olhar imóvel, cravado nele, exprimia o horror e uma aflição sem fim. Só por esse olhar ele logo compreendeu que ela sabia de tudo.

— Então, devo entrar para ficar contigo ou ir embora? — perguntou ele desconfiado.

— Passei o dia inteiro em casa de Sófia Semiónovna; nós duas estávamos à tua espera. Achávamos que aparecerias por lá sem falta.

Raskólnikov entrou no quarto e sentou-se prostrado na cadeira.

— Estou meio fraco, Dúnia; e muito cansado mesmo; e neste momento eu gostaria de ter pleno autocontrole.

E olhou para ela com desconfiança.

— Onde estiveste a noite inteira?

— Não me lembro bem; vê, minha irmã, eu queria tomar a decisão definitiva e caminhei muitas vezes perto do Nievá; disso eu me lembro. Ali eu queria acabar com tudo, mas... não me atrevi... — sussurrou ele, voltando a olhar desconfiado para Dúnia.

— Graças a Deus! E lá nós estávamos temendo justamente isso, eu e Sófia Semiónovna! Logo, tu ainda acreditas na vida: graças a Deus, graças a Deus!

Raskólnikov deu um sorriso amargo.

— Eu não acreditava, mas agora, abraçado com mamãe, nós dois choramos; não creio, mas pedi a ela que rezasse por mim. Deus sabe como isso se faz, Dúnietchka, e eu não entendo nada disso.

— Estiveste com mamãe? Tu mesmo contaste a ela? — exclamou Dúnia horrorizada. — Não me digas que te atreveste a contar?

— Não, não contei... em palavras; mas ela compreendeu muita coisa. Ela te ouviu delirando à noite. Estou certo de que metade ela já entendeu. Talvez eu tenha feito mal em ter ido lá. Sou um homem baixo, Dúnia.

— Um homem baixo, mas que está pronto a assumir o sofrimento! Porque tu vais assumir, não vais?!

— Vou. Agora. E foi para evitar essa vergonha que eu quis me afogar, Dúnia, mas pensei, já postado sobre o rio, que se até agora eu me considerei forte, então daqui pra frente é não temer a vergonha — disse ele, antecipando-se. — Isso é altivez, Dúnia?

— É altivez, Ródia.

Foi como se um fogo tivesse brilhado em seus olhos apagados; foi realmente agradável perceber que ainda era altivo.

— E tu, minha irmã, não vais achar que simplesmente tive medo da água, hein? — perguntou ele com um sorriso feio, olhando-a no rosto.

— Oh, Ródia, basta! — exclamou Dúnia amargurada.

O silêncio durou uns dois minutos. Sentado, com a vista baixa, ele olhava para o chão; Dúnietchka estava em pé no canto extremo da mesa e olhava atormentada para ele. Súbito ele se levantou:

— É tarde, chegou a hora. Vou me entregar. Mas não sei por que vou me entregar.

Lágrimas graúdas rolaram pelas faces dela.

— Tu choras, minha irmã, mas podes me estender a mão?

— E duvidaste disso?

Ela o abraçou fortemente.

— Será que tu, ao assumires o sofrimento, já não apagas metade do teu crime? — exclamava Dúnia, apertando-o em seus braços e beijando-o.

— Crime? Que crime? — bradou ele subitamente, caindo em repentina fúria. — O fato de eu ter matado um piolho nojento, nocivo, uma velhota usurária, que não faz falta a ninguém? Tem cem anos de perdão o matador de um ladrão que sugava a seiva dos pobres; isso lá é crime? Não penso nele nem em lavá-lo. E que história é essa de ficarem me apontando de todos os lados: "Crime, crime!". Só agora vejo com clareza todo o absurdo da minha pusilanimidade, agora que me resolvi a assumir essa vergonha desneces-

sária! É simplesmente por minha baixeza e mediocridade que me resolvo, sim, e ainda pela vantagem, como me propôs esse... Porfiri!...

— Meu irmão, meu irmão, que coisa estás dizendo? Ora, tu derramaste sangue! — exclamou Dúnia em desespero.

— Que não param de derramar — emendou quase caindo em fúria —, que continuam derramando e neste mundo sempre derramaram como uma cascata, que derramam como champanhe, pelo qual se coroa no capitólio e depois chamam o coroado de benfeitor da humanidade.[38] Olha só atentamente e procura enxergar! Eu mesmo queria o bem das pessoas e faria centenas, milhares de coisas boas em vez dessa tolice, que nem tolice é, mas simplesmente uma falta de jeito, uma vez que toda essa ideia não tinha nada de tão tola como parece agora, depois do fracasso... (Depois do fracasso tudo parece tolo!) Com essa tolice eu queria apenas me colocar numa condição independente, dar o primeiro passo, conseguir recursos, e depois tudo seria reparado pela utilidade relativamente incomensurável do ato. Mas não suportei nem o primeiro passo, porque sou um patife! Eis em que consiste tudo! E ainda assim não vou ver as coisas com a visão de vocês: se eu tivesse conseguido seria coroado, mas agora vou para a armadilha!

— Mas não é isso, não é nada disso! Meu irmão, que coisa estás dizendo!

— Ah! não é a forma, não é a forma esteticamente bonita! Bem, decididamente não entendo: por que acossar pessoas com bombas em um cerco regular é a forma mais honrosa? O medo à estética é o primeiro indício de impotência!... Nunca, eu nunca tive consciência mais clara disso do que agora, e nunca me foi mais impossível compreender o meu crime! Nunca, nunca estive tão forte e convencido como agora!

O vermelho chegou até a inundar-lhe o rosto pálido, estafado. No entanto, ao proferir a última exclamação, seu olhar cruzou por acaso com os olhos de Dúnia, e ele encontrou nesse olhar tanto sofrimento por sua causa que involuntariamente reconsiderou. Sentiu que mesmo assim fizera infelizes aquelas duas pobres mulheres. Que mesmo assim ele era a causa...

— Dúnia, querida! Se sou culpado, perdoa-me (embora não seja possível me perdoar). Adeus! Não vamos discutir! Está na hora, muito na hora. Não me sigas, eu te imploro, ainda preciso dar uma chegada... Vai para casa

---

[38] Júlio César recebeu o título de sumo sacerdote e tribuno militar ao voltar a Roma de Pérgamo, onde reprimiu cruelmente piratas marítimos. Em *Memórias do subsolo* Dostoiévski escreveu: "Derrama-se sangue, e ainda vamos nos alegrar com isso como se fosse champanhe [...] Eis aí Napoleão, tanto o grande como o atual". (N. da E.)

e senta-te imediatamente ao lado da mamãe. Eu te imploro isso! É o meu último pedido, o maior pedido que te faço. Não te afastes dela nunca; eu a deixei numa inquietação tal que de repente ela não vai suportar: vai morrer ou enlouquecer. Fica com ela! Razumíkhin estará com vocês; falei com ele... Não chores por mim. Procurarei ser corajoso, honesto, a vida toda, mesmo sendo um assassino. Talvez algum dia venhas a ouvir o meu nome. Não vou envergonhá-las, verás; ainda hei de demonstrar... por ora até logo — apressou-se em concluir, tornando a notar uma expressão estranha no olhar de Dúnia após suas últimas palavras e a promessa. — Por que choras tanto? Não chores, não chores; olha, não vamos nos separar totalmente!... Ah, sim, espera. Eu tinha esquecido!...

Ele foi até a mesa, pegou um livro grosso, empoeirado, abriu-o e tirou de dentro um pequeno retrato, uma aquarela em papel marfim. Era o retrato da filha da senhoria, a ex-noiva dele, que morrera de febre, a mesma moça estranha que queria ir para o convento. Por um instante ele contemplou aquele rostinho expressivo e doentio, beijou o retrato e o entregou a Dúnia.

— Pois bem, com ela eu conversei muito *sobre aquilo*, só com ela — pronunciou com ar meditativo. — Comuniquei ao coração dela muito do que depois se realizou de modo tão deplorável. Não te preocupes — dirigiu-se a Dúnia —, ela não concordava, como tu, e estou contente por ela não existir mais. O principal, o principal é que agora tudo vai ser novo, vou me desdobrar — exclamou ele subitamente, voltando mais uma vez à sua melancolia —, tudo, tudo, mas será que estou preparado para isso? Será que eu mesmo quero isso? Dizem que é necessário para me pôr à prova! Para que, para que essas absurdas provações? Para que servem? Será que então, esmagado pelos tormentos, pelo absurdo, na impotência da velhice após vinte anos de trabalhos forçados, hei de compreender melhor do que compreendo agora? E então de que me servirá viver? Por que agora aceito viver assim? Oh, quando estava sobre o Nievá no amanhecer de hoje eu sabia que era um patife!

Enfim ambos saíram. Era difícil para Dúnia, mas ela o amava! Ela se foi, mas após se afastar uns cinquenta passos, voltou-se e mais uma vez olhou para ele. Ele ainda estava à vista. Mas, ao chegar à esquina, voltou-se; pela última vez seus olhares se encontraram; no entanto, notando que ela o olhava, ele fez com a mão, com impaciência e até agastado, um sinal para que ela se fosse, e dobrou bruscamente a esquina.

"Sou mau, percebo isto — pensava ele de si para si minutos depois, envergonhado pelo gesto de agastado que fizera para Dúnia. — Mas por que elas mesmas me amam tanto se eu não mereço isso? Oh, se eu fosse sozinho e ninguém me amasse, e eu mesmo não amasse ninguém! *Nada daquilo teria acontecido*! Curioso, será que nesses futuros quinze a vinte anos minha alma ficará tão resignada que chegarei a me lastimar reverentemente diante das pessoas, chamando-me a mim mesmo de bandido? Sim, isso mesmo, isso mesmo! É para isso que agora estão me exilando, é disso que eles precisam... Andam todos nesse vaivém pelas ruas, mas cada um deles já é um patife e um bandido pela própria natureza; pior ainda, é um idiota! Mas tente alguém me evitar o exílio e todos eles ficarão loucos de nobre indignação! Oh, como eu odeio todos eles!"

Meditou profundamente: "Que processo poderia levá-lo enfim a resignar diante de todos eles e sem discussão, resignar-se por convicção? Será que vinte anos de jugo contínuo não me quebrarão definitivamente? Água mole em pedra dura tanto bate até que fura! E para que, para que viver depois disso, para que eu estou indo neste momento, quando eu mesmo sei que tudo vai ser exatamente como está nos livros e não de modo diferente?".

Talvez ele já se tivesse feito essa pergunta pela centésima vez desde o dia anterior, mas ainda assim estava a caminho.

## VIII

Quando ele entrou na casa de Sônia já começava a anoitecer. Sônia passara o dia inteiro a esperá-lo numa terrível inquietação. Esperaram juntas ela e Dúnia. Esta chegara à casa dela ainda pela manhã, lembrada de que Svidrigáilov dissera na véspera que Sônia "sabia de tudo". Deixemos de lado os detalhes da conversa e das lágrimas de ambas as mulheres e do quanto as duas se entenderam. Desse encontro Dúnia saiu ao menos com o consolo de que o irmão não estaria sozinho: ela, Sônia, fora a primeira a quem ele procurara para fazer sua confissão; nela ele procurara um ser quando estava precisando de um ser; daí que ela o acompanharia aonde o destino mandasse. Ela nem chegava a perguntar, mas sabia que seria assim. Dúnia olhava para Sônia até com uma certa veneração, e a princípio quase a deixou acanhada com esse sentimento venerabundo com que a tratava. Sônia, pelo contrário, estava quase a ponto de chorar: considerava-se indigna até de olhar para Dúnia. A bela imagem de Dúnia a lhe fazer reverência com tamanha atenção e respeito durante o primeiro encontro que tiveram, no quarto de Raskólnikov, ficara-lhe desde então para todo o sempre na alma como uma das visões mais belas e inacessíveis em sua vida.

Por fim Dúnietchka não se conteve e deixou Sônia para esperar o irmão no quarto dele; o tempo todo achou que ele passaria antes por lá. Uma vez sozinha, Sônia logo começou a atormentar-se com pavor de que ele talvez viesse mesmo a suicidar-se. Dúnia temia o mesmo. Mas passaram o dia inteiro interrompendo uma à outra com todos os argumentos na tentativa de persuadir-se de que isso seria impossível, e ficaram mais tranquilas enquanto estiveram juntas. Mas agora, tão logo se haviam separado, tanto uma quanto a outra ficaram a pensar na mesma coisa. Sônia recordava que Svidrigáilov dissera na véspera que Raskólnikov tinha duas alternativas — Vladímirka ou... Ela ainda conhecia a vaidade, a arrogância, o amor-próprio e a incredulidade dele. "Será que só a pusilanimidade dele e o medo da morte podem fazê-lo viver?" — pensou enfim, em desespero. Enquanto isso, o sol já se havia posto. Ela estava em pé diante da janela e olhando triste para ela, mas da janela dava para ver apenas a parede mestra não caiada do prédio vizinho. Por fim, quando já estava totalmente convencida da morte do infeliz, ele entrou no quarto.

Um grito de alegria escapou-lhe do peito. Mas depois de fitar o rosto dele, ela empalideceu subitamente.

— Pois bem! — disse Raskólnikov com um risinho — Vim buscar as tuas cruzes, Sônia. Tu mesma me mandaste ao cruzamento; então, agora que a coisa é pra valer, ficas aí com medo?

Sônia olhou estupefata para ele. Pareceu-lhe estranho esse tom; um tremor frio quis lhe correr pelo corpo, mas em um minuto ela percebeu que tanto esse tom quanto essas palavras eram tudo afetação. Ele até falava com ela, mas com o olhar meio desviado para um canto e como se evitasse encará-la.

— Vê, Sônia, eu julguei que assim talvez fosse mais vantajoso. Nisso existe uma circunstância... Bem, levaria tempo para te expor e aliás não vem ao caso. Sabes só o que me dá raiva? Fico agastado porque agora todas aquelas caras de besta vão me cercar, deitar os olhos em cima de mim, fazer as suas perguntas imbecis, que me cabe responder, vão apontar-me com o dedo... Arre! Sabes, não vou procurar Porfiri; estou farto dele. Melhor é ir procurar o meu amigo Pórokh, vou fazer alguma surpresa, conseguir algum tipo de efeito. No entanto, preciso ter mais sangue frio; ultimamente eu me tornei amargo demais. Acreditas: quase acabei de ameaçar minha irmã com um soco porque ela se voltou e olhou para mim pela última vez. Droga — que estado! Puxa, a que ponto cheguei. Então, onde estão as cruzes?

Parecia uma alma penada. Não conseguia parar um minuto no mesmo lugar, concentrar a atenção em nenhum objeto; seus pensamentos se atropelavam, ele divagava; as mãos tremiam levemente.

Em silêncio, Sônia tirou da gaveta duas cruzes, uma de cipreste e outra de cobre, benzeu-se, benzeu-o e pôs a cruzinha de cipreste no pescoço dele.

— Então, isso simboliza que eu carrego uma cruz, he-he! E de fato, até hoje sofri pouco! Uma de cipreste, ou seja, do povo; outra de cobre — essa é a de Lisavieta, tu ficas com ela —, tu mostras como fica? Era assim que estava nela... no momento? Eu também conheço duas cruzes semelhantes, uma de prata e uma com um santinho. Na ocasião eu as lancei sobre o peito da velhota. Pois eram elas que agora me viriam a propósito, palavra, eram elas que eu devia usar... Aliás só digo lorotas, vou acabar esquecendo a questão; como ando distraído!... Vê, Sônia, vim para te prevenir, para que saibas... Bem, é tudo... Foi só para isto que vim. (Hum, aliás, eu pensava que ia dizer mais uma coisa.) Ora, tu mesma querias que eu me entregasse, pois bem, vou para a prisão e tua vontade será satisfeita; mas por que estás chorando? Até tu? Para, chega; oh, como tudo isso é difícil para mim!

O sentimento, porém, vinha nascendo nele; sentia um aperto no coração ao olhar para ela. "E essa aí, o que tem? — pensava consigo — O que se passa com ela? Por que chora, por que está me preparando para a viagem como mamãe ou Dúnia? Vai ser minha babá!"

— Benze-te, reza ao menos uma vez — pediu Sônia com voz trêmula, tímida.

— Oh, como não? Quantas vezes quiseres! E de todo coração, Sônia, de todo coração...

Quis, aliás, dizer outra coisa.

Ele se benzeu várias vezes. Sônia pegou um xale e pôs na cabeça dele. Era um xale verde de *drap de dames*, provavelmente o mesmo a que aludira Marmieládov como sendo "de família". Essa ideia passou pela cabeça de Raskólnikov, mas ele nada perguntou. De fato, ele mesmo já começara a perceber que andava numa distração terrível e numa inquietação indecente. Levou um susto. Súbito ainda ficou perplexo por Sônia querer acompanhá-lo.

— O que é isso! Para onde vais? Fica, fica! Eu vou só, exclamou ele com um misto de desânimo e desgosto e, quase com raiva, caminhou para a porta. — E por que toda uma comitiva me acompanhando? — resmungou ao sair.

Sônia ficou no meio do quarto. Ele nem se despediu, já havia se esquecido dela; fervia-lhe no ser uma dúvida mordaz e rebelde.

"Mas tem que ser assim, tem que ser tudo assim? — tornou a pensar, descendo a escada. — Será que não posso parar e refazer tudo... e não me apresentar?"

No entanto ia caminhando. Súbito percebeu de vez que não era o caso de ficar fazendo perguntas a si mesmo. Ao chegar à rua, lembrou-se de que não havia se despedido de Sônia, de que ela ficara no meio do quarto, metida no seu xale verde, sem ousar se mexer depois que ele gritara, e ele parou por um instante. De pronto um pensamento o iluminou com nitidez — parecia ter esperado para deixá-lo definitivamente perplexo.

"Ora, para que, por que fui à casa dela agora? Eu lhe disse: tratar da questão; mas que questão? Não houve questão nenhuma! Anunciar que *estava indo*; mas e daí? Que necessidade havia? Por acaso eu a amo? Não, pois, não? Ora, acabei de enxotá-la como um cão. Terá sido das cruzes dela que realmente precisei? Oh, como caí tão baixo! Não, eu precisei das lágrimas dela, precisei ver o susto dela, ver como o coração dela bate e se tortura! Era preciso que eu tivesse me agarrado ao menos a alguma coisa, retardado as coisas, olhado para um ser humano! E ousei confiar tanto em mim, fantasiar tanto comigo! Eu sou um indigente, sou uma nulidade, sou um patife, um patife!"

Caminhava pela marginal do canal e já não lhe faltava muito para chegar ao destino. No entanto, ao aproximar-se da ponte, parou e deu uma súbita guinada para um lado, na direção dessa ponte, e tomou o rumo da Siennáia.

Olhava avidamente para os lados, à direita e à esquerda, escrutava com intensidade cada objeto e não conseguia concentrar a atenção em nada; tudo se esgueirava dele. "Pois bem, daqui a uma semana, a um mês, vão me levar para algum lugar numa dessas carruagens de presos e passando por esta ponte, e então vou olhar para este canal; cabe lembrar isso? — passou-lhe pela cabeça. — Eis esse letreiro, de que modo vou ler essas mesmas letras? Veja-se, aqui está escrito *Továrischestvo*; pois bem, vou gravar na memória esse *a*,[39] a letra *a*, e me deter nela daqui a um mês, nesse mesmo *a* — de que maneira eu vou reagir? O que será que vou sentir e pensar?... Deus, como tudo isso deve ser baixo, todas essas minhas atuais... preocupações! Claro, tudo isso deve ser curioso... a seu modo... (quá-quá-quá! em que estou pensando!) estou bancando criança, estou fanfarronando comigo mesmo; ora, por que me envergonharia de mim? Arre, como empurram! Esse gordo aí — deve ser alemão — que me empurrou: ora, será que ele sabe que empurrou? Uma mulher pede esmola com uma criança: é curioso que ela me ache mais feliz do que ela. Então, seria o caso de dar uma esmola por brincadeira. Bah! Uma moeda de cinco copeques inteirinha no bolso, de onde? Tome, tome... receba, minha cara!"

— Deus te proteja! — ouviu-se a voz chorosa da pedinte.

Ele entrou na Siennáia. Achava desagradável, muito desagradável deparar-se com o povo, mas caminhava precisamente para lá, para onde se via mais gente. Daria tudo no mundo para ficar só; mas ele mesmo percebia que não iria ficar nenhum minuto só. No meio da multidão um bêbado armava desordem: queria porque queria dançar, mas a todo instante rolava para um lado. Fizeram uma roda em torno dele. Raskólnikov abriu caminho no meio da multidão, olhou alguns minutos para o bêbado e súbito deu uma gargalhada breve e entrecortada. Um minuto depois já o havia esquecido, nem o via, embora olhasse para ele. Por fim afastou-se, sem nem sequer atinar onde estava; mas quando chegou ao centro da praça algo o moveu subitamente, uma sensação logo se apossou dele, envolvendo-o por completo de corpo e pensamento.

De repente lembrou-se das palavras de Sônia: "Vai a um cruzamento,

---

[39] A palavra russa *Továrischestvo*, que significa camaradagem, companheirismo, solidariedade, mas também associação, sociedade, chama a atenção de Raskólnikov pelo "a" tônico, talvez por lembrar *továr*, ou seja, produto do trabalho, artigo, mercadoria, numa possível associação com a mercadoria dada como penhor. (N. do T.)

faz uma reverência ao povo, beija a terra, porque pecaste também perante ela, e diz ao mundo inteiro em voz alta: 'Eu sou um assassino!'".[40] Tremeu todo ao se lembrar disso. E já estava tão oprimido pela desesperadora melancolia e pela inquietação de todo esse tempo, mas especialmente das últimas horas, que acabou se precipitando para a possibilidade dessa sensação inteira, nova, completa. Ela lhe chegou de súbito como uma espécie de acesso: começou a lhe arder na alma como uma fagulha e de repente se apossou de tudo como fogo. Tudo nele amoleceu, e as lágrimas jorraram. Do jeito que estava caiu no chão...

Ajoelhou-se no meio da praça, inclinou-se até o chão e beijou essa terra suja, com arroubo e felicidade. Levantou-se e tornou a inclinar-se.

— Xi, esse aí está de cara cheia! — observou um rapaz ao lado dele.

Ouviu-se uma risada.

— Ele está a caminho de Jerusalém, meus irmãos, se despede dos filhos, da pátria, faz reverência ao mundo inteiro, beija a cidade capital São Petersburgo e seu solo — acrescentou um bêbado.

— É um rapazinho ainda jovem — meteu-se um terceiro na conversa.

— É nobre! — observou alguém com voz grave.

— Hoje em dia não dá pra distinguir quem é nobre e quem não é.

Todas essas conversas contiveram Raskólnikov, e as palavras "eu matei", talvez já prontas para lhe escapar da língua, nela mesma congelaram. Ele, porém, suportou todos esses gritos e, sem olhar ao redor, foi direto por uma travessa na direção da delegacia. A caminho uma visão passou de relance diante dele, mas isso não mais o surpreendeu; ele já pressentira que assim deveria ser. No momento em que, na Siennáia, inclinou-se até o chão pela segunda vez, virou a cabeça para a esquerda e avistou Sônia a uns cinquenta passos. Ela se escondia dele atrás de umas barracas de madeira que ficavam na praça, logo, vinha-lhe acompanhando toda a marcha do calvário! Raskólnikov percebeu e compreendeu nesse instante, de uma vez por todas, que agora Sônia estava ao seu lado para sempre e o acompanharia ainda que fosse ao fim do mundo, aonde quer que o destino o mandasse. Ele ficou com o coração todo confrangido... mas — eis que já chegou ao lugar fatal...

Entrou no pátio com bastante disposição. Precisava subir ao terceiro andar. "Por enquanto ainda vou subir" — pensou ele. Ainda achava que estava longe do momento fatal, que faltava muito tempo, que ainda podia pensar e repensar muita coisa.

---

[40] Raskólnikov repete com uma pequena variação a famosa exortação de Sônia. (N. do T.)

Outra vez o mesmo lixo, as mesmas cascas na escada espiralada, outra vez as portas dos apartamentos escancaradas, outra vez as mesmas cozinhas exalando cheiro de queimado e fetidez. Desde aquela vez Raskólnikov não voltara ali. Suas pernas entorpeciam, mas andavam. Ele parou um instante para tomar fôlego, para se recompor, para entrar como *um homem*. "E com que fim? Para quê? — pensou num átimo, ponderando sobre o seu movimento. — Se tenho de esvaziar essa taça, não dá tudo no mesmo? Quanto mais amarga, melhor. — Nesse momento passou de relance por sua imaginação a figura de Ilyá Pietróvitch Pórokh. — Será que terei mesmo de me apresentar a ele? Não poderia ser a outro? Não poderia ser a Nikolai Fomitch? Dar meia-volta e me apresentar ao próprio inspetor de polícia na casa dele? Pelo menos a coisa ganharia um arranjo doméstico... Não, não! A Pórokh, a Pórokh! Já que é para beber, que seja tudo de uma vez..."

Gelado e mal dando por si, abriu a porta da delegacia. Desta vez ela estava com pouca gente, havia um porteiro qualquer e mais um homem do povo. O guarda nem apareceu por trás do seu tabique. Raskólnikov passou para a sala seguinte. "Pode ser que ainda dê para não confessar" — veio-lhe de relance. Ali um indivíduo escrivão, de sobrecasaca e sem o uniforme oficial, aplicava-se para escrever alguma coisa à escrivaninha. No canto havia mais um escrivão sentado. Zamiétov não estava. Nikodim Fomitch, é claro, também não estava.

— Não há ninguém? — perguntou Raskólnikov ao indivíduo da escrivaninha.

— E o senhor, quer falar com quem?

— Ah-ah-ah! Nunca te vi, nunca te ouvi, mas uma alma russa... como é que está lá naquele conto?... esqueci! M-meus re-respeitos! — gritou subitamente uma voz conhecida.

Raskólnikov estremeceu. Diante dele estava o próprio Pórokh. Havia saído naquele instante da terceira sala. "É o próprio destino — pensou Raskólnikov —; por que ele está aqui?"

— Por aqui? O que o traz? — exclamou Ilyá Pietróvitch. (Pelo visto, estava num estado de espírito magnífico e até um tantinho excitado.) Se veio para tratar de algum assunto, o senhor chegou ainda cedo... Eu mesmo estou aqui por acaso... No entanto, no que eu puder... Confesso ao senhor... como? Como se chama? Desculpe...

— Raskólnikov.

— Então, Raskólnikov! Não me diga que o senhor poderia supor que eu esqueci! O senhor, por favor, não me tome por um desses... Rodion Ro... Ro... Rodiónitch, parece que é assim, não?

— Rodion Románitch.

— Ah, sim, sim! Rodion Románitch, Rodion Románitch! Era isso que eu estava querendo. Cheguei até a fazer muitas indagações. Eu, confesso ao senhor, desde aquela ocasião fiquei sinceramente aflito porque o tratamos daquele jeito... depois me explicaram, fiquei sabendo que é um jovem literato e até um cientista... e, por assim dizer, está dando os primeiros passos... Oh Deus! Qual dos literatos e cientistas não deu inicialmente passos originais? Eu e minha mulher — nós dois veneramos literatura, a mulher chega a ser apaixonada!... A literatura e a qualidade artística! Salvo a condição nobre, tudo se pode conseguir com o talento, o conhecimento, a razão, o gênio! Um chapéu — bem, o que significa, por exemplo, um chapéu? Chapéu é uma panqueca, e eu a compro no Zimmerman; mas o que se conserva debaixo do chapéu e se cobre com o chapéu, isso eu já não compro. Confesso, eu quis até procurá-lo para me explicar, mas pensei que o senhor talvez... Mas ainda assim não vou perguntar: o senhor está realmente querendo alguma coisa? Pelo que dizem, familiares vieram visitá-lo?

— Sim, minha mãe e minha irmã.

— Tive até a honra de encontrar sua irmã — uma pessoa culta e encantadora. Confesso que lamentei que nós tivéssemos nos exaltado com o senhor naquele dia. Um caso curioso! E quanto ao fato de eu ter lançado aquele olhar na ocasião do seu desmaio, depois tudo se elucidou do modo mais brilhante! Foi atrocidade e fanatismo! Eu compreendo a sua indignação. Estará mudando de apartamento com a chegada da família?

— N-ão, eu vim à toa... Entrei para perguntar... eu pensava encontrar Zamiétov aqui.

— Ah, sim! Vocês ficaram amigos; ouvi dizer. Bem, Zamiétov não está — o senhor não o encontrou. Sim, ficamos também sem Aleksandr Grigórievitch! Desde ontem que não nos pertence mais; transferiu-se... e ao transferir-se destratou todo mundo... foi até descortês... Não passa de um garoto estouvado; poderia até ser uma esperança; agora vá a gente se meter com essa nossa mocidade brilhante! Parece que pretende prestar algum exame, mas aqui com a gente só queria bater papo e fanfarronar, e a isso se resumia o exame. Isso não é, por exemplo, como o seu caso ou o do seu amigo, o senhor Razumíkhin! A carreira de vocês é parte da ciência, e os fracassos já não irão abatê-los! Para os senhores todas essas belezas da vida, pode-se dizer, *nihil est*;[41] asceta, monge, eremita!... Para os senhores o livro, a pena

---

[41] "Não é nada", em latim. (N. do T.)

atrás da orelha, as pesquisas científicas — eis onde paira o seu espírito! Eu mesmo em parte... o senhor já leu os escritos de Livingstone?[42]

— Não.

— Eu li. Aliás, hoje em dia há um número muito grande de niilistas espalhados por aí; se bem que dá para se entender isso; a época não é propícia? — Eu lhe pergunto. Pensando bem, estou com o senhor... porque o senhor, é claro, não é niilista! Responda com franqueza, com franqueza!

— N-não...

— Não, seja franco comigo, não se acanhe, sinta-se como se estivesse a sós consigo! Outra coisa é o serviço, outra coisa... o senhor acha que eu quis dizer *amizade*; não, não adivinhou! Não é a amizade mas o sentimento do cidadão e do homem, o sentimento de humanidade e do amor ao Altíssimo. Posso ser um personagem oficial e estar em serviço, mas sou obrigado a sentir sempre em mim o cidadão e o homem e prestar conta disso... Veja, o senhor se referiu a Zamiétov. Zamiétov é capaz de armar algum escândalo à maneira francesa em um estabelecimento indecente, ao pé de um copo de champanhe ou de vinho do Don — eis quem é o seu Zamiétov. Já eu, por assim dizer, talvez tenha me queimado por lealdade e sentimentos elevados, e além do mais tenho importância, patente, ocupo um cargo! Sou casado e tenho filhos. Cumpro o dever de cidadão e homem; mas ele, quem é, permita perguntar? Trato o senhor como um ser humano dignificado pela educação. Agora veja que essas parteiras estão se disseminando em proporções exageradas.

Raskólnikov ergueu o sobrolho com ar interrogativo. As palavras de Ilyá Pietróvitch, que pelo visto se levantara há pouco da mesa, martelavam e choviam diante dele em sua maior parte como sons vazios. Mas uma parte delas, não obstante, ele entendeu de alguma maneira; estava com um ar interrogativo e não sabia em que tudo isso ia terminar.

— Estou falando dessas mocinhas de cabelo tosquiado — continuou o loquaz Ilyá Pietróvitch —, eu as chamei por conta própria de parteiras e acho a qualificação absolutamente satisfatória. He-he! Elas se infiltram na acade-

---

[42] David Livingstone (1813-1873), famoso viajante inglês, fez várias viagens ao interior da África em 1840-1841, cujas descrições ganharam fama em toda a Europa. Em 1865 foi publicado em Londres o seu livro *Uma viagem pelo Zambezi*, que anos depois saiu traduzido em russo. Em 1861, A. P. Miliukov comparou *Escritos da casa morta*, de Dostoiévski, aos escritos de Livingstone sobre a África. (N. da E.)

mia, estudam anatomia;[43] agora me diga: se eu adoeço, então vou chamar uma moça para tratar de mim?[44] He-he!

Ilyá Pietróvitch deu uma gargalhada, plenamente satisfeito com seus gracejos.

— Essa sede de ilustração, admitamos, é imoderada; bem, já que se ilustrou, basta. Por que abusar? Por que ofender pessoas nobres como faz o patife do Zamiétov? Por que ele me ofendeu, eu lhe pergunto? Veja ainda o quanto esses suicídios se disseminaram — o senhor não pode fazer ideia. Esses tipos torram até o último centavo e depois se matam. Meninas, meninos, velhos... Hoje de manhã mesmo recebemos uma informação sobre um senhor que chegou recentemente aqui. Nil Pávlitch, ô Nil Pávlitch! Como se chamava o *gentleman* do comunicado que recebemos há pouco, que meteu um tiro na cabeça no Lado Petersburgo?

— Svidrigáilov — respondeu alguém de outra sala com voz roufenha e indiferente.

Raskólnikov estremeceu.

— Svidrigáilov? Svidrigáilov suicidou-se? — exclamou ele.

— Como? O senhor conhece Svidrigáilov?

— Sim... conheço... Ele chegou recentemente...

— Pois é, chegou recentemente, perdeu a mulher, um homem dado a orgias, e de repente meteu um tiro na cabeça, de modo tão escandaloso que não dá nem para imaginar... Deixou em seu diário algumas palavras, dizendo que morria no gozo das faculdades mentais e pedia que não culpassem ninguém por sua morte. Dizem que tinha dinheiro. Como é que o senhor o conhece?

— Eu... o conheço... minha irmã trabalhou na casa deles como governanta...

— Ah, ah, bah... Quer dizer então que o senhor pode nos dar informações sobre ele. E o senhor nem desconfiava?

---

[43] Essas palavras de Pórokh refletem os ataques tradicionais da reação russa contra os partidários da educação feminina na época. Em 1860 a educação das mulheres se limitava à possibilidade de obter duas profissões: parteira e professora. Os preparativos para parteira eram feitos nos cursos da Academia Médico-Cirúrgica em Petersburgo. (N. da E.)

[44] Em 1861, um folhetinista do jornal de Kíev *Sovreménnaia Meditsína* (*A Medicina Atual*) escreveu: “As mulheres médicas estarão em situação melindrosa se tiverem de tratar de doenças especificamente masculinas”. Dostoiévski põe nos lábios de Pórokh, em forma cômica, as palavras desse folhetinista. (N. da E.)

— Estive com ele ontem... ele... tomou vinho... eu não sabia de nada.

Raskólnikov sentiu que alguma coisa parecia ter lhe caído em cima e o esmagava.

— O senhor parece que tornou a empalidecer. O ar daqui é tão empestado...

— Bem, é tempo de ir-me — pronunciou Raskólnikov —, desculpe o incômodo...

— Oh, por favor, o quanto quiser! Foi um prazer, fico feliz em dizê-lo... Ilyá Pietróvitch até estendeu a mão.

— Eu queria apenas... falar com Zamiétov.

— Compreendo, compreendo, e nos deu um prazer.

— Eu... estou muito contente... até logo... — sorria Raskólnikov.

Ele saiu; cambaleava. Estava com tontura. Não se sentia sobre as pernas. Começou a descer a escada, apoiando-se com a mão direita na parede. Pareceu-lhe que algum porteiro, com um livro na mão, dera-lhe um esbarrão ao cruzar com ele subindo para a delegacia; que algum cãozinho começava a latir em algum ponto do andar inferior e uma mulher atirava um rolo para massa contra ele e gritava. Acabou de descer e saiu ao pátio. Ali no pátio, não longe da saída, Sônia estava em pé, pálida, com cara de morta, e lançou-lhe um olhar assustado. Ele parou diante dela. O rosto dela exprimia um quê de mórbido e atribulado, um quê de desesperado. Ela ergueu os braços. Os lábios dele forçaram um sorriso feio e perdido. Ele parou um pouco, deu um sorriso e voltou a subir em direção à delegacia.

Ilyá Pietróvitch se sentara e remexia alguns papéis. À sua frente estava o mesmo mujique que acabara de dar o esbarrão em Raskólnikov ao subir a escada.

— Ah-ah-ah! O senhor outra vez! Esqueceu alguma coisa?... Mas o que o senhor tem?

Com os lábios pálidos e um olhar estático Raskólnikov aproximou-se dele devagarinho, chegou-se bem à mesa, apoiou-se nela com uma das mãos, quis dizer alguma coisa, mas não pôde; ouviram-se apenas alguns sons desconexos.

— O senhor está se sentindo mal, uma cadeira. Sente-se na cadeira, sente-se! Água!

Raskólnikov arriou na cadeira, mas sem tirar os olhos do rosto de Ilyá Pietróvitch, que sorria de um modo muito desagradável. Ambos passaram em torno de um minuto se olhando e aguardando. Trouxeram água.

— Fui eu... — começou Raskólnikov.

— Beba água.

Raskólnikov afastou a água com a mão e pronunciou baixinho, pausadamente mas com nitidez:

— Fui eu que matei com um machado a velha viúva do funcionário e sua irmã Lisavieta e a roubei.

Ilyá Pietróvitch ficou boquiaberto. De todos os cantos acorreu gente.

Raskólnikov repetiu o seu testemunho...

# EPÍLOGO

## I

Sibéria. À margem de um rio vasto, deserto, há uma cidade, um dos centros administrativos da Rússia; na cidade há uma fortaleza, na fortaleza, uma prisão.[1] Na prisão já está encarcerado há nove meses o preso de segunda classe Rodion Raskólnikov, condenado a trabalhos forçados. Desde o dia do seu crime transcorreu quase um ano e meio.

O seu processo se desenvolveu sem dificuldades. O criminoso manteve seu testemunho com firmeza, precisão e clareza; sem confundir as circunstâncias, sem atenuá-las em proveito próprio, sem deturpar os fatos, sem esquecer o mínimo detalhe. Descreveu, até o último pormenor, todo o processo do assassinato: esclareceu o mistério do *penhor* (uma tira de madeira com uma chapa de metal), que aparecera nas mãos da velha morta; detalhou como tirara as chaves da morta, descreveu essas chaves, descreveu o bauzinho e os objetos que o enchiam; até enumerou alguns objetos particulares que havia nele; elucidou o enigma do assassinato de Lisavieta; contou como Koch chegara e batera na porta, seguido do estudante, narrou a conversa entre os dois; que ele, criminoso, depois saíra correndo escada abaixo e ouvira o ganido de Mikolka e Mitka; como se escondera no apartamento vazio, chegara em casa e, para concluir, informou sobre a pedra à entrada do pátio na avenida Voznessiênski, sob a qual foram encontrados os objetos e a bolsa. Numa palavra, o caso estava elucidado. Os juízes de instrução e magistrados ficaram muito surpresos, entre outras coisas, com o fato de que ele escondera a bolsa e os objetos debaixo de uma pedra sem fazer uso deles e, mais ainda, de que ele, além de não se lembrar em detalhes de todos os objetos que de fato havia roubado, ainda se enganara até com o número deles. A própria circunstância de que ele não tinha aberto a bolsa uma única vez e não sabia sequer o quanto ali havia mesmo de dinheiro pareceu incrível (havia na bolsa trezentos e dezessete rublos de prata e três moedas de vinte copeques; devido à longa permanência debaixo da pedra,

---

[1] Dostoiévski descreve um quadro da prisão de Omsk, situada à margem do rio Irtich, onde ele mesmo passou quatro anos. A mesma fortaleza é descrita em *Escritos da casa morta*. (N. da E.)

algumas notas colocadas em cima do maço, as maiores, estavam extremamente danificadas). Levou-se um longo tempo tentando descobrir: por que o réu mentia precisamente nessa circunstância, quando confessava todo o restante de modo voluntário e verdadeiro. Por último, alguns (sobretudo os psicólogos) chegaram até a admitir a possibilidade de que ele realmente não tivesse examinado a bolsa e por isso mesmo não sabia o que havia nela e, por não saber, acabara metendo-a debaixo da pedra, mas daí mesmo concluíram que o próprio crime não podia haver sido cometido senão em algum estado momentâneo de loucura, por assim dizer, de monomania mórbida para o assassinato e o saque, sem outros fins e cálculos de vantagem. Aqui, a propósito, veio a calhar a moderna teoria em moda sobre a loucura momentânea, que atualmente se procura aplicar com tanta frequência a outros criminosos. Além do mais, o antigo estado hipocondríaco de Raskólnikov foi declarado em detalhes precisos por muitas testemunhas, pelo doutor Zóssimov, por seus antigos colegas, pela senhoria, a criada. Tudo isso contribuiu fortemente para a conclusão de que Raskólnikov não apresentava grande semelhança com um assassino comum, um bandido e ladrão, e de que nesse caso havia algo diferente. Para o maior desgosto dos defensores dessa opinião, o próprio criminoso quase não tentou se defender; às perguntas finais: o que exatamente o podia ter inclinado para o assassinato e o que o motivara a cometer o roubo, ele respondeu com muita clareza, com a precisão mais grosseira, que a causa de tudo fora a sua situação deplorável, a miséria e o desamparo, o desejo de solidificar os primeiros passos de sua carreira na vida com o auxílio, pelo menos, dos três mil rublos que ele contava encontrar com a morta. Decidira-se pelo assassinato como consequência do seu caráter leviano e pusilânime, exasperado, além de tudo o mais, pelas privações e fracassos. À pergunta sobre o que de fato o motivara a reconhecer a culpa, respondeu francamente que fora o arrependimento sincero. Já pronunciou tudo isso em tom quase grosseiro...

A sentença, não obstante, foi mais benevolente do que seria de esperar tendo em vista o crime cometido e, talvez, justamente porque o criminoso não só se negou a justificar-se como também pareceu manifestar o desejo de acusar-se ainda mais. Todas as circunstâncias estranhas e peculiares do caso foram levadas em consideração. O estado mórbido e desastroso do criminoso antes do crime não foi objeto da mínima dúvida. O fato de ele não ter se aproveitado do produto do roubo foi considerado em parte como efeito do arrependimento já manifesto, em parte como estado não plenamente são das faculdades mentais no momento da execução do crime. A circunstância do assassinato involuntário de Lisavieta até serviu como exemplo a reforçar a última hipótese: um homem comete dois assassinatos e ao mesmo tempo esquece a porta aberta! Por último, o reconhecimento da culpa no exato momento em que o caso estava extraordinariamente emaranhado, em consequência do falso testemunho dado contra si próprio por um fanático (Mikolai) desalentado e, além disso, quando não só não havia provas evidentes mas nem sequer suspeitas contra o verdadeiro assassino (Porfiri Pietróvitch manteve plenamente a palavra), tudo isso contribuiu definitivamente para atenuar a sorte do réu.

Além disso, ainda apareceram outras circunstâncias absolutamente inesperadas, que foram muito favoráveis ao réu. O ex-estudante Razumíkhin desenterrou informações, sabe-se lá de onde, para as quais apresentou provas, de que o criminoso Raskólnikov, nos seus tempos de universidade, ajudara, com os últimos recursos de que dispunha, um colega universitário pobre e tuberculoso, sustentando-o durante quase um semestre. Quando o colega morreu, tomou conta do pai velho e debilitado do colega morto (que mantinha e alimentava o pai com seu trabalho quase desde os treze anos de idade), internou finalmente o velho num hospital e, quando este também morreu, deu-lhe sepultura. Todas essas informações exerceram uma influência favorável no destino de Raskólnikov. A própria ex-senhoria, a viúva Zarnítsina, mãe da falecida noiva de Raskólnikov, testemunhou também que quando ainda moravam no outro prédio, o das Cinco Esquinas, durante um incêndio, à noite, Raskólnikov arrancara duas criancinhas pequenas de um apartamento já em chamas, sofrendo queimaduras. Esse fato foi cuidadosamente investigado e confirmado por muitas testemunhas. Em suma, o julgamento terminou com o criminoso condenado a trabalhos forçados de segunda categoria, recebendo uma pena de apenas oito anos por terem sido consideradas a confissão de culpa e algumas circunstâncias atenuantes.

Ainda no início do processo, a mãe de Raskólnikov adoeceu. Dúnia e Razumíkhin acharam melhor retirá-la de Petersburgo durante todo o tempo que durasse o processo. Razumíkhin escolheu uma cidade à beira da estrada de ferro e a pouca distância de Petersburgo para conseguir acompanhar regularmente todas as circunstâncias do processo e ao mesmo tempo poder estar mais amiúde com Avdótia Románovna. A doença de Pulkhéria Aleksándrovna era um tanto estranha, nervosa e acompanhada de algo como demência, se não total ao menos em parte. Dúnia, ao voltar do último encontro com o irmão, já encontrou a mãe totalmente enferma, com febre e delirando. Na mesma tarde, ela e Razumíkhin combinaram o que exatamente iriam responder à mãe quando ela interrogasse sobre o irmão, e os dois até inventaram toda uma história a respeito de uma viagem que Raskólnikov faria para longe, ao estrangeiro, em missão privada, que enfim lhe traria dinheiro e fama. Mas ficaram surpresos porque Pulkhéria Aleksándrovna não perguntou nada sobre isso nem na ocasião nem depois. Ao contrário, ela mesma apareceu com toda uma história sobre uma repentina viagem do filho; contou às lágrimas que ele viera se despedir dela; por meio de alusões, ela deu a entender que era a única a saber de muitas circunstâncias muito importantes e misteriosas e que Ródia tinha muitos inimigos poderosíssimos, de sorte que ele até precisava se esconder. Quanto à futura carreira dele, a ela também parecia fora de dúvida e brilhante, depois que passassem algumas circunstâncias hostis; ela assegurou a Razumíkhin que, com o passar do tempo, seu filho viria a ser até um homem de Estado, como provavam o seu artigo e o seu brilhante talento literário. Esse artigo ela lia sem parar, às vezes o lia inclusive em voz alta, por pouco não dormia com ele, e no entanto quase não perguntava por onde mesmo andava Ródia nesse momento, apesar de, pelo visto, até evitarem tocar nesse assunto com ela, o que em si já podia lhe despertar cisma. Por fim, começaram a temer esse estranho silêncio de Pulkhéria Aleksándrovna a respeito de alguns pontos. Por exemplo, ela nem sequer se queixava da ausência de cartas dele, quando antes, morando em sua cidadezinha, não vivia senão da única esperança e da única espera de receber o mais breve uma carta do seu amado Ródia. A última circunstância já era por demais inexplicável e preocupava muito Dúnia; vinha-lhe a ideia de que a mãe talvez estivesse prevendo algo de terrível no destino do filho e temesse fazer perguntas para não se inteirar de coisa ainda mais terrível. Fosse como fosse, era nítido para Dúnia que Pulkhéria Aleksándrovna não estava com o juízo perfeito.

Aliás, umas duas vezes aconteceu que ela mesma articulou de tal forma a conversa que, para lhe responder, foi impossível não mencionar onde estava mesmo Ródia nesse momento; quando, porém, as respostas tiveram de sair involuntariamente insatisfatórias e suspeitas, ato contínuo ela ficou tristíssima, sombria e calada, e isso durante muito tempo. Dúnia acabou percebendo que era difícil mentir e ficar inventando coisas, e chegou à conclusão definitiva de que o melhor mesmo era fazer silêncio absoluto sobre determinados pontos; no entanto, ia ficando cada vez mais claro, chegando a evidente, que a pobre mãe desconfiava de algo terrível. Dúnia lembrou-se, entre outras coisas, de que o irmão lhe dissera que a mãe ouvira atentamente o seu delírio na noite anterior àquele dia fatal, depois da cena entre ela e Svidrigáilov: não teria ela escutado algo naquele momento? Amiúde, às vezes depois de alguns dias e até semanas de um mutismo sombrio, lúgubre e de lágrimas em silêncio, a doente ganhava ânimo de um modo um tanto histérico e súbito começava a falar alto, quase sem parar, do filho e de suas esperanças de futuro... Às vezes suas fantasias eram muito estranhas. Distraíam-na, faziam coro com ela (talvez ela mesma visse com clareza que faziam coro com ela e apenas a distraíam), mas, apesar de tudo, ela falava...

Cinco meses depois da confissão de culpa do criminoso houve o julgamento. Razumíkhin o visitava na prisão, quando era possível. Sônia também. Finalmente veio a separação; Dúnia jurou ao irmão que essa separação não era para sempre; Razumíkhin também. Na cabeça jovem e ardente de Razumíkhin consolidara-se o projeto de ao menos iniciar, nos próximos três ou quatro anos, na medida do possível, a construção da futura condição econômica, juntar ao menos algum dinheiro e mudar-se para a Sibéria, onde o solo era rico em todos os sentidos mas faltava mão de obra, habitantes e capitais; ali eles se estabeleceriam na mesma cidade em que estaria Ródia, e... todos juntos começariam uma nova vida. Na despedida todos choraram. Nos últimos dias Raskólnikov andara muito pensativo, fizera muitas perguntas sobre a mãe, estivera constantemente preocupado com ela. Chegara a se atormentar muito por causa dela, o que deixara Dúnia inquieta. Ao se inteirar da disposição mórbida da mãe, ficara muito sombrio. Por alguma razão esteve particularmente mudo com Sônia todo esse tempo. Com o dinheiro que lhe deixara Svidrigáilov, ela se aprontara havia muito tempo e preparava-se para seguir o comboio de prisioneiros no qual ele também seria enviado. A esse respeito nunca fora mencionada uma única palavra entre ela e Raskólnikov; mas ambos sabiam que assim seria. Na última despedida ele sorria estranhamente das ardorosas asseverações da irmã e de Razumíkhin de que eles teriam um futuro feliz quando ele saísse da prisão, e profetizou que o estado mórbido da mãe logo terminaria em desgraça. Por fim ele e Sônia partiram.

Dois meses depois Dúnietchka casou-se com Razumíkhin. Foi um casamento triste e silencioso. Entre os convidados estiveram, ademais, Porfiri Pietróvitch e Zóssimov. Durante todos esses últimos tempos, Razumíkhin tinha a aparência de um homem firmemente decidido. Dúnia acreditava cegamente que ele realizaria todos os seus propósitos, e aliás nem podia deixar de acreditar: nesse homem notava-se uma vontade de ferro. Entre outras coisas, ele voltara a assistir às aulas na universidade a fim de concluir o curso. A todo instante os dois faziam planos para o futuro: ambos contavam firmemente em mudar-se na certa para a Sibéria dentro de cinco anos. Até então, lá depositavam suas esperanças em Sônia...

Pulkhéria Aleksándrovna abençoou com alegria o casamento da filha com Razumíkhin; mas depois desse casamento pareceu ficar ainda mais triste e preocupada. Querendo propiciar-lhe um momento agradável, Razumíkhin lhe contou, entre outras coisas, a história do estudante e seu pai decrépito e que Ródia havia se queimado e até adoecido no ano anterior depois de salvar da morte duas criancinhas. Ambas as notícias deixaram exaltada Pulkhéria Aleksándrovna, que já estava de juízo perturbado. Ela não parava de falar nisso, e fazia-o até em conversas na rua (embora Dúnia a acompanhasse permanentemente). Nas carruagens públicas, nas vendas, ao pegar ao menos um ouvinte, começava a conversar sobre o seu filho, o seu artigo, contava que ele ajudara um estudante, saíra queimado de um incêndio etc. Dúnietchka ficava até sem saber como contê-la. Além do perigo desse estado exaltado, doentio, já havia uma ameaça de desgraça no fato de que alguém podia lembrar-se do sobrenome de Raskólnikov pelo passado processo criminal e tocar no assunto. Pulkhéria Aleksándrovna sabia até o endereço da mãe das duas crianças salvas do incêndio e queria ir a qualquer custo à casa dela. Por último a sua intranquilidade chegou ao limite. Súbito começava a chorar, amiúde adoecia e delirava com febre. Certa manhã, anunciou sem rodeios que, pelos seus cálculos, Ródia deveria chegar dentro em breve, que ela se lembrava de que ele, ao se despedir dela, havia mencionado que deviam esperá-lo dentro de exatos nove meses. Passou a arrumar tudo no apartamento e preparar-se para o encontro, a dar os últimos retoques no quarto (o seu próprio) destinado a ele, a limpar os móveis, a lavar e pendurar novas cortinas, etc. Dúnia ficou alarmada, mas calava e até ajudava a arrumar o quarto para receber o irmão. Depois de um dia preocupante, passado em contínuas fantasias, em alegres devaneios e lágrimas, ela adoeceu à noite e já amanheceu queimando em febre e delirando. Desencadeara-se a febre. Morreu duas semanas depois. Durante o delírio ela deixou escapar palavras pelas quais dava para concluir que suspeitava até de muito mais coisas ligadas ao terrível destino do filho do que se podia supor.

Durante muito tempo Raskólnikov não soube da morte da mãe, embora a correspondência com Petersburgo houvesse sido organizada desde os primeiros dias de sua instalação na Sibéria. Ela foi estabelecida através de Sônia, que todo mês escrevia cartas regularmente a Petersburgo, destinadas a Razumíkhin, e regularmente recebia todo mês resposta de lá. A princípio as cartas de Sônia pareciam um tanto secas e insatisfatórias a Dúnia e Razumíkhin; mas por fim ambos acharam que era impossível escrever melhor, porque dessas cartas resultava, não obstante, a noção mais completa e exata do destino do infeliz irmão. As cartas de Sônia estavam repletas da realidade mais corriqueira, da descrição mais simples e clara de todo o ambiente da vida de galé levada por Raskólnikov. Nelas não havia nem exposição das próprias esperanças dela, nem enigmas sobre o futuro, nem descrições dos próprios sentimentos. Em vez de tentativas de elucidação do estado de espírito dele e em geral de toda a sua vida interior, havia apenas fatos, ou seja, as próprias palavras dele, notícias detalhadas sobre seu estado de saúde, sobre o que ele desejara no momento da entrevista com ela, o que pedira a ela, do que a incumbira etc. Todas essas notícias eram comunicadas com uma minúcia extraordinária. Ao fim e ao cabo, a imagem do infeliz irmão aparecia por si, desenhava-se com precisão e clareza; aí não podia haver erros, porque tudo eram fatos fidedignos.

No entanto, essas notícias traziam pouco consolo a Dúnia e seu marido, sobretudo no início. Sônia informava continuamente que ele andava sempre sombrio, mudo, e quase não se interessava pelas notícias que ela sempre lhe transmitia das cartas que recebia; que às vezes ele perguntava pela mãe; e quando ela, percebendo que ele já adivinhava a verdade, enfim lhe comunicou a morte de Pulkhéria Aleksándrovna, para a sua surpresa nem a notícia da morte da mãe pareceu surtir efeito muito forte, ao menos foi a impressão que ela teve. Ela comunicou, entre outras coisas, que, apesar de ele andar visivelmente muito ensimesmado e parecer ter-se trancado para os demais, ele via sua nova vida de modo franco e simples; que ele tinha plena clareza de sua situação, não esperava nenhuma melhora ao redor, não alimentava quaisquer esperanças levianas (o que era tão próprio de sua situação) e com quase nada se surpreendia no seu novo ambiente tão pouco parecido com qualquer coisa anterior. Ela informou que a saúde dele era satisfatória. Ele saía para o trabalho, do qual não se esquivava mas também não implorava. Era quase indiferente à comida, mas que raio de comida! Exceto aos domingos e dias de festa, era tão ruim que finalmente ele aceitara de bom grado algum dinheiro dela, Sônia, para adquirir o seu chá de cada dia; quanto a tudo o mais, ele pedia para ela não se preocupar, assegurando que todos esses cuidados com ele apenas o deixavam agastado. Sônia informou ainda que o alojamento dele na prisão era comum com os demais detentos; ela não vira o interior do quartel, mas concluía que lá era apertado, feio e insalubre; que ele dormia em bancos que forrava com *vóilok*[2] e não desejava arranjar mais nada. No entanto, o fato de que ele vivia de modo tão rude e pobre não obedecia, em absoluto, a algum plano ou intenção preconcebida mas apenas à desatenção e à aparente indiferença em face do seu destino. Sônia escreveu francamente que ele, em particular no início, não só não se interessara pelas visitas dela como até se sentira agastado com ela, estivera mudo e até gros-

---

[2] Tecido grosso feito de lã. (N. do T.)

seiro, mas que no final essas visitas viraram hábito e quase uma necessidade para ele, de sorte que ele até sentira muita saudade quando ela passara alguns dias doente e não pudera visitá-lo. Ela se encontra com ele nos dias de festa no portão da prisão ou no corpo da guarda, aonde ele é chamado para alguns minutos de entrevista com ela; visita-o nos dias úteis nos locais de trabalho ou nas oficinas, ou nas olarias,[3] ou nos galpões à margem do Irtich. Falando de si, Sônia informou que fizera alguns conhecimentos na cidade e até arranjara proteção; que estava costurando e, uma vez que na cidade quase não existiam modistas, havia se tornado até indispensável em muitas casas; ela não mencionou que, através dela, Raskólnikov conseguiu proteção da direção, que os trabalhos dele foram suavizados etc. Por último, veio a notícia de que (Dúnia chegou até a notar alguma inquietação especial e alarme nas últimas cartas dela) ele fugia de todos, que na prisão os galés não gostavam dele; que ele passava dias a fio calado e andava muito pálido. Súbito, Sônia escreveu na última carta que ele contraíra uma doença muito grave e estava hospitalizado, no pavilhão dos prisioneiros...

[3] Essas linhas são autobiográficas. Dostoiévski foi duas vezes com um comboio de prisioneiros trabalhar numa olaria a algumas verstas da prisão. Ele permanecia frequentemente na prisão para realizar trabalhos, várias vezes assumiu a chefia do corpo da guarda e passou algum tempo na sala do oficial de plantão. (N. da E.)

## II

Há muito tempo ele andava doente; mas não eram os horrores da vida de galé, nem o trabalho, nem a comida, nem a cabeça raspada, nem o uniforme de retalhos que o quebravam: oh! que lhe importavam todos esses sofrimentos e torturas! Ao contrário, ele estava até contente com o trabalho: exaurido fisicamente pelo trabalho, ao menos conseguia algumas horas de sono tranquilo. E que significava a comida para ele — essas sopas de repolho sem nada e com baratas? Frequentemente nem isso tinha antes, quando era estudante. A roupa agasalhava e estava adaptada ao seu modo de vida. Os grilhões ele nem chegava a sentir em seu corpo. Iria envergonhar-se da cabeça raspada e da meia jaqueta? Diante de quem? De Sônia? Sônia o temia, e era dela que ele iria sentir vergonha?

Pois bem! Ele sentia vergonha até de Sônia, que ele atormentava com o tratamento desdenhoso e grosseiro que lhe dispensava. Mas não era da cabeça raspada e dos grilhões que se envergonhava: seu orgulho estava fortemente ferido; era de orgulho ferido que estava doente. Oh, como seria feliz se pudesse acusar-se a si próprio! Aí suportaria tudo, até a vergonha e a humilhação. Mas ele fizera um julgamento severo de si mesmo, e sua consciência obstinada não descobriu nenhuma culpa especialmente terrível no seu passado, a não ser uma simples *falha* que podia acontecer a qualquer um. Sentia vergonha mesmo era de que ele, Raskólnikov, houvesse se destruído de maneira tão cega, irremediável, confusa e tola, cumprindo alguma sentença do destino cego, e devia resignar-se e submeter-se ao "absurdo" de uma sentença qualquer se quisesse encontrar um mínimo de tranquilidade para si.

No presente, uma inquietação vaga e vazia, e no futuro apenas um sacrifício constante com o qual nada conseguiria — eis o que o esperava no mundo. E daí se dentro de oito anos ele estaria com apenas trinta e dois anos e poderia recomeçar a vida? De que lhe serviria viver? O que iria ter em vista? Qual seria sua aspiração? Viver por existir? Acontece que antes ele já estivera milhares de vezes disposto a dedicar toda a sua existência a uma ideia, a uma esperança, até a uma fantasia. No entanto sempre achara pouco existir; sempre quisera mais. Talvez tivesse sido só pela força dos seus desejos que então ele se considerara um homem a quem era permitido mais que a outros.

Se ao menos o destino lhe tivesse mandado o arrependimento, um arrependimento abrasador, que despedaça o coração, afugenta o sono, um arrependimento cujos suplícios provocam visões da forca e da voragem! Oh, isto o deixaria alegre! Sofrimentos e lágrimas — ora, isso também é vida. Mas ele não se arrependia do seu crime.

Poderia ao menos enfurecer-se com a sua tolice, como antes se enfurecera com os seus atos vis e mais tolos, que o levaram à prisão. Mas agora, já na prisão, *em liberdade*, mais uma vez analisou e ponderou todos os seus atos pregressos e os achou absolutamente tão tolos e vis como lhe pareciam antes, naquele período fatal.

"Em que — pensava ele —, em que o meu pensamento era mais tolo que outros pensamentos e teorias que existem aos enxames e se atropelam pela face da terra desde que o mundo é mundo? É só ver a questão com um olhar plenamente independente, amplo e livre das influências corriqueiras e então, é claro, o meu pensamento não parecerá tão... estranho. Oh, negativistas e sabichões de meia-tigela, por que ficais a meio caminho?

"E por que o meu ato lhes parece tão vil? — dizia de si para si. — Por ter sido uma perversidade? O que significa a palavra 'perversidade'? Minha consciência está tranquila. É claro que foi cometido um crime comum; é claro que foi violada a letra da lei e derramado sangue, mas tome a minha cabeça por letra da lei... e basta! Claro, neste caso até muitos benfeitores da humanidade, que não herdaram mas tomaram o poder, deveriam ser executados ao darem os seus primeiros passos. No entanto, aqueles homens aguentaram os seus passos e por isso *estavam certos*, mas eu não aguentei e, portanto, não tinha o direito de me permitir esse passo."

Eis em que ele não reconhecia o seu crime: apenas no fato de que não o aguentara e fizera a confissão da culpa.

Ele sofria também ao pensar: por que não se matara naquele momento? Por que ficou parado acima do rio e preferiu confessar a culpa? Será que existe tamanha força nesse desejo de viver e é tão difícil superá-lo? Svidrigáilov, que tinha medo de morrer, não o superou?

Ele se fazia essa pergunta atormentado, e não conseguia entender que, naquele momento em que estava sobre o rio, talvez pressentisse um profundo engano em seu íntimo e em suas convicções. Não compreendia que aquele pressentimento pudesse ser o prenúncio da futura transformação em sua vida, da sua futura ressurreição, da sua futura concepção nova de vida.

Aí ele admitia, de preferência, apenas o jugo cego do instinto, que não seria ele que iria romper e por cima do qual mais uma vez não estava em condição de passar (por fraqueza e insignificância). Olhava para os seus companheiros galés e ficava apreensivo: como todos eles amavam a vida, como tinham apreço por ela! Ele mesmo teve a impressão de que na prisão ainda a amavam e apreciavam mais, e a tinham em maior apreço do que em liberdade. Que terríveis tormentos e torturas não teriam experimentado alguns deles, principalmente os vagabundos! Será possível que possa valer tanto para eles um raio qualquer de sol, um matagal, uma nascente fria em confins ignorados, marcada há coisa de três anos e que o vagabundo sonha encontrar como sonha com uma amante, vê a nascente em sonho, a grama verde ao redor, um passarinho cantando num arbusto? Prosseguindo em sua observação, percebia exemplos ainda mais inexplicáveis.

Na prisão, no seu círculo, ele, é claro, não notava muita coisa, e ademais nem queria notar nada. Vivia de vista um tanto baixa: observar para ele era asqueroso e insuportável. Mas, por fim, muita coisa passou a surpreendê-lo e ele, meio a contragosto, começou a observar coisas de que antes nem suspeitava. O que mais veio a surpreendê-lo foi aquele abismo terrível, aquele abismo intransponível que se estendia entre ele e todos aqueles homens. Parecia que ele e eles eram de nações diferentes. Ele e eles se entreolhavam com desconfiança e antipatia. Ele conhecia e compreendia as causas gerais daquela separação; mas antes nunca admitira que essas causas fossem deveras profundas e fortes. Na prisão havia também prisioneiros poloneses, criminosos políticos. Estes simplesmente consideravam todos aqueles homens como ignorantes e lacaios e os desprezavam com arrogância; mas Raskólnikov não podia vê-los assim: percebia com nitidez que em muita coisa esses ignorantes eram muito mais inteligentes que esses mesmos poloneses. Entre estes havia também russos, que igualmente desprezavam demais aqueles homens — um ex-oficial e dois seminaristas; Raskólnikov percebia com clareza também o erro destes.

Dele mesmo não gostavam e o evitavam. Por fim passaram até a odiá-lo — por quê? Ele não o sabia. Desprezavam-no, riam dele, zombavam do seu crime os que haviam cometido crime muito mais grave.

— Tu és um grão-senhor — diziam-lhe. — Tu andando de machado em punho; isso não é coisa pra grão-senhor.

Na segunda semana da quaresma coube a ele jejuar com todo o quartel. Ele ia à igreja rezar com os outros. Sem que soubesse o porquê, houve certa vez uma discussão; todos investiram juntos contra ele, tomados de fúria.

— Tu és um herege! Não crês em Deus! — gritavam-lhe. — Precisas morrer.

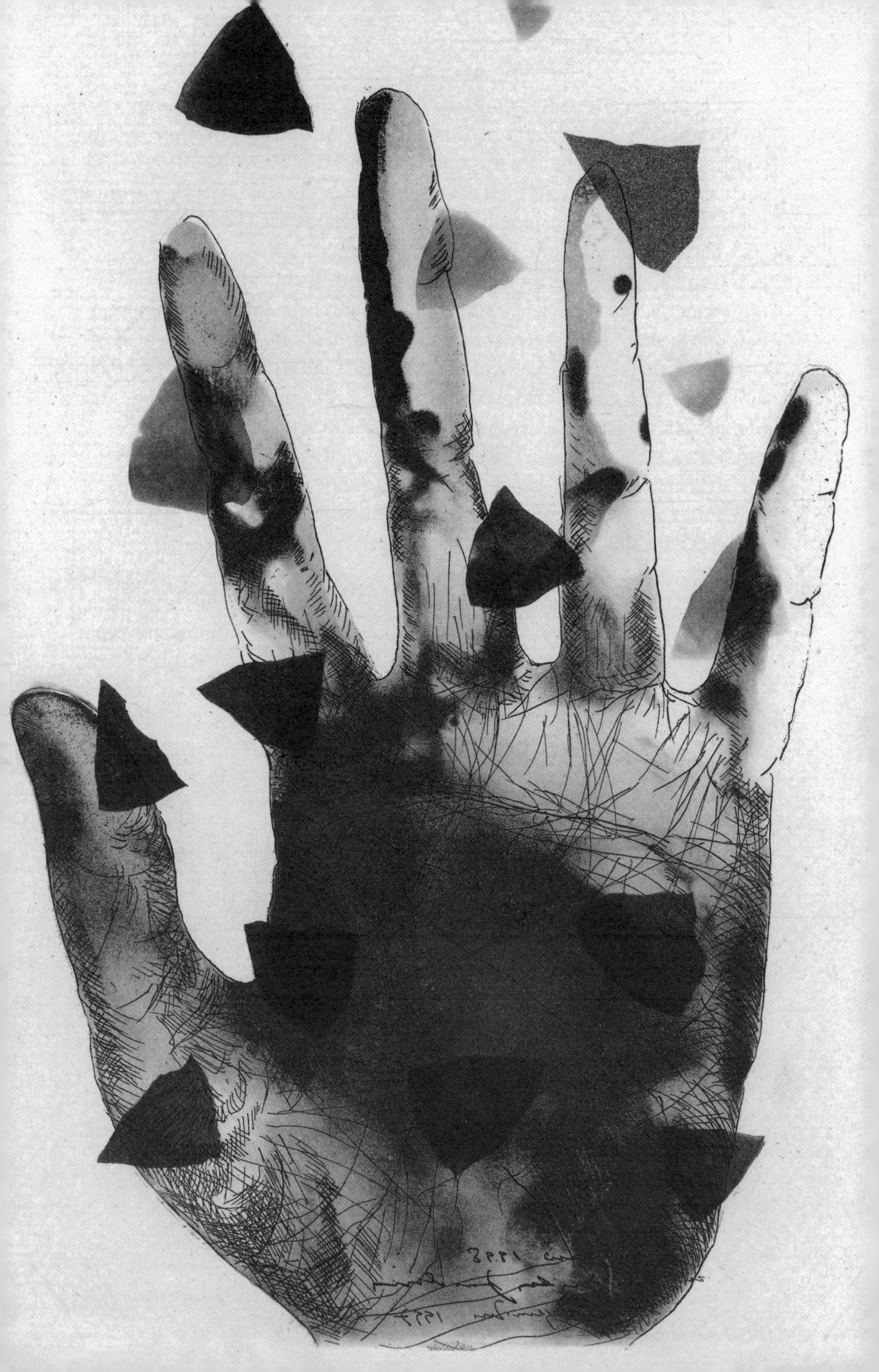

Ele nunca conversara com eles sobre Deus e fé, mas eles queriam matá-lo como herege; ele calou e não fez objeção. Um prisioneiro quis investir contra ele em decidida fúria; Raskólnikov o esperou serenamente e em silêncio: não pestanejou, não mexeu um músculo do rosto. Um guarda conseguiu colocar-se a tempo entre ele e o assassino — senão teria corrido sangue.

Havia mais uma questão não resolvida para ele: por que todos eles gostavam tanto de Sônia? Ela não procurava cair-lhes nas graças; eles a viam raramente, às vezes apenas no trabalho, quando ela aparecia por um minuto para ver Raskólnikov. No entanto já todos a conheciam, sabiam também que ela *o* acompanhara, sabiam como vivia, onde morava. Ela não lhes dava dinheiro, não fazia maiores favores. Só uma vez, num Natal, trouxe uma esmola para toda a prisão: de tortas e roscas. Mas pouco a pouco iam se formando algumas relações mais íntimas entre eles e Sônia: ela escrevia as cartas deles para os pais e as levava ao correio. Por indicação deles, seus parentes e parentas que vinham à cidade deixavam com Sônia coisas e até dinheiro para eles. Suas mulheres e amantes a conheciam e visitavam. Quando ela aparecia nos campos de trabalhos para visitar Raskólnikov, ou encontrava um comboio de prisioneiros a caminho dos trabalhos — todos lhe tiravam os chapéus e lhe faziam reverências: "Mãezinha, Sófia Semiónovna, tu és nossa mãe, carinhosa, querida!" —, diziam os galés grosseiros, marcados a ferro,[4] a essa criatura miúda e magricela. Ela sorria e fazia reverências, e todos gostavam quando ela lhes sorria. Gostavam até do seu andar, viravam-se para trás a fim de vê-la andando, e a elogiavam; elogiavam-na também por ser tão miúda, e até nem sabiam por que a elogiavam. Procuravam-na inclusive para tomar remédio.

Ele esteve hospitalizado durante todo o final da quaresma e a Semana Santa. Já convalescendo, lembrou-se dos sonhos que tivera, quando ainda estava com febre e delirando. Doente, sonhou que o mundo inteiro estava condenado ao sacrifício de uma peste terrível, inédita e inaudita, que marchava das profundezas da Ásia sobre a Europa. Todos deveriam morrer, salvo alguns escolhidos, pouquíssimos. Apareceram umas novas triquinas, seres microscópicos, que se instalavam nos corpos das pessoas. Mas esses seres eram espíritos dotados de inteligência e vontade. As pessoas que as recebiam tornavam-se no mesmo instante endemoninhadas e loucas. Mas nunca, nunca as pessoas se haviam achado tão inteligentes e inabaláveis na verdade como se achavam os contaminados. Jamais consideraram nada mais inabalável que as suas sentenças, as suas conclusões científicas, as suas cren-

---

[4] Até 1863 alguns criminosos eram marcados a ferro na Rússia. (N. do T.)

ças e convicções morais. Povoados inteiros, cidades inteiras e povos eram contagiados e enlouqueciam. Todos estavam alarmados e não se entendiam, cada um pensava que nele e só nele se resumia a verdade, e atormentava-se ao olhar para os outros, batia no peito, chorava e torcia as mãos. Não sabiam quem e como julgar, não conseguiam combinar o que chamar de mal, o que de bem. Não sabiam a quem acusar, a quem absolver. As pessoas se matavam umas às outras tomadas de alguma raiva absurda. Preparavam-se com exércitos inteiros para marchar umas contra as outras, mas os exércitos, já em marcha, começavam subitamente a se desintegrar, perdiam fileiras, os guerreiros se atiravam uns contra os outros, furavam-se e cortavam-se, mordiam-se e comiam uns aos outros. Nas cidades o alarme soava o dia inteiro: convocavam todos, mas quem e para que convocavam ninguém sabia, e todos andavam alarmados. Abandonaram os ofícios mais habituais, porque qualquer um sugeria as suas ideias, as suas correções, e não conseguiam chegar a um acordo; a agricultura parou. Aqui e ali as pessoas fugiam aos montes, combinavam atuar juntas em alguma coisa, faziam juramentos de não se separarem — mas no mesmo instante começavam algo bem diferente do que acabavam de combinar, passavam a acusar-se mutuamente, brigavam e matavam-se com arma branca. Começaram os incêndios, começou a fome. Tudo e todos morriam. A peste crescia e avançava cada vez mais. Em todo o mundo apenas alguns indivíduos conseguiam salvar-se, eram os puros e escolhidos, destinados a iniciar uma nova espécie de gente e uma nova vida, a renovar e purificar a terra, mas ninguém via essas pessoas em parte alguma, ninguém ouvia as suas palavras e as suas vozes.

A Raskólnikov atormentava o fato de que o delírio disparatado se refletia de forma tão triste e torturante em suas lembranças, de que perdurava tanto a impressão daqueles devaneios febris. Já transcorria a segunda semana após a Semana Santa; fazia uns dias de primavera mornos, claros; na enfermaria dos prisioneiros abriram as janelas (gradeadas, debaixo das quais vigiava um guarda). Durante toda a doença dele Sônia só pôde visitá-lo duas vezes na enfermaria; sempre precisava de permissão, e isso era difícil conseguir. Mas ela vinha com frequência ao pátio do hospital, que ficava debaixo das janelas, sobretudo às tardinhas, e às vezes apenas para ficar um minuto no pátio e olhar ainda que fosse de longe para as janelas da enfermaria. Certa vez, à tardinha, já recuperado, Raskólnikov adormeceu; ao acordar, foi inadvertidamente à janela e avistou Sônia ao longe, no portão do hospital. Ela estava em pé e parecia esperar algo. Nesse instante alguma coisa cortou o coração de Raskólnikov; ele estremeceu e depressa afastou-se da janela. No dia seguinte Sônia não apareceu, no outro também; ele notou

que a estava aguardando com intranquilidade. Por fim lhe deram alta. Ao retornar à prisão, soube por um prisioneiro que Sófia Semiónovna havia adoecido, estava acamada em casa e não saía para lugar nenhum.

Ele estava muito preocupado, mandou saber notícias dela. Logo soube que a doença não era grave. Ao se inteirar, por sua vez, que ele sentia tanta saudade e se preocupava com ela, Sônia lhe enviou um bilhete, escrito a lápis, fazendo saber a ele que ela se encontrava bem melhor, que estava com um resfriado bobo, leve, e em breve, muito em breve viria encontrar-se com ele no trabalho. Quando ele leu esse bilhete, seu coração bateu forte e doridamente.

O dia estava novamente claro e morno. De manhã cedo, por volta das seis horas, ele se encaminhou para o trabalho, na margem do rio onde fora construído em um galpão um forno para calcinação do alabastro e onde este estava sendo triturado. Apenas três operários foram enviados para lá. Um dos prisioneiros pegou a escolta e foi com ela à fortaleza buscar algum instrumento; outro passou a preparar a lenha e colocá-la no forno. Raskólnikov saiu do galpão para a margem, sentou-se em uns troncos arrumados ao lado do galpão e ficou a olhar o rio largo e deserto. Da alta margem descortinavam-se as vastas redondezas. Da outra margem distante chegava o som de uma canção que mal se ouvia. Lá, na estepe sem fim banhada de sol, negrejavam tendas de nômades como pontinhos que mal se distinguiam. Ali havia liberdade e vivia outra gente, em nada parecida à de cá, lá era como se o próprio tempo houvesse parado, como se ainda não tivessem passado o século de Abraão e o seu rebanho. Raskólnikov estava sentado e olhando imóvel, sem desviar a vista; seu pensamento passou aos devaneios, à contemplação; ele não pensava em nada, mas alguma melancolia o inquietava e atormentava.

Eis que a seu lado apareceu Sônia. Chegou-se de um jeito que mal se ouvia e sentou-se ao lado dele. Ainda era muito cedo, o friozinho da manhã ainda não se atenuara. Usava um velho casaco pobre e o xale verde. Seu rosto ainda trazia as marcas da doença, emagrecido, empalidecido, macilento. Ela lhe deu um sorriso amável e alegre, mas, por hábito, estendeu-lhe timidamente a mão.

Ela sempre lhe estendia a mão com timidez, às vezes nem lhe estendia, como se temesse que ele a rejeitasse. Ele sempre lhe segurava a mão com um quê de aversão, sempre a recebia como quem está agastado e às vezes calava obstinadamente durante toda a visita dela. Acontecia de ela tremer diante dele e ir embora em profunda aflição. Mas agora as suas mãos não se separavam; ele a olhou de passagem e rápido, não disse nada e baixou a vista para o chão. Estavam a sós, ninguém os via. A essa altura a escolta havia voltado.

Como isso aconteceu nem ele mesmo sabia, mas de repente alguma coisa pareceu impeli-lo e lançá-lo aos pés dela. Ele chorava e lhe abraçava os joelhos. No primeiro momento ela levou um terrível susto, e todo o seu rosto ganhou uma palidez mortal. Ela se levantou de um salto e pôs-se a fitá-lo trêmula. Mas de imediato, no mesmo instante compreendeu tudo. Em seus olhos brilhou uma felicidade infinita; ela compreendeu, e para ela já não havia dúvida, que ele a amava, a amava infinitamente, e que enfim chegara esse momento...

Eles quiseram falar mas não conseguiram. As lágrimas estavam em seus olhos. Os dois eram pálidos e magros; mas nesses rostos doentes e pálidos já raiava a aurora de um futuro renovado, pleno de ressurreição e vida nova. O amor os ressuscitara, o coração de um continha fontes infinitas de vida para o coração do outro.

Decidiram esperar e suportar. Ainda lhes restavam sete anos; mas até então, quanto suplício insuportável e quanta felicidade sem fim! Mas ele ressuscitara, e o sabia, sentia todo o seu ser plenamente renovado, e ela — bem, ela vivia só da vida dele.

Na noite do mesmo dia, quando o quartel já estava fechado, Raskólnikov, deitado na tarimba, pensava nela. Nesse dia até lhe pareceu que todos os galés, antes seus inimigos, já o olhavam de modo diferente. Ele mesmo começou a conversar com eles, e lhe respondiam de modo carinhoso. Agora ele se lembrava disso com esforço, mas era assim que devia ser: acaso tudo não devia mudar agora?

Pensava nela. Lembrou-se de como a atormentava permanentemente e lhe despedaçava o coração; lembrou-se do rostinho pálido e magro, mas agora essas lembranças quase não o torturavam; ele sabia com que infinito amor iria redimir agora todos os sofrimentos dela.

Ademais, o que significavam todos, *todos* esses suplícios do passado? Tudo, até o crime dele, até a condenação e o exílio, agora, no primeiro impulso, pareciam-lhe algum fato externo, estranho, até como se não tivesse acontecido com ele. Aliás, nessa noite ele não conseguia pensar de forma demorada e constante em nada, concentrar o pensamento em nada; demais, agora ele não resolveria nada de modo consciente; apenas sentia. A dialética dera lugar à vida, e na consciência devia elaborar-se algo bem diferente.

Tinha o Evangelho debaixo do travesseiro. Pegou-o maquinalmente. O livro pertencia a ela, era aquele mesmo de onde ela lhe havia lido a ressurreição de Lázaro. No início da vida de galé ele pensou que ela fosse atormentá-lo com religião, puxar conversa sobre o Evangelho e lhe impor os livros. Mas, para a sua maior surpresa, ela não tocou nesse assunto uma única vez, nenhuma vez sequer lhe sugeriu o Evangelho. Ele mesmo o pedira a ela um pouco antes de adoecer, e ela lhe trouxe o livro em silêncio. Desde então ele nem o havia aberto.

Ele o abriu agora, mas uma ideia lhe veio de relance: "Será que agora as convicções dela podem não ser também as minhas convicções? Os seus sentimentos, as suas aspirações, ao menos...".

Ela também passou todo esse dia intranquila e à noite chegou até a adoecer. Mas ela estava tão feliz que quase se assustava com a sua felicidade. Sete anos, *apenas* sete anos! No começo da sua felicidade, em outros instantes, os dois estavam prontos para considerar esses sete anos como sete dias. Ele nem sequer sabia nem que essa nova vida não lhe sairia de graça, que ainda deveria pagar caro por ela, pagar por ela com uma grande proeza no futuro...

Mas aqui já começa outra história, a história da renovação gradual de um homem, a história do seu gradual renascimento, da passagem gradual de um mundo a outro, do conhecimento de uma realidade nova, até então totalmente desconhecida. Isto poderia ser o tema de um novo relato — mas este está concluído.

## LISTA DAS PRINCIPAIS PERSONAGENS

RODION ROMÁNOVITCH RASKÓLNIKOV (Ródia) — protagonista da história, ex-estudante universitário de 23 anos, mora num quarto alugado em São Petersburgo.

PULKHÉRIA ALEKSÁNDROVNA RASKÓLNIKOVA — mãe de Raskólnikov.

AVDÓTIA ROMÁNOVNA RASKÓLNIKOVA (Dúnia) — irmã de Raskólnikov. Ao chegar em Petersburgo, ela e a mãe vão morar no edifício Bakalêiev.

DMITRI PROKÓFITCH VRAZUMÍKHIN (Razumíkhin) — ex-estudante, amigo de Raskólnikov, mora no edifício Pótchinkov.

ZÓSSIMOV — médico, amigo de Razumíkhin.

NASTÁCIA NIKÍFOROVNA — criada do edifício Schill, onde mora Raskólnikov.

PRASKÓVIA PÁVLOVNA ZARNÍTSINA (Páchenka) — senhoria de Raskólnikov, mãe da falecida noiva de Raskólnikov, Natália Iegórovna.

MARFA PIETRÓVNA — dona da propriedade rural onde Dúnia trabalhou como governanta.

ARKADI IVÁNOVITCH SVIDRIGÁILOV — marido de Marfa Pietróvna.

PIOTR PIETRÓVITCH LÚJIN — pretendente de Dúnia.

ANDRIÊI SEMIÓNOVITCH LIEBEZYÁTNIKOV — jovem funcionário público, amigo de Lújin.

SEMION ZAKHÁRITCH MARMIELÁDOV — ex-oficial alcoólatra, pai de Sônia.

CATIERINA IVÁNOVNA — esposa de Marmieládov.

SÔNIA SEMIÓNOVNA MARMIELÁDOVA (Sófia) — filha mais velha de Marmieládov, enteada de Catierina Ivánovna.

POLINA (Pólia, Pólietchka), o menino NIKOLAI (Kólia) e a pequena LIDA (Lídotchka, Lênia) — filhos de Marmieládov e Catierina Ivánovna.

ALIENA IVÁNOVNA — velha usurária, onde Raskólnikov penhora alguns objetos em troca de dinheiro.

LISAVIETA IVÁNOVNA — meia-irmã de Aliena.

PORFIRI PIETRÓVITCH — juiz de instrução.

ALEKSANDR GRIGÓRIEVITCH ZAMIÉTOV — chefe-escriturário da delegacia, amigo de Razumíkhin.

NIKOLAI FOMITCH — chefe de polícia.

ILYÁ PIETRÓVITCH (Pórokh) — tenente subordinado a Fomitch.

LUIZA IVÁNOVNA (Laviza) — alemã proprietária de um bordel.

AMÁLIA IVÁNOVNA LIPPEVESCHEL — senhoria do edifício Kozel, onde moram os Marmieládov e Liebezyátnikov. É chamada de Amália Fiódorovna por Marmieládov e de Amália Ludwigovna por Catierina Ivánovna.

KAPIERNAÚMOV — sobrenome do alfaiate e de sua família, proprietários do apartamento onde Sônia aluga um quarto.

GERTRUD KARLOVNA RESSLICH — proprietária de um apartamento vizinho ao dos Kapiernaúmov, onde Svidrigáilov aluga um quarto.

NIKOLAI DEMIÉNTIEV (Mikolai) — camponês de Zaraisk, pintor de paredes que trabalhava no prédio de Aliena Ivánovna.

DMITRI (Mitka, Mitrei) — colega de Mikolai.

AFANASSI PÁVLITCH DÚCHKIN — proprietário de um botequim em frente ao prédio de Aliena Ivánovna.

KOCH e PIESTRYAKOV — estudantes, clientes de Aliena Ivánovna.

# UM ROMANCE QUE O TEMPO CONSAGROU

*Paulo Bezerra*

Há cento e cinquenta anos uma bomba explodia em Petersburgo: vinha à luz o romance *Crime e castigo* (1866), narrando a história de um jovem inteligentíssimo e culto que assassina uma velha usurária, motivado por uma teoria segundo a qual os indivíduos socialmente nocivos e inúteis devem ser eliminados. Os estilhaços desse artefato estético-filosófico logo se espalharam primeiro pela Rússia e depois pela Europa e o resto do mundo, e continuam se espalhando até hoje. Neste momento, seu sesquicentenário está sendo comemorado no mundo inteiro, especialmente na Rússia, e no Brasil atingimos a cifra de 120 mil exemplares vendidos desta tradução lançada em 2001, prova de que o romance conquistou os leitores brasileiros. É para comemorar este feito que lançamos esta nova edição, revista de forma ampla e profunda.

## O porquê da revisão

Como dizia o saudoso mestre Boris Schnaiderman referindo-se à ficção, não existe tradução perfeita, ao que acrescento: "nem definitiva". A tradução de ficção é um texto aberto, suscetível de modificações do tradutor, este ser sempre em construção. A cada releitura que faz de suas traduções, o tradutor percebe coisas que podem ser reformuladas e melhoradas, e a ética do ofício exige que ele as reformule. Ademais, diferentemente de outras modalidades de discurso, a ficção não opera com significados, mas com sentidos, e estes sempre podem ser enriquecidos à luz de novas conquistas nos campos da estética, da filosofia e da psicologia da recepção. Longe de deformarem o original, tais reformulações o atualizam e o enriquecem ainda mais. Mas, para que isto seja possível, ele precisa contar com o engajamento de sua editora na atualização da qualidade do que publica. Foi esse engajamento que tornou possível a presente reedição.

*Crime e castigo* foi meu batismo de fogo no campo de provas com o discurso de Dostoiévski. Depois que traduzi o dificílimo *O rumor do tempo* de Óssip Mandelstam e a Editora 34 o publicou em 2000, Beatriz Bracher, então diretora editorial, acolheu meu projeto de traduzir os grandes romances de Dostoiévski. Começava ali uma harmoniosa colaboração que já dura dezesseis anos e que me faz sentir-me integrado à equipe da 34. Como primeira tradução de Dostoiévski, executada sob uma tremenda pressão do texto russo e com o intuito de ser fiel ao espírito do contexto e do original, mas sem resvalar na literalidade, *Crime e castigo* saiu com algumas imprecisões, ou melhor, alguns erros, nada graves, mas que precisavam ser corrigidos à luz da objetividade que nos permite a distância da primeira tradução, e assim procedi. Corrigi o que precisava ser corrigido, reformulei o que cabia reformular para eliminar algumas estranhezas e algumas incongruências. Fiz tudo isso à luz de minha atual concepção de tradução, urdida em quinze anos consecutivos de experiência com a recriação dos discursos que sedimentam a obra desse gênio. Portanto, sem mexer na essência do texto de *Crime e castigo*, esta revisão é sedimentada por uma poética do ato tradutório, cujo fim é dar mais leveza ao discurso dostoievskiano onde isto é possível (lembrando que Dostoiévski quase nunca é leve!) e oferecer ao leitor um texto mais condizente com o modo brasileiro de falar e escrever.

### Tradução direta e tradução indireta

Todos nós, leitores brasileiros de literatura russa, somos muito gratos às traduções indiretas, realizadas predominantemente via francês ou inglês, pois foi graças a elas que tomamos conhecimento da ficção e da cultura russas. Na falta de especialistas capazes de traduzir os russos diretamente do original, elas preencheram uma grande lacuna e deixaram uma inestimável contribuição para os futuros especialistas que iriam realizá-las diretamente do original. Com a entrada de Boris Schnaiderman no universo da tradução de autores russos em fins dos anos 1930 no Brasil, o panorama começa a mudar radicalmente, pois o que antes eram versões ou variantes de traduções estrangeiras foi sendo substituído pela tradução direta do original, provocando um primeiro estranhamento no leitor brasileiro pela enorme diferença entre os textos de Boris e os das variantes do francês, inglês, etc. Minha tradução de *Crime e castigo* contribuiu para consolidar a prática da tradução direta iniciada pelo mestre Boris, mudando de vez a recepção da literatura russa no Brasil. Hoje, dispomos de um grupo bastante grande de bons tradutores do russo, o que dispensa em definitivo a necessidade de versões de traduções estrangeiras. Isso não nos dispensa, porém, do reconhecimento da importante contribuição das antigas traduções indiretas e do agradecimento àqueles que se esforçaram tanto para abrir nosso mercado aos autores russos.

Mas que razões de ordem teórica e prática justificam a tradução direta do original?

O tradutor do texto original é um mediador entre o autor e o leitor, e esta é uma interação entre duas línguas, dois sistemas de códigos linguísticos, duas culturas e — acho que não exagero — duas subjetividades criadoras. Na tradução indireta, a mediação se dá entre dois tradutores, o autor é deslocado para a condição de fonte e o leitor só chega a ele pela mediação de um terceiro. Ao contrário da relação dual entre original e tradução no processo direto, na tradução indireta temos a interação entre três línguas, três sistemas de códigos linguísticos, três culturas. Por exemplo, quem lê Dostoiévski traduzido do francês ou do inglês para o português não lê uma tradução de Dostoiévski, mas uma versão ou variante da tradução francesa ou inglesa. Só esse fato já dá a ideia da diferença que pode haver entre o original e uma tradução indireta e das perdas que inevitavelmente acarreta a versão desse original em uma terceira língua.

A linguagem é o ponto fulcral na feitura de uma obra, pois define o estilo, que é o traço que distingue um escritor de seus contemporâneos. Essa questão é essencial para a tradução de ficção, muito especialmente de Dostoiévski.

Dmitri S. Likhatchóv, crítico, teórico da cultura, historiador, um dos mais importantes intelectuais russos do século XX e autor da monumental *Poética da literatura russa antiga*, em quatro tomos, deixou-nos uma análise percuciente das peculiaridades determinantes do estilo de linguagem de Dostoiévski. Likhatchóv aponta como centrais no estilo do romancista certa instabilidade (*zíbkost*) e uma sensação de inacabamento na combinação de palavras e nas formas de expressão, bem como na construção dos perfis de suas personagens, e atribui essas características à "tendência à experimentação com as potencialidades da língua", ao emprego de frases formadas por palavras aparentemente desconexas, que desconcertam o leitor e exigem que ele se compenetre das vicissitudes do discurso para chegar ao entendimento. Em função disto, opera-se uma desautomatização das formas tradicionais de linguagem cujo fim é revelar nos fenômenos da vida cotidiana "novos aspectos e novas relações" que antes não se deixavam perceber. Neste sentido, como assinala Likhatchóv, é frequente Dostoiévski empregar, por exemplo, uma preposição onde as normas da língua a dispensam, ou mesmo empregar preposições inusuais. Desse modo, cria-se a impressão de que ele força, precipita o discurso, é desleixado ou "inapto" na busca da expressão adequada, e ao mesmo tempo apela para artificialismos na procura do necessário matiz da expressão oral ou escrita. Tudo isso somado cria uma sensação de indefinição e instabilidade na feitura do discurso, seja do narrador, seja das personagens, cujo fim é estimular no leitor a ideia de inacabamento a fim de levá-lo a tirar suas próprias conclusões. Cabe ressaltar que essa "instabilidade" da representação é um procedimento estético, que deriva da "instabilidade dos recursos artísticos da linguagem de Dostoiévski"[1] e está diretamente associada à instabilidade do mundo e das relações sociais e humanas que sedimenta o conjunto de sua obra. Como afirma Likhatchóv, "Dostoiévski não diz tudo, insinua, exprime-se de modo como que impreciso, mas ao mesmo tempo usa de uma sutileza impressionante".[2]

Cabe destacar que, a despeito da instabilidade das formas de representação e do aparente inacabamento estilístico das obras, o procedimento empregado pelo romancista promove uma peculiar desautomatização e uma ruptura das formas tradicionais de linguagem. Likhatchóv define bem esse processo: "O estilo das obras de Dostoiévski está surpreendentemente vinculado à sua poética: é um estilo no qual estão atenuados os vínculos usuais da linguagem e criam-se vínculos inusuais, é um estilo que aligeira confrontações inesperadas, que liberta a obra da falsa beleza externa, que se rebela contra a trivialidade pequeno-burguesa das associações... A composição (no amplo sentido) e a 'feitura' da linguagem das obras de Dostoiévski são mantidas em um estilo altamente expressivo e desvinculado das relações idiomáticas triviais".[3]

Portanto, como traduzir um escritor que chega a ser "grosseiro" no trato da linguagem, "força" o discurso, é "inapto" na busca da expressão adequada, infringe as normas da língua e o padrão do bem escrever, é dado a "artificialismos" na busca do necessário matiz da forma discursiva, sem poder compenetrar-se de seu estilo por não ter acesso direto a ele, já que o traduz de uma segunda língua? Esse é um dilema que a tradução indireta não consegue resolver.

A instabilidade do estilo dostoievskiano é consentânea com a instabilidade do universo de seus romances, que são, todos sem exceção, uma representação da crise do mundo povoado por suas personagens, e de igual ma-

---

[1] D. S. Likhatchóv, "Niebrejênie slovom u Dostoievskogo" ("As 'palavras descuidadas' em Dostoiévski", em *Dostoievskii. Materiali i isssliédovaniya* (Dostoiévski. Materiais e estudos), Leningrado, Naúka, 1976, p. 36.

[2] *Idem*, p. 34.

[3] *Idem*, p. 41.

neira, com a crise vivida por essas personagens. E Dostoiévski é o maior artífice das crises que envolvem o homem. Quando suas personagens entram em crise, esta se manifesta imediatamente na linguagem. Vinte anos antes de escrever *Crime e castigo*, ele já vivera na novela *O duplo* (1846) uma experiência-limite com a linguagem, ainda mais radical do que vivera Gógol com *O capote* e *Diário de um louco*; o senhor Golyádkin, personagem central de *O duplo*, sofre de um distúrbio mental, tem personalidade e consciência desdobradas, fala uma linguagem igualmente desdobrada, que se desdobra, por sua vez, nas falas de interlocutores eventuais e/ou imaginários. Sua sintaxe é descontínua e sinuosa, sua linguagem, profundamente instável, as palavras se atropelam, o ritmo de sua fala é entrecortado, desarticulado como seu sistema nervoso. Tomados em conjunto, esses elementos caracterológicos levam a narrativa à quase intraduzibilidade. Pois bem, na edição brasileira da Aguilar, versão da tradução inglesa de *O duplo*, temos um ótimo texto em português, mas tão diferente do original que Dostoiévski praticamente desaparece. Todas as referidas peculiaridades de seu discurso se obliteram, o que vemos é um texto fluente, linear, e o distúrbio mental do protagonista deixa de se manifestar em sua linguagem. É o oposto total do texto de Dostoiévski. Mas como o livro é uma versão da tradução inglesa, os tradutores brasileiros não têm nenhuma culpa pelo sumiço do estilo do autor, pois não tiveram acesso direto a ele.

A falta de compreensão de que esses "desarranjos" de linguagem são parte inalienável do estilo de Dostoiévski leva alguns críticos ou leitores incipientes a afirmar que ele escrevia mal, ou a preferir versões de outras traduções à tradução direta.

Dostoiévski é rude quando a forma do discurso o requer, grosseiro quando o nível de educação e escolaridade dos falantes o exige, deselegante segundo as circunstâncias. Assim, em *Crime e castigo* há diferentes registros de discurso, dos quais vou comentar aqui apenas alguns.

Mikolka, protagonista do espancamento da eguinha (*kobílienka*, diminutivo de *kobila*, ou seja, égua, que na versão brasileira da tradução francesa de *Crime e castigo* foi traduzido como cavalo!) no sonho de Raskólnikov, é um tipo de baixíssimo nível de escolaridade, tosco, grosseiro e de espírito selvagem. Daí os erros de concordância verbo-nominal e a rudeza de sua linguagem, que estão em perfeita consonância com sua alma rústica.

Lújin é o burguês por excelência, indivíduo de nível cultural apenas mediano, mas com fumaças de culto, espécime detestado e caricaturado por Dostoiévski. Sua linguagem é marcada por seus interesses financeiros, cifrada em termos comerciais que fazem dele uma personagem-tipo. Daí a transformação de recursos comuns da língua numa espécie de cacoete: sempre arremata suas frases com o advérbio *viesmá* (muito, bastante, suficiente) duplicado — "*viesmá i viesmá*", que traduzi como "assaz", repetindo o adjetivo que o acompanha, o que só ressalta o seu pedantismo.

O juiz de instrução Porfiri Pietróvitch, de todas as personagens do romance, é quem mais se destaca ao usar uma linguagem cavilosa em seus diálogos com Raskólnikov. Toda a fala de Porfiri é deliberadamente empolada, uma armadilha sintática cujo fim é envolver Raskólnikov no remoinho de palavras e deixá-lo aturdido. Ora começa e não conclui uma frase, usa palavras descontextualizadas, faz que vai dizer algo mas não diz, inverte a ordem lógica da sintaxe, lança frases soltas e aparentemente desconexas, atribui a Raskólnikov palavras que este não disse e acaba produzindo um interrogatório sem aspecto de interrogatório, jogando iscas que Raskólnikov se nega a morder. Um leitor descuidado pode achar Porfiri um bobo ou amalucado, mas ao fim e ao cabo descobre que está diante de um estratagema genial.

O maior desafio do tradutor é justamente o de traduzir as falas das personagens. É aí que as coisas mais se complicam nas traduções indiretas. Nas versões de traduções tanto do francês quanto do inglês, atenuam-se tanto as peculiaridades das falas das personagens dostoievskianas que elas se desfiguram, quase se descaracterizam, e o resultado disso é um discurso linear, claro e elegante, bem ao gosto daquilo que o grande teórico da tradução Henri Meschonnic chama de "mito francês da clareza", coisa até antagônica a Dostoiévski. Além disso, o estilo de Dostoiévski, como assinala Likhatchóv, liberta a obra da "falsa beleza externa", tão cultivada pelo modo francês de traduzir. Isto provoca certo estranhamento no leitor habituado às traduções pautadas pelo beletrismo francês. Como já assinalei, Dostoiévski é rude, áspero, deselegante quando a forma da narração ou as características da personagem o requerem, logo, estilizá-lo e torná-lo palatável às chamadas regras do bem escrever significa trair uma peculiaridade essencial de seu estilo. Além disso, em sua obra são frequentes repetições da mesma palavra pelo narrador e até mesmo pelos personagens; repetições que, por uma questão de respeito ético pela palavra do outro, que considero inviolável, procuro sempre manter, porque fazem parte do estilo de Dostoiévski. O tradutor que, conscientemente, suprime palavras de uma obra ou amaneira o estilo do autor comete a presunção de se achar superior a ele a ponto de "corrigi-lo". Em suma, trai o autor.

## Traduzir ou descrever

Há mais de uma tradução de *Crime e castigo* para o português. Entre elas, a mais conhecida é a de Rosário Fusco, publicada pela editora José Olympio naquela extraordinária coleção das obras quase completas do autor russo. Trata-se de um ótimo texto em português, porém, como foi traduzido do francês, ou seja, é uma versão de tradução, saiu fortemente marcada por muitos elementos característicos da língua e da literatura francesa e do próprio modo pelo qual os franceses costumam traduzir obras de autores russos. Assim, nas muitas passagens em que o narrador, em plena empatia com a profunda tensão psicológica que envolve a ação romanesca, constrói um discurso em que essa tensão se manifesta através de evasivas, reticências, hesitações, indícios de descontinuidade do fluxo narrativo, o texto de Fusco é fluido, elegante, seguro, afastando a ideia de tensão que contagia praticamente toda a narração. Se isso ocorre no plano da narração, agrava-se sensivelmente no plano do discurso das personagens, sobretudo de Lújin, Porfiri e Mikolka: sem conseguir penetrar o labirinto de suas falas, o tradutor muitas vezes é levado a quase descrevê-las. Mas é bom que se ressalte: o tradutor brasileiro produziu uma versão da tradução francesa, não podendo ser responsabilizado por nenhum daqueles problemas que acabei de mencionar. *Os demônios*, por exemplo, traduzido por Rachel de Queiroz para a referida coleção da José Olympio, apresenta as mesmas qualidades e os mesmos desvios que mencionei na tradução indireta de *Crime e castigo*, porque sua fonte é a mesma: o texto de uma segunda língua.

Ao traduzir *Crime e castigo*, procurei manter os elementos de estilo que são peculiares ao autor. Dostoiévski usa com certa frequência o travessão — ora para enfatizar um pensamento do narrador ou de alguma personagem, ora para inserir outras ideias na discussão etc.; emprega, e muito, duas (e às vezes até mais) adversativas contíguas, como "*no, odnako je*", que traduzi o mais das vezes como "mas, não obstante"; abusa do emprego do advérbio *vdrug* (um cacoete que chega a aparecer cinco vezes em um parágrafo), que traduzi como "de repente", "num repente", "súbito", "num átimo", "de uma hora para outra", "eis que" etc. A instabilidade e as aparentes indefinições do estilo dostoievskiano apontadas por Likhatchóv manifestam-se ainda na profusão dos "como que...", "pelo visto", "em parte", "sabe-se lá como", "não sei se...", "um tanto" etc., como se houvesse hesitações por parte do narrador ou do falante. O discurso dostoievskiano nem sempre prima pela fluência, pela elegância; sua constituição depende do clima social e psicológico em que se desenvolve a narração, da tensão psicológica que envolve as vozes das personagens, do grau de empatia entre o narrador e as personagens. O enredo de *Crime e castigo* é marcado por uma tensão dramática às vezes até sufocante, que decorre do labirinto discursivo em que se encontram as suas personagens, daí a forma sinuosa que as suas falas assumem. Amaneirar o discurso de Dostoiévski para torná-lo "mais elegante" e "mais fluido" significaria atentar contra a originalidade de um autor cuja peculiaridade principal é a ruptura com as matrizes tradicionais do pensamento e suas formas de expressão.

## Ordem linguística *versus* ordem poética

Há uma questão que considero de primeira importância na tradução de ficção e que chamo de *conflito entre a ordem linguística e a ordem poética.* A ordem linguística é restritiva, está centrada no significado isolado de palavras e frases, é responsável pela ilusão de literalidade e fidelidade à letra do texto. Já a ordem poética está alicerçada nos sentidos emanados do espírito do contexto, sedimenta sua continuidade e faz o leitor sentir-se envolvido no espírito desse contexto. Tomemos um exemplo de minha tradução de *O adolescente*.[4] Na página 158, rica em expressões alegóricas, como "matar dois coelhos de uma só cajadada" e "mais vale um pássaro na mão do que dois voando", o adolescente e narrador Arkadi conversa com Stebielkóv a respeito de Viersílov (pai do adolescente), quando, da casa ao lado, alguém declara em voz alta: "Viersílov mora no Semiónovski Polk". Stebielkóv ouve e diz, ao pé da letra: "Nós aqui falando dele e ele já está lá". Envolvido pelo clima emanado da referência a Viersílov, o próprio Arkadi se pergunta: "que jeito Viersílov dera para estar também ali?". Acontece que Viersílov não estava ali, na casa ao lado, mas tão somente na referência feita por outra personagem. O significado da frase diz uma coisa, o sentido poético sugere outra: ele não está presente, apenas é referido. Stebielkóv completa sua afirmação usando a seu modo e pela metade um provérbio francês: "*Quand on parle d'une corde...*", deixando no ar uma reticência que só intensifica o sentido alegórico de sua fala. Acontece que o provérbio francês, completo, diz: "*Quand on parle du loup, ou en voit la queue*", isto é, "Quando se fala de lobo, logo se vê o rabo". A primeira variante do pro-

[4] Fiódor Dostoiévski, *O adolescente*, tradução de Paulo Bezerra, São Paulo, Editora 34, 2015.

vérbio francês, deturpada por Stebielkóv, poderia sugerir o nosso "Falando de corda em casa de enforcado", o que se desviaria do espírito do contexto. Já o provérbio "*Quand on parle du loup, ou en voit la queue*" está em consonância com o nosso "É só falar no diabo que ele aparece".

Verifica-se que o espírito alegórico das falas acentua o conflito entre o poético e o linguístico, pedindo uma solução poética, ou melhor, pedindo aquilo que Paul Valéry chama de "induzir o leitor ao estado poético". E como o leitor que lê Dostoiévski em minha tradução é o leitor brasileiro, e a lê em português do Brasil, resolvi traduzir o literal "Nós aqui falando dele e ele já está lá" pelo poético "É só falar no diabo que ele aparece", visando a atingir esse estado poético e, através dele, fazer o leitor sentir-se identificado com o contexto.

Assim, a ordem poética corrige a ordem linguística, liberta o discurso do cativeiro do significado da frase isolada, dilatando o espaço da significação e priorizando o sentido do contexto. Ademais, dá ao leitor na língua de chegada a sensação de continuidade do universo representado, dando ao discurso aquela unidade que "é da ordem do contínuo — pelo ritmo, pela prosódia", como afirma Meschonnic.[5] Combinar ordem linguística e ordem poética é essencial em tradução de ficção.

Vejamos em *Crime e castigo* alguns exemplos à luz desta reflexão teórica.

Na segunda parte do romance, o tenente de polícia Ilyá Pietróvitch conversa com Laviza Ivánovna, uma alemã de nome russo, dona de uma casa de "diversões" que comparecera à delegacia por causa de uma queixa de escândalo em seu estabelecimento, e a ameaça usando a expressão popular "*brat na tsugúnder*", que significa chamar alguém à responsabilidade, aplicar represália ou corretivo, dar uma lição em alguém: "Agora escuta, respeitabilíssima Laviza Ivánovna, é fim de papo, é a última vez mesmo. Se pelo menos mais uma única vez houver escândalo em tua nobre casa, eu te mostro com quantos paus se faz uma canoa" ("*ya tebyá samóe na tsugúnder*"). Minha opção por "mostrar com quantos paus se faz uma canoa" deveu-se ao fato de que no original a expressão, apesar de conter uma ameaça velada, é uma brincadeira, e também por considerar que muita gente, inclusive alguns policiais e seus superiores, tem certa "culpa no cartório" de Laviza Ivánovna.

---

[5] Henri Meschonnic, *Poética do traduzir*, tradução de Jerusa Pires Ferreira e Suely Fenerich, São Paulo, Perspectiva, 2010, p. xxxi.

No terceiro capítulo da quarta parte, Razumíkhin explica a Dúnia seu projeto de fundar uma editora, o modo operacional, as fases dos ganhos, e arremata: "*Pomaliénku natchniom, do bolchóvo doidióm*". Segundo a ordem linguística, a tradução literal seria "Quem aos poucos começa, muito realiza", mas como o sentido do original é similar ao nosso adágio em português "De grão em grão a galinha enche o papo", optei pelo adágio que, como tal, pertence à ordem poética e é mais adequado ao nosso jeito brasileiro de falar.

No fim do sétimo capítulo da sexta parte, Raskólnikov está indo à delegacia confessar o assassinato, mas antes trava com Dúnia um diálogo tenso e sôfrego que tem grande importância para a interpretação do romance. Dúnia pergunta: "Será que tu, ao assumires o sofrimento, já não apagas metade do teu crime?". A reação de Raskólnikov é veemente e, seguindo a ordem linguística, seu sentido mais ou menos literal é este: "Crime? Que crime?... o fato de eu ter matado um piolho nojento, nocivo, uma velhota usurária de quem ninguém precisa e que quem a mata tem quarenta pecados perdoados [*sórok griekhóv prostyat*], que sugava a seiva dos pobres, e isso ainda é crime? Não penso nele, e nem sequer penso em apagá-lo".

Na ordem linguística e literal, a expressão "*sórok griekhóv prostyát*" significa "tem quarenta pecados perdoados", mas na ordem poética é similar ao nosso adágio brasileiro "ladrão que rouba ladrão tem cem anos de perdão". Como não se pode aplicar a Raskólnikov a pecha de ladrão, mas a de homicida, a ordem poética requereu a seguinte redação final da fala de Raskólnikov, mais condizente com espírito do contexto: "Crime? Que crime?... O fato de eu ter matado um piolho nojento, nocivo, uma velhota usurária, que não faz falta a ninguém? Tem cem anos de perdão aquele que mata quem sugava a seiva dos pobres; isso lá é crime? Não penso nele, e nem sequer penso em apagá-lo".

Tem sido uma constante em muitas análises de *Crime e castigo*, sobretudo naquelas de cunho psicanalítico, a insistência num sentimento de culpa em Raskólnikov. Contudo, sua resposta à irmã, uma declaração essencial para o entendimento do romance, produz de fato uma redução zoomórfica da velha, cujo fim é eliminar a ideia de crime. Ele não matou uma pessoa humana, matou um inseto. Portanto, não houve crime, logo, não há culpa, não há remorso. E Raskólnikov ainda pode se considerar um justiceiro, pois matou "um piolho que sugava a seiva dos pobres".

## A onomástica

A onomástica é parte inseparável da poética de Dostoiévski desde os seus primeiros livros. O significado do nome da personagem ora mantém relação semântica integral com o nome de origem, ora sofre alterações decorrentes de sua apropriação pela cultura russa. Em Dostoiévski ele está sempre ligado à função que a personagem exerce na narrativa.

*Crime e castigo* segue o mesmo padrão das duas primeiras novelas do autor, *Gente pobre* e *O duplo* (ambas de 1846). Diévuchkin, sobrenome da personagem central de *Gente pobre*, deriva do substantivo feminino *diévuchka*, que significa moça e remete a *diévotchka*, ou seja, menina ou criança do sexo feminino, e também a *diévstvenniy*, isto é, casto, puro, inocente, cândido. Todos esses caracteres definem a sua personalidade, marcada ainda por uma grande bondade e um aguçado senso de solidariedade. Golyádkin, personagem central de *O duplo*, deriva de *gol*, que no russo antigo significa pobreza, do qual deriva *góliy*, isto é, nu, pobre, miserável, e remete a *gólod*, fome. Embora o senhor Golyádkin seja um pequeno funcionário público e não propriamente um miserável, os componentes do seu nome remetem à condição de penúria social e isolamento a que ele é relegado pelo sistema ao qual pertence, mas que não o reconhece como pessoa.

### *Os Románov/Raskólnikov*

*Pulkhéria Aleksándrovna Raskólnikova*

Embora as fontes russas apontem no grego a origem do nome da mãe de Raskólnikov, Pulkhéria, a meu ver esse nome deriva do latim *pulcra*, isto é, bonita, bela. Na tradição russa as Pulkhérias são pacientes, avessas a conflitos, organizadas e honestas, tal como se mostra esta personagem em *Crime e castigo*.

*Rodión Románovitch Raskólnikov*

O sobrenome Raskólnikov tem várias origens, das quais duas são as mais importantes: *raskol* (cisão), e *raskólnik* (cismático), participante do movimento sócio-religioso dos *raskólniki* que se espalhou pela Rússia a partir do século XVII e criou sérios atritos com a Igreja Ortodoxa e o governo. De fato, com a criação de Raskólnikov, Dostoiévski inicia um cisma no sistema literário russo, rompendo com todas as convenções até então vigentes na construção das personagens, fazendo conviverem na mesma imagem valores diametralmente opostos: a capacidade de se sacrificar pelos outros e a de cometer um assassinato movido por uma teoria. Raskólnikov acaba sendo o primeiro cismático da literatura russa. Sua natureza cismática o mergulha na terrível solidão e amiúde o afasta das pessoas, inclusive da mãe e da irmã, além do seu melhor amigo, Razumíkhin.

De *raskol*-cisão deriva a característica filosófica determinante do sobrenome Raskólnikov: o homem cindido entre dois princípios opostos — um ético e um antiético. O ético o torna solidário com os necessitados a ponto de lhes doar seus últimos centavos, ficando sem recursos para se alimentar, e o leva a arriscar a própria vida para salvar crianças em um incêndio; o antiético o conduz ao experimento-limite de cometer um assassinato movido por uma teoria. Sua consciência igualmente cindida o leva a criar uma teoria que divide os homens em ordinários e extraordinários, permitindo a estes o derramamento de sangue em nome de uma ideia ou uma causa. O lado antiético o leva ao extremo do individualismo, fazendo-o sentir-se um homem extraordinário a quem tudo é permitido, antecipando a reflexão filosófica de Ivan Karamázov sobre esse tema e também a ideia do super-homem de Nietzsche. Desse *raskol*-cisão decorre uma questão de ordem estético-filosófica que atravessa o romance e é central em toda a obra de Dostoiévski: as personagens sempre se encontram numa situação-limite. O crítico Vikenti Vieressáiev define com precisão esse dilema das criaturas de Dostoiévski: "O homem se encontra diante de um 'limite'. Alguém o proibiu de ultrapassar o limite. O homem destronou quem o proibia e ultrapassou o limite".[6]

Ao longo de toda a narrativa, Raskólnikov se defronta com esse limite. Na passagem crucial em que confessa o assassinato a Sônia, ele declara: "Naquela ocasião eu precisava saber, e saber o quanto antes: sou um piolho, como todos, ou um homem? Posso ultrapassar (isto é, o limite) ou não?". A ideia de cisão, raiz do sobrenome Raskólnikov, faz deste uma figura sempre colocada numa situação-limite.

Há várias definições do nome Rodión e de seu patronímico Románovitch, mas, tendo em vista a aguçada sensibilidade de Dostoiévski para as vicissitudes da história e a vinculação de suas personagens com essas vicissitudes, fico com a definição de Rodión como derivado de *ródina*, isto é, pátria. Ademais, ao longo de todo o romance, a mãe, a irmã de Raskólnikov e seu

---

[6] V. V. Vieressáiev, *Obras escolhidas*, t. 3, Moscou, 1961, p. 290. *Apud* I. V. Bitchko, *Posnánie i svoboda. Nad tchem rabotáyut, o tchom spóryat filósofi* (Conhecimento e liberdade. Em que trabalham e sobre o que discutem os filósofos), Moscou, Politizdat, 1960, p. 101.

amigo Razumíkhin o chamam constantemente pelo hipocorístico Ródia, o que o aproxima ainda mais de *ródina*-pátria. Románovitch é patronímico de Románov; Raskólnikov é um Románov cindido; os Románov formaram a dinastia que reinou na Rússia entre 1613 e 1917. Logo, pode-se interpretar Rodión Románovitch Raskólnikov como símbolo da pátria cindida dos Románov — cindida no tempo de Dostoiévski e cindida até hoje.

*Avdótia Románovna Raskólnikova*

Avdótia, cujo hipocorístico é Dúnia, deriva do grego Eudóxia, que, segundo Regina Obata, significa "de boa opinião", "que pensa bem" e tem "boa reputação",[7] mas na tradição russa significa mulher benevolente, maravilhosa, independente, autossuficiente, segura de si. Por sua benevolência dispunha-se a casar-se sem amor com Lújin a fim de ajudar Raskólnikov a custear seus estudos na universidade. Quando Raskólnikov, percebendo que sua irmã se sacrificava por ele, rejeitou esse sacrifício ao ver no casamento por mero interesse uma forma de prostituição, a princípio, Dúnia ainda tentou contra-argumentar, defender sua opinião, mas o desenrolar dos acontecimentos e as atitudes vis de Lújin fizeram prevalecer nela a autossuficiência e a segurança. As qualidades do "bem pensar" fizeram de Dúnia uma interlocutora à altura nos diálogos com Raskólnikov e no rompimento com Lújin.

*A família Marmieládov*

*Semion Zakháritch Marmieládov*

O nome Semion Zakháritch Marmieládov tem uma forte carga simbólica. Derivado do hebraico antigo, Semion é "o ouvido por Deus" ou "o que ouviu Deus". Na tradição popular russa é um indivíduo dotado de certo talento, e graças a isto costuma arranjar-se na vida. É assíduo no trabalho, mas desprovido de ambição e propenso a aceitar as pequenas coisas do trabalho e da vida. As mulheres dos Semions costumam se dar bem na vida. Zakháritch é patronímico da Zakhar, derivado de Zakharyah, que no hebraico antigo significa "Deus se lembra" ou "lembrado por Deus". Os Zakhar costumam ser pessoas modestas, boas e solícitas, propensas à camaradagem e a uma boa conversa ao redor da mesa. São pacientes, bons maridos, protetores de suas mulheres. A essas qualidades "divinas" junta-se o simbólico Marmieládov, associação com a maciez e a doçura, marcas do

[7] Regina Obata, *O livro dos nomes*, São Paulo, Círculo do Livro, 1986, p. 81.

temperamento da personagem. Na figura de Marmieládov, Dostoiévski cria uma personagem cuja imagem se alicerça numa profunda ambiguidade: o sagrado, fundado na genealogia e na tradição do nome, convive com o comportamento profano de um homem que, em sua mórbida dependência do álcool, desce aos últimos degraus da dignidade humana, a ponto de surripiar os últimos centavos com que a mulher contava para alimentar os filhos e se apossar de trocados que restaram à filha do dinheiro obtido com a venda do corpo — e tudo isso para saciar seu vício.

A entrada de Marmieládov no romance insere em sua narrativa um tema evangélico, que passa a ser estrutural e determinante para todo o desenrolar e o desfecho da história. Como observa o crítico Nikolai Tchirkóv, "Raskólnikov, Marmieládov e Sônia formam uma espécie de tríade", composta pelas "imagens evangélicas do assassino, do sofredor e da devassa".[8] Marmieládov é um amálgama de desencontros e contradições numa única pessoa, a imagem da consciência angustiada pela culpa perante a família, sobretudo perante Sônia, e ao mesmo tempo incapaz de reagir a tudo o que o devasta moralmente. A fortuna crítica de Dostoiévski costuma apresentar Marmieládov como um dos mais notórios representantes da galeria dos humilhados e ofendidos, como se o criador sentisse apenas compaixão por sua criatura. Mas o humanismo ético de Dostoiévski jamais isenta o homem da responsabilidade por seus atos; se, por um lado, põe na boca de Marmieládov um discurso filosófico de forte crítica social no diálogo com Raskólnikov, por outro o obriga a fazer um suicídio moral que é, em essência, sua autonegação, seu autodesmascaramento.

*Sônia Semiónovna Marmieládova*

Sônia é variante russa do grego Sophia, que significa sabedoria, ciência e também racionalidade, sensatez. O sobrenome Marmieládova forma uma espécie de epíteto: doce Sônia. Ao longo do romance recebe o hipocorístico Sónietchka (Soninha), ressaltando-se assim seu lado infantil. O narrador usa constantemente esse hipocorístico como que para destacar sua excepcional capacidade de conciliar o inconciliável, revestindo-a de uma peculiaridade ímpar que o crítico M. S. Altman definiu como "serena sabedoria". Há de se destacar que no início da história Raskólnikov a chama de Sófia Semiónovna, como se com isto quisesse ressaltar sua sabedoria nada infantil.

---

[8] N. M. Tchirkóv, *O stile Dostoievskogo* (O estilo de Dostoiévski), Moscou, Naúka, 1966, p. 106.

Retomando o tema do Evangelho, cabe salientar que ele sofre uma profunda transformação filosófica e social, a começar pelo fato de que Sônia vende o corpo exclusivamente para salvar da morte de fome os irmãos não consanguíneos e a madrasta, sem jamais ostentar o mínimo traço de prostituta, como se nela corpo e alma fossem duas entidades diametralmente opostas. Ademais, a personalidade de Sônia é a encarnação de uma ética social cristã primitiva, anterior à ética da Igreja Ortodoxa e que em nada se coaduna com as atividades do sexo.

É notável que, ao introduzir o beberrão Marmieládov no romance e, com ele, a história da desgraça que se abatera sobre Catierina Ivánovna e seus filhinhos e da tentativa sacrificial de Sônia para salvá-los, o autor começa a traçar uma linha de aproximação gradual e segura entre Raskólnikov e Sônia. Numa relação dialógica intensa e profunda, em que a palavra de um falante abre uma fissura na consciência do outro, os diálogos que Raskólnikov começa a entabular com Sônia aprofundam essa fissura em sua consciência e pouco a pouco vão amolecendo o núcleo de sua alma, que o excesso de lógica e teorismo havia empedernido. É próprio da relação dialógica um dos participantes do diálogo incorporar qualidades do interlocutor a ponto de um sentir falta do outro e torná-lo um duplo indispensável, colocando ambos em pé de igualdade. Esse processo se consolida na cena do encontro dos dois no quarto de Sônia para a leitura da "Ressurreição de Lázaro", assim descrita pelo narrador: "O toco de vela há muito se extinguia no castiçal torto, iluminando frouxamente naquele quarto miserável um assassino e uma devassa, que se haviam unido estranhamente durante a leitura do livro eterno".

Duas palavras do narrador chamam de imediato a atenção: "estranhamente" e "devassa". Primeiro: os dois não se uniram "estranhamente"; essa união já vinha sendo forjada, e de forma consistente, desde as primeiras atitudes de Raskólnikov em relação a Catierina Ivánovna e seus filhos e o tratamento respeitoso que dispensava à própria Sônia, que, por confiar plenamente nela, ele escolhera para confidente. Segundo: apesar de Sônia vender o corpo, não há, em todo o romance, uma única atitude da parte dela que se possa classificar de devassa.

Entre os estudiosos de Dostoiévski, Tchirkóv tem, a meu ver, a análise mais percuciente da relação Sônia-Raskólnikov. Para ele, Sônia é a imagem maior do espírito de sacrifício pelos outros, da capacidade de enfrentar a suprema humilhação de vender o corpo e compartilhar com um assassino o seu próprio destino, mesmo sem ter a mínima ideia do fim que ele terá. Ainda segundo Tchirkóv, existe a mais profunda consonância entre os destinos dessas duas personagens, que esconde o sentido final do romance: Raskólnikov comete o assassinato fortemente impressionado com o sofrimento alheio, sobretudo da mãe e da irmã; Sônia, tocada pela miséria e o sofrimento dos irmãozinhos postiços e da madrasta, torna-se prostituta. Mas Raskólnikov caminha para o assassinato através da máxima autoafirmação, ao passo que Sônia cai na prostituição através da máxima autonegação.[9]

No início da década de 1860, Dostoiévski preconiza o *potchvennítchestvo*, movimento filosófico-social que defendia o retorno dos intelectuais ao solo (*potchva*) e ao povo como fundamento do espírito nacional russo e caminho para um desenvolvimento nacional positivo e autêntico. O *potchvennítchestvo* seria o meio através do qual os intelectuais restabeleceriam o elo perdido com o solo-terra e o povo, levaria a este ilustração e cultura, assumiria o espírito popular e formaria com o povo uma unidade nacional indestrutível. O tripé terra-povo-pátria é o fulcro ideológico fora do qual é inconcebível a unidade nacional. Por isso, quando Raskólnikov confessa a Sônia que matara a velha e a irmã, ela assume o papel de uma nova Gaia, uma nova Mãe-Terra profanada, e ordena que ele vá a um cruzamento, beije a terra que profanou, em seguida faça uma reverência ao mundo inteiro e diga a todos de viva voz: "Eu matei!", sou um assassino. Confessado o crime, a nova Gaia se sente ao menos conformada e em condições de segui-lo para onde quer que o destino os mandasse.

As profundas afinidades entre Sônia e Raskólnikov fazem-no senti-la como um duplo do qual ele não pode prescindir, além da mulher que ele teima em não reconhecer como sua amada. Os dois se completam na desgraça e irão completar-se também na alegria, graças, e muito, às qualidades de Sônia. Aquela "serena sabedoria", aliada à doçura e à maciez do sobrenome, é definitiva para suavizar a dureza de alma de Raskólnikov, tirá-lo do seu racionalismo exacerbado, fundado exclusivamente numa pretensa lógica da história, que o priva da afetividade da vida real e inicialmente o impede de entender seus companheiros galés, o que quase termina de forma trágica para ele. É ainda essa "serena sabedoria" de Sônia, aliada à firmeza de sua religiosidade autêntica e ao seu espírito desmedidamente solidário, que ajuda Raskólnikov a despir-se pouco a pouco de seu orgulho exagerado, em parte decorrente de seu teorismo, e iniciar uma autoanálise implacável de sua personalidade e dos seus atos, fundamental para reinseri-lo em suas naturais qualidades humanas e em sua afetividade adormecida, condição essencial para o desfecho da história.

---

[9] *Idem*, pp. 106-7.

*Catierina Ivánovna*

O nome Catierina deriva da palavra grega *katarios*, que significa pura, casta, imaculada. Da mesma palavra grega deriva catarse, ou seja, purificação, purgação. Esses detalhes sem dúvida pesaram na escolha do nome da heroína.

Além dos referidos aspectos etimológicos, o nome Catierina evoca na cultura russa uma natureza dada a "rompantes de paixão" e "autoafirmação". As Catierinas da vida real são muito impulsivas, dotadas de uma grande autoestima e a muito custo suportam a superioridade de alguém. Costumam ser "fantasistas" e "ricas de imaginação".

Amiúde, a "pureza" de Catierina a torna crédula a ponto de acreditar na "nobreza" de Lújin e interpretar sua alusão a uma possível recompensa do Estado pela morte do marido como uma pensão segura, com a qual ela abriria um educandário para moças em sua cidade natal. A essa pureza, consoante com a etimologia do nome, juntam-se os ingredientes que esse nome ganhou na cultura russa, como a natureza fantasista e a imaginação fértil, do que resulta uma personagem situada entre dois fogos: o de uma realidade funesta de miséria e tísica que a esmaga a cada dia, a cada hora, a cada minuto, e o da premente necessidade de alguma saída, alguma fuga dessa moenda fria; daí sua fantasia com um imaginário benfeitor do seu falecido marido, com o general que ela, nos estertores do seu desespero, tenta inutilmente tirar da mesa para ouvi-la. É o último ato de uma história de horrores, cujo desfecho é o espetáculo tragicômico de seu desfile com as crianças forçadas a cantar e dançar na rua para angariar algum dinheiro. Para quem tinha um senso tão agudo de dignidade, após esse episódio só restava a morte. E aqui se encaixa em engenhosa articulação onomástica a palavra derivada da mesma etimologia do nome Catierina, que Aristóteles consagrou como efeito do espetáculo trágico: a catarse. O leitor que observou a tempestade de desgraças que desabou sobre Catierina Ivánovna e acompanhou sua longa agonia social e física, sente-se de repente aliviado com o fim de sua desventurada história.

A fortuna crítica de Dostoiévski já estabeleceu que todas as suas grandes personagens têm protótipos reais. O de Catierina Ivánovna teria sido Mária Dmítrievna Dostoiévskaia, a primeira mulher com quem o romancista esteve casado, de 1857 a 1864, quando ela morreu de tísica. Como Catierina Ivánovna, Mária Dmítrievna fora casada com um alcoólatra, nutria uma terrível revolta contra o destino, tinha acessos de agressividade e desespero. Com ela Catierina Ivánovna tem várias afinidades psicológicas, como uma desconfiança exacerbada e uma natureza morbidamente fantasiosa, além de uma infinita bondade e uma genuína nobreza. Segundo alguns biógrafos de Dostoiévski, o romancista se baseou no lento sofrimento, na agonia e na morte de Mária Dmítrievna para representar o mesmo processo em Catierina Ivánovna.

*Outras personagens*

*Dmitri Prokófitch Razumíkhin*

Razumíkhin (como todos o chamam) é derivado de *rázum*, isto é, razão, juízo, intelecto, inteligência. De *rázum* derivam *razuménie*, ou seja, entendimento, compreensão, bem como *razúmniy*, isto é, racional, sensato. Melhor amigo de Raskólnikov desde os tempos de faculdade e em alguns sentidos seu duplo, difere radicalmente dele por ser muito alegre e comunicativo, além de ter o senso prático que falta ao amigo. A sensatez sugerida pelo nome, aliada a uma bondade e uma simplicidade infinitas, é determinante para mitigar o desespero que se apodera da mãe e da irmã de Raskólnikov depois da notícia do assassinato, estabelecer o necessário equilíbrio na relação entre eles, ganhar a confiança total das duas e terminar o romance casado com Dúnia e construindo um projeto de futuro para a família.

*Zóssimov*

Zóssimov, derivado do grego *zoss*, significa vivo, vívido, vivente, cheio de vida. Seu papel no romance se reduz quase exclusivamente a cuidar de Raskólnikov e estudar o tipo de distúrbio que marca o comportamento do herói. Em russo também se pronúncia Zossímov, mas preferi Zóssimov para aproximá-lo do nosso Zózimo.

*Porfiri Pietróvitch*

Pesquisei em várias fontes russas um significado do nome Porfiri que se adequasse à imagem da personagem Porfiri Pietróvitch, mas todas se limitavam ao *Porphyrion* grego, que significa "cor púrpura" ou "purpúreo", e essa chave semântica não tem relação com a função que a personagem exerce no romance. Acabei encontrando outra definição: o Porfiri mencionado na cultura russa é pessoa polivalente, suave, em suas conversas costuma misturar o sério com o jocoso, é dotado de uma natureza forte, de uma vontade firme, de uma extraordinária intuição e de um modo de pensar ao mesmo tempo analítico e sintético, o que dá amplitude às potencialidades de seu pensamento e permite realizar o que é inalcançável ao homem comum.

As características acima mencionadas correspondem à imagem de Porfiri Pietróvitch. Quando, duas semanas antes do assassinato da velha Aliena Ivánovna, ele lê num jornal o artigo anônimo "Sobre o crime", no qual o autor defendia o direito de homens "extraordinários" eliminarem homens "ordinários" em nome de uma ideia, sua notável intuição o faz perceber, pela força e a naturalidade dos argumentos, que aquele autor não ficaria só nas palavras. Então procura a redação do jornal e descobre o nome do autor: Raskólnikov. Perpetrado o assassinato, Porfiri logo desconfia de Raskólnikov e começa a cercá-lo, mas com tanta habilidade que no início os diálogos entre os dois, marcados por uma sintaxe descontínua e permeados de ditos desconexos, piadas e risos, mais parecem uma conversa entre amigos do que um interrogatório de praxe. Seu modo de pensar ao mesmo tempo analítico e sintético envolve Raskólnikov numa teia sutil, levando-o a desconfiar de que está sendo gradualmente desmascarado e deixando-lhe os nervos em destroços. Quando, já nas vésperas de denunciar Raskólnikov, Mikolka aparece e, levado pela tradicional necessidade popular de assumir o sofrimento — uma peculiaridade da cultura russa —, confessa o assassinato, Porfiri fica momentaneamente estupefato, mas sua intuição o faz desconfiar e logo concluir que Mikolka está mentindo. Até o ato da acusação final que ele faz a Raskólnikov tem um sabor de brincadeira: ele ia passando e resolveu fazer uma visitinha a Raskólnikov.

*Piotr Pietróvitch Lújin*

Lújin deriva imediatamente de *luja*, que significa poça, mas também charco, no qual se sujam todos os que entram em contato com ele. Trata-se de um epíteto de fortíssima conotação, que alude a duas características da personagem Lújin: sujeira, sordidez moral de quem se vale do dinheiro para comprar tudo, inclusive uma esposa pobre que, de preferência, já tenha sofrido constrangimento moral e humilhação pública, ficando assim na condição de eterna devedora de um marido salvador e por isso sempre grata e submissa a ele: superficialidade, platitude do pensamento e do discurso. É, na concepção de Dostoiévski, uma personagem-tipo do capitalismo russo, ainda raso como uma poça no tempo da ação do romance.

*Arkadi Ivánovitch Svidrigáilov*

O sobrenome Svidrigáilov deriva do adjetivo alemão *geil*, lascivo, voluptuoso. A semântica do seu nome se associa ao perfil de libertino por excelência e determina toda a história da sua personalidade e do seu comportamento até o momento em que ele se apaixona loucamente por Dúnia. Latifundiário e alheio a quaisquer princípios morais, sofre de uma animalesca incontinência sexual, que o transforma em pedófilo e responsável pelo suicídio de uma menina. Pesam sobre seus ombros a morte do criado Filipp e da esposa Marfa Pietróvna. A esses crimes acrescenta-se o cinismo típico do depravado, que chega a se vangloriar dos seus atos sórdidos quando conta as suas "aventuras" e a declarar que em Petersburgo gosta mesmo é do submundo do sexo, de toda espécie de "cloacas". Em seu amoralismo, ouve atrás da porta de seu quarto, contíguo ao de Sônia, Raskólnikov confessar que matara a velha e a irmã, e resolve chantagear Dúnia, oferecendo-lhe o silêncio em torno desse crime e ajuda ao seu irmão em troca de favores sexuais. Até esse momento predominara em seu comportamento o sentido oriundo de seu nome. A impressionante cena do encontro com Dúnia, quando ela tenta matá-lo, revela um Svidrigáilov até então desconhecido: ele aceita a perda definitiva do seu amor quando praticamente a tinha sob seu poder, pelo simples fato de que ela afirmou que nunca poderia amá-lo. Ele perde o último objetivo de sua vida. É o seu fim.

Svidrigáilov é a personagem mais complexa de todo o romance. Como sempre acontece em Dostoiévski, nesse mundo não há santos: o indivíduo é um amálgama de contradições, que convivem em igualdade numa mesma alma, num movimento pendular de opostos que se manifestam segundo as circunstâncias. Svidrigáilov compreende as motivações de Raskólnikov, não o censura, assim como não censura ninguém, e promete-lhe ajuda para fugir; Raskólnikov percebe que os dois têm vários traços em comum. Dostoiévski faz de Svidrigáilov um duplo atenuado de Raskólnikov. Em seus últimos atos em vida, Svidrigáilov custeia os funerais de Catierina Ivánovna, assegura o futuro de seus filhos e de Sônia e, assim, afirma uma qualidade individual que Tchirkóv chamou de "homem universo", isto é, aquele que reúne em si "as mais irrestritas possibilidades do vício", "entrega total de si mesmo ao poder do mal" e ao mesmo tempo uma "possibilidade ilimitada de ir ao encontro do bem".[10]

*Andriêi Semiónovitch Liebezyátnikov*

Liebezyátnikov, derivado de *lebezit*, que significa adular, bajular, lisonjear, desmanchar-se em obséquios, gravitar em torno de alguém, rastejar, bisbilhotar, mexericar, em suma, todos os elementos que caracterizam o comportamento de Liebezyátnikov com Lújin antes da famosa cena em que este tenta desmoralizar Sônia em público, acusando-a de roubo. Mas, como

---

[10] *Idem*, p. 101.

acontece em Dostoiévski, as personagens sempre evoluem ao longo da narrativa segundo as circunstâncias que as envolvem, e de uma hora para outra revelam peculiaridades do seu caráter até então desconhecidas. O mesmo Liebezyátnikov que caluniara Sônia e altercara com Catierina Ivánovna, desmascara a armação grosseira e canalha de Lújin contra Sônia, tornando-se depois amigo dela e de Raskólnikov.

*Nastácia Nikíforovna*

Nastácia, nome derivado de Anastácia, no imaginário russo costuma ser pessoa simpática, brincalhona, solícita, habitualmente disposta a ajudar a quem dela precise, e foi assim que sempre tratou Raskólnikov durante o tempo em que ele foi inquilino de sua senhoria.

## Uma luz no fim do túnel: a Idade de Ouro

O tema da Idade de Ouro é representado na obra de Dostoiévski sob a forma de sonho, mas nem todos os heróis têm direito à sua Idade de Ouro, que na ótica dostoievskiana é a representação de um futuro. Por exemplo, o sonho de Svidrigáilov em *Crime e castigo* é o pesadelo do seu impasse, a punição pelos crimes cometidos, inclusive o de pedofilia, que inviabilizam o seu futuro.

Igual destino sofre o sonho de Stavróguin em *Os demônios*, também punido pelo crime de pedofilia. Só aquelas personagens dotadas de caráter e convicções humanistas têm direito ao sonho com sua Idade de Ouro, com seu futuro, como se verifica no sonho do homem ridículo na novela homônima, o sonho de Viersílov em *O adolescente* e com Raskólnikov, que não sonha, mas lobriga sua Idade de Ouro.

O final de *Crime e castigo* se presta a várias interpretações, muitas delas (talvez a maioria) de cunho estritamente religioso. Tchirkóv, um crítico marxista, vê na "Ressurreição de Lázaro" um protótipo final do destino de Raskólnikov, o centro que atrai todos os raios oriundos de todas as partes do romance, sua ideia central: a ideia do renascimento espiritual do herói no fim do romance.[11] Trata-se de uma conclusão altamente válida, mas não se pode ignorar uma questão de suma importância para Dostoiévski: o tema da Idade de Ouro, na qual o homem encontra sua unidade na história e na cultura e a partir dela projeta o seu futuro. A cena final do epílogo do ro-

[11] *Idem*, p. 107.

mance sugere outra ideia, que completa a sugerida por Tchirkóv. Em um dia claro e morno, Raskólnikov está sentado à margem do rio, contemplando as vastas redondezas, e depara-se com um quadro que remete à Idade de Ouro: "Da outra margem distante chegava o som de uma canção que mal se ouvia. Lá, na estepe sem fim banhada de sol, negrejavam tendas de nômades como pontinhos que mal se distinguiam. Ali havia liberdade e vivia outra gente, em nada parecida à de cá, lá era como se o próprio tempo houvesse parado, como se ainda não tivessem passado o século de Abraão e o seu rebanho. Raskólnikov estava sentado e olhando imóvel, sem desviar a vista; seu pensamento passou aos devaneios, à contemplação".

Depois de viver as agruras dos trabalhos forçados, superar a desconfiança e a hostilidade dos galés e o longo processo de sua reconstrução interior na interação com Sônia, que, a seu pedido, lê para ele a "Ressurreição de Lázaro", Raskólnikov reencontra sua essência natural e humana e renasce na identificação com aquela "outra gente" livre (*nota bene*) da margem oposta, habitante daquela estepe sem fim e banhada pelo sol, símbolo da redenção humana na obra de Dostoiévski. Isto lhe permite esquecer o presente e experimentar a sensação de um novo tempo que medra do amor de Sônia e supera em nova perspectiva todo o horror de sua vida pregressa. Como diz o narrador, a dialética, ou seja, a teoria, dera lugar à vida (àquela invencível força da vida que lhe sugerira Porfiri Pietróvitch), a superação do seu impasse e do seu erro trágico investe-o do direito de unir o passado — o tempo de Abraão — ao presente e ter a sua Idade de Ouro num futuro que virá com o seu renascimento também no aspecto afetivo, com a confirmação do amor por Sônia. Realiza-se, assim, a ideia dostoievskiana da unidade do homem na história e na cultura, com a incorporação do elemento religioso sem o qual a cultura russa seria inconcebível.

# SOBRE O AUTOR

Fiódor Mikháilovitch Dostoiévski nasceu em Moscou a 30 de outubro de 1821, num hospital para indigentes onde seu pai trabalhava como médico. Em 1838, um ano depois da morte da mãe por tuberculose, ingressa na Escola de Engenharia Militar de São Petersburgo. Ali aprofunda seu conhecimento das literaturas russa, francesa e outras. No ano seguinte, o pai é assassinado pelos servos de sua pequena propriedade rural.

Só e sem recursos, em 1844 Dostoiévski decide dar livre curso à sua vocação de escritor: abandona a carreira militar e escreve seu primeiro romance, *Gente pobre*, publicado dois anos mais tarde, com calorosa recepção da crítica. Passa a frequentar círculos revolucionários de Petersburgo e em 1849 é preso e condenado à morte. No derradeiro minuto, tem a pena comutada para quatro anos de trabalhos forçados, seguidos por prestação de serviços como soldado na Sibéria — experiência que será retratada em *Escritos da casa morta*, livro que começou a ser publicado em 1860, um ano antes de *Humilhados e ofendidos*.

Em 1857 casa-se com Maria Dmitrievna e, três anos depois, volta a Petersburgo, onde funda, com o irmão Mikhail, a revista literária *O Tempo*, fechada pela censura em 1863. Em 1864 lança outra revista, *A Época*, onde imprime a primeira parte de *Memórias do subsolo*. Nesse ano, perde a mulher e o irmão. Em 1866, publica *Crime e castigo* e conhece Anna Grigórievna, estenógrafa que o ajuda a terminar o livro *Um jogador*, e será sua companheira até o fim da vida. Em 1867, o casal, acossado por dívidas, embarca para a Europa, fugindo dos credores. Nesse período, ele escreve *O idiota* (1869) e *O eterno marido* (1870). De volta a Petersburgo, publica *Os demônios* (1872), *O adolescente* (1875) e inicia a edição do *Diário de um escritor* (1873-1881).

Em 1878, após a morte do filho Aleksiêi, de três anos, começa a escrever *Os irmãos Karamázov*, que será publicado em fins de 1880. Reconhecido pela crítica e por milhares de leitores como um dos maiores autores russos de todos os tempos, Dostoiévski morre em 28 de janeiro de 1881, deixando vários projetos inconclusos, entre eles a continuação de *Os irmãos Karamázov*, talvez sua obra mais ambiciosa.

# SOBRE O TRADUTOR

Paulo Bezerra estudou língua e literatura russa na Universidade Lomonóssov, em Moscou, especializando-se em tradução de obras técnico-científicas e literárias. Após retornar ao Brasil em 1971, fez graduação em Letras na Universidade Gama Filho, no Rio de Janeiro; mestrado (com a dissertação "Carnavalização e história em *Incidente em Antares*") e doutorado (com a tese "A gênese do romance na teoria de Mikhail Bakhtin", sob orientação de Afonso Romano de Sant'Anna) na PUC-RJ; e defendeu tese de livre-docência na FFLCH-USP, "*Bobók*: polêmica e dialogismo", para a qual traduziu e analisou esse conto e sua interação temática com várias obras do universo dostoievskiano. Foi professor de teoria da literatura na Universidade do Estado do Rio de Janeiro, de língua e literatura russa na USP e, posteriormente, de literatura brasileira na Universidade Federal Fluminense, pela qual se aposentou. Recontratado pela UFF, é hoje professor de teoria literária nessa instituição. Exerce também atividade de crítica, tendo publicado diversos artigos em coletâneas, jornais e revistas, sobre literatura e cultura russas, literatura brasileira e ciências sociais.

Na atividade de tradutor, já verteu do russo mais de quarenta obras nos campos da filosofia, da psicologia, da teoria literária e da ficção, destacando-se: *Fundamentos lógicos da ciência* e *A dialética como lógica e teoria do conhecimento*, de P. V. Kopnin; *A filosofia americana no século XX*, de A. S. Bogomólov; *Curso de psicologia geral* (4 volumes), de R. Luria; *Problemas da poética de Dostoiévski*, *O freudismo*, *Estética da criação verbal*, *Teoria do romance I, II e III*, *Os gêneros do discurso*, *Notas sobre literatura, cultura e ciências humanas* e *O autor e a personagem na atividade estética*, de M. Bakhtin; *A poética do mito*, de E. Melietinski; *As raízes históricas do conto maravilhoso*, de V. Propp; *Psicologia da arte*, *A tragédia de Hamlet, príncipe da Dinamarca* e *A construção do pensamento e da linguagem*, de L. S. Vigotski; *Memórias*, de A. Sákharov; e *O estilo de Dostoiévski*, de N. Tchirkóv; no campo da ficção traduziu *Agosto de 1914*, de A. Soljenítsin; cinco contos de N. Gógol reunidos no livro *O capote e outras histórias*; *O herói do nosso tempo*, de M. Liérmontov; *O navio branco*, de T. Aitmátov; *Os filhos da rua Arbat*, de A. Ribakov; *A casa de Púchkin*, de A. Bítov; *O rumor do tempo*, de O. Mandelstam; *Em ritmo de concerto*, de N. Dejniov; *Lady Macbeth do distrito de Mtzensk*, de N. Leskov; além de *O sonho do titio* e *Sonhos de Petersburgo em verso e prosa* (reunidos no volume *Dois sonhos*), *O duplo*, *Escritos da casa morta*, *Bobók*, *Crime e castigo*, *O idiota*, *Os demônios*, *O adolescente* e *Os irmãos Karamázov*, de F. Dostoiévski.

Em 2012 recebeu do governo da Rússia a Medalha Púchkin, por sua contribuição à divulgação da cultura russa no exterior.

Este livro foi composto em Sabon, pela Bracher & Malta, com CTP e impressão da Edições Loyola em papel Pólen Natural 70 g/m² da Cia. Suzano de Papel e Celulose para a Editora 34, em fevereiro de 2025.